新編高麗史全文

세가10책

공민왕

目　次

『高麗史』卷三十八 世家卷三十八

[輔國崇祿大夫·議政府左贊成·知集賢殿經筵春秋館成均事·世子賓客·臣金宗瑞奉敎撰]

正憲大夫·工曹判書·集賢殿大提學·知經筵春秋館事兼成均大司成·臣鄭麟趾奉敎修

恭愍王 一

恭愍·仁文·義武·勇智·明烈·敬孝大王,[1)]諱顓, 古諱祺, 蒙古諱伯顔帖木兒, 忠惠王母弟. 忠肅王十七年庚午五月[丙辰[6日]:追加]生,[2)]封江陵大君. 忠惠王後二年五月, 元順帝遣使, 召入朝宿衛. 時稱大元子. 忠穆王卽位, 封爲江陵府院大君, 忠穆薨, 國人欲立王, 元以忠定襲位. 仍留王宿衛. 初, 忠肅以王托尹澤, 忠定元年, 澤與[前密直使]李承老, 獻書中書省, 請立王. 是歲, 王尙魯國公主.

三年十月□□[壬午6日], 元封爲國王,[3)]遣完者不花收國璽, 忠定遜于江華, 德興□□[~~府院~~]君塔思帖木兒奔于元. [□□□□□[~~塔思帖木兒~~], 忠宣王孼子, 嘗爲僧者也:節要轉載].[4)]

○王命前判三司事李齊賢, 攝政丞[~~右政丞~~], 權斷征東省事. 齊賢, 修葺道殿·神祠, 令法官, 考覈諸道存撫·按廉□[使]功過.

---

1) 이에서 恭愍은 1385년(우왕11) 9월 17일(丙子) 明이 보내온 諡號이고, 餘他는 1376년(우왕2) 윤9월 29일(己酉) 禑王이 올린 諡號이다. 그런데 1390년(공양왕2) 2월 11일(乙巳) 禑王代에 加上했던 先王·先妃의 諡號는 모두 삭제하였다고 하는데(→공양왕 2년 2월 11일), 이 諡號는 삭제되지 않았던 것 같다. 또 鄭道傳이 편찬한 『高麗國史』37卷은 공민왕 이후의 事實은 많이 不實하다는 지적을 받았다고 하는데, 현존의 『고려사』도 이를 계승하였기에 여전히 문제점이 많을 것이다.

· 『태조실록』 권14, 7년 8월 己巳(26일), 鄭道傳의 卒記, "所撰'高麗史', 恭愍以後筆削, 多不以實, 識者非之".

· 『세종실록』 권2, 즉위년 12월, "庚子[25日], 御經筵, 上曰, '高麗史恭愍王以下, 鄭道傳以所聞筆削, 與史臣本草不同處甚多, 何以傳信於後世, 不如無也'. 卞季良·鄭招曰, '若絶而不傳於世, 則後世孰知殿下惡道傳增損直筆之意乎? 願命文臣改撰'. 上曰, 然".

2) 恭愍王의 誕日은 5월 6일이므로 추가하였다.

3) 다음의 자료에 의하면 恭愍王은 9월에 다이두[大都, daydu]에서 卽位하였던 것 같다.

· 「柳淑墓誌銘」, "歲辛卯秋九月, 玄陵卽位, 行至遼陽省, 授密直司左副代言·軍簿摠郞, …".

· 열전25, 柳淑, "恭愍卽位, 還國至遼陽, 拜淑左副代言".

4) 德興君(王譓, 塔思帖木兒, Tas Temur)에 관한 기사는 열전4, 忠宣王王子, 德興君에도 수록되어 있다.

[→恭愍卽位, 未至國, 命[前判三司事李]齊賢攝政丞, 權斷征東省事, 齊賢上書于王曰, "伏聞聖旨, 國王·丞相一時受命, 上自德慶府, 下至小民, 踊躍歡忭, 不可勝言. 又奉王旨, 凡一國緊要利民利國, 勾當悉皆行下, 見聞者莫不有更生之望. 但臣才微年邁, 萬事皆不如人, 忽承重命爲權省政丞, 感激之情, 上有天日, 恐不勝任, 措躬無地, 惟望印寶旣至, 妙選賢能, 以備庶官, 早下新命":列傳23李齊賢轉載].

○遣<u>前密直</u>[~~前密直司使~~?]洪元哲及[大護軍?]金鏞, 送[元使]完者不花還, 元哲仍巡問<u>平壤道</u>,[5)] 鏞留備倭賊, 以通禮門判官<u>許猷</u>, 爲西北面察訪□□[~~別監?~~].[6)]

[丙戌[10日], 鵂鶹死于延慶宮:五行1轉載].

[丁亥[11日], 太白犯南斗:天文3轉載].

[戊子[12日], 午, 鵂鶹來, 止旻天寺. 又飛止沙峴宮及毬庭:五行1轉載].

[己丑[13日], 熒惑入<u>大微</u>[~~太微~~]右掖門, 犯歲星. 歲星·熒惑近<u>大微</u>[~~太微~~]右執法:天文3轉載].

[是月, 葵花·薔薇開:五行1轉載].

[○通議大夫·肅政廉訪使·月城府院君<u>崔濽</u>與其夫人<u>金氏</u>寫成'金字金剛般若波羅蜜經':追加].[7)]

十一月[丁未朔小盡,庚子], [己酉[3日], 三猪入城:五行1豕禍轉載].

壬子[6日], 倭寇南海縣.

[丁巳[11日], 月犯鎭星:天文3轉載].

[丁卯[21日], □[月]入<u>大微</u>[~~太微~~], 與鎭星同舍:天文3轉載].

[戊辰[22日], □[月]又入<u>大微</u>[~~太微~~], 犯上相:天文3轉載].

[壬申[26日], □[月]入氐星:天文3轉載].

---

5) 이때 洪元哲이 임명된 平壤道巡問使는 西北面 管內의 軍事編制인 軍事道 중의 하나인 平壤道의 巡問使를 指稱한 것 같다(→공민왕 5년 5월 20일. 조선시대의 慶尙道 管內의 安東道, 慶州道, 晋州道).

6) 이때 許猷(許富의 3子)는 다이두[大都]에서 공민왕을 隨從하고 있었던 같다.

· 열전18, 許珙, 富, "<u>猷</u>, 從恭愍, 入侍元朝, 及卽位, 錄功爲三等".

7) 이는 愛知縣 豊橋市 老津町 太平寺(臨濟宗)에 소장된『紺紙金泥金剛般若波羅蜜經』의 末尾 題記에 의거하였다(菊竹淳一 1981年 單色圖版72 ; 權熹耕 1986年 431面 ; 張東翼 2004년 732面 ; 張忠植 2007년 144面). 이 자료의 사진판은『大和文華』72, 1983에 게재되어 있다(參考圖5의 金剛般若波羅蜜經).

· 題記, "以此功德,普皆迴向,」 上報四恩,下濟三有,早明般若,續佛慧命,利樂」 有情,和南謹扣,」 至正十一年辛卯十月 日 誌」 施主通議大夫·肅政廉訪使·月城府院君<u>崔濽</u>,」 宣授東陵郡夫人<u>金氏</u>」". 여기에서 '上報四恩, 下濟三有'은 '上報四重恩, 下濟三途苦'의 縮略語인 것 같다.

乙亥[29日晦], 贊成事[~~僉議參理~~]趙日新賫批目,[8] 還自元. 以李齊賢爲都僉議政丞,[9] 李蒙哥△[爲]判三司事, 曹益淸·全允臧△[並]爲贊成事, 趙日新·趙瑜△[並]爲參理, 康得龍·崔天澤爲三司右·左使, 李公遂爲政堂文學, 韓可貴△[爲]判開城府事, 金逸逢△[爲]判密直司事, 李衍宗爲密直使兼監察大夫, 金普△[爲]知密直司事, 洪由道·鄭頔△△[並爲]同知密直司事, 金敬直·[密直副使]李成瑞△[並]爲密直副使, 尹澤爲密直提學, 崔德林·李濟爲右·左代言, 金得培·柳淑爲右·左副代言,[10] 孫琦爲平海府院君, 朴仁柱[~~朴仁桂~~]爲咸陽君,[11] [[大護軍]金鏞爲鷹揚軍上護軍:列傳44金鏞轉載].

○□□[~~權省~~]李齊賢下理問裴佺及朴守明于行省獄,[12] 流直城君盧英瑞于可德島[~~加德島~~],[13] 贊成事尹時遇于[泗州]角山, 貶贊成事鄭天起爲濟州牧使, 知都僉議□□[~~司事~~]韓大淳爲機張監務. [時王在元, 國空虛, 齊賢措置得宜, 人賴以安. 嘗於拜表, 陞陛上行禮, 儀衛與王無異, 人譏之:列傳23李齊賢轉載].[14]

[□□[~~是月~~], 王次遼陽, 扈從臣[前僉議參理]崔濡, 逃還大都:列傳44崔濡轉載].[15]

十二月[丙子朔[大盡,~~辛丑~~], 鵂鶹鳴于延慶宮:五行1轉載].[16]

[庚辰[5日], 紫氣見于南方:五行1轉載].

---

8) 여기에서 趙日新(趙興門의 改名)의 관직인 贊成事는 僉議參理로 고쳐야 옳게 될 것이다. 곧 이 기사와 그의 열전에 의하면 이때 僉議參理에 임명된 것 같고, 그가 贊成事에 임명된 것은 공민왕이 還國한 12월 이후일 것이다.

- 열전44, 趙日新, "趙日新, □□□□[~~初名興門~~], 從恭愍, 入元宿衛, 及王卽位, 授參理, 還國拜贊成事". 여기에서 ~~添字~~가 脫落되었을 것이다.

9) 이때 李齊賢은 右政丞·權署征東行省事에 임명되었다고 한다(李齊賢墓誌銘).

10) 이때 1341년(충혜왕 복위2) 5월 이래 侍學으로 隨從하였던 柳淑이 奉常大夫·密直司左副代言·軍簿摠郞에 임명되었다. 또 이때의 任命名單[批目]은 恭愍王이 遼陽行省에 이르러 만들었던 것 같다(柳淑墓誌銘).

11) 朴仁柱는 朴仁桂의 오자일 것이다(東亞大學 2012년 10책 7面).

12) ~~添字~~는『고려사절요』권26에 의거하였다.

13) 可德島는 열전37, 盧英瑞에는 加德島로 되어 있는데, 後者(現 釜山市 江西區 天加洞 天城 加德島)가 옳을 것이다(『신증동국여지승람』권32, 熊川縣, 加德島).

14) 鄭天起는 明年(1352, 공민왕1) 9월 29일 趙日新과 함께 變亂을 일으킨 점을 보아 곧 召還되었던 것 같다.

15) 原文에는 "恭愍在元還國, [崔]濡扈駕至遼陽, 逃還入元"으로 되어 있고, 이와 같은 기사가『고려사절요』권26, 공민왕 3년 7월 6일에 수록되어 있다("[崔]濡, 嘗逃奔于元, 及王卽位東還, 扈駕行至遼陽, 還逃入元").

16) 丙子에 朔이 탈락되었다.

[乙酉10日, 鎭星犯大微太微端門:天文3轉載].

[○飃風大作:五行3轉載].

[庚寅15日, 亦如之鎭星犯太端門:天文3轉載].

辛卯16日, 毙永陵忠惠王孽子釋器, 置萬德寺康津縣萬德社.[17]

[丙申21日, 月犯大微太微左掖門:天文3轉載].

[丁酉22日, □月犯熒惑:天文3轉載].

[某日, 王卽位東還, 西海道按廉使元松壽迎謁于道, 風儀淸秀, 進退有度, 王知其非常人, 卽擢爲內書舍人兼左副代言, 委以機密, 日見親信:列傳20元松壽轉載].[18]

庚子25日, 王及公主承懿公主寶塔失里至自元, 帝遣失禿兒太子及直省舍人牙忽, 護行.[19]

[→王之還也, 密直使李衍宗迎謁金郊驛, 王曰, "聞卿名久, 貌尙未老, 努力善輔我": 列傳19李衍宗轉載].

壬寅27日, 謁景靈殿, 卽位于康安殿.

[→壬寅, 王親傳諸陵祝版, 昌陵世祖享官, 皆不至, 命侍臣一人, 授祝版遣之:禮3吉禮大祀轉載].[20]

[是月戊寅3日, 感恩寺住持·大師□印等造成新飯子·小鐘·禁口, 各一座:追加].[21]

[是年, 以權賀爲延安府使:追加].[22]

---

17) 이 기사는 열전4, 忠惠王王子, 釋器에도 수록되어 있다.

18) 王字는 原文에 恭愍으로 되어 있다. 또 이때 遼陽行省 瀋陽路 瀋州人 邊安烈(瀋陽人)도 왕을 따라 왔다고 한다. 또 邊安烈과 같이 瀋陽出身의 邊氏가 永淸縣 인근의 柔遠鎭(寧遠鎭의 別稱)에서 親族集團을 형성하여 來姓으로 존재하고 있었던 것 같다.
- 열전39, 邊安烈, "邊安烈, 本瀋陽人, 因元季兵亂, 從恭愍王來, 賜鄕原州".
- 『嘯皐集』 권4, 邊安烈墓表, "… 公本中土北地人, 生于遼瀋, 禀幽燕勁氣, 値胡元運訖, 德穢寇湏, 爰謀避地. 至正辛卯, 隨恭愍徂東, 王乃妻以戚里判樞密院□事元顗女. 元本籍原□州, 公亦因賜原爲鄕焉. 于時東域不靖, 外侮充斥, 紅巾北蹴, 涅齒南跳, 以至鑾輿播越, 而赤子爛爲魚肉, 其戡亂敵愾, 或佐或專, 公未嘗不與, 而績未嘗不茂, 賊未嘗不芟, …".
- 『신증동국여지승람』 권52, 永柔縣[永淸縣], 姓氏, "柔遠□鎭, 尹[平州], 任[豊州], 趙[衿州], 李[靑松], 邊[瀋陽]".

19) 이후 公主는 몽골제국으로부터 수많은 什器, 典籍, 書畫 등을 海運으로 실어왔다고 한다.
- 『希樂堂稿』 권8, 龍泉談寂記, "魯國大長公主之來, 凡什物器用簡册書畫等物, 舡載浮海, 今時所傳妙繪寶軸, 多其時出來云".

20) 이 기사의 冒頭는 다음과 같이 되어 있는데, 그 중에서 辛丑은 이달(是月, 12월)의 月建이다.
- 지15, 예3, 吉禮 大祀, "忠定王三年十二月辛丑, 恭愍王卽位".

21) 이는 是年 4월 3일의 脚注에 의거하였다.

[○以[前監察掌令]崔宰爲監察掌令:追加].[23)]

[○以[護軍]李芳實爲大護軍. □□[是時], 宣城達魯花赤魯連祥叛, 芳實以龍州兵, 潛渡江, 直入連祥家, 刺殺父子, 傳首于京:列傳26安祐轉載].[24)]

[○[福川君·判三司事]孫洪亮請致仕, 歸鄕里:, 時年六十七:追加].[25)]

[○元封魯國公主爲承懿公主:追加].

[增補].[26)]

[是年頃, 以[燕邸隨從宦官]申小鳳爲大護軍:列傳35申小鳳轉載].

[○元, 以[鷹揚軍上護軍]金鏞爲行省員外郎:列傳44金鏞轉載].[27)]

---

22) 이는 『연안부지』에 의거하였다.

23) 이는 「崔宰墓誌銘」에 의거하였다.

24) 이는 다음의 자료를 전재하고, 적절히 改書하였다.

- 열전21, 曹益淸, "[曹益淸,] 忠定時, 拜贊成事. 恭愍初, 益淸家奴買宣城達魯花赤魯連祥馬, 及連祥叛, 諸相議欲起兵捕之. 益淸獨不可曰, '一騎可呼, 何必起兵'. 有人譖云, 益淸受連祥馬. 監察司杖其奴鞫之, 奴不承. 監察司又劾益淸行淫祀, 請罪之, 王不允. 後[1年10月6日]拜左政丞, 封夏城府院君, 賜純誠直節同德贊化功臣號. 二年[11月27日]卒, 謚襄平".
- 열전26, 李芳實, "芳實, 從忠穆入元, 侍從有勞, 及即位, 補中郎將, 遷護軍, 賜田百結. 恭愍[忠定]三年, 轉大護軍. 宣城達魯花赤魯連祥叛, 芳實以龍州兵, 潛渡江, 直入連祥家, 刺殺父子, 傳首于京".

  이상의 사실을 통해 볼 때 亞相 曹益淸의 家奴가 宣城達魯花赤 魯連祥의 馬를 購買한 것은 1352년(공민왕1) 1월 以前이고, 조익청이 魯連祥의 馬를 받았다고 誣告를 받아 監察司의 彈劾을 받은 것이 1월 5일(庚戌)이다. 그렇다면 李芳實이 大護軍에 승진한 것은 1351년(충정왕3)이며 그 해에 魯連祥의 반란이 있었던 것 같다. 그리고 宣城은 營城과 함께 몽골제국의 요청에 의해 고려가 요동 지역에 설치한 掃里[sauri, 宿驛, 旅館]가 있었던 곳이다(→충렬왕 5년 6월 27일, 森平雅彦 1998年).

25) 이는 다음의 자료에 의거하였다.

- 『歸鹿集』 권16, 靖平公遺墟碑, 甲子[1744年], "公諱洪亮, 福州陁陽縣[一直縣]人, 福州今之安東府也, … 忠定王辛卯[3年], 致仕, 歸永嘉[福州], 從山水之樂, 時年六十餘".

26) 이 시기 이후에 이루어진 紅巾賊[紅賊]의 침입은 고려왕조에 큰 충격을 주었기에 紅巾賊의 세력 확장에 대해 살펴볼 필요가 있다. 이들의 대체적인 형편을 시기에 따라 [增補]를 設定하여 정리하였다.

- 이해[是年]에 中原의 各地에서 反元民衆蜂起가 일어났다[天下兵起](『명태조실록』 권2, 乙未年 ; 『庚申外史』, 至正11年).

27) 原文에는 "及[恭愍王]即位, 授鷹揚軍上護軍, 奏爲行省員外郎"으로 되어 있다. 征東行省 左右司의 관원은 보통 고려의 宰相이 임명되는데 비해, 이때 金鏞이 정3품으로 임명된 것은 이례적이다.

壬辰[恭愍王]元年，元至正十二年，[西曆1352年]

1352년 1월 18일(Gre1월 26일)에서 1353년 2월 4일(Gre2월 12일)까지, 13개월 384일

春正月丙午朔[小盡,建壬寅]，王率百官，賀正于行省，還宮設宴.

[某日，監察司劾論贊成事全允臧，曾受人金，被收，逃入元，今扈駕而還，超拜三宰，但當賜錢，以酬負紲之勞，豈可擢置宰輔? 二相[贊成事]曹益淸，受人贈馬，又行淫祀[淫祀]，請皆罪之，不允:節要轉載].

[戊申[3日]，熒惑犯亢南第二星:天文3轉載].

[某日，以全羅道萬戶柳濯，持軍嚴整，與士卒同甘苦，賜敎書·衣酒，勞之:節要轉載].[28)]

[→恭愍初，出爲全羅道萬戶，持軍整肅，不擾州縣，與士卒同甘苦. 王下敎褒奬，賜衣酒勞之:列傳24柳濯轉載].

庚戌[5日]，監察司啓，諸君閑居食祿，請停俸，從之.[29)]

[某日，[密直使·]監察大夫李衍宗，聞王辮髮·胡服，詣闕諫曰，"辮髮·胡服，非先王之制也，願殿下勿效". 王悅，卽解辮，賜衍宗衣及褥. 衍宗賢臣也，以彰善癉惡自任，雖威武不能屈，時號鐵石肝腸:節要轉載].[30)]

---

28) 이 시기 이후에 柳濯과 관련된 기사로 다음이 있는데, 여기에서 順天府 長省浦[長生浦]는 현재의 全羅南道 麗水市 柿田洞 708번지 麗川船所遺蹟(順天船所, 사적 제392호)과 그 隣近의 浦口를 가리킨다고 한다(邊東明 2010년 91面, 242面). 高麗, 朝鮮時期의 長生浦는 蔚州의 管內에 있었고, 長省浦는 順天府 管內에 있었기에 後者가 옳을 것이다.

- 지25, 樂2, 俗樂, 長生浦[長省浦], "侍中[贊成事]柳濯, 出鎭全羅, 有威惠, 軍士愛畏之. 及倭寇順天府長生浦[長省浦], 濯赴援, 賊望見而懼, 卽引去. 軍士大悅, 作是歌". 이때 柳濯의 官職은 都僉議贊成事였다.
- 열전24, 柳濯, "忠定朝, 拜都僉議參理, 賜推誠亮節翊祚功臣號, 進贊成事. 恭愍初, 出爲全羅道萬戶, 持軍整肅, 不擾州縣, 與士卒同甘苦. 王下敎褒奬, 賜衣酒勞之. 倭寇萬德社, 殺掠而去, 濯以輕騎追捕, 悉還其俘, 終濯在鎭, 寇不復犯. 自製長生浦[長省浦]等曲, 傳樂府. 召復爲贊成事".
- 『양촌집』 권39, 故高麗國門下侍中柳公神道碑銘幷序, "… 公資精敏而量弘, 生長紈綺, 志操廉潔, 風儀整肅, 接人以和. 膽略過人, 武才出衆, 世受宣命, 出鎭三道, 所至有威惠, 軍士畏慕. 其鎭全羅也, 倭寇侵萬德社, 殺掠而去, 公以輕騎追及捕獲, 悉還其俘. 終公之鎭, 寇不復犯, 自製長生浦[長省浦]等曲, 至今傳于樂部". 여기에서 世受宣命은 祖父 柳淸臣의 立身揚名으로 인해 有奇와 濯의 父子가 모두 蒙古帝國의 官爵을 받은 것[宣授]을 지칭한다.
- 『신증동국여지승람』 권40, 順天都護府, 山川, 長省浦, "在府東六十里. 高麗時, 倭入寇至是浦, 柳濯將兵擊之, 賊望見而引去. 軍士大悅, 作歌".

29) 이 기사는 지34, 食貨3, 祿俸에도 수록되어 있다.

[→王用元制，辮髮胡服，坐殿上，[密直使李]衍宗欲諫，候于門外．王使人問之曰，“願至前面陳”．旣入，辟左右曰，“辮髮·胡服，非先王制，願殿下勿效”．王悅，卽解辮髮，賜衣及褥．衍宗奸巧，善揣摩伺候，屢言時事，或稱其鐵石肝腸:列傳19李衍宗轉載].

庚申[15日]，王欲親享太廟，判書雲觀事姜保言，“今年，不可親祀”．僉議府責保曰，“祀大事也，汝何沮王?”．又有奸臣，告王大妃[太妃]，固止之．

[→王欲躬祼大室[太室]，判書雲□[觀]事姜保，以陰陽拘忌，上言，“今年，不可親祀”，都堂責保曰，“祀大事也，汝何沮王?”．又有姦臣，告王大妃[太妃]，固止之:節要轉載].

[→王欲躬祼大室，判書雲□[觀]事姜保，以陰陽拘忌言，“今年，不可親祀”．都堂責之曰，“祀大事，汝何沮?”．有姦臣告于后，后固止之:列傳2忠肅王明德太后洪氏轉載].

[→王欲躬祼大室，公主勑王侍臣曰，“若等侍王，詣太廟，則吾必罪之”．由是，王不得行:列傳2恭愍王妃魯國大長公主轉載].[31)]

[辛酉[16日]，月入大微[太微]:天文3轉載].

[乙丑[20日]，□[月]與熒惑同舍:天文3轉載].

[丙寅[21日]，歲星逆行，犯大微[太微]右執法．月入氐星:天文3轉載].

[丁卯[22日]，□[月]犯房星:天文3轉載].

[庚午[25日]，□[月]入南斗:天文3轉載].

[辛未[26日]，虎入城:五行2轉載].

[某日，以金漢龍爲慶尙道按廉使:慶尙道營主題名記].

[甲戌[29日晦]，歲星犯右執法:天文3轉載].

[是月，群烏飛集宮苑:五行1轉載].

[○典理司上役官之制，王親選，下判:選擧3役官轉載].

二月乙亥朔[大盡,建癸卯]，罷政房，[32)] [歸文武銓注於典理·軍簿□[司]:節要轉載].

---

30) 이와 같은 기사가 열전19, 李承休, 衍宗에도 수록되어 있다.

31) 上記의 4種 기사는『공민왕실록』또는 그 底本이었을 當代의 時政記라는 동일한 사료[同源史料]를 抄略하였을 것이지만 약간의 차이를 보이고 있는 점이 注目될 수 있을 것이다.

32) 이때 폐지된 政房은 곧 復活되었던 것 같은데, 이는 이해[是年]의 9월 18일 大護軍 成士達이 政房에서 人事行政[銓注]을 행하였고, 明年(癸巳, 공민왕2)에 韓脩가 政房의 秘闍赤(必闍赤, bichechi, 옛 政色員)이 되었다는 사실을 통해 알 수 있다(韓脩墓誌銘).

丙子[2日], 宣宥境內曰, "恭惟我太祖, 統一三韓, 列聖相承, 以小事大, 迨我聖元龍興, 先天下而歸附. 我忠敬王[元宗], 入覲世皇[世祖], 寵賚異常, 忠烈·忠宣, 世館貳室, 而我仁考忠肅王, 亦承釐降之榮, 嗣德臨邦, 二十有五年. 厥後不弔, 再世不祿, 而耆艾之臣, 以余爲忠宣之孫, 忠肅之子, 以德以年, 合主宗祧, 獻書天子, 願奉爲君, 天子俯採其言, 故有今日之錫命. 越至正十一年十二月庚子[25日], 與公主, 歸宗國, 謁慈闈. 盖違顔者十一年, 今得相見. 誠孝之至, 感動上下. 壬寅[27日] 承事景靈宮, 踐位康安殿, 衣冠禮樂, 猶有古國之風. 顧以何德, 獲濟登玆, 然屬時世陵夷, 風俗頹靡, 朝多倖位, 倉無宿儲. 隣寇侵疆, 乾文告變, 若不克己勵精, 日愼一日, 革邪僞, 去憸壬, 用惻怛之誠, 行寬厚之政, 何以報天子之德, 保祖宗之業, 慰慈闈之心, 塞耆艾之望.

□一. 凡百在位, 尙克匡其不逮, 圖惟厥終. 夫宗廟之重, 祭享之誠, 固所自盡, 嘗遣近臣, 賚銀物, 備宗器, 修祠宇, 其薦時食, 予將親莅. 自太祖以至歷代先王, 宜上德號,[33] 其守山陵人戶, 有逃者, 官爲之推還, 復其徭役. 諸陵直, 謹守厥職, 禁樵牧, 樹松檟, 以明予奉先追遠之意, 社稷諸祠, 凡奠物, 務盡蠲潔, 名山·大川及神廟, 載祀典者, 亦加德號. 箕子受封於此, 敎化禮樂, 遺澤至今, 宜令平壤府, 修祠奉祀, 其餘忠義之祀, 並如舊儀.

□一. 且近代, 近習壅蔽, 所以下情不得上通, 以致誤主. 如代言轉對, 所司申覆, 不可不親, 書筵之侍, 虎賁之衛, 不可不擇. 然則正人君子, 常宜在側, 言官拂士, 何有不通, 其設施之規, 仰有司, 集議申聞.

□一. 祖王代, 創置禪敎寺院, 所以裨補地德, 以利國家, 今多頹圮, 只有遺基. 其有土田者, 收其租, 有臧獲者, 收其庸, 以備重修. 又遵太祖信書[訓要十條], 諸人毋得擅起寺舍, 爲僧者, 必須度牒, 不許居家.

□一. 貧民鬻子女, 如過三年不放者, 監察司·按廉使, 痛加理罪. 田民詞訟日繁, 仰監察典法都官, 先擧仍執據執田民, 於元告人, 取甘結, 限日平決, 誣告者, 反坐其罪. 其權豪仍據執者, 亦當知過, 歸還本主, 否者理罪.

□一. 又毋焚山林, 毋殺孩虫, 毋麛毋卵, 載諸月令. 今後, 春夏三四月內, 諸人毋得放火田獵, 違者痛理. 絲花紅大燭, 無益之費, 莫此爲甚, 忠宣王嘗有禁令, 此後, 宜令禁斷, 有敢違者, 監察司擧劾其罪.

□一. 倭賊寇邊, 屠燒室屋, 搶奪漕船, 皆由防守失律, 儲偫無素. 其有能爲策者,

33) 이때 덧붙여진[加上] 尊號는 『고려사』에 반영되어 있지 않다.

許令條奏, 擇善從之, 優加賞賚. 前後征戰有功者, 典理·軍簿, 並加官爵, 自募追捕者, 兩班超三等官之, 賤者賜錢. 州郡被擄掠者, 官爲檢其虛實輕重, 與減賦稅, 其軍人逃役者, 隨所犯, 杖之. 吏民有罪者, 亦加笞杖, 並勿罰布, 貪汚犯贓者, 不在此限.

□一. 鰥寡孤獨, 篤疾癈疾, 官爲賑恤, 毋令失所, 孝子·順孫·義夫·節婦, 依例旌表, 以美風化, 太祖開國功臣, 歷代功臣, 忠宣·忠肅, 兩代功臣子孫, 並加甄錄, 其身見在者, 皆從優賞.

□一. 予, 十年于朝, 從臣, 終始一心, 功力尤著者, 頗已官而賞之, 有司依遵舊典, 錄券施行. 光山君金仁衍[金仁沆]·密直使[判密直司事]朴仁幹及政丞王煦,[34)]不幸先沒, 予甚悼之, 宜加贈諡, 錄其子孫.

[□一. 學校庠序, 風化之源, 國學名存實無, 十二徒. 東西學堂, 頹圮不修. 宜令葺治, 養育生徒, 其有能通一經者, 錄名以聞:選擧2學校轉載].

[□一. 如有經明行修, 茂才苦節之士, 按廉使以聞典理軍簿, 隨才擢用:選擧3薦擧轉載].

[□一. 諸官司, 外郡貢賦未輸者, 先徵郡人住京者. 住京者, 稱貸而倍收於民, 又先二三年, 或四五年, 徵其貢賦, 弊莫甚焉. 今後, 凡貢賦, 守令·按廉, 及期送納, 監察嚴加體察, 以除民害:食貨1貢賦轉載].[35)]

[□一. 公私息錢, 雖積年月, 止還一本一利. 其寺院, 常住息錢, 取利不等, 或過二分, 有司量宜定法, 毋使任意取息, 貧民鬻子女, 如過三年不放者, 監察司·按廉使, 痛加理罪:食貨2借貸轉載].

[□一. 重祿勸士, 國初, 蓋有成法. 中世以降, 井地不均, 公府漸耗, 官吏不足以養廉, 欲望其礪節, 難矣. 有司祛不急之官, 禁兼幷之家, 以實倉廩, 以增俸祿:食貨

---

34) 金仁衍은 金仁沆(김인연, 金之淑의 2子)의 誤字인데(열전 21, 金之淑 仁沆 ; 東亞大學 2008년 10책 330面, 열전23, 韓宗愈에도 金仁衍으로 되어 있다), 『고려사』를 처음 乙亥字로 組版할 때 採字를 잘못하였을 것이다. 또 密直使는 判密直司事의 잘못이다. 朴仁幹은 1324년(충숙왕11) 5월 判密直司事에 임명되었고, 1343년(충혜왕 후4) 11월 30일 世子의 師傅로서 元에서 逝去하였다. 그리고 金仁沆(金之淑의 子)은 逝去 시기를 알 수 없으나 이때 그들의 아들이 褒賞을 받았다고 한다.

· 열전21, 金之淑, 仁沆, "恭愍卽位, 追念侍從功, 贈諡錄子孫. 子元命·續命, 自有傳".

35) 이 기사는 지34, 食貨3, 恩免之制에 "諸官司貢賦, 自庚寅年以前, 一切蠲免"으로 크게 축약되어 있다. 또 郡人住京者는 조선시대의 京住人[京邸住人], 京邸吏[京邸人, 邸人]과 같은 성격을 지닌 中央과 地方을 연결하던 鄕吏를 指稱하는 것으로 추측된다(東亞大學 2011년 18책 409面).

3祿俸轉載].

[□乛. 西海·平壤道, 近年風水爲孼, 凡被災州縣, 量其輕重, 免其租稅:食貨3災免之制轉載].

[□乛. 鰥寡孤獨·篤疾·癈疾, 官爲賑恤, 毋令失所:食貨3鰥寡孤獨賑貸之制轉載].

[□乛. 前者, 以軍糧不足, 權借米麪, 以百石, 准四十石, 其數過重. 今改定, 十石准三石, 百石准三十石. 今月二十二日, 鑰匙下送, 其不從國令人員, 仰軍粮色處分, 開閉以時, 在數並沒入:兵2屯田轉載].

[□乛. 內外官吏, 未取諸囚招辭, 面縛亂打, 傷肌膚, 害性命, 予甚憫焉. 今後, 毋得法外亂刑, 違者罪之. 其軍人逃役者, 隨所犯杖之, 吏民有罪者, 亦加笞杖, 幷勿罰布, 貪汚犯贓者, 不在此限:刑法1職制轉載].

自至正十二年二月初二日昧爽以前, 除不忠·不孝·謀故劫殺, 但犯上國罪條外, 境內罪囚, 咸宥除之, 庶幾與一國更始. 前代臣僚, 隨才敍用, 爾等亦宜盡心勿貳, 以稱予志. 於戱, 立綱陳紀, 寔寧濟于斯民, 登賢使能, 尙有爲於今日".

[己卯5日, 月犯鎭星:天文3轉載].

[某日, 宥興海君·理問裵佺:節要轉載].

[史臣河寬曰, "元惡大憝, 當置於法, 佺, 用事於明陵, 以紊政刑, 其得免竄殛, 幸矣. 而王於發政之初, 曲貸其罪, 何以懲後":節要轉載].

[某日, 尙書玄慶進, 諫曰, "兩宮寢殿, 地禁甚嚴, 今外人出入無制. 宮殿司門, 宦寺之職, 今使忽赤守之, 視事之時, 陛衛宜謹, 今左右如市, 奏事未了, 已洩於外. 掌刑之官, 不可昵近, 今典法摠郎鄭云敬·佐郎徐浩, 賜酒寢殿, 皆有違於法". 王然之:節要轉載].[36)]

甲申10日, 改大妃~~太妃~~德慶府曰文睿, 置公主府曰肅雍.[37)]

---

36) 이와 같은 기사로 다음이 있다.

· 열전34, 鄭云敬, "恭愍卽位, 以典法摠郎鄭云敬與佐郎徐浩守法, 不爲權貴所撓, 召入內殿賜酒. 尙書玄慶言曰, '兩宮寢殿, 地禁甚嚴, 今外人出入無制. 宮殿司門, 宦寺之職, 今使忽赤守之. 視事之時, 陛衛宜謹, 今左右如市, 奏事未了, 已洩於外. 掌刑之官, 不可昵近, 今鄭云敬·徐浩, 賜酒寢殿, 皆戾古制'. 王然之".

37) 文睿府와 肅雍府에 관련된 기사로 다음이 있다. 또 이때 肅雍府 右司尹에 임명된 것으로 추측되는 朴允珪가 明年(공민왕2) 8월에 『紺紙銀泥妙法蓮華經』을 寫成하였다고 한다(日本根津美術館所藏, 權熹耕 2006년).

· 열전2, 忠肅王妃, 明德太后洪氏, "初立府曰德慶, 及恭愍卽位, 改號文睿, 尊爲大妃~~太妃~~".

· 열전2, 恭愍王妃, 魯國大長公主, "王卽位, 與之東還, 置府曰肅雍".

戊子[14日], 燃燈, 王如奉恩寺.

[己丑[15日], 月犯大微[太微], 與歲星同舍:天文3轉載].

[辛卯[17日], 木稼:五行2轉載].

戊戌[24日], 元以討捕河南賊魁, 遣萬寧府提點七十來, 頒赦, 王出迎于[征東]行省.[38)]

三月[乙巳朔小盡,建甲辰], [某日, [密直使·]監察大夫李衍宗辭職, 不允. 衍宗, 時年踰七十, □□院使奇轅譏之曰, "此老罔聞知耶, 何不察人是非". 衍宗曰, "近劾曹益清·全允臧, 若彈[都僉議政丞]李齊賢與[都僉議贊成事]趙日新, 則王誰與議事":節要轉載].[39)]

辛亥[7日], 前王遇鴆, 薨于江華.[40)] 王之遜江華也, 典校令申德隣·典校丞安吉祥·義盈庫使孫桂, 及辭, 朴成亮·朴思愼從行, 皆追繫巡軍, 止許思愼從之.[41)] 供膳不充, 往來又絶, 憂愁號泣, [母禧妃請于王, 往見之, 留數日而還:節要轉載].[42)] 及訃至, 都人莫不流涕.

[某日, [都僉議政丞]李齊賢辭職, 不允. [都僉議贊成事]趙日新挾元從之功, 暴橫驕恣, 以齊賢居右, 深忌之:節要轉載].

[→趙日新, 挾負絏之功, 暴橫驕恣, 以齊賢居右, 深忌之相詰. 齊賢白王曰, "臣不敢居具瞻之地", 固辭, 不允:列傳23李齊賢轉載].

癸丑[9日], 王停朝.

○[命內府少尹·:節要轉載]捕倭使金暉南, 以戰艦二十五艘, 禦倭. [暉南:追加]至[南陽府德山縣]楓島[43)], 遇賊船二十艘, 不戰而退, 至喬桐. 又望見賊船甚盛, □[遂]還西

---

38) 몽골제국은 1월 21일(丙寅) 漢人들의 叛亂에 의해 杜絶되었던 黃河의 옛길[古道]이 다시 復舊되자 天下에 赦免令을 내렸다(『원사』 권42, 본기42, 순제5, 지정 12년 1월 丙寅). 또 河南賊魁는 潁州(現 安徽省 阜陽縣)의 紅巾賊 劉福通을 가리키는 것 같다.

39) 이와 같은 기사가 열전19, 李承休, 衍宗에도 수록되어 있다.

40) 이 기사는 지18, 禮6, 國恤에도 수록되어 있다. 이날은 율리우스曆으로 1352년 3월 23일(그레고리曆 3월 31일)에 해당한다.

41) 이때 代言 韓公義(右代言 慶斯萬의 壻)가 白馬山 아래에서 忠定王에게 飮食을 바쳐 餞別하였다고 한다(韓公義墓誌銘).

42) 이 기사는 열전2, 忠惠王妃, 禧妃尹氏에도 수록되어 있다.

43) 楓島에 관련된 자료로 다음이 있는데, 이곳은 현재 京畿道 華城市 楓島洞으로 編成되었던 것 같다(東亞大學 2008년 10책 16面).

· 『세종실록』 권58, 14년 10월 丙午[21日], "京畿點馬別監大護軍趙惠啓, 仁川住學生河逸云. 昔有一舟人與我言曰, 忠淸道德山縣有楓島, 島中有小池, 有黑白二馬, 常見於池邊, 人或窺之, 則忽焉無形, 但見蹤跡而已, …".

江，請濟師.[44]

乙卯11日，捕倭使金暉南及副使張成一，與賊戰于窄梁·泰安郡安興□梁·西州(舒州)長巖□鎭□□等處，獲賊船一艘.[45] 王除暉南△爲左常侍，成一△爲中郞將.

○倭屠江華巴音島.[46]

丙辰12日，瑞州防護所獲倭船一艘，殲之，獻俘二人.

丁巳13日，[淸明]. 王如奉恩寺，加上太祖尊號.[47]

[某日，贊成事趙日新啓曰，"殿下之還國也，元朝權倖，聯姻于我者，請官其族，旣托於上，又囑於臣. 今使典理·軍簿掌銓選，恐有司拘於文法，多所阻滯. 請復政房，從中除授". 王曰，"旣復舊制，未幾中變，必爲人笑. 卿以所托告我，我諭選司，誰敢不從". 日新奮然曰，"不從臣言，何面目，復見元朝士大夫". 遂辭職:節要轉載].[48]

己未15日，倭船大至，金暉南兵少不能敵，退次西江，告急. [鷹揚軍上將軍金鏞:節要轉載]調發諸領兵及忽赤，分遣西江·甲山·喬桐，以備之. 婦女闌街痛哭，都城大駭. 又歛斂百官·民戶軍餉及矢，有差.

庚申16日，倭焚喬桐甲山倉，前代言崔源與戰，獲賊船二艘.[49]

[某日，典理判書白文寶上疏，論選法，請行宋司馬光十科擧士之制:節要轉載].

[→典理判書白文寶上書曰，"爲政之要，在於得人，知人之難，聖賢所重. 孔子曰，擧爾所知.[50] 書曰，無求備于一人.[51] 若指瑕掩善，則人無可用，隨器授任，則

· 『신증동국여지승람』 권9，水原都護府，山川，"楓島，在府西四十五里，周二十里. 成宗十七年，自南陽來屬，有牧場".

· 『신증동국여지승람』 권9，南洋都護府，山川，"楓島，成宗十七年，移屬水原府".

44) 添字는 『고려사절요』 권26에 의거하였다.

45) 여기에서 窄梁은 현재의 金浦半島와 江華島 사이의 좁은 水路[海域]로서 所屬郡縣을 明記할 수가 없는 곳이지만，潮流가 北上하는 방향으로 草芝鎭에서 廣城堡 사이의 손돌목[孫石項] 지역을 指稱한다. 이곳은 鳴梁[울돌목]처럼 조류가 s자로 굽이치는 자연적인 要害地여서 항해에 어려움이 있다고 한다(尹龍爀教授의 教示，『江華墩臺』，2020년). 또 添字 중에서 泰安郡 安興梁과 西州(舒州) 長巖鎭은 筆者의 所見이고，等處는 『고려사절요』 권26에 의거하였다.

46) 巴音島는 名稱으로 볼 때 江華府 八音島의 別稱인 것 같다(문종 즉위년 7월 3일). 이곳은 현재의 仁川市 江華郡 西島面 乶音島로 추정되고 있다(東亞大學 2008년 3册 5面).

47) 이때 덧붙여진[加上] 尊號는 『고려사』에 반영되어 있지 않다.

48) 이 기사는 열전44，趙日新에도 수록되어 있으나 자구에 출입이 있다.

49) 이 기사는 열전37，崔安道，濡에도 수록되어 있다.

50) 이는 『논어』，子路第13，"曰，擧爾所知，爾所不知，人其舍諸"에서 따온 것이다.

51) 이는 『尙書注疏』 권17，君陳第23，"爾無忿疾于頑，無求備于一夫"에서 따온 것이다.

士無可棄，莫若使在位達官，各擧所知．則克恊至公，野無遺賢矣，乞依司馬光所議，設十科以擧士.[52] 其一科，行義純固可爲師表，二科，經術該博可備顧問．三科，方正識大體可爲臺諫，四科，文章典麗可備著述，五科，獄訟法令盡公得失，六科，廉義理財賦公私俱便，七科，公正有風力可寄方面，八科，愛民礪節可作守令，九科，智勇才略防禦將帥，十科，行止合度可爲典禮．應職事官，自兩府諸奉翊，至從三品以上，侍從官，自□[都]僉議·監察·提學，外製六品以上，每歲，須於十科內，擧堪當一科者一人．有堪擧者，不必拘於一科，擧非其人，以致敗，與擧主俱免．典理·軍簿，古之政府也，古者，文武異路，世官不相交，文資則典理，武資則軍簿，各任銓注，宜矣．自毅王以後，文武世通，官亦交授，故兩司政官，於大內別廳，一會議政，宜當文武官資，一時注擬．此所謂政貴變通，酌古準今者也．近代，選法大壞，不論資序功罪，隨代番更，官類積薪，前職滿國．故奔競僥倖者，滔滔皆是．又先王制定衙門之外，別立諸色冗員，都目數多，不量勤慢，競求冒進．宜當減倂衙門，沙汰不急之任，合錄都目，庶絶爭名之路":選擧3選法轉載].[53]

戊辰[24日]，王以忠肅王忌日，如旻天寺，行香．

---

52) 司馬光(1019~1086)이 官僚의 薦擧를 위해 제시한 十科의 내용은 다음의 자료와 같다. 또 이와 내용이 유사한 것이 『溫國文公年譜』 권8, 元祐 1년 7월 ; 『歷代名臣奏疏』 권5, 司馬光奏十科擧士法 ; 『慶元條法事類』 권14, 選擧門1, 薦擧總法, 十科에 수록되어 있다. 이들 내용과 白文寶의 建議는 약간의 차이가 있는데, 이는 백문보가 宋의 制度를 고려의 현실에 적합할 수 있도록 적절히 變改하였던 것 같다.

· 『송사』 권160, 지113, 選擧6, 保任, "元祐初 … 及司馬光爲相，奏曰，爲政得人則治．… 欲乞朝廷設十科擧士，一曰，行義純固可爲師表科，有官·無官人，皆可擧．二曰，節操方正可備獻納科，擧有官人．三曰，智勇過人可備將帥科，擧文武，有官人．四曰，公正聰明可備監司科，擧知州以上資序．五曰，經術精通可備講讀科，有官·無官人，皆可擧．六曰，學問該博可備顧問科，同上．七曰，文章典麗可備著述科，同上．八曰，善聽獄訟盡公得實科，擧有官人．九曰，善治財賦公私俱便科，擧有官人．十曰，練習法令能斷請讞科．同上．應職事官自尙書至給舍·諫議，寄祿官自開府儀同三司至太中大夫，職自觀文殿大學士至待制，每歲須于十科內擧三人，仍具狀保任，中書置籍記之．異時有事須材，卽執政案籍視其所嘗被擧科格，隨事試之，有勞，又著之籍．內外官闕，取嘗試有效者隨科授職．所賜告命，仍備所擧官姓名，其人任官無狀，坐以繆擧之罪．所貴人人重愼，所擧得才"．光又言，朝廷執政惟八九人，若非交舊，無以知其行能．不惟涉徇私之嫌，兼所取至狹，豈足以盡天下之賢才．若采訪毀譽，則情僞萬端．與其聽游談之言，曷若使之結罪保擧．故臣奏設十科以擧士，其公正聰明可備監司，誠知請屬挾私所不能無，但有不如所擧，譴責無所寬宥，則不敢妄擧矣．詔皆從之".

53) 이 기사는 열전25, 白文寶에 축약되어 수록되어 있다("恭愍初，轉典理判書，上書請設十科以擧士"). 여기에서 都目은 大政[都目政]을 결정하기 위해 준비한 都目狀을 指稱하는 것 같다(→충숙왕 16년 9월 18일의 脚注, 朴龍雲 1995년b).

己巳25日, 幸賢聖寺.

[壬申28日, 虎入城:五行2轉載].

[□□□□~~是月初旬~~, 崔濡·金元之·帖木兒等留元, 謀欲騷擾本國, 乃奏, "請徵征南兵十萬". 帝用其言, 遣濡徵兵. 時國人之在元者, 咸奏曰, "高麗褊小, 方被倭患, 且地遠, 不可徵兵". 帝然之, 召濡等還:節要轉載].[54]

[是月頃, 以李由信爲福州判官, 李彥爲永州判官:追加].[55]

閏[三]月甲戌朔小盡,建甲辰, 令宰樞至吏胥, 人備弓一·矢五十·劍一·戈一, 閱于崇文館.

[→令宰樞以下, 至各司令史, 人備弓一·矢五十·戈一·劍一, 點閱之:兵1五軍轉載].

[某日, 監察執義金科·持平郭忠秀, 劾都僉議參理趙日新. 日新請與臺官廷辯, 命政堂文學李公遂, 密直使·監察大夫李衍宗, 聽兩造于內殿, 衍宗, 手執科等彈章, 條問之. 科謂衍宗曰, "公長憲司, 旣不與彈擧罪人, 反問我輩邪". 衍宗慙恚, 科·忠秀又囚日新家奴于獄, 日新破獄, 出之, 反訴臺官. 王命科等勿仕. 初, 科·忠秀, 以衍宗老而姦詐, 又附日新, 其劾之也, 不與之議. 衍宗嗛之, 至是, 承命坐臺, 遂劾科·忠秀及掌令慶千興. 後王召都僉議政丞李齊賢, 咨訪國事, 因語之曰, "李衍宗多詐人也":節要轉載].[56]

[史臣曰, "王聰明慈仁, 可與有爲之君也. 故方其初政, 臺臣思振憲綱, 以復古風, 王之左右, 挾其負紲之勞, 妬賢疾能, 而日新尤甚暴橫. 衍宗, 身爲憲長, 反附日新, 遂劾科等以沮之. 於是, 群小日進, 忠良日退, 政日以紊. 雖有天資之美, 何補於治哉":節要轉載].

[某日, 都僉議政丞李齊賢, 避趙日新之忌, 三上書辭職. 不許:節要轉載], [尋允之:追加].[57]

[→李齊賢,又因墮馬傷足, 上箋辭, 王不允, 加推誠亮節同德協義贊化功臣號. 齊賢

---

54) 이 기사는 是月(3월) 7일 以前에 수록되어 있으나 몽골제국에서 일어난 사실이기에 月末로 移動하여야 한다[校正事由]. 또 이 기사는 열전44, 崔濡에도 수록되어 있다.

55) 이는 『안동선생안』; 『영천선생안』에 의거하였다.

56) 이와 같은 기사가 열전19, 李承休, 衍宗 ; 열전44, 趙日新에도 수록되어 있다.

57) 이는 다음의 자료에 의거하였다.

· 「李齊賢墓誌銘」, "壬辰, 賜推誠亮節同德協議贊化功臣之號, 元從功臣趙日新忌公居其上, 公知之, 三上表固辭".

又上三箋, 牢讓不已, 遂致仕:列傳23李齊賢轉載].

辛巳8日, 幸福靈寺.

[甲申11日, 拜賀聖壽節表. 舊例, 唯文官冠帶侍衛. 至是, 王命文武八九品, 冠帶分左右侍衛:禮9進大明表箋儀轉載].

辛卯18日, 遣三司右使洪彥博·密直副使李成瑞如元, 賀聖節.

[某日, 密直使·監察大夫李衍宗棄官, 歸. 初, 衍宗附趙日新, 得拜是職, 及日新見劾, 恐禍及已, 潛歸田里:節要轉載].[58]

[史臣曰, "甚矣, 小人之難知也. 苟非至明, 何以照其姦哉. 衍宗之諫王辮髮也, 史稱之曰, 賢臣也, 雖威武不能屈, 其劾㪺等也, 史目之曰, 老而姦詐, 夫威武不能屈, 豈姦詐者所可爲也. 之二史, 皆一時目擊其人, 而書之也, 毁譽若此之不同, 豈私於衍宗, 苟焉以毁譽之也耶. 蓋衍宗, 善於揣摩, 而飾詐以釣名者. 比事以觀, 可以想其爲人也. 益淸·允臧, 均爲隨從, 而氣炎熾赫, 然, 其固寵而凶狠, 非日新之比故. 首論之, 以示不憚威勢, 知王之銳志于治, 而可以納諫也故, 辮髮非大過也而獨諫之, 以示敢言不諱, 院使奇轅, 譏其不言, 則以齊賢, 日新並稱, 而托以王無可與議事也. 見日新之將及於敗則, 先幾引退, 而規以遠禍也, 非揣摩之工, 而巧於飾詐者, 曷能若是哉. 是故, 雖當時史臣, 尙不知其黨惡, 而反以彰善癉惡譽之, 其小人之難知也. 如是夫, 而王語齊賢曰, 衍宗, 多詐人也, 則王之照姦之明, 何其至矣. 獨恨其知之明而不能去之, 使盜其自去之名也. 由是懷詐取寵, 欺君誤國, 有如旽者, 無復憚焉, 卒陷於昏暗而不寤也, 嗚呼惜哉. 後之馭小人者, 可不監鑑諸":節要轉載].

[某日, 以李公遂爲都僉議評理, 仍兼監察大夫:追加].[59]

[是月, 榮祿大夫·資政院使高龍寶與其妻永寧公主辛氏造成龍藏禪寺無量壽殿青銅香垸一坐:追加].[60]

---

58) 이와 같은 기사가 열전19, 李承休, 衍宗에도 수록되어 있다.

59) 이는 「李公遂墓誌銘」에 의거하였다.

60) 이는 平壤市 朝鮮美術博物館에 所藏되어 있는 龍藏禪寺 無量壽殿 青銅香垸의 銘文에 의거하였다(文明大 1994년 3책 288面).

· 銘文, "至正十二年壬辰閏三月日,龍藏禪寺無量壽殿大香垸,大功德主·榮祿大夫·資政院使高龍寶,永寧公主辛氏,大化主慧林·戒休·景眞,錄者性謙,縷工". 여기에서 永寧公主 辛氏는 高龍普의 夫人(辛裔의 妹)일 것이다.

夏四月癸卯朔大盡,建乙巳, [小滿]. 元告日食, 不果食.[61)]

丁未5日, 元賜王弓三百□張·矢三萬□枚·劒三百□把.[62)]

戊申6日, 公主幸王輪寺.

庚戌8日, 王以佛生日, 燃燈禁中, 飯僧一百. 設火山·雜戲, 奏妓樂, 以觀.

丁巳15日, 密直提學尹澤上疏, 言時事, 不允, 遂辭, 以開城尹致仕, [年六十四:追加].[63)]

[己未17日, 王將幸行省, 賀聖節, □□院使奇轅, 欲並馬而語. 王命衛士, 分衛前後, 使不得近:節要轉載].[64)]

辛酉19日, 榮安王大夫人李氏宴王及公主于其第.

[壬戌20日, 豹入城:五行2轉載].

[癸亥21日, 獐入城:五行2轉載].

[某日, 罷右副代言金得培·左副代言柳淑. 元丞相脫脫遣使□來, 以書戒王, 勿用憸人, 贊成事趙日新·知申事崔德林, 要其使者云, "淑與得培, 居中用事". 使者白王,[65)] 罷之:節要轉載].

[→元丞相脫脫, 遣使戒王, 勿用憸人, 贊成事趙日新·知申事崔德林, 要其使言, "班主金鏞, 承旨~~右·左副代言~~柳淑·金得培等, 居中用事". 使者白王, 罷淑·得培, 鏞方寵幸, 得不罷. ○時行省官多徵求州郡, 宣使嚴淑, 到永州·河陽, 收公廨田稅, 又斂綜布六百匹, 驛輸于京. 王聞之, 召鏞責曰, "省吏出外, 其禁已久, 何玩法擾民".

---

61) 이때 中原에서는 일식이 행해졌다고 하며(『원사』 권42, 본기42, 순제5, 지정 12년 4월 癸卯), 일본의 교토[京都]에서는 일식이 예측되었으나 비가 내렸던 것 같다(高麗曆과 同一, 日本史料6-6책 409面). 그런데 이날(율리우스력의 1352년 5월 14일)의 일식은 북동아시아 3국이 中心食帶에서 벗어나 있었기에 관측될 수 없었다고 한다(渡邊敏夫 1979年 312面).

· 『園太曆』 권19, 觀應 3년(文和1) 4월, "一日, 天陰雨下, 今日平座已下, 每事不及沙汰, 只如戎狄國, 哀哉, 々々".

62) ~~添字는~~ 『고려사절요』 권26에 의거하였다.

63) 이는 「尹澤墓誌銘」에 의거하였고, 이와 같은 기사가 열전19, 尹諧, 澤에도 수록되어 있다.

64) 이 기사는 열전44, 奇轍에도 수록되어 있는데, 이날은 惠宗 妥懽帖木兒(妥懽貼睦爾, Togon Temur, 順帝, 庚申君, 1320~1370)의 誕日[聖節]이므로 17일(己未)에 해당한다. 惠宗은 1320년(庚申, 英宗 即位年) 4월 17일(丙寅) 차카타이칸국[察合台汗國]에서 태어났다.

· 『원사』 권38, 본기38, 順帝1, 總書, "順帝名妥懽貼睦爾, 明宗之長子, 母罕祿魯氏, … 及明宗北狩, 過其地, 納罕祿魯氏. 延祐七年四月丙寅, 生帝于北方".

65) 여기에서 白은 奏와 같은 意味로 사용되었다.

· 『자치통감』 권28, 漢紀20, 元帝初元 2년(bc47) 1월, "中書令弘恭·僕射石顯, 自宣帝時久典樞機, 明習文法, 帝即位多疾, 以顯久典事, 中人無外黨, 精專可信任, 遂委以政, 事無大小, 因顯白決[胡三省注, 白, 奏也. 決, 斷也]".

下淑巡軍獄, 尋釋之:列傳44金鏞轉載].[66)]

[某日, 王設火山於禁內, 陳雜戲. 趙日新與王同倚欄, 觀之. ○巡軍府嘗以事, 囚理問裵佺家奴, 日新領卒五十餘人, 立馬府門外, 呼府吏, 令釋之. 吏不聽, 乃歐之, 囑萬戶洪裕, 竟釋之. ○宰相議, 以五軍錄事, 掌都評議司案牘, 都評議錄事, 卽以案牘傳付之, 皆弃去. 日新又以聽五軍錄事讒, 鞫都評議□司錄事金德麟等, 皆除名禁錮不敘, 錮子孫, 王知其不可, 不得已從之. 於是, 都評議錄事皆缺, 以五軍錄事及進士·學生充之. 國人亦畏其勢, 莫敢言, 其弄權自專, 類此:節要轉載].[67)]

[是月, 進士李穡上書, 請外而鄕校, 內而學堂, 考其才, 而陞諸十二徒, 十二徒又摠而考之, 陞之成均, 限以日月, 程其德藝, 貢之禮部. 中者, 依例與官, 不中者, 亦給出身之階. 除在官而求擧者, 其餘, 非國學生, 不得與試:選擧2學校轉載]. [請設武擧之科, 事未施行:選擧2武科轉載].

[→恭愍元年, 李穡服中上書曰, "草土臣穡言. 臣聞, '當國家無事之時, 公卿之言, 輕於鴻毛, 及國家有事之後, 匹夫之言, 重於太山'.[68)] 臣以匹夫之賤, 冒進敢言, 狂妄之罪, 宜在不宥. 然涓埃之微, 高深所資, 芻蕘之言, 聖人所取, 儻蒙殿下曲賜採擇, 宗廟幸甚, 社稷幸甚. 臣聞, '經界之正, 井地之均, 治人之先務也'.[69)] 洪惟, 我祖宗創垂之制, 持守之規, 無所不至, 四百餘年, 末流之弊, 豈盡無有, 而田制尤甚. 經界不正, 豪强兼幷, 鵲之巢而鳩之居者, 皆是也. 有司雖以公文朱筆, 先後定其賓主, 甲若有力, 乙便無理, 而況公文朱筆, 又多魚目混珍者乎? 然此受田之家, 皆王之臣, 陳力之餘, 所以代耕. 彼雖失之, 此乃得之, 是猶楚人失弓, 楚人得弓, 猶之可也. 至於民之所天者, 唯在於田, 數畝之田, 終歲勤動, 父母妻子之養, 猶且未贍, 而收租者已至. 若其田之主, 一則幸矣, 或有三四家者, 或有七八家者. 苟力焉而相牟, 勢焉而相敵, 孰肯讓哉? 以是, 供其租而不足, 則又稱貸而益之, 於

---

66) 이 기사는 ~~添字~~와 같이 고쳐야 옳게 될 것이다.

67) 이 기사는 열전44, 趙日新에 수록되어 있으나 자구에 출입이 많다.

68) 이 구절은 어디에서 인용한 것이지는 알 수 없으나 다음의 자료와 관련이 있는 것 같다.

- 『戰國策』, 楚策4, "… 是以國權輕于鴻毛, 而積過重于丘山".
- 『文選』 권41, 書上, 司馬子長司馬遷報任少卿任安書, "… 人固有一死, 或重于泰山, 或輕于鴻毛, 用之所趨異也"(13右4行).

69) 이 구절은 다음의 자료를 적절히 使用한 것이다.

- 『맹자』, 滕文公章句上, "… 滕文公, 使畢戰問井地, 孟子曰, 子之君, 將行仁政, 選擇而使子. 子必勉之. 夫仁政, 必自經界始, 經界不正, 井地不均. 穀祿不平, 是故暴君·汚吏, 必慢其經界. 經界既正, 分田制祿, 可坐而定也".

何而養其父母，於何而育其妻子？民之窮困，職此之由．詩不云乎？‘哿矣富人，哀此惸獨’.[70] 殿下卽位之初，首以田制爲務，繼降宥旨，拳拳於此．深謀遠慮，出自聖心，猗歟偉哉．愚以爲，羨魚不如結網，膠柱何能調瑟．不更其法，難去其弊．乞以甲寅柱案爲主，叅以公文朱筆，爭奪者因而正之，新墾者從而量之，稅新墾之地，減濫賜之田，則國入增．正爭奪之田，安耕種之民，則人心悅．人心之悅，國入之增，爲理之君，所大欲也，殿下何憚而不爲？或曰，‘富人之田，難以亟奪，積年之弊，難以遽革’．此則庸君所行，非所望於殿下也．若其施爲之方，潤色之事，輔相大臣，必有運籌者矣，豈新進小生，所能妄議．然其行與不行，唯在殿下誠與不誠耳．○近年，倭寇侵疆，至貽聖上宵旰之憂．世臣老德，相與謀猷，其所以處之之方，俱得其要．然臣以父憂，居濱海之地，謀於野者熟矣．今之爲計，不過有二，曰陸守，曰海戰．車不可濟川，舟不可行陸，人性亦猶是也．胡貉之人，其性耐寒，楊粵之人，其性耐暑．今夫平居之民，不習水故，足未蹈船，而精神已昏，一遇風波，則左顚右倒，相與枕籍乎，舟中之不暇．欲其坐作進退，以與敵人賈勇，難矣．臣以爲，陸守則發平居之民，利其器械，屯其要害，盛軍容，謹烽火，以眩倭人之目．此則按廉·郡守足任之，都巡問使何所用之．折辱守令，糜費供億，如是而已．海戰之術，則臣以爲．本國三邊控海，島居之民，無慮百萬．方之泳之，是其長技，其人又不以耕桑爲事，而以漁鹽爲利．比因此賊，離其居，失其利，怨之之心，比之陸居，豈止十倍？馳一騎，奉條畫，沿江召募，必其賞賚，數千之衆，一朝可得．以其所長之技，敵其所怨之人，其有不勝者乎？況殺敵得賞，不猶愈於魚塩之利乎？又以追捕使領之，常在船上，則州郡得便，盜賊可敗矣．二者，禦寇之要道也．盖陸守而不海戰，則彼以我爲怮，其來未可量也．海戰而不陸守，則彼或出其不意，而其害有不小矣．故陸守所以固我也，海戰所以威彼也，如此則不兩得乎？○文武不可偏廢，文經武緯，天地之道也．唐虞三代，遐哉邈乎，且以兩漢言之，高祖之與楚角也，有如蕭何者，運籌而無汗馬之功，此文也．有如韓信者，分兵而有攻戰之勞，此武也．光武中興之時，投戈講藝，息馬論道，則其文武並用，經緯俱張，而爲後世之不可及也．由是觀之，雖當戰鬪之時，不廢講論之道，況當昇平之時，可忘戰守之備乎．是以，先王知其然，立官設職，崇文重武，未嘗擧此而遺彼焉．我國家，熙洽漸磨，加以東漸，昇平百年，民不知兵．萬戶之府，係皇朝所立，旣是虛額．諸衛之職，爲膏粱所占，又且

70) 이 구절은 『시경』, 小雅, 節南山之什, 正月, “哿矣富人, 哀此惸獨(餘裕가 있는 사람들은 걱정이 없으나, 고독한 사람들은 슬프다)”을 인용한 것이다.

無軍. 以今准古, 雖曰重武, 而無用武之實矣. 近以倭賊, 中外騷然, 幾不土著, 又聞中原之民, 頗染賊腥. 尙賴皇天眷顧我元之深意, 吾皇涵養生民之洪恩, 今且宴安, 不至顚沛. 然居安思危, 則雖滿不溢, 思患預防, 何蔓難圖. 苟或因循, 一朝有緩急, 將何以備之乎? '楚國失猿, 禍延林木, 城門失火, 殃及池魚'.[71] 其可安然坐視乎? 況我國, 東有日本, 北有女眞 , 南通江浙之船, 止有朝天之路, 西走燕山. 倭賊之來, 旣已倉皇失措, 至請甲兵. 江浙之賊, 萬一帆船而來, 女眞 之人, 萬一南麾其騎, 則荷耒之民, 其遽爲干城之卒歟. 若變起倉卒, 人皆蹐躓, 無以衛社稷扶君王矣. 每慮及此, 竊自寒心. 臣願設武擧之科, 令充諸衛之士, 試以武勇而習其藝, 賜以爵祿而作其氣. 國足精兵, 人樂爲用, 庶幾, 無他日噬臍之患矣. 昔賈誼當文帝無事之時, 大息痛, 況今薪火已然, 猶寢其上乎? 寧使微臣, 獲妖言之罪, 不使聖朝, 有無備之譏, 臣之願也. ○孔子之道, 大以遠, 非臣所能贊揚, 古今崇奉, 廟學規模, 亦非臣之所能悉論. 國家, 內立成均·十二徒·東西學堂, 外薄州郡, 亦各有學, 規模宏遠, 節目緻密. 觀祖宗之意, 所以崇重儒道者, 深且切矣. 盖國學乃風化之源, 人材是政敎之本, 不有以培之, 其本未必固, 不有以濬之, 其源未必淸. 古之帝王, 有令名於天下者, 亦致意於斯耳. 殿下以生知之資, 夙慕聖人之道, 痛學校之廢, 遂下修葺之令, 非惟吾儒之幸, 實生民之福也. 然其朋徒解散, 齋舍傾頹, 有由然矣, 臣請言之. 古之學者, 將以作聖, 今之學者, 將以干祿. 誦詩讀書, 嗜道未深, 而繁華之戰已勝. 彫章琢句, 用心大過, 而誠正之功安在? 或變而之他, 誇其投筆, 或老而無成, 嘆其誤身. 其中英邁傑出, 爲儒之宗匠, 爲國之柱石者, 幾何人哉? 詩云, '愷悌君子, 何不作人?'[72] 作人之妙, 實在王化, 士流之弊如此, 則在上之人, 庸得辭其責乎? 又況登仕者, 不必及第, 及第者, 不必由國學, 孰肯棄捷徑, 而趨歧途哉? 朋徒解散, 齋舍傾頹, 良以此夫. 臣伏乞, 明降條制, 外而鄕校, 內而學堂, 考其材而陞諸十二徒. 十二徒又摠而考之, 陞之成均, 限以日月, 程其德藝, 貢之禮部. 中者依例與官, 不中者亦給出身之階. 除在官而求擧者, 其餘非國學生, 不得與試, 則昔之招不來者, 今則麾不去矣. 臣將見人才輩出, 殿下用之不竭矣. ○佛氏入

---

71) 이는 다음의 자료를 이용한 것 같다.

- 『淮南子』 권16, 說山訓七, "… 楚王莊王亡其猨, 而林木爲之殘, 宋君景公亡其珠, 池中魚爲之殫. 故澤失火而林木憂. 上求材, 臣殘木. 上求魚, 臣乾谷. 上求楫而下致船, 上言若絲, 下言若綸. 上有一善, 下有二譽. 上有三衰, 下有九殺".
- 『說苑』, "楚國亡猿, 禍延林木, 城門失火, 殃及池魚".

72) 이 구절은 『시경』, 大雅, 文王之什, 旱麓, "豈悌君子, 遐不作人"을 인용한 것이다.

中國，王公士庶，尊而事之，自漢迄今，日新月盛．肆我太祖，化家爲國，佛刹民居，參伍錯綜．中世以降，其徒益繁，五敎兩宗，爲利之窟，川傍山曲，無處非寺．不惟浮屠之徒，浸以卑陋，亦是國家之民，多於遊食，識者每痛心焉．佛大聖人也，好惡必與人同，安知已逝之靈，不恥其徒之如此也哉？臣伏乞，明降條禁，已爲僧者，亦與度牒，而無度牒者，卽充軍伍．新創之寺，並令撤去．而不撤者，卽罪守令，庶使良民，不盡髡緇．臣聞，殿下奉事之誠，尤篤於列聖，其所以祈永國祚者，甚盛甚休．然以臣之愚，竊惟，佛者至聖至公，奉之極美，不以爲喜，待之甚薄，不以爲怒．況其經中，分明有說，'布施功德，不及持經'．聽政之餘，怡神之暇，注目方等，留心頓法，無所不可．但爲上者，人所則效，虛費者，財所耗竭，防微杜漸，不可不愼．孔子曰，'敬鬼神，而遠之'．[73] 臣願於佛，亦宜如此．臣亦知逆鱗，必至於碎首，但恐濫觴，或至於滔天，故冒萬死，不惜一言．臣又復思惟，盛衰相因，理之必然．我國家，再世幼冲，陪臣執權，紀綱失墜，人思其治．殿下，以聰明寬毅，可以有爲之資，當亂極思治，可以有爲之時．宜渴於用賢矣，未見束帛戔戔，宜急於聽政矣，而未見庭燎晰晰．賢能豈盡登庸，姦邪豈盡屛退．未聞一政之行，徒觖百姓之望，如此而望其治成，是猶却步而圖前，南轅而適燕，臣甚爲殿下恥之．易曰，'天行健，君子以自强不息'．[74] 修心之要，出治之方，無過於此，惟殿下留心焉"：列傳28李穡轉載]．

[○入元僧惠勤，至江浙行省慶元路慈溪縣伏龍山，參千巖元長，[75] 適集江湖千餘人，選入室，長問所自，師旣答，長云，'父母未生前，從甚處來'．師曰，'今朝四月初二日'．長許之：追加]．[76]

---

73) 이 구절은 『논어』，雍也第6，"樊遲問知．子曰，務民之義，敬鬼神而遠之，可謂知矣"를 인용한 것이다．

74) 이 구절은 『周易上經』，乾，"象曰，天行，健．君子以自强不息"을 인용한 것이다．

75) 千巖元長(1284~1357)은 慈溪縣 伏龍山(現 浙江省 金華市管內 義烏市 伏龍山) 義烏聖壽寺의 僧侶인데，蕭山縣(現 杭州市 蕭山區) 出身으로 俗姓은 董氏이고，字는 無明，號는 千巖이다．다음의 내용은 『釋氏稽古略續集』 권1，元順宗[惠宗]，[至正]丁酉十七年에도 수록되어 있다．
- 『文憲公全集』 권8，千巖禪師語錄序，"往予[宋濂]家居時，嘗謁千巖禪師於烏傷伏龍山，…"．
- 『문헌공전집』 권42，佛慧圓明廣照無邊普利大禪師塔銘，"… 師諱元長，字無明，一號千巖，越之蕭山縣許賢鄕人，族姓董氏．… 初伏龍山有禪寺，號聖壽，其廢已久，… 邑大姓樓君如浚·樓君一得，各爲伐木構精廬，以安師，尋因舊號建大伽藍，重樓傑閣，端門廣殿，輝映林谷．內而齊魯燕趙秦隴閩蜀，外而日本·三韓·八番·羅甸·交趾·留仇，莫不奔走臚，拜咨決心學，留者恒數百人．…"(四庫全書本은 『宋景廉未刻集』권下에 수록되어 있다)．
- 『元詩選癸集』壬上，釋子，千巖禪師元長，元長，字無明，號千巖，蕭山人，俗姓董．年十七往見智覺本公授之語，… 至正丁酉[17年]六月，師示微疾，書偈而逝．宋太師濂銘其塔．通濟橋二首，"詩文省略"．

[是月頃, 以匡靖大夫·僉議贊成事洪由道爲雞林府尹, 正順大夫朴師文爲福州牧使:追加].[77]

五月癸酉朔小盡,建丙午, [夏至]. 命放生于西江.

戊寅6日, 以誕日, 設道場于內殿三日, 宰相欲上壽. 王曰, "宴必殺生, 其以宴錢, 飯僧一千于地藏寺". 王方信佛, 百官皆爲王設祝壽齋.

己丑17日, [小暑]. 地大震.[78]

○王遣使, 召僧普虛普愚于益和縣. 普虛號太古, 歷諸方, 入江南, 自言傳衣鉢于石屋淸珙和尙.[79] 寓廣州迷元莊, 聚親戚, 遂家焉, 虛白王, 陞迷元爲縣, 置監務, 虛主號令, 監務但進退而已. 廣占田園, 牧馬滿野, 皆以內乘稱, 雖害禾穀, 人不敢逐. 虛旣至, 王引入內, 問法, 虛曰, "爲君之道, 在修明敎化, 不必信佛. 若不能理國家, 雖致勤於佛, 有何功德. 無已, 則但修太祖所置寺社, 愼勿新創. 又曰, 君王去邪用正, 則爲國不難矣". 王曰, "予非不知邪正, 但念其從我于元, 皆效勤勞, 故不能輕去耳. [此乃寡人所難也":節要轉載].

[乙未23日, 雨, 雷震人家, 京城大水, 漂流民戶及橋梁, 溺死者頗多:五行1水潦轉載].

[某日, 宰樞以倭賊近境, 慮草賊, 請令各司官吏一人·令史一人, 備弓矢宿衛, 從之:兵2宿衛轉載].

---

76) 이는 다음의 자료에 의거하였다.

- 『목은문고』 권14, 普濟尊者諡先覺塔銘幷序, "至正壬辰, 惠勤至伏龍山, 參千巖元長, 適集江湖千餘人, 選入室, 巖問所自, 師旣答, 巖云, '父母未生前, 從甚處來'. 師曰, '今朝四月初二日'. 巖許之".

77) 이는 『동도역세제자기』 ; 『안동선생안』에 의거하였다.

78) 몽골제국에서는 이해[是年]의 3월 이래 陝西行省 定西(現 甘肅省 定西市), 會州(白銀市 會寧縣), 靜寧(平凉市 靜寧縣), 莊浪(平凉市 莊浪縣) 등의 지역에서 장기간에 걸쳐 地震이 계속되었던 것 같다.

- 『원사』 권42, 본기42, 順帝5, 至正 12년 3월, "是月, … 陝西地震百餘日, 城郭頹夷, 陵谷遷變, 定西·會州·靜寧·莊浪尤甚. 會州公宇牆崩, 獲弩五百餘張, 長者丈餘, 短者九尺, 人莫能挽. 改定西爲安定州, 會州爲會寧州".
- 『釋氏稽古略續集』 권1, 元順宗惠宗, "至正壬辰十二年, 隴西地震百餘日, 城郭頹夷, 陵谷遷變. 會州公廨牆崩, 獲弩五百餘張, 長者丈餘, 短者九尺, 人莫能挽".

79) 石屋淸珙(1272~1352)은 江浙行省 平江路 常熟州(現 江蘇省 蘇州市 管內 常熟市) 출신으로 蘇州 興敎崇福寺에서 출가하여 天目山 高峰原妙, 湖州 道場寺 及庵信禪師에게 受學하였다. 이후 湖州 福源寺에 住錫하면서 吳越地域에 禪風을 떨쳤고, 後日 臨濟宗의 19世 行列에 들었다고 한다(『石屋禪師語錄』). 다음의 詩文이 그가 弟子인 懶翁惠勤에게 내린 것으로 추측된다.

- 『石屋禪師山居詩』 권6, 送勤上人, "勤求警策做工夫, 散亂昏沈盡掃除, 後夜黑雲消散盡, 長天如水月輪孤" ; 示勤道者, "一片荒田一把鋤, 翻來覆去下工夫, 一鋤翻得春風轉, 也有似茄也有瓢".

[自四月至五月, 群烏飛集烽山:五行1轉載].

[是月頃, 以權思復爲永州副使, 徵事郞·律學博士金天軾爲雞林府法曹·參軍事兼掌書記:追加].[80)]

六月壬寅朔小盡,建丁未, 錄燕邸隨從功臣, 以都僉議贊成事趙日新·□都僉議評理金普·判密直司事金逸逢·前代言前右代言·左司議大夫柳淑·上護軍鄭桓·宦者大護軍申小鳳等, 爲一等上. 平海府院君孫琦·判三司事李蒙哥·前贊成事曹益淸·知密直司事鄭頔·前同知密直司事洪由道·判開城府事韓可貴·前平壤尹洪元哲·密直副使姜千裕·密直提學李濟·版圖判書李宗·上護軍全普門·知申事崔德林·鷹揚軍上護軍金鏞·判司僕寺事車蒲溫·大護軍鄭世雲·中郞將睦仁吉·郞將金滑·全以道等, 爲一等. 上護軍李也先帖木兒·上護軍姜仲卿·大護軍孫襲[81)]·親從□□護軍李陽·中郞將鄭鎭·寺丞王碩·別將任碩·任用等,[82)] 爲二等. 判事金元金玩?[83)]·護軍玄瑾·監察掌令許猷·中郞將鄭璇·小府注簿辛廉等, 爲三等, 並賜田民.[84)]

丁未6日, 監察司糾錄事崔宗·玄思德, 犯禁飮酒, 請罪之. 王謂宗曰, "試爾長技, 若能則宥之". 宗卽擊毬於前, 王喜, 免其罪.

己酉8日, 元賜本國所請戎器.

丙辰15日, 王受菩薩戒于康安殿. 設金剛道場于內殿, 以禳星變.

丁巳16日, 諫官上疏, 閹人授檢校官, 食祿者太多, 請加汰減.[85)]

---

80) 이는『영천선생안』;『동도역세제자기』에 의거하였다.

81) 大護軍 孫襲은 이해의 봄[春]에 王命을 받아 龍門散 小雪庵에 머물고 있던 太古普愚를 宮闕로 초치하였다고 한다(『朝鮮佛敎通史』권上, 太古普愚行狀).

82) 全普門의 官職은 上護軍인 것 같고(→是年 9월 18일), 또 親從은 親從護軍으로 고쳐야 옳게 될 것이다.

83) 判事 金元은 1329년(충숙왕16) 이래 軍簿司佐郞으로 재직하면서 明年 5월 軍簿司廳舍를 준공하였고, 그 2년 후에 다시 正郞을 임명되었던 金玩(김완)의 오자일 가능성이 있다(『졸고천백』 권1, 軍簿司重新廳事廳舍記).

84) 이때의 공신 책봉에 관한 기사로 다음이 있다.
- 열전44, 趙日新, "恭愍王, 還國拜贊成事, 錄功爲一等".
- 열전27, 金普, "恭愍初, 轉僉議評理, 錄燕邸侍從功爲一等, 賜忠勤亮節匡輔功臣號".
- 열전44, 金鏞, "錄鏞侍從功爲一等, 賜土田奴婢".
- 열전27, 睦仁吉, "恭愍入元宿衛, 仁吉, 以中郞將侍從, 及王卽位, 錄功爲一等".
- 열전27, 全以道, "從恭愍, 入元宿衛. 及王卽位東還, 授郞將, 錄侍從功爲一等. 除義成倉使".
- 열전18, 許珙, 猷, "猷, 從恭愍, 入侍元朝, 及卽位, 錄功爲三等".

85) 이 기사는 지29, 選擧3, 宦寺에도 수록되어 있으나 恭愍王元年五月은 六月의 오류일 것이다.

庚申[19日], 禁土木之役, 限二年.

丙寅[25日], 倭寇全羅道茅頭梁, 知益州事金輝領舟師, 擊之不克, 沃溝監務鄭子龍坐逗遛不進, 杖配突山烽卒.

○倭寇江陵道.

[○松岳西麓大石頹,:五行3轉載].

丁卯[26日], 元遣大監[太監]孫完澤帖木兒來, 賜王衣酒.

[某日, 以崔漢龍爲慶尙道按廉使:慶尙道營主題名記].

秋七月[辛未朔大盡, 建戊申], 壬申[2日], 全羅道都巡問使獲倭船二艘.

癸酉[3日], 葬前王于聰陵, 葬具多闕, 諸司各一員, 服斬衰, 安神御于普濟寺, 殿曰宣明.[86)]

[→癸酉, 葬□□[前王]于聰陵. 諸司一員服斬衰, 奉安神御于宣明殿:禮6國恤轉載].

丁丑[7日], 萬戶印璫獲倭船, 命泛東池, 觀之.

乙酉[15日], 吉昌府院君權準卒,[87)] [年七十二. 王慟悼, 謚昌和:列傳20權準轉載].[88)] [準, 謁忠宣王于元, 恩寵愈隆, 賞賜無算. 及忠肅與瀋王相持, 群不逞, 多附瀋王, 準守義不變, 曹頔之亂, 準閉門不出. 性純重, 寡言笑, 儀表秀偉, 望之巍然可尊. 然倚勢占奪土田, 招納賄賂, 以致鉅富. 識者譏之:節要轉載]. [子廉·適:列傳20權準轉載].

丁亥[17日], 合浦萬戶獻倭俘.

[己丑[19日], 白露. 鵬鳴于料物庫:五行1轉載].

壬辰[22日], 鵬鳴于延慶宮:五行1轉載].

乙未[25日], 以太妃疾, 宥二罪以下.[89)]

---

86) 聰陵은 開城市 開豊郡 五山里에 있다(보존급유적 550호, 張慶姬 2013년).

87) 이날은 율리우스曆으로 1352년 8월 24일(그레고리曆 9월 1일)에 해당한다.

88) 權準의 墓所는 경기도 坡州市 津東面 瑞谷里 山 112번지에 있는 高麗壁畵墓 1號墳으로 墓域은 236.6m이고 封墳의 높이는 3.33m로서 976년(景宗1)에 制定된 墓域(2품, 方80步, 高1丈6尺)의 크기와 일치한다고 한다(國立文化財研究所 1993년 ; 朱榮民 2005년). 이 墓의 壁畵에는 北斗七星과 4개의 星象이 그려져 있고, 墓主와 2人의 侍從이 그려져 있다고 한다(羅逸星 2002년 82面).

89) 이때의 太妃는 忠惠王妃인 德寧公主일 가능성이 있다(東亞大學 2008년 11책 24面). 또 恭愍王世家에서 太妃와 太后의 두 名稱이 나오는데, 太妃는 忠惠王妃 德寧公主를, 太后는 忠肅王妃洪氏(明德太后, 恭愍王母)를 指稱하는 것 같다.

[戊戌28日, 亦如之鶡鳴于延慶宮:五行1轉載].

[是月頃, 以通直郎·版圖正郎 柳安祐爲雞林府判官:追加].[90)]

八月辛丑朔大盡,建己酉, 乙巳5日, [秋分]. 判開城府事郭延俊卒.[91)]

戊申8日, 王與公主幸福靈寺, 王遂如奉恩寺, 謁太祖眞殿. [自是, 數幸寺院:節要轉載]. 是日, 移御陽川君許伯第.

[己酉9日, 月又入南斗. 熒惑犯天江:天文3轉載].

庚戌10日, 敎曰, "古昔君王, 勵精圖治, 欲保邦家, 須躬親機務, 以廣聰明, 以達下情. 今寡人亦欲如是, □都僉議·監察·典法司·開城府·選軍·都官, 凡所決訟, 五日一啓".

壬子12日, 宰樞享王于時御宮.

戊午18日, 元遣直省舍人普思泥, 賜王金帶及鈔二千錠.[92)]

己未19日, 開書筵,[93)] 以寧川府院君李凌幹·金海府院君李齊賢·福昌府院君金永

---

90) 이는 『동도역세제자기』에 의거하였다.

91) 이날은 율리우스曆으로 1352년 9월 13일(그레고리曆 9월 21일)에 해당한다. 또 郭延俊은 李岡의 丈人이고(李岡墓誌銘), 崔宰의 外祖父인 郭預의 一族으로 1347년(충목왕3) 監察大夫로 재직하였다. 다음의 자료에서 長興府가 다스리기에 어려운 지역[難治]이라고 하였는데, 이는 崔宰의 능력을 강조하기 위한 撰者의 美辭일 것이다. 이는 『고려사』의 편찬에 참여했던 某가 撰한 같은 시기의 다른 글에서 全羅道와 慶尙道를 모두 難治地域이라고 말한 점에서도 알 수 있다.

- 「崔宰墓誌銘」, "丁亥忠穆3年, 政丞王公煦·金公永暾奉聖旨, 整理田民詞訟, 擧公爲判官, 且馳驛召之. 公至則二公又曰, '長興府今號難治, 非崔某不可', 又出之. 公將之任, 二公又曰, '崔某前爲持平, 有威望, 盍留之再任'. 適外氏郭公迎俊延俊爲大夫, 法當避, 遷典法正郎". 여기에서 郭迎俊은 郭延俊의 오자일 것이다.
- 『保閑齋集』 권15, 全羅監司奇公詩卷序, "… 湖南, 百濟故國, 地廣民衆, 號爲難治. 而監司實邦伯連帥之任也, 豈易以爲哉".
- 『보한재집』 권15, 慶尙監司李公詩卷序, "… 慶尙一道, 卽古新羅之國, 民物之繁夥, 事務之叢劇, 冠吾東方, 號爲難治. 而一方之寄, 黜陟使專之, 守令賢否, 生民休戚實係焉, 此國家所以重其選也".

92) 몽골제국이 恭愍王에게 金帶와 鈔二千錠을 下賜한 것은 8월 7일(丁未)인데, 이와 관련된 기사로 다음의 a가 있다. 이때의 海賊은 倭賊일 것이고, 당시의 日本國은 몽골제국에 上書할 수 있는 위치에 있지 못하였다. 그러므로 이 기사는 b와 같이 고쳐야 옳게 될 것이다.

- a 『원사』 권42, 본기42, 순제5, 至正 12년 8월, "丁未, 日本國白高麗賊過海剽掠, 身稱島居民, 高麗國王伯顔帖木兒恭愍王, 調兵勦捕之, 賜金繫腰一·鈔二千錠".
- b 『원사』 권42, 본기42, 순제5, 至正 12년 8월, "丁未, 高麗言日本賊過海剽掠, 身稱島居民. 命高麗國王伯顔帖木兒, 調兵勦捕之, 賜金繫腰一·鈔二千錠"[校正].

93) 이때의 書筵에 관련된 기사로 다음이 있다.

煦·漢陽府院君韓宗愈·延安府院君印承旦·前□[都]僉議政丞李君侅·政丞致仕孫琦·前贊成事許伯·金賫·安山君安震·菁川君鄭乙輔·永昌君金承澤·永山君張沆·樂浪君李遷善[樂安君李千善]·密直副使安牧·典理判書白文寶,[94] 更日侍讀. 教曰, "元老大臣·大夫·士, 輪次入侍, 進講經史法言. 凡權勢所奪, 田宅奴婢, 積年之訟, 與夫寃滯之獄, 其審治之. □[都]僉議·監察, 是予耳目, 時政得失, 民間利害, 直言勿諱".[95]

[某日, [延安府院君]印承旦入侍書筵, 請罷[田民]辨整都監, 王不應, 但曰, "穿窬夜行, 惡月之明". 時權豪奪畿縣公田, 承旦所占尤多, [田民]辨整都監收其田, 仍追累年之租, 故承旦惡之.[96] 他日, 金永煦又請罷之, 王曰, "予欲聞嘉言, 故設書筵, 卿等所言, 實乖予心". 遂稱疾入內:節要轉載].

[某日:追加], 福安府院君權謙如元, 納女于皇太子[愛猶識里達臘], 元拜大府監大監[~~太府監太監~~].[97)][□□[是後], 謙家奴, 奪忽只[忽赤]朴元柱妻及李佛臣女, 置謙家, 强淫之, 典法司捕鞫, 榜暴其罪, 並其黨三人, 杖之:列傳44權謙轉載].

丁卯[27日], 捕倭使印璫帥禁軍及東西江·喬桐水手一千人, 禦倭, 以逗遛不進, 下璫獄.

· 지30, 百官1, 寶文閣, "恭愍王元年, 開書筵, 亦分番入侍".

· 열전23, 韓宗愈, "恭愍元年, 與金承澤等, 入侍書筵, 王每加優禮, 復欲相之".

94) 李遷善은 李千善으로 달리 표기되기도 하였는데, 前者는 樂浪君으로 書筵에 참여한 이 기사와 1356년(공민왕5) 1월 1일에서 守太尉[太尉]·樂安君으로 찾아진다. 또 後者는 1356년 11월 3일 參知中書政事에, 1358년(공민왕7) 2월 28일 參知門下政事에 임명된 것으로 찾아진다. 이처럼 短期間에 이루어진 改名, 改封의 사례는 특이하지만, 本貫이 德水縣인 栗谷 李珥(1536~1584)의 先祖 중에서 司空·樂安伯 李千善이 있었음을 보아 樂浪君李遷善은 樂安君李千善의 誤字일 가능성이 있다(『沙溪遺稿』 권7, 李珥行狀).

·『武陵雜稿』 권8, 容齋李相公行狀, "公諱荇, 字擇之, 號容齋, 系出德水縣, 今屬京畿豊德郡. … 六代祖諱千善, 恭愍朝, 誅奇氏有功, 守司空·柱國·樂安伯, 諡良簡".

95) 鄭乙輔의 封君號인 菁川은 그의 貫鄕인 晋州의 別號인데(『신증동국여지승람』 권30, 晋州牧, 郡名), 이는 菁川江에서 由來한 것 같다. 菁川은 智異山 북쪽의 물이 東流하다가 丹城縣에서 西流하여 召南津의 下流에 流入되어 晋州의 동쪽을 관통하는 菁川江을 가리킨다.

·『靑坡集』 권2, 智異山記, "智異山, 又名頭流, 雄據嶺湖·南二路之交, 高廣不知其幾百里, 環山有一牧一府二郡五縣四附, … 又有二水, 一自香積前, 一自法戒下, 至薩川, 合而爲一, 流入于召南津之下, 繞晋而東, 是謂菁川江". 이것은 『신증동국여지승람』 권30, 晋州牧, 山川, 智異山에 인용되어 있다.

96) 이 구절과 같은 기사가 열전36, 嬖幸1, 印侯, 承旦에도 수록되어 있다.

97) 공민왕 세가편에는 이 기사의 앞에 ○이 붙어 있어 己未(19일)에 연결되는 기사로 파악할 수 있다. 그렇지만 『고려사절요』 권26에 兩者의 사이에 延安府院君 印承旦에 관한 기사가 있음을 보아 이 기사의 日辰이 탈락되었던 것 같다.

九月[辛未朔大盡,建庚戌]，壬申[2日]，以宋瑞爲都僉議政丞·判典理□[事]事，[贊成事]趙日新△[爲]判三司事，[賜輸忠奮義同德佐理功臣號:列傳44趙日新轉載].

○倭船五十餘艘，寇合浦.

[乙酉[15日]，虹見:五行1虹霓轉載].

[○月食:天文3轉載].[98)]

丙戌[16日]，月與鎭星同舍:天文3轉載].

戊子[18日]，以大護軍成士達在政房，私授人職四十餘，下獄.

○上將軍[上護軍]全普門妻宋氏，私普門族姪曹復生，繫獄按治，俱坐罪.

[→具服，各杖八十七:節要轉載].[99)]

[某日，以[典法摠郎]鄭云敬爲全州牧使·借奉順大夫·判典校寺事:追加].[100)]

己亥[29日]，[判三司事]趙日新聚其黨鄭天起·崔和尙·張升亮，殺[院使]奇轅，圍時御宮，殺宿衛·判密直司事崔德林等數人.[101)]

[→[判三司事]趙日新，夜與前[都僉議]贊成事鄭天起及崔和尙·張升亮等，募閭里惡小，謀去[德城府院君]奇轍·奇輪·奇轅·高龍普·朴都羅大·李壽山等，分捕之. 唯執轅斬之，餘皆逃. 日新率其黨趣星入洞，圍時御宮，殺直宿判密直司事崔德林·上護軍鄭桓·親從護軍鄭乙祥等數人. 衛士驚駭，日新曰，"毋恐，但除諸惡輩耳". ○遣人殺上護軍洪義于其家，拔劍擊之，其妻遽蔽以身，義得不死:節要轉載].[102)]

---

98) 이날 일본에서는 월식에 관한 기사가 찾아지지 않았던 것 같다(高麗曆과 同一, 日本史料6-17책 26面). 이날은 율리우스력의 1352년 10월 23일이고, 월식 현상이 심했던 때의 世界時는 19시 16분, 食分은 1.40이었다(渡邊敏夫 1979年 485面).

99) 戊子(18일)에 大護軍과 上將軍이 함께 나오는데, 이 시기 이후에도 같은 양상을 보이고 있다. 上將軍은 上護軍의 오자로 추측된다. 1356년(공민왕5) 7월 9일 관제를 文宗의 舊制로 환원할 때 종래의 護軍이 將軍으로 改稱되었던 것 같다.

100) 이는 다음의 기사에 의거하였는데, 『삼봉집』 권4, 鄭云敬行狀에도 같은 기사가 있다.

· 열전34, 鄭云敬, "尋出牧全州，有僧娶妻家居者，一日出外，爲人所殺. 其妻訴于官，無證久不決. 云敬視事，其妻又來訴，卽問其妻有所私者，妻曰，'無. 但隣有一男常戱曰，老僧死，則事諧矣'. 於是，執其男置外，先鞫其母曰，'某月日，而子在家耶，出外耶'. 母曰，'是日，男自外來，言與友人飮酒醉困'. 卽問其男所與飮者誰，卽自服. ○時有元使盧某暴橫，所至淩辱守令. 疾馳入州，欲罪以不及郊迎. 云敬引禮不屈，卽日棄去，父老呼哭，盧亦愧服，留之不得".

101) 이날은 율리우스曆으로 1352년 11월 6일(그레고리曆 1월 14일)에 해당한다. 또 이때 崔德林의 관직이 判密直司事가 될 수 없다. 그는 이해의 6월 1일 知申事로 在職하고 있었기에 아무리 超遷하였다고 하더라도 同知密直司事가 될 수 있었을지도 알 수 없다.

102) 이와 관련된 기사로 다음이 있다.

· 열전27, 李壽山, "恭愍元年，趙日新將作亂，忌[春城君李]壽山，遣其黨，欲害之，壽山匿免".

[→判三司事趙日新召其黨前贊成事鄭天起及崔和尙·張升亮·高忠節·林沒輪·張降注·韓範·孫奴介·朴西磴·廉伯顔帖木兒·李松景·郭允正, 聚于其家, 募閭里惡少, 謀去奇轍·奇輪·奇輈·高龍普·朴都羅大·李壽山等. 乘夜遣人殺之, 唯輈見殺, 餘皆逃. ○時王在星入洞離宮, 日新率其黨, 圍離宮, 殺直宿判密直司事崔德林·上護軍鄭桓· 護軍鄭乙祥等. 衛士驚駭, 日新曰, "毋恐. 但除惡輩耳":列傳44趙日新轉載].

庚子30日, 判三司事趙日新, 刧王開印~~御寶~~, 自除爲右政丞, 官其黨鄭天起等有差. 又封義成·德泉倉.[103]

[→前贊成事鄭天起爲都僉議左政丞, 李權△爲判三司事, 羅英傑△爲判密直司事, 張升亮爲鷹揚軍上護軍, 官其黨有差, 又以裴天爲平壤道存撫使, 張元碩爲江陵道存撫使, 劉廣大爲鐵嶺防護使, 李壽長爲義州防禦使:節要轉載]. 又使朴西·韓範等, 封義成·德泉倉. [日新與高忠節·崔和尙等, 刧金逸逢·安震·知密直府事黃順·李濟, 使之從己, ~~相與謀議~~. 又令~~忽赤·巡軍,~~ 大索轍等, 捕其母妻, 逮繫滿獄, 兵交於路:節要轉載].[104]

○王與公主移御□□~~泉洞~~別宮, 衛士稀少, 導從皆賊黨, 國人爲王危之. 是夜, 公主潛移御太妃時御宮.[105]

冬十月辛丑朔小盡,建辛亥, 都僉議右政丞趙日新殺崔和尙, 勸王斬張升亮等八九人, 梟首于市.

[→右政丞趙日新, 乃欲歸罪其黨以自免, 夜與崔和尙入直~~離宮~~, 至曉, 徐謂和尙曰, "公~~所~~佩劒甚良, 請觀之". 和尙曰, "此劒殺人固多", 乃抽與之. 日新因以其劒斬之, 遂勸王, 親出捕賊, 王疑不許, 日新固請曰, "安有無頭, 而濟事者乎?". 王不得已帶劒, 幸十字街, 百官始聚, 捕斬張升亮等八九人, 梟首于市. 下天起于獄, 斬其子摠郎明道:節要轉載].[106]

· 열전35, 高龍普, "趙日新之亂, 高龍普, 逃匿免死, 遂爲僧, 在伽耶山海印寺. □□先是, 帝放資政院使高龍普于金剛山, 尋召還. 後復還國. 龍普嘗殺無辜, 典法司欲治之. 龍普乃辛裔妹壻, 佐郎崔仲淵, 裔之門生, 正郎姜君寶, 裔之同年友, 以故疎放之".

· 열전44, 奇轍, "趙日新謀除諸奇, 分遣人殺之, 輈被殺, 轍亡匿免".

· 열전34, 烈女, 洪義妻, "… 史失姓氏. 恭愍朝, 義爲上護軍. 趙日新作亂, 遣人害義于其家, 拔劒將斬, 義妻遽以身蔽之, 號叫攀援. 梃刃交加. 面目肢節, 多折傷, 幾至死, 義得不死".

103) ~~添字~~는 『고려사절요』 권26과 열전44, 趙日新에서 달리 표기된 글자이다.

104) ~~添字~~는 열전44, 조일신에 의거하였다.

105) ~~添字~~는 『고려사절요』 권26에 의거하였다.

106) ~~添字~~는 열전44, 조일신에 의거하였다.

壬寅[2日], 以宋瑞爲[都僉議]右政丞, 趙日新爲左政丞·判軍簿·監察□[事]事, 加賜贊化安社功臣之號, 洪彦博△[爲]判三司事, 柳濯·鄭乙輔·趙瑜△[並]爲贊成事, 金普·金逸逢·崔天澤△[並]爲評理,[107)] 姜得龍[~~康得龍?~~·前平壤尹]洪元哲爲三司右·左使, 安震爲政堂文學, 金信△[爲]知都僉議司事, 姜之衍[~~康之衍~~]△△[爲都]僉議評理商議, 韓可貴△[爲]判開城府事, 兪眞爲密直使, 姜千裕△[爲]知密直司事,[108)] 高忠節·李成瑞·[前知密直府事]黃順△△[並爲]同知密直司事,[109)] 金龜年爲密直副使商議, 李宗·洪開道·孫佛永△[並]爲密直副使, 李濟爲密直提學, 金玬·申輯△[並]爲開城尹, 任君輔爲密直司知申事,[110)] 田大有·元松壽爲右·左代言, 李君常·朴曦爲右·左副代言.[111)]

[壬寅[2日], 雷:五行1轉載].

癸卯[3日], 移御丹陽□□[~~府院~~]大君琠第. [行過高羅里, 日新馬上, 獻觴于王及大妃[太妃]·公主. 時日新作亂, 號令內外, 朝臣悩懼, 噤無一言. 王密召前□□[~~三司~~]左使李仁復曰, “事已至此, 何爲則可?”. 對曰, “人臣敢倡亂, 固有常刑, 況今天朝堂堂, 法

---

107) 金普는 이 시기 이후에 권세를 부리다가 1365년(공민왕4) 12월 金鏞에 의해 失勢하였던 것 같다. 또 여기에서 金隨는 韓山君 李穡(密直致仕金饒의 甥姪)의 外四寸兄으로 추측된다(『목은시고』 권13, 趙鈞伯和, [注, 金公隨兄之外孫]).

· 열전27, 金普, “恭愍初, 轉僉議評理, 錄燕邸侍從功爲一等, 賜忠勤亮節匡輔功臣號. 提調義·成德泉倉, 有倉奴附倉官, 欲納布受信州租稅, 普許之. 吏具牒, 詣糾正鄭暉請署, 暉問之, 吏曰, ‘欲省陸運價錢耳’. 暉問信州去京遠近, 吏紿曰, ‘七八日程也’. 暉乃署之. 後知爲吏欺, 收其牒, 倉官共疾之. 他日, 暉又見庫外別置米五碩詰之, 吏以羨餘爲解, 暉意倉官竊用, 告于臺. 普, 由是積不平, 訴暉於王, 繫巡軍, 尋釋之, 王遂罷義成·德泉官及監檢. 糾正稱內房庫, 別設提擧以掌之, 未幾, 召臺官諭曰, ‘聞卿等, 以革倉官, 欲劾金普. 予將復置, 勿彈’.○諸道按廉□[使], 期滿皆遞, 有李資者, 曾附普, 按楊廣道, 至是又附普, 請勿遞. 普白王, 下旨曰, ‘今農月, 不可煩驛騎, 但遞江陵道存撫’. 普妻兄金隨, 新除江陵存撫故也. 資仍按楊廣, 普適居母憂, 時人語曰, 李資此行, 爲金相賻喪也”.

108) 姜千裕는 僉議贊成事 姜融의 아들[孽子]로서 공민왕의 주선으로 金敬直의 사위가 되었던 것 같다.

· 열전37, 鄭方吉, 姜融, “子千裕, 婢妾出也. 恭愍以其妹, 爲元丞相脫脫寵姬, 命密直金敬直, 以其子妻之. 千裕後封河城府院君”.

109) 黃順(順帝의 寵臣인 也先帖木兒의 父→공민왕 2년 3월 6일)은 1350년(충정왕2) 5월 22일 知密直司事에 임명되었는데, 이때 그보다 하위직인 同知密直司事에 임명된 것이 특이하다.

110) 任君輔는 以後 大護軍 卓五十四와 왕의 총애를 다투다가 일시 罷職되었으나 1354년(공민왕3) 7월 2일 復職하였다.

· 열전27, 任君輔, “恭愍初, 拜密直知申事, 與大護軍卓五十四爭寵罷, 尋復職”.

111) 이 기사는 열전44, 趙日新에 축약되어 그 一黨만 기록되어 있다.

· “[趙]日新自爲左政丞, 加贊化安社功臣號, 授[高]忠節同知密直, [鄭]乙輔贊成事, 洪開道密直副使, 李君常·朴曦[右·左副]代言”.

令彰明，如其猶豫，臣恐累及於上". 王遂決意誅除:節要轉載].[112]

[甲辰4日，幸征東行省，會耆老·~~大臣~~密議:節要轉載].[113]

乙巳5日，□復幸行省，誅都僉議左政丞趙日新，囚其黨贊成事鄭乙輔·判三司事李權·羅英傑·高忠節·李君常等二十八人.

[→翌日乙巳5日，復幸行省，命金添守~~金添壽~~,[114] 執日新，引出行省門外，斬之，囚其親黨鄭乙輔·李權·羅英傑·高忠節·李宗·右副代言李君常·左副代言朴曦·蔡河老等二十八人. 賊黨趙波廻亡匿，聞老母繫獄自來，遂斬之. 是時，連日陰霾，及斬日新，天日開霽:節要轉載].[115]

丙午6日，[小雪]. 以李齊賢爲右政丞,[116] 曹益淸爲左政丞，賜純誠直節同德贊化功臣之號，贊成事柳濯△爲判三司事，洪彦博·金承澤△並爲贊成事，趙瑜爲都僉議評理，李公遂爲三司右使，文伯·金光鉉△△並爲 同知密直司事，鷹揚軍上護軍金鏞·崔源·朴壽年△並爲密直副使,[117] 前典法判書安輔爲密直提學,[118] 金玶·田大有爲右·左代言，元松壽·金光利爲右·左副代言,[119] ○貶益城府院君洪鐸爲會原縣令,[120] 前贊成事鄭乙輔爲光陽監務，前判三司事李權爲濟州牧使，[鐸，日新妻父也:節要轉載].[121]

---

112) 이와 같은 기사로 다음이 있다.
- 열전25, 李仁復, "恭愍初，趙日新作亂，號令中外，朝臣洶懼，噤無一言. 王密召仁復曰，'事已至此，何爲則可?'. 對曰，'人臣倡亂，固有常刑. 況今天朝堂堂，法令彰明，如其猶豫，臣恐累及於上'. 王決意誅日新. 王素重仁復，及是對，益重之".

113) ~~添字~~는 열전44, 趙日新에 의거하였다.

114) 金添守는 열전44, 趙日新에는 金添壽로 되어 있고，餘他 記錄의 모두가 後者로 되어 있음을 보아 前者는 誤字일 것이다(盧明鎬 等編 2016년 668面).

115) ~~添字~~는 열전44, 趙日新과 『고려사절요』 권26에 의거하였다.

116) 이와 관련된 기사로 다음이 있다.
- 열전23, 李齊賢, "趙日新聚群不逞，夜入宮，害所忌，縱兵誅殺，齊賢以辭位得免. 日新伏誅，起齊賢爲右政丞，賜純誠直節同德贊化功臣號".

117) 이때 金鏞은 功臣號를 하사받았다(열전44, 金鏞, "拜密直副使，賜輸忠奮義功臣號").

118) 이때 安輔는 密直提學兼監察大夫·提調銓選事에 임명되었다.
- 「安輔墓誌銘」, "玄陵知其賢，將大用，擢密直提學兼監察大夫·提調銓選事".
- 열전22, 安軸, 輔, "恭愍立，知其賢，授密直提學兼監察大夫·提調銓選事. 一日夜將半，王召輔入，有所除授，旣而曰，今日何日，命取曆觀之曰，猖鬼也，姑止. 輔，嘗惡陰陽拘忌，則跪曰，'王者奉天時，不在於此. 願殿下欲行則行，猖鬼何害'. 王變色".

119) 金光利는 元忠의 壻로 武班出身인 것 같다(元忠墓誌銘).

120) 會原縣令은 『고려사절요』 권26에는 檜原懸鈴으로 되어 있으나 오자일 것이다(盧明鎬 等編 2016년 668面).

121) 洪鐸 以下의 처벌은 열전44, 趙日新에는 明年(공민왕2) 3월 5일 몽골제국의 使臣 宗正府斷事

壬子[12日]，以高仲瑞爲開城尹，李達衷·全普門△[並]爲典理判書，車蒲溫·安祐△[並]爲軍簿判書,[122)] 李也先帖木兒·許禧△[並]爲版圖判書，[[于達赤]崔瑩爲護軍:列傳26崔瑩轉載].[123)]

[甲寅[14日]，雷:五行1轉載].

戊午[18日]，遣上將軍姜碩如元，賀千秋節.

辛酉[21日]，[大雪]. 下宥旨曰，"寡人承天子之命，守祖宗之業，夙夜憂勤，庶幾致理. 知有所不逮，誠有所未孚，皇天不弔，災變屢興，賊臣趙日新·鄭天起等，集聚兇徒，謀爲不軌. 賴祖宗之靈，大憝伏辜，凡爾內外百姓，皆安心作業，勿復驚動. 若其他罪囚，除不忠·不孝·謀故·劫殺外，咸宥之".

[○月入大微[太微]西藩大陽門:天文3轉載].

[壬戌[22日]，日暈:天文1轉載].

[○月入大微[太微]:天文3轉載].

[甲子[24日]，□[月]與歲星同舍:天文3轉載].

[是月，僧守閑·釋琛·信珪等開板'詳校正本慈悲道場懺法':追加].[124)]

[□□□[是月頃]，耆老上書都僉議司曰，"竊見，趙日新心懷僭踰，巧言便給，陵轢尊長，自伐其能. 陰結兇殘，爲其黨援，凡所欲爲，略無忌憚. 頃者，監察執義金科·持平郭忠秀，擧劾其罪，日新居間廢格，反罪言官，國人皆切齒. 自度罪盈，爲衆指目，夜募其黨鄭天起·崔和尙等，大備兵刃，闌入王所，殺衛士. 迫脅左右，擅開御寶，署置官職，自爲右政丞，天起爲左政丞，機要之地，皆委其黨. 分遣兇徒，恣行殺戮，奪攘無厭，衆心恟恟. 日新恐姦謀敗露，斬其徒和尙，扶王上馬，反害其黨. 揚言己功，大加名號，陽退爲左政丞，居王左右，露刃使氣，人莫不寒心曰，'自我肇邦四百

官 哈兒章(哈剌章, Qara jang)에 의해 집행되었다고 한다. 또 李權은 1354년(공민왕3) 6월 몽골 제국의 요청에 의해 張士誠 討伐에 참전하였다.

122) 이때 安祐는 軍簿判書·鷹揚軍上護軍에 임명되었다(열전26, 安祐).

123) 崔瑩은 다음의 기사에 의거하였다.

· 열전26, 崔瑩, "初, 隷楊廣道都巡問使麾下, 屢擒倭賊, 以武勇聞, 補于達赤. 恭愍元年, 趙日新作亂, 瑩與安祐·崔源等協力盡誅, 授護軍".

124) 이는 다음의 자료에 의거하였다(高昌龍 所藏, 郭丞勳 2021년 416面).

·『詳校正本慈悲道場懺法』권10, 卷末刊記, "至正十二년壬辰十月日,」 練板 知識 靈哲, 禪一,」 刊 知識 了心, 達云,」 省朱, 法空, 智印,」 法玄, 玉如, 宏乙,」 書員 知識 衍盧,」 化主 知識 守閑, 釋琛,」 信珪,」 施主 社主, 正西, 正招,」 大選 若琳,」 郎將 南宮伯,」 別將 柳猛,」 別將 崔龍鳳,」 千戶 金豆彥,」 入玉, 熊三,」 ".

有餘年，人臣敗逆，未有如此者.' 况歸附聖元以來，世尙公主，義爲君臣，親爲甥舅，寵錫便蕃，固非他國之比. 雖有元惡大憝，畏聖元德威，不敢小有侮慢. 但自某王，至某王，或氣銳年幼，爲政有所未至. 今我王，天資粹美，稟性仁明，臣民愛戴如父母. 日新狂妄一小孺，敢稱亂如此，幸今伏辜，人心皆快然. 其黨多是某年間惡輩，聖德寬洪，猶保性命，罔有悛心，其惡逆又至此. 原火不可不盡滅，蔓草不可不早除，伏望，仰告天庭，承稟明斷，以懲後來":列傳44趙日新轉載].

十一月庚午朔大盡,建壬子，壬申3日，移御繼城君韓仲禮家.

丙子7日，親設仁王道場于內殿.

[某日，百官上書征東省曰，"誘衆弄兵，人臣之大逆，制刑討罪，天下之通規. 事係安危，理當申達. 竊惟，本國歸附皇元，于今八十餘載，仰荷懷綏之德，恭承制禦之威，黎民按堵，邦國底寧. 人知犯分則必誅，豈有干名僭踰謀爲逆亂者乎. 不意，有賊臣趙日新，潛圖不軌，擅自起兵，謀去奇氏，攻破其家，叅政逃匿，院使見害，闌入王宮，殺害左右，恣行暴虐. 自知罪不容誅，又恐姦謀敗露，反殺同黨崔和尙等，滅口自雪，扶王上馬，又捕其黨，揚言爲功. 自爲政丞，居王左右，常露刃使氣，人莫不寒心. 夫日新者，潛畜異謀，多結黨援. 親戚厮養，寔繁有徒，方其作亂，捕之若急，禍不可測. 賴我王默斡神機，假以辭色，以伺其變，不勞兵刃，而日新就戮. 當其肆虐，百姓凜凜，若崩厥角，今旣伏辜，人民寧息. 若非我王含弘之德英斷之謨，焉能一朝剪除兇醜易於反掌. 伏望，聞于宸聰，明正典刑，以懲後來:節要轉載].[125)]

乙酉16日，遣密直副使朴壽年如元，謝賜戎器兼賫百官論趙日新書，以去.

[癸巳24日，月犯氐西南星:天文3轉載].

己亥30日，遣都僉議司使知都僉議司事韓可貴如元，賀正.[126)]

十二月庚子□朔大盡,建癸丑，遣密直副使同知密直司事?李成瑞如元，獻方物.[127)]

癸卯4日，元遣宗正府常判梁烈帖木兒·吏部尙書不花帖木兒來，鞫趙日新之變.

[→元遣宗正府常判梁烈帖木兒，吏部尙書不花帖木兒來鞫，執送日新孽子丑厮在燕都者:列傳44趙日新轉載].

---

125) 이 기사는 열전44, 趙日新에도 수록되어 있는데, 添字는 이에 의거하였다.

126) 都僉議司使 韓可貴에서 都僉議司使라는 관직이 없으므로 知都僉議司事 韓可貴의 오자로 추측된다. 그는 1354년(공민왕3) 11월 25일 知都僉議司事의 上位職인 □都僉議評理에 임명되었다.

127) 庚子에 朔이 탈락되었다. 또 密直副使는 同知密直司事의 오류로 추측된다. 李成瑞는 이해[是年]의 10월 2일(壬寅) 同知密直司事에 임명되었다.

[□□[某日], 二鹿入城:五行2轉載].

[某日, 杖[密直副使]金鏞, 日新之亂, 衛士多中傷, 鏞獨免, 且不捍禦故也:節要轉載].

[→趙日新作亂, 犯行宮, 多殺宿衛者, [密直副使金]鏞直宿于內, 獨免, 又不捍禦, 物議紛紜. 王亦疑之, 杖流海島:列傳44金鏞轉載].

[是年, 春夏之交, 全州旱甚, 十月大雨:追加].[128)]

[○又置田民辨正都監:百官2田民辨正都監轉載].[129)]

[○置直都僉議使司事. 復置中事, 尋罷之:百官1門下府轉載].

[○令五軍錄事, 管勾都評議使司案牘:百官2都評議使司轉載].

[○置禮儀推正都監:百官2禮儀推正都監轉載].

[○置推刷色:百官2推刷色轉載].

[○判, 決後奴婢, 仍執不許者, 四品以上, 申聞科罪, 五品以下, 決杖流配:刑法2奴婢轉載].

[○前[都僉議]贊成事閔祥正卒, 年七十二. □□[祥正], 稟性剛烈, 不能容人之過, 雖在骨肉, 不少假貸. 子濡·琡·璿·琇·賢. 濡, 登第, 官累代言. 祥正以濡不孝, 告監察司鞫之, 濡具服尋逃. 琡·璿·琇·賢, 以罪流于島, 恣横不入島, 杖之移配他所:列傳20閔祥正轉載].[130)]

---

128) 이는『삼봉집』권4, 鄭云敬行狀에 의거하였다.

129) 이는 지31, 百官2, 田民辨正都監, "恭愍王元年, 又置"를 轉載하여 적절히 變改하였다. 또 이의 설치시기는 印承旦이 經筵에서 폐지를 건의한 8월 某日 이전일 것이다.

130) 閔祥正과 그의 아들 閔璿의 墓所는 平山府 斗城里에 있었던 것 같다. 또 이후 閔祥正의 여러 아들이 유배된 것은 1361년(공민왕10) 閔賢[閔玹]이 紅巾賊에게 降服한 것과 관련이 있을 것이지만(→공민왕 11년 9월 8일), 후일 모두 放免되었던 것 같다. 이는 이들 중의 4世孫인 閔大生(閔瀆의 5世孫, 韓明澮의 丈人, 睿宗妃 章順王后의 外祖父)인 점을 통해 유추할 수 있다. 또 閔璿은 이 시기 이후에 李芳幹(李成桂의 4子)의 丈人이 되었던 같다(『목은문고』권15, 李子春神道碑).

- 『老峯集』권10, 燕行錄(1669年), "[顯宗十年十月]壬午[22日], 朝發抵平山, 李公叔達以延安倅, 爲供副使來, 設餞酒, 辭以病, 行兩杯而罷. 午後往斗城里, 拜先祖贈僕射公墓, 仍看改莎立石之役, 留宿墓下居宗丈閔載寧晋亮草堂. 先隴之右, 有三原, 其近者載寧丈葬其先大夫判書公, 第二原, 卽判書諱璿之墓, 第三原, 卽二相諱祥正之墓云. 癸未[23日]午時, 畢役設奠, 副使·書狀□[宧], 亦以外裔來參, 近地所居姓孫赴會執役者, 亦十餘人".
- 『세조실록』권27, 8년 2월, "庚寅[25日], 世子嬪韓氏 設遷奠".
- 『錦谷集』권13, 懷安大君贈諡良僖公[芳幹]墓碑, "… 配驪興閔氏, 判書贈贊成□[事]璿女, 墓在驪州失傳, 子孫居義寧[鎭川]".

[○以洪彦博爲僉議贊成事, 賜推誠亮節佐理功臣號, 封南陽君. 時定六寺判事階奉翊, 省郎不署依牒. 王怒囚右司議□□[大夫]宋天鳳[宋天逢], 將罪之. 彦博與洪彬, 營救得免:列傳24洪彦博轉載].

[○以[監察掌令]崔宰爲開城少尹, 尋辭歸淸州:追加].[131)]

[○以柳廷爲延安府使:追加].[132)]

[○以申君平爲羅州牧使. 時[君平]母年九十嬰疾, 牢辭不赴:列傳22申君平轉載].

[○以[膳官署丞]河允潾爲膳官署令:追加].[133)]

[○白州人趙世卿與其子<u>胖</u>如大都. 時<u>胖</u>年十二:追加].[134)]

[○以僧<u>復丘</u>爲王師:追加].[135)]

[○前贊成事<u>尹桓</u>, 撤報法寺西夾室之前, 以備置大藏經:追加].[136)]

[○僧<u>守閑</u>與中郎將<u>南宮伯</u>開板'佛說長壽滅罪護諸童子陀羅尼經':追加].[137)]

[○入元僧<u>惠勤</u>, 自江浙行省北還, 至大都, 再參<u>指空</u>, <u>空</u>授法衣·拂子·梵書. 於是, 游涉<u>燕代</u>山川:追加].[138)]

· 『肅齋集』 권23, 懷安大君[芳幹]神道碑, "… 配驪興閔氏, 判書贈贊成□[事]<u>璿</u>女, 墓在驪州失傳, 子孫居<u>宜寧</u>, …".

131) 이는 「崔宰墓誌銘」에 의거하였다.

132) 이는 『연안부지』에 의거하였다.

133) 이는 『동문선』 권121, 河允潾神道碑銘에 의거하였다.

134) 이는 다음의 자료에 의거하였다.

· 『태종실록』 권2, 1년 10월 壬午[27日], "復興君<u>趙胖</u>卒. <u>胖</u>, 豊海道白州人, 贈參贊<u>世卿</u>之子, 年十二, 從<u>世卿</u>赴燕都. 主從姊夫段平章家, 遂學漢文, 兼通蒙古書語. 丞相<u>脫脫</u>一見奇之, 奏辟中書省譯史".

135) 이는 『동문선』 권118, 王師大曹溪宗師 … 贈謚覺眞國師塔碑銘幷序(李達衷 撰)에 의거하였다.

136) 이는 다음의 자료에 의거하였다.

· 『목은문고』 권6, 報法寺記, "… 撤所居西堂, 以備經, 壬辰歲也".

· 『儀禮注疏』 권15, 特牲饋食禮, "… 牲在其西北首東足, 設洗于阼階東南, 壺禁在東序豆·籩, 鉶在東房南上. 凡席兩敦在西堂[注, 東房, 房中之東, 當夾北. 西堂, 西夾室之前, 斤南耳]".

137) 이는 다음의 자료에 의거하였다(郭丞勳 2021년 417面).

· 『佛說長壽滅罪護諸童子陀羅尼經』, 권말간기, "至正丙申十二年壬辰,」 法玄受刻,」 施主 中郎將 <u>南宮伯</u>,」 靑行, 化主 <u>守閑</u>」".

138) 이는 다음의 자료에 의거하였다. 여기에서 燕代는 燕京(北京市)에서 代州에 이르는 지역을 가리키는데(혹은 燕雲으로 불림), 현재의 北京市를 포함한 河北省 西部와 山西省 東部에 걸치는 지역이다.

· 『목은문고』 권14, 普濟尊者謚先覺塔銘幷序, "[至正壬辰,] 是歲, [惠勤·]北還, 再參<u>指空</u>, <u>空</u>授法儀·拂子·梵書. 於是, 游涉燕·代山川".

[增補].[139]

[是年頃, 以[前郞將]金先致爲羅州判官:追加].[140]

癸巳[恭愍王]二年, 元至正十三年, [西曆1353年]

1353년 2월 5일(Gre2월 13일)에서 1354년 1월 24일(Gre2월 1일)까지, 354일

春正月[庚午朔小盡,甲寅], 丙子[7日], 幸榮安王大夫人李氏第.

[辛巳[12日], 太白犯畢, 月暈角·軫度:天文3轉載].

[癸未[14日], □[月]犯大微[太微]西藩次將星:天文3轉載].

[甲申[15日], 王將春享寢園, 百官侍衛, 至寢園, 次於園東:禮3吉禮大祀轉載].

乙酉[16日], 親祼太廟.

[→乙酉, 王乘輦, 入自南俠門, 文官, 敘立[序立]於東階下, 武官西階下. 王立於月臺東, 亞獻丹陽大君珛, 立王之後, 終獻右政丞李齊賢, 立於丹陽大君之後, 齋郞, 立於最後行. 牲牢, 牛一·羊五·豕九·鹿十. 祭畢, 退御幄次, 受賀禮而還. 成均及十二徒諸生, 各獻歌謠, 敎坊伎樂, 陳於路傍, 迎之:禮3吉禮大祀轉載].

[○雷:五行1轉載].

[丙戌[17日], 大風:五行3轉載].

[某日, [都僉議]右政丞李齊賢辭:追加].[141]

戊子[19日], 以[前正議大夫·興國路摠管]洪彬爲[都僉議]右政丞,[142] 曹益淸爲左政丞, 洪彦博·柳

---

139) 1352년(지정12, 공민왕1) 봄[春], 高麗人 出身의 浙西道廉訪僉事 李朶只(朶兒只, 李dorji, 字는 仲善)가 江浙行省 平江路 吳縣(現 江蘇省 蘇州)에 부임하여 民生을 안정시키고, 홍건적과 海寇의 침입을 방어하기 위해 4月에 대대적으로 성곽을 축조하여 8월에 완공하였다(『夷白齋稿』 권17, 李僉事政蹟序 ; 『僑吳集』 권8, 贈李憲僉序, 권9, 平江路新築郡城記).

140) 이는 다음의 자료에 의거하였다.

· 『태조실록』 권13, 7년 3월 己巳[22日], 金先致의 卒記, "先致, … 仕前朝, 初拜散員, 遷至郞將. … 壬辰[恭愍1年], 判官羅州, 有巨室壓珍島郡吏爲賤者, 卽決爲良. 入爲都官·吏部二郞中".

141) 이는 「李齊賢墓誌銘」에 의거하였다.

142) 이때 몽골제국의 正議大夫·興國路摠管 洪彬은 壁上三韓三重大匡·右政丞·判典理司事에 임명되었는데, 江西行省 興國路는 현재의 湖北省 陽新縣 지역이다.

· 「洪彬墓誌銘」 ; 열전21, 洪彬, "後還國. 恭愍卽位, 拜右政丞, 賜推誠翊戴同德協義輔理功臣

濯·李公遂△[並]爲贊成事, 李達衷爲監察大夫, 元顗爲典理判書, [司議大夫]宋天逢[宋天鳳]爲監察執義, 金承矩爲監察掌令, 鄭國卿爲起居郎, 朴絢爲左獻納, 呂渭□[賢]·金成甲△[並]爲監察持平.143)

○遣上護軍姜仲卿·金成寶如元, 獻熊羔皮.

己丑[20日], 永山君張沆卒, [謚文顯:列傳22張沆轉載].144)

[乙未[26日], 紫氣見于東西:五行1轉載].

[某日, 以慶尙道按廉使崔漢龍, 仍番:慶尙道營主題名記].

[是月頃, [右政丞洪彬]與[贊成事]洪彥博·[贊成事]李公遂提調政房:列傳21洪彬轉載].

二月[己亥朔大盡,乙卯], 丙午[8日], 平陽君金永純卒.145)

[辛亥[13日], 月犯大微[太微]. 太白·熒惑同舍于婁, 二日:天文3轉載].

乙卯[17日], 元遣前征東省照磨石抹時用, 賜王衣酒.146)

[癸亥[25日], 淸明, 雪:追加].147)

丁卯[29日], 雲南王甫剌[甫刺]太子遣使來, 宴王及公主.

○礪良府院君宋瑞卒.148)

號, 封唐城府院君".

143) 李穡은 鄭國卿을 鄭國經으로 표기하였다(『목은시고』 권11, 憶草溪鄭判書國經 ; 「尹侅墓誌銘」). 또 이날 監察持平(正5品)에 임명된 呂渭는 이름이 조금 이상한 점을 보아 1355년(공민왕4) 9월 永州副使로 到任한 成均司藝(從4品) 呂渭賢으로 추측된다. 또 그는 1366년(공민왕15) 2월 羅州牧使로 부임한 呂衛賢(呂渭賢의 오자일 것임), 12년 是年의 延安府使 呂渭賢과 同一人일 것이다(→공민왕 4년 8월 是月頃, 10년 是年, 15년 2월).

144) 이날은 율리우스曆으로 1353년 2월 24일(그레고리曆 3월 4일)에 해당한다.

145) 이날은 율리우스曆으로 3월 13일(그레고리曆 3월 21일)에 해당한다. 또 金永純이 어떠한 인물인지는 알 수 없으나 1320년(충숙왕7) 1월 永州副使에 임명된 金永純과 同一人일 가능성이 있다(→충숙왕 7년 1월 是月).

146) 石抹時用은 石抹[Shih-mo]氏가 契丹의 皇后族[國舅族]인 審密[Shen-mi]氏의 同音表記인 점을 보아 契丹人출신인 것 같다(武田和哉 1994年). 그는 고려에 歸化하여 1354년(공민왕3) 4월 典理判書에, 6월 開城尹에, 12월 密直副使에 각각 임명되었다. 또 그와 관련이 있었던 것 같은 石抹天英은 1355(공민왕4) 2월 奉順大夫·安東牧使로 부임하여 같은 해 7월에 移任하였다가 1363년(공민왕12) 윤3월 前判典醫寺事로서 京城收復 2등 공신에 책봉되었다(『안동선생안』).

147) 이는 다음의 자료에 의거하였다(→全文은 우왕 3년 3월 13일의 脚注).
· 『목은시고』 권28, [禑王七年]三月十四日, 鷄鳴, 聞呼女奴收庭雨中麥, 曉來雪在屋尾, 望山則皆白, 因記癸巳歲[恭愍2年]淸明日, 在韓山詠雪, 今廿九年矣. ….

148) 宋瑞는 僉議中贊 宋玢의 4子이다(열전38, 宋玢).

三月己巳朔小盡,丙辰, 甲戌6日, 元遣宗正府斷事官哈兒章·兵部郎中剛升等, 誅趙日新黨鄭天起·高忠節·廉伯顔帖木兒·郭允正·李君常·李龜龍, 籍其家. [又斬徒黨朴西磴等十四人, 杖曹用權等十七人. 政堂文學安震·密直提學李濟, 以年老, 免杖贖銅. 又以趙日新妻子, 給奇天麟爲奴婢:節要轉載].

[→遣宗正府斷事官哈兒章, 兵部郎中剛升等來斬, 鄭天起·高忠節·廉伯顔帖木兒·郭允正·李君常·李龜龍, 籍其家, 流君常二子希古·希慶, 配烽卒. 又斬徒黨朴西磴·陳英瑞等十四人, 杖劉廣大·羅英傑·李壽長等十七人. 安震·李濟以年老, 免杖贖銅. 黃順以子也先帖木兒有寵於帝, 得免. 貶洪鐸檜原縣令, 鄭乙輔光陽監務, 李權濟州牧使. 流仇天祐~~丘天祐~~·元碩·閔桓·朴良衍·孫襲于外. 鐸日新妻父也. 元又以日新妻子, 給奇天麟爲奴婢, 後皇后免其妻:列傳44趙日新轉載].[149]

[乙亥7日, 月在鬼北, 暈北河軒轅右角:天文3轉載].

[戊寅10日, 穀雨. □月犯大微~~太微~~次將:天文3轉載].

[己卯11日, □月犯大微~~太微~~東藩內, 暈木·角度:天文3轉載].

[辛巳13日, 太白犯畢:天文3轉載].

乙酉17日, 遣□都僉議贊成事柳濯·三司右使崔天澤, 如元, 賀聖節.

壬辰24日, 以忠肅王忌辰, 如廣明寺.

癸巳25日, [立夏]. 遣左藏庫提點金光鉉如元, 獻苧布.

甲午26日, 幸旻天寺, 設仁王道場, 元賜寶鈔一百錠, 設道場, 以鎭兵.

夏四月戊戌朔小盡,丁巳, 公主幸旻天寺.

庚子3日, 雨雹.[150]

[辛丑4日, 太白犯東井. 月犯五諸侯:天文3轉載].

甲辰7日, 地震.[151]

[丙午9日, 太白犯東井. 月犯大微~~太微~~:天文3轉載].

[戊申11日, 小滿. 日無光:天文1轉載].

[○月又與歲星, 同舍于角:天文3轉載].

---

149) 添字와 같이 고쳐야 옳게 될 것이다.

150) 이와 같은 기사가 지7, 五行1, 水, 雨雹에도 수록되어 있다.

151) 몽골제국에서는 이해[是年]의 3월 陝西行省 會州(現 甘肅省 白銀市 會寧縣), 定西(現 定西市), 靜寧(平凉市 靜寧縣), 莊浪(平凉市 莊浪縣) 등의 지역에서 地震이 있었던 것 같다.
·『원사』 권43, 본기43, 순제6, 지정 13년 3월, "是月, 會州·定西·靜寧·莊浪等州地震".

[壬子[15日], 獐入城:五行2轉載].

乙卯[18日], 王與公主幸福靈寺, 禱嗣.

[某日, □□[監察]執義宋天鳳[宋天逢], □□□□□[掌成均試], 取韓達漢等八十二人, 明經五人:選擧2國子試額轉載].[152)]

[某日, 起復前右代言柳淑, 供職:追加].[153)]

五月[丁卯朔小盡,戊午], 己巳[3日], 賜李穡等及第.[154)]

---

152) 이때 다음의 기사와 같이 金齊閔(改九容, 16歲)·尹孝宗(尹澤墓誌銘)·廉興邦·洪敏求(17歲)·朴尙衷 등도 합격하였다고 한다.
- 열전17, 金方慶, 九容, "初名齊閔. 恭愍朝, 年十六, 中進士. 王命賦牧丹詩, 九容居首, 王奇之, 賜職散員".
- 열전24, 宋天逢, "又掌監試, 取韓達漢等. 王召達漢及最少者五人, 令賦牧丹詩, 多不工, 一人曳素. 王怒收其榜, 責天逢曰, 考藝不精, 何至是耶. 天逢慚悳無以對".
- 『익재난고』 권4, 癸巳[恭愍王2年]五月, 掌試棘圍, 呈同知貢擧洪二相, "今年監試, 試官宋天鳳諫議□□[大夫], …".
- 『목은문고』 권13, 跋愚谷諸先生送洪進士詩卷, "善之缶溪, 有洪氏居焉, 奉其母, 以孝聞, 其宦學松京而還也. … 洪氏名敏求, 字好古, 益齋先生所命也. 與今年[禑王6年]知貢擧廉東亭[興邦], 同等癸巳[恭愍2年]進士科, 故其會試也, 人皆曰, 好古得主司矣, 東亭亦欲老者出其門, 又欲屈同年爲門生無疑也. …".
- 『定齋集』 권3, 潘南先生家傳, "先生諱尙衷, 字誠夫, … 以高麗忠惠王二年壬申, 生於孔巖縣馬山里. … 恭愍王二年, 年二十二, 赴國子監試[成均試], 先生, 方以能詩有名, 衆皆期以壯元, 及拆榜, 竟無先生名. 考官大駭, 求之落卷不得, 人疑爲爭名者所誤. … 唯當直取大科. 竟中是年乙科第二名". ~~添字~~와 같이 고쳐야 옳게 될 것이다.

153) 이는 다음의 자료에 의거하였는데, 이때 柳淑이 母親喪을 입었다면 ~~添字~~와 같이 고쳐야 할 것이다.
- 「柳淑墓誌銘」, "旣而丁外艱[~~內艱~~], [趙]日新聚群不逞, 誅殺所忌, 未幾伏誅, 癸巳四月, 起復供職代言".
- 열전25, 柳淑, "… [趙]日新誅, 淑方居母憂, 起復爲代言".

154) 이와 관련된 기사로 다음이 있는데, 4월에 시험이 실시되었고, 5월에 발표[放榜]가 있었던 것 같다. 또 아래에서 급제자가 有名한 경우, 대표적 자료만을 제시하였다.
- 지27, 선거1, 科目1, 選場, "恭愍王二年五月, 金海□□[府院君]李齊賢知貢擧, 贊成事洪彦博同知貢擧, 取進士, [~~己巳~~], 賜乙科李穡等三人·丙科七人·同進士二十三人·明經二人及第".
- 『목은시고』 권24, 至正癸巳四月, 益齋先生·陽坡先生典貢擧, 無燕會, 僕與同年成行, 罷則休于家, 甚蕭索也. …
- 『목은시고』 권15, 奉謝洪[~~仲宣二司~~]左使·權[~~仲和~~]政堂[~~文學~~]携酒見訪, [注, 洪公亞元, 權公探花郞, 僕忝狀頭, 故戲及此語].
- 열전22, 安軸, 宗源, "字嗣淸, 年十七登第".
- 『목은집』연보, 至正十三年癸巳, "夏, 憂制終. 五月, 玄陵開初科, 益齋先生李公齊賢知貢擧, 陽坡先生洪公彦博同知貢擧, 公中乙科第一人, 授肅雍府丞".
- 『태종실록』 권16, 8년 11월, 權仲和의 卒記, "丁卯[23日], 領議政府事仍令致仕權仲和卒. 仲和, 安東人, 高麗政丞漢功之子. 登至正癸巳乙科第二人[~~三大~~]". 여기에서 ~~添字~~로 고쳐야 옳게 될 것

[辛未5日, 太白在柳, 歲星在角. 月犯軒轅天屛:天文3轉載].

[乙亥9日, 歲在角西, 月在歲西:天文3轉載].

[丙子10日, 太白犯軒轅右角北:天文3轉載].

壬午16日, 王與公主, 宴榮安王大夫人李氏于其第.

乙酉19日, 遣密直使密直副使李也先帖木兒, 鷹揚軍上護軍·軍簿判書安祐如元, 貢方物, 仍獻皇后誕日禮物. 皇后誕日之賀, 始此.[155)]

[□□是時, 王表請于元曰, "小邦爰自祖宗之代, 獲叨甥舅之榮. 土風雖愧於中原, 天幸多逢於上國. 玆者, 榮安王大夫人李氏, 衣冠奕葉, 禮義名家, 毓德坤元, 曾踐黃金之屋, 儲祥震索, 當開碧縷之門. 竊聞, 皇朝之法, 有所謂孛兒扎者, 合姻亞之

이다.

· 『목은시고』 권3, 白衣送酒來, 謝李同年廣州司錄悅, 次韻題完山記室華同年詩卷三首, 予訪華君華之元至完山, 同年尹典籤如京, 偶相值, 留數日完山. …. 여기에서 '同年尹典籤'은 그 이름[名]을 알 수 없다.

· 『목은시고』 권3, "予既僥倖登科, 拜翰林供奉, 復次于家, 本國同年諸公, 方爲各州司錄. 以丙科頭臨河華之元, 在全州, 與吾家甚近, 將往訪之, 會華君攝錦州, 錦州多木, 可刻書, 欲鋟先□考稼亭文集, 因訪華君于錦, 置酒長歌". 여기에서 添字가 추가되어야 할 것이다.

· 『목은시고』 권3, 淸州宿僧房, 明日, 韓同年設食, 汝忠.

· 『목은시고』 권4, 送晋州李判官, 兼簡同年全記室, 二首.

· 『목은시고』 권5, 次金同年前後所寄詩韻, 寄密城李同年, 讀同年司空伯亶送李永哲試, 次韻因勉李生云[注, 伯亶名實].

· 『목은시고』 권6, 憶李奉翊東秀, "同年同鄕久忘形, 釋褐當年拜稼亭李穀, …".

· 『목은시고』 권7, 代書奉謝李同年得遷.

· 『목은시고』 권15, 同年申翌之, …, 권34, 同年申翌之, …".

· 『목은시고』 권22, 朗吟有懷李同年, 玖.

· 『목은시고』 권27, 將訪郭同年忠守, 累日身不輕快, 吟成一首.

· 『목은시고』 권28, 有懷韓弘同年.

· 『목은시고』 권35, 寄京山府金判書同年, □名隨.

· 『목은문고』 권3, 菊澗記, "同年朴兵部在中扁其所居曰菊澗, 求予記. 予曰, 菊, 花之隱者也. 澗, 水之幽者也". 여기에서 朴在中은 朴晋祿의 字일 가능성이 있다.

· 『목은문고』 권7, 送楊廣道按廉韓侍史序, □名弘道.

이때 李穡·洪仲宣(亞元)·權德生權仲和(探花郞)·華之元(丙科1人)·司空實·李悅·郭翀龍(改仲龍)·金元粹·金隨(金銖)·芮英達·朱印成(朱仁成)·韓弘度(韓弘道)·申□□(號翌之)·朴晋祿·宋暎(號宋叔通?)·柳廣元·李玖·韓汝忠(韓哲沖)·崔守雌·鄭驩·金廣允·安福從(改宗源)·李上元·田子壽·鄭樞(改公權)·柳乙淸·孫奭·高以楫·金乙珍 등이 급제하였다(『등과록』; 『전조과거사적』, 朴龍雲 1990년; 許興植 2005년).

155) 密直使는 密直副使의 오자일 것이다. 李也先帖木兒[Esen Temur]는 前年, 곧 1352년(공민왕1) 6월 1일 上護軍으로 在職하였고, 10월 12일 版圖判書에 임명되었으며, 이해의 9월 8일에 密直副使였다. 또 그는 明年 5월 20일에도 密直使로 되어 있는데, 이 역시 密直副使의 오류일 것이다.

懽, 爲子孫之慶. 古旣如是, 今胡不然. 若蒙陛下, 爲[榮安王]大夫人李氏, 擧盛禮之優優, 示殊恩之衎衎, 則九族感睦親之義, 誓永世而不忘. 一邦殫歸美之誠, 祝後天而難老":列傳44奇轍轉載].

[丙戌[20日], 太白犯軒轅:天文3轉載].

[六月[丙申朔大盡,己未], 辛丑[6日], 太白犯大微[太微]西. 月在左執法北:天文3轉載].

[丙午[11日], 太白犯大微[太微]右掖門:天文3轉載].

[己酉[14日], 大暑. 月犯南斗魁:天文3轉載].

[某日, [都僉議]右政丞洪彬辭職. 王遣內人起之. 彬, 杜門不出, 宰樞會其家請之, 乃視事:節要轉載].

[某日, 以郭忠秀守爲慶尙道按廉使:慶尙道營主題名記].[156)]

[是月, □□[成均]祭酒李挺, □□□□[掌升補試], 取楊以時等五十人:選擧2升補試轉載].[157)]

秋七月[丙寅朔小盡,庚申], [己巳[4日], 月犯大微[太微]東藩上相·次相間. 太白犯上相東:天文3轉載].

辛未[6日], 太白晝見.

壬申[7日], 七夕, 王與公主祭牽牛·織女于內庭.

[甲戌[9日], 月犯心大星:天文3轉載].

乙亥[10日], 元以册皇太子[愛猶識里達臘], 赦天下, 遣太府監太監山童·直省舍人金波豆等來, 頒詔,[158)] 太子卽奇皇后所出也. 王出迎于迎賓館, 詔曰, "朕荷天地之洪禧, 纘祖宗之正統, 若稽古訓, 惟懷永圖. 皇子愛猷識理達臘, 溫文日林, 仁孝夙成, 朕爲之, 開端本堂, 以親學, 立宮傅府, 以觀政, 選任老成, 以躬輔導, 使之寅贊時雍. 在朕左右, 十五年矣, 講藝迪德, 善譽益聞. 邇者, 宗王大臣, 合辭懇請, 至于再三, 元良之位, 國本所崇, 以長以賢, 中外屬望, 宜遵世皇之盛典, 以爲億載之貽謀. 是

---

156) 이해의 8월 晋州牧에서 改版된 『拙藁千百』의 刊記에 의하면, 郭忠秀는 按廉使·奉善大夫(從4品)·內書舍人(從4品?)·藝文應敎(正5品)·知製敎兼春秋館編修官이었다.

157) 李挺은 이해의 初半에 中正大夫·成均祭酒에 임명되었던 것 같다(『양촌집』 권38, 李挺神道碑銘並序).

158) 이 詔書의 내용과 같이 惠宗[順帝] 妥懽貼睦爾[Togon Temur]는 6월 2일(丁酉) 奇皇后의 所生인 愛猷識理達臘[Ayu Siri Dala)을 皇太子로 책봉하였다(『원사』 권43, 본기43, 순제6, 지정 13년 6월 丁酉).

用，俯徇輿情，聿隆丕祚，已於今年六月初二日丁酉，授以金寶，立爲皇太子·中書令·樞密院使，悉如舊制，其諸册禮，具儀擧行．屬慶典之肆成，宜普天之均惠，可大赦天下"．

○王頒宥境內，仍宴使臣．

丁丑12日，元御香使·宦者崔伯帖木兒，以處女六人及琴瑟等鄕樂，還．

辛巳16日，王與公主如延慶宮，宴元使，遣衛尉注簿韓元發于江陵交州道，索孛兒札宴及供使臣所需．

乙酉20日，金寧君金普·鷹揚軍上護軍安祐，奉賜王衣酒，還自元．

丙戌21日，元使山童等還，王餞于迎賓館，宰樞贈白銀二錠·苧麻布各九匹·綾三匹，舊例也．皆不受而去．

[庚寅25日，月犯五諸侯:天文3轉載]．

八月乙未朔大盡,辛酉，[己亥5日，熒惑犯軒轅:天文3轉載]．

庚子6日，元遣蠻蠻太子·定安平章□□政事來，錫孛兒扎宴于榮安王大夫人．159)

[甲辰10日，月在南斗魁:天文3轉載]．

乙巳11日，設孛兒扎宴于延慶宮，王及公主與焉．[公主與太子坐北，面南，王坐西，面東，皇后母李氏坐東，面西．王先起，跪獻爵于太子，太子立飮，以次行酒．太子又起，獻酒李氏，次王，次公主:節要轉載]．是宴，用布爲花，凡五千一百四十餘匹，他物稱是，窮極奢侈，由是，物價騰湧，禁公私用油蜜果．時國用罄竭，貸永福都監布二千六百匹，又貸於富民．[元法，合姻婭而宴之，謂之孛兒扎宴．初，王爲李氏表請，故帝賜是宴．時使介絡繹，館舍難容，皆館於宰樞之家，凡三十餘所:節要轉載]．

[→帝遣蠻蠻太子·定安平章等，賜孛兒扎宴．王與公主，幸延慶宮，公主·太子南面，王坐西，李氏坐東．王行酒，先跪獻太子，太子立飮．太子行酒，獻李氏，次王·公主．宴將闌，使者傔人，升坐西階，衛士東階，置肉爭噉，較勝否爲樂，食多而先已者爲勝．宴罷，皆下庭，連袂立．使者在西，轍·太府監太監權謙等在東，各奏胡歌，

159) 蠻蠻[Manman] 太子는 皇太子 愛猶識里達臘의 別稱인 것 같은데, 이는 그의 丈人인 福安府院君·太府監太監 權謙이 宴會에 참석하였음을 통해 알 수 있다. 또 孛兒札宴(孛兀兒札宴, Büljar)은 몽골제국의 풍속으로 親族[姻婭]들이 모여 宴會를 하는 것을 말한다(『고려사절요』 권26, 공민왕 2년 8월 ; 『익재난고』 권8, 陳情表).

蹈舞而進, 倶會庭心. 以紵絲一匹, 連執環立, 歌舞旋回者數四, 斷其所執, 段段而分之. 是宴, 剪布作花, 凡五千一百四十匹, 他物稱是. 由此, 物價騰湧, 禁公私宴及齋筵油密果. 自是, 遣使錫宴, 無虛歲, 本國置李氏府, 曰慶昌:列傳44奇轍轉載].

丙午[12日], 幸太子館, 設防沒宴. 元法, 留宴日大肉馬頭.

翌日[丁未13日], 復宴, 謂之防沒.

甲寅[20日], 幸太子及平章[平章政事]館, 贈禮幣.

[辛亥[17日], 狐入城:五行2轉載].

丁巳[23日], 太子·平章[平章政事]還, 王餞于郊. 太子約娶金允臧[全允臧]女,[160] 以其女歸. 先是, 實逗太子之來也, 亦娶萬戶林淑之女而還.[161]

○謁德陵[忠宣王].

[是月, 肅雍府右司尹朴元珪與金成寫成'金字妙法蓮華經':追加].[162]

九月乙丑朔[大盡,壬戌], [寒露]. 元告日食, 不果食.[163]

丁卯[3日], 幸王輪·乾聖寺.

[○熒惑犯大微[太微]上將:天文3轉載].

[○雨雹:五行1雨雹轉載].

壬申[8日], 遣密直副使李也先帖木兒如元, 謝賜孛兒扎宴, 表曰, "乾坤邈矣, 敢期

---

160) 金允臧은 全允臧의 오자일 것이다.

161) 實逗[Sidor] 太子는 1351년(공민왕 즉위년) 12월 25일 공민왕과 왕비(魯國大長公主)를 護行해 온 失禿兒[Sidor] 太子와 同一人으로 추측된다.

162) 이는 東京都 港區 南青山 6-5-36 根津美術館에 소장된『紺紙金泥妙法蓮華經』권7, 跋에 의거하였다(菊竹淳一 1981年 單色圖版71 ; 權熹耕 1986년 434面 ; 南權熙 2002년 376面 ; 張東翼 2004년 732面 ; 張忠植 2007년 219面).

- 跋文, "竊聞,讀誦受持解說,書寫流通,五種饒益,一」 般弟子,迺湊懇於眞詮,因倩人而敬寫,玆有」爲微善,卽無上勝功,普徧莊嚴,悉皆霑潤,」 伏願,茫茫三有,蠢蠢四生,頓悟一乘,圓宗永」 盡,多生妄惑,如窮子傳家業而信知本,有」 若醉客,得衣珠而勿向他求,不借化城直」 躋寶所,次願弟子,飽喰王饍圓領佛懷,信」 依正,皆是妙經體色香,無非中道淨六根」 而隨意通經,誓等法師,功德,離五障而轉」 身成佛,願同龍女,機緣自從,現在之時,窮」 盡未來之際,生生供養,在在弘揚者,」 至正十三年癸巳八月 日 誌,」 施主正順大夫·肅雍府右司尹朴 元珪,」 施主金 成」".
- 追記, "奉寄進妙法華院常住」 施主邢角甄」 ".

163) 이날 中原에서는 일식이 행해졌다고 하지만(『원사』 권42, 본기42, 순제5, 至正 13년 9월 乙丑), 일본에서는 일식에 대한 기록이 찾아지지 않았던 것 같다(高麗曆과 同一, 日本史料6-18책 323面). 그런데 이날(율리우스력의 1353년 9월 28일)의 일식은 북동아시아 3국이 中心食帶에서 벗어나 있었기에 관측될 수 없었다고 한다(渡邊敏夫 1979年 312面).

呼籲之聞，草木微哉，忽致恩榮之沐，感驚交至，蹈舞不知．皇帝陛下，體禹勤儉，躋湯聖敬，遵祖宗之典禮，雖舊惟新，擁廟社之休祥，於斯爲盛．兼屈聽卑之鑑，克敦字小之仁．眷言出日之邦，生我俔天之妹，美鍾坤順，遵母儀於六宮，慶毓离明，固邦本於萬歲．於是，降璿源之貴戚，馳玉節之重臣，陳飮食以賜歡，貢金繒而將意．旣飽以德，爲永好於舅甥，不顯其光，想歆觀於夷夏，臣敢不念其卵翼，報以粉糜．專述職於箕封，每輸誠於華祝”．

癸酉[9日]，慶尙道合浦萬戶獻倭俘八人．[164)]

丙子[12日]，王令資贍注簿咸柔，鼓琴，除郞將．

[戊寅[14日]，熒惑犯大微[~~太微~~]右執法:天文3轉載]．

己卯[15日]，幸西郊，觀射．

[庚辰[16日]，霜降．月食:天文3轉載]．[165)]

壬午[18日]，以[延安府院君]印承旦爲左政丞，趙瑜△[爲]判三司事．

戊子[24日]，公主幸福靈寺，禱嗣．

[庚寅[26日]，月犯大微[~~太微~~]左執法:天文3轉載]．

辛卯[27日]，幸西郊，觀射．

[○狐鳴于延慶宮:五行2轉載]．

[是月，蟲食松葉:五行2轉載]．

[○秋某月，以[密直使·判司宰寺事]李仁復爲政堂文學·進賢館大提學·知春秋館事·上護軍:追加]．[166)]

[○設行征東行省鄕試，試官安輔取[肅雍府丞]李穡·□□[~~某人~~]·崔霖三人:追加]．[167)]

---

164) 이날 倭人 捕虜[倭俘]를 바친 慶尙道合浦萬戶는 10월 14일 褒賞을 받은 慶尙道都巡問使와 同一 人物로 추측된다. 이는 당시 慶尙道都巡問使의 軍營(兵營)이 合浦에 있어서 兩者가 兼職으로 임명되었던 결과일 것이다.

165) 이날 일본의 교토에서도 皆旣月食이 있었다고 한다(高麗曆과 同一, 日本史料6-18冊 338面). 이날은 율리우스력의 1353년 10월 13일이고, 월식 현상이 심했던 때의 世界時는 11시 5분, 食分은 1.12이었다(渡邊敏夫 1979年 485面).

· 『園太曆』 권22, 文和 2년 9월, “十九日，天晴，陰陽道泰尙朝臣云，… さて、さて、十六日の月蝕之奏注は十二分，十二分，皆旣正現候 …”.

· 『續史愚抄』24, 文和 2년 9월, “十六日庚辰，月蝕，皆旣．正見云”.

166) 이는 「李仁復墓誌銘」에 의거하였다.

167) 이는 『양촌집』 권40, 牧隱先生行狀 ; 『목은문고』 권20, 崔氏傳에 의거하였다. 이때 선발된 3인 중에서 李穡, 某人(鄕試 2人)은 明年 2월 大都에서 會試에 應擧하였으나 崔霖은 眼疾로 인해

冬十月[乙未朔小盡,癸亥], 甲辰[10日], [都僉議]贊成事柳濯奉賜王衣酒, 還自元.

戊申[14日], 下教慶尙道都巡問使曰, "海寇連年爲邊患, 每念何日報平, 今省卿申報, 擒倭至十餘級. 予甚嘉之, 賜卿酒及銀五十兩, 所管軍士有功者, 以名聞, 予將錄用".

[丙辰[22日], 月犯大微[太微]次將:天文3轉載].

[丁巳[23日], □[月]又入大微[太微]端門:天文3轉載].

戊午[24日], 遣[都僉議右政丞]蔡河中如元, 賀千秋節.

辛酉[27日], 遣軍簿判書金希祖如元, 賀册太子, [以[肅雍府丞]李穡充書狀官, 應擧, □□[明年]擢制科:節要轉載].[168)]

十一月[甲子朔大盡,甲子], [戊辰[5日], 木稼, 大霧, 咫尺未辨人物:五行2轉載].

[庚午[7日], 大霧:五行3轉載].

[辛巳[18日], 冬至. 太白·歲星犯氐:天文3轉載].

[甲申[21日], 月犯大微[太微]右執法:天文3轉載].

乙酉[22日], 王如奉恩寺, 謁太祖眞殿. 設消災道場于康安殿, 以禳星變.

[丙戌[23日], 大風:五行3轉載].

[戊子[25日], 大風:五行3轉載].

庚寅[27日], 前[都僉議左]政丞曹益淸卒, [諡襄平:列傳21曹益淸轉載].[169)]

壬辰[29日], 遣南陽君洪彦博如元, 賀正.

[是月, 分遣田民別監于楊廣·全羅·慶尙道, 義成·德泉·有備倉田及諸賜給田, 標內濫執公私田, 推刷, 悉還本主:食貨1經理轉載].[170)]

赴擧하지 못했다고 한다(崔氏傳).

- 「安輔墓誌銘」, "穡之鄕試也, 先生又爲主文".
- 열전28, 李穡, "[恭愍]二年, 擢魁科, 授肅雍府丞. 中征東省鄕試第一名".
- 『목은집』연보, 至正十三年乙巳, "秋, 中征東省鄕試第一名".

168) 이때 李穡은 몽골제국에 들어가 皇太子 愛猷識理達臘(Ayu Siri Dala, 奇皇后의 子)의 生辰[天壽節]인 11월 24일 節使 金希祖(金倫의 6子)와 함께 大明殿에 들어가 賀禮를 드렸던 것[入覲] 같다(→공민왕 8년 11월 24일, 張東翼 2009년 485面).

- 『牧隱詩藁』 권2, 予將會試京師, 會國家遣金判書希祖入賀立東宮, 因以書狀官偕行, 途中有作.
- 『목은시고』 권2, 歲戊子, … 今[恭愍2年]以會試之故, 得爲書狀□[官], 奉謝恩表, 馳馹赴都, 東八站路上, 因懷二公[李淩幹·李公遂], 吟成短章.
- 『목은시고』 권2, 天壽節日, 臣穡從本國進表陪臣, 入覲大明殿, (詩文省略).

169) 이날은 율리우스曆으로 1353년 12월 22일(그레고리曆 12월 30일)에 해당한다.

[○賀節日使書狀官李穡謁遼陽行省肅政廉訪使崔濬於大寧·北京, 呈詩文:追加].[171)]

[十二月甲午朔大盡,乙丑, 庚戌17日, 都僉議右政丞洪彬卒, 年六十六. 諡康敬:追加].[172)]
[子壽山, 仕至奉常大夫·通禮門副使:列傳21洪彬轉載].[173)]
[辛亥18日, 月入大微太微西藩:天文3轉載].
[壬子19日, 大寒. □月犯大微太微左執法:天文3轉載].
[丙辰23日, □月與歲星·熒惑, 同舍于氐:天文3轉載].
[丁巳24日, □月掩心前星:天文3轉載].
[某日, 罷刷卷都監. 時人貸官錢, 逋欠者多, 故置都監, 徵之, 延及族屬隣里, 倍收其本, 人甚苦之. 前判密直司事金逸逢上書, 極言其弊, 從之:節要轉載].[174)]
[是月辛丑8日, 奉訓大夫·國子監丞危素撰'文殊師利菩薩無生戒經序'. 是時, 資政院使姜金剛施財開板, 僧達蘊請危素撰序文:追加].[175)]

---

170) 田民別監은 田民辨正都監의 長官인 田民辨正都監使의 隷下에 설치된 官員, 곧 田民辨正別監의 略稱으로 추측된다.

171) 이는 다음의 자료에서 의거하였고, 몽골제국에 仕宦했던 崔濬에 대해서는 1327년(충숙왕14) 11월 24일의 脚注에서 설명하였다. 또 여기의 北京은 大寧路(과거의 北京路)로 현재의 內蒙古自治區 赤峰市 寧城縣 天義鎭 大明鄕이며 中原과 遼東地域으로 연결되는 요충지이다(→원종 9년 3월 21일의 脚注).
· 『목은시고』 권2, 過大寧上崔廉使, 北京 ; 권3, 北京.

172) 이는 「洪彬墓誌銘」에 의거하였는데, 이날은 율리우스曆으로 1354년 1월 11일(그레고리曆 1월 19일)에 해당한다.

173) 洪壽山은 몽골제국에서 內藏庫副使·高州同知·秘書郎·中尙經歷·陸運判官 등을 역임하고 奉訓大夫(從5品)에 이르렀다고 한다(洪彬墓誌銘).

174) 이와 관련된 기사로 다음이 있다.
· 지31, 百官2, 刷卷都監, "恭愍王二年, 貸官錢逋欠者多, 故置都監徵之. 延及族屬里閭, 倍收其本, 前判密直□□司事金逸逢上書, 陳其弊, 罷之".

175) 이는 다음의 자료에 의거하였다.
· 『危太樸雲林集』 권10, 文殊師利菩薩無生戒經序, 癸巳, "… 皇元泰定初 … 指空, 因東游高句驪, 禮金剛山法起菩薩道場. 國王·衆諸臣僚合辭, 勸請少留. 師乃出'文殊師利菩薩無生戒經'三卷, 欲使衆生, 有情無情, 有形無形, 咸受此戒. 聞者歡喜諦聽, 血食是邦者, 曰三岳神, 亦聞此戒, 却殺生之祭, 愈增敬畏 師之言曰, 直指人心, 見性成佛, 我道則然, 說法放戒, 老婆心切, 故是經因事證理, 反覆詳明, 讀者若楞伽之初至, 歎息希有 … 今皇帝眷遇有加, 資政院使姜金剛旣施財, 命工刻是經以傳, 門人達蘊請予危素爲序".
· 「文殊師利菩薩無生戒經」, 危素가 撰한 上記의 序文 末尾에 '…, 庸論次師之出處, 俾後有考焉. 至正十三秊臘月八日, 奉訓大夫·臨川危素序'가 追加되어 있다(寶物 738호, 通度寺聖寶博物館所藏).

[是年, 安胎于州之雉岳山, 復成安府爲原州牧:地理1轉載].

[○縣令·監務, 以京官七品以下, 充之:百官2外職轉載].

[○以前德寧府主簿韓脩爲典儀主簿, 又爲政房秘闍赤:追加].[176)]

[○以金鳳還爲延安府使:追加].[177)]

[○以崔仲淵爲全羅道按廉使:追加].[178)]

[○方前年及第者爲各州司錄兼掌書記. 丙科一人華之元爲錦州司錄兼掌書記:追加].[179)]

[○僧智泉與無學入大都, 詣指空于法雲寺, 時普愚先入, 受指空認可, 道譽旣著, 二人皆投之, 同遊參訪, 所著益高:追加].[180)]

[○粲英赴功夫選科, 登魁科:追加].[181)]

[○前贊成事尹桓, 報法寺殿宇工訖, 俱備梵唄之具及日用之需, 設落成法會:追加].[182)]

[是年頃, 權鏞嘗爲合浦萬戶, 割剝軍吏, 市金銀鑄器, 擅發傳騎, 輸私貨:列傳20 權鏞轉載].[183)]

176) 이는 「韓脩墓誌銘」에 의거하였다.

177) 이는 『연안부지』에 의거하였다.

178) 이는 다음의 자료에 의거하였는데, 崔仲淵(辛蕆의 門人)이 春夏番按廉使인지, 秋冬番按廉使인지는 알 수 없다.

· 『목은시고』 권2, 完山南樓小酌, 呈按部崔仲淵.

179) 이는 다음의 자료에 의거하였다.

· 『목은시집』 권3, 予旣僥倖登科, 拜翰林供奉, …(→全文은 공민왕 2년 5월 3일 華之元에 대해 언급한 脚注).

180) 이는 「砥平龍門寺正智國師碑銘」에 의거하였다(金石總覽 717面 ; 寺刹史料上 27面 ; 李智冠 2003년 朝鮮篇 71面).

181) 이는 「忠州億政寺故高麗王師諡大智國師塔碑銘」에 의거하였는데, 塩師科는 製述業의 重試와 유사한 功夫選科로 추측된다(金石總覽 715面 ; 李智冠 2003년 朝鮮篇 9面).

182) 이는 다음의 자료에 의거하였다.

· 『목은문고』 권6, 報法寺記, "… 殿宇旣備, 梵唄之具, 日用之需, 無一闕. 設落成初會, 癸巳歲也".

183) 權鏞(權準의 長子)이 合浦等處鎭邊萬戶에 임명된 시기는 알 수 없다. 단지 그의 後任者인 元顥가 1354년(공민왕3) 2월 초순 무렵 大都에서 귀환한 德寧公主에 부탁하여 合浦萬戶에 임명되었음을 고려할 때 그 1년 전인 是年에 부임했던 것으로 추측된다(→공민왕 3년 是年頃).

甲午[恭愍王]三年, 元至正十四年, [西曆1354年]

1354년 1월 25일(Gre2월 2일)에서 1355년 1월 13일(Gre1월 21일)까지, 354일

春正月[甲子朔[大盡,丙寅], 大風:五行3轉載].

[○百官罷朝賀, 當詣王后宮, 監察大夫元顗·執義慶千興, 以王后[~~明德太后洪氏~~]戚屬,[184] 故先詣宮賀. [左政丞印]承旦欲令式目□□[~~都監~~]劾之, 議於同列, 四宰李公遂以爲不可, 承旦怒不視事. 時, 監察司不署承旦政丞告身, 承旦嗛之. 後罷, 封延安伯:列傳36印承旦轉載].

[乙丑[2日], 歲星·熒惑相犯:天文3轉載].

[戊辰[5日], 亦如之[歲星熒惑相犯]:天文3轉載].

庚午[7日], 以內府告罄, 除賜百官人勝□□[~~祿牌~~].[185]

辛未[8日], 幸榮安王大夫人第.

[癸酉[10日], 木稼:五行2轉載].

[甲戌[11日], 熒惑犯房右驂:天文3轉載].

乙亥[12日], 王宴百官于延慶宮.

○長寧翁主女壻[夫]魯王遣使, 送宴錢楮幣一百五十錠[186]

[○亦如之[木稼]:五行2轉載].

癸未[20日], 以蔡河中爲[都僉議]右政丞, 廉悌臣爲左政丞, 姜千裕△[爲]判三司事, 李仁復爲政堂文學.

乙酉[22日], 元遣宦者·□□[~~資政~~]院使金光秀·僉院迦剌撥皮[~~迦剌撥皮~~],[187] 賜王楮幣萬錠·黃金一錠·白銀九錠. 王悉歸之公府. 光秀請王除官三百餘人.

[某日, 以慶尙道按廉使郭忠守, 仍番:慶尙道營主題名記].

---

184) 여기에서의 王后는 明德太后 洪氏를 指稱하는데, 『고려사』의 呼稱方式에 의하면 太后 또는 王太后로 記載했어야 옳게 될 것이다.

185) 人勝은 人勝祿牌의 약칭이다(→명종 3년 1월 7일).

186) 長寧翁主女壻는 長寧翁主夫로 고쳐야 옳게 될 것이다. 몽골제국의 魯王은 忠惠王과 德寧公主의 所生인 長寧翁主의 夫君이다(열전4, 公主, 충혜왕). 女壻는 女兒의 男便이므로 이 기사에서 女壻를 사용하려면 德寧公主女壻로 표현해야 옳을 것이다.

187) 宦者·院使 金光秀는 宦者·資政院使 金光秀의 약칭이다. 金光秀는 高麗人出身의 宦官으로 天曆年間(1328~1330)에 元의 奎章閣에서 揭傒斯로부터 학문을 배워서 榮祿大夫·資政院使에 이르렀고, 고려로부터 龜城府院君에 책봉되었다(『목은문고』 권2, 陽軒記, 권12, 金書蘭讚幷序).

[是月頃, 以[奉順大夫]石抹天英爲福州牧使, 朴仁海爲福州判官:追加].[188]

二月[甲午朔小盡,丁未], 丙申[3日], 王與公主, 宴元使于延慶宮.

[某日, 德寧公主還自元:節要轉載]. [王以□[~~会~~]主屬爲嫂, 事之甚謹, 供奉視三殿:列傳2忠惠王妃德寧公主轉載].

己酉[16日], 以蔡河中△[爲]領都僉議□□[~~司事~~], 廉悌臣爲右政丞, 柳濯爲左政丞, 康允忠·元顥△[並]爲贊成事, 崔天澤·奇輪爲三司右·左使, 金信·金敬知[~~金敬直~~]·李珍△[並]爲評理,[189] 姜之衍[~~康之衍~~]爲評理商議,[190] 朴壽年△[爲]知都僉議□□[~~司事~~], 奇完者不花△[爲]判密直司事, 朴之椿爲密直司使, 康舜龍·姜仲祥△△[並爲]知密直司事,[191] 姜碩·全普門△△[並爲]同知密直司事, 闊宰哥·朴頲·崔用滋·朴君正·池贇△[並]爲密直副使, 安輔爲密直提學, [[右代言]柳淑爲左代言·知軍簿司事:追加],[192] [完者不花, 轅之子也:節要轉載].

丁巳[24日], 王與公主幸延慶宮, 與元使, 宴耆老及六品已上官, 帝賜楮幣所辦也.

[是月, 征東行省鄉試第一名李穡, 中會試:追加].[193]

三月癸亥朔[大盡,戊辰], 日食.[194]

辛未[9日], 元遣帖古思來, 求紋苧布.

[壬申[10日], 白氣見于乾·巽二方:五行2轉載].

癸酉[11日], 王與公主幸福靈寺.

[乙亥[13日], 月犯左執法:天文3轉載].

---

188) 이는 『안동선생안』에 의거하였다.

189) 金敬知는 『고려사절요』 권26에는 金敬直으로 되어 있는데, 後者가 옳을 것이다(盧明鎬 等編 2016년 670面).

190) 『고려사절요』 권26에는 姜之衍은 康之衍으로 되어 있는데, 後者의 封君號가 信山君(信川郡을 封號로 한 것임)임을 보아 後者가 옳을 것이다(→是年 6월 7일, 盧明鎬 等編 2016년 670面).

191) 康舜龍(康允忠의 子)은 李成桂의 京妻인 康氏(神德王后)와 辛貴의 妻인 康氏의 오빠이다.

192) 이는 「柳淑墓誌銘」에 의거하였다("甲午二月, 遷左代言·知軍簿司事").

193) 이는 다음의 자료에 의거하였다.
· 『목은집』연보, 至正十四年甲午, "二月, 中會試".

194) 이날 몽골제국에서도 일식이 있었고(『원사』 권43, 본기43, 順帝6, 至正 14년 3월 癸亥), 일본에서는 일식에 대한 기록이 찾아지지 않았던 것 같다(高麗曆과 同一, 日本史料6-18册 740面). 이 날은 율리우스력의 1354년 3월 25일이고, 開京에서 일식 현상이 심했던 시간은 18시 48분, 食分은 0.34이었다(渡邊敏夫 1979年 312面).

甲申[22日], 遣□[都]僉議評理金敬直如元, 賀聖節.

丙戌[24日], 幸妙蓮寺.

庚寅[28日], 王觀擊毬于市街.

[是月己巳[7日], 元廷試進士六十二人, 賜薛朝晤·牛繼志進士及第, □[其]餘授官出身有差. 時李穡第二甲第二名及第:追加].[195)]

[某日, 元廷試第二甲第二名李穡自元來, 須次□□[除授]:追加].[196)]

[是月頃, 以辛孟爲雞林府尹, [佐郎]李興祚爲永州副使:追加].[197)]

夏四月[癸巳朔小盡,己巳], 甲午[2日], 以奇輪爲[都僉議]贊成事, 奇完者不花爲三司左使, 鄭頠爲□[都]僉議評理, 黃順△△[爲都]知都僉議□□[司事], 尹忱△[爲]判密直司事, 姜碩△[爲]知密直司事, 朴頲·朴君正△△[並爲]同知密直司事, 孫就·徐臣桂△[並]爲密直副使.[198)]

己酉[17日], 以石抹時用爲典理判書, 李壽林爲軍簿判書, 金天寶爲版圖判書, 洪有龜爲左代言, 鄭之產爲右副代言, 洪師範爲左副代言, 金英利爲左司議大夫.

○倭掠全羅道漕船四十餘艘.

五月[壬戌朔小盡,庚午], [己巳[8日], 芒種. 月犯大微[太微]右掖門:天文3轉載].

辛未[10日], 以旱禁酒, 減膳.

壬申[11日], 王召監察大夫金科·典法判書洪仲元, 問民寃枉.[199)]

---

195) 이는 『원사』 권43, 본기43, 順帝6, 至正 14년 3월 己巳에 의거하였다. 이때 李穡이 左榜(漢人·南人榜)의 第2甲 第2名으로 급제하여 承仕郎·應奉翰林文字·同知制誥兼國史院編修官에 임명되었다(지28, 選擧2, 科目2, 制科 ; 『목은문고』 권20, 崔氏傳 ; 『양촌집』 권40, 李穡行狀 ; 『호정집』 권3, 李穡墓誌銘).
- 열전28, 李穡, "明年, 赴廷試, 讀卷官·參知政事杜秉彝·翰林承旨歐陽玄, 見穡對策, 大加稱賞. 遂擢第二甲第二名, 勑授應奉翰林文字·承仕郎·同知制誥兼國史院編修官".
- 『목은집』연보, 至正十四年甲午, "… 三月, 殿試, 中第二甲第二名, 授應奉翰林文字·承事郎·同知制誥兼國史院編修官".

196) 이는 다음의 자료에 의거하였는데, 添字는 필자가 추가하였다.
- 『목은집』연보, 至正十四年甲午, "… 三月, 東歸, 須次".

197) 이는 『동도역세제자기』 ; 『영천선생안』에 의거하였다.

198) 徐臣桂는 大元蒙古國에 들어가 惠宗[順帝]의 총애를 받은 埜思不花(也先不花, Esen Buqa)의 兄으로 都僉議使司의 宰相[六宰]이 되었다고 한다(→공민왕 4년 2월 24일).

199) 洪仲元은 1371년(공민왕20) 7월 25일에서 1376년(우왕2) 사이에 洪仲宣으로 개명하였다(열전24, 洪仲宣).

[甲戌[13日], 月犯心大星:天文3轉載].

[乙亥[14日], □[月]與熒惑同舍于尾:天文3轉載].

[丙子[15日], 聚巫, 禱雨:五行2轉載].[200]

丁丑[16日], 設雲雨道場于康安殿, 又禱于群望·佛宇.

[→再禱于群望:五行2轉載].

○元遣大府少監[~~太府少監~~]·宦者安童來, 求紋苧布.

庚辰[19日], 雩.

辛巳[20日], 巷市.

○元遣使來, 求毛皮.

○遣密直使[~~密直副使~~]李也先帖木兒如元, 賀皇后誕日.

[→獻皇后誕日禮物:節要轉載].

[壬午[21日], 祈雨於白蓮堂:五行2轉載].

丁亥[26日], 再雩.

戊子[27日], 大雨.

○慶陽□□[~~府院~~]大君盧頙納女于元帝, 拜集賢殿學士.[201]

[庚寅[29日晦], 震人:五行1轉載].

六月辛卯朔[小盡,辛未], 平康府院君蔡河中還自元, 傳丞相[~~右丞相~~]脫脫言曰, [“兩國, 相好已久, 今漢賊大起:節要轉載], 吾受命南征, 王宜遣勇鋭, 以助之”. [河中在元, 謀復爲相. 會元征紅巾等賊, 旁求勇士, 河中請還國, 出兵助征, 乃薦□[左]政丞柳濯·[右政丞]廉悌臣等[~~四十餘人~~], 有勇略.[202] 遂與李壽山, 先元使以來, 壽山, 宣帝旨於王曰, “河中諳鍊, 可使”. 河中亦傳帝旨曰, “壽山穎悟, □□[~~可使~~], 王其用之:節要轉載].[203]

○時元政陵夷, 河南妖寇韓山童·韓咬兒等, 始鼓亂, 穎川[穎州]妖人劉復通[~~劉福通~~],[204] 又起兵, 以紅巾爲號, 與其黨關先生·沙劉二·王士誠等, 寇掠中原, 分據山東, 其勢大振. 盜賊群起, 天下大亂.[205]

---

200) 가뭄[旱災]이 심할 때 巫女를 모아 비를 祈願하는 것은 조선 후기에도 如前하였던 것 같다.
·『白潭遺集』 권1, 嘲人召舞祈雨妓[注, 國例, 旱則聚巫妓祈雨, 有一官召美少娥舞之, 臺官劾其官].

201) 이와 같은 기사가 열전44, 盧頙에도 수록되어 있다.

202) 이 구절은 열전24, 廉悌臣·柳濯에도 수록되어 있는데, ~~添字~~는 이에 의거하였다.

203) ~~添字~~는 열전38, 蔡河中에 의거하였다.

204) 穎川은 穎州(現 安徽省 阜陽縣)의, 劉復通은 劉福通의 오자일 것이다.

壬辰[2日], 如奉恩寺.

甲午[4日], 以年饑, 發有備倉粟, 減價□[以]市民,[206)] [置賑濟色于演福寺:食貨3水旱疫癘賑貸之制轉載].

○時米貴, 二斗直布匹.

[→饑, 布一匹, 直米斗三升:五行3轉載].

[乙未[5日], 月犯大微[太微]西藩上將. 歲星犯氐:天文3轉載].

丁酉[7日], 以蔡河中爲□[都]僉議政丞, 李壽山·康仲祥△[並]爲□[都]僉議評理, 廉悌臣爲曲城府院君, 柳濯爲高興府院君, 鄭頫爲西原君, 宋帖木兒爲仁城君, 姜之衍[康之衍]爲信山君, 崔用滋爲義興君, 帖古思爲達城君, 朴壽年爲□[都]僉議評理, 朴頲△[爲]知密直司事, 朴蒙古不花[林蒙古不花]△[爲]同知密直司事, 姜仲卿爲密直副使, 石抹時用爲開城尹, [前軍簿判書]安祐爲典理判書, [監察掌令]慶千興爲軍簿判書,[207)] [金君濟爲福州司錄:追加].[208)] [監察司不署河中告身, 累月乃出:節要轉載].[209)]

---

205) 關先生은 출신지를 알 수 없고, 本名은 關鐸(?~1362)이다. 元末 紅巾賊의 指揮官으로 1357년(龍鳳3, 지정17, 공민왕6) 6월 紅巾賊(南宋政權)이 北伐을 단행할 때 潘誠(破頭潘)·沙劉二·馮長舅 등과 함께 中路軍을 이끌고, 東路軍의 毛貴와 함께 다이두[大都]를 공격하려고 하였다. 이해의 10월 太行山을 넘어 山西에 들어갔고, 다음 해(1358) 봄에 懷慶(現 河南省 沁陽市)·晋寧(現 山西省 臨汾市)을 함락시켰고, 이어서 군사를 나누어 각지를 공격하게 하였으나 元軍의 토벌로 인하여 潘誠과 함께 山西·河北을 거쳐 이해의 말에 大同을 경유하여 上都(現 內蒙古自治區 錫林郭勒盟 正藍旗)를 함락시켰다.
이어서 遼陽을 거쳐 1359년(지정19, 공민왕8) 中路軍과 합세하여 압록강을 넘어 고려에 침공하였다가 철수하였고, 1361년(공민왕10) 재차 潘誠·沙劉二 등과 함께 고려를 공격하였으나 고려군의 반격을 받아 1362년 1월 開京에서 戰歿하였던 것 같다(『원사』 권45, 본기45, 至正 17년 6월 이래).

206) 添字는 『고려사절요』 권26과 지34, 食貨3, 水旱疫癘賑貸之制에 의거하였다. 또 中原에서는 4월 이래 江西·湖廣 지역의 여러 州에 饑饉이 들고 疫癘者가 매우 많아 사망자를 헤아릴 수 없을 정도였다고 한다. 또 12월에 다이두에서도 饑饉과 역려로 인해 父子가 서로 잡아먹는 경우도 있었다고 한다. 그리고 湖北 武昌路(現 武漢市)에서 1352년(지정12)의 戰亂이래 農民들이 戰爭과 疫疾로 10명 중 6~7명이 죽었다고 한다(龔勝生 等 2015年).
- 『원사』 권43, 순제6, 지정 14년 4월, "是月, … 江西·湖廣大饑, 民疫癘者甚衆".
- 『원사』 권186, 열전73, 成遵 "[至正]十四年, 調武昌路總管. 武昌自十二年爲沔寇所殘燬, 民死於兵疫者十六七, 而大江上下, 皆劇盜阻絶, 米直翔湧, 民心遑遑".
- 『元史續編』 권14, 至正 14년 4월, "江西·湖廣大饑疫".

207) 慶千興(明德太后 洪氏의 姪壻 慶斯萬의 子)은 是年 윤3월에 監察掌令(從4品)이었으므로 크게 拔擢[超遷]되었다.

208) 이는 『안동선생안』에 의거하였다.

209) 朴蒙古不花는 이달의 13일 몽골제국의 사신으로 도착했던 利用監丞 林蒙古不花의 誤字로 추측

戊戌8日, 漢陽府院君韓宗愈卒.210) [宗愈, 自幼瞻視異衆, 魁顔偉幹, 望之儼然, 知其爲公輔器. 其未達也, 與一時名士相往還, 群飮無虛日, 醉則起, 垂袖爲舞, 歌楊花詞曰, "待如晦, 淸風飛揚, 到黃閣中", 識者, 皆異之. 性寬厚且重, 處事接物, 皆有餘裕:節要轉載].211)

[→恭愍三年得疾, 謂子壻曰, "吾起布衣位冢宰, 死亦何恨". 後三日, 當與若等別. 至期果卒, 年六十八, 諡文節. 自幼, 瞻視異衆, 性厚重, 軀幹魁偉, 望之儼然, 知其公輔器. 自筮仕, 九轉爲三重大臣, 常典銓選, 處事接物, 皆有餘裕. 爲文章, 務去俗氣, 尤致意於詩. 又喜談笑, 樽俎間, 和氣油然可愛. 其未達也, 與一時名士, 相往還群飮無虛日, 號楊花徒. 宗愈醉, 輒起舞, 謌楊花辭曰, "待如晦, 淸風飛揚到黃閣中". 識者皆異之. 子伯淳·仲明·季祥:列傳23韓宗愈轉載].

[庚子, 元告以定住爲右丞相,哈麻爲左丞相→恭愍王 4년 5월로 옮겨감].

[庚子10日, 月與歲星, 同舍于氐:天文3轉載].

[壬寅12日, □月與歲星·熒惑同舍:天文3轉載].

癸卯13日, 元遣吏部郞中哈剌那海~~哈剌那海~~·崇文監少監伯顔帖木兒·利用監丞林蒙古不花□來, [脫脫丞相, 以帝命:節要轉載], 召柳濯·廉悌臣·權謙·元顗·羅英傑·印璫·金鏞·李權·康允忠·鄭世雲·黃裳·崔瑩·崔雲起·李芳實·安祐等[四十餘人:節要轉載]及西京水軍三百, 且募驍勇, 期以八月十日, 集燕京, [將以:節要轉載]討[高郵賊:節要轉載]張士誠. 伯顔帖木兒, 本國人康舜龍.212)

丙午16日, 元遣工部寺丞朴賽顔不花, 賫寶鈔六萬錠, 賜赴征將卒.213)

된다.

210) 이날은 율리우스曆으로 1354년 6월 28일(그레고리曆 7월 6일)에 해당한다.

211) 韓宗愈의 田莊[別墅]이 漢江의 楮子島에 있었는데, 그 所有權이 朝鮮 初에 王室로 移屬되었던 것 같다.

- 『신증동국여지승람』 권3, 漢城府 山川, "楮子島, 在三田渡西. 高麗韓宗愈置別墅于此, 我朝世宗以島賜貞懿公主, 公主之子安貧世傳而有之".

212) ~~添字~~와 같이 고쳐야 옳게 될 것이다. 또 鹽商이었던 張士誠(1321~1367)은 前年(至正13, 1363) 1월 河南江北行省(혹은 江浙行省) 泰州(現 江蘇省 泰州市)에서 弟 士德·士信 등과 함께 鹽戶를 거느리고 叛亂을 일으켜 3월 泰州를, 5월 高郵府(現 高郵市)를 각각 占據하였다. 이해(至正14)의 1월 1일 스스로 誠王이라고 稱하고 國號를 大周, 年號를 天祐[天佑], 曆을 明時라고 하였다. 6월 揚州(現 揚州市)를 공격하여 行省丞相 達識帖睦邇(Tas Temur)가 거느린 몽골군을 격파하였다(『吳王張士誠載記』; 高橋琢二 1958年).

213) 朴賽顔不花(朴賽因不花, Sain Buqa, 淸代에 富森賽音布哈으로 改書됨)는 그의 열전에 의하면 肅良合台[solonggatai]人으로 되어 있으나, 그의 姓氏 및 兼巡軍合浦全羅等處軍民萬戶都元帥

己酉[19日], 移御延慶宮.

辛亥[21日], 以印瑺爲碩城府院君,[214)] 李權爲五原府院君,[215)] 羅英傑爲錦城君, 孫佛永爲敦城君, 金鏡爲義城君, 金鏞爲安城君, 安祐爲鼇城君, 崔源爲龍城君, 印安爲延城君, 崔安守爲咸城君, 具貞爲沔城君,[216)] 趙忠信[趙忠臣]爲祥原君,[217)] [黃裳爲密直副使:列傳27黃裳轉載], [護軍]崔瑩爲大護軍:列傳26崔瑩轉載]. 其餘將卒, 並加爵秩, 自募軍, 皆超三級[授職. 諸司三四品, 皆添設. 六部判書·摠郎, 除政曹外, 皆倍數添設. 四十二都府, 每領, 又添設中郎將·郎將, 各二人, 別將·散員, 各三人, 以授之, 謂之賞軍政. 添設之職, 始此:節要轉載].[218)]

○令百官及各宗僧徒, 出馬有差, 使軍士, 平價以市. 時赴征軍官奪民馬, 或多

를 歷任하였던 점을 보아 高麗人일 가능성이 높다(『원사』 권196, 열전83, 忠義4). 또 奇皇后가 姓氏를 奇氏에서 肅良合氏로 改稱하였던 점을 감안하면(『원사』 권46, 至正 25년 12월 乙卯·권114, 열전1, 후비1, 完者忽都皇后奇氏 ; 『청장관전서』 권60, 盎葉記7, 頎妃), 中原에서 고려인들이 肅良合氏[solongga氏]·肅良合台氏(solonggatai氏)로 改姓했을 가능성이 높은데, 이는 『續增華夷譯語』, 人物門에 高麗를 莎籠哈(solongga)라고 표기하였다는 점에서 證憑될 수 있을 것이다.

또 김방경의 曾孫인 金厚(方慶-愃-承用-厚)는 朴賽顔不花에게 부탁하여 合浦萬戶에 임명되었다고 한다.

· 열전19, 金方慶, 厚, "子厚, 恭愍朝, 累官檢校僉議評理. 附元朴賽因不花, 爲合浦萬戶. 性貪, 妻亦慳吝慘酷. 嘗失綾匹, 意子七祐竊與其妾, 縛栲竟日. 七祐死, 令僕懸頸曰, 有問者, 以自縊爲解. 時人謂綾重於子".

214) 喬桐 印氏라고 하는 印瑺(印公秀의 孫, 崔安道의 壻)의 封君號인 碩城은 어느 곳을 가리키는지를 알 수 없다.

215) 李權의 封君號인 五原은 延安府의 別稱이고, 이곳의 土姓에 李氏가 있다(『신증동국여지승람』 권43, 延安都護府).

216) 具貞은 具榮儉의 초명인데(열전27, 具榮儉), 1354년(공민왕3) 6월 21일에서 1356년(공민왕5) 4월 18일의 사이에 개명하였다.

217) 趙忠信은 趙忠臣(趙延壽의 子)이 충숙왕으로부터 하사받은 이름이라고 한 점을 보아 後者의 오자일 것이다.

· 열전18, 趙仁規, 延壽, "子忠臣, 平壤君". 이때 趙忠臣은 그들 一族의 原籍이었던 祥原君에 책봉되었으나 후일 本籍인 平壤君으로 改封되었던 것 같다.

· 「趙延壽墓誌銘」, "… 公先娶金紫光祿大夫[重大匡]·門下平章事[都僉議贊成事]·上將軍[上護軍]金由祉一女, 生一男一女, 男曰忠臣, 王賜名也, 今爲左右衛郎將". 이 墓誌는 1325년(충숙왕12, 泰定2)에 製作되었다고 하지만, 실제는 그 이후의 어느 시기에 文宗代의 官職名으로 改書된 것이다. 그래서 添字와 같이 고쳐야 옳게 될 것이다.

218) 이와 같은 기사가 지29, 選擧3, 添設에도 수록되어 있으나 字句에 出入이 있다. 이 기사에서 都府는 고려시대의 중앙군인 6衛를 구성하고 있던 42個의 部隊였던 領을 指稱한다(末松保和 1965年).

抑買，行省禁之，不止.

[→令百官出馬，官以鈔買之，給征高郵軍士．三品以上諸君·宰樞以下，出馬三匹，六品以上·四品以下，出馬一匹，僧徒亦隨所住寺高下，出馬:兵2馬政轉載].

[→將士爭奪人馬，行省牓禁，不止，民間嗷嗷，[廉]悌臣·羅英傑·孫佛永，獨不然:列傳24廉悌臣轉載].

[某日，發有備倉米五百碩，以濟飢民:節要·食貨3水旱疫癘賑貸之制轉載].

[某日]，全羅道萬戶印璫獻倭俘.

[是月，群烏，自春飛集龍首·松岳二山，至是，或有相鬪而死者:五行1轉載].

[○蟲食松岳松□[葉]，命捕之:五行2轉載].

[自五月，至是月，氣候如秋:五行1恒寒轉載].[219)]

秋七月[庚申朔大盡,壬申]，癸亥[4日]，[高興府院君]柳濯·[曲城府院君]廉悌臣等四十餘人，率軍士二千，如元.[220)] 王幸迎賓館，親閱送之．[及至鴨綠江，康允忠謀於衆曰，"吾等，離親戚去墳墓，以就死地，何日而旋歸乎?，欲以精騎五十，還入京，斬始謀發兵者"．乃告廉悌臣．悌臣曰，"非計也，吾君天也，天可逃乎?，且忠臣義士，豈有反側之言乎?"．遂與濯等，間道疾行．○時:節要轉載]，[221)] 帝所召[四十餘人:節要轉載]，皆將相之有名望者，且精兵銳卒，皆從征，宿衛虛弱．王疑懼，募弓手于西海道，以備不虞.[222)]

[○月犯大微[太微]右掖門中:天文3轉載].

---

219) 原文에는 "恭愍王三年，自五月，至六月，氣候如秋"로 되어 있다.

220) 이때 高郵의 張士誠을 토벌하기 위해 파견된 將帥들에 대한 기록으로 다음이 있다.

- 열전20，元傅，顥，"恭愍時，拜贊成事．顥聞元討張士誠募將于我，欲避之，求爲楊廣道都巡問使．王不許，封成安府院君，遣之".
- 열전37，崔安道，濡，"元將討高郵賊，召募將卒，王召源，還封龍城君遣之".
- 열전44，金鏞，"元將討張士誠，遣使募名將，王封鏞安城君，遣之．明年，東還".
- 열전26，崔瑩，"[恭愍]三年，拜大護軍．與柳濯，從元丞相脫脫等，征高郵".
- 열전27，崔雲海，"… 父祿護軍，有功於高郵之戰．恭愍王追念其功，授雲海忠勇衛散員".
- 『태종실록』 권8，4년 7월 戊申[9日]，崔雲海의 卒記，"雲海，通州人，護軍祿之子．結髮從軍，勇略出衆".

221) 이 기사는 열전24，廉悌臣에도 수록되어 있으나 字句에 出入이 있다.

222) 이와 관련된 기사로 다음이 있다.

- 지39，兵2，宿衛，"柳濯·廉悌臣等大臣·老將四十餘人，率精銳二千，赴征，宿衛空虛，王疑懼，募弓手于西海道，以備不虞".

[甲子[5日], □[月]犯大微[~~太微~~]左掖門上相星:天文3轉載].

乙丑[6日], 元遣中尙監丞崔濡來, 督赴征軍士, 兼求稍秉.[223]

[○月犯角星:天文3轉載].

丙寅[7日], 以倭俘, 分屬諸司.

癸酉[14日], 以蔡河中爲[都僉議]侍中,[224] [崇文監少監]康舜龍·[工部寺丞]朴賽顏不花△[並]爲贊成事, [中尙監丞·]崔濡爲三司右使, 姜千裕爲河城府院君, 奇輪爲德山府院君, 奇完者不花爲德陽府院君.[225]

[某日, [都僉議侍中]蔡河中議罷糾正分臺監諸倉庫, 王嘿然:節要轉載].

庚辰[21日], 設消災道場于內殿.

辛巳[22日], 以[都僉議贊成事]康允忠△[爲]判三司事, 洪彥博·尹桓·金敬直△[並]爲[都僉議]贊成事, [三司右使]姜得龍[~~康得龍?~~]·李壽山·朴壽年△[並]爲評理,[226] 柳之淀爲三司左使, [政堂文學]李仁復兼監察大夫,[227] [前密直使]李承老△[爲]知密直司事, 申仲佺△[爲]同知密直司事, 孫就·徐臣桂·姜仲卿·權恒△[並]爲密直副使, [崇文監少監]康舜龍爲銀城府院君, [工部寺丞]朴賽顏不花爲延安府院君, 元顥爲成安府院君, [中尙監丞·三司右使]崔濡爲龍成府院君[~~龍城府院君~~], 李凌幹爲寧川府院君, 裴天慶爲達成君[達城君], 辛孟爲寧城君, 姜碩爲永昌君, 車蒲溫爲龍山君, 李明安帖木兒爲豊山君, 任君輔爲知申事, 柳淑·洪有龜爲右·左代言, 鄭之彦·權益爲右·左副代言.

丙戌[27日], 以朴德龍爲監察大夫, 賽顏不花之兄也.

戊子[29日], 以三司右使[~~三司左使~~]柳之淀爲楊廣道都巡問使,[228] [同知密直司事申仲佺

---

223) 이 기사는 열전44, 崔濡에도 수록되어 있다.
 · “帝將征高郵 徵兵于我, [崔]濡爲元中尙監丞, 奉詔來督軍, 且求槍材”.

224) 이때 일시 政丞이 侍中으로 改稱되었던 것 같다. 그렇지만 공민왕 3년에는 황제국의 체제인 文宗舊制로 환원할 형편이 되지 못해 곧 환원하였던 것 같다.
 · 지30, 百官1, 門下府, “恭愍王三年, 復改侍中, 尋復改右·左政丞”
 · 열전38, 蔡河中, “旣而復爲政丞, 尋改侍中. 監察司不署告身, 累月乃署. 河中議罷[監察]糾正監諸倉庫, 王默然, 復領都僉議”.

225) 이상의 7人은 모두 高麗人 出身의 大元蒙古國의 官人들이었다.

226) 姜得龍은 『고려사절요』 권26에는 康得龍으로 되어 있는데, 後者가 옳을 것 같다(盧明鎬 等編 2016년 671面).

227) 이때 李仁復은 政堂文學으로 監察大夫를 兼職하였다(李仁復墓誌銘).

228) 三司右使는 三司左使의 오자일 것이다. 이때 三司右使는 崔濡이고(14日), 三司左使는 柳之淀이었다(→是月 22일). 또 柳之淀(柳淵의 父)의 最終官職이 三司左使였다고 한다(열전24, 洪彥博, 柳淵).

爲全羅道都巡問使:追加].[229)]

[某日, 以通直郞·典法正郞安宗源爲慶尙道按廉副使:慶尙道營主題名記].[230)]

[是月頃, 以通直郞·都官正郞 朴時庸爲雞林府判官:追加].[231)]

八月庚寅朔小盡,癸酉, [壬辰3日, 月犯大微太微東. 熒惑犯箕. 流星出王良, 墜于艮方, 大如缶:天文3轉載].

[丁酉8日, 鎭星犯井鉞:天文3轉載].

[己亥10日, 鵩鳴□于時坐宮:五行1轉載].

[乙巳16日, 熒惑犯南斗:天文3轉載].

[丁未18日, 亦如之熒惑犯南斗:天文3轉載].

[戊申19日, 亦如之熒惑犯南斗:天文3轉載].

[己酉20日, 亦如之熒惑犯南斗. 月暈于昴:天文3轉載].

己酉20日, 王與公主幸王輪寺, 祈禱, 放輕囚.

[辛亥22日, 月犯五車:天文3轉載].

癸丑24日, 諸道按廉□使陛辭, 王問宣化之方, 仍教毋用贖罰.[232)]

[○熒惑犯南斗:天文3轉載].

[甲寅25日, 亦如之熒惑犯南斗:天文3轉載].

[某日, 奉善大夫·慶尙道按廉使·內書舍人·藝文應敎·知製敎兼春秋館編修官郭忠秀, 中正大夫·晋州牧使兼管內勸農使·典校令崔龍生等開板'拙藁千百':追加].[233)]

---

229) 이는 11월 18일을 통해 추가하였다.

230) 이해의 秋冬番按廉使는 7월에 임명된 후 署經을 거쳐 8월 24일 출발 인사[陛辭]를 올렸던 것 같다(→8월 24일). 또 安宗源은 明年(공민왕4) 1월까지 按廉副使로 재직하면서 福州牧使 崔宰와 함께 『東人之文四六』을 간행하였다(『동인지문사륙』 권12, 刊記 ; 崔然柱 2009년).

· 『태조실록』 권5, 3년 3월 癸亥24日, 安宗源의 卒記, "判門下府事安宗源卒, 宗源字嗣淸, 順興人, 僉議贊成事文貞公軸之子, … 累遷至典法正郞, 出爲慶尙道按廉使".

231) 이는 『동도역세제자기』에 의거하였다.

232) 이 기사는 지38, 刑法1, 職制에는 "諸道按廉, 陛辭, 仍教毋用贖罰"로 되어 있다.

233) 이는 다음의 자료에 의거하였다(崔然柱 2009年).

· 『拙藁千百』刊記, "至正十四年甲午八月 日 晋州開板」 色,戶長·正朝鄭吉」 刻手,正連·行明·思遠·高淸烈」 司錄·參軍事兼掌書記·通仕郞·典校寺校勘金乙珍」 判官·通直郞·版圖正郞兼勸農使李臣傑」 牧使·中正大夫·典校令兼管內勸農使崔龍生」 按廉使·奉善大夫·內書舍人·藝文應敎·知製敎兼春秋館編修官郭忠秀」".

九月己未朔大盡,甲戌, [乙亥17日, 狐鳴于延慶宮:五行2轉載].

丁丑19日, 親設仁王道場于康安殿.

[庚辰22日, 月犯五車:天文3轉載].

[某日, 令僉議·監察各一員, 共會慮囚, 輕罪免放:刑法1職制轉載].

[是月甲子6日, 元以故瀋王暠孫脫脫不花爲瀋王:追加].[234]

[是月, 右丞相脫脫率諸軍, 大破張士誠軍於江郵:追加].[235].

冬十月己丑朔小盡,乙亥, [甲午6日, 狐入豊儲倉:五行2轉載].

乙未7日, 元遣宦者·院使賽罕來, 宴榮安王大夫人□□~~李氏~~,[236] 王與公主幸其第.

[某日, 以宦者·大護軍申小鳳爲親禦軍上護軍:節要轉載].[237]

己酉21日, 親設靈寶道場于康安殿.

庚戌22日, 前都僉議右政丞廉悌臣還自元. [時王遣使請還悌臣, 帝曰, "悌臣高麗大臣, 其禮而遣之":節要轉載].[238]

[是月, 右丞相脫脫克高郵, 分兵圍六合城, 六合城遣使救於滁州, 紅巾賊帥郭子興不答, 其壻朱元璋曰, '六合受圍, 無救必斃, 次將及滁'. 元璋遂率師東之六合, 與耿再成守瓦梁壘. 元兵攻壘數四, 每垂陷, 輒又完壘苦戰. 元兵疑之, 元璋又以計給之, 元兵不敢迫, 遂引去:追加].[239].

---

234) 이는 다음의 자료에 의거하였다.
- 『원사』 권43, 본기43, 순제6, 지정 14년 9월, "甲子, 封高麗國王脫脫不花爲瀋王".

235) 이는 다음의 자료에 의거하였다.
- 『昭代典則』 권1, 太祖, 甲午(至正14, 恭愍王3), "九月, 蒙古命右丞相脫脫督諸軍擊張士誠. □□先是, 張士誠攻揚州, 元達識帖穆爾如戰, 軍潰. 江浙參政佛家奴與戰, 軍潰. 士誠進陷盱眙, 兵勢益振. 元主乃詔脫脫, 以太師·中書令·右丞相, 總制諸王, 各省軍馬, 董督總兵, 領大小官員將士, 以討士誠於江郵, 大破之, 士誠突圍出走".

236) ~~添字~~는 『고려사절요』 권26에 의거하였다.

237) 이와 같은 기사가 열전35, 申小鳳에도 수록되어 있다. 또 親禦軍은 원래 龍虎軍이었는데, 충선왕이 虎賁軍으로 改稱하였다가 그 이후의 어느 시기에 親禦軍으로, 또 어느 시기에 다시 龍虎軍으로 환원되었다고 한다.
- 지31, 百官2, 龍虎軍, "忠宣王, 改龍虎爲虎賁, 後改親禦軍, 後復改爲龍虎軍".

238) 이와 관련된 기사로 다음이 있다.
- 열전24, 廉悌臣, "王遣使請還悌臣, 帝以爲高麗大臣, 賜宴徽政院遣之".

239) 이는 다음의 자료에 의거하였는데, 여기에서 紅巾賊의 下級 軍官이었던 朱元璋의 역할은 誇張되었을 것이다.
- 『昭代典則』 권1, 太祖, 甲午(至正14, 恭愍王3), "十月, … 元帥脫脫克高郵, 分兵圍六合, 六

[○元大都大饑疫，民有父子相食者:追加].240)

十一月[戊午朔[大盡,丙子]，熒惑犯泣星北:天文3轉載].241)

辛酉[4日]，遣處仁君李珍如元，賀千秋節.

乙亥[18日]，全羅道都巡問使申仲俴獻倭馘.

[己卯[22日]，月犯大微[太微]左掖門:天文3轉載].

[庚辰[23日]，□[月]又犯左執法:天文3轉載].

壬午[25日]， 以金敬直·[前萬戶]林淑爲三司右·左使,242) 金仁浩爲[都僉議]贊成事， [知密直司事]李承老爲政堂文學， [三司左使]洪元哲△[爲]判開城府事，全普門·王梓△△[並爲]知密直司事，池贊△[爲]同知密直司事， 金元富·崔伯·石抹時用△[並]爲密直副使， 韓可貴爲□[都]僉議評理， 姜碩△[爲]知密直司事,243) [殷汝霖~~中正大夫·版圖摠郞崔宰~~爲福州牧使:追加],244) [李穡爲通直郞·典理正郞·藝文應教·知製教兼春秋館編修官:追加].245)

[○大霧:五行3轉載].

合遣使救於滁，郭子興不答，高皇帝[朱元璋]曰，‘六合受圍，無救必斃，次將及滁’. … [朱元璋,]遂率師東之六合，與[耿]再成守瓦梁壘. 元兵攻壘數四，每垂陷，輒又完壘苦戰. 元兵疑之，高皇帝[朱元璋]又以計紿之，元兵不敢迫，遂引去”.

240) 이는『昭代典則』권1，太祖 甲午(至正14) 10월에 의거하였다.

241) 戊午에 朔이 탈락되었다.

242) 林淑(林蘭秀의 父)은 純誠佐理功臣·金紫光祿大夫·守司空·上柱國·保安伯에 이르렀던 것 같다.
- 『宋子大全』권164，林將軍[林蘭秀]神道碑，“林將軍墓舊有表，以玉刻文，陷置四尺之石，今玉去而四尺之石，呀然獨立，世傳玉工之偸去也. … 歲在己未[肅宗5年]十月癸未[22日]，八代孫行護軍纘賢，率其宗姓修之，忽得埋誌，燔造如小瓮，其文首尾可讀. 有云公諱蘭秀，本鄕全羅道扶安，居鄕忠淸道公州北三岐村， 父純誠佐理功臣·金紫光祿大夫·守司空·上柱國·保安伯淑， 母辰韓國大夫人，至正二年三月十七日生公. 其莅歷云，受興福都監錄事，仍敍列郞將·護軍·[三司]右尹等十一官，終之以嘉善大夫·工曹典書. 又云公在麗末，取耽羅有大功，配崔氏，三重大匡·龍城府院君濡之女， 永樂五年丁亥[太宗7年]六月二十一日卒， 十二月初三日壬午， 葬于朝鮮國忠淸道燕岐縣東村佛坡尾艮來木山壬坐丙向之地，…”.

243) 韓可貴와 姜碩은 組版하면서 순서가 뒤틀린 것 같다.

244) 이는「崔宰墓誌銘」에 의거하였는데，『안동선생안』에는 牧使殷汝霖으로 되어 있으나 判官殷汝霖의 오류이다. 이때 崔宰의 京職은 中顯大夫(從3品下)·版圖摠郞(正4品)인데 비해(崔宰墓誌銘)，殷汝霖은 1406년(태종6) 8월 10일에서 1409년(태종9) 3월 16일까지 通德郞(正5品上)·雞林判官으로 재직하였기에 이때 福州牧使가 될 수 없다(『동도역세제자기』).

245) 이는 다음의 자료에 의거하였는데，李穡은 歸省으로 韓州에 갔다가 1개월 후에 開城에 도착하여 임명된 것을 알았다고 한다.
- 『목은집』연보，至正十四年甲午，“十一月，授通直郞·典理正郞·藝文應教·知製教兼春秋館編修官”.
- 『목은시고』권3，入城，始知前月除典理正郞·藝文應教.

[乙酉28日, 月犯心後星:天文3轉載].

丁亥30日, [冬至]. 印安還自元言, "太師·右丞相脫脫領兵八百萬, 攻高郵城, 柳濯等赴征軍士及國人在燕京者, 摠二萬三千人, 以爲前鋒. 城將陷, 韃靼知院老長知樞密院事老章忌我國人專其功,[246] 令曰, '今日暮矣, 明日乃取之'. 麾軍而退. 其夜, 賊堅壁設備, 明日攻之不克拔. 會有人譖脫脫, 帝流于淮安".[247]

十二月戊子朔大盡,丁丑, 己丑2日, 遣都僉議贊成事金普·知密直司事全普門如元, 賀正.

[庚寅3日, 太白犯哭星:天文3轉載].

[壬辰5日, 亦如之太白犯哭星:天文3轉載].

[甲午7日, 月犯熒惑. 太白犯哭星:天文3轉載].

[庚子13日, 木稼:五行2轉載].

[某日, 敎曰, "沿海守令, 職兼防禦, 誠難其人, 奉翊以下代言以上, 各擧淸白有武才者二人":節要·選擧3選用守令轉載].

壬寅15日, [小寒]. 設消灾道場于延慶宮.[248]

---

246) 이때 印安이 전달한 고려군의 전투상은 이미 격파된 高郵城의 전투가 아니라 10월에 南部地域의 紅巾賊이 加勢하여 전개된 六合城의 攻防戰일 것이다. 또 老長은 1351년(至正11, 공민왕 즉위년) 10월 7일(癸未) 이래 御史大夫 也先帖木兒와 함께 홍건적[河南妖寇]을 토벌했던 畏吾兒출신의 知樞密院事 老章[Nojang]의 다른 표기이다(『원사』 권42, 본기42, 지정 11년 8월 癸未, 권134, 열전21, 小雲石脫忽憐).

247) 右丞相 脫脫[togto]은 9월 3일(辛酉) 出陣의 명을 받아 11월 10일(丁卯) 高郵에 도착하여 14일(辛未) 高郵城 바깥에서 誠王 張士誠의 군사를 大敗시키고, 27일(乙酉) 六合城(揚州路 六合縣)으로 군사를 보내 공격하게 하였다. 그렇지만 大都에서 讒訴를 받아 12월 10일(丁酉) 河南江北行省 淮安路(治所는 現 江蘇省 淮安市 淮安區)에 安置되었다. 脫脫의 後任者로 河南行省平章政事 泰不花[Tai Buqa)가 江浙行省 左丞相·總兵官이 되어 이에 참전했던 高麗軍·回回軍 등을 위시한 全軍을 통솔하였다. 이를 틈타 張士誠은 몽골군을 크게 격파하여 軍勢를 회복하였다(『원사』 권43, 본기43, 순제6, 至正 14년 9월, 11월, 12월 ; 『吳王張士誠載記』).

장사성은 1356년(지정16) 2월 이래 平江(현 蘇州市), 湖州(現 湖州市), 松江(現 上海市 松江區), 常州(現 常州市) 等地를 차례로 격파하고, 平江을 隆天府로 승격하여 遷都하였다. 그렇지만 이후 集慶路(옛 建康·金陵, 現 江蘇省 南京市)을 함락시킨 朱元璋의 공격을 받아 鎭江(現 鎭江市), 常州 等地에서 크게 패배하였다.

또 柳濯 등의 高麗軍의 형편은 다음과 같다.

- 열전24, 柳濯, "濯等率兵數千如元. 從太師脫脫征高郵賊張士誠, 連戰頗有功".
- 열전26, 崔瑩, "恭愍三年, 拜大護軍. 與柳濯, 從元丞相脫脫等, 征高郵. 前後二十七戰, 城將陷, 脫脫被譖, 師罷. …".

248) 이날 設消灾道場을 개최한 것은 3일 이래의 天變과 災害를 해소하려는 뜻도 있을 것이고, 이날 있었던 월식과도 관련이 있을 것이다. 이날(壬寅) 일본의 교토에서 월식이 예측되었던 것 같다

乙巳[18日], 龍山君車蒲溫, 奉賜王衣酒, 還自元.

戊申[21日], 王以天災, 如奉恩寺孝思觀, 禱于太祖眞.[249)]

[辛亥[24日], 虹見:五行1虹霓轉載].

甲寅[27日], 以蔡河中△[爲]領都僉議司事, 李齊賢爲[都僉議]右政丞, 洪彦博爲左政丞, 姜仁伯△[爲]判三司事, 崔天澤爲贊成事, [都僉議評理]康得龍·[判開城府事]洪元哲爲三司右·左使, (韓可貴爲[都僉議]評理:節要轉載], 尹忱△[爲]知都僉議司事, 李春遇△[爲]判開城府事, 全普門△[爲]判密直司事, 金成寶△[爲]知密直司事, 安輔爲密直提學, 姜仲卿·徐臣桂△△[並爲]同知密直司事, 車蒲溫爲密直副使, 康敬淳爲監察掌令, 鄭之祥爲監察持平. [李齊賢辭, 不允:節要轉載].[250)]

[是年, 判□□[密直]司事·知申事·四代言, 皆爲祿官:百官1密直司轉載].

[○以黃澗縣, 復來屬于京山府:轉載].[251)]

[○以縣人元使[利用監丞]林蒙古不花, 有功於國, 陞九皐縣·大山縣, 各爲郡:九皐縣·大山郡轉載].[252)]

[○以[典儀主簿]韓脩爲典理佐郞·知製敎:追加].[253)]

(日本曆의 明年 1월 15일, 日本史料6-19册 627面). 이날은 율리우스력의 1353년 2월 27일이고, 월식 현상이 심했던 때의 世界時는 7시 27분, 食分은 0.33이었다(渡邊敏夫 1979年 485面).

· 『文和四年具注曆』, "正月十五日壬寅, 月蝕, 大分十五分之八半弱, 虧初未六刻, 八分半, 心時申二刻, 卌六分, 復末申七刻, 廿分半"(日本史料6-20册 128面).

· 『賢俊僧正日記』, 文和 4년 1월, "十五日, 朝降雨, 臨申刻, 天晴, 但□□[月蝕?], 不正現, 御祈安祥寺隆雅僧正".

249) 孝思觀(혹은 孝思殿)은 帝王의 神御(御容)가 奉安된 殿閣을 가리킨다.

250) 鄭之祥의 출신은 다음의 기사와 같다.

· 열전27, 鄭之祥, "河東郡人, 因其妹, 往來于元. 値恭愍入侍, 隨從有勞, 及王卽位, 驟遷至監察持平, 不諳事理".

251) 이는 다음의 자료를 전재하였다.

· 지11, 지리2, 黃澗縣, "後置監務. 恭愍王三年, 復來屬".

252) 이는 다음의 자료를 전재하였다.

· 지11, 지리2, 九皐縣, "恭愍王三年, 以縣人元使林蒙古不花, 有功於國, 陞爲郡".

· 『신증동국여지승람』 권39, 任實縣, 古跡, "九皐廢縣, 在縣西二十里. 本百濟埃坪縣[埃, 一作淚]. 新羅改今名, 爲淳化郡領縣, 高麗初屬南原府, 恭愍王三年, 以縣人元使林蒙古不花有功於國, 陞爲郡. 本朝太祖三年來屬".

· 지11, 지리2, 大山郡[太山郡], "恭愍王三年, 以縣人元使林蒙古不花, 有功於國, 陞爲郡".

· 『신증동국여지승람』 권34, 泰仁縣, 建置沿革, "太山郡, 本百濟大尸山郡, 新羅改太山[注, 太通作泰]. 高麗屬古阜郡, 後置監務, 恭愍王三年, 以縣人元使林蒙古不花有功於國, 陞爲郡".

[○以乙科第二名朴尙衷爲成均學諭:追加].254)

[○僧懶翁惠勤天磨山, 始開精藍 名曰大興. 其意蓋欲以佛力扶國祚於曠劫也:追加].255)

[是年頃, 以典儀令金承矩爲存撫江陵道. 未發, 與郎將康伯顔鬪毆之, 伯顔曾有隨從勞, 訴于王. 王怒繫巡軍, 宰相朴壽年請原之, 止罷其職:列傳23金承矩轉載].256)

[○三司左使元顥, 依德寧公主, 鎭合浦等處鎭邊萬戶府:列傳20元顥轉載]. [元顥代□□權鏞鎭合浦, 具鏞事移式目都監, 慶尙道察訪□使金漢丘牒監察司, 居民又訴之, 監察司庇不問. 恭愍□王引奉使者, 訪民疾苦, 得其狀, 下巡衛府, 命鄭桓鞫之. 桓亦依違不治, 王怒召石抹都事曰, "鏞族黨滿國, 人不敢治其罪, 汝能治之乎? 不能則直以告". 石抹慙赧良久曰, "鏞貪汚人也, 敢不窮治":列傳20權鏞轉載].257)

[○元集賢殿學士奇□某自元來:追加].258)

---

253) 이는 「韓脩墓誌銘」에 의거하였다.

254) 이는 『定齋集』 권3, 潘南先生家傳, "恭愍王三年, 補成均學諭"에 의거하였다.

255) 이는 다음의 자료에 의거하였는데, 이는 開城府 天摩山城에 위치한 大興寺의 重刱을 기록한 것이다.

· 『恬軒集』 권28, 天磨山大興寺記(1696年頃撰), "… 今者, 余任相元杜門端居, 窮陰沍雪, 有一衲剝啄而求見, 進而問之, 乃大興寺僧處默也. 合掌而請曰, 吾寺之號也, 古矣. 高麗恭愍王三年, 懶翁大師入天磨山, 始開精藍, 名曰大興, 其意蓋欲以佛力扶國祚於曠劫也. 中圮而不修, 爲松櫟之地, 虎豹之宅, 未知自何年而始也. 今上肅宗三年丙辰, 朝廷謂近都而險, 莫如天磨, 築城爲緩急葆聚之所. 當軸大臣, 謂城舊有寺, 可誘僧而居也. 遂募熙衍·覺性等, 就寺之址而營焉. 寺成而其閎鉅規制, 庶幾無殺於舊殿, 則曰大雄, 曰明鏡, 曰冥府堂, 曰大乘, 曰明儀樓, 曰玩月, 其他左右廊寮, 莫不精飭. 旣而, 熙衍奉慈壽宮金佛三軀而來, 信行又奉淨慈寺冥府十王而來, 又取其位田, 以充聖供, 寺之端嚴, 盛矣".

256) 이는 다음의 자료에 의거하였다.

· 열전23, 金倫, 承矩, "承矩, 恭愍朝, 授監察掌令, 尋以典儀令, 存撫江陵道. 未發, 與郎將康伯顔鬪毆之, 伯顔曾有隨從勞訴于王, 王怒繫巡軍, 宰相朴樹年朴壽年請原之, 止罷其職"에 의거하였다. 이에서 朴樹年은 朴壽年의 오자일 것이다. 金承矩(金倫의 子, ?~1359)는 前年인 1359년(공민왕2) 1월 19일 監察掌令에 임명되었고, 朴壽年(?~1359년)은 1355년(공민왕4) 3월 18일 元에 사신으로 파견되었다가 7월 14일 그곳에서 서거하였다. 그렇다면 典儀令 金承矩가 江陵道存撫使에 임명된 것은 공민왕 3년 1월과 7월, 공민왕 4년 1월의 3회 중의 하나일 것이다.

257) 石抹都事는 前年(공민왕2) 2월 17일 前征東行省照磨로 酒食을 가지고 고려에 파견되어 온 石抹時用으로 추정되며, 이 시기에 征東行省 左右司都事로 재직하다가 고려의 관료로 변신하여 典理判書·開城府尹·密直副使 등을 역임하였던 것 같다.

258) 이는 다음의 자료에 의거하였는데, 당시에 고려에서 이러한 館職과 位相을 가진 인물은 奇皇后의 일족인 奇某일 것이다.

乙未[恭愍王]四年, 元至正十五年, [西曆1355年]

1355년 1월 14일(Gre1월 22일)에서 1356년 2월 1일(Gre2월 9일)까지, 13개월 384일

春正月戊午朔大盡,戊寅, [己未2日, 故典法判書朴元桂妻吳氏卒:追加].259)

壬戌5日, 太白晝見.260)

[癸亥6日, 熒惑犯月:天文3轉載].

[甲子7日, 大雨:五行2轉載].

戊辰11日, 敎曰, "凡爾百僚, □□□□廿仕本官, 恪勤乃職, 聽訟之官, 審理寃抑, 違者, 憲司劾之".261)

庚午13日, 元誅妖賊韓山童·韓咬兒, 策免□右丞相脫脫, 遣直省舍人訥速兒來, 頒赦.262) 王出迎于宣義門外.

[某日, 以通直郎·版圖正郎鄭光道爲慶尙道按廉副使兼監倉·安集·防禦使·傳輸提點刑獄公事, 監察持平鄭之祥爲全羅道按廉使:慶尙道營主題名記].263)

[是月, 右代言左代言柳淑, □□□□掌成均試, 取全翊等九十五人:選擧2國子試額轉載].264)

[○慶尙道按廉副使安宗源·福州牧使崔宰開板'東人之文四六':追加].265)

· 『목은시고』 권1, 奉送奇集賢歸覲, "集賢學士人中龍, 神彩自是春風容. 衣冠綿綿食舊德, 門閥奕奕臨箕邦高麗. … 三韓盛事傳千秋, 嗟我欲往空搔頭. 擧觴獻壽幸毋緩, 天子召還難久留".

259) 이는 「朴元桂墓誌銘」에 의거하였는데, 이날은 율리우스曆으로 1355년 3월 16일(그레고리曆 3월 24일)에 해당한다.

260) 지3, 天文3에는 壬戌이 壬辰으로 되어 있는데, 오자이다.

261) 이 기사는 지38, 刑法1, 職制에도 수록되어 있는데, 添字는 이에서 추가되어 있는 것이다.

262) 이 기사는 당시의 사실을 적절하게 반영하지 못하였다. 홍건적의 지도자 韓山童(?~1351)은 欒城(現 河北省 西南部의 欒城縣) 출신으로 祖父로부터 白蓮教를 傳受받아 전파하다가 宋 徽宗의 8世孫으로 自稱하면서 1351년(至正11, 忠定王3) 劉福通·韓咬兒 등과 함께 擧兵하였으나 곧 체포되어 피살되었다. 또 脫脫의 免職이 고려에 전해진 것은 前年(공민왕3) 12월 10일(丁酉)이었다(→공민왕 3년 11월 30일의 脚注).

263) 鄭光道는 是年 8월까지 按廉副使로 재직하면서 福州牧使 崔宰와 함께 『東人之文四六』을 간행하였다(『동인지문사륙』 권15, 刊記, 崔然柱 2009년, 이에는 鄭光復으로 표기되어 있다). 또 鄭之祥은 是年 2월 24일에 의거하였다.

264) 右代言은 左代言의 오자일 것이고, 이때 成石璘도 합격하였다

· 「柳淑墓誌銘」, "甲午恭愍3年二月, 遷左代言·知軍簿司事, 乙未正月, 掌成均試, 取全翊等九十九人".

· 『獨谷集』行狀, "至正十五年乙未春, 中司馬試第三".

265) 이는 다음의 자료에 의거하였다(崔然柱 2009년).

· 『동인지문사륙』 권12, 刊記, "至正十五年乙未正月 日,」 司錄·參軍事兼掌書記·通仕郎·典校々

[是月戊午朔, 元以遼陽行省左丞奇伯顔不花[奇轍]爲本省平章政事:追加].[266)]

[是月頃, 以宋由忠爲福州判官:追加].[267)]

閏[正]月[戊子朔大盡,戊寅], 丁未[20日], 以洪有龜·申君平爲右·左代言, 李瑞龍·金續命爲右·左副代言, 金元命爲監察執義,[268)] 李夢庚爲監察掌令, [藝文應教]李穡爲內書舍人,[269)] 李延慶爲興安君, [知密直司事]姜仲祥爲晋原君.

[□□[是月], 元遣直省舍人忙哥□[來], 授[奇]轍遼陽省平章□□[政事], 兼賜衣酒. ○□□[是時], 王以事杖流監察糾正, [奇]轍白王曰, "糾正雖有罪, 恐爲後世口實". 王卽釋之:列傳44奇轍轉載].[270)]

二月[戊午朔小盡,己卯], 己未[2日], 鷲城府院君辛裔死.[271)]

癸亥[6日], 元□□[遣使]來, 錫公主號承懿.[272)]

辛巳[24日], 賜安乙起[安乙器]等及第.[273)]

勸金君濟,」 判官 缺,」 使·中正大夫·典校令·管句學事兼管內勸農使崔宰,」 按廉副使·通直郞·版圖正郞安宗源」".

266) 이는 다음의 자료에 의거하였다.

· 『원사』 권44, 본기44, 順帝7, 至正 15년 1월, "戊午朔, 遼陽行省左丞奇伯顔不花陞本省平章政事".

267) 이는 『안동선생안』에 의거하였다.

268) 이때 金元命과 관련된 다음의 기사가 있는데, 添字가 생략되었을 것이다(열전21, 金之淑, 仁沇).

· 열전38, 金元命, "金元命, 中贊之淑之孫, □□□□□□□[贊成事仁沇之子]. 恭愍朝, 爲監察執義上臺, 糾正庭迎, 從後譏之, 元命怒還家. 監察司劾糾正許少游, 罷之. 元命移病, 王命視事. 元命上臺, 糾正聯署, 條錄過失, 又不庭迎. 王囚少游·朴德方·都弘慶等鞫之, 杖流有差".

269) 이때 李穡은 奉善大夫·試內書舍人·知製敎兼春秋館編修官에 임명되었는데, 관직이 각각 試內書舍人, 中書舍人으로 차이가 있다.

· 『목은집』연보, 至正十五年乙未, "□[閏]正月, 陞奉善大夫·試內書舍人·知製敎兼春秋館編修官".

· 『양촌집』 권40, 李穡行狀, "… 陞授奉善大夫·試內史舍人·知製敎兼春秋館編修官".

· 『목은시고』 권3, 謁告省親, 時夜下批, 除中書舍人. 曉起, 具官帶詣內, 肅拜.

270) 이 기사는 前月 1일 몽골제국에서 奇轍이 遼陽行省平章政事에 임명된 후, 使臣이 詔勅과 告身을 가지고 고려에 와서 宣麻한 것을 가리킨다.

271) 이날은 율리우스曆으로 1355년 3월 16일(그레고리曆 3월 24일)에 해당한다.

272) 이 구절에서 遣使가 탈락되었다. 또 『목은문고』 권14, 廣通普濟禪寺碑銘幷序에는 "歲辛卯[恭愍卽位年], 受命釐東. 制封承懿公主"라고 하여 책봉 시기를 분명히 밝히지 않았다.

273) 이와 관련된 기사로 다음이 있다.

· 지27, 선거1, 科目1, 選場, "[恭愍]四年二月, 贊成事李公遂知貢擧, 密直提學[同知密直司事]安輔同知貢擧, 取進士, [辛巳], 賜安乙起[安乙器]等三十三人及第".

○全羅道按廉□使鄭之祥囚元御香使埜思不花~~埜先帖木兒不花~~于全州.[274] [不花, 本國人也, 入元, 有寵於帝, 其兄徐臣桂爲六宰, 其弟應呂爲上護軍, 擅作威福, 擧國畏之. 至是, 不花降香諸道, 所至縱暴, 存撫·按廉使, 多被辱罵, 莫敢違忤, 之祥迎候恭謹, 不花待遇甚倨, 接伴使洪元哲, 有托於之祥, 之祥不聽, 元哲激怒不花曰, "之祥輕天使", 不花縛辱之. 之祥卽憤恚大叫, 紿邑吏曰, "國家已誅諸奇, 不復事元, 命三司右使金敬直爲元帥, 守鴨江, 此使者可擒制也, 若等何畏, 而不我救". 邑吏呼譟而入, 解縛扶出. 之祥遂率衆, 執不花·元哲等囚之, 奪不花所佩金牌, 馳還京道, 過公州, 執其弟應呂, 以鐵椎檛之, 數日而死. 之祥:節要轉載], 自詣白王, 王驚愕, 下之祥巡軍獄. [卽命行省員外郞鄭暉, 捕全州牧使崔英起及邑吏等, 又遣密直副使車蒲溫, 還其牌于不花:節要轉載].[275]

[某日, 以柳濯爲都僉議左政丞·判軍簿司事:追加].[276]

三月丁亥朔大盡,庚辰, 庚子14日, 倭寇全羅道.

甲辰18日, 遣前僉議~~前都僉議評理~~金信·贊成事朴壽年, 如元, 賀聖節, 密直副使尹之彪, 謝封公主.[277]

- 『목은시고』 권24, 至正癸巳四月, … 歲乙未, 南村李政丞公遂·星洞安政堂輔典貢擧, 時李公之姑, 奇后母也, 因獻壽觴, 故兩學士皆設燕, 然比舊减十之七八. …
- 「李公遂墓誌銘」, "歲乙未知貢擧, 取安乙器等三十三人, 多爲達官聞人".
- 「安輔遂墓誌銘」, "乙未同知貢擧, 取安乙器等三十三人".
- 『정종실록』 권6, 2년 11월 癸酉13日, 禹玄寶의 卒記, "至正乙未, 中第, 入翰林".
- 『목은문고』 권1, 南原府新置濟用財記, "李侯名寶林, 乙未及第".
- 『태종실록』 권11, 6년 2월 辛未10日, 吳思忠의 卒記, "思忠, 至正乙未, 及第".

이때 安乙器(安乙起는 誤字?)·李天驥·金承德(乙科3人), 鄭袤·閔慶生·禹玄寶·咸承慶·崔卜夏·李元齡(改集)·全翊(丙科7人), 曹敬德·鄭習仁·田永儞·徐文哲·權鑄·李勒·申繼齡·宋公序·李寶林·楊以時·廉國寶·權君保·吳思忠·韓義·全子怡·崔磐·宋彥忠·林孝先·金齊閔(改九容)·李穎·李深·韓達漢·張夏(同進士23人) 등이 급제하였다(「1377年國子監試榜目裏面」; 『등과록』, 朴龍雲 1990년; 許興植 2005년).

또 이때 발급된 楊以時의 紅牌(全羅北道 淳昌郡 東溪面 龜尾里 所藏, 寶物725號)는 다음과 같다. "准」 王命, 賜成均養正齋生楊以時」 同進士出身者」 至正十五年二月日」 同知貢擧·將仕郞·遼陽等處行中書省照磨·奉翊大夫·密直使·寶文閣大提學·同知春秋館事·上護軍安輔」 知貢擧·征東行中書省左右司都事·三重大匡·益山君李公遂」 ".

274) 埜思不花는 埜先帖木兒不花[Esen Temur Buqa]의 略稱인 것 같다(→是年 是年條의 末尾 記事).

275) 이와 같은 기사가 열전27, 鄭之祥에도 수록되어 있으나 자구에 출입이 있다.

276) 柳濯은 그의 神道碑銘에 의거하였다.

277) 尹之彪의 묘지명에는 이해에 다시 知密直司事에 임명되었고, 겨울에 表를 받들고 燕京에 파견

己酉[23日], 元告以汪家奴爲右丞相, 定住爲左丞相.[278)]

庚戌[24日], 以忠肅王忌辰, 如廣明寺.

[→王幸廣明寺飯僧, 以不能供億, 杖[義成倉使全以道], 罷, 尋復職:列傳27全以道轉載].

[→[恭愍]四年□□□[閏正月], 拜左代言, □□[二月], 王命罷義成倉官全以道·禹攸吉, 德泉倉官崔云固·申天命. 未幾, 攸吉拜典客寺丞, 攸吉君平友壻也, 以道等頗有言. 君平惡之白王, 收除目, 抹攸吉名. 後王欲授僧職, 召君平, 方直宿, 辭以疾:列傳22申君平轉載].

丙辰[30日], [都僉議]贊成事金普, 奉賜王衣酒, 還自元.

[春某月, 政堂文學李仁復請免職. 允之, 封星山君:追加].[279)]

夏四月[丁巳朔[小盡,辛巳], 獐入城:五行2轉載].[280)]

戊午[2日], 雨雹.[281)]

庚辰[24日], 元遣使來, 求女樂.

辛巳[25日], 倭掠全羅道漕船二百餘艘.

[是月頃, 以[匡靖大夫]李能爲雞林府尹:追加].[282)]

五月[丙戌朔小盡,壬午], [丙申[11日], 月掩房星:天文3轉載].

丁酉[12日], 以安輔爲政堂文學, 尹守常爲密直提學, 守常, 以宦者妻親, 得拜是職, 爲世所譏.[283)]

되었다고 되어 있지만, 당시의 관직과 使行의 목적이 잘못 기술된 것 같다. 또 이때 李穡이 書狀官이 되어 尹之彪와 함께 大都에 들어갔다고 한다.

- 「尹之彪墓誌銘」, "玄陵之五年, 再知密直司事, 其冬奉表, 朝于京師, 謝賜衣也".
- 『양촌집』 권40, 李穡行狀, "…夏又充書狀官, 奉表如京".
- 『목은시집』 권3, 是歲春, 密直宰相尹之彪爲謝恩使, 予忝書狀官赴都, 金郊途中.
- 『목은집』연보, 至正十五年乙未, "□[忝]書狀官, 赴京師". 여기에서 添字는 필자가 추가하였다.

278) 몽골제국이 汪家奴[Onggiyaliu]와 定住[Dinju]를 임명하고 天下에 詔書를 내린 것은 2월 11일(戊辰)이었다(『원사』 권43, 본기43, 순제6, 지정 15년 2월 戊辰).

279) 이는 「李仁復墓誌銘」에 의거하였다.

280) 丁巳에 朔이 탈락되었다.

281) 이와 같은 기사가 지7, 五行1, 水, 雨雹에도 수록되어 있다.

282) 이는 『동도역세제자기』에 의거하였다.

283) 尹守常은 咸安人으로 文筆能力[文行]이 있어 공민왕 초기에 그의 後進인 監察執義 宋天逢,

[是時, 奉善大夫·試內書舍人李穡爲奉常大夫·典儀副令·知製敎兼春秋館編修官:追加].[284]

戊戌13日, 以都僉議右政丞李齊賢爲金海府院君, 姜仁伯爲柰城府院君, 金敬直爲彥陽府院君, 權皐爲永嘉君, 辛富爲鷲山君, 孫就爲淸城君, 尹之彪爲海平君.[285] [先是, 右政丞李齊賢又辭, 是日允之, 封君:追加].[286]

[庚子15日, 元告以定住爲右丞相, 哈麻爲左丞相←恭愍王 3년 6월에서 옮겨옴].[287]

癸卯18日, 遣知申事任君輔如元, 賀皇后奇皇后千秋節.[288]

乙巳20日, 元遣斷事官買住來, 鞫前全羅道按廉使鄭之祥.[289]

壬子27日, 遣密直副使崔仁遠如元, 獻紋苧布.

是月, 征南萬戶權謙·元顥·印璫, 還自元云, "南賊日盛, 我軍陷六合城, 又移防淮安路".[290]

[→南賊日盛, 我軍陷六合城, 又移防淮安路, 前判三司事李權·崔源等六人戰死, 崔瑩力戰, 身被數槍:節要轉載].[291]

判典校寺事 金君發의 薦擧를 받았다고 한다. 또 兪思廉은 1350년(至正10, 충정왕2) 12월경 몽골제국의 國子監生 李穡이 韓州에서 覲親하고서 大都로 歸還 중 水原府에서 만나 詩文을 唱和했던 인물이다.

· 열전24, 宋天逢, "恭愍初, 召拜監察執義, 與判典校□□寺事金君發, 薦文行之士許應麟·兪思廉·尹守常等".

· 『목은시고』 권2, 水原府, 次兪先生[注, 諱思廉, 字恥夫].

284) 이는 다음의 자료에 의거하였다.

· 『목은집』연보, 至正十五年乙未, "… 五月, 遷奉常大夫·典儀副令, 餘如故".

285) 李齊賢은 金希祖(金倫의 6子)의 丈人이고, 金敬直은 希祖(金倫의 2子)의 兄이다.

286) 이는 「李齊賢墓誌銘」에 의거하였다.

287) 공민왕 3년 6월 10일 몽골제국이 定住[Dinju]를 右丞相으로, 哈麻[Qa ma]를 左丞相으로 삼았다는 것을 通報해 왔다는 사실은 시기 정리에 실패한 것이다. 이들은 다음 해인 1355년(至正15, 공민왕4) 4월 17일 이들 관직에 임명되었다(『원사』 권43, 본기43, 지정 15년 4월 癸酉·권113, 표6하, 宰相年表2). 그러므로 이 기사는 공민왕 4년 4월 이후의 庚子인 5월 15일로 移動시켜야 한다[校正事由].

288) 奇皇后의 誕日은 6월 15일이다(→공민왕 15년 6월 15일).

289) 이와 같은 기사가 열전27, 鄭之祥에도 수록되어 있다.

290) 脫脫이 高郵城을 공격하면서 軍隊를 나누어 平定하게 한(『庚申外史』, 至正 14年) 河南江北行省 揚州路 六合縣[六合城]에서 전개된 전투에 대해서는 『명태조실록』 권1, 1354년(甲午) 11월조에 일부가 수록되어 있다.

291) 『고려사절요』 권26, 공민왕 3년 11월의 末尾에서 전재하였는데, 이와 관련된 기사로 다음이 있다.

· 열전37, 崔安道, 源, "時南賊日盛, 我軍陷六合, 移防淮安路, 源與李權等六人戰死".

· 열전26, 崔瑩, "明年, 禦賊淮安路, 累戰于八里莊. 又泗·和等州, 賊八千餘艘, 圍淮安城, 晝夜力戰, 却之. 賊復至, 瑩身被數槍奮擊, 殺獲殆盡".

六月[乙卯朔小盡,癸未]，乙丑[11日]，召臺官諭曰，“僧禪近所犯，不須窮治”．禪近內願堂僧也，素有寵於王，至是，通士人妻，爲憲府[司憲府]所鞫，故王命釋之．時僧徒恣滛[恣淫]，慈恩宗僧英旭，通宦官金不花妻，臺官鉤致，欲罪之．旭曰，“若欲罪我，須罷宗門，今宗門僧，誰非我乎?”．

[癸酉[19日]，太白·鎭星犯東井:天文3轉載]．

辛巳[27日]，地震.[292]

[某日，以都僉議左政丞柳濯爲高興府院君:追加].[293]

秋七月甲申朔[大盡,甲申]，前知都僉議司事韓大淳卒.[294]

丁亥[4日]，設消災道場于康安殿，以禳地震．

○[都僉議]贊成事朴壽年卒于元．壽年，丞相汪家奴之婦翁也，丞相宴慰，過飮暴卒.[295]

[己亥[16日]，月食:天文3轉載].[296]

辛丑[18日]，知申事任君輔還自元，帝賜王酒，除貢紋苧布．

[某日，命兩府，各擧堪爲守令者:節要·選擧3選用守令轉載]．

[庚戌[27日]，王師復丘入寂:追加].[297]

[某日，以慶尙道按廉使鄭光道，仍番:慶尙道營主題名記]．

八月[甲寅朔小盡,乙酉]，癸亥[10日]，元皇太子遣月魯帖木兒來，宴榮安王大夫人，王幸其第，王與李氏並南面，皇后弟趙希冲妻坐東，[遼陽行省平章政事]奇轍與月魯帖木兒坐西，宰

292) 『고려사절요』 권26에는 辛巳 앞에 六月이 탈락되었다.

293) 柳濯은 「柳濯神道碑銘」에 의거하였다.

294) 이날은 율리우스曆으로 1355년 8월 8일(그레고리曆 8월 16일)에 해당한다.

295) 이날은 율리우스曆으로 8월 11일(그레고리曆 8월 19일)에 해당한다.

296) 이날(己亥) 교토에서 月食이 예측되었던 것 같다(日本曆의 15일, 日本史料6-19册 851面). 이날은 율리우스력의 1355년 8월 23일이고, 월식 현상이 심했던 때의 世界時는 12시 10분, 食分은 0.11이었다(渡邊敏夫 1979年 485面).

· 『文和四年具注曆』, “七月十五日己亥, 月蝕, 大分十五分之七半强, 虧初戌二刻, 六十九分半, 心時戌七刻, 六十三分, 復末亥四刻, 廿八分半”(日本史料6-20册 131面).

· 『賢俊僧正日記』, 文和 4년 7월, “十五日, [裏書], 蝕御祈, 南瀧院增任[增仁?]僧正, 陰雲覆不正現, 法驗殊勝云々”.

297) 이는 『동문선』 권118, 王師大曹溪宗師, … 贈諡覺眞國師塔碑銘幷序(李達衷 撰)에 의거하였다. 이 자료에서 “維至元十四年[~~至正十五年~~]乙未, 王師覺儼尊者示滅”은 ~~添字~~와 같이 고쳐야 옳게 될 것이다. 또 이날은 율리우스曆으로 1355년 8월 17일(그레고리曆 8월 27일)에 해당한다.

樞坐階上.

甲戌[21日], 親設百高座道場于康安殿, 王手書疏文.

[是月, 應奉翰林文字·承事郎·同知制誥兼國史院編修官李穡, 到任治事:追加].[298)]

[是月頃, 以成均司藝呂渭賢爲永州副使. ○是時, 革永州判官:追加].[299)]

九月癸未朔大盡,丙戌, 甲申[2日], 下除目, 皆奇氏及元使之請也.

壬寅[20日], 元遣資政院使姜金剛吉思來,[300)] 宴榮安王大夫人兼降御香.

[是月頃, 以權君輔爲雞林府司錄兼參軍事:追加].[301)]

[秋某月, 以星山君李仁復爲政堂文學, 判典校寺事柳淑爲版圖判書, 尋爲典理判書, 福州牧使崔宰爲中顯大夫·監察執義·直寶文閣:追加].[302)]

[○入元僧惠勤, 奉聖旨, 住大都廣濟寺:追加].[303)]

冬十月癸丑朔小盡,丁亥, 乙卯[3日], 宴金剛吉思于宮中.

[乙丑[13日], 雷:五行1轉載].

[辛未[19日], 大霧:五行3轉載].

癸酉[21日], 流密直副使任君輔于濟州.

[→以密直副使任君輔, 詐傳王旨, 流于濟州. 知都僉議司事金鏞·密直鄭世雲等, 譖之

---

298) 이는 다음의 자료에 의거하였는데, 禮任(혹은 理任)은 몽골제국 시기에 官僚가 赴任하여 執務하는 것[到任治事]을 가리키는 독특한 常用語이다.

· 『목은집』연보, 至正十五年乙未, "… 八月, 禮任翰林院".

· 『元典章』 권4, 朝綱1, 政紀(八面右段), 省部減繁格例, 皇京二年五月江省浙行省准中書省咨, … 一. 官吏俸抄已有支給通例, … 受宣勅人員, 都省憑准奏定頒降宣勅者, 自禮任月日支付, 如經都省復奏, 或改授者, 自都省奏准月日放支". 여기에서 添字와 같이 고쳐야 옳게 될 것이다.

299) 이는『영천선생안』에 의거하였다.

300) 資政院使 姜金剛吉思는 姜金剛의 蒙古名이다. 그는 1356년(공민왕5) 5월 18일 奇轍이 피살된 이후 皇太子의 命에 의해 고려에 파견되어 奇皇后의 母 李氏를 奉養하였다(열전44, 奇轍→공민왕 2년 3월 是月).

301) 이는『동도역세제자기』에 의거하였다.

302) 이는「李仁復墓誌銘」;「柳淑墓誌銘」;「崔宰墓誌銘」에 의거하였다. 또 이때 柳淑은 是年의 전반기에 임명된 奉翊大夫·判典校寺事·藝文館提學·同知春秋館事·上護軍으로서 版圖判書, 典理判書로 轉職하였다고 한다(柳淑墓誌銘).

303) 이는 다음의 자료에 의거하였다.

· 『목은문고』 권14, 普濟尊者諡先覺塔銘幷序, "至正乙未秋, 奉 聖旨, 住大都廣濟寺".

也:節要轉載].[304)]

乙亥[23日], 命[知都僉議司事]金鏞·[密直]洪義·[密直]鄭世雲·[典理判書]柳淑□[等], 逐日入宮, 事無大小, 一切啓稟.[305)]

[是月頃, 以[重大匡·政堂文學]安輔爲雞林府尹兼管內勸農·防禦使:追加].[306)]

十一月[壬午朔大盡,戊子], [某日, 降全州爲部曲, 以囚埜思不花也:節要轉載].[307)]

[丙戌[5日], 熒惑犯氐:天文3轉載].

[戊子[7日], 鎭星犯井. 熒惑犯氐西南:天文3轉載].

[辛丑[20日], 鵂鶹鳴:五行1轉載].

庚戌[29日], 遣定原君鈞·大護軍金瑨如元, 獻方物.

[是月頃, 以閔安吉爲雞林府法曹·參軍事兼掌書記:追加].[308)]

十二月[壬子朔[大盡,己丑], 鎭星犯東井南垣:天文3轉載].

[癸丑[2日], 熒惑犯房:天文3轉載].

辛未[20日], 流知都僉議司事金鏞于濟州.

[→知都僉議司事金鏞, 與贊成事金普爭權幸, 普丁母憂, 陰勸征東省都事崔介, 上書於王, 請令百官行三年喪. 鏞等矯旨, 下其書都評議□[使]司, 逼令施行. 王悉知其狀, 流鏞于濟州, 遂罷三年喪:節要轉載].

---

304) 이와 관련된 기사로 다음이 있다.

- 열전27, 任君輔, "宦者金伯顔帖木兒, 詐傳王旨, 以君輔爲內乘提調, 事覺, 杖伯顔帖木兒, 流君輔于泰安郡. 又以君輔遲留, 移配濟州牧子, 旣而召還".
- 열전26, 鄭世雲, "[鄭世雲,] 又與鏞, 忌密直副使任君輔有寵, 譖以詐傳王旨, 流濟州".

305) ~~添字~~는 『고려사절요』 권26에 의거하였다.

306) 이는 『동도역세제자기』에 의거하였는데, 重大匡(從1品)은 金紫崇祿大夫(從1品下)로 되어 있으나 후자는 明年(공민왕5) 7월 이후의 文散階이다. 또 安輔는 이해의 11월에 金紫崇祿大夫·雞林府尹兼管內勸農·防禦使로 雞林府에 到任하여 1357년(丁酉, 공민왕6) 4월 2일 上京하였다(『동도역세제자기』).

- 열전22, 安軸, 輔, "[恭愍]四年, 拜政堂文學, 輔自謂遇知, 知無不言. 久而, 王以爲闊於事情, 輔亦以母老, 乞骸歸養, 爲東京留守, 以近興寧也".

307) 이와 관련된 자료로 다음이 있다.

- 『신증동국여지승람』 권33, 全州府, 建置沿革, "… 後改全州牧. 恭愍王四年, 以囚元使埜思不花, 降爲部曲, 五年復爲完山府".

308) 이는 『동도역세제자기』에 의거하였다.

[→知都僉議司事金鏞·密直鄭世雲·密直洪義，與贊成事金普，爭權幸，普丁母憂，密諭行省都事崔介，上書請令百官行三年喪．鏞等矯旨，下其書都評議□使司，逼令施行，王悉知其狀，流鏞于濟州，遂罷三年喪:列傳44金鏞轉載].

[→知都僉議司事金鏞等忌普擅權，謀斥之．察訪□使崔淵希鏞意，又惡資．廉問資賄普物多少，遣人勾取文書，繫從吏，逼令解去．鏞恐普復職，誘人上書，請行三年喪，矯旨下都評議司．普因此，久不復職，旣而封金寧府院君:列傳27金普轉載].

[→罷三年丁憂之制:禮6五服制度轉載].

[是月頃，以通直郎洪元老爲福州判官，通仕郎金承德爲福州司錄:追加].[309]

[冬某月，元，以政堂文學李仁復爲征東行省員外郞:追加].[310]

[○以應奉翰林文字李穡爲權翰林院經歷:追加].[311]

是歲，我桓祖李子春，以雙城等處千戶來見，王曰，"乃祖乃父，身雖在外，乃心王室，我祖考實寵嘉之．今卿無忝祖考，予將玉汝於成矣"．□初，雙城地頗沃饒，東南民無恒產者，多歸焉．國家聞于中書省，奉聖旨，差官來，遼陽省亦差官來．王遣征東行省郞中李壽山往會，區別新舊籍民，謂之三省照勘戶計．其後，撫綏失宜，稍稍流徙，王命桓祖李子春主之．民，由是，得安其業．

[→初，雙城地沃饒，吏治闊略，東南民無恒產者多歸焉．恭愍王聞于元，中書省·遼陽省，皆差官來，王亦遣征東省郞中李壽山往會，分揀新舊籍民，謂之三省照勘戶計．其後，撫綏失宜，稍稍流徙，王命桓祖鎭之，民，由是，得安其業:追加].[312]

[○復稱義成倉，爲內房庫，罷祿官及糾正，置提擧·別監:百官2內房庫轉載].

[○復稱德泉倉，爲德泉庫，罷祿官及糾正，置提擧·別監:百官2德泉庫轉載].[313]

---

309) 이는 『안동선생안』에 의거하였다.

310) 이는 「李仁復墓誌銘」에 의거하였다.

311) 이는 다음의 자료에 의거하였다.
- 『목은집』연보, 至正十五年乙未, "… 冬, 權經歷".
- 열전28, 李穡, "恭愍四年, 陞內書舍人, 又如元, 禮任翰林院權經歷".

312) 이 기사는 『태조실록』 권1, 總書, 至正 15년에 수록되어 있다. 또 桓祖 李子春(1315~1360)의 몽골 이름은 uluci-Buqa[吾魯思不花]였다(『태조실록』 권1, 總書, 至正 3년 1월, "桓祖, 諱子春, 蒙古諱吾魯思不花").

313) 德泉庫의 경우 지31, 百官2, 德泉倉에 "恭愍王四年, 罷祿官及糾正, 置提擧·別監"으로 되어 있으나 위의 內房倉과 같이 庫로 다시 강등되었을 것이다.

[○以[典理佐郞]韓脩爲通直郞·成均直講·藝文應教, 尋爲奉善大夫·成均司藝·藝文應敎:追加].[314)]

[○以[典儀直長]李岡[李綱?]爲典儀主簿, 掌符璽:追加].[315)]

[○以洪義龍爲延安府使:追加].[316)]

[○元, 以[僉議贊成事]李公遂爲征東行省左右司都事. 未幾, 公遂辭不就:追加].[317)]

[○□□□[~~是年初~~], 帝詔濬大內河道, 以宦官同知留守埜先帖木兒董其役. 埜先帖木兒言, "自十一年以來, 天下多事, 不宜興作". 帝怒, 命往使高麗, 改命宦官答失蠻董之:追加].[318)]

[增補].[319)]

[仁同人 張東翼 校注, 增補].

---

314) 이는 「韓脩墓誌銘」에 의거하였다.

315) 이는 「李岡墓誌銘」(『목은문고』 권18)에 의거하였다.

- 열전24, 李嵒, 岡, "授典儀注簿, 掌符璽, 常在左右, 愈久愈謹".

316) 이는 『연안부지』에 의거하였다.

317) 이는 다음의 자료에 의거하였다.

- 「李公遂墓誌銘」, "是歲[乙未], 玄陵辟爲□[征]東省都事, 拜受勅牒, 詣內謝恩, 未幾辭, 不就職, 進封三重大匡·益山府院君".
- 열전25, 李公遂, "恭愍時, 拜僉議評理, 進贊成事. 授行省都事辭, 封益山府院君".

318) 이는 『원사』 권44, 본기44, 順帝7, 至正 15년 是歲에 의거하였다.

319) 이해에 北伐을 推進하고 있던 紅巾賊이 開國하였는데, 당시의 사정은 다음과 같다.

- 1355년(지정15, 공민왕4) 2월 2일(己未), 劉福通 등이 韓山童의 子 韓林兒를 皇帝(小明王으로 불림)로 받들고 亳州(現 安徽省 亳縣)를 수도로 삼았다. 국호를 宋, 연호를 龍鳳이라고 하였다(『원사』 권44).
- 6월, 韓林兒의 部將인 朱元璋이 和州에서 거병하여 太平路를 장악하였고, 이 무렵 木華黎[Muqali] 國王의 후예인 萬戶 納哈出(Nagachu, 淸代에 納克楚로 改書)을 사로잡았다고 한다(『원사』 권44 ; 『명태조실록』 권3, 乙未, 6월 ; 권66, 洪武 4년 6월).
- 12월, 答失八都魯[Tas Bagatur]가 太康에서 劉福通 등을 격파하니 僞主(小明王) 韓林兒가 安豊(現 安徽省 壽縣)으로 도망갔다(『원사』 권44).

『高麗史』卷三十九 世家卷三十九

[輔國崇祿大夫·議政府左贊成·知集賢殿經筵春秋館成均事·世子賓客·臣金宗瑞奉敎撰]
正憲大夫·工曹判書·集賢殿大提學·知經筵春秋館事兼成均大司成·臣鄭麟趾奉敎修

恭愍王 二

丙申[恭愍王]五年, 元至正十六年→6月高麗停至正年號, [尋復舊], [西曆1356年]

1356년 2월 2일(Gre2월 10일)에서 1357년 1월 20일(Gre1월 28일)까지, 354일

春正月[壬午朔[大盡,庚寅], 寢園春享, 享官誓于三司, 太尉·樂安君李遷善[李千善],[1] 司徒·典儀令金義烈, 不至, 改命金海府院君李齊賢, 爲太尉:禮3吉禮大祀轉載][·金海侯:追加].[2]

辛卯[10日], 王如奉恩寺, 謁太祖眞殿.

甲午[13日], 赤氣挾日, 長數尺餘, 其中皆有日輪, 人言, 三日並出.[3]

[乙未[14日], 大風, 人馬欲仆:五行3轉載].[4]

[丙申[15日], 月食:天文3轉載].[5]

---

1) 李遷善은 李千善의 誤字일 가능성이 있다(→공민왕 1년 8월 19일의 脚注).

2) 이는 「李齊賢墓誌銘」에 의거하였다.

3) 이날 일본의 교토[京都]에서 밤에 비가 내렸다고 하며 明日도 계속 되었다고 한다.
 · 『愚管記』第2, 文和 5년(延文1) 1월, "十三日甲午, 及晩雨下, … 十四日乙未, 雨降".

4) 일본에서는 1월 9일(庚寅) 교토에 大風이 있었다고 한다(日本史料6-20册 265面 ; 中央氣象臺 1941年 2册 434面).
 · 『愚管記』第2, 延文 1년 1월, "九日庚寅, 晴, 今晩暴風雷雨".
 · 『續史愚抄』 권24, 文和 5년 1월, "九日庚寅, 雷鳴大風, 壞墻壁, 自元日每日雨雪云".
 · 『園太曆』 권25, 延文 1년 1월, "九日, 自寅刻, 雷鳴猛雨大風, 居屋墻壁, 更不全, 及五刻風聊休, 時々晴, 或又雪霜, 元日已後至今日, 或雨或雪, 更無不下之日".

5) 이때 교토에서 16일(丁酉)에 월식이 관측되었다고 한다(日本史料6-20册 268面). 또 이날(丙申)은 율리우스력의 1356년 2월 16일이고, 월식 현상이 심했던 때의 世界時는 23시 21분, 食分은 1.62이었다(渡邊敏夫 1979年 485面).
 · 『愚管記』제2, 延文 1년 1월, "十六日丁酉, 晴, 月蝕, 皆既, 寅五刻, 復末辰七刻".

甲辰[23日], 益城府院君洪鐸卒.[6)]

[某日, 以朴斑爲慶尙道按廉使:慶尙道營主題名記].[7)]

[是月, 海印寺住持信聰·前成均館直講李邦翰寫成'銀字楞嚴經':追加].[8)]

[是月頃, 元權行翰林院經歷李穡, 以母老, 棄官東歸. □[尋]上書言時政八事, 其一, 罷政房, 復吏·兵部選也. 王嘉納:列傳28李穡轉載].[9)]

[○元遣資政院使姜金剛□□[吉思]來, 降香金剛山, 命典理判書柳淑護其行:追加].[10)]

二月[壬子朔小盡,辛卯], 乙卯[4日], 幸榮安王大夫人第.

庚申[9日], 版圖摠郎[擦郎]宣天柱奉賜王衣酒, 還自元.

乙丑[14日], 燃燈, 王如奉恩寺.

辛未[20日], 元遣使□[来], 錫王功臣號曰, "親仁·保義·宣力[宣忠]·奉國·彰惠·靖遠".[11)]

· 『園太曆』 권25, 延文 1년 1월, "十六日丁酉, 晴陰不定, 今晩天晴, 月蝕不正現云々, 尤神妙 …".

· 『文和五年具注曆』, 1월, "十六日丁酉, 月蝕, 大分皆旣, 虧初寅五刻, 加時卯六刻, 復末辰七刻" (日本史料6-21册 26面).

· 『續史愚抄』24, 文和 5년 1월, "十五日丙申, 月蝕, 皆旣. 今夜寅五剋皆旣, 刻加持, 辰剋復末. 雖晴不見, 依爲寅刻後, 爲翌日分云. 按日蝕雖夜中爲翌日蝕. 月蝕雖晝爲前夜蝕, 是流例也. 不審".

6) 이날은 율리우스曆으로 1356년 2월 24일(그레고리曆 3월 3일)에 해당한다.

7) 朴斑(朴忠佐의 2子)에 대한 자료로 다음이 있다. 이에 의하면 朴斑은 몽골제국에서 仕宦하다가 고려에 歸還하여 司憲執義에 이르렀던 것 같다.

· 『목은시고』 권14, 將訪朴挺執義有作, "有意尋人梨峴東, 春寒料峭更顚風, 閤門同列應無幾, 當日少年成老翁. … 還笏中朝老海東, 白頭門巷又春風, 人生難得桑楡景, 晩歲功名憶恥翁[恥菴]", [注, 恥菴子, 故及之]". 여기에서 挺은 斑의 오자일 것이다.

8) 이는 『橡紙銀泥首楞嚴經』 권10의 末尾 題記에 의거하였는데, 橡紙는 상수리나무[橡樹]의 열매로 만든 壯紙라고 한다(보물 제271호, 慶北大學博物館 所藏, 張東翼 2004년 732面 ; 張忠植 2007년 221面).

· 題記, "功德主花嚴[華嚴]海印寺住持·大師信聰,」 至正十六年正月 日, 星山前直講李邦翰爲亡母李氏書」 ".

9) 이와 같은 기사로 다음이 있는데, 1267년(至元4) 4월에 築造된 宮城(中都城, 大都城)의 동쪽에 두 개의 門이 있었는데, 右便이 齊化門, 좌편이 光熙門이었다. 그중에서 前者는 明代에 朝陽門으로 改稱되었다(現 北京市 東城區에 位置).

· 『목은집』연보, 至正十六年丙申, "正月, 棄官東來".

· 『목은시고』 권4, 丙申正月, 出齊化門東歸. 明日紀行.

10) 이는 다음의 자료에 의거하였는데, ~~添字~~가 추가되어 할 것이다.

· 「柳淑墓誌銘」, "丙申, 姜資正□□[院使]金剛□□[吉思]降香金剛山, 命公護其行. 旣至山曰, '吾疾作, 欲少留, 願公善辭焉'. 因居靑蓮寺數月, 王召公, 不獲已還朝".

11) 몽골제국이 공민왕에게 親仁·輔義·宣忠·奉國·彰惠·靖遠이라는 功臣號를 내린 것은 前年 11월 30일(辛亥)이었다(『원사』 권43, 본기43, 순제6, 지정 15년 11월 辛亥). 그런데 『익재난고』 권8,

王出迎宣義門外，宴群臣．[○平章遼陽行省平章政事奇轍，上詩以賀，不稱臣:節要轉載]．

[→元錫王功臣號，奇轍適自遼陽來，覲母，作詩賀王，不稱臣:列傳44奇轍轉載]．

甲戌23日，遣福昌府院君金永煦如元，謝功臣號，表曰，“千載一時，欣戴自天之命，四方萬國，聳聞稀代之榮，銘骨何忘．粉身難報．欽惟皇帝陛下，以簡臨下，惟精執中，率祖攸行，不怒而威，不言而信．順帝之則，所過者化，所存者神，至如草木之生成，皆是乾坤之休養．臣爰從弱歲，獲覲淸光，充宿衛於龍樓，旣乏絲毫之補，襲藩宣於鰈域，亦微尺寸之功．何圖十有二字之褒，謬及百無一能之品．伏遇皇帝陛下，記累歲勤王之效，憐愚臣戀主之誠，特垂綸綍之言，用比鼎鐘之列．臣謹當志求仁，而務惠於物，身服義，而願忠於君．保遠民蠢蠢之情，庶幾致於安靖，嚴上國明明之訓，敢不奉以周旋”．

丙子25日，王飯僧普愚于內佛堂．普愚卽普虛□世．[寓廣州管內迷元莊，白王，陞迷元□莊爲縣，置監務，主號令．監務，但進退而已，廣占田園，牧馬滿野，皆以內乘稱，雖害禾穀，人不敢逐:節要轉載].[12] [又以王師普愚普虛母鄕，陞益和縣令官爲楊根郡:地理1楊根縣轉載]．

[己卯28日，熒惑犯南斗:天文3轉載]．

[是月頃，以監門衛上護軍尹海尹侅爲福州牧使:追加]．[13]

三月辛巳朔大盡,壬辰，[甲申4日，日無光，中有黑子:天文1轉載]．

[乙酉5日，亦如之~~日無光~~,中有黑子:天文1轉載]．[14]

謝功臣號表에는 親仁·保義·宣忠·奉國·彰惠·靖遠으로(이에는 몽골 사신의 도착이 1월 20일로 되어 있다), 『고려사』와 『고려사절요』에는 親仁·保義·宣力·奉國·彰惠·靖遠으로 되어 있다.

또 이때 權翰林院經歷 李穡이 中書省에 불려가 參知政事 成遵(李穀과 同年)으로부터 공민왕에게 功臣號를 하사하는 일에 대한 의논이 있다는 것을 듣고서, 翰林學士承旨 歐陽玄과 의논하여 親仁·輔義·宣忠·奉國·彰惠·靖遠이라는 12字를 撰定하여 바쳤다고 한다(『牧隱詩藁』 권3, 院中首領官皆公差穡權行經歷事, …). 이것이 『원사』의 내용과 동일하므로 『고려사』의 保義는 輔義의, 宣力은 宣忠의 잘못일 가능성이 있다.

12) 이와 같은 기사로 다음이 있다. 또 여기에서 普虛는 普愚로 改名하였다고 하는데, 이후에도 普虛로 기록되고 있음을 보아 정확히 어느 시기에 개명했는지를 판가름하기가 어렵다.

- 지10, 地理1, 楊根縣, “恭愍王五年, 以普愚, 寓居于逑元莊之小雪庵, 陞莊爲縣, 置監務, 尋以地窄人稀, 還屬于□□楊根縣”.
- 『신증동국여지승람』 권8, 陽根郡, 屬縣, “迷原縣, 在郡北四十一里. 高麗恭愍王五年, 以國師普愚寓居郡之迷原莊小雪菴, 陞莊爲縣, 置監務. 尋以地窄人稀, 還屬于郡”.

13) 이는 『안동선생안』과 「尹侅墓誌銘」에 의거하였는데, 尹海는 尹侅의 다른 表記일 것이다. 곧 『고려사』와 『안동선생안』에는 尹海로, 墓誌銘에는 尹侅로 되어 있는데, 後者는 改名으로 추측된다.

丙戌[6日]，王及公主奉太妃，如奉恩寺，聽普愚說禪，頂禮，施幣帛·銀鉢·繡袈裟，積如丘山，其徒三百餘僧，皆施白布二匹·袈裟一領．士女奔波，猶恐不及．

[→王幸奉恩寺，聽僧普虛[普愚]說法．公主從太后[洪氏]繼至，侍女·僧徒，雜遝無別：列傳2恭愍王妃魯國大長公主轉載].[15)]

[戊戌[18日]，日澹無光，直視不眩：天文1轉載].[16)]

[○故檢校都僉議政丞金台鉉妻開城郡夫人王氏卒，年九十一：追加].[17)]

甲辰[24日]，王以忠肅王忌辰，如神孝寺．

○以孫涌[孫湧]爲監察大夫，□[從]元太師汪家奴之請也.[18)]

是月，我桓祖[李子春]來朝，王迎謂曰，"撫綏頑民，不亦勞乎?"．時奇氏族，倚后勢暴橫，人有密告，[遼陽行省平章政事]奇轍潛通雙城叛民，結爲黨援謀逆．王諭桓祖[李子春]曰，"卿宜歸鎭吾民，脫有變，當如我命".[19)]

[○□□[是時]，以子春之子成桂爲將軍．成桂年二十二：追加].[20)]

---

14) 이때 교토에서 3일(甲申)은 陰晴이 불분명했던 것 같고, 4일(乙酉)은 陰晴이 交差되었던 것 같다.
 ·『愚管記』, 文和 5년 3월, "三日甲申, 陰晴不定, … 四日乙酉, 惑晴惑陰".

15) 이와 관련된 자료로 다음이 있다(金石總覽 525面 ; 寺刹史料上 113面).
 ·「楊州太古寺圓證國師塔碑」, "… 丙申三月, 請師說法于奉恩寺, 禪教俱集, 玄陵親臨獻滿綉袈裟·水晶念珠及餘服, 用師陞座, 闡揚宗旨.」 天子賜雜色段疋袈裟三百領. 是日分賜禪教須德法筵之盛, 古所未有".

16) 이때 교토에서 16일(丁酉)은 개였고, 17일(戊戌)은 맑았고, 18일(己亥)은 흐리다가 밤에 비가 내렸다고 한다.
 ·『愚管記』, 文和 5년 3월, "十六日丁酉, 霽. 十七日戊戌, 晴, … 十八日己亥, 陰, 入夜雨下, … 十九日庚子, 雨降".

17) 이는 「金台鉉妻王氏墓誌銘」에 의거하였는데, 『光山金氏族譜』에 수록된 原文에는 52세로 되어 있다. 그렇지만 묘지명에는 연령이 90세를 넘었다고 되어 있고("壽過九十"), 次男 金光載의 묘지명에는 91세로 되어 있어 후자에 의거하였다(金龍善 2006년 973面). 이날은 율리우스曆으로 1356년 4월 18일(그레고리曆 4월 26일)에 해당한다.

18) 孫涌은 이 시기 이후의 記事와 『고려사절요』에 孫湧으로 表記되어 있음을 보아 前者가 誤字일 가능성이 있다. 또 添字는 『고려사절요』에 의거하였다(충목왕 즉위년 6월 22일의 脚注, 盧明鎬 等編 2016년 674面).

19) 이 기사는 『태조실록』 권1, 總書, 至正 16년에도 수록되어 있다("越明年丙申, 桓祖入見, 王迎謂曰, '卿撫綏頑民, 不亦勞乎?' 時奇皇后之族, 倚后勢暴橫, 后兄大司徒[平章政事]轍, 潛通雙城官吏趙小生·卓都卿等, 結爲黨援謀逆. 王語桓祖曰, 卿且歸, 鎭吾民, 脫有變, 當如吾命". 여기에서 添字와 같이 고쳐야 옳게 될 것이다).

20) 이는 다음의 자료에 의거하였는데 添字가 추가되면 더 좋을 것이다. 또 이때 이성계가 장군에 임명된 것은 1361년(공민왕10) 10월 18일에 通議大夫·金吾衛上將軍으로 재직하고 있음을 통해 유추하였다.

[是月, 吳王韓林兒部長朱元璋攻克江浙行省集慶路, 改稱爲應天府:追加].21)

夏四月辛亥朔小盡,癸巳, [癸丑3日, 客星犯月:天文3轉載].

[乙卯5日, 月犯東井北垣. 熒惑犯哭].

[庚申10日, 月在左掖門南, 暈:天文3轉載].22)

壬戌12日, 王如奉恩寺, 謁太祖眞殿.

戊辰18日, 知都僉議□□司事車蒲溫, 奉賜王衣酒, 還自元.

[辛未21日, 月在虛星南, 與熒惑相犯. 太白犯五車. 月犯虛星:天文3轉載].

癸酉甲戌24日,23) 封普愚爲王師, 立府曰圓融, 置官屬左右司尹·丞·舍人·注簿·左右寶馬·陪指諭·行首.24)

[○是時, 以王師普愚內鄉, 陞知洪州事爲洪州牧:地理1洪州轉載].

戊寅28日, 王邀普愚于延慶宮, 行師弟禮, 其儀衛, 擬於鹵簿.

[是月, 蟲食松葉, 命捕之:五行2轉載].

五月庚辰朔大盡,甲午, 王御報平廳, 觀棊, 慶千興·元松壽侍.

[辛巳2日, 鎭星犯井:天文3轉載].

壬午3日, 定原君鈞·大護軍金瑨, 奉賜王衣酒, 還自元.

· 『태조실록』 권1, 總書, "高麗恭愍王五年丙申[至正十六年]□□二月, 太祖李成桂年二十二, 始仕".

21) 이는 다음의 資料에 의거하였는데, 應天府는 後日 朱元璋의 據點都市인 南京, 京城[京師]로 발전하게 되었다.

· 『明太祖實錄』 권4, 丙申年至正16年 3월, "辛卯, 上朱元璋周覽城郭, 謂徐達等曰, 金陵險固, 所謂長江天塹, 眞形勝之也. … 乃改集慶路爲應天府".

22) 이때 교토에서 10일(庚申)은 맑았으나 11일(辛酉)은 흐렸다고 한다.

· 『愚管記』, 文和 5년 4월, "十日庚申, 晴. … 十一日辛酉, 陰".

23) 다음의 자료에 의하면 普愚는 4월 24일(甲戌)에 王師로 책봉되었다고 하므로 癸酉(23일)는 甲戌(24일)의 잘못일 것이다. 이 역시 『고려사』를 편찬할 때 날짜[日辰]의 정리에 오류가 있었음을 보여주는 사례의 하나가 될 것이다.

· 「楊州太古寺圓證國師塔碑」, "… 丙申四月二十四日, 封爲王師, 立府曰圓融, 置僚屬, 長官正三品, 尊崇之至也".

24) 이때 圓融府의 체제는 같은 해, 곧 1356년(공민왕5)에 정비된 諸妃主府와 유사한 체제였던 것으로 추측된다. 곧 諸妃主府에는 左·右司尹(정3품)·丞·主簿·舍人(以上정7품)·錄事(정9품) 등으로 되어 있었는데(지31, 백관2, 諸妃主府), 圓融府의 그것과 비슷하다. 그렇다면 위의 기사는 "立府曰圓融, 置官屬左·右司尹·丞·主簿·舍人·錄事·左右寶馬·陪指諭·行首"의 잘못일 것이며, 이때의 錄事는 朴宜中이었다(忠州億政寺故高麗王師諡大智國師塔碑銘).

[甲申[5日], 端午, 設龍鳳帳殿於十字街, 王御帳殿觀之. □□[先是], 俗每於端午, 選武官年少者及衣冠子弟, 習擊毬之藝. 至其日, 於九逵, 設龍鳳帳殿, 當路中立毬門, 王御帳殿觀之, 設宴會張女樂, 卿大夫皆從之, 婦女亦結幕於路之左右, 飾以錦段, 名畫彩毯, 觀者如堵. 擊毬者盛服飾, 競尙侈靡, 一鞍之費, 直中人十家之產. 分作二隊, 立於左右, 妓一人執毬, 當殿前唱曰, "滿庭簫鼓簇飛毬, 絲竿紅網總擡頭", 進退皆中樂節. 擲毬道中, 左右隊皆趨馬而爭先, 中者得之, 餘皆退立. ○擊毬之法, 先趨馬於場, 以杖之匕內, 挑毬曰排之, 以杖之匕背, 運毬曰持皮. 三回勢畢, 乃馳馬擊行毬. 行毬之初, 不縱擊, 謂之比耳, 言執杖橫直, 與馬耳齊也. 比耳之後, 擧手縱擊, 謂之垂揚, 言手高抗而杖下垂揚揚也. 出門者少, 過門者十之二三, 中道而廢者多. 若有出門者, 同隊之人, 卽皆下馬, 進殿前再拜謝. □[我]太祖[李成桂]亦與其選. 行毬之時, 馳馬太疾, 已垂揚矣. 毬忽觸石而驚, 逆走出馬四足之後, □[我]太祖[李成桂]便仰臥側身, 衝馬尾而擊之, 毬還出馬前二足之間, 復擊而出門, 時人謂之防尾. 又行擊之時, 亦已垂揚, 毬觸橋柱, 出馬之左, □[我]太祖[李成桂]脫右鐙翻身, 擊而中之, 復擊而出門, 時人謂之橫防. 擧國驚駭, 以爲前古無聞:追加].[25)]

乙酉[6日], 王以誕日, 邀普愚于內殿, 飯僧百八.

[→又引入內殿, 太妃·公主, 喜慶泣下, 侑茶果, 公主遺琉璃盤·瑪瑠匙等物:節要轉載].

[→王又邀普虛[普愚]于內殿, 公主·太后[洪氏], 喜泣下霑襟, 親侑茶果, 公主施瑠璃盤·瑪瑙匙等物:列傳2恭愍王妃魯國大長公主轉載].

○時僧徒求住寺[住持]者, 皆附愚干請, 王曰, "自今禪敎宗門寺社住持, 聽師注擬, 寡人但下除目爾".[26)] 於是, 僧徒爭爲門徒, 不可勝計.

丙戌[7日], 前密直□□[副使?]安祐奉賜王衣酒, 還自元.

戊子[9日], 元遣奇完者不花來, 改册榮安王[奇皇后父子敖], 爲敬王, 追贈三代爲王.[27)]

---

25) 이는 『태조실록』 권1, 總書, 공민왕 5년(丙申, 至正16)에 의거하였는데, 擊毬[蹴鞠, 擊丸]의 演戲方法에 대한 기술도 찾아진다(조희승 1982년).

· 『신증동국여지승람』 권4, 開城府上, 風俗, "擊毬戲, 高麗時, 預選武官年少者及衣冠子弟, 習擊毬之藝. 每端午節, 於九逵[大路]之傍設龍鳳帳殿, 自殿前左右各二百步許當路中, 立毬門, 路之兩邊以五色錦段結婦女之幕, 飾以名畫彩毯. 王幸帳殿觀之".

26) 住寺는 住持의 오자일 것이다. 漢代의 禁衛軍 중에서 병약하여 군사를 담당할 수 없는 者를 官署[寺]에 머물게 하고 半奉만을 지급하였는데, 이를 住寺라고 하였다고 한다.

· 『東觀漢記』 권3, 帝紀3, 威宗孝桓皇帝, 延熹 5년, "… 以京師水旱·疫病, 帑藏空虛, 虎賁·羽林不任事者, 住寺, 減半奉".

[→元遣□□少監奇轅子完者不花□來, 改冊榮安王爲敬王, 又追封三代爲王:列傳44奇轍轉載].

[甲午15日, 夏至. 月犯南斗:天文3轉載].

丁酉18日, 太司徒~~大司徒~~奇轍·~~太府監~~太監權謙·慶陽府院□大君盧頙, 謀反~~謀叛~~伏誅, 親黨皆逃.[28]

[→王託以曲宴, 召宰樞, 皆會于闕, 命判密直□□~~司事~~洪義等, 召太司徒奇轍及子贊成事有傑·姪少監完者不花, ~~太府監~~太監權謙及子萬戶恒·舍人和尙, 慶陽府院□大君盧頙及子行省郞中渚等. 轍·謙先赴召, 密直慶千興·黃石奇·判事申靑等, 密白王曰, "二人已至, 其餘子姪及盧頙父子未至, 若事洩, 變起不虞, 不如早圖". 王然之, 卽令密直姜仲卿·大護軍睦仁吉·亐達赤~~李蒙古大~~等,[29] 伏壯士, 出不意, 椎擊奇轍, 應手而仆, 權謙走避, 追殺于紫門, 血濺宮門. 遂殺轍謙從二人, 奇·權麾下, 狼狽四散, 禁衛四番軍士, 一時俱發, 兵刃盈路, 姜仲卿等, 率兵至盧頙家, 捕殺之. 奇有傑·完者不花·盧渚·權恒·和尙等, 支黨皆逃:節要轉載].[30] 宮城戒嚴, □遂釋鄭之祥,[31] 爲巡軍提控, 令侍衛.

[→時太府監太監權謙·慶陽府院大君盧頙, 倶納女于元, 有寵. 大司徒奇轍與謙等, 聲勢相倚, 知天下亂, 自念積惡斂怨, 恐一朝勢去難保. 預謀自安, 以親戚腹心, 布列權要, 陰樹黨援. 將圖大逆, 閱諸道兵器, 詐爲詔使, 扇動訛言, 密諭期會, 約以擧事. ○ 王先知之, 托以曲宴, 令宰樞皆會宮庭, 遣判密直□□~~司事~~洪義·宰臣裵天慶等, 召轍·頙·謙及轍子贊成事有傑, 姪□□~~少監~~完者不花, 權謙子萬戶恒·舍人和尙, 盧頙子行省郞中濟等. 轍·謙先赴, 密直慶千興·黃石奇, 判事申靑等, 密白王曰, "二人已至, 其餘子姪及盧頙父子未至. 若事洩, 變起不虞, 不如早圖". 王然之. 卽令密直姜仲

27) 惠宗[順帝]이 奇皇后의 祖上 3代의 功臣諡號와 王爵을 追贈하게 한 것은 2월 15일(丙寅)이었다(『원사』 권44, 본기44, 순제7, 지정 16년 2월, "丙寅, 命翰林國史院·太常禮儀院定擬皇后奇氏三代功臣諡號·王爵").

28) 여기에서 ~~添字~~와 같이 修正, 追加해야 옳게 될 것이다. 또 遼陽行省平章政事 奇轍(奇伯顔不花)은 是年 4월 16일(丙寅) 大司徒에 임명되었다(『원사』 권44, 본기44, 순제7, 지정 16년 4월 丙寅). 이날은 율리우스曆으로 1356년 6월 16일(그레고리曆 6월 24일)에 해당한다.

29) 亐達赤[亐達赤, 迃達赤, 亐丹赤, 于達赤, 亐多赤, udanchi]은 殿閣의 門을 지키는 怯薛[司門人]로서 코르치[忽赤]와 함께 禁衛軍의 하나이다.

30) 盧渚는 『고려사』에는 盧濟로 되어 있다(열전44, 盧頙, "子濟·稹·豈·瑛", 盧明鎬 等編 2016년 674面).

31) ~~添字~~는 『고려사절요』 권26에 의거하였다.

卿·大護軍睦仁吉·亏達赤李蒙大~~李蒙古大~~等,[32] 伏壯士, 出其不意, 椎擊[奇]轍, 應手而仆, [權]謙走避, 追及于紫門, 殺之, 血濺宮門. 遂殺轍從者二人, 尸于朱橋. [洪]義爲兵所害, 奇·權麾下狼狽四散, 禁衛四番軍士, 一時俱發, 劒矟交於路. [姜]仲卿等, 率兵至[盧]頙家, 捕殺之, 尸于北泉洞路上. [奇]有傑偕[裴]天慶詣闕, 道聞變, 走匿. [奇]完者不花·[盧]濟·[權]恒·和尙等及支黨, 皆逃竄. ○命中外搜捕. 沒入三家奴婢于義成·德泉·有備諸倉. ○無賴之徒, 多乘亂攘奪, 宮城戒嚴, 自宰執至胥徒, 備兵仗宿衛:列傳44奇轍轉載].

○以洪彥博爲[都僉議]右政丞, [判三司事]尹桓爲左政丞, 元顥△[爲]判三司事, 許伯·黃石奇△[並]爲贊成事, 全普門·韓可貴爲三司右·左使, 金逸逢·[前知都僉議司事]金鏞·印璫△[並]爲□[都]僉議評理, [[典理判書]柳淑爲密直提學:追加].[33]

○尋以故縱奇·權·盧支黨, 下[判三司事元]顥·[三司左使韓]可貴·沔城君具榮儉于獄, 殺之, 籍其家.

[→[元]顥, 有傑之妻父也, 欲代[洪]彥博, 執權柄, 嘗譖彥博有異志. 至是, 又譖[韓]可貴及沔城君具榮儉, 不爲追捕奇·權·盧支黨. 於是, 下三人獄辨對, 王素惡顥, 使[亏達赤]李蒙古大, 殺于獄中. 又命斬[韓]可貴·[具]榮儉于市. 榮儉後妻張, 以穢行見棄, 張寅緣近幸譖於王, 王尋知非辜, 追止之不及. 榮儉, 古名貞. 時可貴等, 被讒見殺, 人皆疑懼:節要轉載].

[→初, [元]顥欲代[右政丞]洪彥博秉權, 譖彥博有異志. 又譖韓可貴·具榮儉等不追捕奇轍之黨, 於是, 下顥·可貴·榮儉獄對置. 王素惡顥, 使李蒙古大, 卽獄中椎殺之, 幷其黨郞將李連孫, 屍于朱橋外:列傳20元顥轉載].

[→[具榮儉,] 恭愍朝[3年], 封沔城君. 榮儉, 初娶安珪之女, 生二子, 又娶金子章之女, 生二子五女. 會金氏亡, [趙石堅之妻]張□[氏]固邀榮儉私之, 因以爲夫. 榮儉與柳濯等征高郵, 張□[氏]又多穢行, 榮儉還而絶之, 張□[氏]怨之. 及奇轍等伏誅, 元顥譖榮儉, 與左使韓可貴, 不捕轍等支黨, 王命下二人巡軍. 張□[氏]舅判事金成, 與安祐·申靑等, 又訴于王, 矯命斬之. 王知之, 遣人止之, 使者到巡軍, 已梟首于市矣. 遂籍其家, 尋許收二人屍, 還其財產. 張□[氏]又通大護軍李仇祝, 爲御史臺所鞫. 榮儉子偉·興·僖·義:列傳27具榮儉轉載].[34]

---

32) 李蒙大는 李蒙古大(蒙古台, 蒙古歹, 忙古台, Munggutai)에서 古가 탈락되었다(孫曉 等編 2014年 3963面).

33) 이는 「柳淑墓誌銘」에 의거하였다.

○罷征東行中書省理問所.

○以[都僉議]評理印璫·同知密直司事姜仲卿爲西北面兵馬使, 司尹辛珣·兪洪·前大護軍崔瑩·前副正崔夫介爲副使, 攻鴨江以西八站.[35] 以密直副使柳仁雨爲東北面兵馬使, 前大護軍貢天甫·前宗簿令金元鳳爲副使, 收復雙城等地.

[翌日[戊戌19日]:節要轉載], 璫先發, 仲卿被酒, 後至使氣. 璫止之, 不聽. [又至餞亭, 亦如之:節要轉載], 璫目辛珣, [拔劒:節要轉載]斬之. □[遂]報王曰,[36] 仲卿有二心, 處以軍法. 國家莫知其故, 物議紛紜.

[○敎曰, "恭惟我太祖, 創業垂統, 設官立法, 上下相保, 式至于今. 我忠憲王, 歸款元朝, 世祖, 許其不改舊俗, 以存恤之, 我國, 亦恪修職貢, 未嘗小違臣節. 今有奇轍·盧頙·權謙等, 不念元朝存恤之意, 先王創垂之法, 席勢以陵君, 肆威以毒民, 罔有限[紀]極.[37] 予以連姻帝室, 於其所言, 一皆勉從, 猶爲不足, 潛圖不軌, 欲危社稷. 幸賴天地·祖宗之靈, 轍等俱已伏辜. 兇黨之在逃者, 奇有傑·完者不花·盧渚[濟]·權恒·和尙等, 罪在不原, 韓可貴·具貞[具榮儉]等,[38] 不從國令, 故從反者. 是用, 俱置典刑. 有能捕告反者, 以本人家財, 量功充賞. 外餘人所犯, 一切除之":節要轉載].

[○[奇]轍等, 奪占人口土田, 許人陳[申]告, 各還本主. ○尋獲[奇]有傑·完者不花·[盧]渚[濟]·[權]和尙, 斬之. [權]恒, 以素不挾勢, 免死流濟州. 轍妻金氏, 携幼子賽因, 祝髮而逃, 亦被擒縶巡軍, 賽因尋死. 流其黨金寧君金普·密直副使李也先帖木兒·行省員外□[郞]趙萬通·同僉洪翊·[都僉議]贊成事黃河衍·評理李壽山·密直□□[副使?]王重貴·代言黃河晏·護軍黃河湜·前代言洪開道. 杖前密直□□[副使]任君輔等數人:節要轉載].[39]

---

34) 具榮儉의 長子인 偉는 具鳳齡(1526~1586)의 世系圖에 의하면 褘로 달리 표기되어 있고, 偉의 아들이 具鴻이라고 한다(『栢潭集』, 柏潭先生世系之圖→우왕 11년 9월 20의 각주).

35) 이와 관련된 기사로 다음이 있는데, 여기의 八站은 조선시대에 東八站[遼東八站]으로 불렸다. 蒙古帝國期의 驛路[驛程]은 鴨綠江渡河→明代 鳳凰城 柵門, a 驛昌站(遼寧省 丹東市)→b 湯站→c 開州站(鳳城市)→d 斜烈站(薛禮)→e 龍鳳站→ 燕山站→g 甛水站→h 頭館站, 遼陽路에 연결되었다(金泰俊 2004년).
- 지18, 禮6, 軍禮, "遣評理印璫等, 往攻鴨江以西八站".
- 열전26, 崔瑩, "[崔瑩]既還國, 與印璫攻破鴨綠江以西八站".
- 『竹下集』 권4, 遼陽暮行[注, 石門嶺名, 赴燕使行之回還至東八站, 玄黃之馬, 亦能善步催歸云. 自瀋陽至柵門, 謂之東八站, 站是宿所之謂也].

36) ~~添字~~는 『고려사절요』 권26에 의거하였다.

37) ~~添字~~는 열전44, 奇轍에 의거하였다.

38) 具貞은 具榮儉의 初名이다(→恭愍王 3년 6월 21일).

39) 洪翊은 洪詵(洪百壽의 子)의 3子이고 洪福源의 從孫이다(열전43, 洪福源).

[→奇轍等，奪占人口土田，都僉議□使司立都監，許人申告，各還本主．○尋捕奇有傑·完者不花·盧濟·權和尙，斬之．權恒，獨以素不挾勢，免死流濟州．奇有傑之死也，觀者如堵，莫有哀者．其弟上護軍世傑·平章平章政事賽因帖木兒，時在元得免．轍妻金氏逃難，祝髮爲尼，獲之囚巡軍，幼子賽因亦薙髮，匿興王寺，捕殺之．流其黨金寧君金普·密直副使李也先帖木兒·行省員外□郞趙萬通·同僉洪翊·贊成黃河衍·評理李壽山·密直□□副使?王重貴·代言黃河晏·護軍黃河湜·前代言洪開道·前右尹田霖·繕工令金義烈·宦者大護軍鄭龍莊，杖前密直□□副使任君輔·前廣興倉使林仁起·前護軍金南得·前郞將盧之卿．尋殺鄭龍莊·洪翊·黃河衍，籍三家財產，官賣之，大廟~~太廟~~令張天翮主之．天翮密令其僕，納布十七匹，買錦衾以歸，衆曰，"此錦匪直十七匹，何緣得之"．共追之，僕曰，"我和賣官天翮奴也"．御史臺請罪之，其弟大護軍天志，有寵於王，特宥之，止免官:列傳44奇轍轉載].[40]

己亥20日，以鄭暉爲西北面兵馬使，洪巨源·李思敬爲副使，鄭絪爲江陵交州道都指揮使，判事申青爲平壤道巡問使．

庚子21日，前密直~~前判密直司事~~洪義卒．[41]

壬寅23日，命收諸軍萬戶·鎭撫·千戶·百戶牌．

癸卯24日，設鎭兵道場于康安殿及諸佛宇，五日．

[是月頃，以通直郞·版圖正郞李歸乙爲雞林府判官:追加].[42]

六月庚戌朔小盡,乙未，癸丑4日，印璫引兵渡鴨綠江，攻婆娑府等三站，破之．

乙卯6日，以彥陽府院君金敬直爲全羅道都巡問使．

己未10日，雙城人趙都赤來朝，賜金牌，授高麗雙城地面管軍千戶．[43]

---

40) 이때 연루된 사람에 대한 기사로 다음이 있다.

· 열전44, 盧頙, "長子濟，嘗爲行省郞中，本國封瑞原君．及頙誅，濟亡匿，後詣闕，自訴無罪．王欲原之，下巡軍，竟斬于市".

· 열전44, 盧頙, "次子稹，封昌城君，頙誅，逮獄，流于外，久之召還，判密直司事".

· 열전23, 王煦, 重貴, "奇轍伏誅，以轍壻流外". 王重貴(王煦의 子)는 權謙의 姪이고, 奇轍의 壻이다.

· 열전27, 李壽山, "尋陞贊成事．又爲行省郞中．諸奇敗，以黨流于外，召封壽春君".

· 열전27, 金普, "奇轍等伏誅，普以黨與逮捕，杖流巨濟縣加羅山". 加羅山은 巨濟縣의 남쪽에 있었고, 이에는 烽燧와 防禦所가 있었다고 한다(『신증동국여지승람』 권32, 巨濟縣 ; 열전21, 金怡).

· 열전27, 任君輔, "奇轍等伏誅，追捕其黨，君輔祝髮，匿三角山，捕獲杖于市".

41) 이날은 율리우스曆으로 6월 19일(그레고리曆 6월 27일)에 해당한다.

42) 이는 『동도역세제자기』에 의거하였다.

庚申[11日], 以前贊成事尹時遇爲濟州都巡問使.

癸亥[14日], 元使直省舍人□□, 齎奇轍太司徒[~~大司徒~~]宣命·印章而來, 西北面兵馬副使辛珣遇諸道, 奪宣命·印章, 囚舍人, 殺傔從三人, 舍人夜逃.

乙丑[16日], [大暑]. 王聞前護軍林仲甫欲奉永陵[忠惠王]孽子釋器, □[潛]圖不軌, □[囚]繫巡軍□□[~~按治~~].[44] 辭連前□[右]政丞孫守卿[·前密直□□[~~提學~~]洪峻·監察大夫孫湧·黃淑卿·典校令鄭世功·前判事金成·洪桂:節要轉載]等十餘人, [悉逮繫獄, 獄官, 詰仲甫曰, "汝識孫湧乎?". 對曰"不知", 遂釋之:節要轉載].[45]

己巳[20日], 斬守卿[·桂·仲甫·成:節要轉載]等, 貶其黨贊成事康允忠爲東萊縣令, 杖漢陽□[府]尹洪仲元[及鄭世功·薛起宗·姜贊·張萬林·朱雲:節要轉載]等, 放釋器于外.

[→王聞前護軍林仲甫欲奉釋器, 潛圖不軌, 囚巡軍按治, 辭連前政丞孫守卿·前密直洪峻·監察大夫孫湧·黃淑卿·典校令鄭世功·李大年·姜不花·前判事洪桂·金成·前內園丞朴蘭等十餘人, 悉繫獄. 時湧方坐臺, 承命者來欲執湧以去, 同坐者皆錯愕, 不知所爲. 獨持平全遇祥正色曰, "臺官雖有罪, 當罷臺後就獄, 爾不可直入臺中. 治事如常". 湧詣巡軍, 獄官詰仲甫曰, "汝識孫湧乎?". 對曰, "不知". 遂釋之. 斬守卿·桂·成·仲甫等, 貶贊成事康允忠爲東萊縣令, 杖世功及漢城□[府]尹洪仲元·薛起宗·姜贊·張萬林·朱雲等, 皆守卿黨也. 安置釋器于濟州, 令李安·鄭寶等押送, 至海中, 擠之於水, 釋器不死, 亡匿:列傳4忠惠王王子釋器轉載].

乙亥[26日], 停至正年號. 教曰, "洪惟我太祖創業, 列聖相承, 咸能繼述, 衣冠禮樂, 燦然可觀. 比來國俗一變, 惟勢是求, 奇轍等憑震主之威, 撓爲邦之法. 選調隨其喜怒, 政令由之伸縮, 人有土田則攘之, 人有人民則奪之. 斯豈寡人無德之所致歟, 抑紀綱不立, 無術以御之歟. 無乃理亂循環, 必極而變, 天道之然耶. 深惟玆故, 每用惕然. 日者, 幸賴祖宗之靈, 轍等伏辜. 釋器非止庶孽, 又係私婢所出, 而倚望謀逆, 若孫守卿等, 亦置典刑. 自今伊始, 勵精圖治, 修明法令, 整頓紀綱, 復我祖宗之法,

---

43) 이때 趙都赤은 열전24, 趙暾에 의하면 東北面千戶로 되어 있고, 이후 女眞을 鎭撫하다가 동북면 병마사 柳仁雨에 의해 被殺되었다고 한다.

44) ~~添字~~는 『고려사절요』 권26에 의거하였다.

45) 이 때 孫湧과 黃淑卿은 이 사건에 관련되지 않았던 것 같다. 前者는 是日의 記事와 같고, 後者는 1376년(우왕2) 10월 某日 開城尹으로 나하추[納哈出]에게, 明年 11월 某日 全開城尹으로 北元에 사신으로 파견되었다. 또 이 사건과 관련된 기사로 다음이 있다.

· 열전376, 康允忠, "[恭愍]五年, □[前]護軍林仲甫, 欲奉忠惠孽子釋器, 潛圖不軌, 繫治巡軍. 辭連允忠, 貶爲東萊縣令".

期與一國更始. 敷實德於民, 續大命于天, 二罪以下, 一切除之, 其轍·頑·守卿等詿誤連累者, 亦從原免.

□⼀. 太祖及歷代先王加上尊號,[46] 修其祀事, 務盡精潔, 守陵人戶, 復其徭役. 社稷山川諸祠在祀典者, 亦加德號, 其諸淫祀[淫祀], 一皆撤去.

□⼀. 賊臣之奴, 倚其主勢, 占奪土田, 役使平民, 多聚良家子女, 成群逞惡, 存撫·按廉, 究治渠魁, 撤毁屋舍, 量罪罪之. 良家子女, 歸其父母, 籍沒家產, 以贍國用, 所占民戶, 仍令安業, 以從公役.

[□⼀. 賊臣之黨, 擅占山澤, 重收其稅, 國用日乏, 民生益凋. 自今, 山林屬繕工, 澤梁屬司宰, 弛禁輕稅:食貨1貢賦轉載].

□⼀. 漕運不通, 凡所轉輸, 皆從陸路, 宜令有司, 量地遠近, 營立院館, 復其土田. 又以行省及逆賊所占人民, 廬其旁, 以便止宿. 於戱, 撥亂反正, 宜施寬大之恩, 任賢使能, 庶致隆平之治.

[□⼀. 政房設自權臣, 豈爵人於朝之意, 今宜永罷, 其三品以下, 與宰相, 共議進退, 七品以下, 吏·兵部, 擬議奏聞:選擧3選法轉載].

[□⼀. 懷才抱道, 肥遁不仕者, 所在官, 錄其德行, 敦遣赴朝:選擧3薦擧轉載].

[□⼀. 監察·典法·都官長官, 每朔課員吏決訟多少, 至六朔, 以殿最黜陟:選擧3考課轉載].

[□⼀. 存撫·按廉□[使]·州縣官, 所以分憂共治者也. 存撫·按廉, 憑公營私, 以害吾民, 及罷軟不事事者, 都評議□[使]司·監察司聞奏黜削, 州縣官員, 不能其任, 存撫·按廉, 體察糾理:選擧3選用監司轉載].

[□⼀. 太祖以來, 歷代功臣, 錄其子孫, 優加獎用:選擧3功臣子孫轉載].

[一. 西北面土田, 未嘗收租, 委之防戍, 其來尙矣. 近來, 權勢多所兼并, 自今, 可官爲檢括, 每一結, 賦一石, 以支軍須:食貨1租稅轉載].

[一. 古者, 租稅之納, 許民自量自槩, 今之官吏, 大斗剩量, 民甚苦之. 其令州郡官, 躬親監視, 中外公私, 同其斗斛:食貨1租稅轉載].

[□⼀. 無衣無褐, 何以卒歲. 宜令中外人家, 種桑藝麻, 各以口數, 爲率:食貨2農桑轉載].

[□⼀. 富戶稱貸取息, 利中生利, 貧民朝不謀夕, 典賣子女, 甚可哀也. 仰監察·典法司·按廉使, 臨民官, 盡心体察, 凡利中息利者, 悉皆禁斷:食貨2借貸轉載].

46) 이때 덧붙여진[加上] 尊號는 『고려사』에 반영되어 있지 않다.

[□一. 忠信重祿, 所以勸士, 宜令有司, 量宜加給. 且雞林·福州·京山府所貢綾羅紬布, 毋得納德泉庫, 輸之廣興倉, 以補百官之俸:食貨3祿俸轉載].

[□一. 鹽戶因倭寇, 莫輸其貢, 官未給鹽, 民徒納布, 爲害尤甚. 自今年七月, 至明年七月, 其鹽稅布, 三分減一:食貨3災免之制轉載].

[□一. 賊臣之家, 所有米穀, 減價糶賣, 以救鰥寡孤獨, 不能自存者:食貨3鰥寡孤獨賑貸之制轉載].

[一. 推刷行省三所·諸軍萬戶府隷屬丁口, 用備戎兵:兵1五軍轉載].

[一. 征戍之卒, 雙丁僉一丁, 亦非得已, 單丁可愍, 勿使從軍:兵1五軍轉載].

[一. 方今軍興, 僧之犯律者, 勒令還俗, 以充行伍:兵1五軍轉載].

[一. 國家以田十七結, 爲一足丁, 給軍一丁, 古者田賦之遺法也. 凡軍戶, 素所連立, 爲人所奪者, 許陳告還給. 又奸詐之徒, 雖無兒息, 妄稱閑人, 連立土田, 無有限極, 仰選軍別監, 根究推刷, 以募戍卒. 其逆賊之田, 計結爲丁, 亦給募卒:兵1五軍轉載].

[一. 各處逆賊之奴, 自稱達魯花赤, 奪人土田, 役使良民, 蓄積財產, 其令所在官, 籍沒, 以募戍卒:兵1五軍轉載].

[□一. 各處加定別抄, 不論老弱單丁, 勒令遠戍, 往來疲頓, 轉相避逃. 其令沿海軍民, 悉充防戍, 仍蠲徭役, 遠地之民, 代供其役, 勿令赴防, 兩得其便. 且人之懷土, 習俗固然, 宜令東界交州之軍, 以戍雙城, 北界西海, 以戍鴨江, 楊廣·全羅·慶尙, 委以禦倭, 其材勇者, 選用無方:兵2鎭戍轉載].

[□一. 置郵傳命, 軍興所急. 其令刷賊臣及行省所占人物, 從來不明者, 悉充驛戶, 不急鋪車鋪馬, 一皆禁止:兵2站驛轉載].

[一. 全羅道臨坡[臨陂]屯田, 近來權勢之家, 稱爲賜給, 奪占殆盡. 仰都評議使□[司], 別置屯田官, 諸家占奪, 一皆復舊. 沿海之地, 築堤捍水, 可作良田者, 往往而有, 宜令有司相地, 用防倭之卒, 爲之農夫. 諸家賜給田, 平衍膏腴, 可屯田者, 以賊家及行省所占人物, 分隊給地, 以責其事. 各道凡古屯田處, 皆用臨坡屯田之例:兵2屯田轉載].[47]

[一. 外方州縣所有亡寺院, 官吏收其田租, 爲公用, 所在皆是. 今當軍興時, 其亡寺院田租, 皆給防護軍糧:兵2屯田轉載].

[□一. 鄕·驛吏及公私奴隷, 規逃賦役, 擅自爲僧, 戶口日蹙. 自今, 非受度牒者,

---

47) 臨坡는 臨陂의 오자일 것이다.

毋得私剃:刑法2禁令轉載].

[□⼀. 令平壤府, 修營箕子祠宇, 以時致祭":禮5雜祀轉載].

○元囚本國節日使金龜年于遼陽省, 聲言發八十萬兵來討, 西北面兵馬使印璫, 請濟師以備.

丙子[27日], 洪翊·黃河衍賜死.

丁丑[28日], 命判書雲觀事陳永緖, 相地于南京.

○籍萬戶洪瑜家, 以米千石, 賑貸貧民.[48]

[某日, 以金達祥爲慶尙道按廉使:慶尙道營主題名記].

秋七月己卯朔[大盡,丙申], 魏王[孛羅帖木兒]太子到鴨綠江, 王命許僎從二人渡江.

壬午[4日], 禁人挈家出城. 自相地南京, 人心動搖, 負戴南行者, 如歸市, 故禁之.

乙酉[7日], 置忠勇四衛. [每衛置將軍各一人, 中郎將各三人, 郎將各三人, 別將各五人, 散員各五人, 尉長[校尉]各二十人, 隊長[隊正]各四十人:百官2西班忠勇四衛·兵1五軍轉載].[49]

丁亥[9日], 復改官制.[50] [是時, 復置三師·三公, 復稱中書門下省, 別立尙書省. 復改領都僉議使司事, 恭愍王五年, 復改爲中書令. 又改都僉議右·左政丞, 爲門下侍中·守侍中, 都僉議侍郎贊成事, 爲門下侍郎贊成事·中書侍郎贊成事, 參理, 爲參知政事, 知都僉議府事, 爲知門下省事, 直都僉議司事, 爲直門下省事. 改左·右司議大夫, 爲左·右諫議大夫, 陞從三品, 班在直門下□□[省事]上. 改[正四品]都僉議舍人, 爲中書舍人, 降從五品. 陞[從五品]起居注, 爲正五品, 陞[從五品]起居郎, 爲正五品, 陞[從五品]起居舍人, 爲正五品. 復改左·右獻納, 爲左·右司諫, 降從五品. 復改左右思補, 爲左·右正言. 復改都僉議錄事, 爲門下錄事. 復改都僉議注書, 爲門下注書:百官1門下府轉載].[51]

---

48) 洪瑜는 前武德將軍·西京等處水手軍萬戶兼提調征東都鎭撫司事 元忠의 壻이다(元忠墓誌銘).

49) 尉長과 隊長은 校尉(정9품)와 隊正(品外)의 別稱으로 같은 의미이다.

50) 이때의 관제는 황제국의 정치 체제였던 文宗代의 관제를 復舊하였으나 그 原型을 완전히 회복하지는 못하였다.

51) 1356년(공민왕5) 7월 門下府의 관제 정비에 대한 百官志의 기사는 以下의 여러 脚注와 같은 문제점이 있다.
· 正言의 경우, 지30, 百官1, 門下府에는 "恭愍王五年, 復改左·右思補, 爲左·右正言"으로 되어 있다. 그렇지만 左·右正言은 1331년(충혜왕1) 8월 某日, 1341년(忠惠王後2) 5월 某日, 1345년(충목왕1) 6월 22일 등에서 나타나고 있다.

[○革三司, 復置尙書省, 並復文宗舊制, 唯不置知省事, 陞[從七品]都事□[爲]正七品:百官1尙書省·三司轉載].

[○復改密直司,爲樞密院, 員秩, 並復文宗舊制:百官1密直司轉載].

[○復立尙書六部, 置尙書·侍郞·郞中·員外郞, 品秩並復文宗舊制:百官1六曹轉載].

[○復置考功司·都官, 郞中·員外郞:百官1考功司·都官轉載].

[○復改監察司爲御史臺, 大夫如故, 改執義爲中丞, 省一人. 掌令爲侍御史, 持平爲殿中侍御史, 降從五品, 糾正爲監察御史:百官1司憲府轉載].

[○改定尹從二品, 少尹正四品, 判官正五品, 參軍正七品, 縣令亦正七品, 縣丞正八品:百官1開城府轉載].

[○復稱藝文館, 爲翰林院, 置學士承旨正三品, 待制正五品, 供奉一人正七品, 檢閱一人正八品, 直院二人正九品:百官1藝文館轉載].

[○復稱春秋館, 爲史館, 置編修官一人正七品, 檢閱一人正八品, 直館二人正九品:百官1春秋館轉載].

[○改寶文閣大提學爲大學士, 減提學, 改直提學爲直學士, 置待制正五品:百官1寶文閣轉載].

[○廢兩館[右文館·進賢館], 置修文殿·集賢殿大學士·直學士:百官1諸館殿學士轉載].

[○復稱成均館爲國子監, 大司成正三品, 祭酒從三品, 司業從四品, 直講從五品, 國子博士正七品, 大學博士從七品, 四門博士·明經博士, 並正八品, 律學博士從八品, 學正·學錄正九品, 直學·學諭·書學博士·明經學諭·算學博士·律學助教從九品:百官1成均館轉載].

[○復稱典校寺爲秘書監, 改令爲監, 副令爲少監. 置著作郞二人正七品, 郞增二人, 降從七品, 復置秘書郞四人正八品, 校勘陞正九品, 判事·丞·正字如故:百官1典校寺轉載].

[○復改中門爲閣門[閤門], 判事如故, 知事從三品, 引進使正四品, 引進副使正五品, 通事舍人·祗候並從六品:百官1通禮門轉載].

[○改典儀寺爲太常寺, 改令爲卿, 副令爲少卿, 革注簿, 復置博士陞正六品, 判事·丞·直長·錄事如故:百官1典儀寺轉載].

[○復稱宗簿寺爲宗正寺, 改令爲卿, 副令爲少卿:百官1宗簿寺轉載].

[○改衛尉令爲卿, 少尹爲少卿:百官1衛尉寺轉載].

[○復稱司僕寺, 爲太僕寺, 革副令, 置卿從三品, 改直長爲注簿, 判事丞如故:百

官1司僕寺轉載].

[○復稱典客寺, 爲禮賓寺, 改令爲卿, 副令爲少卿:百官1禮賓寺轉載].

[○復置司農寺, 判事秩正三品, 卿從三品, 少卿從四品, 丞從五品, 注簿從六品, 直長從七品:百官1典農寺轉載].

[○改內府寺, 爲大府監, 改令爲卿, 副令爲少卿, 降丞從六品:百官1內府寺轉載].

[○復稱少府寺, 爲小府監, 改尹爲監, 少尹爲少監:百官1少府寺轉載].

[○復稱繕工司, 爲將作監, 改令爲監, 副令爲少監:百官1繕工寺轉載].

[○改司宰令爲卿, 副令爲少卿:百官1司宰寺轉載].

[○復置軍器監, 判事正三品, 監從三品, 少監從四品, 丞從五品, 注簿從六品, 直長從七品:百官1軍器寺轉載].

[○復改司天監, 判事以下, 並復文宗舊制. 但加置卜助敎從九品. 又別立太史局, 令以下品秩, 亦復文宗舊制:百官1書雲觀轉載].

[○復稱典醫寺, 爲大醫監[~~太醫監~~], 改正爲監, 副正爲少監, 革檢藥:百官1典醫寺轉載].

[○復改寢園署, 爲大廟署[~~太廟署~~], 復陞令正五品, 丞從七品, 加置注簿從八品:百官2寢園署轉載].

[○只置諸陵署丞, 仍從七品:百官2諸陵署轉載].

[○復改司醞署, 爲良醞署, 又陞令正五品, 丞正六品:百官2司醞署轉載].

[○復改司膳署, 爲尙食局, 改令爲奉御, 直長·食醫如故:百官2司膳署轉載].[52]

[○改奉醫署, 爲尙醫局, 改令爲奉御, 直長·醫佐如故:百官2奉醫署轉載].

[○復改掌服署, 爲尙衣局, 改令爲奉御:百官2掌服署轉載].

[○改司設署, 爲尙舍署, 改令爲奉御, 直長丞如故:百官2司設署轉載].

[○復改奉車署, 爲尙乘局, 以令爲奉御:百官2奉車署轉載].

[○復改供造署, 爲中尙署, 以令爲奉御:百官2供造署轉載].

[○降[正8品]京市署丞, 從八品:百官2京市署轉載].

52) 현재의 蔚山市 彦陽邑 直洞里에 위치한 조선왕조 초기의 粉靑沙器 가마터[窯址]에서 司膳이라는 銘文이 새겨진 각종 磁器의 파편들이 수습되었다고 한다(蔚山大谷博物館 2014년).

[○復改膳官署, 爲大官署:百官2膳官署轉載].

[○降正8品都校署令, 從八品:百官2都校署轉載].

[○復改典樂署, 爲大樂署, 令仍從七品, 復置長亦從七品, 史·丞仍從八品, 直長復降從九品, 罷副直長:百官2典樂署轉載].

[○降豊儲倉使從五品, 副使從六品, 丞從七品, 增置注簿從八品:百官2豊儲倉轉載].[53)]

[○降廣興倉使從五品, 副使從六品, 丞從七品, 增置注簿從八品:百官2廣興倉轉載].[54)]

[○增置義盈庫注簿從八品:百官2義盈庫轉載].[55)]

[○降長興庫使從六品, 革副使·直長, 置注簿從八品:百官2長興庫轉載].[56)]

[○降常滿庫使從六品, 革副使直長, 置注簿從八品:百官2常滿庫轉載].[57)]

[○置義塩倉, 丞秩從七品, 注簿從八品:百官2義塩倉轉載].[58)]

[○置典廨庫, 令秩從七品, 丞從八品:百官2典廨庫轉載].

[○置架閣庫, 丞秩從七品, 注簿從八品:百官2架閣庫轉載].

[○改定開城府五部令, 從六品, 錄事權務:百官2五部轉載].

---

53) 豊儲倉의 경우 지31, 百官2, 豊儲倉에 "恭愍王降使從五品, 副使從六品, 丞從七品, 增置注簿從八品"으로 되어 있어 改編 時期를 알 수 없다.

54) 廣興倉의 경우 지31, 百官2, 廣興倉에 "恭愍王降使從五品, 副使從六品, 丞從七品, 增置注簿從八品"으로 되어 있어 개편 시기를 알 수 없다.

55) 義盈庫의 경우 지31, 百官2, 義盈庫에 "恭愍王增置注簿從八品"으로 되어 있어 增置 時期를 알 수 없다.

56) 長興庫의 경우 지31, 百官2, 長興庫에 "恭愍王, 降使從六品, 革副使·直長, 置注簿從八品"으로 되어 있어 개편 시기를 알 수 없다. 또 현재의 蔚山市 인근지역에 위치한 조선왕조 초기의 粉靑沙器 가마터[窯址]에서 慶州府長興庫, 慶州長興庫, 蔚山長興庫, 彦陽長興, 長興庫, 長興 등의 銘文이 새겨진 각종 磁器의 파편들이 收拾되었다고 한 점을 보아(大阪市立東洋陶磁美術館 2002年 ; 蔚山大谷博物館 2014년), 長興庫는 磁器의 生產과 管理를 담당하던 官廳일 가능성이 있다. 또 장흥고는 조선 초에 布·匹·紙·席 등을 담당한 官署였다고 한다(『태조실록』 권1, 1년 7월 丁未28日).

57) 常滿庫의 경우 지31, 百官2, 常滿庫에 "恭愍王, 降使從六品, 革副使·直長, 置注簿從八品"으로 되어 있어 개편 시기를 알 수 없다.

58) 義塩倉의 경우 지31, 百官2, 義塩倉에 "恭愍王, 置丞秩從七品, 注簿從八品"으로 되어 있어 설치시기를 알 수 없다.

[○復置公侯:百官2宗室諸君轉載].

[○改諸君爲公侯伯:百官2異姓諸君轉載].

[○王妃府, 置左·右司尹正三品, 丞注簿舍人正七品, 錄事正九品, 又或置左·右司禁, 小府不置司尹:百官2諸妃主府轉載].

[○是時頃, 定永福都監判官從五品, 錄事權務:百官2轉載].

[○定弘福都監判官從五品, 錄事權務:百官2轉載].[59]

[○定興福都監·典寶都監·崇福都監判官從五品, 錄事權務:百官2興福都監轉載].

[○諸宮殿官, 權務. 恭愍王罷使, 餘並仍之:百官2諸宮殿官轉載].[60]

[○復稱備巡衛, 爲金吾衛:百官2西班金吾衛轉載].

[○復改平壤府, 爲西京留守, 仍從二品, 少尹·判官·參軍如故. 又留守始不帶京官, 諸留守同:百官2西京留守官轉載]. [是時, 改雞林府, 爲東京, 漢陽府爲南京:東都歷世諸子記].[61]

[○牧·都護□府知官使·副使, 並不帶京官[注, 舊制, 補外者, 並帶京官赴任, 若秩高者補外, 品秩不相當, 則以本職帶前字赴任]:百官2外職轉載].[62]

[○復用公侯伯子男, 並正一品:百官2爵位轉載].

[○改正一品上曰開府儀同三司, 下曰儀同三司, 從一品上曰金紫光祿大夫, 下曰金紫崇祿大夫, 正二品上曰銀青光祿大夫, 下曰銀青榮祿大夫, 從二品上曰光祿大夫, 下曰榮祿大夫, 正三品上曰正議大夫, 下曰通議大夫, 從三品上曰大中大夫, 下曰中大夫, 正四品曰中散大夫, 從四品曰朝散大夫, 正五品曰朝議郎, 從五品曰朝奉郎, 正六品曰朝請郎, 從六品曰宣德郎, 七品曰修職郎, 八品曰承事郎, 九品曰登仕郎:百官2文散階轉載].

---

59) 이때 弘福都監의 判官은 정5품에서 종5품으로 降等된 것으로 추측된다. 1342년(충혜왕후3) 8월 鄭云敬이 通直郎(정5품)으로 弘福都監判官에 임명된 사례가 있다.

60) 이에서 餘職은 副使, 判官, 錄事, 直 등이다.

61) 이 조치는 1308년(충렬왕34) 6월 충선왕에 의한 제도개혁에 따라 西京이 平壤府로, 東京이 雞林府로, 南京이 漢陽府로 개편된 것이 다시 留守官으로 복구된 것이고, 그 자취는 『동도역세제자기』에 반영되어 있다.

62) 이후 京職[京官]을 제외한 功臣號·文散階만을 兼帶하여 牧民官職을 띠고 赴任하였음을 『동도역세제자기』를 통해 알 수 있다.

[○又改諸稱號, 以千歲爲萬歲, 王旨·敎旨爲宣旨, 太妃爲太后, 宮主爲公主: 追加].[63]

○以都僉議右政丞洪彥博爲門下侍中, 左政丞尹桓△爲守門下侍中, 柳濯爲門下侍郞同中書門下平章事·~~判戶部事~~,[64] 許伯爲中書侍郞同中書門下平章事, 黃石奇爲門下平章事, 金鏞爲中書平章事,[65] 金逸逢·前僉議評理印瑺△△並爲參知政事, 李仁復爲政堂文學,[66] 全普門·鄭珚△爲守司空·左·右僕射, 慶千興△爲判樞密院事, 崔仁遠爲樞密院使, 安祐△爲知樞密院事, 裴天慶·密直副使黃裳△△並爲同知樞密院事, 柳仁雨·李春富△並爲樞密院副使, 金希祖△爲簽書樞密院事, 柳淑爲樞密院□直學士,[67] (崔宰爲尙書右丞, 李穡爲吏部侍郞·翰林直學士, 鄭云敬爲兵部侍郞, 韓脩爲秘書少監·知制誥:追加].[68]

○東北面兵馬使柳仁雨陷雙城, 摠管趙小生·千戶卓都卿遁走.[69]

[→東北面兵馬使柳仁雨等, 率兵次登州, 去雙城二百餘里, 逗遛十餘日. 時雙城摠管趙小生·千戶卓都卿等, 召龍津人趙暾,[70] 謀欲拒之. 暾不從, 乃與素善狹客趙

---

63) 이때 공민왕이 皇帝를 稱했는지는 알 수 없으나, 이후 황제국의 용어인 宣旨·詔書·勅書·太后 등을 사용하면서, 황제의 格式인 繡를 놓은 12幅의 官服을 입고, 器用은 모두 黃色을 사용하였다고 한다(『白雲和尙語錄』권下, 丁酉九月日答宣旨書… ; 『太古和尙語錄』권下, 玄陵勅刊百丈淸規跋 ; 『조선사찰사료』상, 至正 17年의 僧錄司貼) ; 『세종실록』 권105, 26년 윤7월 23일 ; 『大明會典』 권60, 禮部18 冠服1). 또 이 시기 이후의 寫經의 發願文에서는 몽골제국의 압제 하에서 사용되던 몽골의 皇帝萬壽·皇帝萬年, 고려왕의 國王千壽[國王千秋]의 어투에서 고려국왕의 當今主上萬歲·聖壽萬歲로 바뀐 사례가 찾아지고 있다.

64) ~~添字는~~「柳濯神道碑銘」에 의거하였다.

65) 이때의 平章事는 文宗代에 설치된 門下侍郞同中書門下平章事와 中書侍郞同中書門下平章事 이외에 門下侍郞平章事와 中書侍郞平章事가 增設되었을 가능성이 있다.

66) 이때 李仁復은 金紫光祿大夫·政堂文學·寶文閣大學士·同修國史·判翰林院事에 임명되었다(李仁復墓誌銘).

67) 이때 柳淑은 銀靑榮祿大夫·樞密院直學士·翰林學士承旨·上將軍에 임명되었으므로(柳淑墓誌銘), 樞密院學士는 樞密院直學士에서 直字가 脫落되었음을 알 수 있다. 그의 열전에는 옳게 되어 있다(열전25, 柳淑).

68) 이때 崔宰는 太中大夫·尙書右丞(崔宰墓誌銘), 李穡은 中散大夫·吏部侍郞·翰林直學士·知制誥兼春秋館編修官兼兵部郞中(『양촌집』 권40, 李穡行狀 ; 『목은집』연보), 鄭云敬은 中散大夫·兵部侍郞(鄭云敬行狀), 韓脩는 中散大夫·秘書少監·知制誥에(韓脩墓誌銘) 등에 각각 임명되었다.

69) 이때 李子春의 弟 子宣은 그의 甥姪인 女眞人 三善·三介 兄弟와 함께 趙小生을 따라 갔던 것 같다(『용비어천가』 권4, 24章).

70) 趙暾(雙城摠管 趙暉의 孫, 良琪의 子)은 忠肅王 在位年間에 한반도의 동북지역에 흩어져 있던 高麗人을 刷還하여 와서 軍官이 되었다가 다시 雙城摠管府 管內로 되돌아갔다고 한다.

都赤，言曰，“今兩豎，所以敢拒命者，以汝爲腹心也．汝本高麗人，爾祖與吾祖，皆自漢陽而來，今背本國從逆豎，獨何心哉”．都赤擧手指天曰，“叔父，活我矣，公且先，吾從之”．一夜，馳二百里，詣仁雨營曰，“二豎，勢窮將北走．雙城人，皆竄伏山谷，今大軍遽至，必駭不下，淸野無食．爲公計，莫若先遣吾長子仁璧，往彼招集”．仁雨然之，乃使仁璧，徇雙城，雙城人，聞其來，皆喜相告曰，“趙別將，來吾屬更生矣”．相率來降，犒迎官軍曰，“高麗王，眞我主也”．○初，王聞仁雨逗遛，授我桓祖李子春少府尹，遣兵馬判官丁臣桂，諭令內應桓祖李子春．聞命，卽銜枚就行，與仁雨合兵．仁雨等遂進兵，攻破雙城摠管府，趙小生·卓都卿，棄妻子，逃入伊板嶺北立石之地.[71] 於是，按地圖:節要轉載]，收復和·登·定·長·預·高·文·宜州及宣德·元興·寧仁·耀德·靜邊等鎭[諸城，蓋:節要轉載]咸州以北，[哈蘭·洪獻洪原·三撒，本爲我疆:節要轉載]，[72] 自高宗戊午45年沒于元，[凡九十九年:節要轉載]，今皆復之.

[→恭愍五年，欲收復舊地，以密直副使柳仁雨爲東北面兵馬使，大護軍貢天甫·宗簿令金元鳳爲副使，與江陵道存撫使李仁任，往擊之．仁雨率兵，過鐵嶺，次登

· 열전24, 趙暾, “… 雙城摠管暉之孫也．世居龍津，未弱冠事忠肅王．時吏民逋入女眞 洪肯雄州·三撒北靑·禿魯兀端川·海陽吉州等地，王遣暾至海陽，刷六十餘戶還，授監門衛郎將．後復至海陽，刷百餘戶來，王嘉之，賜廐馬·綾叚，尋除左右衛護軍．王薨，暾還龍津”.

71) 伊板嶺은 伊坡嶺, 磨天嶺(혹은 摩天嶺)이라고도 하며 豆乙外嶺(혹은 磨雲嶺)의 북쪽에 있다고 한다. 또 1797년(정조21) 12월 10일 富寧府(현 咸鏡北道 富寧郡)에 안치된 金鑢(1766~1821)가 1日前(9일) 鏡城府 輸城驛(현 富寧郡 管內) 부근의 崔達洞에서 살펴본 摩天嶺 以北에 散處한 村家의 樣態는 高麗末의 그것과 별 차이가 없을 것이다.

· 지12, 지리3, 東界 福州, “… 要害處二，有伊板嶺[在州東北，卽磨天嶺]，豆乙外嶺[在州南，卽磨雲嶺]”.

· 『耳溪集』 권5, 朔方風謠(1777年)，磨天嶺，在磨雲之北，橫截端川·吉州之間，舊號伊坡嶺，高峻危險，過于磨雲·鐵嶺·咸關，便是坦途，此乃北路第一嶺阨，上頂奇峰簇立，俯臨無地，惟見大海茫茫.

· 『藫庭遺藁』 권7, 北遷日記, “正祖21年12月初九日甲辰晴，發行抵輸城驛午飯，過崔達洞，夕宿石幕倉．是日雪止，平明發行，午至輸城驛中火，過崔達洞．盖摩天以北，皆古女眞，老土忽剌諸胡巢窟，散處巖洞間，各有酋長，如梁瑛洞·黃曼胡谷·仇鼎遷·吳永秀堡，或半里一里之間，依山爲村落，或四五家，或七八家，洞以人名稱者，皆是也．夕宿石幕倉廒，倉故府基云．‘夷狄性能寒，散處無室屋，巖峒以爲穴，出入溪澗腹，富春古胡地，百里皆長谷，五月雪封嶋，六月風脫木，崔達最强者，桀黠饒田畜，至今洞中人，剽猾相藉蠶，父子尠慈愛，昆弟恣訟讟，番番金忠翼，六師親自牧，所嚮旣無前，環海并讋服，盡北通烽堠，聲敎曁遐陬，孔城種春麥，豆滿采秋蛙，遂使六鎭氓，與物得咸囿，偉哉眞不朽，萬歲汗靑竹，崔達洞’．初十日乙巳大雪，冒雪發行，薄晚抵富寧府，入住金明世家．余金鑢自發配以後，凡二十七日，到富寧，其行路之險阻，風雪之凌兢，州縣之逼脅，輿儓之侵侮，難以筆舌罄也．…”.

72) 洪獻은 洪原의 오자일 것이다.

州, 去雙城二百餘里, 留十餘日不進, 雙城摠管趙小生暾從子也, 聞變, 與千戶卓都卿召暾. 暾至, 小生擧兵爲拒守計, 劫暾曰, “今事急矣. 叔父仕高麗, 爲累朝所寵待, 今日叔父南向高麗, 則雙城之地十二城, 誰肯從我”. 乃與都卿, 選腹心驍健者三十人衛暾, 實拘之也. 仁任說仁雨曰, “暾, 雖小生叔父, 心在朝廷, 必不與逆豎同叛. 今以王命諭之必來. 暾來, 雙城可傳檄而定, 逆豎之首, 不足血也”. 仁雨然之, 遂以蠟書遺暾, 暾見書秘之, 伺閒未得. 暾少時見雙城人趙都赤英俠, 與之交遊, 深結懽心. 及是, 都赤以百戶, 爲小生謀主, 暾諭都赤曰, “今兩豎所以拒朝命者, 以汝爲腹心也. 汝本高麗人, 爾祖與吾祖皆自漢陽來, 今背本國從逆豎, 獨何心哉. 棄逆從順, 去危就安, 功名富貴. 此其時也, 汝其圖之”. 都赤泫然泣下, 擧手指天曰, “叔父活我矣. 公且先, 吾從之”. 暾喜, 與弟天柱挺身馳出, 至三岐江. 乘舟已中流, 追騎百餘及岸而返. 暾至龍津, 謂家人曰, “從夫人浮海, 會我于登州”. 率子仁壁·仁瓊·仁珪·仁沃, 一夜馳二百里, 黎明詣仁雨營, 謂仁雨曰, “二豎勢窮將北走, 雙城人皆竄山谷. 今大軍遽至, 必駭不下, 淸野無食. 爲公計, 莫若先遣吾子仁壁招諭之”. 仁雨然之, 乃使仁壁及知通州事張天翮徇雙城. 雙城人聞仁壁至, 喜相告曰, “趙別將來, 吾屬更生矣”. 相率來降, 犒迎官軍曰, “高麗王, 眞我主也”. ○初, 我桓祖[李子春], 以雙城等處千戶來朝, 王迎謂曰, “撫綏頑民, 不亦勞乎”. 時有人密告奇轍潛通雙城叛民爲黨援謀逆. 王諭桓祖曰, “卿宜歸鎭吾民, 脫有變, 當如吾命”. 至是, 王聞仁雨逗遛, 授桓祖[李子春]小府尹, 遣兵馬判官丁臣桂, 諭□[我]桓祖內應. □[我]桓祖聞命, 卽銜枚就行, 與仁雨合兵, 攻破雙城摠管府, 小生·都卿棄妻子, 逃入伊板嶺北立石之地. 於是, 按地圖, 收復和·登·定·長·預·高·文·宜州, 及宣德·元興·寧仁·耀德·靜邊等鎭. 盖咸州以北, 哈闌·洪獻[洪原]·三撒之地, 本爲我疆, 自暉等叛, 沒于元, 凡九十九年, 今皆復之. ○[兵馬判官丁]臣桂領兵過伊板□[嶺], 與女眞戰大捷, 斬其魁帖木兒, 傳首于京. 仁雨之初至也, 端州以北千數百里, 靡然南向, 仁雨貪財殺戮. 及都赤來見, 王授護軍, 賜金符爲東北面千戶, 使往撫女眞 , 仁雨忌而殺之. 天翮隷仁雨麾下, 濫殺無辜, 掠牛馬財產, 奪人妻妾凡九人. 遂沮北人歸附之心, 暾深以爲恨. 暾還, 王大喜, 超授禮賓卿, 賜第于京:列傳24趙暾轉載].

[○是時, 置安北千戶防禦所, 於三散. 又以哈蘭府爲知咸州事. 尋改萬戶府, 置營, 聚江陵·慶尙·全羅等道軍馬, 防守].[73]

---

73) 이와 관련된 자료로 다음이 있다.

· 지12, 지리3, 東界, “恭愍王五年, 稱江·陵朔方道. 七月, 遣樞密院副使柳仁雨, 攻破雙城. 於是,

[壬辰[14日], 大雨, 人家漂沒者多:五行2轉載].

癸巳[15日], 設盂蘭盆齋于內殿.

[○月食:天文3轉載].[74)]

丁酉[19日], 元遣中書省斷事官撒迪罕·尙衣奉御朶歹, 到鴨江, 傳帝旨曰, "高麗自我世祖混一之初, 灼知天命, 擧國臣服, 爰結婚親, 于今百年. 邇者, 姦民遽生邊釁, 越我封疆, 擾我黎庶, 焚我傳舍,[75)] 阻我行人. 揆諸天憲, 討戮何疑, 尙慮叢爾賊徒, 或得罪爾邦, 逋逃嘯聚, 或從他國, 妄稱汝民, 盜用兵戈, 以閒世好. 若不詢問情僞, 大兵一臨, 玉石俱焚, 誠所不忍. 特遣撒迪罕等前去, 爾其毋生疑貳, 發爾士卒, 就便招捕, 或約我天兵, 併力挾攻. 期於靖國安民, 永敦前好, 具悉奏聞".

戊申[30日], 斬[參知政事]·西北面兵馬使印璫, 附表撒迪罕, 表曰, "下愚奮命, 但要生

按地圖, 收復和·登·定·長·預·高·文·宜州及宣德·元興·寧仁·耀德·靜邊等鎭諸城. 前此, 朔方道, 以都連浦爲界, 築長城, 置定州·宣德·元興三關門, 沒于元, 凡九十九年, 至是, 始復之. [恭愍11年]以壽春君李壽山爲都巡問使, 定疆域, 復號東北面".

- 지12, 지리3, 和州, "恭愍王五年, 出師收復, 爲和州牧".
- 지12, 지리3, 高州, "恭愍王五年, 改古德寧鎭[一云洪源郡]□[爲]知州事".
- 지12, 지리3, 北靑州府, "後沒於元, 稱三散. 恭愍王五年, 收復舊疆, 置安北千戶防禦所".
- 지12, 지리3, 咸州大都督府, "恭愍王五年, 收復舊疆, 爲知咸州事. 尋改萬戶府, 置營, 聚江陵·慶尙·全羅等道軍馬, 防守".
- 열전27, 李壽山, "諸奇敗, 以黨流于外, 召封壽春君, [恭愍11年]出爲東北面都巡問使, 定女眞 疆域".
- 『태조실록』 권1, 總書, 至正 16년, "是年五月, 平奇氏, 命密直副使柳仁雨, 往討雙城. 仁雨等次登州, 距雙城二百餘里, 逗遛不進. 王聞之, 授桓祖[李子春]試少府尹, 賜紫金魚袋, 進階中顯□□[大夫], 遣兵馬判官丁臣桂, 傳旨內應. 桓祖[李子春]聞命, 卽刻銜枚就行, 與仁雨合兵, 攻破雙城, 小生·都卿等, 棄妻子夜遁. 於是, 收復和·登·定·長·預·高·文·宜州及宣德·元興·寧仁·耀德·靜邊等鎭諸城. 咸州以北哈蘭·洪獻[洪原]·三撒之地, 自高宗時沒于元九十九年, 今皆復之".
- 『태종실록』 권7, 4년 5월 己未[19日], "遣計稟使·藝文館提學金瞻如京師, 瞻與□[王]可仁偕行. 奏本云, 照得, 本國東北地方, 自公嶮鎭歷孔州·吉州·端州[福州]·英州·雄州·咸州等州, 俱係本國之地. … 至至正十六年間, 恭愍王王顓, 申達元朝, 竝行革罷, 仍以公嶮鎭迤南, 還屬本國, 委定官吏管治".
- 『세종실록』 권155, 지리지, 咸吉道, "恭愍王五年丙申[元順帝至正十六年], 遣樞密院副使柳仁雨, 收復和州迤北諸城, 號爲東北面".

74) 이날 일본의 교토에서도 皆旣月食이 있었다고 한다(高麗曆과 同一, 日本史料6-20冊 653面). 이날은 율리우스력의 1356년 8월 11일이고, 월식 현상이 심했던 때의 世界時는 12시 40분, 食分은 1.48이었다(渡邊敏夫 1979年 485面).
- 『東寺長者補任』, 延文 1년, 僧正定憲, "… 七月十五日, 月食御祈, 勤之, 正現".
- 『愚管記』제2, 延文 1년 7월, "十五日癸巳, 晴, 月蝕, 正現皆旣云々".

75) 여기에서 傳舍는 客舍를 가리킨다(『자치통감』 권10, 漢紀2, 高帝 3년, "楚使者在九江, 舍傳舍[胡三省注, 傳舍, 客舍也, 前客舍之而去, 後客復來舍之, 傳相受也, 故謂之傳舍], 方急責[九江王黥]布發兵. …").

全, 大聖原情, 儻加存恤. 肆陳瞽說, 庶感聽聞. 竊惟小邦, 邈處東極, 隋唐之盛, 羈縻而已. 世祖龍興, 灼知天命, 首先歸附, 世著微勞, 東漸恩澤, 日新月盛, 不意賊臣奇轍, 與盧頙·權謙謀爲不軌, 生我禍階. 切詳轍等, 連姻掖庭, 假威大朝, 氣焰熏天, 脅制國主, 人有人民, 不奪不已, 人有土田, 不奪不饜. 臣畏天朝, 一不敢問, 群黎百姓, 怨豈在明. 轍等自知罪盈惡積, 人所不容, 而又妄意, 天下擾攘, 甲兵方熾, 一朝勢去, 身不能保, 乃謀自安, 務固其權, 中外官司, 皆置親戚, 凡曰要職, 無非腹心. 擅造兵器, 閑習射御, 公然爲之, 不少隱匿, 扇動訛言, 惑亂衆聽, 今年五月十八日丁酉, 召集無賴, 一時俱起, 舟載兵器, 已至江口, 又令數輩, 詐爲天使, 稱有詔旨, 已至宮門, 將欲殲我君臣, 以逞己欲, 安危死生, 間不容髮. 尙賴聖德, 粗能應變, 旣獲賊徒, 恐有他變, 不暇申聞, 俱致於法, 誠惶誠恐, 無地措躬. 又慮邊鄙之民, 乘釁妄動, 或有奸人往來, 亂我情實, 故置關防, 以謹出入, 而其吏士, 過江劫掠, 實非本意, 考其罪人, 以正邦典. 伏望, 弘天地之仁, 霽雷霆之怒, 垂蕩蕩之洪恩, 保哀哀之微喘. 則四千餘里, 永爲溥海之藩, 億萬斯年, 專祝如岡之壽".

八月己酉朔, 壬子4日, 以僉議評理~~前都僉議評理~~黃順爲江陵朔方道都巡問使.76)

戊午10日, 流領都僉議司事蔡河中于順天, 前左政丞·延安伯印承旦于保安, 貶右僕射鄭珚爲淸州牧使.77)

己巳21日, 命寫無逸篇二十餘本, 賜近臣.

[是月, 命宰相, 選廉公諳吏治者, 爲守令:選擧3選用守令轉載].

[是月頃, 以鄭吉東爲東京留守府法曹兼參軍事:追加].78)

九月戊寅朔小盡,戊戌, 庚辰3日, 遣使于楊廣·全羅道, 刷濟州人及禾尺·才人, 充西北面戍卒.79)

辛巳4日, [寒露]. 新設內詹事·~~內常侍~~等官.

[→改宦官職, 設內詹事·內常侍·內侍監·內承直·內給事·宮闈丞·奚官令:百官2

---

76) 僉議評理는 前□都僉議評理로 고쳐야 옳게 될 것이다. 前月 9일(丁亥)에 官制를 元壓制以前으로 還元하였기에, 이때 僉議評理는 존재하지 않았다.

77) 이후 印承旦은 거의 3년간 安置되었다가 1359년(공민왕8) 귀환 후 7월에 逝去하였던 것 같다(열전36, 印侯, 承旦, "未幾, 以事流于保安, 居四年, 召還卒").

78) 이는 『동도역세제자기』에 의거하였다.

79) 이 기사는 지36, 兵2, 鎭戍에는 "遣使諸道, 刷濟州人及禾尺·才人, 補西北面戍卒"로 되어 있다.

內侍府轉載].[80)]

癸未[6日], 以曲城伯廉悌臣爲西北面都元帥, 刑部尙書柳淵·判司宰寺事金之順·上將軍金元命, 副之, 賜貂裘·金帶, □□[有差], 仍授鉞遣之.[81)]

○平壤都巡問使李餘慶, 獻俘女眞男女二十餘人, 分置楊廣道.[82)]

己丑[12日], 東北面兵馬使[柳仁雨], 獻俘女眞女二十人, 分屬各司爲婢.

[某日, 都堂, 令百司議幣. 諫官獻議曰, "本國, 近古以碎銀, 權銀甁之重, 以爲幣, 而以五升布, 翼以行之. 及其久也, 不能無幣, 銀甁日變, 而至于銅, 麻縷日麤, 而不成布. 議者, 欲復用銀甁, 愚等以爲, 一銀甁, 其重一斤, 其直, 布百餘匹. 今民家, 蓄一匹布者, 尙寡, 若用銀甁, 則民何以貿易哉?". ○或議曰, "宜用銅錢, 然, 國俗久不用錢, 一朝遽令用之, 民必興謗. 或曰, 宜用碎銀, 然, 散出民間, 而無標誌, 則貨幣之權, 不在於上, 亦爲未便. 今銀一兩, 其直八匹, 宜令官, 鑄銀錢, 錢有標誌, 隨其兩數輕重, 以准帛穀多寡. 比之銀甁, 鑄造易, 而用力少, 比之銅錢, 轉輸輕, 而取利多, 官民軍旅, 庶幾有便. 凡產銀之所, 復其居民, 令採納官, 其國人所蓄銀器, 悉令納官, 鑄錢以與之, 幷用五升布, 則公私便矣":節要轉載].[83)]

---

80) 이들 宦官職의 職能이 무엇인지는 알 수 없으나 唐制를 模倣하였던 것 같다.
- 『자치통감』 권211, 唐紀27, 玄宗開元 4년(716), "十二月, 上將幸東都[洛陽], 以[宋]璟爲刑部尙書·西京留守, 令馳驛詣闕, 遣內侍·將軍楊思勗迎之[胡三省注, 按舊書楊思勗傳, 時爲~~內常侍~~·右監門衛將軍. 內侍□[監?], 內侍省官之長, ~~內常侍~~則爲之貳也, 內侍□[監?], 從四品下, 內常侍, 正五品上]. …". 여기에서 ~~添字~~는 筆者가 추가하였다.
- 『자치통감』 권214, 唐紀30, 玄宗開元 25년(737) [三月]己亥[25日], "… 上命內給事趙惠琮與[孫]誨偕往[吐蕃], 審察事宜[胡三省注, 唐內侍省有~~內給事~~十人, 從五品下, 掌承旨勞問, 分判省事, 凡元日·冬至, 百官賀皇后, 則出入宣傳, 宮人衣服費用, 則具品秩, 計其多少, 春秋宣送中書]". 原文에서 三月이 脫落된 것 같다.
- 『자치통감』 권217, 唐紀33, 天輔十三載(754), "十一月己未[28日], 置內侍監二員, 正三品[胡三省注, 唐制, 宦官不得過三品, 置內侍四人, 從四品上. 中官之貴, 極於此矣, 至帝[玄宗]始隳其制. 楊思勖以軍功, 高力士以恩寵, 皆拜大將軍, 階至從一品, 猶曰勳官也. 今置內侍監正三品, 則職事官矣]".

81) ~~添字~~는 『고려사절요』 권26에 의거하였다. 또 이와 관련된 기사로 다음이 있다.
- 지18, 禮6, 軍禮, "癸未, 以曲城伯廉悌臣爲都元帥, 刑部尙書柳淵等副之, 以備西北, 賜貂裘·金帶, 授鉞遣之".
- 열전24, 廉悌臣, "王誅奇氏, 畏元有譴, 以悌臣爲西北面都元帥. 賜貂裘·金帶, 授節鉞曰, 卿行之後, 吾不北顧矣. 其治軍政, 芻糧爲先, 城堡次之, 器械次之".

82) 李餘慶은 1353년(공민왕3) 무렵에 合浦鎭邊萬戶府에 出鎭하였던 것 같다(『목은시고』 권2, 上鎭邊李相國[注, 諱餘慶]).

83) 이 시기에 제작된 것으로 추측되는 銀錢이 일제 강점기에 두 종류가 발견되었다고 한다. 그 하나

[○且其布子, 自丁酉恭愍6年爲始, 納官標印, 然後, 方許買賣, 其掌印之官, 內則京市署主之, 御史臺考之, 外則知官以上主之, 存撫·按廉□使, 以時糾察. 如有用無印布, 及掌印看循任縱者, 並理以法, 則數年之間, 將見詐僞絶, 而物價平矣:食貨2貨幣轉載].

[某日, 東北面兵馬判官·千戶丁臣桂, 領兵過伊板嶺, 與女眞軍戰, 我軍大捷, 斬獲甚多, 虜其魁帖木兒, 傳首于京:節要轉載].

己亥22日, 閱兵于毬庭.

[某日, 以兵部侍郎鄭云敬爲西海道察訪兼軍需別監:追加].[84)]

[某日, 宰樞會崇文館, 閱西北面防禦兵仗. 放銃筒于南岡, 箭及順天寺南, 墜地沒羽:兵1五軍轉載].

是月, 以我桓祖李子春爲大中大夫·司僕卿, 賜第一區.[85)]

[是月頃, 以朝請郎崔德成爲福州判官:追加].[86)]

冬十月丁未朔大盡,己亥, 甲寅8日, 元復遣撒迪罕等, 齎詔來, 王盛陳兵衛, 出迎于宮門外, 詔曰, "昔我世祖皇帝, 混一區夏, 爾高麗國, 率先效順, 建爲東藩, 請婚帝室, 帝亦允從. 今將百年, 錫貢相望, 靡有間言, 玆夏, 爾國游兵, 入我疆域, 毁我驛置, 邊民不寧. 是用遣使, 往告厥由, 使還附奏具稱, 近者境上, 乘間侵軼之徒, 已正其罪. 又言事釁之生, 在於倉卒, 志圖靖難, 不及稟命. 其間應變之狀, 中書悉以告朕, 肆朕察其事情. 追惟, 我祖宗憫下之惠, 先臣慕義之誠, 詎以一眚, 輒虧舊恩. 然裁以至公, 若爾初獲首事, 具罪以聞, 善善惡惡, 朕與天下共之, 奚肯徇私, 以紊大法. 如云倉卒, 不遑陳奏, 事定之後, 盍先馳聞. 事旣已往, 況能悔罪陳情, 玆示寬容, 特釋爾咎, 自今伊始, 小心敬愼, 率順彝章, 撫我黎庶, 固我東圉. 勿替朕命, 惟爾之休. 於戲, 赦過宥罪, 廣推大造之心, 懷遠招攜, 誕布至仁之德".

○王與公主宴元使.

戊午12日, 遣政堂文學李仁復如元,[87)] 上表曰, "乾坤洪造, 曲全庶物之生, 父母至

는 南唐의 開元通寶와 유사한 錢文이 있는 것이고, 또 다른 하나는 前者보다 큰 銀錢으로 宋崇寧通寶와 유사한 전문을 가진 것이라고 한다(奧平昌洪 1938年 卷15).

84) 이는 『삼봉집』 권4, 鄭云敬行狀에 의거하였다.

85) 이와 같은 기사가 『태조실록』 권1, 總書, 至正 16년에도 수록되어 있다("王進桓祖李子春爲大中大夫·司僕卿, 賜京第一區, 因留居之").

86) 이는 『안동선생안』에 의거하였다.

仁，旋弃癡兒之過．賊子亂常，殆將覆國，愚臣應卒，不及聞天．伏蒙推視遠之明，廓包荒之度，揆事機之非所得已，矜情實之無可柰何．霽雷霆之威，旣往不咎，霈雨露之澤，咸與惟新，乾坤全物之生，父母弃兒之過，亦不可爲喩也．人非石木，豈不知感哉？臣謹當布德音於臣庶，以寧一邦，修職貢於歲時，無替萬世”．

○又上書曰，“近者，逆臣奇轍等，謀動戈兵,欲危社稷，專憑聖德，得遏禍萌，然而失火之家，迫于救焚，倉皇無以先告，弄兵之子，幸而脫死，惶恐難於自言．跼天蹐地，無所措躬，伏蒙特降赦恩，糜身粉骨，奚足以報．旣荷天地父母再造之恩，敢陳國病，冀達天聽．切惟，世皇征東，令國王爲丞相，行省官吏，委國王保擧，不入常調，非他行省比．其後，續立都鎭撫司·理問所·儒學提擧司·醫學提擧司．比來，省官，皆托婦寺，濫受朝命，擅作威福．小邦有監察司·典法司，掌刑聽訟，糾正非理，而省官聽人妄訴，拘取諸司所斷文劵，以是爲非．莫敢誰何，人疾之如狼虎．況今省官，有與逆賊謀者．願自今，其左右司官，令臣保擧，勿蹈前弊，其理問所等官司，一切革去．世皇東征日本時所置，萬戶·中軍·右軍·左軍耳．其後，增置巡軍·合浦·全羅·耽羅·西京等□[處]萬戶府．並無所領軍徒，佩金符，以夸宣命，召誘平民，妄稱戶計，勒令州縣，不敢差發，深爲未便．如蒙欽依世祖皇帝舊制，除三萬戶鎭守日本外，其餘增置五萬戶府及都鎭撫司，乞皆革罷．朝廷使臣及府·寺·院·監司所差人吏，多是小邦之人，不務宣上德意，專要誇耀鄕閭，威福自恣，恩讎必報．屈辱宰相，陵犯國主，經年不還，增娶妻妾，無惡不爲．金剛山諸寺，歲再降香，勞民生事，反戾陛下求福之意，本國自有倭寇以來，備禦無或小弛．樞密院所差體覆使，亦宜停罷，宣徽院·資政院·將作院·大府監[太府監]·利用監·太僕寺諸衙門，所差人吏，一切禁斷．其方物，可充用度者，明立額數，聽本國自獻，庶使站路邊民獲寧，雙城·三撒，元是小邦之境，先臣忠憲王戊午[高宗45年]趙暉·卓青等，犯罪懼誅，誘致女眞，乘我不虞，殺戮官吏，繫累男女，皆爲奴婢．父老至今言之流涕，指爲血讎．比來，逆臣奇轍·盧頙·權謙，交結酋長，召集逋逃，及其謀逆，約爲聲援，轍等旣死，支黨多奔于彼，故令搜索，彼反用兵助逆，勢不獲已，以致行師，其總管趙小生·千戶卓都卿，今在逃竄，竊恐構釁生事．恭惟朝廷，薄海內外，莫非王土，尺寸不毛之地，豈計彼

87) 李仁復이 파견될 때의 형편은 다음의 자료에 반영되어 있다.
- 「李仁復墓誌銘」，“朝廷赦使回，當進表謝恩，難其使．上曰，‘今宰相知大體守節義，無如李某’．迺以使事命之．先生不少辭，使還稱旨”．
- 열전25，李仁復，“元下詔赦誅奇氏及犯邊之罪．當遣使謝，王以仁復知大體守節義，遣之”．

此哉. 伏乞歸我舊疆, 雙城·三撒以北, 許立關防. 女眞人等, 於泥城等處, 山谷之間, 越境來居, 擾百姓, 掠牛馬, 導本國犯罪之人, 逃閃莫追, 即與雙城·三撒無異, 乞立禁約, 毋得擅入, 似前侵害. 祖王以來, 庶孽之子, 必令爲僧, 所以明嫡庶之分, 杜覬覦之萌. 今有塔思帖木兒, 自謂忠宣王孽子, 亦嘗剃髮, 及長還俗, 奔于京師, 誘致本國群不逞之徒, 扇起訛言, 眩惑人心. 若此人者, 其於朝廷, 豈有小益. 乞將此人及其黨與, 發還本國".

丙寅20日, 濟州加乙赤·忽古托等叛, 殺都巡問使尹時遇·牧使張天年·判官李陽吉.

丙子30日, 遣樞密院使樞密院副使金希祖如元, 賀皇太子千秋節.[88]

[是月辛酉15日, 入元僧惠勤, 設開堂法會於大都廣濟寺. 帝遣院使也先帖木兒賜金襴袈裟·幣帛, 皇太子以金襴袈裟·象牙拂子來錫:追加].[89]

十一月丁丑朔小盡,庚子, 己卯3日, 門下侍中洪彦博免, 流守門下侍中尹桓·門中書侍郞同中書門下平章事許伯·門下侍郞同中書門下平章事柳濯, 以李齊賢爲門下侍中,[90] 廉悌臣△爲守門下侍中, 慶千興△爲參知門下政事, 李千善△爲參知中書政事,[91] 李仁復爲政堂文學兼御史大夫, 安祐△爲知門下省事, [樞密院直學士柳淑爲樞密院副使:追加].[92] [李齊賢辭, 不允:節要轉載].

[某日, 西北面都元帥·守侍中廉悌臣, 上箋辭, 不允:節要轉載].

[某日, 廉悌臣上箋, 論軍務曰,

"□□. 食爲民天, 兵藏於農, □宜令軍士, 有事則操兵, 無事則屯田, 則轉餉省, 而軍食足矣. 軍師之盛, 在於儲待, 今師興有日, 而輓輸之路阻脩. 如選其精强, 分屯要害, 移其餘卒, 就食安州等處, 觀變而動, 則輓粟之勞減, 而養兵之勢. 張强矣.[93]

---

88) 樞密院使는 樞密院副使의 잘못이다. 金希祖는 이해의 7월 9일 관제 개혁 때 簽書樞密院事에 임명되었고, 이보다 3년 후인 1359년(공민왕8) 8월 3일 同知樞密院事에 임명되었기 때문이다.

89) 이는 다음의 자료에 의거하였다.

· 『목은문고』 권14, 普濟尊者諡先覺塔銘幷序, "至正, 丙申十月望, 惠勤, 設開堂法會於大都廣濟寺. 帝遣院使也先帖木兒賜金襴袈裟·幣帛, 皇太子以金襴袈裟·象牙拂子來錫. 師受袈裟, 問衆曰, 湛然空寂, …".

90) 이제현의 묘지명에는 문하시중에 임명된 것이 12월로 되어 있으나 오자일 것이다.

91) 이때 文宗代의 制度[文宗舊制]와는 달리 일시적으로 參知政事가 分立되어 門下省과 中書省의 事務를 각각 달리 담당하였던 것 같다.

92) 이는 「柳淑墓誌銘」에 의거하였다.

93) 이 구절은 지36, 兵2, 屯田에도 수록되어 있는데, 添字는 이에서 달리 표기된 것이다.

□亠. 又戍邊之法, 以時而代. 今軍士, 盛夏北來, 淹至冬月, 無衣無褐, 何以禦寒, 設使驅而納諸矢石之間, 豈竭其力乎. 徒充兵額, 糜費糧儲而已. 請以半年, 爲一期番上. 又軍中, 雖値親喪, 不免行伍, 其在人子之情, 何可忍也. 自今, 凡遭喪者, 許以人代之, 如無代者, 計日給假. 則民心悅而孝悌興矣". ○悌臣又辭, 不允: 節要轉載].[94)]

乙酉[9日], 以知樞密院事裴天慶爲東北面兵馬使, [知樞密院事?]姜仲祥爲全羅道都巡問使.

十二月[丙午朔大盡.辛丑], 丁未[2日], 遣參知政事[參知中書政事]李千善·吏部判書李壽林[95)][·兵部員外郞崔霖:追加]如元, 賀正.[96)]

[戊午[13日], 酉時, 日之左右, 有氣如日光:天文1轉載].

丙寅[21日], 宥輕罪.

[某日, 禁中外漁獵:刑法2禁令轉載].

[□□[是年]],[97)] 修葺南京宮闕.

[○改楊廣道爲忠淸道, 陞東界定州爲都護府:轉載].[98)]

[○復全州部曲爲完山府:地理2轉載].[99)]

---

94) 이와 같은 기사로 다음이 있으나 字句에 출입이 있다.

· 지35, 兵1, 五軍, "戍邊之法, 以時而代. 今軍士, 盛夏北來, 淹至冬月, 無衣無褐, 何以禦寒, 設使驅而納諸矢石之間, 豈竭其力乎. 請以半年, 爲一期, 更代. 又軍中, 雖値親喪, 不免行伍, 其在人子之情, 何可忍也. 自今, 凡遭喪者, 許以人代之, 如有代者, 計日給暇".

· 열전24, 廉悌臣, "上䟽論軍務曰, 食爲民天. 兵藏於農, 令軍士有事則操兵, 無事則屯田, 庶轉餉省, 而軍食足矣. 師之强弱, 在於儲偫, 今師興有日, 而輓輸之路阻脩. 如選精强, 分屯要害, 移其餘卒, 就食安州等處, 觀變而動, 則輓粟之勞減矣. 戍邊之法, 以時而代. 今軍士盛夏北來, 淹至冬月, 無衣無褐, 何以禦寒? 設使驅而納諸矢石之間, 豈肯盡力? 請率以半年相代. 軍卒遭喪, 不免行伍, 人子之情, 在所不忍. 請自今凡遭喪者, 許人代之, 如無代者, 計日給暇".

95) 吏部判書는 『고려사절요』 권26에는 吏部尙書로 되어 있지만 오류이다(盧明鎬 等編 2016년 679面).

96) 이는 다음의 자료에 의거하였는데, 이들 사신은 明年의 歸還 중에 遼河에서 盜賊을 만나 三節이 모두 피살되었다고 하지만, 正使 李千善(李珥의 先祖), 副使 李壽林(李達尊의 次子) 등은 生還하였던 것 같다.

· 『목은문고』 권20, 崔氏傳, "… 遷至兵部員外郞, 歲丙申, 奉表賀明年正于敬寫, 旣訖事, 還至遼河遇賊, 使副三節人吏, 皆被害. 嗚呼悲哉".

97) 이 구절에서 是年이 탈락되었을 것이다.

98) 이는 지12, 지리3, 定州, "恭愍王五年, 陞都護府"를 전재하였다.

99) 이와 같은 내용이 『신증동국여지승람』 권33, 全州府, 建置沿革에도 있다(→공민왕 4년 11월 某

[○定原君鈞, 奉御酒□□[自元]來, 進封定原伯:列傳4神宗王子襄陽公恕轉載].

[○以[正議大夫]宋天逢[宋天鳳]爲福州牧使:追加].[100]

[○以金瑞珍爲延安府使:追加].[101]

[○以[膳官署令]河允潾爲門下錄事:追加].[102]

[○入元僧智泉自江南歸還. 先是, 泉往山西五臺山靈鷲寺, 參碧峰金禪[壁峰寶金]門下求法, 遊歷諸山, 時趙雍爲書竺源古篆大字, 泉以爲別號:追加].[103]

[增補].[104]

丁酉[恭愍王]六年, 元至正十七年, [西曆1357年]

1357년 1월 21일(Gre1월 29일)에서 1358년 2월 8일(Gre2월 16일)까지, 13개월 384일

春正月丙子朔[大盡,壬寅], 放朝賀, 宴群臣.

[→百官備禮服, 欲陳賀, 命停賀宴, 宗室·公侯·宰樞及耆老·侍臣, 皆以戎服入

日의 脚注).

100) 이는 『안동선생안』에 의거하였다.

101) 이는 『연안부지』에 의거하였다.

102) 이는 『동문선』 권121, 河允潾神道碑銘에 의거하였다.

103) 이는 다음의 자료에 의거하였는데, 碧峰金禪은 壁峰寶金의 다른 表記일 것이다. 碧峰金禪(壁峰寶金, 1308~1372)은 江浙等處行省 常州路(現 江蘇省 尙州市) 禹門興化庵에 머물고 있던 一源水寧(生沒年 不明)의 法姪로서 山西行省 五臺山(現 山西省 忻州市 五台縣) 靈鷲菴에 거주하고 있다가 水寧과 함께 惠宗[順帝]의 초빙을 받아 宮城에 들어가 說法하고 禪師法號와 金襴法衣를 받았다. 또 趙雍(1291~1361, 혹은 1289~1369)은 趙孟頫의 次子로서 號는 仲穆이고, 集賢待制, 同知湖州路總管府事를 역임하였다(野口善敬 2005年 243面 ; 趙志成 2015年).

·「砥平龍門寺正智國師碑銘」, "… 至正癸巳, 與今王師無學, 俱入燕京, 謁指空于法雲寺. 時懶翁先入燕, 受指空印可, 道譽旣著, 二師皆投之, 同遊參訪, 蹤著益高. 又往五臺山, 謁碧峯和尙. 有名士趙氏仲穆[趙雍], 爲書竺源古篆二大字, 以贈師之號也. …"(金石總覽 727面 ; 李智冠 2003년 朝鮮篇1册 66面).

·『宋文憲公全集』 권11, 寂照圓明大禪師壁峰金公設利塔碑銘, "禪師諱寶金, 族姓石氏, 其號爲壁峰, … 至正戊子冬, 順帝遣使者召, 至燕都慰勞甚至, 天竺僧指空久留燕, 相傳能前知, 號爲三百歲, 人敬之如神, 禪師往與叩擊, 空瞪視不答, 及出空歎曰, 此眞有道者也. … ".

104) 1356년(지정16, 공민왕5) 7월 朱元璋이 建康(金陵, 現 南京]에서 諸將의 추대를 받아 吳國公이 되고 江南行中書省을 설치하고 總省事를 兼하였다(『명태조실록』 권4, 丙申, 7월 ; 『경신외사』, 至正16年). 이때 주원장은 大宋皇帝 韓林兒의 部下로서 吳國公에 임명된 것인데, 『명태조실록』을 편찬할 때 윤색된 기사일 것이다.

侍:禮9王太子節日受宮官賀幷會儀轉載].

[某日，王以奇轍等衣服·綵帛，賜[~~宦寺及~~]兩府. 侍中李齊賢，辭以無功，不受:節要轉載].[105)]

庚寅[15日]，王邀王師普愚于內殿，賜黃金五十兩·金線一匹.

辛卯[16日]，加上先代先王·先后尊號.[106)]

[○月食:天文3轉載].[107)]

壬辰[17日]，王如奉恩寺，謁太祖眞殿，卜遷都漢陽□□[~~動靜~~]，王探珓，得靜字.[108)]

[某日，以慶尙道按廉使金達祥，仍番:慶尙道營主題名記].

[某日，命都目去官人，通四書者使赴任，不通者爲校尉·隊正，定爲恒式. 然今注擬日逼，未易遽學四書，姑令畢讀千字文，千字內，能書百字者，許赴任，不能者，年雖久，不許錄用:選擧3選法轉載].[109)]

[某日，都評議使□[司]請，今東·西北面戍卒，二月遞代，軍官則八月遞代，軍官與卒，一時更代，防戍空虛. 宜以二月三月八月九月，爲先後番，以次更戍，其三月遞代，須及上旬，勿令妨農:兵2鎭戍轉載].

癸卯[28日]，更命[門下侍中]李齊賢卜之，得動字，王喜曰，"卿禋祀，得吉卜，實副予心".

○命修中外學校.[110)]

甲辰[29日]，以營南京宮闕，除楊廣道今年屯田□[租]，宥二罪以下.[111)]

---

105) 이 기사는 열전23, 李齊賢에도 수록되어 있는데, ~~添字~~는 이에 의거하였다.

106) 이때 덧붙여진[加上] 尊號는 『고려사』에 반영되어 있지 않다.

107) 이날 일본의 교토에서도 월식이 있었다(日本史料6-21册 170面). 이날은 율리우스력의 1357년 2월 5일이고, 월식 현상이 심했던 때의 世界時는 14시 18분, 食分은 0.87이었다(渡邊敏夫 1979年 485面).

- 『愚管記』제3, 延文 2년 1월, "十六日辛卯, 天陰, 入夜雪降, 子終, 月蝕正見云々".
- 『園太曆』 권29, 延文 2년 1월, "十六日, 天晴, 今日節會, 月蝕復末巳後被行云々. 垂御簾無出御 …".
- 『東寺長者補任』, 延文 1년, "僧正賢季, 正月十六日, 月食御祈, 勤之, 未之時分聊正現云々".
- 『續史愚抄』24, 延文 2년 1월, "十六日辛卯, 月蝕, 聊正見, 蝕御祈, 僧正賢季奉仕. 復末後被行節會".
- 『本朝統曆』 권10, 延文 2년 1월, "十六望, 亥七, 月蝕, 十分弱, 亥一, 子五".

108) ~~添字~~는 『고려사절요』 권26에 의거하였다.

109) 여기에서 都目은 都目政[大政]을 指稱하는 것 같다(朴龍雲 1995년b).

110) 이와 같은 기사가 지28, 選擧2, 學校에도 수록되어 있다.

111) 이 구절에서 租가 탈락되었을 것이다. 이 屯田을 다음의 자료와 같이 麗末鮮初에 설치된 戶給屯田으로 볼 수 있다고 한다(蔡雄錫敎授의 敎示).

乙巳[30日], 命賊臣家財, 平價市賣, 其寶玉屬內庫, 金銀屬戶部, 以支國用. [增補].[112)]

二月[丙午朔小盡,癸卯], 己酉[4日], 命[門下侍中]李齊賢, 相宅于漢陽, 築宮闕. [開城尹致仕尹澤, 上言, "妙淸惑仁廟, 幾至覆國, 厥鑑不遠, 矧今四境有虞, 訓兵養士, 猶懼不給, 興工勞衆, 恐傷本根":節要轉載].[113)]

[→僧普愚, 以讖說王曰, "都漢陽, 則三十六國朝". 王惑其說, 大築漢陽宮闕. [開城尹致仕尹]澤又言, "釋妙淸惑仁廟, 幾至覆國. 厥鑑不遠, 矧今四境有虞, 訓兵養士, 猶懼不給. 興工勞衆, 恐傷本根:"列傳19尹澤轉載].

辛亥[6日], 濟州來降, 獻方物.

壬子[7日], 以彦陽府院君金敬直爲西北面都元帥.

[某日, 以鄭云敬爲中大夫·秘書監·寶文閣直學士, [中散大夫·吏部侍郞·翰林院直學士]李穡爲中大夫·試國子祭酒·翰林直學士兼史館編修官·知製教·知閤門事:追加],[114)] [穡尋爲王府知印:追加].[115)]

[是月, 優婆塞朴龍妻藥加氏,·桓氏等造成聖衆殿香垸:追加].[116)]

· 『태종실록』 권13, 7년 2월, "壬辰[7日], 復命議政府·六曹·臺諫, 議屯田煙戶米便否, 皆以爲不可行, 唯政丞河崙固執以爲便. 屯田法, 官實無田, 春間戶給稻豆種, 至秋倍蓰收之, 其實加賦也, 民皆不悅. 群臣多以爲言, 故令議之".

· 『태종실록』 권17, 9년 1월 辛酉[18日], "戶曹請戶給屯田之種. 啓曰, '今考京外雜穀會計之數, 京中則二十五萬二千六百九十四石, 外方則一百二十二萬九千一百六十三石. 然凶荒之災·軍旅之事, 古今所慮, 上項積貯, 誠難備急. 乞以外方民戶, 第其大中小戶, 戶給屯田種子. 大戶三斗, 所出十五斗. 中戶二斗, 所出十斗. 小戶一斗, 所出五斗. 殘戶二三竝給一斗, 所出五斗. 勿論雜穀, 待秋收斂'. … 從之".

112) 이때 吏部侍郞兼兵部郞中으로 人事行政[銓注]을 맡고 있던 李穡의 詩文에 의하면, 密直·鷹揚軍上將軍 鄭世雲이 知都僉議司事 金鏞과 함께 近侍로서 세력을 장악하고 있었던 것 같다.

· 『목은시고』 권4, 自歎[注, 丁酉正月], "… 益齋[李齊賢]藻鑑誰能遁, 坐見鷹揚聽指揮, … [注, 指鄭世雲]".

113) 이와 같은 내용이 「尹澤墓誌銘」에도 수록되어 있다.

114) 이는 『삼봉집』 권4, 鄭云敬行狀 ; 『목은집』 연보에 의거하였다.

115) 이는 『목은집』, 李穡行狀에 의거하였다. 王府知印은 大元蒙古國에 의해 征東行省丞相을 兼職한 高麗國王府였지만, 1330년(충혜왕 즉위년) 2월 27일 궁궐에 설치된 知印房(政房의 別稱)을 가리키는 것 같다.

116) 이는 日本에 所藏되어 있는 聖衆殿 靑銅香垸의 銘文에 의거하였다(文明大 1994년 3책 287面).

· 銘文, "聖衆殿香垸,施主朴龍妻藥加氏,桓氏,同願」 朴椿石譜那斤乃溫,大元李氏得龍萬月,」 鄭母鳳曠通,都赤朴氏,安氏,彦佛守德夫伊,」 李彦御伊夫金加,至正十七年二月□□□□□」".

[○優婆塞金貯·德雲寺僧志禪等開板'金剛般若波羅密經'於全州:追加].[117]

三月乙亥朔大盡,甲辰, 辛卯17日, 以西北面都元帥金敬直△爲守司徒·上柱國·彥陽伯, 車蒲溫爲東京留守, 李安爲南京留守, 崔仁遠爲右僕射, 工部尙書申靑爲樞密院副使.[118]

[某日, 遣韓公義如元, 賀聖節:追加].[119]

[是月, 御史大夫申君平, □□□□□掌國子監試, 取李竴等九十八人:選擧2國子試額轉載].[120]

[○大元蒙古國資正院使姜金剛吉思與僧玉田達蘊開板'人天眼目', 於京師高麗大聖壽慶禪寺:追加].[121]

[□□是時, 奇轍等誅, 敬王大夫人李氏以憂病. 時國家遣將西北以備元, 春秋貢獻, 羈縻而已, 故音問頗阻. 皇太子遣姜金剛吉思迎李氏, 李氏固辭, 使者三返. 太子遣詹事院僉丞保童, 餽衣酒, 金剛吉思因留奉養. 李氏卒, 官備葬事, 賻米二百碩·布二千五百匹:列傳44奇轍轉載].

[○紅巾賊帥毛貴攻破膠·萊等諸州, 山東郡邑皆陷:追加].[122]

---

117) 이는 『金剛般若波羅密經』末尾의 刊記에 의거하였다(南權熙 2002년 面).

- 刊記, "此經,」我海東人雖讀誦」者多,解意理者寡.海東」全州優婆塞金貯, 偶得」此本,欲廣示無窮,以德」雲寺沙門志禪幹玆事,」請刻手省珠·法宏等彫」板傳示無窮,福利邦家,」利益生亡, 其功德小」補哉.」至正十七年丁酉二月日刊,」全州開板」".

118) 이때 雞林府가 東京留守府로 개편되었던 것 같고, 留守 車蒲溫은 推誠佐理功臣·金紫光祿大夫로서 이해[是年]의 5월에 부임하여 다음 해(戊戌) 5월 29일 上京하였다(『동도역세제자기』). 또 신청은 工部尙書를 거쳐 추밀원부사에 이르렀다고 한다(열전37, 申靑, "… 官累工部尙書·樞密院副使").

119) 이는 「韓公義墓誌銘」(『목은문고』 권16)에 의거하였다(鄭東薰 2016년b).

120) 이때 姜蓍가 國子監試[成均試]에 합격하였다고 한다(『양촌집』 권39, 姜蓍墓誌銘).

121) 이 책은 高麗 출신의 資德大夫·資正院使 姜金剛이 大都에 위치한 高麗大聖慶壽禪寺에서 板本을 마련하고 高麗僧인 松月閑人 玉田達蘊이 印行한 것이다. 이를 高麗版本이라고 본 견해도 있으나(岩井大慧 1961年·椎名宏雄 1985年), 이것이 大都의 高麗大聖慶壽禪寺에서 간행된 사실을 알지 못했기 때문이다(張東翼 2004년 723面). 또 이를 1565년(명종20)에 復刻한 版本도 있었던 것 같다(京都大學文學部 1959年 140面).

- 『人天眼目』跋, "比丘若川若州 對讀,」荊芩玉泉住山鍾山苾蒭別 廣鑄 百拜,」資德大夫·資正使姜公金剛, 卒率衆重板留」京師高麗大聖壽慶禪寺慶壽禪寺,」至正十七年丁酉三月 松月閑人玉田誌"(東洋文庫所藏本).
- 『人天眼目』跋, "위와 같음". "嘉靖八年乙丑曹溪山松廣寺留板".

122) 이는 다음의 자료에 의거하였다.

- 『昭代典則』 권2, 丁酉(지정17, 공민왕6), "韓林兒將毛貴攻破膠·萊諸州, 山東郡邑皆陷".

夏四月乙巳朔大盡,乙巳，丙辰12日，賜廉興邦等及第.[123)]

辛酉17日，慮囚.

[某日，以秘書監鄭云敬爲江陵道存撫使兼朔方道採訪使:追加].[124)]

五月乙亥朔小盡,丙午，丁丑3日，雨雹.[125)]

乙酉11日，門下侍中李齊賢上箋請老，遂[以本職:追加]致仕.

[→門下侍中李齊賢，乞以本職致仕，從之:列傳23李齊賢轉載].

戊子14日，倭寇喬桐，京城戒嚴.

○王命寫無逸篇，賜宰相，命~~前開城尹致仕~~尹澤進講.[126)] [澤，因陳周公輔成王之勞，乃言曰，"願殿下，法成王，能聽周公之訓，嚴恭抑畏，社稷之福". 王爲改容. 後，澤以大學衍義及本朝崔承老，上成宗書，乞進講. 時王深信釋敎，超然有物外之想. 澤曰，"殿下上奉宗廟，下保生靈，奈何欲效匹夫，廢絶倫理之事. 如聽臣言，非孔子之道則不可，願加聖意". 近臣，又有議進鄉樂于元，澤上疏曰，"世皇，已嘗却之，今復進恐取譏"，又以節用上言. 王深納之:節要轉載].[127)]

---

123) 이와 관련된 기사로 다음이 있다. 이때 廉興邦·成石璘·閔霽·李舒·尹東明(尹氏墳廟記)·鄭暉·許錦·趙云仡·洪敏求·崔彪(崔彦父) 등이 급제하였다(『등과록』; 『전조과거사적』, 朴龍雲 1990년; 許興植 2005년).

· 지27, 선거1, 科目1, 選場, "恭愍六年四月，政堂文學李仁復知貢擧，簽書樞密院事金希祖同知貢擧，取進士，丙辰，賜廉興邦等三十三人及第".

· 『목은시고』 권24, 至正癸巳四月，… 丁酉科，李樵隱仁復·金思亭希祖典貢擧，李略設□燕，金亦如之，但日數多耳. ….

· 『목은문고』 권5, 跣齋記，仁山崔彦父崔彪，新作室于王殿洞之東峰，… 然丁酉決科以來，今二十二年矣，由掌書記，補三館員，累轉只今摠郎禮儀司，階奉常□□大夫，未嘗一日去職.

· 「李仁復墓誌銘」, "歲丁酉監修國史，知貢擧取今政堂文學廉興邦等三十三人，時稱得士".

· 열전21, 閔宗儒, 霽, "恭愍朝，年十九，登第".

· 열전25, 趙云仡, "恭愍六年登第，調安東書記".

· 『태종실록』 권8, 4년 12월 壬申5日, 趙云仡卒記, 自撰墓誌銘, "恭愍王代，興安君李仁復門下，登科".

· 『세종실록』 권19, 5년 1월 甲午12日, 成石璘의 卒記, "恭愍王六年丁酉，登第，年二十，初授國子學諭".

· 『獨谷集』行狀, "丁酉夏，政堂文學李仁復掌試，公登第，是年秋，拜國子直學".

124) 이는 『삼봉집』 권4, 鄭云敬行狀에 의거하였다

· 열전34, 鄭云敬, "召拜兵部侍郎，存撫江陵·朔方".

· 『삼봉집』 권2, 送偰副令按江陵[注，按公之大人提學公鄭云敬，恭愍丁酉，存撫江陵，多遺愛].

125) 이와 같은 기사가 지7, 五行1, 水, 雨雹에도 수록되어 있다.

126) ~~添字~~는 『동문선』 권69, 尹氏墳廟記(白文寶 撰)에 의거하였다.

[某日，前典理判書許邕卒於丹城縣:追加].[128)]

六月甲辰朔[大盡,丁未]，日食.[129)]

○以[前領都僉議司事]蔡河中與[前萬戶]全贊謀逆，並繫獄鞫之．贊逃，河中誣服自縊，斬于市．

[→僧達禪，自蔡河中流所，訪全贊曰，"蔡相，欲與公謀大事"．語泄，繫□[達]禪巡軍按問，贊逃，逮捕河中，命[政堂文學兼御史大夫]李仁復等鞫之，栲掠累旬，河中，誣服自縊，斬于市．仁復嘆曰，"知人無辜，不能申理，而獄成，吾其無後乎?":節要轉載].[130)]

[→僧達禪自河中所訪全贊曰，"蔡相欲與公謀大事．"語泄，繫達禪及贊于巡軍按問，逮捕河中與其壻上將軍洪尙載及判事盧成,[131)] 按廉□[使]全祐祥，判三司事康允成~~康允忠~~，判官康允暉，淸州牧使鄭珚，命李仁復等鞫之．栲掠累旬，河中誣服自縊，斬于市．仁復嘆曰，"知人無辜，不能申理，而獄成，吾其無後乎":列傳38蔡河中轉載].

己巳[26日]，元告以撒思監爲右丞相，太平爲左丞相.[132)]

---

127) 이와 같은 내용이 「尹澤墓誌銘」; 열전19, 尹諧, 澤에도 수록되어 있다.

128) 이는 「許邕妻李氏墓誌銘」에 의거하였다.

129) 이날 『원사』에서는 일식이 기록되어 있지 않고(권45, 본기45, 順帝8, 至正 17년 6월 甲辰), 일본의 京都에서도 일식에 관한 기록은 찾아지지 않았던 것 같다(日本史料6-21冊 296面). 이날은 율리우스曆의 1357년 6월 18일인데, 이때 일식이 일어나지 않았던 것으로 추측된다(渡邊敏夫 1979年 312面).

130) 1449년(세종31) 2월 22일 『고려사』의 편찬과정에서 世宗이 吏曹에 내린 傳旨 가운데 蔡河中의 母親이 龍崗의 官婢出身으로 기록되어 있으나 外祖母(蔡洪哲의 丈母, 金方慶의 小室)의 잘못이다.

- 열전21, 蔡洪哲, "初, 金方慶鎭北界, 悅龍岡官婢, 生一女, 洪哲娶之, 生河中·河老".
- 『세종실록』 권123, 31년 2월, "癸酉[22日], 傳旨吏曹, 前者高麗史失於疎略, 命權踶等改撰, 今觀其書, 踶任情減削, 或聽人請囑, 或自己干係緊關節目, 皆沒其實. 安止與踶同心贊成, 汎濫莫甚. 其追奪踶告身及諡, 亦奪止告身, 永不敍用. 郞廳南秀文專掌史事, 阿附堂上, 其罪亦同, 幷追奪告身. 踶删潤舊史頗詳, 然蔡河中之母, 龍崗官婢也. 史官悉書其事, 尹淮亦紀之, 踶亦載初藁, 聽崔士康之請而終削之. … 初, 上知踶等筆削不公, 召止詰之, 又召其時史官李先齊·鄭昌孫·辛碩祖問之. 魚孝瞻言於金宗瑞·鄭麟趾曰, 歲庚申[世宗22年], 與南秀文同修史, 問曰, 蔡河中之事, 何以墨抹. 秀文曰, 豈我所能爲耶. 祇從堂上命耳. 吾卽從本草書之, 但異其筆跡, 不令人知吾書也. 宗瑞等卽令入啓, 乃召宗瑞·麟趾議之. 且留孝瞻以問, 自酉至亥而罷, 乃有是命. 秀文淹通經史, 爲文有古氣, 初欲倣司馬遷撰史, 爲衆論所抑, 不果. 踶所撰史, 秀文筆居多, 然性褊剛, 史事多自專, 輩流心忌之. 止亦惡秀文專, 嘗於坐中罵辱之".

131) 盧成의 前職은 1349년(충정왕1) 10월 무렵 功臣都監이 左右衛保勝中郎將 宋允庶에게 발급하였다는 功臣錄券(抄錄)에 의거하면 判小府寺事였던 것 같다(南權熙 2002년 411面).

132) 몽골제국이 撒思監(搠思監, Jochigen)과 太平[Taiping]을 임명하고 天下에 詔書를 내린 것은 5월 22일(丙申)이었다(『원사』 권45, 본기45, 順帝8, 至正 17년 5월 丙申).

[某日，以刑部郞中李由信爲慶尙道按廉使:慶尙道營主題名記].[133]

[是月，全州優婆塞金貯與德雲寺沙門志禪開板'摩訶般若波羅蜜多心經':追加].[134]

秋七月甲戌朔小盡,戊申，乙亥2日，江浙省丞相周誠王張士誠遣理問實刺不花實刺不花來，獻土物.[135]

甲午21日，門下侍中致仕李凌幹卒,[136] [官庀事以葬:列傳23李凌幹轉載]. [忠宣王，嘗以所幸二姬，賜凌幹及白文擧，凌幹，置姬別室，莫敢犯. 又從忠宣在元，爲盤纏別監，同事者皆致富，凌幹，獨淸苦自勵，冬月，破衫單袴，不私一錢. 及王竄吐蕃，凌幹懷金，潛附驛吏獻王，王及從臣，賴以不乏. 忠宣□王薨，奉柩東歸，號呼跋涉，勤苦備至:節要轉載].

○獲前萬戶全贊，斬之.

己亥26日，前平章事前中書侍郞同中書門下平章事許伯卒.[137]

[○月犯井星:天文3轉載].

[某日，以中大夫·試國子祭酒李穡爲大中大夫·右諫議大夫·翰林直學士兼史館編修官·知製敎，兵部侍郞·翰林待制韓脩爲翰林直學士，新進士成石璘爲國子學諭:追加].[138]

壬寅29日晦，濟州星主來，獻馬，賜盖·紅鞓·米三十石.

[是月，翰林院言，"前者，[私學十二徒:追加]，夏課之終，必使知制誥，爲試員，

---

133) 李由信의 京職은 그의 父 李挺의 神道碑에 의거하였다(『양촌집』 권38, 李挺神道碑銘並序).

134) 이는 다음의 자료에 의거하였다(삼성출판박물관 소장, 보물 제877호, 호암갤러리 1993년 167面 ; 郭丞勳 2021년 431面).
· 『摩訶般若波羅蜜多心經』, 권말간기, "此經，我海東人雖讀誦」 多,解意理者寡,海東」 全州優婆塞金貯偶得」 此本,欲廣示無窮,以德雲寺沙門志禪幹玆事,」 請刻手省珠·法宏等彫」 判傳示無窮,福利邦家,」 利益生望,其功德豈小,」 補哉.」 至正十七年丁酉六月日間,」 全州開板」 ".

135) 周의 誠王 張士誠이 1356년(지정16) 후반기 이래 吳國公 朱元璋의 공격을 받아 쇠퇴하게 되어 是年(1357년, 지정17) 8월 몽골제국에 降服하여 太尉에 임명되었고, 그의 隷下는 다시 몽골제국의 官員으로 복귀하였다(『원사』 권45, 본기45, 순제8, 지정 17년 8월 ; 『吳王張士誠載記』). 또 이때 江浙行省의 治所는 杭州였고, 左丞相은 達識帖木兒(達識帖睦邇, Tas Temur)이었지만, 위의 기사와 같이 張士誠이 丞相을 稱하며 고려에 사신을 파견하였던 것 같다. 이후 장사성은 王을 稱하지 않았지만 중앙에서 파견한 官員을 제압하고 杭州를 장악하였으며, 每年 10萬石 以上을 海路로 大都에 運送하면서 驕慢하게 王號를 요청하였지만 받아들여지지 않았다.

136) 이날은 율리우스曆으로 1357년 8월 7일(그레고리曆 8월 15일)에 해당한다.

137) 이날은 율리우스曆으로 8월 15일(그레고리曆 8월 23일)에 해당한다.

138) 이는 다음의 자료에 의거하였는데, 이해의 權務政(小政)은 7월에 집행되었던 것 같다.
· 『양촌집』 권40, 李穡行狀 ; 『목은집』연보 ; 「韓脩墓誌銘」 ; 『세종실록』 권19, 5년 1월 甲午12日, 成石璘의 卒記 ; 『獨谷集』行狀(後二者는 是年 4월 12일의 脚注).

以考諸生能否，近來廢不行，請復之”:選擧2私學轉載].

八月癸卯朔[大盡,己酉]， 以檢校大護軍崔龍角， 私役全州良民七十餘戶， 奪人土田，肆行侵漁，籍其家，充戍卒.

甲辰[2日]， 以辭連蔡河中， 杖流全祐祥·辛貴·趙暉·趙萬通·洪開道·李稱·鄭珦·康贊·洪尙載.

[→杖配[鄭]珦·[全]祐祥·[洪]尙載·辛貴·趙暉·趙萬通·洪開道·李稱·康贊于諸道烽卒. [僧]達禪自死. 薛玄固·鄭光祖，皆河中同母姊妹之壻，珦光祖子也. 玄固子曣·師德:列傳38蔡河中轉載].

[乙巳[3日]，流星出昴，入參:天文3轉載].

[乙卯[13日]，月與歲星同舍:天文3轉載].

丁巳[15日]，以金得培爲西北面紅頭軍·倭賊防禦都指揮使.

戊午[16日]，以大將軍崔瑩爲東北面體覆使，以吏部尙書洪有龜爲東北面兵馬使.[139]

○都堂呈[征東]行省書曰，“照得雙城·三撒等處，元是本國地面，北至伊板□[嶺]爲界. 在先，因失關防，致被女眞人衆盡殺州縣官吏，就得地土人民，擅自稱爲採金戶計，及將和州，更名雙城，設置摠管府千戶所，其子孫又行召誘本國避役民吏，幷官私逃驅，影占私役，無有紀極. 近有奇轍·盧頙·權謙等，密與本處頭目交結，私置亦里干[伊里干]，多引本國犯罪之人，萃於淵藪，及其謀逆，約爲聲援，賊臣旣敗之後，其支黨等，多有潛藏，以此差令根捉，彼乃用兵相拒，致有殺傷，自知犯法，便行逃散. 其地本是險阻深僻，以致本國負罪亡命之徒，往往越境閃藏，卽與愚民，交構生事. 若於伊板□[嶺]隘口，設置關防，以謹出入，庶無後患. 雙城等處，年例，辦納金子等物，本國自委廉幹人員，臨督採納. 恐趙小生·卓都卿，指以採金爲由，妄捏虛事，赴告遼陽行省，玆起訟端，深繫利害. 宜從省府，轉咨遼陽行省，照詳施行”.

[庚申[18日]，月犯婁. 鎭星犯魁:天文3轉載].

[辛酉[19日]，月犯胃. 鎭星犯魁:天文3轉載].

[某日，命[門下侍中致仕]李齊賢，定宗廟昭穆之次. 齊賢，上議曰，“謹按宗廟之制，天子七廟，諸侯五廟，太祖，百世不遷，太祖而下，父爲昭，居左，子爲穆，居右，昭穆左右，則百世亦不變. 故春秋左氏傳，有太王之昭，王季之穆，文之昭，武之穆之文.[140] 而尙書，謂文王曰穆考，謂武王曰昭考.[141] 是其昭穆不變之明證也. 其兄弟

139) 열전26, 崔瑩에는 “[恭愍]六年，出爲西海·平壤·泥城·江界體覆使”로 되어 있다.

相代者，春秋公羊傳，以爲昭穆同班[142]．大宋祫享位次圖，太祖與太宗，哲宗與徽宗，欽宗與高宗，各位一世，[143] 是則兄弟同班之法也．二十二陵，盖自江都，去水而陸，倉卒所置，其制，一堂五室，而二十二陵神主，一行而列，所宜拓而廣之，釐而正之．然而不可造次而就，未就之間，四時之事，無所於享．且於五室，略依東漢以來，同堂異室之制，其二十二神主，一一各爲一房，以別之．太祖·惠宗·顯宗，在太廟不遷，則太祖之昭，定·光·戴，安於此，無先之者，居中室，而以西爲上．光宗之穆景宗，戴宗之穆成宗，爲從兄弟，居西第一室之第一房·第二房．成宗之昭穆宗，顯宗之昭德·靖·文，居東第一室之第一·第二·第三·第四房，亦從兄弟也．文宗之穆順·宣·肅，居西第一室之第三·第四·第五房，宣宗之昭獻宗，肅宗之昭睿宗，爲從兄弟，居東第五·第六房．睿宗之穆，仁宗，居西第六房，仁宗之昭毅·明·神，居東第七·第八·第九房．神宗之穆熙宗，明宗之穆康宗，亦爲從兄弟，居西第七·第八房．康宗之昭，高宗，居東第十房，合於左昭右穆·兄弟同班之義．若夫五室，拓而廣之，昭穆，釐而正之，則乞下中書，令禮官博士，博議，詳定施行”:禮3吉禮大祀·節要轉載].

[是月，紅巾賊帥劉福通分軍三道，關先生[關鐸]·破頭潘[潘誠]·馮長舅·沙劉二·王士誠

140) 이 구절은 다음의 자료와 관련이 있는 것 같다. 이때 李齊賢이 a의 句節을 引用한 것이 아니라 朱熹의 c를 인용하였을 것이다.

- a 『춘추좌씨전』傳, 僖公 5년 秋, “公曰, 晋吾宗也. 豈害我哉. 對曰, 太伯·虞仲, 太王之昭也, 太伯不從, 是以不嗣. 虢仲·虢叔, 王季之穆也, 爲文王卿士, 勳在王室, 藏於盟府, 將虢是滅, 何愛於虞, 且虞能親於桓·莊乎, …”.
- 『晦庵先生朱文公文集』 권69, 禘祫議, 引用省略.

  b “而左氏傳曰, 太伯·虞仲, 太王之昭也, 虢仲·虢叔[虢叔], 王季之穆也, 又曰管蔡魯衛, 文之昭也, 耶晋應韓, 武之穆也”. 이에서 虢叔은 虢叔의 오자이다.

  c “… 傳所謂太王之昭, 王季之穆, 文之昭, 武之穆, 是也”.
- d 『黃氏日鈔』 권35, 讀本朝諸儒理學書, 晦庵先生文集2, “… 傳所謂太王之昭, 王季之穆, 文之昭, 武之穆, 是也”.

141) 이 구절은 『尙書』에 있는 것이 아니라 다음의 자료를 인용한 것으로 추측된다.

- 『四書說約』 권2, 中庸1, 19章, “… 以周言之書, 於文王曰穆考文王, 詩於武王曰率見昭考, 父穆則子昭, 父昭則子穆也, 子孫亦以爲序祭統, 所謂昭與昭齒, 穆與穆齒是也”.

142) 이 구절은 다음의 자료를 인용한 것 같다.

- 『春秋左傳正義』 권8, 附釋音春秋左傳注疏권18, 文公, “… 其兄弟相代, 則昭穆同班, 根據春秋以來, 惠公與莊公, 當同南面西上, …”.

143) 이 구절은 「大宋祫享位次圖」에는 찾아지지 않고, 다음의 자료에서 같은 내용이 찾아진다.

- 『圖書編』 권78, 唐虞夏商周世系, “按宋朝舊制, 以夫子爲世, 兄弟同世, 如太祖與太宗, 哲宗與徽宗, 欽宗與高宗, 皆以兄弟同位異座, …”.

寇晋·冀，白不信·大刀敖·李喜喜趨關中，毛貴據山東，其勢大振:追加].[144)]

九月[癸酉朔小盡,庚戌]，[乙亥[3日]，大風:五行3轉載].[145)]

丙子[4日]，□[前]政堂文學安輔卒,[146)] [年五十六，謚文敬．□[輔]，性剛直廉潔，喜讀史·漢，爲文章，去華取實，達而已矣．臨事務遵大體，略不依違顧望．且不事生產，及歿家無擔石之儲．無子:列傳22安輔轉載].

○遣塩鐵別監于諸道． [左諫議[右諫議大夫]李穡·起居舍人田祿生·右司諫李寶林·左司諫鄭樞等上書，以爲不可遣．王召宰相·臺省，問鹽鐵利害，穡·寶林稱疾，祿生·樞，固執前議，左諫議□□[大夫]南兢，與同列素不相能，獨曰，“遣之便”，王從之:節要轉載].[147)]

[→分遣諸道鐵別監，右諫議□□[大夫]李穡，起居舍人田祿生，右司諫李寶林，左司諫鄭樞等上書，論塩鐵別監之弊曰，“今特遣別監，以塩鐵爲名，民聽必駭．下一新令，吏緣爲奸，弊生百端，別監必欲多得稅布，因而要寵，民不受塩，無異平日，納布之苦，今益甚矣．若令存撫·按廉行之，民以爲常，不至驚駭，持以歲持以歲月，課其功緖，民不敢違，必有成効，况永陵[忠惠王]之時，凡所聚歛[斂]，無所不爲，獨於塩鐵別監，一試之，而不復議，况今一遵祖宗之法，以清明爲治，而議及於此，恐爲盛代之累”．王召宰相·臺省，問塩鐵利害．穡·寶林稱疾，祿生·樞，固執前議．左諫議□□[大夫]南兢，與同列，素不相能，獨曰，“遣之便”．左侍中廉悌臣亦言，“塩鐵使業已定矣，不可改也”，王從之:食貨2塩法轉載].

[某日，召兩府曰，“聞卿等，皆畜鷹然乎?”．侍中廉悌臣，對曰，“臣素不好，且未聞兩府有畜之者”．王怒曰，“今四方兵起，民生甚艱，予甚憫焉．卿等，何不憂國，

---

144) 이는 다음의 자료에 의거하였다.

· 『昭代典則』 권2, 丁酉(至正17) 8월, “紅巾賊帥劉福通分軍三道，關先生[關鐸]·破頭潘[潘誠]·馮長舅·沙劉二·王士誠寇晋·冀，白不信·大刀敖·李喜喜趨關中，毛貴據山東，其勢大振”. 여기에서 關先生은 關鐸의, 破頭潘은 潘誠의 別名이다.

145) 일본에서는 8월 3일 關東에서 大風이 있었다고 하는데(中央氣象臺 1941年 3册 2面), 여기에서 正平 12년은 南朝의 年號로서 北朝의 延文 2년에 해당한다.

· 『伊勢記』, 正平 12년 8월 3일, “關東大風，諸寺諸山，鎌倉中破損す”[筆者未見].

146) 이날은 율리우스曆으로 1357년 9월 18일(그레고리曆 9월 26일)에 해당한다.

147) 李穡은 이해[是年]의 7월 某日 右諫議大夫에 임명되었다. 또 이 기사는 열전25, 田祿生에 축약되어 수록되어 있다

· “恭愍朝，授起居舍人，與諫議[右諫議大夫]李穡·司諫李寶林·鄭樞等上書，論鹽鐵別監之弊．王召臺諫·宰相，問利害，穡·寶林稱疾，祿生·樞，固執前議不變”.

而縱鷹犬踐禾穀乎?":節要轉載].

[→同知樞密院事黃裳, 陞知樞密院事. 王嘗召兩府曰, "聞卿等, 皆畜鷹犬, 然乎?". 侍中廉悌臣對曰, "臣素不好, 且未聞兩府有畜之者". 王怒曰, "今四方兵起, 民生甚艱, 卿等何不憂國, 而縱犬鷹蹂禾稼乎?".[148] 裳·慶千興·元顗, 皆好鷹犬故慚赧:列傳27黃裳轉載].[149]

[己卯7日, 亦如之大風:五行3轉載].

庚辰8日, 放囚.

[辛巳9日, 鵩集□于演福寺:五行1轉載].[150]

丙戌14日, [寒露]. 王觀射于東門外.

[戊子16日, 大風, 拔木飛瓦, 凡二日:五行3轉載].

庚寅18日, 以濟州牧使林熙載兼安撫使.[151]

[甲午22日, 鵩鳴:五行1轉載].

[乙未23日, 月犯輿鬼:天文3轉載].

戊戌26日, 倭入昇天府興天寺, 取忠宣王及韓國公主眞而去.[152]

[某日, 頒祿, 時因倭寇, 漕運不通, 九品祿科, 不給:食貨3祿俸轉載].[153]

[是月頃, 以黃善光爲永州副使:追加].[154]

閏[九]月壬寅朔小盡,庚戌, 乙巳4日, 命政堂文學李仁復編修'古今錄'.

---

148) 乎는 延世大學本에서 子로 되어 있으나 誤字일 것이다.

149) 黃裳은 1356년(공민왕5) 7월 4일 樞密副使[密直副使]에서 同知樞密院事로, 1358년(공민왕7) 2월 28일 知樞密院事에서 樞密院使로 각각 승진하였던 것 같다.

150) 이날은 重陽節[重九, 九九]이라는 名節인데, 庶民들은 天祭·祖上祭에 設行하기도 하고, 높은 곳에 올라가 가을의 景致[秋景]를 살피는 풍습이 있어 登高로도 불린다. 이날 右諫議大夫 李穡은 친근한 同僚들을 초청하여 漢陽府 龍山에 가려고 하였다(『목은시고』 권4, 用中秋韻, 邀諸公九日之會).

151) 이 시기에 林熙載의 妻男인 崔濡(崔安道의 長子)는 몽골제국의 中尙監丞(정5품), 將作院同知(정3품)를 歷任하고 있었던 것 같다(열전44, 崔濡).

152) 『목은시고』 권4, 九月十六日入直復用前韻, 是夜倭賊犯興天寺에는 9월 16일로 되어 있으나 26일의 오류일 것이다. 또 이때 이 倭賊이 興天寺에 봉안된 忠宣王과 韓國公主(忠宣王妃, 薊國大長公主)의 眞影을 취해 갈 때 淑妃가 造成했던 水月觀音圖를 함께 훔쳐간 것으로 추측된다(李領 2008년).

153) 고려시대의 頒祿은 일반적으로 7월 7일에 시행되었다고 한다(지34, 食貨3, 祿俸, 우왕 7년 8월, "舊制, 頒祿, 必以七月七日").

154) 이는 『영천선생안』에 의거하였다.

○大雨雹.

[→大雨雹, 大風拔木:五行1雨雹轉載].

[○月犯南斗:天文3轉載].

戊申[7日], 司天少監于必興上書言, “玉龍記云, 我國始于白頭, 終于智異, 其勢, 水根木幹之地. 以黑爲父母, 以靑爲身, 若風俗順土則昌, 逆土則災. 風俗者, 君臣衣服·冠蓋·樂調·禮器是也, 自今文武百官, 黑衣靑笠, 僧服, 黑巾大冠, 女服黑羅, 又於諸山, 裁松茂密, 凡器用鍮銅瓦器, 以順土風”, 從之.[155]

丙辰[15日], 地大震, [疾風雷雨:五行3轉載].[156]

丁巳[16日], [立冬]. 遣判閣門事[~~判閣門事~~]楊伯顔[~~楊伯淵~~]如元, 賀皇后千秋節.[157]

戊午[17日], 以地震, 宥二罪以下.[158]

壬戌[21日], 遣上將軍李云牧·將軍李蒙古大, 追捕倭寇.

[○亦如之[月犯南斗]:天文3轉載].

[○狸入延慶宮苑內:五行2轉載].

癸亥[22日], 加上忠烈·忠宣·忠肅·忠惠·忠穆尊號.[159]

[○木稼:五行2轉載].

乙丑[24日], 倭侵喬桐, [上將軍]李云牧·[將軍]李蒙古大, 㤼懦不戰, 繫巡軍.

[→倭寇喬桐, [上將軍李]云牧與將軍李蒙古大追捕, 坐怯懦不戰, 繫巡軍. 云牧詭曰, “若不殲賊, 請受顯戮”. 乃復遣之, 齎糧四千餘石以行. 議者料其無成, 果未獲一級:列傳27李承老轉載].[160]

丁卯[26日], 召臺諫·百司, 問民閒利害.

[庚午[29日晦], 日珥:天文1轉載], [仍雨:追加].[161]

[○狸入闕內而死:五行2轉載].

---

155) 이와 같은 기사가 지26, 輿服, 官服通制에 수록되어 있으나 字句에 출입이 있다.

156) 이때 일본의 교토에서 4일 以前인 11일(壬子, 日本曆의 9월)에 지진이 있었던 것 같다.
・『續史愚抄』24, 延文 2년 9월, “十一日壬子, … 戌刻地動”.

157) 楊伯顔은 楊伯淵의 오자일 것인데(→공민왕 8년 7월 某日), 이후 몇 차례 같은 樣相이 찾아진다.

158) 이때 『고려사절요』 권26에는 “丙辰, 地大震, 赦”로 되어 있으나 “丙辰[15日], 地大震, 戊午[17日], 赦”로 고쳐야 옳게 될 것이다.

159) 이때 忠肅王에게 尊謚된 謚册文이 『동문선』 권29, 忠肅王室加上尊謚册文이다.

160) 李云牧에 대한 기사는 그의 형인 李承老의 열전에 수록되어 있는데, 題目을 열전27, 李承老, 云牧으로 고쳐야 할 필요성이 있다.

161) 이는 『목은시고』 권4, 晦日聞雨에 의거하였다.

[是月庚戌[9日], 右諫議大夫李穡邀諸公閏重九之會, 問討倭諸將事:追加].[162]

[是月, 優婆塞崔迪, 僧一莊等寫成'橡紙金字大方廣圓覺修多羅了義經':追加].[163]

[是月頃, 以崔雄飛爲東京留守府司錄兼參軍事:追加].[164]

冬十月[辛未朔大盡,辛亥], [戊寅[8日], 雷電, 紫氣見于北方:五行1轉載].

辛巳[11日], 諫官~~右諫議大夫~~李穡等, 請行三年喪, 從之.[165]

[壬午[12日], 木稼:五行2轉載].

丁酉[27日], 遣判開城府事孫登·開城尹高用賢如元, 賀正.

庚子[30日], 遣刑部尙書李嶠如元, 賀皇太子千秋節.

○閱兵于毬庭.

○東北面大飢.[166]

十一月[辛丑朔小盡,壬子], [甲寅[14日], 八關大會. 凡八關大會, 以十一月十五日, 爲之, 今以十四日, 爲大會者, 以司天臺言, 子卯不樂, 故也:禮11仲冬八關會儀轉載].[167]

---

162) 이는 다음의 자료에 의거하였는데, 이때 李穡은 休假 중이었다(在告, 請告→성종 14년 4월 1일의 각주).

· 『목은시고』 권4, 閏月邀閏重九之會, "官況仍將野趣長, 詩壇酒席幾中洋. 無心更落牛山淚, 且問將軍戰馬場".

· 『資治通鑑』 권241, 唐紀57, 憲宗元和 14년 7월 辛卯[15日], "… 明日, 常侍與監軍副使有宴, 軍將皆在告, 直兵多休息[胡三省注, 在告, 謂休假在私室也]".

163) 이는 『橡紙金泥大方廣圓覺修多羅了義經』卷下(圓覺經), 題記에 의거하였는데(보물 제753호, 湖林博物館 所藏, 호암갤러리 1993년 167面 ; 藤本眞帆 2003年 ; 張忠植 2007년 225面), 添字와 같이 고쳐야 옳게 될 것이다..

· 題記,"將此成功德圓滿,上報」 佛祖之恩,下濟三途之苦,」 端爲[特爲]」 祝延」 當今主上壽萬歲,」 公主」 王后壽齊年,十方檀信增福壽,風調雨順,」 國泰民安,」 佛日增輝,法輪常轉者.」 至正丁酉閏九月 日誌,」 持經主 戒桁,」 施主 崔迪, 一莊,」 同願 金清, 戒心,」 同願事寫 □□□□」 ".

164) 이는 『동도역세제자기』에 의거하였다.

165) 이 기사는 지18, 禮6, 五服制度에도 수록되어 있다.

166) 이해에 中原에서는 河南地域에서 크게 饑饉이 있었다고 한다.

· 『원사』 권45, 본기45, 순제8, 지정 17년 是歲, "河南大饑".

· 『원사』 권51, 지3하, 오행2, 稼穡不成, "至正十七年六月, 莒州蒙陰縣大疫".

167) '子卯不樂(子日과 卯日은 音樂을 演奏하지 않는다)'은 다음의 자료에서 유래하였던 것 같다. 是年 是月의 14日은 甲寅이고, 15일은 乙卯이므로 拘忌에 해당한 것 같다.

· 『예기』 권3, 檀弓下第4, "[杜蕢]曰, 子卯不樂[鄭氏注, 紂以甲子死, 桀以乙卯亡, 王者謂之疾日, 不以擧樂爲吉事, 所以自戒懼], 知悼子在堂, 斯其爲子卯也大矣, 曠也大師也, 不以詔, 是以飮

[丙辰[16日], 暖如三月:五行1恒澳轉載].

[丁巳[17日], 小寒. 大霧:五行3轉載].

庚申[20日], 以樞密院直學士金得培爲西北面都巡問使兼西京尹·上萬戶, 前戶部尙書金元鳳爲西北面紅頭軍·倭賊防禦指揮□[使]兼副萬戶.

十二月[庚午朔大盡,癸丑], 丙子[7日], 復歸銓選于吏·兵部.[168)]

癸未[14日], 敎曰, "人命至重, 絶不復續, 聞獄官多不詳刑, 以致寃死. 自今, 有枉刑者, 都評議使司·御史臺, 申聞糾理".

[→王曰, "人命至重, 絶不復續. 聞決事官, 多枉刑致死, 自今, 有枉刑者, 都評議使□[司]·御史臺, 科罪申聞, 刑部重刑, 依古制申聞":刑法2恤刑轉載].

[辛卯[22日], 夜, 有白氣, 風雷雨:五行2轉載].

[是年, 以白翎鎭水路艱險, 出陸僑寓文化縣東村. 尋以地窄廢鎭將, 屬文化縣任內. 又改東北面長平鎭爲縣, 置令:轉載].[169)]

[○遣泥城萬戶金進等, 擊女眞所居林土·碧團等處, 走之, 改林土爲陰潼, 以碧團隷焉, 抄南界人戶, 以實之:轉載].[170)]

[○以[尙書右丞]崔宰爲正議大夫·判太府寺事:追加].[171)]

[○以[禮賓卿]趙暾爲太僕卿:列傳24趙暾轉載].

[○以金仁伯爲延安府使:追加].[172)]

之也. …".

168) 이와 같은 기사가 지29, 選擧3, 選法에도 수록되어 있다.

169) 이는 다음의 자료를 전재하였다.

- 지12, 지리3, 白翎鎭, "恭愍王六年, 以水路艱險出陸, 僑寓文化縣東村. 尋以地窄廢鎭將, 屬文化縣任內".
- 『세종실록』 권152, 지리지, 康翎縣, "… 恭愍王丁酉[6年], 以水路之難出陸, 僑寓文化縣東村加乙山, 尋以地窄廢鎭將, 屬文化任內".
- 『신증동국여지승람』 권43, 康翎縣, 건치연혁, "… 恭愍王時, 以水路艱險出陸, 僑寓文化縣東村加乙山, 尋以地窄廢鎭將, 屬文化縣".
- 지12, 지리3, 長平鎭, "恭愍王六年, 改鎭爲縣, 置令".

170) 이는 다음의 자료를 전재한 것이다.

- 지12, 지리3, 泥城府, "林土·碧團, 本皆女眞所居. 恭愍王六年, 遣泥城萬戶金進等, 擊走之, 改林土爲陰潼, 以碧團隷焉, 抄南界人戶, 以實之".

171) 이는 「崔宰墓誌銘」에 의거하였다.

[○二皇后奇氏與皇太子謀, 欲內禪, 遣宦者·資政院使朴不花諭意於左丞相太平, 太平不答:追加].173)

[○遼陽行省參知政事李承慶, 奔母喪東還. 承慶, 政堂文學李兆年姪, 蒙古名帖木不花帖木兒不花. 入仕元朝, 歷御史, 廉訪諸路, 以能斷決聞, 累遷遼陽省叅政:列傳22李承慶轉載].

[○元賜廷試進士李舒及第:追加].174)

[增補].175)

戊戌[恭愍王]七年, 元至正十八年, [西曆1358年]

1358년 2월 9일(Gre2월 17일)에서 1359년 1월 28일(Gre2월 5일)까지, 354일

[春正月庚子朔小盡,甲寅, 日暈:天文1轉載].176)

[甲寅15日, 霧:五行3轉載].177)

---

172) 이는 『연안부지』에 의거하였다.

173) 이는 다음의 자료에 의거하였다.
- 『원사』 권140, 열전27, 太平, "二皇后奇氏與皇太子謀, 欲內禪, 遣宦者·資政院使朴不花諭意於左丞相太平, 太平不答".

174) 이해[是年]에 李舒가 廷試에 급제하였다고 하지만(『증보문헌비고』 권185, 選擧考, 賓貢科), 그는 是年(공민왕6) 4월 12일 고려의 禮部試에 급제한 인물이다. 당시의 諸般 事情을 고려하면 新及第者가 같은 해 9월에 실시되는 征東行省 鄕試에 응시하여 합격할 형편이 되지 못하며, 만일 합격했다고 하면 大書特筆하였을 것인데, 그러한 흔적은 찾아지지 않기에 首肯하기 어렵다. 또 이해(至正17)에 과거가 실시된 것은 『원사』에서 확인되지 않는데, 비록 惠宗本紀[順帝本紀]는 脫落이 많을 수 있다고 하더라도 廷試의 거행이 漏落될 수 없을 것이다. 그 외에 後代의 기록에 몽골제국의 廷試에 급제했다는 인물로 賓于光·李天驥·金升彦·辛裔·崔彪·金祿·全元發·辛蕆·李球·李承慶 등이 찾아지지만(張東翼 1994년 174面), 대부분 錯誤일 가능성이 많다.

175) 이해(1357년, 지정17, 공민왕6)에 홍건적의 중원에서의 형편은 다음과 같다.
- 2월 27일(壬申), 劉福通의 部下 毛貴가 膠州를 함락시켰다(『원사』 권45).
- 3월 6일(庚辰), 毛貴가 萊州를 함락시켰다(『원사』 권45).
- 3월 20일(甲午), 毛貴가 益都路를 함락시키자 山東의 郡縣이 차례로 모두 함락되었다(『원사』 권45).
- 4월, 朱元璋이 寧國路를 점령하였다(『원사』 권45 ; 『명태조실록』 권5, 丁酉, 4월).
- 6월, 劉福通이 汴梁(現 河南省 開封)을 侵犯하고 軍士를 三路[三道]로 나누어 各地를 공격하여 그 세력이 크게 떨쳤다(『원사』 권45 ; 『경신외사』, 至正 17年).

176) 이날 일본 교토의 날씨는 흐렸다고 한다(『愚管記』第4, 延文 3년 1월, "一日庚子, 天陰").

[己未[20日], 夜, 紫氣, 自西北方騰上:五行1轉載].[178)]

[某日, 以金成甲爲慶尙道按廉使, 權思復爲全羅道按廉使:慶尙道營主題名記·錦城日記].

[是月, 以修築京城, 訪大臣·耆老. 侍中致仕李齊賢, 上書曰, "三代而上, 不可知, 三代而下, 立都而無城郭, 未之聞也. 我太祖, 東征西討, 削平僭亂, 統三爲一之後, 七年而薨. 用瘡痍之民, 起土木之役, 所不忍也, 故不城松京, 非不爲也, 勢不可也. 其後因循, 至顯王初, 契丹蹦躒京邑, 燒毁宮室, 顯王蒼黃南狩. 當時若有城郭之固, 契丹未必蹦躒燒毁, 若此其甚且易也. 顯王二十年, 始命李可道, 築開京城郭, 厥後, 金山王子引兵, 而來, 西海[道]·忠淸道沙平津北, 無處不至, 不得入京都. 余古·車羅大, 屯兵[午正門外]黃橋, 又不能入京都, 以有城郭也. 城郭之當修, 無智愚, 皆知之矣. 若修之, 則農時不可奪, 糇糧之資, 板築之材, 不可不備. 起役之後, 大衆一聚, 宮城及城門, 必令守備可也. 旣定此議, 雖有陰陽忌諱, 確然不改, 然後可就也":節要轉載].[179)]

[是月頃, 以趙云傑爲福州司錄兼掌書記:追加].[180)]

春二月[己巳朔[大盡,乙卯], 三陟縣民家百六十七戶火:五行1火災轉載].

[乙卯[己卯11日], 暴風:五行3轉載].[181)]

戊子[20日], 以成元揆爲江陵道存撫使, 王面諭曰, "銓司, 擬卿最居後, 念卿嘗牧海州, 有惠政, 故特遣之". 尋改東北面兵馬使.

丙申[28日], 判樞密院事元顗卒.[182)]

○以廉悌臣爲門下侍中, 黃石奇爲門下侍郞同中書門下平章事, 金鏞爲中書侍郞

---

177) 이날 교토의 날씨는 맑았다고 한다(『愚管記』第4, 延文 3년 1월, "十五日甲寅, 蒼天快晴").

178) 이날 교토의 날씨는 하루 종일 비가 조금씩 내렸다고 한다(『愚管記』第4, 延文 3년 1월, "廿日己未, 終日小雨下)".

179) 余古는 蒙古將帥 也窟[yeke]의 다른 표기이다(→고종 40년 5월 19일). 또 이 기사는 열전23, 李齊賢에도 수록되어 있는데, 첨자는 이에 의거하였다.

180) 이는 『안동선생안』에 의거하였다.

181) 乙卯는 己卯의 오자일 것이다. 原文에는 "[恭愍]七年二月乙卯暴風, 戊戌大風晝晦"로 되어 있는데, 2월에는 乙卯가 없다. 이를 "[恭愍]七年二月乙卯[己卯11日], 暴風, 戊戌[30日], 大風晝晦"로 고쳐야 옳게 될 것이다. 또 이날 일본의 교토에서는 맑았다고 한다(『愚管記』제4, 延文 3년 2월, "十日己卯, 晴, 月犯塡星云々").

182) 元顗(元忠의 3子, 明德太后 洪氏의 姨姪)의 壻는 邊安烈이라고 한다(『嘯皐集』 권4, 邊安烈墓表→공민왕 즉위년 12월 某日의 脚注).

門下平章事^中書侍郞同中書門下平章事,[183] 全普門爲門下平章事, 金逸逢爲中書平章事, 慶千興△^爲知門下政事^參知門下政事[·商議會議都監事:節要轉載],[184] 李千善△^爲參知門下政事, 安祐△^爲參知中書政事, 鄭世雲△^爲知門下□^省事, 柳仁雨·崔仁遠△^爲守司空·尙書左·右僕射, 裵天慶△^爲判樞密院事, ^知樞密院事黃裳爲樞密院使, ^樞密院副使李春富△^爲知樞密院事, ^樞密院副使柳淑△^爲[同知樞密院事·商議會議都監事:節要轉載]·李餘慶△^爲同知樞密院事,[185] 鄭暉·金元鳳△^並爲樞密院副使, [^秘書監鄭云敬爲知刑部事,[186] ^典法摠郞李仁任爲左副承宣,[187]^右諫議大夫李穡爲通議大夫·樞密院右副承宣·翰林直學士充史館修撰官·知製敎·知工部事:追加].[188]

[○鎭星犯輿鬼:天文3轉載].

[戊戌^30日, 大風晝晦:五行3轉載].[189]

三月^己亥朔大盡,丙辰, [辛丑^3日, 夜, 赤氣見東北方:五行1轉載].

[戊申^10日, 山猪入城中:五行1豕禍轉載].

---

183) 金鏞의 열전에도 이때 中書門下侍郞平章事에 임명되었다고 하는데(열전44, 金鏞), 이는 中書侍郞同門下侍郞平章事를 指稱하는 것으로 추측된다.

184) 이때 慶千興이 知門下政事에 임명된 것이 아니라 參知門下政事에 임명되었다(열전24, 慶復興, "歷判樞密院事·參知門下政事, 陞□^參知政事商議"). 이는 같은 해 6월 16日 慶千興이 參知政事를 띠고 있음에서 알 수 있다.

185) 柳淑은 그의 묘지명에도 같은 기사가 있다.

186) 鄭云敬은 다음의 자료에 의거하였다.

- 열전34, 鄭云敬, "… 入知刑部□^事. 有訟事自都堂下, 云敬謂宰相曰, 式序百官, 能者進之, 不能者退之, 宰相事也. 至於法守, 各有司存, 事事皆由廟堂, 是侵官也".
- 『삼봉집』 권4, 鄭云敬行狀, "^至正十八年二月, 以本職知刑部事. 訟事有自都評議使下, 先生謂宰相曰, '式序百官, 能者進之, 不能者退之, 宰相事也. 至於法守, 各有司存, 事事皆由廟堂, 是侵官也'. 訟者輻湊, 先生聽之, 初若不經意者, 及兩造俱訟, 剖析精當, 勝屈皆稱其平, 玄陵嘉之".

187) 李仁任은 다음의 자료에 의거하였다.

- 열전39, 奸臣2, 李仁任, "… 星山君兆年之孫. 蔭補典客寺丞, 累遷典法摠郞, 恭愍七年, 拜左副承宣".
- 『목은시고』 권8, "奉賀李密直, [注, 僕忝與樵隱先生^李仁復同主文, 與今侍中公^仁任同爲承宣, 故末句及之]".

188) 李穀은 다음의 자료에 의거하였다.

- 『목은집』연보, 至正十八年戊戌, "二月, 進通議大夫·樞密院右副承宣·翰林直學士充史館修撰官·知製敎·知工部事".

189) 이날 교토에서는 맑았으나 저녁에 흐렸다고 한다(『愚管記』第4, 延文 3년 2월, "廿九日戊戌, 晴, 夕陰").

[○雺霧:五行3轉載].[190)]

己酉[11日], 倭寇[泗州]角山戍, 燒船三百餘艘.[191)]

甲子[26日], 遣前□[都]僉議評理姜之衍[~~康之衍~~]·刑部尙書崔堧如元, 賀節日.

○靜州副使朱永世·全羅道萬戶姜仲祥, [擅離其職:節要轉載], 來謁, 王怒曰, "今國家多難, 西憂紅賊, 東患倭奴, 沿邊之民, 不獲寧居, 若等何敢擅離所管耶". 卽下獄.

○命修京都外城.

[是月辛亥[13日], 某等造春州麟蹄縣寒溪山城瓦:追加].[192)]

[是月, 紅巾賊帥毛貴率衆由河間趨直沽, 遂破薊州, 略柳林, 逼畿甸. 樞密院副使達國珍戰死, 京師大恐, 廷臣或請北巡, 以避之, 或請遷都關·陝, 衆議紛然. 獨左丞相太平力以爲不可遷, 遂徵四方兵入衛, 同知樞密院事劉哈剌不花, 以兵據戰於柳林, 貴衆潰, 退走于濟南:追加].[193)]

[是月頃, 以[正議大夫]柳之麟爲福州牧使, [朝議郞]田祿生爲東京判官兼勸農使, [~~正言~~]鄭天謙爲福州判官, [前右司諫]李寶林爲知南原府事, 全哲爲羅州牧判官:追加].[194)]

---

190) 雺霧(몽무)는 안개[霧氣, 雨氣]가 자욱한 상태[雺霧雺雺]를 가리키는 것 같다.
- 『수서』 권21, 지16, 天文下, 十煇, "日, … 將雨不雨, 變爲雺霧, 暈背虹蜺".

191) 이 기사의 角山戍는 泗州(현 경상남도 泗川市)에 위치했던 鎭堡로 추측되지만, 이해[是年]에 倭賊이 角山津에 침입하였다는 기록도 찾아진다.
- 『신증동국여지승람』 권43, 연안도호부, 山川, "角山津, 在府東三十五里. 亦見白川·喬桐.高麗恭愍王七年, 倭寇角山, 燒船三十餘艘".

192) 이는 江原道 麟蹄郡 北面 寒溪里 寒溪山城(강원도기념물 제15호)에서 출토된 기와명문 "至正十八年三月十三日"에 의거하였다(洪榮義 2014년).

193) 이는 다음의 자료에 의거하였다.
- 『昭代典則』 권2, 戊戌(至正18, 공민왕7) 3월, "紅巾賊帥毛貴率衆由河間趨直沽, 遂破薊州, 略柳林, 逼畿甸. 樞密院副使達國珍戰死, 京師大恐, 廷臣或勸元主北巡, 以避之, 或勸遷都關·陝, 衆議紛然. 獨丞相太平力以爲不可遷, 遂徵四方兵入衛, 同知樞密院事劉哈剌不花, 以兵據戰於柳林, 貴衆潰, 退走于濟南".

194) 이는 『안동선생안』 ; 『금성일기』 ; 『동도역세제자기』에 의거하였다. 또 田祿生이 동경판관으로 재직한 것은 『신증동국여지승람』 권21, 경주부 名宦에도 확인되고, 鄭天謙의 京職은 『목은문고』 권4, 寄福州判官鄭正言天謙을 통해 알 수 있다.
- 『목은시고』 권4, 夢見東京田判官[祿生], 曉有府吏告歸者, 因寄此 ; 寄東京田判官野隱[埜隱]. 여기에서 田祿生의 號로 표기된 野隱은 같은 글자인 埜隱(야은)의 다른 表記이다.
- 『익재난고』 권4, 送田祿生司諫按全羅道, "田郞作倅吾雞林, 父老至今懷德音".
- 『목은문고』 권1, 南原府新置濟用財記, "上之八年[恭愍7年]春, 出諫官益齋侍中之孫[寶林], 知南原府, 未朞政聲冣東南守令之上, …".

[春某月, 入元僧惠勤, 辭指空得受記, 東還, 且行且止, 隨機說法:追加].[195)]

夏四月己巳朔小盡,丁巳, [某日, 以前合浦鎭邊使柳仁雨, 不能禦倭, 下巡軍:節要轉載].

[某日], 大旱, 王減膳, 撤樂, 禁酒.[196)]

丙子8日 敎曰, "自正月至今, 旱氣太甚, 其於農民何. 寡人日夜不遑寢食, 其悉原中外二罪以下".

戊寅10日, 禱雨于福寧寺福靈寺及諸神祠.[197)]

[→禱雨于福靈寺·諸神祠. 自春至夏·旱暵漸極, 命御史臺禁酒:五行2旱轉載].

己卯11日, 雨.[198)]

辛巳13日, 以大將軍崔瑩爲楊廣·全羅道倭賊體覆使, 仍命不能禦賊者, 按廉□使以下, 悉以軍法論.

[某日, 都評議使司上言, "比來, 按廉□使·守令, 紀綱不立, 諸道鄕吏, 縱逞其欲, 點兵, 則不及富戶, 收租, 則私作大斗, 匿京丁爲其田, 聚良人爲其隷, 誅求於民, 靡有紀極, 宜令御史臺及諸道按廉使, 究其元惡, 重者極刑, 輕者杖流", 從之:節要·刑法2禁令轉載].[199)]

丙戌18日, 以戶部尙書李達衷爲東北面兵馬使.

丁酉29日晦, 倭寇韓州及臨陂鎭城倉. 全羅道鎭邊使高用賢, 請徙沿海倉廩於內地, 從之.[200)]

□□是月, 賑東北面.[201)]

---

195) 이는 다음의 자료에 의거하였다.
· 『목은문고』 권14, 普濟尊者諡先覺塔銘幷序, "至正, 戊戌年春, 惠勤, 辭指空得受記, 東還, 且行且止, 隨機說法".

196) 『고려사절요』 권27에는 撤樂이 徹樂으로 되어 있으나 오자이다.

197) 福寧寺는 福靈寺의 오자일 것이다.
· 『신증동국여지승람』 권4, 개성부상, 佛宇, "福靈寺, 在松嶽西, 麓上有曉星窟".

198) 이날 교토에서 종일 비가 조금씩 내리다가 오후 1시 무렵 이후에 개였다고 한다(『愚管記』第4, 延文 3년 4월, "十一日己卯, 朝間小雨, 未剋以後屬霽").

199) 지39, 刑法2, 禁令에는 重者極刑이 者車裂로 되어 있으나, 四六騈儷文을 감안하면 重者車裂이 옳을 것이다(東亞大學 2012년 19冊 651面).

200) 全羅道鎭邊使 高用賢은 『금성일기』에는 都巡問使로 되어 있다. 또 이 소식을 들은 右副承宣 李穡은 휴가를 청하여 韓州로 歸省하였다고 한다(『목은시고』 권4, 聞倭賊犯韓州, 請假省母, 途中三首).

201) 이 기사는 지34, 食貨3, 水旱疫癘賑貸之制에도 수록되어 있다.

[→東北面饑:五行3轉載].[202)]

[是月頃, 以李邦直爲羅州牧使:追加].[203)]

五月[戊戌朔[大盡,戊午], 太白·鎭星相犯. 歲星·熒惑入羽林:天文3轉載].

庚子[3日], [浙江行省]台州方國珍遣人來, 獻方物.[204)]

○倭賊至窄梁, 以樞密院副使[知樞密院事]李春富爲防禦使, 尋發諸領兵, 赴東西江, 以少尹鄭之祥爲察訪[使].[205)]

甲辰[7日], 趙小生·卓都卿逃據海陽, 海陽人完者不花率兵千八百人來投.

丁未[10日], 賑交州·江陵道.[206)]

[→交州·江陵道饑:五行3轉載].

戊申[11日], 倭侵沔州龍城, 我軍與戰, 獲賊船二艘.[207)]

辛亥[14日], 倭焚喬桐, 京城戒嚴, 發坊里丁, 爲戰卒.

[→倭焚喬桐, 京城戒嚴. 發忽只[忽赤]四番各十五人, 忠勇衛左右前三番各十人, 赴喬桐. 又發忠勇衛三番各三十人, 阿加赤三番各十人, 波吾赤三番各十人, 忠勇衛三番各十五人, 譯語各五人, 赴阻江·赤口·朽石等處. 發五部坊里·成衆愛馬, 鰥寡外, 正軍五百人, 赴西江·赤江等處. 又以城門修理五都監判官等, 爲倭賊防禦兵

---

202) 다이두[大都]에서는 이해의 12월에 큰 기근과 역질[大饑疫]이 있어 死者가 즐비하여 奇皇后가 出捐하여 京都의 12門 밖에 무덤을 설치하고 10餘萬을 묻었다고 한다(龔勝生 等 2015年).
- 『원사』 권51, 지3하, 오행2, 稼穡不成, "[至正]十八年, … 冬, 京師大饑, 人相食, 彰德·山東亦如之".
- 『원사』 권114, 열전1, 후비1, 順帝, "完者忽都皇后奇氏, 高麗人, … 至正十八年, 京城大饑, 后命官爲粥食之. 又出金銀粟帛, 命資正院使朴不花於京都十一門置冢, 葬死者遺骼十餘萬, 復命僧建水陸大會度之".
- 『원사』 권204, 열전91, 宦者, 朴不花, "朴不花, 高麗人, 亦曰王不花, … 至正十八年, 京師大饑疫, 時河南北, 山東郡縣皆被兵, 民之老幼男女, 避居聚京師, 以故死者相枕籍, 不花欲要譽一時, 請于帝, 市地收瘞之. 帝賜鈔七千錠, …".

203) 이는 『금성일기』에 의거하였다.

204) 『고려사절요』 권27에는 庚子 앞에 五月이 탈락되어 4월에 연결되어 있다. 또 方國珍은 이해의 5월 1일(戊戌) 江浙行省左丞兼海道運糧萬戶에 임명되었다(『원사』 권45, 본기45, 順帝8, 至正18년 5월 戊戌朔, "… 以方國珍爲江浙行省左丞兼海道運糧萬戶").

205) 樞密院副使는 知樞密院事의 잘못이다. 이는 李春富는 1350년(충정왕2) 5월 22일 密直副使에 임명되어 1356년(공민왕5) 7월 9일 官制改革 때에 樞密院副使로 改職되었고, 이해의 2월 28일 知樞密院事에, 明年 8월 3일 判樞密院事에 임명되었음을 통해 알 수 있다.

206) 이 기사는 지34, 食貨3, 水旱疫癘賑貸之制에도 수록되어 있다.

207) 『고려사절요』 권27에는 戊申(11日)의 기사가 庚子(3日) 앞에 수록되어 있다.

馬判官，各率坊里兵五百人，赴之:兵1五軍轉載].

○以[知樞密院事]李春富爲西江兵馬使，[參知政事]安祐爲東江兵馬使，前護軍李元琳爲喬桐倭賊追捕副使.

○以十二徒無糧儲，將遣徒官于諸道，鬻布市米，歲以爲式．宰樞以時方海漕不通，取其布，販尙乘馬粟，徒官曹漢卿等矯公牒，私市米于楊廣道，事覺，

甲寅[17日]，囚漢卿等于刑部，徵布籍米.

[某日，都評議使司啓，"近因倭寇，漕運不通，百官俸祿不給，請自今，諸封伯，已行侍中者，從宰樞科，其餘伯，依異姓諸君科"，從之:節要·食貨3祿俸轉載].[208)]

辛酉[24日]，遣大將軍趙天珪如元，賀皇后千秋節.

壬戌[25日]，以軍餉不繼，召安祐·李春富還.

[是月，慶尙道大水，禾穀皆漂沒:五行1水潦轉載].

[○[紅巾賊帥]劉福通破汴梁，奉小明王韓林兒據之:追加].[209)]

六月戊辰朔[小盡,己未]，日食.[210)]

壬午[15日]，大赦.

癸未[16日]，以參知政事慶千興爲西京軍民萬戶府萬戶，樞密院直學士金得培副之，[[上將軍李]芳實以偏裨:列傳26李芳實轉載]，參知政事安祐爲安州軍民萬戶府萬戶，樞密院副使金元鳳副之，樞密院副使鄭暉爲朔方道軍民萬戶府萬戶，上將軍韓方信副之. [行，宰樞設祖都門外，祐醉臥，日午不起，麾下觖望:列傳26安祐轉載].

乙未[28日]，全羅道鎭邊使[高用賢]獻倭俘八人.

[是月，□□□□[設行私學]十二徒朔試:選擧2私學轉載].

[○僧某等立林州普光禪寺碑:追加].[211)]

---

208) 지34，食貨3，祿俸에는 '自今'이 생략되어 있다.

209) 이는 다음의 자료에 의거하였다.

· 『昭代典則』 권2，戊戌(至正18) 5월，"劉福通破汴梁，奉韓林兒據之".

210) 이날 中原에서도 일식이 있었고(권48，지1，천문1，日薄食暈珥及日變)，일본의 교토에서는 비가 내렸다고 한다(高麗曆과 同一，日本史料6-21册 884面). 이날은 율리우스력의 1358년 7월 7일이고，개경에서 일식 현상이 심했던 시간은 8시 33분，食分은 0.53이었다(渡邊敏夫 1979年 312面).

· 『愚管記』제4，延文 3년 6월，"一日戊辰，雨降，日蝕不正現云々".

· 『園太曆』 권31，延文 3년 6월，"一日，天陰，日蝕遂不現，尤珍重也".

· 『東寺長者補任』 권4，長者僧正定憲，"六月一日，々蝕御祈勤之，施法驗了，自早旦雨降時巳天時[晴?]".

· 『續史愚抄』25，延文 3년 6월，"一日戊辰，日蝕，依雨不見，蝕御祈東寺長者·僧正定憲奉仕".

[○優婆夷妙海等造成毗瑟山消災社地藏菩薩前香垸一座:追加].[212]

[○紅巾賊帥關先生·破頭潘等分兵二道，一出絳州，一出沁州，踰太行，焚上黨，攻破遼州·晋·冀·雲中·雁門·代郡，烽火數千里，遂大略塞外諸郡而還．元將察罕帖木兒，遣其部將開保等，分兵伹隘，而自勒重兵，屯開喜·絳·陽，及塞井陘，杜太行，屢擊却之．詔拜察罕帖木兒爲左丞，尋拜平章政事:追加].[213]

[□□□□七月以前，以言事忤權貴，一時諫官皆左遷，擬右諫議大夫李穡尙州．其夜，命以穡爲樞密院右副承宣·翰林□直學士，謂宰相曰，"李穡才德出衆，非他人比．用舍捨不如此，無以伏人心"．自是□穡，叅掌機密，凡七年:列傳28李穡轉載].

秋七月丁酉朔大盡,庚申，己亥3日，太白晝見，凡三月.[214]

○中書平章事致仕金承澤卒，謚諡良簡.[215]

甲辰8日，江浙行省丞相太尉張士誠遣理問實剌不花實剌剌不花來，獻沈香山·水精山·畫木屛·玉帶·鐵杖·彩段綵段，寄書，略曰，"邇者，中夏多事區區，不忍生民塗炭，遂用奮起淮東，幸保全吳之地．然西寇肆兇，殘虐百姓，雖志存掃蕩，而未知攸濟耳．稔聞國王有道，提封之內，民樂其生，殊慰懷想"．時士誠據杭州，稱太尉.[216]

○又江浙海島防禦萬戶丁文彬，通書曰，"文彬，眇處海邑，欽仰大邦久，欲一拜殿下，以覲耿光，惜乎微役所縈不果，玆因大邦治下黃贊至此，故得聞安吉．今車書

---

211) 이는 「林州普光禪寺碑」에 의거하였다(金石總覽 495面 ; 寺刹史料下 史料集 34面).

212) 이는 毗瑟山 消災社 地藏菩薩前 香垸의 명문에 의거하였는데(大英博物館所藏, 黃壽永 1978년 357面), 銘文은 다음과 같이 배열되어 있는 것 같다(末松保和資料 2box, 黃壽永教授 提供資料). "至正十八年戊戌六月日,毗瑟山消災社地藏前香垸,」 主上殿下萬萬歲,公主殿下壽千秋,王后殿下無疆.」 天下太平,大功德主妙海·化主陸海」".

213) 이는 다음의 자료에 의거하였다.
· 『昭代典則』 권2, 戊戌(至正18) 6월, "關先生·破頭潘等分兵二道，一出絳州，一出沁州，踰太行，焚上黨，攻破遼州·晋·冀·雲中·雁門·代郡，烽火數千里，遂大略塞外諸郡而還．元將察罕帖木兒，遣其部將開保等，分兵伹隘，而自勒重兵，屯開喜·絳·陽，及塞井陘，杜太行，屢擊却之．詔拜察罕帖木兒爲左丞，尋拜平章政事".

214) 이와 같은 기사가 지3, 천문3, 月五星淩犯及星變에도 수록되어 있다.

215) 金承澤(副知密直司事 金愷의 次子)은 金光載의 丈人이다(金光載墓誌銘). 이날은 율리우스曆으로 1358년 8월 7일(그레고리曆 8월 15일)에 해당한다.

216) 이해에 張士誠은 太尉를 稱하면서 杭州와 嘉興路(現 浙江省의 北東部에 위치한 嘉興市)를 掌握하고 있었다(『吳王張士誠載記』). 또 江浙行省丞相은 여전히 達識帖木兒(達識帖睦邇, Tas Temur)였는데, 그는 1364년(至正24) 8월 무렵까지 재직하다가 張士誠에 逼迫되어 自盡하였다.

如舊，儻商賈往來，以通興販，亦惠民之一事也．黃贊廻，令親郁·文政進拜，聊獻土宜”．○王答士誠書曰，“竊惟太尉，馳英淮左，固已佩服餘風，暨移鎭浙右，益欽令聞，匪遠伊邇．顧予寡昧，徒以祖宗之故，獲保遺黎，苟安歲月．雖常欲拜問起居，自揣無狀，不足煩侍御者之道達．迺蒙太尉，不鄙夷小邦，且辱便蕃之惠，不勝至幸．玆因使回，謹奉此所有薄禮，具如內目”．

○又命右副承宣·□[晳]翰林學士李穡,[217] 答文彬書曰，“今親郁·文政，齎來書札，同兩府官，入啓于內．王答曰，‘吾已領萬戶厚意矣，其送以白苧布若干·黑麻布若干·虎皮若干·文豹皮若干，少答盛惠’．且命臣穡，爲書以謝之．臣穡待罪翰林，辭命固職司，又嘗竊歆萬戶公高誼之日久矣，雖欲通名於左右，未有階也．玆因王命，弁達下情”．

丁未[11日]，親設百高座道場，以禳星變．幸廣明寺．

辛亥[15日]，都評議使□[司]奏，“全羅道都鎭撫兪益桓與倭戰，殺獲數十人，慶尙道鎭撫牛承吉·固城縣令魏良用，與倭戰，殺獲七人，請皆擢用”，王從之．

[○都評議使□[司]奏，“前銜三品以下，各以坊里點數，有變則四面都監官員，先以一里一人，率領赴防”，從之:兵1五軍轉載]．

[某日，參知政事慶千興·知門下省事鄭世雲·同知樞密院事柳淑等言，“四方兵起，瘡痍饑饉，今若築城，民將不堪”．王命宰樞議，罷其役:節要轉載]．

[→時議築京城，復興[慶千興]與鄭世雲·柳淑言，“今四方兵起，瘡痍飢饉，若築城，民將不堪”．王命罷其役:列傳24慶復興轉載]．

壬戌[26日]，倭侵黔毛浦，焚全羅道漕船．時倭寇爲梗，漕運不通，以漢人張仁甫等六人爲都綱，各授唐船一艘·戰卒百五十人，漕全羅稅租．賊乘風縱火，焚之，我師敗績，死傷甚多.[218]

[某日，以尹閔瑨[閔瑨]爲慶尙道按廉使，朴大陽爲全羅道按廉使:慶尙道營主題名記·錦城日記].[219]

---

217) 李穡은 明年(공민왕8, 1359) 11월 27일[冬至[癸丑24日]後三日] 通議大夫·樞密院右副承宣·翰林直學士充史館修撰官·知制誥·知工部事로 재직하고 있었다(『동안거사집』序).

218) 黔毛浦(혹은 無浦, 濟安浦)는 保安縣의 安興倉에 隣接한 지역으로, 현재의 全羅北道 扶安郡 鎭西面 곰소(熊淵, 熊沼, 조선시대에는 島嶼였다고 함) 지역이라고 한다(韓禎訓 2011년a ; 尹龍爀 2015년 206面 ; 文敬鎬 2014년 148面).

219) 尹閔瑨은 閔瑨(閔祥正의 子)의 오류일 가능성이 있다. 또 이때 李齊賢이 朴大陽을 餞送하면서 孫子인 知南原郡事 李寶林을 부탁하였다(『익재난고』 권4, “送朴大陽按廉, 戊戌年”).

[是月, 大都大水·蝗, 民大饑:追加].[220)]

[是月頃, 以任乙敬爲東京留守府法曹兼參軍事:追加].[221)]

八月[丁卯朔大盡,辛酉], [壬申[6日], 月犯心星:天文3轉載].[222)]

[癸酉[7日], 白氣見于西北方, 亘天如練:五行2轉載].

己卯[13日], 倭焚花之梁.

甲申[18日], 王如奉恩寺, 謁太祖眞殿.

庚寅[24日], 以[參知政事]慶千興爲西北面都巡問使, [上將軍]韓方信爲東北面兵馬使.

辛丑[~~辛丑~~25日], 倭寇仁州.[223)]

○以[鐵原君]李嵒[~~李嵓~~]△[爲]守門下侍中.

[□□[~~是月,~~] 城西江:節要轉載].

[○大都大饑, 斗米金一斤:追加].[224)]

九月丁酉朔[小盡,壬戌], 命同知樞密院事柳淑·判司天臺事陳永緖·于必興, 相都于遂安·谷州.

[庚戌[14日], 太白犯大微[~~太微~~]右執法:天文3轉載].

[庚申[24日], □□[太白]又犯左執法:天文3轉載].[225)]

[秋某月, 曹溪大禪師衍昷入寂於南原府勝蓮寺:追加].[226)]

· 열전23, 李齊賢, 寶林, "爲人嚴毅方正, 有政事才. 嘗知南原府, 新置濟用財以支供費, 民無橫斂".

220) 이는 『원사』 권45, 본기45, 순제8, 지정 18년 7월 是月에 의거하였다.

221) 이는 『동도역세제자기』에 의거하였다.

222) 이날 이와 같은 천문현상이 일본의 京都에서도 관측되었던 것 같다.

· 『愚管記』第4, 延文 3년 8월, "六日壬申, 陰, 戌剋, 月犯心宿中央星[天子星]一二寸許. 寅剋, 太白·塡星二星合云々".

223) 이달에는 辛丑이 없으므로, 辛丑은 辛卯(25일)의 오자일 것이다.

224) 이는 다음의 자료에 의거하였는데, 米價는 크게 과장되었을 것이다.

· 『昭代典則』 권2, 戊戌(至正18) 8월, "蒙古大饑, 斗米金一斤".

225) 이날 이와 유사한 천문현상이 일본의 교토에서도 관측되었던 것 같다.

· 『愚管記』第4, 延文 3년 9월, "廿四日庚申, 晴, 今晩, 太白犯太微宮東蕃上相星七寸許, …".

226) 이는 다음의 자료에 의거하였다(→공민왕 10년 春某月 勝蓮寺).

· 『목은문고』 권1, 勝蓮寺記, "… 大禪師拙庵諱衍昷者, 爲曺溪[曹溪]之老, … 戊戌[恭愍7年]之秋, 其將示寂也, 以[覺]雲師於族爲甥, 於法爲嗣, 付以寺事".

冬十月丙寅朔小盡,癸亥, 庚午5日, 以判宗正寺事李子松爲楊廣·全羅道察理使.
○御史臺言, "內侍李邦貴通玄德宮婢, 請罪之". 王留其狀.
[己卯14日, 木稼:五行2轉載].
壬午17日, 地震, [大雨雹, 雷電:五行3轉載].
丁亥22日, 亦如之地震.
[○大震雷, 地震:五行1轉載].
庚寅25日, 遣兵部尙書洪師範如元, 賀皇太子千秋節.
[癸巳28日, 太白入氐:天文3轉載].
[甲午29日晦, 夜, 鵩鳴:五行1轉載].

十一月乙未朔大盡,甲子, 丙申2日, 以灾異屢興, 宥中外二罪以下.
庚子6日, 親設仁王道場于內殿, 以禳灾異.
[丁未13日, 冬至. 木稼:五行2轉載].
[己酉15日, 八關小會:禮11仲冬八關會儀轉載].
[庚戌16日, 大會, 以十三日, 冬至故也:禮11仲冬八關會儀轉載].
甲寅20日, 前密直提學鄭珚郭珚卒.[227)]
庚申26日, 遣定原伯均鈞如元, 賀正.[228)]
[辛酉27日, 月掩心大星:天文3轉載].

十二月乙丑朔小盡,乙丑, 日食.[229)]

---

227) 이때의 鄭珚과 다른 인물로 1375년(우왕1) 10월 某日에 逝去한 八川君 鄭珚(열전21, 鄭倩의 孫)이 찾아진다. 그러므로 이날의 鄭珚은 1351년(충정왕3) 8월 20일 密直提學에 임명된 郭珚(곽연)의 오자일 것이다. 그런데 後代에 작성된 鄭珚의 遺墟碑에는 是日로 되어 있는데, 착오일 것이다(『立齋集』 권33, 鄭珚遺墟碑). 이날은 율리우스曆으로 1358년 12월 20일(그레고리曆 12월 28일)에 해당한다.

228) 均은 鈞의 오자이다. 定原伯 均은 열전4, 종실2, 神宗王子, 襄陽公恕에는 定原伯鈞으로 되어 있다(東亞大學 2008년 10책 359面).

229) 이날 중원에서도 일식이 있었고(『원사』 권45, 본기45, 順帝8, 至正 18년 12월 乙丑), 일본의 교토에서도 관측되었다(高麗曆과 同一, 日本史料6-22册 157面). 이날은 율리우스력의 1358년 12월 31일이고, 개경에서 일식 현상이 심했던 시간은 10시 29분, 食分은 0.22이었다(渡邊敏夫 1979年 312面).
· 『愚管記』제4, 延文 3년 12월, "一日乙丑, 晴, 日蝕正現, 五六分云々".
· 『續史愚抄』25, 延文 3년 12월, "一日乙丑, 日蝕".

[→司天臺夏官正魏元鏡奏, "日當食, 會天陰不見". 御史臺言, "先時者, 殺無赦, 不及時者, 殺無赦, 今術者元鏡, 其術不明, 請罪之". 厥後, 全羅道人, 有見日食, 故得免:天文1轉載].

丙子12日, 遣判太常寺事洪淳如元, 獻人參大蔘.

[是月, 紅巾賊帥關先生·破頭潘等轉掠遼陽, 攻上都焚宮闕, 至高麗, 自是上都皆毁, 帝不復時巡矣:追加].230)

[是年, 以南海縣, 因倭失土, 僑寓晋州任內大也川部曲:追加].231)

[○以安仁鎭管內永清縣, 復析置縣令:轉載].232)

[○以兵部侍郎·翰林直學士韓脩爲中大夫·國子祭酒·知制誥:追加].233)

[○以鄭渫爲延安府使:追加].234)

[○以門下錄事河允潾爲宣德郎·北部令:追加].235)

[○以國子博士朴尙衷爲尙書省都事:追加].236)

· 『本朝統曆』 권10, 延文 3년, "十二大, 朔乙丑, 巳六, 日蝕, 十五分弱, 辰五, 午五".

230) 이는 다음의 자료에 의거하였는데, 적절히 변개하였다.

· 『昭代典則』 권2, 戊戌(至正18) 12월, "關先生尋轉掠遼陽, 至高麗, 自是上都宮闕盡毁, 元主不復時巡矣".

231) 이는 다음의 자료에 의거하였다.

· 『경상도지리지』, 晋州道, 昆南郡, "驛一, 浣沙, 古之南海德新驛也, 因倭出陸", "在高麗時, 恭愍王代, 至正戊戌恭愍7年, 因倭寇, 徙人物於晋州任內大也川部曲".

· 『경상도속찬지리지』, 晋州道, 南海縣, "縣, 本南海郡, 至正戊戌, 因倭寇出陸, 合屬昆陽郡, 去丁巳年世宗19年八月, 復置, 稱縣令".

· 지11, 지리2, 南海縣, "恭愍王七年, 因倭失土, 僑寓晋州任內大也川部曲".

· 『신증동국여지승람』 권31, 南海縣, 建置沿革, "… 高麗顯宗置縣令, 恭愍王時, 因倭失土, 僑寓晉州大也川部曲. 本朝太宗朝, 合于河東, 稱河南縣, 後復置河東縣, 以晋州金陽部曲來屬, 稱海陽, 金陽還屬晉州而復稱南海. 世宗朝, 合于昆明縣, 復析之, 仍爲縣令".

· 『신증동국여지승람』 권31, 南海縣, 城郭, "邑城, 石築, 周二千八百七十六尺, 高十三尺, 內有井一·泉五, 四時不渴. 鄭以吾記, 南海爲縣, 在海島之中, 與所謂珍島·巨濟鼎峙, 其地沃以膏, 其生物碩且蕃, 國家之資焉者不貲矣. 然其境壤與倭島密邇, 自庚寅之歲忠定2年始被倭寇, 或虜或徙, 縣之屬縣平山·蘭浦蕭然無人. 越八年丁酉恭愍6年, 出海而陸, 就晋陽之鏷川而野處, 不能守土地修貢賦, …".

232) 이는 지12, 지리3, 永淸縣, "恭愍王七年, 復析置縣令"을 전재한 것이다.

233) 이는 「韓脩墓誌銘」에 의거하였다.

234) 이는 『연안부지』에 의거하였다.

235) 이는 『동문선』 권121, 河允潾神道碑銘에 의거하였다.

236) 이는 『定齋集』 권3, 潘南先生家傳, "恭愍王七年, 除尙書都事"에 의거하였다.

[○以沈德符爲中郎將兼閤門引進副使:追加].[237]

[○倭四百餘艘寇(西海道長淵縣)吾乂浦, (體覆使崔)瑩設伏, 與戰克之:列傳26崔瑩轉載].[238]

[○僧惠勤, 入五臺山, 居焉:追加].[239]

[○前端本堂正字偰遜, 避紅賊, 自大寧來. 遜, 初名百遼遜(伯遼遜), 回鶻人. 以世居偰輦河(~~僾韃傑河~~),[240] 因以偰爲氏. 自高祖嶽璘帖穆爾, 歸于元, 世仕元. 父哲篤, 官至江西行省右丞. 遜, 順帝時中進士, 歷翰林應奉文字·宣政院斷事官, 選爲端本堂正字, 授皇太子經. 爲□(左)丞相哈麻所忌,[241] 出守單州, 居父憂, 寓居大寧(大寧路).[242] □□(先是), 王之在元也, 侍從皇太子于端本堂, 與遜有舊, 由是待之甚厚:列傳25偰遜轉載].[243]

[○改修春州麟蹄縣寒溪山城:追加].[244]

[○某等鑄成青銅銀入絲香垸臺一座"追加].[245]

[○元遣遼陽省事塔海帖木兒召之(遼陽行省參知政事李承慶), 承慶不赴:列傳22李承慶轉載].

[○大都大饑饉之時, 奇皇后命官府而賑恤之, 而賜金銀束帛, 使資政院使朴不花, 作萬人阬於京都十一門, 而埋之死者十餘萬, 且開水陸大會而遷度之. 時人義之, 號曰萬人阬:追加].[246]

---

237) 이는 『동문선』 권117, 沈德符行狀에 의거하였다.

238) 吾乂浦는 西海道 長淵縣에 있었던 것 같고(『신증동국여지승람』 권43, 황해도 長淵縣 吾乂浦營), 현재의 黃海南道 龍淵郡 吾乂鎭里(白翎島 鎭村里의 對岸)인 것 같다.

239) 이는 다음의 자료에 의거하였다.
· 『목은문고』 권14, 普濟尊者諡先覺塔銘并序, "至正, 戊戌, 惠勤, 入臺山, 居焉".

240) 偰輦河는 哈拉和林(和林, Karakorum, 現 蒙古國 後杭愛省 額爾德尼召)의 隣近에 있는 偰輦傑河(Selenga, Selengehe, 現 色楞格河)에서 脫字가 발생했던 것 같다(『東北輿地釋略』 권4, 和林城).

241) 哈麻(Qama, ?~1356)는 1355년(至正15) 4월 平章政事에서 左丞相으로 승진하여 明年 2월 黜罷되어 杖殺되었다(『원사』 권113, 表6下, 宰相年表2·권205, 열전92, 哈麻).

242) 여기에서 大寧은 大寧路(現 內蒙古自治區 赤峰市 寧城縣 地域)로 추측된다.

243) 偰遜(1319~1345, 字는 伯遼遜)은 위구르인[畏兀兒]으로 江浙行省 集慶路 溧陽(現 江蘇省 溧陽市)에 거주하였고, 1345년(至正5, 충목왕1) 3월에 실시된 廷試의 右榜[蒙古人, 色目人]에 급제하였다. 이때 左榜[漢人, 南人]에서 高麗人 安輔가 급제하였다.

244) 이는 강원도 麟蹄郡 寒溪里의 寒溪山城에서 출토된 瓦銘 '至正十八年'에 의거하였다(世宗文化財研究院 編 2015년 250面).

245) 이는 英國博物館에 소장된 '至正十八年'銘青銅銀入絲香垸에 의거하였다(국립중앙박물관 2019년 344面).

246) 이때의 大饑饉과 疾疫은 다음의 자료에 의거하였는데, 여기에서 皇太子妃는 福安君·太府監太監 權謙의 딸[女]로 추정된다(→공민왕 1년 8월 某日, 2년 8월 11일, 5년 5월 18일). 또 이때의 慘狀은 1671년(현종12) 여름[夏] 禮曹參判으로 재직했던 李晩榮(1604~1672)에 의하면 漢城府의 大疫에서도 비슷했던 것 같지만, 公的인 자료에서는 辛亥大疫으로만 기록되었다.

[○至正帝惠宗, 無有意於政事, 奇皇后努力禪位於皇太子愛猷識理達臘, 而不受左丞相太平之協助, 失敗之也:追加].247)

[增補].248)

· 『원사』 권114, 열전1, 后妃1, 順帝, 完者忽都皇后奇氏, "至正十八年, 京城大饑, 后命官爲醬食之. 又出金銀粟帛, 命資正院使朴不花於京都十一門置冢, 葬死者遺骼十餘萬, 復命僧建水陸大會度之".
· 『원사』 권204, 열전91, 宦者, 朴不花, "至正十八年, 京城大饑疫, 時河南北·山東郡縣皆被兵, 民之老幼男女, 被居聚京師, 以故死者相枕藉. 不花欲要譽一時, 請于帝, 市地收瘞之, 帝賜鈔七千錠, 中宮及興聖奇皇后·融福兩宮, 皇太子·皇太子妃, 賜金銀及他物有差, 省院施者無算. 不花出玉代一·金帶一·銀二錠·米三十四斛·脈六斛·靑貂銀鼠裘各一襲, 以爲費. 擇地自南北二城, 抵盧溝橋, 掘深及泉, 男女異壙, 人以一屍至者, 隨給以鈔, 舁負相踵. 旣覆土, 就萬安壽慶寺, 建無遮大會. 至二十年四月, 前後瘞者二十萬, 用鈔二萬七千九十餘錠, 米五百六十餘石. 又於大悲寺, 修水陸大會, 三晝夜, 凡居民病者, 予之藥, 不能喪者, 給之棺. 翰林學士承旨張翥爲文, 頌其事, 曰善惠之碑".
· 『庚申外史』, 己亥, 至正 19년, "… 京師大饑, 民殍死近百萬, 十一門外, 各掘萬人坑, 掩之".
· 『四佳集』詩集권1, 悲義塚辭, "義塚者, 至正戊戌, 天下大亂, 國門東, 積屍如山. 高麗人仕元朝, 有資政院使者, 捐義財, 作阬數十, 每阬, 叢萬屍葬之, 設齋致祭, 刻楮爲錢, 以資苦趣, 時人義之, 號曰萬人阬. 當時題詠者, 皆名賢, 今宗室富林君湜, 粧潢爲卷, 求予辭云".
· 『三灘集』 권9, 富林君湜得大元諸學事萬人坑詩, 首尾俱脫, 猶粧潢成軸, 以爲古物而珍藏之. 且求詩士林間, 以資文房之玩.
· 『雪海遺稿』 권1, 歲辛亥春, 都城大疫, 市民及朝士家, 遘癘死亡甚多, 城外藁葬, 不知其幾千百. 掩骼之令雖嚴, 而殭屍相枕於道, 烏鳶競啄, 狗豕爭食, 雖壬癸兵禍壬辰·癸巳倭亂之酷, 殆不能過. 盖飢餒之民, 又遭毒癘而然也, 余李晩榮家亦遘流疾, 一婢致死, 奴婢盡被相染, 余獨身出避, 八次遷徙, 僦寓魚市之傍, 今已三朔, 憂患無聊中, 偶得六言若干首.

247) 이는 다음의 자료에 의거하였다.
· 『원사』 권114, 열전1, 후비1, 完者忽都皇后奇氏, "時順帝頗怠於政治, 后與皇太子愛猷識理達臘遽謀內禪, 遣朴不花諭意丞相太平, 太平不答. 復召太平至宮, 擧酒賜之, 自申前請, 太平依違而已, 由是, 后與太子銜之. 而帝亦知后意, 怒而疏之, 兩月不見".
· 『원사』 권140, 열전27, 太平, "二皇后奇氏與皇太子謀, 欲內禪, 遣宦官·資正院使朴不花諭意於太平, 太平不答. 皇后又召太平至宮中, 擧酒申前意, 太平依違而已. 是時, 皇太子欲盡逐帝近臣, 又令監察御史劾帝親暱臣御史中丞禿魯鐵木兒, 未及奏, 而所劾御史, 被遷爲他官, 皇太子疑也先忽都泄其事, 益決意去太平政柄. 知樞密院事紐的該聞而歎曰, '善人國之紀也, 苟去之, 國將何賴乎?', 數於帝前左右之, 以故皇太子之志, 未及逞. 會紐的該死, 皇太子遂令監察御史買住·桑哥失理劾左丞成遵·參政趙中等下獄死, 以二人爲太平黨也. 太平知勢有不可留, 數以疾辭位".
· 『원사』 권204, 열전91, 환자, 朴不花, "於是, 帝在位久, 而皇太子春秋日盛, 軍國之事, 皆其所臨決. 皇后乃謀內禪皇太子, 而使不花喩意丞相太平, 太平不答".

248) 이해(1358년, 지정18, 공민왕7)에 安輯(安軸의 弟)이 散騎常侍로 재직하고 있었던 것 같다. 또 中原에서 전개된 홍건적의 활동상은 다음과 같다.
· 『목은시고』 권4, 寄安常侍輯, "三安繼起振斯文, 伯中軸·輔俱亡季氏存. 壽夭在天休更問, 安心奉母送寒溫".

己亥[恭愍王]八年, 元至正十九年, [西曆1359年]

1359년 1월 29일(Gre2월 6일)에서 1360년 1월 18일(Gre1월 26일)까지, 13개월 384일

春正月[甲午朔大盡,丙寅], 己亥[6日], 以判司農寺事柳方癸爲喬桐防禦指揮使.

[辛丑[8日], 月犯昴星:天文3轉載].

[丙辰[23日], 夜, 紫氣, 自西北方騰上:五行1轉載].

壬戌[29日], 命翰林院, 寫無逸篇, 賜宰相.

○[門下侍郎同中書門下平章事]黃石奇罷, 以[前遼陽行省參知政事]李承慶爲門下侍郎同中書門下平章事, 金得培△[爲]簽書樞密院事. [承慶, 嘗言於王曰, "臣以李仁復爲姦人", 王曰, "何謂也", 曰"仁復, 原生所學, 經濟之術, 何不一陳於王乎?":節要轉載].[249)]

[○以金承矩爲慶尙道按廉使, 安克仁爲全羅道按廉使:錦城日記].[250)]

[癸亥[30日], 大風拔木:五行3轉載].[251)]

[是月頃, 以[朝請郎]韓哲冲爲福州判官:追加].[252)]

二月[甲子朔[小盡,丁卯], 驚蟄. 大雪, 平地二尺有半:五行1雨雪轉載].

乙酉[22日], 紅賊移文于我曰,[253)] "慨念生民, 久陷於胡, 倡義擧兵, 恢復中原, 東踰

[中原]

- 5월 3일(庚子), 劉福通이 汴梁(現 河南省 開封)을 공격하고, 5일(壬寅) 入城하여 安豊(現 安徽省 壽縣)에 있던 僞主(小明王) 韓林兒를 맞이하여 首都로 삼았다(『원사』 권45).
- 6월 13일(庚辰), (三路軍 중에서 中路軍인) 關先生(關鐸)·破頭潘(潘誠) 등이 遼州를 함락시키니 虎林赤(Qurimchi)이 군사로 이를 쫓아내자 관선생(관탁) 등이 冀寧路를 함락시켰다(『원사』 권45).
- 12월 9일(癸酉), 관선생(관탁)·파두반(반성) 등이 上都(현 內蒙古 正藍旗 동쪽 20km 閃電河 北岸)를 함락시키고 궁궐을 불태우고 7일간 머물다가 遼陽(現 遼寧省 遼陽)으로 옮겨가고 드디어 高麗에 이르렀다(『원사』 권45 ; 『경신외사』, 至正 18年).
- 12월 20일(甲申), 朱元璋이 婺州路를 함락시키고 寧越府로 改稱하였다(『원사』 권45 ; 『명태조실록』 권6, 戊戌, 12월).

249) 이와 같은 기사가 열전25, 李仁復에도 수록되어 있다.

250) 金承矩(金倫의 子)는 부임 후 질병으로 귀환하다가 逝去하였다고 한다.
- 열전23, 金倫, 承矩, "後爲慶尙道按廉□[使], 以病還道卒. 操行廉潔, 中年而夭, 人皆惜之".

251) 이때 일본의 京都에서 前日(癸亥, 29日晦) 흐렸고, 2월 1일(甲子) 비가 조금 내렸고, 2일(乙丑)은 비가 내렸다고 한다.
- 『愚管記』제5, 延文 4년 1월, 2월, "廿九日癸亥, 陰, [二月]一日甲子, 小雨降, 二日乙丑, 雨降".

252) 이는 『안동선생안』에 의거하였다.

齊魯, 西出函秦, 南過閩廣, 北抵幽燕,[254] 悉皆款附, 如飢者之得膏粱, 病者之遇藥石. 今令諸將, 嚴戒士卒, 毋得擾民, 民之歸化者撫之, 執迷旅拒者罪之".[255]

壬辰[29日晦], 倭寇[長興府·:節要轉載]海南縣.

[是月頃, 以[金紫崇祿大夫]裴天慶爲東京留守, 崔之湑爲永州副使:追加].[256]

三月[癸巳朔大盡,戊辰], 壬子[20日], 全羅道都巡問使黃順獻倭馘四級.[257]

丙辰[24日], 王以忠肅王忌辰, 如廣明寺.

[某日, 以[秘書監·知刑部事]鄭云敬爲榮祿大夫·刑部尙書:追加].[258]

夏四月[癸亥朔小盡,己巳], 辛未[9日], 雨雹.[259]

辛巳[19日], 江浙[太尉]張士誠·[江浙海島防禦萬戶]丁文彬遣使, 獻方物.

丙戌[24日], 宰樞言, "公主無子, 請選名家女宜子者". 於是, 納[前門下侍中]李齊賢女, 封爲惠妃.

[→宰相白公主曰, "王卽位九年, 未有太子, 願選良家女充後宮". 公主許之. 乃納李齊賢女爲妃, 寔非王意, 公主復悔之, 不進膳. 於是, 閹竪女謁, 讒謗百端, 公主遂有妬志:列傳2恭愍王妃魯國大長公主轉載].

[→納府院君齊賢之女. 魯國大長公主無子, 宰相請納名家女宜子者, 於是選入封惠妃:列傳2恭愍王妃惠妃李氏轉載].

[○有氣如煙, 生于旻天寺三層殿鴟尾:五行2轉載].[260]

253) 紅賊은 『고려사절요』 권27에는 紅頭軍으로 되어 있다(盧明鎬 等編 2016년 684面).

254) 北은 延世大學本에는 比로 되어 있으나 오자일 것이다(東亞大學 2006년 25册 433面).

255) 이때 北東方으로 진격하던 홍건적은 婆娑府(義州의 對岸)에 도착하였던 것 같다(『목은시고』 권5, 聞賊在婆娑府). 또 이 기사에서 홍건적은 스스로가 席卷했던 지역이 中原을 확보한 후 동쪽으로 산동지역[齊魯], 서쪽으로 陝西지역[函秦], 남쪽으로 廣東지역[閩廣], 북쪽으로 北京지역[幽燕]이었다고 聲言하였는데, 약간의 誇張이 있을 것이다. 또 이보다 먼저인 1월 13일(丙午)에 遼陽行省(當時의 治所는 懿州임)이 關先生·破頭潘 등에게 함락되고, 懿州路總管 呂震이 죽었다(『원사』 권45).

256) 이는 『동도역세제자기』 ; 『영천선생안』에 의거하였다.

257) 이해의 全羅道都巡問使가 黃順임은 『금성일기』에서도 확인된다.

258) 이는 『삼봉집』 권4, 鄭云敬行狀에 의거하였다.

259) 이와 같은 기사가 지7, 五行1, 水, 雨雹에도 수록되어 있다. 이날 일본의 교토에서는 맑았다고 한다(『愚管記』제5, 延文 4년 4월, "九日辛未, 晴").

260) 이날 교토에서는 비가 내렸다고 한다(『愚管記』제5, 延文 4년 4월, "廿四日丙戌, 雨降").

[某日，重房言，“自古緇流，不得入闕門，今崇信佛法，出入無防，請禁之”，從之:刑法2禁令轉載].

[是月，紅巾賊黨彭早住·趙均用自徐州奔濠州，與郭子興不相能，早住既死，均用益自專，子興向滁陽，均用乃奔淮安，未幾，自淮安奔山東，依毛貴．至是，殺貴．貴黨續繼祖自遼陽入益都，執均用殺之，垂與其所部，自相仇敵:追加].[261]

[是月頃，以[太中大夫]鄭光道爲福州牧使:追加].[262]

五月[壬辰朔大盡,庚午]，丁酉[6日]，以誕日，放囚.

[○赤黑群蟻相戰．司天監奏，“兵志曰，螻蟻戰，兵大興”:五行3轉載].[263]

己亥[8日]，倭寇禮成江.[264]

丙午[15日]，以倭賊充斥，禱于太廟.

[丁未[16日]，月食:天文3轉載].[265]

己酉[18日]，倭焚瓮津縣.

[○鵬鳴于延慶殿東:五行1轉載].

---

261) 이는 다음의 자료에 의거하였다.

· 『昭代典則』 권2，己亥(至正19，공민왕8) 4월，“彭早住·趙均用自徐奔濠，與[郭]子興不相能，早住既死，均用益自專，子興向滁陽，均用乃奔淮安，未幾，自淮安奔山東，依毛貴．至是，殺貴．貴黨續繼祖自遼陽入益都，執均用殺之，垂與其所部，自相仇敵”.

262) 이는 『안동선생안』에 의거하였다.

263) 筆者는 이 구절이 수록되어 있는 典籍이 무엇인지를 알 수 없다.

264) 이해[是年]에 日本僧 中菴守允(壽允，1333~?，號 息牧叟)이 中原에 들어가려다가 風浪으로 고려에 도착하여 開京에 머물면서 李穡·李行 등을 위시한 官僚들과 交遊하였다고 한다. 그는 中峰明本의 門下僧 龍山德見의 弟子라고 하는데，李穡은 大都에서 龍山의 名聲을 들었다고 한다(『목은시고』 권1，雪梅軒小賦，爲日本釋允中菴作，號息牧叟；『목은문고』 권12，息牧叟讚；권13，跋黃蘗[黄檗]語錄；『양촌집』 권2，中庵所畵李周道[行]騎牛圖；『圓太曆』，觀應 1년 4월 14일，來朝宋僧交名事).

이때 倭賊이 예성강에 침입한 것이 아니라 倭船이 漂着한 것이고，이로 인해 守允이 開京에 도착하게 되었다고 본 견해도 있다[榎本 涉 2002年a；張東翼 2009년 336面，491面).

265) 이날(丁未) 교토에서도 월식이 있었다(日本曆의 5월 15일，日本史料6-22册 574面). 이날은 율리우스력의 1359년 6월 11일이고，월식 현상이 심했던 때의 世界時는 17시 30분，食分은 0.93이었다(渡邊敏夫 1979年 485面).

· 『愚管記』제5，延文 4년 5월，“十五日丁未，晴，及晩小雨降，丑半剋月蝕，正見云々”.

· 『延文四年具注曆』，“五月小建，十五日丁未，水除，望，月蝕，大分十五分之，虧初子五刻，加時丑三刻，復末寅三刻 ”.

· 『本朝統曆』 권10，延文 4년，“五月，十五夜望，丑三，月蝕，十三分弱，子三，寅二”.

丁巳[26日], 全羅道追捕副使金鋐擊倭于甫若島, 擒二十餘級.[266)]

六月[壬戌朔大盡,辛未], 丙寅[5日], 知沔州事郭仲龍監洪州倉, 出米二十石, 給官妓·官奴, 削官充軍.[267)]

[辛未[10日], 御史臺上言曰, "殿下, 躬享宗廟祭禮, 祭器, 一皆新之, 奉先之意, 至矣. 自國都遷徙之後, 國家多事, 典祀之官, 不共其職, 用脫粟飯沽酒市脯, 不腆之甚, 至於此極, 而就野爲壇, 享官, 或年老神昏, 豈其誠敬盡禮者乎. 宜令有司, 就壇傍立舍, 以庇風雨, 令諸陵直, 於太常寺, 更日直宿, 以充祝史. 又令都祭庫·典廐署, 併隸太常寺, 祭物魚果, 各道按廉使, 以時輸納, 祭器, 亦令新之, 以副殿下誠敬之實", 從之:禮3吉禮大祀轉載].

乙亥[14日], 命翰林院, 進尙書及歷代諸書.

丁亥[26日], 定誅奇轍功臣, 下敎曰, "奇轍·權謙, 連姻帝室, 依勢作威, 不畏紀綱, 奪占田民, 恣行非義. 頃年以來, 天下始亂, 自顧其身, 積惡斂怨, 度其一朝, 勢去難保. 預爲深計, 以固藩籬, 以其親戚腹心, 桀驁之輩, 布列權要, 陰樹黨援. 圖爲不軌, 私造兵仗, 外方軍人, 亦閱弓矢, 詐爲詔使, 兼扇訛言, 眩惑人心. 密諭會期, 約以同擧, 宗社安危, 只在須臾. 南陽侯洪彦博, 奮不顧身, 殄殲賊徒, 再安社稷, 功大難忘. 其以南陽侯洪彦博·參政[參知政事]商議慶千興·參政[參知政事]安祐·知門下省事鄭世雲·判樞密院事黃裳·知樞密院事·[提點司天臺事]柳淑·上將軍睦仁吉·將軍李蒙古大, 爲一等.[268)] 簽書樞密院事金得培·樞密院副使金元鳳·工部尙書金琳·判司天監事陳

---

266) 이와 관련된 기사로 다음이 있다. 또 金鋐(김굉)은 『고려사절요』 권27에는 金鈜(김횡)으로 되어 있으나 오자일 것이다(盧明鎬 等編 2016년 685面).
- 열전38, 金鋐, "… 屢爲全羅道捕倭使, 頗有戰功".

267) 郭仲龍은 곽충룡(郭翀龍)인데, 『고려사』를 편찬할 때 보통 사용하지 않는 글자[生僻字]이므로 改字한 것 같다. 그는 李穡과 製述業의 同年이고, 1358년(공민왕7) 3월 무렵 知沔州事로 재직하고 있었다(『목은시고』 권4, 寄沔州郭員外□[翀]翀龍). 또 出米는 『고려사절요』 권27에는 盜米로 되어 있다(盧明鎬 等編 2016년 685面).

268) 이때 1등 공신으로 책봉된 인물에 대한 기사로 다음이 있다.
- 열전24, 洪彦博, "尋封南陽侯. 錄誅奇轍功爲一等".
- 열전24, 慶復興, "錄誅奇轍功爲一等".
- 열전25, 柳淑, "錄誅奇轍功, 賜安社功臣鐵券, 淑謂諸功臣曰, 功劵卽罪案也, 願相勉保終始. 又曰, 君子不黨, 吾決不黨於人. 願諸公同心奉王室, 無私黨".
- 열전26, 鄭世雲, "錄誅奇轍功爲一等".
- 열전27, 黃裳, "再轉判樞密院事, 錄誅奇轍功, 爲一等".
- 열전27, 睦仁吉, "又錄誅奇轍功爲一等, 累遷兵部尙書".

永緖·判太僕寺事金滑·上將軍金元命·李云牧·前大府卿[太府卿]文璟·將軍朱永世·內侍監方節朶赤帖木兒[朶兒赤帖木兒]·中郎將張必禮, 爲二等.[269] 爵其父母妻, 蔭及子孫, 賜田民有差. [前同知樞密院事]姜仲卿身雖已死, 功大難忘, 並賜錄券, 爵其父母, 蔭及子孫".[270]

[戊子[27日], 木稼:五行2轉載].

[辛卯[30日], 御史臺上言, "□一, 自國都遷徙之後, 樂工散去, 聲音廢失, 宜令有司, 新制樂器:樂志1軒架樂獨奏節度轉載].

[□一, 凡祭醮者, 不犯僧尼, 蒙益享應. 今籍田享官, 因祭壇無宇, 宿于甑山寺, 當祭之時, 出而行之, 恐神明之不格. 宜令都評議使, 給材瓦於太常寺, 構祭廚及齋宿之室, 約日爲之, 可也", 從之:禮4籍田轉載].

[某日, 以郭忠實爲慶尙道按廉使, 姜君甫[姜君實]爲全羅道按廉使:慶尙道營主題名記·錦城日記].[271]

[□□[是月]],[272] 楊廣·全羅·慶尙道大旱.[273]

秋七月[壬辰朔小盡,壬申], 癸巳[2日], 放還諸道流人.[274]

[甲午[3日], 大風以雨:五行3轉載].[275]

[某日, 御史臺劾啓, "[判樞密院事]黃裳及判閤門事[判閤門事]楊伯淵, 奸前判密直□[司]事辛貴妻康氏, 敗亂風俗, 請罷職禁錮", 從之:節要轉載].[276]

---

269) 이때 2등 공신으로 책봉된 인물에 대한 기사로 다음이 있다.
· 열전38, 金元命, "[金元命,] 遷上將軍, 錄誅奇轍及辛丑扈從功爲二等".

270) 이 기사의 '內侍監方節·朶赤帖木兒'에서 方節은 高麗名이고, 朶兒赤帖木兒[dorji termur]은 蒙古名이다(→충정왕 2년 冬某月의 脚注, 공민왕 12년 윤3월 15일).

271) 姜君甫는 姜君實의 오자일 것이다.

272) 이 위치에 是月이 탈락되었을 것이다(→지8, 五行2, 金行).

273) 몽골제국에서는 前月(5월)에 山東·河東·河南·關中 等地에서 蝗蟲이 蔽天하여 人民들이 크게 굶주렸다고 한다[民大饑](『원사』 권45, 본기45, 순제8, 지정 19년 6월). 또 일본의 교토에서도 7월과 8월에 炎旱으로 奉幣使가 社寺에 파견되었다고 한다(高麗曆과 同一, 日本史料6-22册 607面).
· 『愚管記』제5, 延文 4년 7월, 8월, "[七月]十二日癸卯, 晴, 未刻許雨灑, 不及濕地, 十三日甲辰, 晴, 民間有炎旱之愁云々, … 十六日丁未, 晴, 酉淸凉之氣, 今日被行祈雨奉幣, 上卿万里小路[仲房]中納言·辨頭[忠光]左中辨云々. … [八月]四日甲子, 陰, 時々雨灑, 不及濕地, … 五日乙丑, 小雨如昨日, 今夜被行祈雨奉幣, 上卿權大納言忠季卿云々".

274) 이 기사의 流人은 流配人을 指稱한다(東亞大學 2012年 10책 108面).

275) 이날 교토[京都]의 날씨는 맑았다고 한다(『愚管記』제5, 延文 4년 7월, "三日甲午, 晴").

276) 이와 관련된 기사로 다음이 있고, 康氏는 李成桂의 京妻인 康氏(神德王后)의 弟로 추측된다.

[→御史臺劾, "裳通判密直前判密直司事辛貴妻康氏, 敗亂風俗, 請鞫之". 王愛裳驍勇, 且以有功, 只免官:列傳27黃裳轉載].

[→□前判密直□□司事辛貴貶在外, 妻康氏獨居, 淫穢無忌, 大臣多私之, 中書侍郎同中書門下平章事金鏞亦通焉. 貴母告御史臺鞫之, 鏞以權幸獨免:列傳44金鏞轉載].[277]

[庚子9日, 震人, 又震樹木:五行1轉載].[278]

辛丑10日, 延安伯印承旦卒.[279] [葬不以禮. 有婢妾子完, 護軍:列傳36印承旦轉載].

乙巳14日, 西原伯鄭頫卒.[280] [頫, 淸州人, 嘗受宣命, 提擧征東儒學, 州人聞其死曰, "一兇去矣". 謚文克:節要轉載].[281]

戊申17日, 前贊成事閔思平卒,[282] [年六十五, 謚文溫. □□思平, 性溫雅, 睦親姻, 善交遊. 居官處事, 不爲崖異, 常以詩書自娛. 所著'及菴集', 行于世:列傳21閔思平轉載].[283]

甲寅23日, 江浙太尉張士誠遣范漢傑·路本來, 獻彩叚綵段·金帶·美酒.

○丁文彬亦獻方物, 文彬書曰, "嚮者, 不揆謏陋, 輒儐非儀, 上干冕聰, 戰兢無措. 文彬先是, 奉使浙左, 忽家人報吳尙書來, 出內翰李相公書, 宣示敎命, 寵錫踰量, 無以仔肩. 企思耿光, 昭若在邇, 羈縻末役, 拜覲無能. 人由大邦, 深獲仁覆, 感恩膺寵, 江海與同. 太尉張公, 鎭綏浙右, 向風不忘, 特遣使, 祗奉禮儀, 仰徹殿下, 文軌不異, 祈望弘仁. 僑寓中, 不及備, 聊以微儀, 少罄葵心".

○王引見士誠使者, 使翰林直學士李穡, 答文彬書曰, "迺者, 祗承王命, 拜書左右,

· 열전24, 慶復興, "改叅知中書省事參知政事. 御史臺劾黃裳·楊伯淵姦判密直□□司事辛貴妻康氏, 復興慶千興言, 康之失節, 以夫在流, 不能防閑也. 自丙申恭愍5年以來, 流竄者寔繁, 室家怨曠, 多失節, 請皆放還鄕里, 從之".

· 열전27, 黃裳, "御史臺劾, 裳通判密直□□司事辛貴妻康氏, 敗亂風俗, 請鞫之. 王愛裳驍勇, 且以有功, 只免官".

· 열전27, 楊伯淵, "恭愍朝, 累轉判閤門事, 奸判密直□□司事辛貴妻康氏, 康氏贊成允成女也. 憲司劾之, 罷職禁錮".

277) 權幸은 延世大學本에서 權倖으로 되어 있으나 오자일 것이다(東亞大學 2006년 28冊 516面).

278) 이날 교토에서는 맑았다고 한다(『愚管記』제5, 延文 4년 7월, "九日庚子, 晴").

279) 이날은 율리우스曆으로 1359년 8월 4일(그레고리曆 8월 12일)에 해당한다.

280) 이날은 율리우스曆으로 8월 8일(그레고리曆 8월 16일)에 해당한다.

281) 이와 같은 기사가 열전19, 鄭瑎, 頫에도 수록되어 있는데, 添字는 이에 의거하였다.

· 『목은시고』 권5, 西原伯鄭公挽詞, 諱頫頫. 여기에서 添字와 같이 고쳐야 옳게 될 것이다.

282) 이날은 율리우스曆으로 8월 11일(그레고리曆 8월 19일)에 해당한다.

283) 이는 「閔思平墓誌銘」에도 수록되어 있다.

自以僭踰，迄今爲愧，不意使者回舟，如是之速也．書札信物，謹以入啓，王皆忻納，太尉之使，待遇如書．使王與太尉，自今永以爲好，未必不由執事也．土宜別幅，冀領王意”．

[某日，東北面兵馬使鄭暉，報趙小生·卓都卿，欲入寇，請兵禦之．王遣禮賓卿[太僕卿]趙暾，諭小生等曰，“爾來有賞，否則不宥”:節要轉載]．

[→[恭愍]六年，遷太僕卿．小生·都卿竄女眞 境，勢窮欲降，見都赤降而被害，欲見璽書乃降．八年，王遣暾賫璽書往諭，暾，至登州浮海，舟行半月至海陽，賜璽書．小生等欲從暾入朝，復懷異志，衷甲而待，暾，卽登舟而還:列傳24趙暾轉載]．

[某日，宰樞所以爲，常時合坐，着靴坐高床，六色掌持事啓課，不宜俯仰接對．作高床，各置座前，以紫帛，作巾覆之，謂紫羅酒案．又於文字，不宜操筆各署，刻木作署，凡於文字，以刻署着之，效元朝法也:刑法1職制轉載]．

[□□[是月]],[284] 江浙省平章[江浙行省平章政事]火尼赤漂風來，泊黃州鐵和江．賜米一百石·苧布二十匹，以行省員外□[郞]申仁適女，妻之．

[○以[前體覆使]崔瑩爲西北面兵馬使:列傳26崔瑩轉載]．

八月[辛酉朔大盡,癸酉]，癸亥[3日]，以李仁復△[爲]守司空·尙書左僕射·御史大夫，柳仁雨△[爲]判開城府事，李春富△[爲]判樞密院事，柳淑爲樞密院使,[285] 李餘慶△[爲]知樞密院事，孫登·金希祖·鄭暉·金得培△△[並爲]同知樞密院事．

[甲午~~甲子~~[4日]，鵬鳴於市上:五行1轉載]．[286]

丁卯[7日]，火尼赤獻水精鉞二．

戊辰[8日]，方國珍遣使□[來]，獻方物．

[是月，元將察罕帖木兒克汴梁，劉福通奉小明王韓林兒復走安豊．捷聞，帝以察

---

284) 이 위치에서 是月이 탈락되었을 가능성이 있다.

285) 이때 柳淑은 樞密院使에 취임하지 못하였던 것 같다. 이는 1362년(공민왕11) 11월 19일 恭愍王이 紅巾賊의 2차 침입을 피해 南遷할 때 그의 官職이 知樞密院事이고, 그의 묘지명과 열전에도 福州牧[安東府]에 도착한 후 樞密院使·翰林學士承旨·同修國史에 임명되었다는 사실을 통해 알 수 있다.
- 「柳淑墓誌銘」, “旣至安東府, 進樞密院使·翰林學士承旨·同修國史”.
- 열전25, 柳淑, “… 遂決策南幸, 進樞密院使·翰林學士承旨·同修國史”.

286) 原文에는 “八月甲午, 鵬鳴於市上”으로 되어 있으나, 8월에는 甲午가 없다. 그래서 이 기사는 “八月甲午[甲子], 鵬鳴於市上” 또는 “八月[九月]甲午, 鵬鳴於市上”의 오류일 것인데, 여기서는 잠시 前者에 比定하였다.

罕帖木兒爲河南平章政事兼同知樞密院事·西臺御史中丞, 以旌其功:追加].[287)]

[九月辛卯朔小盡,甲戌, 甲辰14日, 流星出東市東~~軍市東~~, 光如鏡:天文3轉載].[288)]

冬十月庚申朔大盡,乙亥, 癸亥4日, 親設百高座道場, 以禳天變, 仍放罪囚.

十一月庚寅朔大盡,丙子, 辛卯2日, 東北面兵馬使鄭暉獻海靑, 王曰, "今軍務方興, 宜崇儉約, 安用珍禽". 放之.

[□□~~癸卯14日~~, 八關會, 有司設盥洗幕于僕射廳南, 竪樊限內外, 戶部尙書李達衷與刑部尙書李挺, 坐廳上, 令撤其樊. 王在儀鳳樓, 見之大怒, 命繫獄, 左右請之, 止囚家奴. 御史臺又劾之, 挺嘗提調內佛堂, 特原之:列傳25李達衷轉載].[289)]

[□□~~是時~~, 中書侍郞同中書門下平章事金鏞爲巡軍萬戶, 招集無賴, 隷巡軍近千人, 常以自隨. 八關會, 忽赤·巡軍, 分隊扈衛, 巡軍與忽赤爭路, 梃擊忽赤將軍, 忽赤訴于王, 置不問:列傳44金鏞轉載].

甲辰15日, 遼瀋流民二千三百餘戶來投, 分處西北郡縣, 官給資糧. 先是, 本國人亦有渡鴨綠江居者, 以兵亂, 皆自還.

[○月食:天文3轉載].[290)]

癸丑24日, [冬至]. 賀太子千秋節, 宴群臣. 時與元雖不相通, 不欲遽廢也.[291)]

---

287) 이는 다음의 자료에 의거하였다. 이는 8월 18일(戊寅)에 中書平章政事 察罕帖木兒[Chagan Temur]가 諸將을 督勵하여 汴梁城(現 河南省 開封)을 공격하니 劉福通이 小明王 韓林兒를 받들고 安豊(現 安徽省 壽縣)으로 退却한 것을 가리킨다(『원사』 권45·141察罕帖木兒).
· 『昭代典則』 권2, 己亥(至正19) 8월, "蒙古察罕帖木兒克汴梁, 劉福通以韓林兒復走安豊. … 捷聞, 詔以察罕帖木兒爲河南平章兼同知樞密院事·西臺中丞, 以旌其功".

288) 東市東은 軍市東(軍市星官, 軍市星의 東方)의 오류일 것이다(孫曉 等編 2014年 1518面). 또 이날 일본의 교토에서 비가 내렸다고 한다(『愚管記』제5, 延文 4년 9월, "十四日甲辰, 雨降").

289) 이달의 15일에 月食이 있을 것으로 豫測되었을 것이고, 이를 피하기 위해 13일(壬寅), 14일(癸卯)에 각각 八關會의 小會, 大會가 개최되었을 것이다.

290) 이날 교토에서도 월식이 있었다고 한다(日本史料6-22冊 744面). 이날은 율리우스曆의 1359년 12월 5일이고, 月食 現象이 심했던 때의 世界時는 7시 15분, 食分은 1.28이었다(渡邊敏夫 1979年 485面).
· 『愚管記』제5, 延文 4년 11월, "十五日甲辰, 陰, 入夜雨降, 月蝕不正現云々".
· 『延文四年具注曆』, "十一月大建, 十五日甲辰, 大定, 望, 月蝕, 大分皆既, 虧初未五刻, 武始交加時申七刻, 復末戌四刻".
· 『本朝統曆』 권10, 延文 4년, "十一月, 十五望, 申五, 月蝕, 皆既, 未二, 酉六".

乙卯[26日], 王宴[前江浙行省平章政事]火尼赤于內殿.

戊午[29日], 紅頭賊三千餘人渡鴨綠江, 摽竊而去. □□[西北面?]都指揮使金元鳳匿不報, 遣戶部侍郞鄭之祥切責, 不之罪.

己未[30日], 以[參知政事]慶千興爲西北面元帥, 安祐副之.

[丙辰[27日], 通議大夫·樞密院右副承宣·翰林直學士充史館修撰官·知制誥·知工部事韓山李穡撰序:追加].[292)]

[是月頃, 以[朝議郞·正言]朴三陽爲東京留守府判官兼勸農使:追加].[293)]

十二月[庚申朔小盡,丁丑], [某日, 禁人擅爲僧尼:節要·刑法2禁令轉載].

丁卯[8日], 紅頭賊魁僞平章□□[政事]毛居敬衆, 號四萬, 冰渡鴨綠江, 陷義州, 殺副使朱永世及州民千餘人.[294)]

戊辰[9日], [小寒]□□[紅巾]賊陷靜州, 殺[西北面]都指揮使金元鳳, 遂陷麟州.[295)]

[某日[~~己巳~~10日?], [西北面副元帥安]祐率兵進擊, 賊奔潰. 追斬三十餘級:列傳26安祐轉載].[296)]

庚午[11日], 以守門下侍中李嵒[嵓]爲西北面□□[兵馬]都元帥, [參知政事]~~慶千興~~[慶千興]爲副元帥, 金得培爲都指揮使, [判樞密院事]李春富爲西京尹, [左副承宣?]李仁任爲西京存撫使.

[→紅賊入寇, 嵒爲西北面都元帥, 領兵二千行. 有朴居士者, 自言有祕術能破賊以惑人, 嵒執送于京:列傳24李嵒轉載].

---

291) 皇太子의 生日은 이 자료와 같이 11월 24일이며, 『太古和尙語錄』卷上, 永寧禪寺說法 ; 卷下, 太古普愚行狀, 上石屋和尙書 등에도 11월 24일로 되어 있다(→충혜왕 복위년 11월 是月戊寅의 脚注).

292) 이는 다음의 자료에 의거하였다.
- 『목은문고』 권8, 動安居士李公文集序, "… 至正十九年冬至後三日".
- 『동안거사문집』序, "… 通議大夫·樞密院右副承宣·翰林直學士充史館修撰官·知制誥·知工部事韓山李穡撰".

293) 이는 『동도역세제자기』에 의거하였다.

294) 이와 같은 기사가 열전26, 安祐에도 수록되어 있다. 또 이날 교토에서는 陰晴이 불분명했다고 한다(『愚管記』제5, 延文 4년 12월, "八日丁卯, 晴陰不定")

295) 이와 같은 기사가 열전26, 安祐에도 수록되어 있는데, 金元鳳의 피살은 즉시 報告되었던 것 같다(『목은시고』 권5, 聞金樞副遇害). 또 이날 교토에서는 맑았다고 한다(『愚管記』제5, 延文 4년 12월, "九日戊辰, 晴").

296) 이 시기에 安祐의 麾下에서 安遇慶·皇甫琳(安祐의 壻) 등이 參戰하였다고 한다.
- 열전26, 安遇慶, "恭愍八年從安祐等, 擊走紅賊".
- 『태조실록』 권6, 3년 6월, 皇甫琳의 卒記, "己丑[21日], 知中樞院事皇甫琳卒. 琳, 永州人, 晋州牧使安之子. 在前朝, 從舅平章事安祐, 屢更攻戰, 初授別將, 累遷至工部侍郞".

○賊入鐵州，西北面副元帥安祐·上將軍李芳實等擊却之，賊退屯麟·靜等州.297)

[→賊入鐵州. 祐將七十餘騎行戰地，登山息馬，猝値賊帥毛貴毛居敬揚兵大出.298) 將士皆懼失色，祐談笑自若，便旋盥漱. 從容跨馬，引兵直前，阻淸江而陣. 賊數騎登橋，麾稍賈勇，兵馬判官丁贊奮劒大呼先登橋，斬賊將一人，賊稍却. 祐與芳實·將軍李蔭·李仁祐等奮擊大破之，賊退屯麟·靜等州:列傳26安祐轉載].

[辛未12日，以兵興，除忽赤·忠勇·三都監·五軍三年喪:禮6五服制度·節要轉載].

甲戌15日，殺前贊成事康允忠·前代言前密直副使洪開道·上將軍孫巨源. 時議寃之.299)

乙亥16日，賊復入鐵州，寇掠旁縣. 安祐遇□賊于淸江，破之，300) [遣將軍禹磾，報捷:追加].301)

[→乙亥，賊入鐵州，西北面副元帥安祐遇□賊于淸江，力戰却之，賜祐金帶. ○西北面副元帥慶千興領兵千餘，進屯安州，畏賊不進. 王怒，欲論軍法，南陽侯洪彦博言曰，"千興公廉謹篤，然不閑將略，是用之者，過也". 王怒解:節要轉載].302)

[丙子17日，以賊起，祭中外山川於神廟，以求助:禮5雜祀轉載].

[某日]，安祐等復戰敗績□□□于淸江，祐退屯定州.303)

[→宣州支縣民聞賊近，皆潰，賊遣兵千餘，取其穀. 祐·得培領步騎一千逐之，賊擔負不能走. 追至賊屯，賊盡銳迎擊之. 祐等敗，千戶吳仲興·將軍李仁祐死，士馬物故者多. 退屯定州:列傳26安祐轉載].

---

297) 이날 교토에서는 새벽부터 눈이 조금 내렸다고 한다.
· 『愚管記』제4, 延文 4년 12월, "十一日庚午, 陰, 自曉又雪降, 積地不盈寸".

298) 여기에서 毛貴는 山東 益都를 根據로 部將들을 파견하여 塞外地域을 유린하고 있던 紅巾賊帥 毛貴가 아니고, 이때 홍건적을 거느리고 고려에 침입해온 毛居敬의 誤字일 것이다. 또 毛貴는 是年 4월 趙均用에게 被殺되었고, 이후 北進하던 紅巾賊 사이에는 내분이 있었던 것 같다(→是年 4월 是月의 脚注).

299) 前代言은 前密直副使의 잘못일 것이다. 洪開道는 1352년(공민왕1) 10월 2일 密直副使에 임명되었다. 또 이날은 율리우스曆으로 1360년 1월 4일(그레고리曆 1월 12일)에 해당한다.

300) 여기에서 添字가 추가되어야 옳을 것이다. 또 이날 교토에서는 맑았다고 한다(『愚管記』제4, 延文 4년 12월, "十六日乙亥, 晴").

301) 이는 다음의 자료에 의거하였다.
· 『목은시고』 권5, 禹磾將軍來報鐵州戰, "乘勝長驅際, 橫戈突立看, 風腥三躍後, 天黑一呼間, 賈勇逢强敵, 褒忠進美官, 勉哉當更愼, 九鼎重如山".

302) 이 기사는 열전24, 慶復興에도 수록되어 있다.

303) 添字는 다음의 자료에 의거하였다.
· 『목은시고』 권5, 淸江, "淸江何以敗, 敵誘我從之, 深入鬪氣倍, 且問知者誰, 相傳走驍將, 又道喪全師, 天或驕狂虜, 駸駸就滅時".

己卯[20日], 以同知樞密院事金希祖爲西海道都指揮使. □[時],[304)] [西北面都元帥]李嵒[嵓]至西京, 諸軍未集, [嵒[嵓]與[西京府尹]李春富, 度西京不可守, 欲焚倉廩, 退保要害. 戶部郎中金先致曰, 若焚府庫, 賊乏資, 猝入國中, 非計也. 嵒[嵓]從之. 由是, 倉廩·屋廬得全, 諸軍:節要轉載] 退屯黃州. 中外洶懼, 京城□□[大大], 皆爲走計, 爭以穀市輕貨. 先是, 大布一匹直米二斗, 時穀賤貨貴, 直至五六斗.[305)]

[→恭愍時, 從[西北面]都元帥李嵒禦紅賊. 至西京, 賊勢甚盛, 嵒欲令賊無資糧, 使[戶部郎中金]先致焚府庫. 先致曰, "若焚府庫, 賊乏資, 猝入國中, 非計也". 嵒怒責之, [西北面副元帥]安祐在傍徐曰, "先致言是". 嵒從之:列傳27金先致轉載].

辛巳[22日], 發諸司吏胥, 補西北面戰卒.

[○令承宣以上, 各出馬一匹, 又括禪·敎各寺僧人馬, 以充軍用:節要·兵2馬政轉載].

丁亥[28日], 賊陷西京.[306)]

戊子[29日晦], 遣戶部尙書朱思忠, 齎細布·鞍韉·酒肉, 遺賊帥, 仍覘虛實.[307)]

○以[西北面都元帥]李嵒[嵓]懦不能軍, 遣平章事[門下侍郞同中書門下平章事]李承慶代之, [督諸軍:節要轉載].[308)] 命前□[都]僉議贊成事權適, 帥僧兵, 赴征.

是歲, 大饑.[309)]

[○慶尙道賑濟使·禮部侍郞全以道, 還啓曰, "監務·縣令, 職最近民, 苟非其人,

---

304) 添字는 『고려사절요』 권27에 의거하였다.

305) 添字는 『고려사절요』 권27에 의거하였다. 또 이때 金先致의 建議는 다음의 자료에서도 확인된다.
· 『태조실록』 권13, 7년 3월 己巳[22日], 金先致의 卒記, "… 辛丑[己亥], 以將作監, 從西北面都元帥李巖[李嵒]禦紅寇, 至于西京, 賊勢甚熾, 諸將爲懼. 都元帥使先致, 焚府庫, 欲使賊無敢資糧, 先致曰, 若焚府庫, 賊無資糧, 卒入國中, 非計也. 都元帥怒責之, 大將安祐在傍徐曰, 此言似矣. 都元帥乃從之". 여기에서 辛丑은 己亥(공민왕8)의 오류이다.

306) 이날 교토[京都]에서는 陰晴이 불분명하고 때때로 눈이 날렸다고 한다(『愚管記』제4, 延文 4년 12월, "廿八日丁亥, 陰晴不定, 時々雪散").

307) 이날 교토에서는 맑았다고 한다(『愚管記』제4, 延文 4년 12월, "廿九日戊子, 晴").

308) 이 구절은 열전22, 李承慶 ; 열전24, 李嵒에도 수록되어 있다.

309) 몽골제국에서는 이해의 5월, 7월, 8월에 蝗蟲이 각지에서 猖獗하여 人民들이 굶주리게 되었고, 前年 12월 紅巾賊의 侵入으로 인해 上都의 宮闕이 消盡되어 惠宗[順帝]의 巡狩가 중지되었다고 한다. 또 전국 각지에서 饑饉과 疫疾이 있었다고 한다(龔勝生 等 2015年).
· 『원사』 권45, 본기45, 순제8, 至正 19년, "原文 省略".
· 『원사』 권51, 지3하, 오행2, 稼穡不成, "원문 생략".

欲民無飢寒，不可得也．先王知其然，凡監務·縣令，皆用登科士流，今悉出胥徒，侵漁萬端，況勸課農桑，修明敎化乎?．臣巡視義城縣，有舊堤堰，若加修築，雖大旱，可以灌漑，縣令坐視，不修，以致失農，臣奉旨已杖之．願自今，凡監務·縣令，專用登科士流"．王然之，卒不能用:節要轉載].

[→全以道, 後以禮部侍郞，爲慶尙道賑濟使，還奏曰，"守令，職在牧民，苟非其人，民必受病．先王知其然，守令必用登科士流．今監務·縣令，皆出胥徒，侵漁百端，剝割生民，敢望勸農桑修政敎乎? 臣巡視義城縣，有舊堤，若加堰築，雖暵旱，可灌漑，縣令不修築．臣奉旨已杖之．願自今，凡守令，專用士流"．王然之，卒不能用:列傳27全以道轉載].

[→慶尙道賑濟使·禮部侍郞全以道請，監務·縣令，專任文士．舊制，監務·縣令，皆用登科士流，近世，專以諸司胥吏爲之，貪汚虐民．且階皆七八品，秩卑人微，豪强輕之，恣行不法，鄕邑殘弊．王納以道之言，以五六品爲安集□□別監，欲革舊弊．然安集，非出於批目，皆用時宰所擧，以白牒之任，其後，軍功添設之官，與工商之賤，皆得爲之:選擧3選用守令轉載].

[○是時，改諸道縣令·監務，爲安集別監，以五六品爲之:百官2外職轉載].[310]

[○以判太府寺事崔宰爲公州牧使:追加].[311]

庚子[恭愍王]九年，元至正二十年，[西曆1360年]

1360년 1월 19일(Gre1월 27일)에서 1361년 2월 5일(Gre2월 13일)까지，13개월 384일

春正月己丑朔小盡,戊寅，以知門下省事鄭世雲爲西北面都巡察使，賜軍中有功者銀器·絮帛·衣服，有差.[312]

丁酉9日，戶部尙書朱思忠持賊書還，辭極倨傲.[313]

---

310) 이는 다음의 기사를 전재하여 적절히 變改하였다.
· 지31，百官2，外職，諸縣，"後改諸道縣令·監務，爲安集別監，以五六品爲之".

311) 이는 「崔宰墓誌銘」에 의거하였다.

312) 이날 일본의 京都에서는 비가 내렸다고 한다(『愚管記』제6，延文 5년 1월，"一日己丑，雨降").

313) 이날 일본의 교토[京都]에서는 맑았으나 밤에 비가 내렸다고 한다(『愚管記』제6，延文 5년 1월，"九日丁酉，晴，入夜雨降").

己亥[11日]，判事金縝[金縉]還自義州啓,[314)] "賊入西京，臣潛往義·靜等州，徵旁縣散民，殺賊所留徒兵百五十，奪其積穀，招集團結，使守義州". 王嘉之，除刑部尙書.[315)]

癸卯[15日]，刑部尙書金縉·宦者金玄，領數百騎，[自祥原郡，從間道:節要轉載]，趣西京，遇賊三百餘人，[殊死戰:節要轉載]，斬百餘級.[316)]

○命御史臺，會百官，具兵仗·僕從·鞍馬·芻糧，宿衛毬庭數旬，以擬倉卒避賊之行. 又王與公主夜出後苑，習騎馬，王姓[性]不喜騎，非宗廟朝會之事，未嘗出房闥，故惕於跨馬.[317)]

甲辰[16日]，上將軍李芳實遇賊於[黃州]鐵化[鐵和]，斬百餘級.[318)]

丙午[18日]，諸軍次[西京]生陽驛，摠二萬人，時天寒，士卒手足凍皴，顚仆甚衆. 賊知我軍將進攻，遂殺所擄義·靜州及西京人，以萬計，積屍如丘.[319)]

丁未[19日]，我軍進攻西京，步兵先入，躪死者千餘人，賊兵死者，亦無慮數千人，賊退屯龍岡·咸從.[320)]

乙卯[27日]，以[參知政事]安祐爲安州軍民萬戶府都萬戶，[上將軍]李芳實爲上萬戶，金於珍

---

314) 金縝은 金縉의 오자로 추측된다. 15일(癸卯)에 金縉으로 되어 있고, 열전35, 宦者, 金玄에도 金縉으로 되어 있다. 또 이 報告를 右副承宣 李穡도 청취하였다(『목은시고』 권5, 聞賊入西京). 그리고 이날(己亥) 교토에서는 맑았다고 한다(『愚管記』제4, 延文 5년 1월, "十一日己亥, 晴").

315) 徒兵은 步兵 또는 步兵이 所持하고 있는 兵器을 指稱하는데, 이 기사에서는 前者를 의미한다(鎌田 正 1994年 1064面).
- 『춘추좌씨전』傳, 隱公 4년 秋, "諸侯之師, 敗鄭徒兵, 取其禾而還".
- 『춘추좌씨전』傳, 襄公, 25년 秋, "… 賦車籍馬, 賦車兵·徒卒·甲楯之數. 旣成, 以授子木, 禮也", "楊伯峻注, 此兩兵字皆指兵器, 車上之戰士與車下之徒卒所執, 兵器不同, 故云車兵·徒兵".
- 『사기』 권39, 晋世家第9, 文公 5년, "五月 丁未, 獻楚俘於周, 駟介百乘, 徒兵千. 天子使王子虎命晋侯爲伯".

316) 이와 같은 기사로 다음이 있다. 또 이날 교토에서는 맑았다고 한다.
- 열전35, 宦者, 金玄, "恭愍時, 紅賊入寇, 從刑部尙書金縉, 率數百騎, 自祥原郡從間道, 擊賊于西京. 猝遇賊三百餘人, 殊死戰, 斬百餘級".
- 『愚管記』제6, 延文 5년 1월, "十五日癸卯, 晴".

317) 여러 판본의 『고려사』에서 姓으로 되어 있으나 性으로 고쳐야 옳게 될 것이다(東亞大學 2008년 10책 363面). 또 『고려사절요』 권27에는 이 구절을 '王素不喜騎'로 潤文하였다.

318) 鐵化는 鐵和[鐵和縣]의 誤字로 추측된다. 또 이날 교토에서 寒風이 불어 쌓였던 白雪이 날렸다고 한다(『愚管記』제6, 延文 5년 1월, "十六日甲辰, 寒風, 積白雪散").

319) 이날 교토에서는 晴陰이 불분명하고 때때로 눈이 날렸다고 한다(『愚管記』제6, 延文 5년 1월, "十八日丙午, 晴陰不定, 時々雪散").

320) 이날 교토에서는 맑았다고 한다(『愚管記』제6, 延文 5년 1월, "十九日丁未, 晴"). 또 이때 右副承宣 李穡이 咸從에 討伐軍이 파견될 것이라는 消息을 들었다고 한다(『목은시고』 권5, 聞官軍將赴咸從).

爲副萬戶.[321)]

丙辰[28日], 卜遷都于太廟, 不吉. 時修漢陽城闕, 人多凍死.[322)]

[某日, 北面都巡察使鄭世雲, 自黃州還言, 賊入西京, 積柴修城, 無進逼計, 願勿驚擾, 以安衆心:列傳26鄭世雲轉載].[323)]

二月[戊午朔大盡,己卯], 己未[2日], [安州都萬戶]安祐等進軍咸從, 與賊戰, 失利.[324)]

[→己未, 安祐等進軍咸從, 賊乘我未陣, 突擊之, 我師敗走, 賊以精騎, 躡之. 安祐·李芳實·金於珍·大將軍李珣等, 殿以拒之, 賊不得逼, 會東北面千戶丁臣桂, 引兵一千而至, 與賊殊死戰, 斬數十級. 賊追至五十里而止, 我步兵登山以免, 其被殺掠者千餘人:節要轉載].[325)]

○以江陽伯李承老爲遂安·谷州等處築城監督使.

[辛酉[4日], 賊四百餘人, 屯肅州山谷, 聞其黨敗於西京, 還趣義州. 中郞將柳塘·郞將金景, 在義州, 修築城門, 聞賊還, 召州千戶張倫, 發龍州等處軍, 迎擊之, 賊入保靜州城, 塘等進攻, 悉殲之:節要轉載].[326)]

戊辰[11日], 曲赦.

辛未[14日], 政堂文學安震卒.[327)]

---

321) 金於珍(金立堅의 父)은 몽골제국의 福山縣(現 山東省 煙臺市 福山區) 出身으로 巡訪萬戶를 역임하였다고 하는데, 어떠한 事緣이지를 알 수 없으나 事實이 아닐 가능성이 있다.

· 『태조실록』 권9, 5년 1월 己卯[20日], "參贊門下府事金立堅卒, 輟朝三日. 立堅, 福山人, 元朝巡訪萬戶於珍之子, 仕前朝, 拜將軍, 歷官至判密直□□[司事], 入本朝拜參知門下□□[府事], 遷參贊門下□□[府事]. 卒年五十七, 贈諡良平, 無子".

322) 이때 교토에서는 27일(乙卯)과 28일(丙辰)에 흐렸다고 한다. 또 고려에서도 이 시기[春, 2月·3月]에 비가 자주 내렸던 것 같다.

· 『愚管記』제6, 延文 5년 1월, "廿七日乙卯, 陰, 廿八日丙辰, 陰".

· 『목은시고』 권5, 雨, "一春知幾雨, 岸幘從衣濕, 自喜農有事, 時哉要須及, 花間新水生, 樹外殘虹立, 忽得晚晴詩, 茅簷暝痕集".

323) 이 報告를 右副承宣 李穡도 청취하였다(『목은시고』 권5, 聞賊駐西京).

324) 이날(己未, 1일) 교토에서는 맑았으나 地震이 있었다고 한다(『愚管記』제6, 延文 5년 2월, "一日己未, 晴, 申剋地震").

325) 이와 같은 기사가 열전26, 安祐에도 수록되어 있다. 또 이때 李穡이 咸從에서의 戰鬪가 성공적이지 못했지만, 丁臣桂의 軍士는 퇴각하지 않았다는 消息을 들었던 것 같다(『목은시고』 권5, 聞咸從戰不利, 聞丁臣桂軍不却).

326) 이와 같은 기사가 열전26, 安祐에도 수록되어 있다. 또 이날 京都에서 날씨가 흐렸으나 때때 해가 나타났다고 한다(『愚管記』제6, 延文 5년 2월, "三日辛酉, 陰, 時々見日景").

壬申[15日]，我軍又戰于咸從，判開城府事辛富·將軍李堅死之．諸軍力戰，[賊勢窮，入柵自保．我步兵入柵擊之，騎兵環柵亂射:列傳26安祐轉載]，斬二萬級，虜僞元帥沈剌[沈剌]·黃志善，餘賊萬餘，退保甑山縣．

癸酉[16日]，[都萬戶]安祐·[上萬戶]李芳實等追賊，至古宣州，斬數百級，餘賊三百餘人渡鴨綠江而走.[328)]

[→癸酉，[上萬戶]李芳實，以精兵一千騎，追賊，至延州江．安祐·金得培·金於珍，亦率精騎繼至，賊勢窮，渡江，氷陷，死者殆數千人，賊登岸，作隊，若爲抗拒狀，大軍疑窮寇死戰，遂歛[斂]兵不追．是夜賊遁，芳實蓐食追之，賊徒飢困，安·鐵數州之間，死者相繼於道，芳實追至古宣州，[~~以輕騎蹙之~~]，斬數百級．賊勢窮死戰，芳實以軍馬困憊，亦歛[斂]兵而止．餘賊三百餘人，一日一夜，至義州，渡鴨綠江而走．芳實·祐等，追之不及而還:節要轉載].[329)] [○祐等，初從鴨綠抵西京，又自咸從，還至鴨綠，凡九戰:列傳26安祐轉載].

[→[崔瑩，]又明年爲西北面兵馬使，紅賊入西京，瑩與諸將戰于生陽·鐵和·西京·咸從之間，頗有功:列傳26崔瑩轉載].

壬午[25日]，都元帥李承慶以疾還.[330)]

[→都元帥李承慶在生陽驛，以諸將不盡力討賊，常憤惋不食，遂得疾，乃還．王對諸宰相，稱賞[承慶忠義]不置．自是，承慶稱疾，不視事:節要轉載].[331)]

[某日，以[中散大夫·兵部侍郞]安克仁爲慶尙道按廉使，李昉爲全羅道按廉使兼兵馬使:慶尙道營主題名記·錦城日記].[332)]

三月戊子朔[小盡,庚辰]，[副元帥]慶千興·安祐·金得培上箋告捷.

---

327) 이날은 율리우스曆으로 1360년 3월 1일(그레고리曆 3월 9일)에 해당한다.

328) 이때 교토에서는 壬申(14일)과 癸酉(15일)에 비가 내렸다고 한다(『愚管記』제6, 延文 5년 2월, "十四日壬申, 雨降, … 十五日癸酉, 雨降, …").

329) 이와 같은 기사가 열전26, 安祐에도 수록되어 있는데, 添字는 이에 의거한 것이다.

330) 이날 교토에서는 맑았으나 밤에 비가 내렸다고 한다(『愚管記』제6, 延文 5년 2월, "廿四日壬午, 晴, 入夜雨降, …").

331) 이 구절은 열전22, 李承慶에도 수록되어 있다.

332) 이때 안렴사의 파견은 紅巾賊의 침입으로 인해 2월에 이루어져, 3월에 출발하였던 것 같다(『목은시고』 권5, 送安侍郞[克仁]出按慶尙道, 上巳, 又賦). 또 安克仁은 李承休의 姪壻로서 이때 東京에서 1296年頃(충렬왕 22年頃, 元貞年間, 1295~1296) 初刊된 『帝王韻紀』를 再刊하였다(崔然柱 2009년→충렬왕 22년 是年頃 ; 是年 5월).

[→安祐·得培與慶千興, 遣李珣·金仁彥告捷:列傳26安祐轉載].[333)]

[某日, 安祐等上牋賀曰, "紅衣之爲寇, 鷙悍狼貪, 雖白額當前, 狐綏免狡, 所欲必得. 險阻所遇, 莫不屠殘, 虐焰俱焚. 望之膽破, 臭風如迦, 動則心悲. 以吾久玩太平之民, 當彼敢行死拒之賊, 誠亦難哉. 淸江·安州之役不利, 雖臣輩之無良, 西京·咸從之戰見功, 是社稷之有德. 原野積屍之累萬, 關津突騎則逾千. 所欠漏厥兇魁而以爲遺恨, 然繩木自盡者多, 則其窨勿問. 抑夫妻相刎者半, 則所計已窮. 度彼中心無復東意. 雖然, 在賊中便弓馬稍多, 本朝之人比年閒作罪辜. 儻是宣城之孽, 如不艾舊, 當更虞將來. 殿下念臣等久於水草之勞, 敝於死亡之辱, 允納凱歸之報, 明垂召入之言, 不覺蛟泣之沾膺, 欣瞻龍顏, 則拊髀所有. 邊事, 悉歸夏防, 然而顧一方之形容, 假數年則蘇息, 糟糠得接於口, 亦尙幸焉. 酒肉將求於民, 不可忍也, 使華往返, 宴飮費需, 除朝夕粥飯外, 宜一切禁之. 驛館緣于道塗, 騶吏出於州縣, 州驛相去, 更日而行, 供給次番, 盡月而代. 除安州以南外, 嘉·定·隨·郭·宣·鐵·龍·麟之人, 宜不出本州以待賓客, 姑寢其驛館. 人民不得已而奴辱於虜, 軍官無乃何而逃竄於山, 勢非苟然, 力不贍爾. 除謀故外, 宜先數其愆而第宥之, 使恩威並行而不悖. 平民·奴婢·良家子孫·將士自爲功, 或有在於俘獲. 主帥雖出令, 安能究於倉皇. 除漢兒男女外, 亦宜令所司體察, 督還本元. 臣等昨者在行陣閒, 往往事有可訊瘼, 以今月初吉, 離軍上赴天朝, 謹奉牋陳進以聞":列傳26安祐轉載].

[某日, 王勞諭召還. 命泥城萬戶金璡守鴨綠夏防. ○又批荅云, "窮寇之來, 肆毒有如蜂蠆, 義兵所至, 定威奚啻雷霆. 當其奏凱而還, 嘉乃馳牋而賀":列傳26安祐轉載].

[甲午7日, 祭諸道州郡城隍于諸神廟, 以謝戰捷:禮5雜祀轉載].

乙未8日, 班師.[334)]

[→師旣旋, 大饗將士:列傳26安祐轉載].

己酉22日, 紅賊船七十艘來, 泊西海道豊州碧達浦, 又泊西京德島·席島□□等處,

---

333) 이와 관련된 자료로 다음이 있다. 또 이날 교토에서는 晴陰이 불분명하고 바람이 불어 눈이 날렸다고 한다.

- 『목은시고』 권5, 方家丞馳報官軍得西京, 喜而志之, "一騎西來疾似星, 緣街大叫得西京, 九重夜半天顏動, 頃刻懽呼已滿城".
- 『愚管記』제6, 延文 5년 3월, "一日戊子, 晴陰不定, 風吹雪散".

334) 이때 교토에서 7일(甲午)과 8일(乙未)은 맑았다고 한다(『愚管記』제6, 延文 5년 3월, "七日甲午, 晴, 八日乙未, 晴, …").

入鳳州, 燒城門. 又百餘艘入安岳郡元堂浦, 掠錢穀, 燒廬舍, 我軍與戰數日, 死者三十餘人. 賊又侵黃州琵琶浦.[335)]

壬子[25日], 賜[前都元帥]李承慶忠勤勁節協謀[協謀]威遠功臣,[336)] [副元帥]慶千興盡忠同德協輔[協輔]功臣, 安祐推忠節義定亂功臣·中書平章政事[中書平章事],[337)] 金得培輸忠保節定遠功臣·政堂文學, 李芳實推誠協輔[協輔]功臣·樞密院副使,[338)] [[通議大夫·右副承宣]李穡爲左副承宣·知禮部事, 餘並如故:追加].[339)]

甲寅[27日], [穀雨]. 紅賊寇安州城垣浦.[340)]

乙卯[28日], 斬[紅賊元帥]黃志善.

○遣戶部尙書朱思忠如元, 告平賊, 至遼陽, 道梗而還.

[某日, 下敎書, 奬諭福州牧使鄭光道:追加].[341)]

丙辰[29日晦], [江浙太尉]張士誠遣使來聘.

夏四月丁巳朔[大盡,辛巳], 紅賊侵黃州鐵和浦, 牧使閔珝與戰, 斬二十餘級, 虜一人幷獲兵仗, 以獻.[342)]

己未[3日], 遣[樞密院副使]李芳實擊紅賊于豊州, 斬三十餘級, 賊乘舟遁去.[343)]

---

335) ~~添字~~는 『고려사절요』 권27에 의거하였다. 또 이날 교토에서는 흐리다가 저녁부터 비가 내렸다고 한다(『愚管記』제6, 延文 5년 3월, "廿二日己酉, 陰, 自夕雨降").

336) 延世大學本과 東亞大學本에는 協謀[協謀]가 協諆로 되어 있으나 오자일 것이다.

337) 中書平章政事는 이 기사 외에는 찾아지지 않음을 보아 中書平章事의 오류일 것이다.
- 지30, 百官1, 門下府, "[恭愍]九年, 稱平章政事". 이는 『고려사』를 편찬할 때, 上記 記事에 의거하여 作文된 것으로 추측된다.

338) 이때의 공신책봉에 관한 기사로 다음이 있다.
- 열전24, 慶復興, "錄己亥擊走紅賊, 辛丑扈從功, 俱爲一等".

339) 이는 『목은집』연보에 의거하였다.

340) 이날 교토에서는 밤이 되기 전에 비가 심하게 내렸으나 어두워 질 무렵 개였다고 한다(『愚管記』제6, 延文 5년 3월, "廿七日甲寅, 自夜前雨甚降, 及晡屬晴天").

341) 이는 慶尙北道 安東市 北門洞 24번지에 위치한 三太師廟에 소장된 공민왕이 福州牧使 鄭光道(1359년 5월~1360년 4월 在職)에게 내린 敎書(寶物 451號)에 의거하였는데(張東翼 1982년b), 이 문서는 後代의 模寫한 것이라는 견해가 제시되었다(카와니시 유야[川西裕也] 2019년).
- 敎書, "敎」 福州牧使光道, 覽」 所上牋, 賀捕賊事,」 具悉, 窮寇之來, 肆」 毒有如蜂蠆, 義」 兵所至, 宣威奚啻」 雷霆, 當其奏凱」 而還, 嘉乃馳牋而」 賀, 故玆敎示, 相宜」 知悉, 春暄, 卿比平」 安好, 遣書, 指不多」 及,」 至正二十年三月日」".

342) 이날 교토에서는 맑았다고 한다(『愚管記』제6, 延文 5년 4월, "一日丁巳, 晴").

343) 이날 교토에서는 맑았다고 한다(『愚管記』제6, 延文 5년 4월, "三日己未, 大晴").

[壬辰~~壬戌~~6日, 赤黑群蟻相戰, 與前年□□~~五月~~, 皆初六日也:五行3轉載].[344)]

壬申16日, 遣金伯環·權仲和報聘于江浙太尉張士誠.

癸酉17日, 宴群臣, 賜樞密院副使李芳實玉帶·玉纓. [公主曰, "殿下, 何不愛至寶, 以與人乎?". 王曰, "使我宗社, 不爲丘墟, 百姓不爲魚肉, 皆芳實功也. 予雖割肌膚, 以與之, 尙不能報, 况此物乎?":節要轉載].

甲戌18日, 王出西亭, 聞有女哭甚哀, □□~~使人~~問之, □~~對~~曰, "吾兄戰死, 母哀毁三日而死, 家貧無以葬, □□□□~~爲是哭之~~". 命賜布五十匹.[345)]

丙子20日, 禱雨.[346)]

○倭寇泗州角山.

辛巳25日, 禁酒.

癸未27日, 大饗征北將士.

丙戌30日, 教曰, "今玆百姓, 勞於兵革, 困於飢饉, 予甚憫焉. 而又獄囚, 久在縲絏, 或有寃抑, 以傷和氣, 其宥二罪以下. [○又除各道鹽稅":節要·食貨2塩法轉載].[347)]

○自二月, 至是月, 旱甚, 王爲之日一食.

○慶尙·全羅道大飢, 民多餓死.

[→慶尙·全羅道饑, 死者過半, 棄道路者, 不可勝數:五行3轉載].[348)]

[是月頃, 以正議大夫朴之英爲福州牧使:追加].[349)]

五月丁亥朔小盡,壬午, 戊子2日, 順興君安牧卒.[350)] [諡文淑:列傳18安牧轉載].

---

344) 壬辰은 壬戌의 오자이다. 이 기사의 내용과 같이 前年, 곧 공민왕 8년 5월 丁酉(6일)와 같은 현상인데, 이달의 6일은 壬戌이다. 그래서 ~~添字~~를 추가하는 것이 좋을 것이다.

345) ~~添字~~는 『고려사절요』 권27에 의거하였다.

346) 일본에서는 5월부터 奈良[南朝]에서 旱魃이 있었고, 7월부터 疫癘가 있었다고 한다(中央氣象臺 1941年 2册 533面). 그런데 필자가 확인한 『細々要記』(『續史料集覽』1 ; 『國史叢書』25 소수), 『細々要紀拔書』(『일본불교전서』興福寺叢書2 소수)에는 아래의 기사가 없었다.
· 『細々要記』, 延文 5년, "今年五月より雨降らず旱魃, 五穀實らず. 七月より疫癘はやる"[筆者未確認].

347) 이와 같은 기사로 다음이 있다.
· 지34, 食貨3, 災免之制, "教曰, 今玆百姓, 勞於兵革, 困於飢饉, 其除各道鹽稅".

348) 이해에 일본에서도 旱魃과 饑饉이 심하고, 疫疾이 크게 유행하여 死者가 櫛比하게 누워 있었다[櫛比相望]고 한다(權藤成卿 1984年 373面).

349) 朴之英은 『안동선생안』에 의거하였는데, 열전26, 安祐에도 福州守 朴之英으로 기록되어 있다.

350) 이날은 율리우스曆으로 1360년 5월 17일(그레고리曆 5월 25일)에 해당한다.

○倭寇全羅道會尾澮尾·沃溝等處.[351]

己酉[23日], 淳化侯琜卒.[352]

○倭寇楊廣道平澤·牙州·新平等縣, 又焚龍城等十餘縣, 京城戒嚴, 以前平章事前門下侍郞同中書門下平章事柳濯爲京畿兵馬都統使, 判樞密院事李春富爲東江都兵馬使, 我桓祖李子春以判軍器監事爲西江兵馬使.[353] 發坊里丁爲軍, 又令百官助戰. [諫官詣宮門, 拜辭. 參政參知政事鄭世雲曰, "諫官從軍, 古所未聞, 如國體何". 王特免之. ○國子博士等上言, "臣等, 侍於夫子廟庭, 學官從軍, 古無其例". 侍中廉悌臣·守侍中李嵒, 皆曰, "爾雖不侍孔子, 孔子焉逃". 簽書知樞密院事金希祖爭之, 不得:節要轉載].[354]

[→倭寇龍城等十餘縣, 以柳濯爲京畿都統使, 括坊里人爲軍. 大戶二人, 小戶一人, 屯東西江. 又令百官助征, 唯各司行首有司及御史臺·城門都監等, 不與焉:兵1五軍轉載].

[某日, 彥陽伯金敬直詣闕, 聞宰樞博奕戲謔聲, 還家太息曰, "國家其將亡乎? 宰相, 雖在太平之世, 尙不可耽戲. 況今干戈搶攘, 飢饉荐臻, 不此之恤, 而耽樂若是, 欲不亡得乎?":節要轉載].

[→紅賊退, 倭又寇楊廣諸縣, 京城戒嚴. 敬直詣王宮, 見宰樞博弈戲謔, 遽還家大息曰, "國家其將亡乎? 吾胸中如焦火矣. 時雖太平, 宰相不可戲謔, 今不恤兵革·饑饉, 耽樂若是, 欲不亡得乎? 如吾父在聞之, 卽欲死矣":列傳23金敬直轉載].[355]

辛亥[25日], 杞城侯尹莘傑尹莘係卒.[356]

---

351) 會尾는 澮尾의 오자일 것이다(→澮尾縣, 澮尾古縣城). 또 이날 교토에서는 맑았다고 한다(『愚管記』제6, 延文 5년 윤4월, "二日戊子, 晴").

352) 이 기사는 열전4, 神宗王子, 襄陽公恕에도 수록되어 있다. 이날은 율리우스曆으로 6월 7일(그레고리曆 6월 15일)에 해당한다.

353) 李子春에 관한 기사는 『태조실록』 권1, 總書, 至正 20년에도 수록되어 있다.
· "至正二十年, 時倭寇楊廣道, 京城戒嚴. 桓祖以判軍器監事, 出爲西江兵馬使. 自是, 再加通議·正順二大夫, 拜千牛衛上將軍". 여기에서 添字가 추가되어야 옳게 될 것이다.

354) 이와 같은 기사로 다음이 있는데, 이에 의거하여 金希祖의 관직이 簽書樞密院事로 볼 수 있다. 그렇지만 그는 前年(공민왕8) 8월 3일 同知樞密院事에 임명되었으므로 이때는 知樞密院事일 가능성이 높다. 또 이날 京都에서는 맑았다고 한다.
· 열전23, 金倫, 希祖, "改簽書樞密院事. 倭寇楊廣道, 京城戒嚴, 簽坊里丁爲兵, 亦令百官從軍. 國子學官上書言, 臣等常侍夫子廟庭, 學官從軍, 古無例. 侍中廉悌臣·守侍中李嵒曰, 爾雖不侍, 孔子焉往. 希祖爭之, 不得".
· 『愚管記』제6, 延文 5년 윤4월, "廿三日己酉, 晴".

355) 金敬直은 檢校侍中에 이르러 逝去하였다고 한다(열전23, 金倫, 敬直, "卒, 官檢校侍中").

356) 尹莘傑은 尹莘係의 오자이고, 杞城君 尹莘傑은 1337년(충숙왕 후6) 2월 24일에 逝去하였다. 이

[是月, 中散大夫·兵部侍郞·慶尙道按廉使安克仁開板'帝王韻紀'於東京:追加].[357)]

[○禪師戒元開板'大顚和尙注摩訶般若波羅蜜多心經':追加].[358)]

閏[五]月丙辰朔大盡,壬午, 倭寇江華, [入禪源·龍藏二寺:節要轉載], 殺三百餘人, 掠米四萬餘石. 有沈夢龍者, 斬倭十三級, 竟死於賊.[359)]

癸酉18日, 門下侍郞同中書門下平章事李承慶卒.[360)] [承慶, 入仕元朝, 廉訪諸路, 以能斷決聞:節要轉載].[361)]

○倭焚喬桐縣.[362)]

六月丙戌朔小盡,癸未, 丁亥2日, 命百官, 行三年喪.

[→命百官, 親喪三年:禮6五服制度轉載].

[○城中大水, 漂沒廬舍, 人多死者:五行1水潦轉載].[363)]

○以大水宥獄囚.

날(25日)은 율리우스曆으로 6월 9일(그레고리曆 6월 17일)에 해당한다.

357) 이는 다음의 자료에 의거하였다(東國大學 所藏 보물 제895호, 한솔제지소장 보물 제1091호, 朝鮮古典刊行會, 1939).

· 『帝王韻紀』後題, "先生業文精博, 洞明古今. 官以右司諫·知制誥」, 便歸老關東. 雖迹同去國, 而志在匡君. 遂於看藏餘, 修此帝王韻紀, 以供乙覽. … 臣幸以不才, 獲承憂寄, 比到州, 彫板僅終矣. 故無所補, 徒以姓名, 冠于板尾耳. 副使臣李源謹題. 先居士臣動安所製進, 歷代帝王韻紀, 在元貞間勅令, 鋟梓于晋州牧官, 年旣久, 而板朽字滅. 其季男, 前密直使李公, 嘗以重彫, 爲意而力不給. 姪婿克仁, 幸按是道, 取暇隙, 而售其意於東京官, 非止爲繼述, 自私門戶, 蓋欲以卷中眉目, 傳不泯而利後生稽覽耳.」 按廉使·中散大夫·兵部侍郞臣安克仁題.」 至正二十年庚子五月日, 東京開板.」 書進士臣金禧.」 按廉使·中散大夫·兵部侍郞, 臣安克仁」".

358) 이는 다음의 자료에 의거하였는데(청주고인쇄박물관 소장, 김방울 2019년 ; 郭丞勳 2021년 435面), 高麗國王[恭愍王]을 聖上陛下로 指稱한 점이 주목된다.

· 『大顚和尙注心經』, 권말간기, "伏爲」 聖上陛下,統臨四海,億載晩年,」 公主殿下,壽齊年,」 王后殿下,壽無疆,干戈息靜,國民安天」 下太平,法輪轉,此舊本廣」 施,無窮者.」 至正二十年庚子五月日,」 刻手 禪師 戒元」".

359) 이날 교토에서는 晴陰이 불분명하였다고 한다(『愚管記』제6, 延文 5년 5월, "十八日癸酉, 晴陰不定").

360) 이날은 율리우스曆으로 1360년 7월 1일(그레고리曆 7월 9일)에 해당한다.

361) 中原의 文人官僚 周伯琦(1298~1369)가 李承慶에게 보낸 鷹冠像贊이 『경상도지리지』, 尙州道, 星州牧官에 수록되어 있다.

362) 이날 교토에서는 맑았다고 한다(『愚管記』제6, 延文 5년 5월, "廿三日己酉, 晴").

363) 이날 교토에서는 맑았다고 한다(『愚管記』제6, 延文 5년 6월, "二日丁亥, 晴").

[某日，以朴中美爲慶尙道按廉使，裵元龍爲全羅道按廉使:慶尙道營主題名記·錦城日記].

[□□[是月]]，京城饑.[364]

[→京城饑，大布一匹，直米五升．王發廩二千碩，令民納大布一匹，受米一斗:節要·五行3·食貨3水旱疫癘賑貸之制轉載].

秋七月乙卯朔[大盡,甲申]，幸白岳，相視遷都之地，白岳在臨津縣北五里．[先是[恭愍8年]，欲遷都南京，遣前漢陽尹李安，修其城闕，民甚苦之，乃卜于大廟[太廟]，不吉，故不果遷．又有白岳之役，時人謂之新京，宰相欲壞南京宮室，移營白岳，楊廣道按廉使[·吏部侍郎]金先致，將行，啓曰，“今壞南京宮室，恐百姓觖望”．王驚曰，“予實不知，乃宰相自爲耳”，卽命勿壞:節要轉載].[365]

[→選吏部侍郎．出按楊廣道，宰相欲壞南京宮室，移營白岳．先致將行，奏曰，“前營南京，人畜疲弊，今復壞之，恐百姓觖望”．王驚曰，“予實不知，乃宰相自爲耳”．卽命勿壞:列傳27金先致轉載].

[丁巳[3日]，[朝議郞·]東京留守府判官朴三陽卒:追加].[366]

乙丑[11日]，司天臺以天文失序，請徵賢用士，行科擧.

辛未[17日]，[白露]．始營白岳宮闕．先是，欲遷都南京，遣前漢陽尹李安，修其城闕，民甚苦之，卜于太廟，不吉．又興是役，時人謂之新京.[367]

---

364) 이 위치에서 是月이 탈락되었을 것이다.

365) 이 白岳(白嶽山)의 新京에 대한 기사는 다음이 있고, 이때 右副承宣 李穡이 扈從하였던 것 같다.

- 지10, 地理1, 開城府, 臨津縣, “… 有新京舊地[注，恭愍王欲遷都南京，遣前漢陽尹李安，修其城闕，民甚苦之．乃卜于太廟，不吉，不果遷．於是，親幸相地，遂營宮闕，時人謂之新京”.
- 『목은시고』 권5, 扈從白嶽山有作 ; 卜洛.
- 『세종실록』 권148, 지리지, 楊州都護府 臨津縣, “宮城舊址[注，在縣北五里白岳山南，周回七百二十七步，恭愍王己亥[8年]始創，辛丑[10年]紅頭之亂，毁都盡，至今號爲新京”.

366) 이는 『동도역세제자기』에 의거하였고, 이와 관련된 자료로 다음이 있다.

- 「朴允文妻金氏墓誌銘」，“次三陽，拜正言，言事出倅雞林，卒于官”.

367) 이때 조성된 白岳宮闕에 관련된 기록으로 다음이 있다. 또 朝鮮後期의 洪奭周(1774~1842)에 의하면 白岳新宮[白鶴新宮]의 터전을 찾을 수 없다고 하는데, 添字와 같이 고쳐야 옳게 될 것이다.

- 『세종실록』 권148, 지리지, 楊州都護府, 臨津縣, “… 宮城舊址，在縣北五里白岳山南，周回七百二十七步．恭愍王己亥[8年]，始創，辛丑[10年]，紅頭之亂，毁都盡，至今號爲新京”.
- 『淵泉集』 권5, 白鶴[白岳]寂高頂[注，史言，山下有□[高]麗恭愍王時所營新宮，而了不可尋其舊址．俗傳巖上，有仙女解胎遺跡].

○遣益山君李公遂·戶部尙書朱思忠·宦者方都赤~~方都兒赤~~如元,[368] 審賊勢. 行至湯站,[369] 道梗, 還渡鴨綠江. 王大怒曰, "雖死不可還". 固遣之, 至瀋陽數月, 又不得達而還.

丙子[22日], 江浙省[江浙行省]李右丞遣張國珍來, 獻沈香·匹段·玉帶·弓劍. 復遣少尹金伯環, 報聘.

八月[乙酉朔大盡,乙酉], 丙戌[2日], 敎曰, "四方兵興, 用人爲急, 其除三年喪制". [時雖許行三年, 然皆百日脫衰, 但解官而已:節要轉載].

[→敎, "四方兵興, 軍務方殷, 其除三年喪制". 前此, 雖許行三年喪, 然百日衰絰之習如舊, 但解官, 不仕而已:禮6五服制度轉載].

己丑[5日], 王及公主移御昌和寺.[370]

○平章事致仕鄭子厚卒.[371]

○封[前守門下侍中]尹桓爲漆原侯, [前平章事]柳濯爲高興侯, 偰遜爲高昌伯, 以安祐△[爲]參知政事. [遜, 高昌國人, 王之在元也, 與王有舊. 後[恭愍王7年]避兵, 挈家東來:節要轉載].[372]

[九月[乙卯朔小盡,丙戌], 某日, 御史大夫李嶠, □□□□□[掌國子監試], 取朴季陽~~朴啓陽~~等九十九人:選擧2國子試額轉載].[373]

---

368) 方都赤은 內侍監 方節(蒙古名은 朶兒赤帖木兒, 都兒赤帖木兒)로 추측된다(→충정왕 2년 冬某月의 脚注).

369) 湯站은 현재의 遼寧省 丹東市 관내의 鳳城市(옛 鳳凰城)의 동남쪽에 위치한 湯山城鎭인데, 1534년(중종29, 甲午) 4월 義州判官 申濱이 황태자 탄생을 하례[進賀使]하고 귀환하던 蘇世讓을 迎接하던 지역이다(『陽谷集』 권4, 行到湯站, 依主申判官濱, 馳馬來迎). 또 고려시대 이래 北京에 파견된 使行路는 義州에서 압록강을 건너 婆娑堡→湯站→鳳凰城→開州城 등의 순서로 西北進하였던 것 같다.

370) 이때 호종하였던 右副承宣 李穡은 昌和寺를 昌華寺[昌華]로 표기하였는데, 傳寫, 刻字 과정에서 발생한 오자일 것이다(『목은시고』 권5, 移御昌華[昌和]扈從有作).

371) 이날은 율리우스曆으로 1360년 9월 15일(그레고리曆 9월 23일)에 해당한다.

372) 高昌國人은 열전25, 偰遜에는 回鶻人으로 되어 있는데, 後者로 표기하는 것이 옳을 것이다(盧明鎬 等編 2016년 688面). 高昌國[gaochang]은 天山의 동쪽에 위치한 吐魯番盆地[turpan basin]에 위치했던 국가였고, 東西交通路인 天山南路의 北線으로 연결되는 東西貿易의 要衝이었다. 몽골제국 시기에는 독립된 왕국은 아니었고, 현재의 新疆省 吐魯番市 高昌區 東南地域에 高昌古城의 遺址가 있다.

373) 朴季陽은 朴啓陽의 初名 또는 改名일 가능성이 있다. 그는 後日 不祥事로 다시 惇之로 改名하였던 것 같다(→창왕 1년 10월 某日의 脚注). 또 이때 鄭道傳·尹紹宗·金梱·羅繼從 등도 합격

[是月頃, 以[~~朝請郞~~]李龜壽爲東京留守府判官兼勸農使:追加].[374]

[秋某月, 僧懶翁惠勤入五臺山象頭菴, 居焉, 時浙僧古潭來, 住龍門山, 贈答往來:追加].[375]

冬十月[甲申朔大盡,丁亥], [丁亥[4日], 虹見:五行1虹霓轉載].[376]
甲申[~~戊申25日~~], 賜鄭夢周等及第.[377]

하였다.

- 『태조실록』 권14, 7년 8월 己巳[26日], 鄭道傳의 卒記, "前朝恭愍庚子[9年], 中成均試".
- 『태조실록』 권4, 2년 9월 己未[17日], 尹紹宗의 卒記, "恭愍庚子, 中成均試".
- 『태조실록』 권14, 7년 8월 "癸丑[10日], 金梱의 卒記, "恭愍庚子, 中成均試, 不第, 屬近侍, 與趙浚爲友".
- 『竹軒遺集』권하, 年譜, 至正 20年, "九月, 中國子監試第九人, 時御史大夫李嶠, 掌試事".

374) 이는 『동도역세제자기』에 의거하였는데, 朝請郞은 朝正郞으로 되어 있지만 오자일 것이다.

375) 이는 다음의 자료에 의거하였다.
- 『懶翁和尙語錄』, 行狀, "至庚子秋, [惠勤,] 入臺山象頭菴, 居焉, 時浙僧古潭來, 住龍門山, 通信書, 惠勤以頌答曰, …".

376) 이날 교토[京都]에서는 흐리다가 밤에 비가 내렸다고 한다(『愚管記』제6, 延文 5년 10월, "三日丁亥, 陰, 入夜雨降").

377) 甲申은 戊申의 오자일 것이다. 이달의 朔이 甲申인데, 『공민왕실록』을 축약할 때 精誠을 기울이지 않았던 것 같다. 이는 李存吾가 급제했던 방목에 의하면 이달의 25일(戊申)이다. 그리고 여기에서 新京은 臨津縣에 건립된 白岳宮闕을, 東堂은 試場을 각각 가리킨다(→목종 1년 1월 某日의 脚注, 是年 7월 17일).
- 『石灘遺藁』권하, 榜目, "元順帝至正二十年庚子, 恭愍王九年十月二十五日, 新京東堂及第".
- 『前朝科擧事蹟』, "[恭愍王]九年庚子, 新京東堂及第榜, 至正二十年十月二十五日".

또 이와 관련된 기사로 다음이 있다.
- 지27, 선거1, 科目1, 選場, "[恭愍]九年十月, 政堂文學金得培知貢擧, 樞密院直學士韓方信同知貢擧, 取進士, [戊申], 賜鄭夢周等三十三人及第".
- 『목은시고』 권5, 東堂放榜[注, 金得培·韓方信兩萬戶爲主司], "東都放榜似前聞, 學事榮華更絶倫, 玉帶虎符輝白日, 羅花翠蓋動香塵, …". 여기에서 戰線指揮官을 역임했던 試官[主司, 知貢擧]을 萬戶로 표기한 것, 白岳의 新京을 東都로 표기한 것이 주목된다.
- 『목은시고』 권24, 至正癸巳四月, … 庚子科, 金四宰[得培]·韓商議[方信]典貢擧, 粗有前規[設燕].
- 열전30, 鄭夢周, "恭愍九年, 應擧連魁三場, 遂擢第一人".
- 열전24, 林樸, "恭愍九年, 登第".
- 열전25, 李存吾, "恭愍九年, 登第, 調水原書記".
- `『태조실록』 권14, 7년 6월, "丁巳[13日], 前左司議大夫文益漸卒. … 父淑宣登第不仕, 益漸承家業讀書, 恭愍庚子, 登科, 調金海府司錄".

이때 [國子進士]鄭夢周·[國子進士]林樸·[國子進士]白君瑛(乙科3人), [服膺齋生]申仁甫·[國子進士]金轃·[太學進士]金質·[慶德齋生]文益漸·[新進士前保勝散員]朴啓陽·[國子進士]李溥·[國子進士宣德郞義盈庫福使]金君鼎·[國子進士都評議司事知印]宋允卿(丙

十一月[甲寅朔大盡,戊子]，辛酉[8日]，移御白岳新宮.

[是月頃，習八關儀，[判閣門事許]猷使酒，拳歐速古赤，御史臺劾之，猷又叱辱臺官. 王曰，“猷罪實重，然今大會，禮官不可闕”. 姑令視事，臺官畏勢，不敢復劾:列傳18 許猷轉載].[378]

[○以[朝請郎]羅曦爲福州判官:追加].[379]

[十二月甲申朔[小盡,己丑]:追加].

[是年，以東北面，稱朔方江陵道，以東界文州任內隘守鎭，移屬高州. 陞南原郡爲南原府:轉載].[380]

[○加置藝文館大學士二人，加都官員外郞二人:百官1藝文館·都官轉載].

[○以[尙書左僕射]李仁復爲參知中書政事:追加].[381]

[○富原侯偰遜卒. 所著有‘近思齋逸藁’，行于世. 子長壽·延壽·福壽·慶壽·眉壽:列傳25偰遜轉載].[382]

[○以[前太僕卿]趙暾爲判司農寺事:列傳24趙暾轉載].

[○以河楫爲全羅道察訪使:追加].[383]

科7人)，[國子進士宣德郞常衣奉御]李仁敏·[四門進士內侍直長同正]李子庸·[國子進士肅雍府行首別將]金潾·[國子進士]鄭天驎·[國子進士前倉庫都監判官]許璡·[嘉陽直]金禧·[國子進士]李存吾·[新進士]徐均衡·[新進士]柳源·[國子進士宣德郞監察御史]李仁範·[國子進士]郭樞·[國子進士]尹德獜·[鄕貢進士]金承遠·[新進士]李士渭·[大學進士]金慶生·[令同正]金石諧·[明經進士]黃元哲·[太史監候]李乙(同進士23人)이 급제하였다(『石灘遺藁』권하, 榜目 ; 『등과록』; 『전조과거사적』 ; 朴龍雲 1990년 ; 許興植 2005년).

378) 이 기사는 原文을 적절히 變造한 것이다. 또 이보다 먼저인 1357년(공민왕6) 1월 무렵 許猷는 世波에 대해 어떤 不滿이 있었던 것 같다.

- 『목은시고』 권4, 選席獨泳, “富貴何人嫌高逼, 賢愚自昔愛標題. …[注, 侍郞許猷遇富字, 輒抹去]”.

379) 이는 『안동선생안』에 의거하였다.

380) 이는 다음의 자료를 전재하였다.

- 지12, 지리3, 東界, “恭愍王九年, 稱朔方江陵道”.
- 지12, 지리3, 隘守鎭, “初隸文州. 恭愍王九年, 屬高州”.
- 지11, 지리2, 南原府, “後改爲南原郡. 恭愍王九年, 陞爲府”.

381) 이는 「李仁復墓誌銘」에 의거하였다.

382) 偰遜(偰伯遼遜, 1319~1360)이 遼陽行省 大寧路에서 고려로 피난 올 때, 그의 弟 帖該도 함께 왔던 것 같다. 후일 金濤는 帖該·長壽의 叔姪과 얼굴이 비슷하여 공민왕으로부터 蘿葍山人이라는 號를 下賜받았다고 한다(『목은문고』 권12, 上扎讃弁書).

383) 이는 『금성일기』에 의거하였다.

[○以西北面兵馬使崔瑩爲平壤尹兼西北面巡問使. 時瘡痍未復, 餓莩相繼, 瑩廣置賑濟場, 給粮種, 勸耕稼, 瘞戰死者骸:列傳26崔瑩轉載].

[○指空門下僧達順與判事金臣佐等, 起工巨濟縣見菴禪寺:追加].384)

辛丑[恭愍王]十年, 元至正二十一年, [西曆1361年]

1361년 2월 6일(Gre2월 14일)에서 1362년 1월 26일(Gre2월 3일)까지, 355일

春正月癸丑朔大盡,庚寅, [丁巳5日, 赤祲竟天:五行1轉載].

戊辰16日, 以平壤尹崔瑩爲西北面都巡察使.

[某日, 以尹臨爲慶尙道按廉使, 殿中侍御史田祿生爲全羅道按廉使:慶尙道營主題名記·錦城日記].385)

[是月, 東京戶長·正朝李弼成冊'慶州司首戶長先生案':追加].386)

二月癸未朔小盡,辛未, 辛卯9日, 敎曰, "予自踐位以來, 畏天愛民, 祖訓是式, 願治之心, 常切于衷. 屬時多艱, 澤罔下究, 干戈迭興, 灾異屢見. 予爲此懼, 用道詵言, 于胥斯原, 盖將續大命于無窮也. 載惟臣庶, 奔走服事, 勞費實重, 豈不知恤. 國之大計. 不敢不圖, 庶事伊始, 宜布仁恩. 其二罪以下, 並皆原免, 北征戰亡者, 宜加贈恤, 仍令悉官其子, 無後者, 贍恤其家. 近因兵荒, 民不聊生, 又遼瀋流民, 歸化者衆, 並令攸司, 優加賑恤. 於戱, 應天者, 惟以至誠, 愛民者, 莫如實惠, 惟爾臣僚, 各盡乃心, 以輔台德".

[○日有黑子四日:天文1轉載].

丁酉15日, 我桓祖李子春以判將作監事爲東北面兵馬使, 御史臺上疏以爲, 李[桓祖諱]

---

384) 이는 다음의 자료에 의거하였다.

· 『목은문고』 권5, 巨濟縣牛頭山見菴禪寺重修記, "懶翁之師指空也, 曰達順者, 先在堂下, 戒行緊潔, 同列皆服, 懶翁亦奇之, 故其爲王師, 領袖萬衲, 尊崇無對, 獨順師至, 與之交禮, … 至正庚子恭愍9年, 釋小山有風水學, 爰其地勝, 謀於順公, 順公與大施主判事金臣佐及其門人曰某曰某, 卽鳩村庀工, 五閱歲, 以落成於甲辰恭愍13年某月, 蔚然爲第一叢林矣".

385) 田祿生은 그의 열전에도 수록되어 있다(열전25, 田祿生, "遷殿中侍御史, 出按全羅道").

386) 이는 東京의 首戶長이었던 李弼·金學 등이 『慶州戶長先生案』을 처음 作成했던 것을 추가한 것이다(尹京鎭 2001년).

[子春]東北面人，而又本界千戶也，不可使爲鎭守．王不允，賜宴慰行．

[→王設宴于忽赤廳，餞之:節要轉載]．宰樞又餞于會賓門，旣行，授戶部尙書．桓祖[李子春]至北道，未幾馳報，本國人，入彼土者，皆順命出來.[387)]

[某日，設賑濟場于普濟寺:節要·食貨3水旱疫癘賑貸之制轉載]．

甲辰[22日]，[淸明]．命[前門下侍中]李齊賢講書無逸篇.[388)]

○全羅·楊廣道防禦使金鋐，捕倭船五艘，殺獲三十餘人.[389)]

[是月，王召吏部郞中李岡[李綱?]曰，"爾參銓選，其臺諫曠職者，黜之，賢才遺逸者，陟之，丁憂終制者，亦須擢用":選擧3選法轉載]．

[○命宰相·百官，各薦賢良二人:選擧3薦擧轉載]．

三月[壬子朔小盡,壬辰]，丁巳[6日]，王及公主奉太妃，至自白岳．

○[江浙太尉]張士誠遣人來，獻綵叚[綵緞]·玉斝·沈香·弓矢．

○淮南省右丞王晟遣使來，獻綵帛·沉香.[390)]

○倭焚南海縣.[391)]

丁丑[26日]，興海君裴佺死.[392)] [子尙絅·尙度·尙志·尙恭:列傳37裴佺轉載]．

[是月，龍州饑，人相食，發倉賑之:節要·五行3·食貨3水旱疫癘賑貸之制轉載].[393)]

---

387) 이와 같은 기사가 『태조실록』 권1, 總書, 至正 21년에도 수록되어 있다.
- "至正二十一年辛丑春，以榮祿大夫·判將作監事，出爲朔方道萬戶兼兵馬使．御史臺上疏以爲，李[桓祖諱]，本東北面人，而又其界千戶也，不可以爲兵馬使，而鎭守．王不允，設宴于忽赤廳，慰藉之甚厚，宰樞又餞于會賓門外，以慰之．旣行，陞爲戶部尙書．桓祖至北道，未幾馳報云，本國人，入彼土者，皆順命出來".

388) 이 시기에 李齊賢이 國史를 편찬하면서 直史館 成石璘의 보좌를 받았던 것 같다.
- 『세종실록』 권19, 5년 1월 甲午[12日], 成石璘의 卒記, "… 遷直史官，時益齋李齊賢修國史，一見奇之，常令操筆".

389) 이때 金鋐은 倭人追捕兼祿傳監送使로서 2월 10일 羅州에서 船舶을 거느리고 上京하였다고 하며, 이해의 후반기에는 全羅道察訪兼追捕使였다고 한다(『금성일기』). 金鋐은 『고려사절요』 권27에는 金鉉으로 되어 있으나 오자일 것이다. 또 이날 일본의 京都에서는 맑았다고 한다(『愚管記』제7, 延文 6년 2월, "廿二日甲辰，晴").

390) 이 시기에 淮南省은 河南江北行省 安豊路(現 安徽省 會南市)일 것이다. 또 淮南省右丞 王晟은 어떠한 인물인지는 알 수 없으나 隣近地域에 위치하고 있던 紅巾賊의 總帥 小明王[大宋皇帝] 韓林兒와 劉福通의 部下 또는 독자적인 商人出身의 漢人群雄일 가능성이 있다.

391) 이날 교토에서는 흐렸다고 한다(『愚管記』제7, 延文 6년 3월, "六日丁巳，陰").

392) 이날은 율리우스曆으로 1361년 5월 1일(그레고리曆 5월 9일)에 해당한다.

393) 이때 南北朝로 나뉘어 대립하고 있던 일본의 北朝도 疫疾·疱瘡·天災地變 등을 피하기 위해 3

[是月頃, 以金元恪爲羅州牧判官:追加].[394)]

[春某月, 曹溪大禪師衍昷與僧宗閑造營勝蓮寺於南原府. 衍昷, 文正公柳墩之曾孫, 判密直司事李尊庇之外孫, 赴僧試, 中上上科者也:追加].[395)]

夏四月辛巳朔大盡,癸巳, 日食, 旣.[396)]

○遼陽省惣官高家奴遣使來, 獻玉斝及犬.

辛卯11日, 設百高座道場于康安殿.

乙未15日, 門下平章事致仕李謙卒.[397)]

丙申16日, 倭寇固城·蔚州·巨濟.

○郎將朱彦英奸料物庫副使李中明妻, 郎將鄭元奸將軍李元立妻, 御史臺劾之. 會赦, 皆原免, 元不悛, 御史臺杖殺之.

월 29일(庚辰) 京都에서 年號를 康安으로 改稱하였다고 한다(日本史料6-23册 526面 ; 權藤成卿 1984年 373面).

· 『公卿補任』 권33, "延文六年三月廿九日也, 改元爲康安元".

· 『愚管記』제7, 康安 1년 3월, "廿九日庚辰, 陰, 入夜雨下, … 詔書如此, … 自去年至斯春, 疾疫頻流行, 老壯多夭折, 運何智謀, 除此咎徵, 宜易草氓之聽, 以解木囚之怨, …".

· 『續史愚抄』25, 康安 1년 3월, "廿九日庚辰, … 改延文爲康安, 依兵革, 或作天變, 地妖·疾疫等也".

394) 이는 『금성일기』에 의거하였다.

395) 이는 다음의 자료에 의거하였다.

· 『목은문고』 권1, 勝蓮寺記, "弘慧國師諱中亘者, 自內願堂退老居之, 屋宇卑陋, 嘗欲增廣, 而不能也. 旣沒, 大禪師拙庵諱衍昷者, 爲曺溪曹溪之老, 弘慧之徒所推讓, 合辭立卷契, 俾拙庵主之, 拙庵卽審工度財, 其募合衆緣, 則有宗閑者, 實幹之, 改額曰勝蓮. 經始於乙丑忠肅12年之歲, 訖功於辛丑恭愍10年之春, 佛殿僧廡膳堂禪室賓客之次, 庫廚之所, 以間計之, 合一百一十一. 至於梵唄之具, 日用之需, 無一不完, 此皆由拙庵囊鉢之儲, 宗閑奔走之力, 以成者也. … 拙庵姓柳氏, 文正公墩之曾孫, 監察大夫靖之母弟, 判密直司事李公尊庇之外孫, 參學首四選, 赴試中甲科, …".

396) 이날 中原에서도 일식이 있었고(『원사』 권46, 본기46, 順帝9, 至正 21년 4월 辛巳), 일본의 京都에서는 天陰으로 일식을 관측하지 못하였다고 한다(日本史料6-23册 543面). 이날은 율리우스력의 1361년 5월 5일이고, 開京에서 일식 현상이 심했던 시간은 18시 48분, 食分은 0.77이었다(渡邊敏夫 1979年 312面).

· 『愚管記』제7, 康安 1년 4월, "一日辛巳, 淸陰不定, 日蝕不正現云々".

· 『續史愚抄』25, 康安 1년 4월, "一日辛巳, 日蝕, 陰雲不見, 曆曰, 十五分半弱, 虧初申一剋七十一分, 加持酉初剋四分, 復末酉剋四十九分".

· 『本朝統曆』 권10, 康安 1년, "四大, 朔辛巳, 申七, 日蝕, 十二分强, 申三, 酉七".

397) 이날은 율리우스曆으로 1361년 5월 19일(그레고리曆 5월 27일)에 해당한다.

[○月食:天文3轉載].[398)]

庚戌[30日], 我桓祖[李子春]薨. 訃聞, 王悼甚, 遣使弔哭, 致賻如禮. 士大夫咸驚曰, "東北面無人矣".[399)]

[是月, 西北面大饑, 盜賊蜂起:五行3轉載].

五月[辛亥朔小盡,甲午], 甲寅[4日], 以樞密院直學士韓方信爲東北面都兵馬使, 前都僉議評理姜仲祥爲慶尙道都巡問鎭邊使.

[庚申[10日], 蟲食松□[葉]:五行2轉載].

壬戌[12日], 上洛侯金永煦卒,[400)] [年七十. 諡貞簡:列傳17金永煦轉載]. [永煦, 性嚴毅沈重, 親姻故舊, 有匱乏者, 無不賙給. 其孫, 士安·士衡, 年皆踰冠, 或謂永煦曰, "盍爲之求官", 對曰, "子弟果賢耶? 國家自用之, 苟不賢耶, 雖求而得之, 其可保乎?". 聞者乃服:節要轉載].

癸亥[13日], 命左承宣李穡講書洪範.

[某日, 御史臺啓曰, "釋敎, 本尙淸淨, 而其徒, 以罪福之說, 誑誘寡婦·孤女, 祝髮爲尼, 雜處無別, 恣其滛慾[淫慾]. 至於士大夫·宗室之家, 勸以佛事, 留宿山間, 醜聲時聞, 汚染風俗, 自今, 一切禁之, 違者論罪. 又鄕役之吏, 公私之隷, 規避賦

---

398) 일본의 교토에서는 월식의 관측에 대한 기사가 찾아지지 않는데(日本史料 6-23冊 551面), 이를 예측했던 「延文六年具注曆」을 참조하지 못했던 것 같다(渡邊敏夫 1979年 485面, 512面). 그렇지만 이날은 율리우스력의 1361년 5월 20일인데, 월식에 관련된 각종의 정보가 없다(渡邊敏夫 1979年 485面).

399) 이와 같은 기사로 다음이 있다. 또 權近과 鄭摠이 撰한 李子春의 神道碑에 의하면, 1360년(庚子年, 至正20, 공민왕9) 4월 18일(甲戌)에 逝去하였다고 되어 있으나 어떤 착오일 것이다. 곧 1394년(태조3) 4월 29일(戊戌) 桓祖(李子春]의 忌日로 태조 이성계가 왕비 康氏(神德王后)와 함께 敬天寺에 행차하였다고 하는데, 이달[是月]은 小盡(29일)이기에 1일전에 行香하였던 것 같다. 이날(30일)은 율리우스曆으로 1361년 6월 3일(그레고리曆 6월 11일)에 해당한다.

- 『태조실록』 권1, 總書, 至正 21년, "… 四月庚戌, 病薨, 壽四十六. 葬于咸興府之信平部歸州洞, 卽定陵. 王聞訃悼甚, 遣使弔哭, 致賻如禮. 士大夫咸驚曰, 東北面無人矣".
- 『양촌집』 권36, 李子春神道碑銘幷序, "至正庚子[20年]四月甲戌, 病薨于朔方道, 年四十六".
- 『태조실록』 권4, 2년 9월 庚申[18日], "遣門下侍郎贊成事成石璘于東北面咸州, 書桓王 定陵碑立之. 其文曰, … 皇考榮祿大夫·判將作監事·朔方道萬戶, 贈門下侍中諱子春, 屢立邊功, 以長萬夫, 至正庚子四月[甲戌18日], 病薨于朔方道, 年四十六".
- 『태조실록』 권5, 3년 4월, "戊戌[29日] 桓王忌晨[忌辰]. 上與中宮, 幸敬天寺, 安桓王眞, 仍設齋, 講華嚴三昧懺".

400) 이날(30일)은 율리우스曆으로 6월 15일(그레고리曆 6월 23일)에 해당한다.

役，托迹桑門，手持佛像，口作梵唄，橫行閭里，消耗資產，其害匪輕，並令捕捉，悉還本役"，從之:節要轉載].

丁卯17日，禱雨于太廟.[401]

己巳19日，巷市.

甲戌24日，都僉議使司啓曰，"年凶，餓孚甚多，無以賑活，良人不能自食者，令富人食，而役止其身，人有奴婢，而不能養，令食之者，永以爲奴婢". 王惡其認民爲隷，焚其書.

[○太白·熒惑相犯:天文3轉載].

乙亥25日，命前密直提學田大有，講書無逸.

[某日，全羅道按廉使田祿生啓曰，"州縣之弊，防倭爲大，自庚寅忠定2年以來，道內之戍，歲益增置，至十八所，其軍官，虐州郡以立威，致其凋弊，役戍卒以濟私，使之逋逃，及寇至，徵兵州郡，謂之煙戶軍. 雖置戍所，不聞禦寇，秪見觧民，不若罷諸戍所，令州郡，謹烽燧，嚴斥候，以應其變":節要轉載].

[→田祿生，出按全羅道，奏曰，"自有倭寇以來，一道置戍，多至十八所. 軍將虐州郡以立威，役戍卒以濟私，遂使凋弊逃散. 及寇至，更徵州郡兵，謂之烟戶軍，未見禦寇，祗以害民. 不若罷諸戍，令州郡謹烽燧嚴斥候，以應變. 如不得已，當審其要害，省其戍所，則民力舒而軍餉節矣":列傳25田祿生轉載].

[是月頃，以李竴爲福州司錄兼掌書記:追加].[402]

六月庚辰朔小盡,乙未，[某日，御史臺始禁人白衣·白笠，又禁僧入市街:節要轉載].[403]

甲申5日，太白晝見，二日.

乙未16日，御史大夫李嶠卒.[404]

[戊戌19日，前刑部尙書李挺卒:追加].[405]

[癸卯24日，開城大井，黃沸:五行3轉載].[406]

---

401) 지8，五行2，金行에는 太廟가 大廟로 되어 있으나 전자가 옳다.

402) 이는 『안동선생안』에 의거하였다.

403) 이와 관련된 기사로 지39，刑法2，禁令，"御史臺禁僧入市街"가 있다.

404) 李嶠는 李琳(昌王의 外祖父)의 父인데，이에서 ~~琇字~~로 고쳐야 옳게 될 것이다(열전29，李琳，"李琳，固城縣人，父嶠，監察大夫~~御史大夫~~").

405) 이는 『양촌집』 권38，李挺神道碑銘並序에 의거하였다.

406) 이와 관련된 자료로 다음이 있다. 또 이때 일본에서는 21일(庚子) 이래 지진이 발생하여 27일

[是月, 全州圓嵒寺居僧行心重刊'佛說四十二章經':追加].[407]

秋七月己酉朔大盡,丙申, 壬子4日, 江浙太尉張士誠遣千戶傅德來聘,
戊午10日, 張士誠, 又遣趙伯淵不花來聘.
[某日, 以吏部郞中李綱李岡爲慶尙道按廉使, 裴克廉爲全羅道按廉使, 侍御史安宗源爲楊廣道按廉使. 安宗源旣而遆, 以李之泰代之:慶尙道營主題名記·錦城日記].[408]

八月己卯朔大盡,丁酉, 癸巳15日, 王邀僧普印等于內殿, 日講'傳燈錄'.
[史臣曰, "夫子之言曰, '攻乎異端, 斯害也已□矣'.[409] 先儒之說, 以爲不觀非聖之書. 當是時, 四方兵動, 連歲旱荒, 戰骨暴野, 餓殍在途, 王當惕慮, 與大臣碩儒, 講論先王之道, 延訪當世之務, 圖保民社. 而乃招集緇流, 談空是務, 喪心志蔑仁義, 其卒也, 敬辛旽而作相, 尊懶翁惠勤而爲師, 大起佛宇, 以求公主之冥福, 誅及無辜, 視如草芥而不卹, 釀禍蕭墻, 爲四方笑. 異端之害國家, 奚獨蕭梁梁武帝蕭衍哉":節要轉載].
○倭焚掠東萊·蔚州, 奪其漕船, 又寇梁州·金海府·泗州·密城郡.
[是月, 大禪師□諝起工軍威縣麟角寺無無堂:追加].[410]

(丙午)까지 연속되었는데, 그 가운데 22일, 24일에는 京都·오사카[大阪]·나라[奈良] 등과 그 隣近地域에서 m8.25~8.5의 매우 강한 지진이 있었다고 한다(宇佐美龍夫 1986年 102~105面 ; 力武常次 等 2010年).
· 『신증동국여지승람』 권4, 開城府上, 山川, "大井, 在府西二十二里. 有泉涌出, 深二尺許. 世傳懿祖作帝建娶龍女, 初到開城山麓, 以銀盂掘地, 水隨涌出, 因以爲井. 每春秋致祭, 凡有祈禱, 亦祀之. 諺云'井水赤濁, 則有兵變'. 恭愍王十年六月, 井水黃沸".
· 『愚管記』第7, 康安 1년 6월, "廿一日庚子, 時々小雨下, 酉剋地大震, 廿二日辛丑, 雨降, 今曉卯剋大地震, 是後大小動相續不休, … 廿三日壬寅, 時々小雨, 今曉卯剋又地大震, 其後小動兩三度 … 廿四日癸卯, 陰, 入夜雨下, … 申剋地震, 廿五日甲辰, 雨降, 地震兩三度, 但非大動 …".
· 『續史愚抄』25, 康安 1년 6월, "廿一日庚子, 酉剋, 大地震. 廿二日辛丑, 卯剋, 大地震".
· 『武家年代記』, 康安, "六、廿四、地震、天王寺金堂倒".

407) 이는 다음의 자료에 의거하였다(尹炳泰 1969년, 筆者未見).
· 『佛說四十二章經』卷末刊記, "… 至正辛丑六月有重刊全州圓嵒寺,流益永祀者,發願比丘行心誌".

408) 李綱은 原文에서 後日 李岡으로 改名하였다고 하였는데("李綱, 後改岡"), 그의 묘지명에는 同僚의 이름을 피하여 改名하였다고 한다("初名綱, 避同列名, 遂改之"). 또 安宗源은 是年 11월 25일에 의거하였다.

409) 이 구절은 『논어』 권1, 爲政第2, "子曰, 攻乎異端, 斯害也已矣"를 引用한 것이다. 이에서 矣는 高麗本에 더 들어 있는 글자인데, 也已는 意味를 强調하는 語尾이므로 也已矣로 하면 더욱 의미가 强해진다고 한다(吉田賢抗 1995年 53面).

九月[己酉朔小盡,戊戌]，庚申[12日]，遣戶部尙書朱思忠如元，賀道路復通，表曰，"辰居星拱，服四海萬國之心，雷厲風飛，通九夷八蠻之道．量同覆載，明並恒升．遵聖武規模之張，御以寬而臨以簡，撫世皇聲教所暨，綏斯來而動斯和．故令蠢爾之氓，咸入醺然之化，但恃聖朝之扶佑，何圖强寇之侵陵．藩翰任專，幸得敵王所愾，梯航路梗，末由觀國之光，馬戀主而長鳴，鶴唳天而難聞．玆者，馳星華於漢遠，而聖德之惟新，解和渴飢，不知蹈舞".

癸酉[25日]，復置征東省官．

○元以韓咬兒[韓林兒]等搆亂，四方兵興，遣使來，頒赦.411)

丙子[28日]，禿魯江萬戶朴儀叛，殺千戶任自富·金天龍，命刑部尙書金璡，往討之.412)

冬十月[戊寅朔大盡,己亥]，戊子[11日]，地震．

[己丑[12日]，雷:五行1轉載].

乙未[18日]，金璡請濟師．時我太祖[李成桂]以[通議大夫·]金吾衛上將軍爲東北面上萬戶，王命往援璡，□[我]太祖[上將軍李成桂]以親兵一千五百人，赴之，儀已率其黨，逃入江界，盡

---

410) 이는 다음의 자료에 의거하였는데, 曹溪宗 都大禪師 謂公의 法名은 알 수 없다. 또 1362년(壬寅, 공민왕11) 8월에는 甲子日이 없다.

· 『목은문고』 권1, 麟角寺無無堂記, "… 今曹溪[曹溪]都大禪師謂公新被寵命，領袖九山，見」上[恭愍王]洛水之上[尙州]，賜坐從容，可謂榮矣．… 余[李穡]游洛西諸山，偶至南長僧窓[尙州南長寺]，公一見欣然，以所住麟角寺無々堂記爲請，具語其所以，… 經始於辛丑[恭愍10年]之八月，訖功於今歲[11年]之七月，以八月甲子，爲叢林法會，以落之".

411) 이때 僞主(宋의 小明王) 韓林兒(韓咬兒, ?~1366)와 劉福通이 北伐을 위해 파견한 中路軍은 關先生(關鐸)·破頭潘(潘誠)·王士誠 등이 이끌고 있었지만, 指揮官들이 軍令을 지키지 못해 占領地를 제대로 확보하지 않아 노략질을 자행하고 떠나는 流賊과 같은 양상을 보였다. 1360년(지정20, 공민왕9) 中書省 保定路(現 河北省 保定市)를 공격하고, 遼陽行省 大寧路로 진격하여 再次 上都를 攻擊하려고 하였다. 그러다가 明年(1361)에 보르테무르[孛羅帖木兒]가 이끈 몽골군의 추격을 받아 軍勢가 크게 약화되고 분산되어 中書省 東部地域[山東半島]과 遼陽行省[遼東]의 各地를 전전하고 있었다(張東翼 2016년d).

412) 지12, 지리3, 江界府에는 "恭愍王十年，稱禿魯江萬戶"로 되어 있다. 이는 이해[是年]에 禿魯江萬戶가 설치된 것이 아니라 『공민왕실록』에서 처음 禿魯江萬戶가 찾아진다는 의미로 추측된다. 또 이와 같은 기사로 다음이 있다. 그리고 禿魯江은 狄餘嶺과 吓乙軒站嶺에서 發源한 河川의 名稱이었지만, 1369년(공민왕18) 禿魯江萬戶에서 江界萬戶府로, 1401년(태종1) 石州로, 1403년(태종3) 강계부로, 1413년(태종13) 강계도호부로 改稱, 改編되었다가 현재는 慈江道의 首都인 江界市로 개편되었다(『세종실록』 권154, 지리지, 江界都護府).

· 『태조실록』 권1, 總書, 공민왕 10년, "九月，禿魯江萬戶朴儀叛，殺千戶任子富·金天龍，王命刑部尙書金璡，往討之".

捕誅之.[413)]

丁酉[20日], 紅賊僞平章[平章政事]潘誠[破頭潘]·沙劉[沙劉二]·關先生·朱元帥等十餘萬衆,[414)] 渡鴨綠江, 寇朔州.[415)]

○以樞密院副使李芳實爲西北面都指揮使, 遣同知樞密院事[~~知樞密院事~~]李餘慶, 柵[瑞興]岊嶺.[416)]

戊戌[21日], 遣鶴城侯諝[琠]如元, 賀正, 以道梗, 不果行.[417)]

己亥[22日], [遣使點諸道兵, 令境內僧寺, 出戰馬有差:節要轉載],[418)] 集都人, 修城門.

壬寅[25日], 紅賊寇泥城.

癸卯[26日], 以參知政事安祐爲上元帥, 政堂文學金得培爲都兵馬使, 同知樞密院事鄭暉爲東北面都指揮使.[419)]

---

413) 이와 같은 기사로 다음이 있다.
- 『태조실록』 권1, 總書, 공민왕 10년, "[十月, 金]㺚不能制. 時□[我]太祖[李成桂]爲通議大夫·金吾衛上將軍·東北面上萬戶. 王命往援㺚, 太祖[李成桂]以親兵一千五百人, 赴之. 儀已率其黨, 逃入江界, 盡捕誅之".

414) 紅賊은 『고려사절요』 권27에는 紅頭賊으로 되어 있다(盧明鎬 等編 2016년 690面).

415) 이와 같은 기사로 다음이 있다. 이날(30일)은 율리우스曆으로 1361년 11월 17일(그레고리曆 11월 25일)에 해당한다.
- 열전26, 安祐, "紅賊僞平章潘誠·沙劉·關先生·朱元帥, 以龍鳳紀元, 率衆二十萬, 渡鴨綠江, 寇朔州".
- 『태조실록』 권1, 總書, 공민왕 10년, "冬□□[十月], 紅巾賊僞平章潘誠·沙劉·關先生·朱元帥·破頭潘等二十萬衆, 渡鴨綠江, 闌入西北鄙. □□□[~~十一月~~], 移文于我曰, '將兵百十萬而東, 其速迎降'. 太祖[李成桂]斬賊王元帥以下百餘級, 擒一人以獻". 여기에서 ~~添字를~~ 추가하는 것이 좋을 것이다.

416) 同知樞密院事는 知樞密院事의 잘못이다. 李餘慶은 1358년(공민왕7) 1월 28일 同知樞密院事에, 다음 해 8월 3일 知樞密院事에 임명되었다. 또 岊嶺은 西京과 西海道 瑞興縣(옛 平州)의 境界에 위치한 要害地[岳峙]로서 別稱은 慈悲嶺이다.
- 『신증동국여지승람』 권41, 瑞興都護府, 古跡, "岊嶺柵, 即慈悲嶺柵. 恭愍王時, 紅賊入寇, 王遣同知樞密院事[~~知樞密院事~~]李餘慶柵岊嶺. …".
- 『세종실록』 권152, 지리지, 瑞興都護府, 要害, "慈悲嶺在府西[注, 即岊嶺, 險峻曲折, 山西腰路, 北有羅漢堂".

417) 이와 같은 기사로 다음이 있다. 또 『고려사절요』 권27에도 鶴城侯諝로 되어 있지만, 諝는 顯宗의 아들인 平壤公 基의 後孫으로 益城府院君에 책봉된 인물이므로 琠이 옳은 글자일 것이다.
- 열전4, 神宗王子, 襄陽公恕, "琠, 初封鶴城侯, 後封鶴城府院君. 恭愍十年, 如元賀正, 道梗不果行".

418) 이와 관련된 기사로 지36, 兵2, 馬政, "令各道, 括僧寺出戰馬, 有差"가 있다.

419) 이때 金得培는 前年(공민왕9)에 그의 門下에서 亞元으로 급제한 林樸을 參謀로 기용하였다.
- 열전24, 林樸, "明年, 紅賊陷京, 元帥金得培, 以樸精曉兵法, 置幕下與之籌畫. 南遷時, 春秋史籍·典校祭享儀軌, 掘地以藏".

[某日，募兵榜曰，“凡應募者，除私賤外，士人·鄕吏，官之，宮司奴隷，良之，或賞錢帛，隨其所願”:節要·兵1五軍轉載].

[某日，知肅州事康侶，火民戶而逃:節要轉載].[420)]

[是月，大司成許佺，□□□□掌升補試，取八人:選擧2升補試轉載].

[○禱兵捷于群望:禮5雜祀轉載].

[○上遣內詹事方節五臺山，迎惠勤入京，請說心要．賜滿繡袈裟·水精拂子，公主獻瑪瑙拂子，太后洪氏親施布施，請住神光寺．因辭，上曰，“於法，吾亦退矣”．不得已卽行:追加].[421)]

十一月戊申朔大盡,庚子，己酉2日，紅賊屯撫州，西北面都指揮使李芳實以彼衆我寡，斂斂兵退，請移順·殷·成三州·陽岩·樹德·江東·三登·祥原五縣民及粟于岊嶺柵，從之．[芳實，遣判司農□寺事趙天柱·左丞柳繼祖·大將軍崔準等，擊賊于博州，敗之．禮部尙書李珣邀擊于泰州，斬七級．芳實又與指揮使金景磾，擊賊于价州，斬百五十餘級:節要轉載].[422)]

庚戌3日，門下侍中廉悌臣罷，以洪彦博爲門下侍中.

[乙卯8日:節要轉載]，上元帥安祐·李芳實與指揮使金景磾，各帥麾下兵，擊賊于价·延·博等州，連戰破之，斬首三百餘級.

[→乙卯，安祐遣趙天柱·鄭履等，將步騎四百，擊賊于博州，斬百餘級．李芳實又以百騎，擊賊千餘于延州，斬二十級．祐統諸軍，進屯安州，獻捷:節要轉載].

○王以祐爲都元帥.[423)]

---

420) 이와 같은 기사가 열전26, 安祐에도 수록되어 있다(“知肅州康呂火民戶而逃”).

421) 이는 다음의 자료에 의거하였다.

- 『목은문고』 권14, 普濟尊者諡先覺塔銘幷序, “至正,辛丑冬，上遣內詹事方節□□□五臺山，迎□□惠勤入京，請說心要．賜滿繡袈裟·水精拂子，公主獻瑪瑙拂子，太后親施布施，請住神光寺．因辭，上曰，‘於法，吾亦退矣’，不得已卽行”.
- 『懶翁和尙語錄』，行狀，“辛丑冬，上遣內詹事方節，以內乘馬，迎入城中．十月十五日，入內三殿，修敬已，請說心要．師普說作二頌進呈，上嘆曰，‘聞名不如見面’．賜滿繡袈裟·水精拂子，公主以瑪瑙拂子施之，太后親賜布施．因請住神光寺．師辭云，‘山僧只欲還山，專心祝上，伏望聖慈’，上曰，‘若然，則於法，吾將退矣’．卽遣近臣金仲元，爲輔行，師不得已，是月二十日，到于是寺”. 여기에서 宦官 方節의 官職인 內詹事는 詹事府의 左·右詹事를 指稱하는 것 같고, 그가 몽골제국에 入侍하였을 때 임명된 職責인 것 같다.

422) 이와 같은 기사가 열전26, 安祐에도 수록되어 있는데, 添字는 이에 의거하였다. 또 柳繼祖(柳甫發의 長子)는 柳甫發의 묘지명(『가정집』 권11)에 繼高로 되어 있으나 오자일 것이다(『文化柳氏世譜』, 柳繼祖墓誌銘).

[→□安祐遣趙天柱·鄭履·張臣補·李元桂·洪瑄·鄭誂等, 以步騎四百, 至博州, 擊斬百餘級. 芳實又以百騎, 擊斬二十級于延州. 祐領諸軍, 進屯安州, 獻捷曰, "丁贇·王安德·金仁彦·許子麟·朴壽年·金琦·鄭元甫·兪之哲·邊安烈·權長壽·趙麟趙璘·趙仁璧等, 皆力戰有功, 乞加賞以作士氣". 王命祐爲都元帥曰, "閫外之事, 將軍制之, 爾其賞罰, 用命不用命":列傳26安祐轉載].[424)]

丙辰9日, 賊襲安州, 我軍敗績, 上將軍李蔭·趙天柱死之.[425)] 賊獲指揮使金景磾, 爲其元帥, 移文于我曰, "將兵百十萬而東, 其速迎降".[426)]

丁巳10日, 令公侯以下, 出戰馬有差.[427)]

己未12日, 以參知政事鄭世雲爲西北面軍容體察使.

庚申13日, 遣前密直提學鄭思道·金玬, 守岊嶺柵, 平章事李公遂屯竹田.[428)]

辛酉14日, 我太祖上將軍李成桂斬賊王元帥以下百餘級, 擒一人以獻.

癸亥16日, [冬至]. 以中書侍郎同中書門下平章事金鏞爲惣兵官摠兵官, 前刑部尙書柳淵爲兵馬使.

○賊以萬餘兵, 攻岊嶺柵, 破之.[429)]

---

423) 이 기사에서 王字는 필요가 없는 글자이다[衍字].

424) 趙麟은 趙璘(趙德裕의 2子, 趙浚의 兄)의 오자이다(열전18, 趙仁規, 璘).

425) 李蔭은 守侍中 李嵒의 3子이고(열전24, 李嵒 ; 李嵒墓誌銘), 趙天柱는 趙憲(1544~1592)의 8代祖라고 한다(『重峰集』부록권1, 世德).

426) 이와 같은 기사가 열전26, 安祐에도 수록되어 있다.

427) 이 기사는 지36, 兵2, 馬政에도 수록되어 있다.

428) 이와 같은 기사가 열전26, 安祐에도 수록되어 있다.

429) 이후 퇴각하던 고려군은 棘城, 곧 黃州의 남쪽에 위치하여 鳳州(後日의 鳳山郡)과 接境한 지역에서 紅巾賊과 激戰을 전개하다가 彼我間에 큰 피해가 있었던 것 같다. 후일 이곳의 濟衆院에 賊의 戰死者를 묻었고, 이를 慰靈하기 위해 春秋로 祭官이 파견되었고, 조선에 파견되어 온 明의 使臣도 이곳을 들러 慰靈하였다고 한다.

- 『세종실록』 권152, 지리지, 黃州牧, "… 古棘城, 在州南鳳山兩邑之境[要害之地]".
- 『林塘遺稿』卷下, 雜吟錄, 賜祭棘城, "聖朝枯骨亦霑恩, 香火時時降塞門, 祭罷上壇雷雨定, 白雲如海滿前村".
- 『秋江集』 권3, 黃州濟衆院[注, 元紅巾賊關先生·沙劉·番頭破頭潘等十萬兵, 爲麗將安祐·金得培·鄭世雲所擠, 盡亢於此].
- 『성종실록』 권44, 5년 윤6월 戊申25日, "豊儲倉守金仁民上疏曰, … 其三曰, 治惡疾. 臣聞黃州棘城, 古稱戰場, 天陰雨濕之日, 鬼哭啾啾, 妖氣觸人, 輒得惡病, 轉轉相染, 傳屍無窮, 延及隣境, 一道編戶, 日就耗減, …".
- 『성종실록』 권67, 7년 5월, "甲子22日, 御經筵. 講訖, … 知事李克培啓曰, '黃海道棘城, 乃天使來往之路, 不可不築'. …".

[→是夜，賊伏兵萬餘於岊嶺柵傍，雞鳴，以鐵騎五千，攻破柵門:節要轉載]．我軍大潰，都元帥安祐·都兵馬使金得培等，單騎奔還.[430)]

乙丑18日，[都元帥安祐收兵，與摠兵官金鏞等，屯金郊驛．鏞遣左散騎常侍崔瑩，奏請京兵．王知事急，遂謀避亂，使京城婦女老弱，並先出城，人心洶洶．是日:節要轉載]，賊先鋒至興義驛.[431)]

丙寅19日，王及公主奉太后洪氏南狩.[432)] [黎明，摠兵官鏞·都元帥安祐·芳實等馳至，咸謂京城不可不守，瑩尤慟甚，大叫曰，"願上少留，募丁壯守宗社"．宰臣相顧默然，平明，駕幸旻天寺，遣近臣，分往通衢，大呼招集義兵，都人皆潰，應者纔數人．祐等，無如之何，白王曰，"臣等留此禦賊，請王行"．王出崇仁門，老幼顚仆，子母相棄，蹦籍滿野，哭聲動天地．行至長湍縣通濟院，自京城，來者言，"賊已近矣"．遂:節要轉

· 『연산군일기』 권27, 3년 9월 壬戌24日，"… 朴崇質·李陸·趙益貞·許琛·鄭錫堅議，'世傳紅寇之亂，軍敗於棘城，遂爲黃·鳳之癘，浸淫至於開城等處．此言雖若怪誕，然天下之理無窮，安知其必不然也？祖宗朝設壇致祭，遣醫治療，皆以此也"．

· 『중종실록』 권52，19년 12월，"己亥9日，三公南袞·李惟淸·權鈞 … 等啓曰，… 黃海道棘城，紅巾之賊車多敗亡．以此，黃州·鳳山等處人多病死，而文宗親製祭文致祭矣"．

· 『신증동국여지승람』 권41，黃州牧，祠廟，"厲壇，在州北，今移合棘城壇．棘城祭壇，高麗時，棘城之地累經兵燹，白骨暴野．天陰雨濕，鬼物煩冤，薰爲厲氣，轉相侵染，黃海一道民多夭札．故國家每春秋，降香祝致祭．本朝文宗時，浸淫及京畿，上憂之，親製文遣官以祭"．

· 『신증동국여지승람』 권41，황주목，古跡，"棘城鎭，在州南二十五里．俗傳官軍防紅巾于此者，盡爲賊所殲．行城址，自政方山頂至朴排浦，長四萬三千六百五十九尺，有防守軍．本朝文宗二年，改築石城，長五千三十尺，高七尺"．

· 『耳溪集』 권21，請棘城築城，厚州設邑啓，"夫修省之策，莫急於陰雨之備，陰雨之備，莫大於西北兩邊矣．以西路言之，自關西向京城之喉隘，惟是洞仙·棘城兩路而已，洞仙則重巒複嶺，實爲天險，而況又築城設關，以守之，可防賊兵之馳突矣．至於棘城，則山脉中斷，下成平地，過此以東，横出瑞·鳳之野，無一嶺阨，直達京都．故丙子之亂，捨洞仙而由棘城，掉臂而徑進，其爲要害，莫大於此．… 蓋於此地，舊有高麗時石城·土城遺址，袤不過三千餘步，右有疊嶂，左臨浦口．若因舊城之址，因其土石，則事半功倍，而當與洞仙，並爲巨防，直西一路，可成重門之固，…"．

430) 이때 海州牧使 崔永濡가 潭水에 投印，投身하였다고 한다.

· 『耳溪集』 권4，海西錄(1770年作)，投印潭[注，高麗牧使崔永濡，遭紅巾亂，血書於巖，投印於潭而死，所畜犬亦隨死．後人立碑,紀其事"．

431) 이보다 먼저 홍건적이 黃州에 침입하자 知樞密院事·提點司天臺事 柳淑이 南遷을 건의하였다고 한다. 또 16일(癸亥) 이후의 사실은 열전26，安祐에도 수록되어 있으나 字句에 出入이 있다.

· 「柳淑墓誌銘」，"辛丑恭愍10年冬，沙賊犯黃州，勢甚逼，廷臣不知所爲，公從容決策南幸．其言曰，國所恃者，城池也，糧食也，今城未完，倉無儲，萬一賊在四郊，將何以守乎"．

· 열전25，柳淑，"紅賊入黃州，勢甚逼，淑曰，'國所恃者，城池與糧餉也．今城未完，倉無儲，將何以守'．遂決策南幸"．

432) 이날(30일)은 율리우스曆으로 1361년 12월 16일(그레고리曆 12월 24일)에 해당한다.

載]渡臨津, 次[臨津渡]兜率院, 從者唯侍中洪彦博·[守侍中]李嵒·[中書侍郎同中書門下]平章事金鏞·前[參知政事]慶千興·[高興侯]柳濯·僕射金逸逢·參政[參知政事]鄭世雲[433)]·判樞密院事李春富·簽書[~~樞密院使~~]金希祖·知樞密院事柳淑·孫登·知奏事元松壽·承宣金績命[金續命]·洪彦猷·[左副承宣]李穡·金達祥·兵部尙書睦仁吉·上將軍金元命·前吏部尙書洪師範·前刑部尙書柳淵·諫議□□[~~大夫~~]金漢龍·將軍李琳·張伯顔·員外□[郞]金君鼎·刑部侍郞郭忠秀·正言朴思愼·御史朴大陽·侍御史田祿生而已.[434)]

○王駐駕[臨津渡]江岸, 顧瞻山河, 謂[元]松壽·[李]穡曰, “如此風景, 卿等正宜聯句”.[435)]

丁卯[20日], 駕發, 公主去輦而馬, 次婢李氏[~~次妃李氏~~]所騎馬羸弱, 見者皆泣下.[436)] 至[坡

---

433) 열전26, 鄭世雲에는 “十年紅賊陷京城, 王幸福州, 世雲以樞密□□[院使]兼鷹揚軍上將軍, 從行”으로 되어 있으나 ‘樞密□□[院使]兼鷹揚軍上將軍’은 ‘參知政事[參政]’의 오류일 것이다.

434) 이때 金希祖의 관직이 簽書樞密院事[簽書]가 아니고 樞密院使이며[添字], 그렇게 고쳐야 열거된 官僚의 순서가 적합하게 된다. 또 金績命은 金續命으로 고쳐야 옳게 될 것이다(東亞大學 2008년 10책 368面). 또 이때 수종하였던 臣僚는 이 기사와 같이 극히 소수는 아니었을 것이고, 翌日부터 계속 증가하였을 것이다. 당시에 수행하였던 인물로 다음이 있다.

- 『목은문고』 권9, 元巖讌集唱和詩序, “上之南幸也, 曲城府院君廉公[~~悌臣~~]·鐵城府院君李公[~~嵒~~]·漆原府院君尹公[~~桓~~]·檜山府院君黃公[~~石奇~~]·唐城府院君洪公[~~彬~~]·壽春君李公[~~壽山~~]·啓城君王公[~~悌~~], 實從之. 上甚嘉之, 所以待遇之, 亦盡其禮貌焉”.
- 열전23, 金倫, 希祖, “後拜樞密院使, 紅賊逼京都, 從王南幸”.
- 열전25, 趙云仡, “[恭愍]十年, 授刑部員外郞, 紅賊之亂, 從王南幸, 錄功爲二等[三等?]”. 1363년(공민 12) 윤3월 15일의 辛丑扈從功臣 2등에 趙云仡이 보이지 않아 二等은 三等의 잘못으로 추측된다.
- 열전27, 全以道, “累轉判典農□[寺]事. 王之南幸福州也, 以道扈從, 王命以道, 簽兵于洪州道. 又從諸將, 收復京城, 策扈從·收復功, 皆賜錄卷”.

그리고 元松壽는 이보다 먼저 知奏事에 임명되어 인사행정[銓注]을 담당하면서 공정하게 처리하려고 하였던 것 같다.

- 열전20, 元傅, 松壽, “… 轉知奏事, 參銓注, 愼重名器, 不少私. 王嘗欲授僧職召之, 辭以疾. 又以尹澤有翊戴功, 命補其孫二人陵壇直, 松壽止注一人. 他日王問之, 對以闕少, 未能盡奉旨, 澤, 松壽座主也. 王由是, 益敬重, 見松壽至, 必起待之. 松壽嘗在妻服, 命出視事, 松壽奏曰, ‘承宣非獨臣, 且在服視事, 無古禮’. 王然之”.

435) 이때 恭愍王의 播遷과 관련된 기사로 다음이 있다.

- 열전2, 忠肅王妃, 明德太后洪氏, “王以紅賊逼京, 奉□[太]后南狩”.
- 열전2, 恭愍王妃, 魯國大長公主, “避紅賊, □□[公主]從王南幸. 事出倉卒, 去輦而馬, 見者皆泣”.
- 열전24, 洪彦博, “紅賊逼京城, 衆議欲避之, [門下侍中洪]彦博獨以爲, 先王基緖, 不可隳也. 勸王自將與民効死. 俄而西兵告敗, 王南幸, 彦博從之”.

436) 이와 관련된 자료로 다음이 있다. 또 次婢李氏는 次妃李氏(惠妃, 李齊賢의 女)로 고쳐야 옳게 될 것이다(東亞大學 2008년 10책 368面).

- 『신증동국여지승람』 권11, 坡州牧, 驛院, “兜率院, 在臨津渡南岸. ○高麗恭愍王十年, 紅賊先鋒至興義驛, 王及公主南狩渡臨津, 次兜率院, 王駐駕江岸, 顧瞻山河, 謂元松壽·李穡曰, ‘如此風景, 卿等正宜聯句’. 駕發, 公主去輦而馬, 次妃李氏所騎馬羸弱, 見者皆泣下”.

平縣焚修院, 楊廣道按廉使安宗源·忠州牧使朴曦來謁,[437] 遂次楊州迎曙驛, 南京留守崔仁遠·清州牧使金成甲來謁.

戊辰21日, 尙州判官趙縉以兵千四百來,[438] 使大將軍金得齊領之.

○駕至廣州漢水南沙平院, 開寧監務□□來, 獻刷馬百餘匹. 駕次廣州, 吏民皆登山城, 惟州官在.[439]

○以高興侯柳濯爲慶尙道都巡問兼兵馬使, 判樞密院事李春富爲全羅道都巡問兼兵馬使,[440] 崔安沼爲楊廣道巡問使, [徵兵討賊:追加].[441]

[□□是時, 王命判司農寺事全以道, 簽兵于洪州道, 從諸將收復京城:列傳27全以道轉載].[442]

己巳22日, 駕次廣州牧慶安驛.

○以尙書右僕射李成瑞爲楊廣道都巡問兼兵馬使, 知門下省事姜碩爲交州江陵道都巡問兼兵馬使, 趙縉及開寧監務□□, 皆進秩. [○中郎將林堅味, 言於宰樞曰, "賊已入京都, 臨津以北, 非我有也, 請徵諸道兵討之". 宰樞不應, 卽涕泣白王, 王曰, "其如倉卒, 何":節要轉載].[443]

[庚午23日, 雨, 木冰:五行2轉載].

---

437) 이와 관련된 자료로 다음이 있다.
- 『신증동국여지승람』 권11, 坡州牧, 驛院, "焚脩院, 在州南二十四里. ○恭愍王十年, 避紅賊至焚脩院, 按廉使安崇源·忠州牧使朴曦來謁, 卽此".

438) 여기에서 監務의 姓名이 脫落되었다.

439) 恭愍王이 廣州에 도착하였을 때 前福州牧使 尹海(혹은 尹侅, 1356년 3월~9월 在職)가 扈從하여 慶尙道點軍兵馬使에 임명되었고, 이때의 功勞로 僉兵輔佐二等功臣에 책봉되었다(尹侅墓誌銘).

440) 李春富의 임명은 『금성일기』에서도 확인된다(열전38, 李春富, "… 紅賊陷京城, 以春富爲全羅道都巡問兼兵馬使").

441) 이는 다음의 자료에 의거하였다.
- 「柳濯神道碑銘」, "爲都巡問慶尙, 徵兵遣討".

442) 原文에는 "累轉判典農事. 王之南幸福州也, 以道扈從, 王命全以道, 簽兵于洪州道. 又從諸將, 收復京城. …"으로 되어 있다.

443) 이와 같은 기사가 열전39, 林堅味에도 수록되어 있다. 또 이후 林堅味·廉興邦·曹敏修·邊安烈·王安德 등의 列傳에는 事件 展開의 時期[年次]가 기록되지 않고, 사실의 前後가 顚倒된 것도 있어 理解에 곤란한 점이 많다. 이러한 점은 『고려사』의 편찬에서 李成桂의 반대편에 서있던 인물에 대해 公正性이 담보되지 않았기 때문일 것이다.
- 『신증동국여지승람』 권6, 廣州牧, 驛院, "慶安驛, 在州南五十里. … ○高麗恭愍王避紅賊南奔, 至此驛. 中郎將林堅味言於宰樞曰, '賊已入京都, 臨津以北, 非我有也, 請徵諸道兵討之'. 宰樞不應, 卽涕泣白王, 王曰, '其如倉猝何?', 遂奔福州".

辛未[24日], 雨雪, 駕次利川縣, 御衣濕凍, 燎薪自溫.

○是日, 賊陷京城, 留屯數月, 殺牛馬, 張皮爲城, 灌水成冰, 人不得緣上. 又屠炙男女, 或燔孕婦乳爲食, 以恣殘虐.[444]

壬申[25日], 駕次陰竹縣, 吏民皆逃匿, 判閤門事[~~判閤門事~~]許猷獻米二斗, 王以[楊廣道]按廉使安宗源·安撫使許綱, 不能供張, 繫頸以來, 縣人裴元景言於宰相曰, "吾勸留同里十餘戶以待大駕". 宰相嘉之, 奏除元景△[爲]散員·監陰竹務.[445]

[→[安宗源,] 累遷侍御史, 出按楊廣道. 王避紅賊南幸, 宗源來謁於道, 先往忠州, 備供御. 左右譖曰, "按廉到忠州, 已踰嶺而遁矣". 王信之, 遣中使執以來. 使者至忠州, 見宗源在館辦供頓, 執與俱來, 王知其誣, 釋不問. 王次陰竹, 吏民皆逃匿, 以宗源不能供張, 下巡軍, 貶知淸風郡事:列傳22安宗源轉載].[446]

乙亥[28日], 駕次忠州.[447]

丁丑[30日], 將軍洪瑄自請爲遊擊將軍, 王嘉之, 擢爲南京尹·楊廣道管軍上萬戶, 以趙希古爲廣州牧使·楊廣道副萬戶, 李之泰代[按廉使]宗源, 下[安撫使]綱及宗源于巡軍.

[是月, 紅賊蹂躪京畿, 擧國南徙, [慈悲嶺]神光寺僧徒震懼, 請避賊. 住持懶翁惠勤曰, '唯命是保, 賊何能爲', 賊果不止:追加].[448]

[是月頃, 賊侵長湍縣, 館宇燒盡, 縣官僑寓鐵原府永平縣:追加].[449]

---

444) 이와 같은 기사가 열전26, 安祐에도 수록되어 있다. 이날은 율리우스曆으로 1361년 12월 21일(그레고리曆 12월 29일)에 해당한다.

445) 許綱은 金永煦의 孫壻이다(열전45, 辛旽, "密直□□[提學]許綱妻金氏, 上洛君永煦孫也").

446) 이때 安宗源과 관련된 기사로 다음이 있다.

- 『태조실록』 권5, 3년 3월 癸亥[24日], 安宗源의 卒記, "… 歲辛丑, 以侍御史出按楊廣道, 紅賊陷京, 恭愍王南遷至竹州, 吏民皆散, 宗源罔知所措, 不能供頓. 恭愍怒, 欲誅之, 賴親臣柳淑營救得免".

447) 이때 父親喪으로 京山府에 있던 前參知中書政事 李仁復, 李仁任 兄弟가 忠州行宮에 찾아가 謁見하였다(李仁復墓誌銘).

448) 이는 다음의 자료에 의거하였다.

- 『목은문고』 권14, 普濟尊者謚先覺塔銘并序, "[至正辛丑]十一月, 紅賊蹂躪京畿, 擧國南徙, 神光寺僧徒震懼, 請避賊. 師曰, '唯命是保, 賊何能爲', … 賊果不止".
- 『나옹화상어록』, 행장, "十一月, 紅賊突入京都, 國家播遷, 唯師自領徒衆, 如常演法. 一日賊輩數十騎到寺, 師儼然對之, 賊首以沈香一片獻之, 禮拜而退. 自後大衆疑懼, 勸師避亂, 師止之曰, '唯命是保, 賊輩何關汝事'. 後一日, 大衆復請, 師不得已許之. …".

449) 이는 다음의 자료에 의거하였다.

- 『四佳集』文集권2, 長湍府新營客館記, "按古記云, … 辛丑, 紅寇之變, 館宇燒盡, 縣官僑寓永平縣. 戊辰[昌王卽位年], 我太祖康獻大王, 命置安集別監, 招撫流亡, 還古縣, 越三年庚午[恭讓王二年], 改置縣令".

[○以崔伯淸爲永州副使:追加].[450]

十二月[戊寅朔大盡,辛丑], [某日, 駕次丹陽郡, 知丹陽郡事<u>李祥</u>, 具公服迎駕:追加].[451]

[壬午[5日], 大霧:五行3轉載].

[某日, 駕次尙州, 門下侍中致仕<u>李齊賢</u>謁見, 嘗揮涕嘆曰, “今日播遷, 何異玄宗<u>祿山</u>之亂”:列傳23李齊賢轉載].[452]

[庚寅[13日], 霧甚:五行3轉載].

<u>壬辰</u>[15日], 王至<u>福州</u>, 以[參知政事]<u>鄭世雲</u>爲<u>惣兵官</u>[摠兵官], 賜敎書遣之, [督諸軍:列傳26安祐轉載].[453]

[→鄭世雲, 性忠淸, 自播遷以來, 日夜憂憤, 以掃蕩紅賊, 恢復京城, 爲己任. 屢請於王曰, “速下哀痛之敎, 以慰民心, 又遣使諸道, 以督徵兵”. 王遂以世雲, 爲摠兵官, 敎曰, “天下安, 注意相, 天下危, 注意將. 惟時與勢, 輕重在人, 可不愼哉. 恭惟太祖, 肇創洪業, 列聖相承, 休養生民, 逮于寡人, 狃于宴安, 軍旅之事, 廢而不講, 以致紅賊侵犯, 播越而南, 每念宗社, 痛楚何堪. 今分遣諸將, 合兵攻賊, 乃命鄭世雲, 授以節鉞, 往董厥師, 賞罰用命不用命. 其各處軍官·軍人, 敢有故違節制, 及隔越馳聞者, 聽以軍法從事. 於戲, 師出以律, 有國之所當先, 國耳忘家, 爲臣之所當急. 惟爾士衆, 體予至懷”. ○世雲詣都堂, [憤然]揚言曰, “吾甚寒微, 如吾爲相, 國家宜亂. 竹嶺以南居人扈駕者, 不給糧幷從軍, 此議已定, 今何不然. 紀綱乃爾, 安能制難”. 謂[知樞密院事]<u>柳淑</u>曰, “吾明日出師, 公歸簽軍乎?”. 淑曰, “軍已到竹嶺大院”. 世雲曰, “若軍後期, 公亦不得辭其責”. 淑卽往督之. 又謂[中書侍郎平章事]<u>金鏞</u>曰, “今兩相, 玩寇不圖, 孰不效耶. 若不掃賊, 縱竄匿山谷, 可得而生, 可得而國乎?”. □[守]侍中<u>李嵒</u>曰, “今寇賊闌入, 君臣播遷, 爲天下笑. 三韓之恥, 而公首唱大義, 杖鉞行師, 社稷□[之]再安, 在此一擧, 惟公<u>勉之</u>”. 吾君臣, 日夜望公之凱還也:節要轉載].[454]

[□□[是時], 前福川君<u>孫洪亮</u>, 以野服, 迎車駕於道, 王嘉之:追加].[455]

· 『사가집』 문집권3, 長湍府客館重新記, “長湍, 古縣也, … 恭愍辛丑, 紅寇之亂, 館宇燒盡, 僑寓永平縣. 歲戊辰, 復還古治, 越三年庚午, 改置縣令”.

450) 이는 『영천선생안』에 의거하였다.

451) 이는 다음의 자료에 의거하였다.

· 『목은시고』 권7, 記辛丑[恭愍10年]冬丹山途中, [注, 丹山知郡<u>李祥</u>, 具公服迎駕].

452) 原文에는 “紅巾之亂, 王南幸, [李]<u>齊賢</u>謁于尙州, 嘗揮涕嘆曰, 今日播遷, 何異玄宗祿山之亂”으로 되어 있다.

453) 이날(30일)은 율리우스曆으로 1362년 1월 11일(그레고리曆 1월 19일)에 해당한다.

454) 이 기사는 열전26, 鄭世雲에도 수록되어 있는데, 添字는 이에 의거하였다.

甲午[17日], [大寒]. 王射于西樓下.

乙未[18日], 幸暎湖樓,[456] [觀望良久, 旣而下樓:節要轉載], 遂乘舟遊賞, 仍射於湖邊. 按廉使[李綱]享王,[457] 觀者如堵, 或有反袂興嗟者, 或誦讖而嘆曰, “忽有一南寇, 深入臥牛峯. 又云, 牛大吼, 龍離海, 淺水弄淸波. 古聞其言, 今見其驗”.

丙申[19日], 以[摠兵官]鄭世雲爲中書平章事[~~門下侍郎同中書門下平章事~~].[458]

---

455) 이는 다음의 자료에 의거하였는데, ~~添字~~와 같이 고쳐야 옳게 될 것이다.

- 『歸鹿集』 권16, 靖平公遺墟碑, “恭愍王壬寅[~~辛丑~~10年], 紅巾亂作, 王奔福州, 公以野服, 迎於道, 王嘉之”.

456) 이 시기 이후인 1366년(공민왕15) 겨울에 공민왕이 暎湖樓의 額字를 썼던 것 같다.

- 『신증동국여지승람』 권24, 안동대도호부, 樓亭, “暎湖樓, … 歲丙午[恭愍15年]冬, 上在書筵, 大書映湖樓三字, 命正順大夫·上護軍臣[金]興慶傳旨, 召奉翊大夫·判典校寺事臣[權]思復入面授之.時判官·朝奉郞臣[申]子展與吏議, ‘樓制梋樸, 恐無以侈上之賜’. …”.
- 『佔畢齋集』, 詩集권2, 映湖樓次韻[注, 樓有高麗恭愍王三大字].
- 『硏經齋全集』冊16, 高麗恭愍王筆拔, “暎湖樓, 在安東府, 恭愍王避紅頭賊, 詣安東時[~~遷都後~~]所書也. 筆勢雄麗, 非凡人筆也. …”. ~~添字~~와 같이 고쳐야 옳게 될 것이다.
- 『謙齋集』 권6, 暎湖樓, 次圃隱先生韻[注, 暎湖樓三字, 是恭愍王筆].
- 『靑城集』 권8, 題暎湖樓額後, “高麗恭愍王, 避紅頭寇至福州, 書映湖樓額三大字. 樓再漂於水, 額亦漂而免者再, 萬曆乙巳[宣祖38年]之水, 漂至金海海中, 夜有光發焉, 漁者見而拯之云. 英宗甲午[50年]之漂, 有僧附焉. …”.

457) 이때의 慶尙道按廉使는 李綱(岡으로 개명)이었다(『경상도영주제명기』 ; 열전24, 李嵒, 岡 ; 李岡墓誌銘).

458) 中書平章事는 ~~添字~~와 같이 고쳐야 옳게 될 것이다. 곧 中書平章事는 中書侍郎同中書門下平章事의 약칭이다. 이때 鄭世雲의 序列이 二相三宰 사이에 있었다고 하는데, 행재소인 福州에서 眞宰는 門下侍中 洪彥博, 守侍中 李嵒과 三宰인 中書侍郎同中書門下平章事 金鏞만이 있었다(→11월 丙寅[19日]). 그렇다면 鄭世雲이 임명된 中書平章事는 金鏞의 上位인 門下侍郎同中書門下平章事일 것이다. 다음의 자료에 의하면, 정세운은 ‘門下侍郎同中書門下平章事商議·會議都監事·鷹揚軍上將軍’이었고, 이는 관제개혁 이후에 ‘僉議贊成事商議·鷹揚軍上護軍’으로 개칭되었다. 또 이때 정세운에게 내려진 敎書와 告身은 李穡과 鄭夢周에 의해 각각 작성되고 書寫되었다고 한다[校正事由].

- 『목은문고』 권11, 罪三元帥敎書, “… 乃命門下平章事商議·會議都監事·鷹揚軍上將軍鄭世雲爲摠兵官, 賜之節鉞, …”(→공민왕 11년 3월 1일).
- 『목은문고』 권12, 贈侍中鄭公畫像讚幷序, “守門下侍中·廣平府院君李公[仁任], 在壬寅歲, 嘗與諸將克復京城, 其摠兵官, 則[僉議]贊成事商議·鷹揚軍上護軍鄭世雲也”.
- 『恕菴集』 권12, 玄石先生[朴世采]舊藏, 牧隱·圃隱兩先生筆蹟跋, “… 余從玄石先生舊藏, 得觀恭愍王除鄭世雲摠兵官·中書平章事告身書及其敎諭文. 敎文出牧隱手, 而告身則圃隱自寫之, 墨色印文如新, 其文辭爛然可觀, 其筆畫, 如屋漏痕古釵脚, 近乎顔平原[顔眞卿]之爲書, 望之可畏焉. 元順□[~~帝~~]之至正辛丑, 恭愍避紅賊於安東縣[~~福州牧~~], 二公以樞密院左承宣, 藝文檢閱從. 時賊已據國都, 又追兵南下, 恭愍駐蹕野次, 於帳殿, 立拜鄭世雲爲摠兵官·中書平章事, 以討賊. 命知製敎草進敎文, 而二公適膺是命, 於是, 文靖倚鞍草之, 文忠搦管疾書, 不淹時復命. 及其師出之日, 賊已喪膽而潰矣. 余謂二公手蹟, 乃得之於弓刀·馬鞍間, 而其精妙工篤如此者, 殆必有說,.

[→鄭世雲行, 擢授中書平章事, 位二相·三宰之間:列傳26鄭世雲轉載].

[○以知樞密院事柳淑爲樞密院使·翰林學士承旨·同修國史,[459) 正議大夫·左副承宣·知禮部事李穡爲正議大夫·左承宣·翰林侍讀學士充史館修撰官·知製敎·知兵部事:追加].[460)]

丁酉20日, 塩州人檢校中郞將金長壽, [倡率州人:節要轉載], 起兵擊賊, 殺遊騎一百四十餘人, [取僞榜:節要轉載], 遣州人崔英起走報行在, 以長壽爲上將軍兼萬戶, 英起爲西海道安撫使.

[→金長壽, 塩州人, 紅賊陷京城, 所在充斥, 長壽, 以檢校中郞將家居, 自稱萬戶, 率州人, 殺遊弈百四十四人, 奪其榜文. 遣州人崔英起·吳永卿, 馳報行在, 王嘉之, 超授上將軍兼萬戶, 賜紫金魚袋, 英起西海道安撫使, 永卿郞將:列傳26金長壽轉載].

[某日, 王遣亏達赤權天祐, 於摠兵官營, 賜衣酒, 世雲附奏曰, "諸將有報獲賊者, 勿先論賞. 臣雖捕獲, 不敢數馳報, 以煩驛騎, 大戰之後, 具狀上聞":列傳26鄭世雲轉載].

丁未30日, 紅賊三百餘騎陷原州, 牧使宋光彥死之. 賊二十九人, 又至安邊府, 邑人詐降饗之, 酒三行撲擊, 盡殺之.

○江華府詐降饗賊, 裨將王同僉伏兵, 盡殺之, 賊不敢入境.

[○木稼:五行2轉載].

[是月, 西京人高敬至軍前言, "府民脫賊者, 無慮萬人, 請遣將鎭撫". 世雲大悅, 遣禮部尙書李珣往撫之, 督赴京城:列傳26鄭世雲轉載].

[○□□□鶴城侯琠與其弟平安君等二人, 謁行在□所:列傳4神宗王子襄陽公恕轉載].

[○王命工部尙書趙暾及兵部尙書睦仁吉, 分領福州兵, 宿衛行宮:列傳24趙暾轉載].[461)]

[是年, 置義濟庫, 令秩從七品, 丞從八品, 錄事從九品:百官2義濟庫轉載].

[○以判司農寺事趙暾爲工部尙書:列傳24趙暾轉載].

方二公之爲此也. 直爲忠義之氣, 所奮激耳, 豈非所謂不期工, 而自工者乎? 且當恭愍之世, 天心之向背, 已可見矣. 豈謂以區區一世雲, 而能威惠三軍, 而使之忘死. …".

459) 이는 「柳淑墓誌銘」에 의거하였다.

460) 이는 『목은집』연보에 의거하였는데, 史館은 原文에서 春秋館으로 되어 있으나 誤謬일 것이다. 사관이 춘추관으로 改稱된 것은 明年(공민왕11) 3월 18일이다.

461) 이때 行宮으로 사용된 건물은 福州牧의 官衙로 추측되는데, 이 건물은 조선 초기 이래 수차에 걸쳐 重修되었던 것 같고, 1915년 5월에 촬영된 사진이 남겨져 있다(黑板勝美記念會 1974年 72面).

[○以國子祭酒韓脩爲中正大夫·典儀令, 尋爲典校令:追加].[462)]

[○以奉翊大夫崔知藏爲羅州牧使:追加].[463)]

[○以公州牧使崔宰爲尙州牧使:追加].[464)]

[○以呂渭賢爲延安府使:追加].[465)]

[○以尙書省都事朴尙衷爲太府丞:追加].[466)]

[○前高麗王府斷事官·推誠亮節同德協義贊化功臣·壁上三韓三重大匡·門下侍中·金海侯致仕李齊賢撰'雪谷詩集'序:追加].[467)]

[○以開城府尹致仕尹澤爲政堂文學致仕. 言曰, "臣深荷毅陵之知, 無報萬一, 乞命工寫睟容以賜臣, 於村莊日夕瞻敬". 又曰, "近來饑饉荐至, 加以師旅, 民病極矣. 前旣構南京之闕, 今又營白岳之宮, 民何以堪". 又曰, "用人爲政之本, 乞進賢退不肖". 又曰, "凡事得失, 上意雖灼知其然, 委之大臣, 未卽區處. 因仍之間, 其害已成, 救之莫及. 王賜酒, 澤一飮三巵, 神氣自若". 侍中洪彦博歎曰, "不謂尹公戇直如此, 吾所不及也". 澤雖致仕, 自以先朝顧托, 知無不言, 或切直, 王亦優容:列傳19尹澤轉載].

[○冬, 開城府管內海豊郡報法寺, 爲沙賊所蹂躪, 殿宇·器皿, 經卷·像設, 盡毁:追加].[468)]

[○兵亂中, 燹及鐵原府寶盖山地藏寺, 屋宇燒者, 至於三之二:追加].[469)]

[是年末, 紅賊遣先鋒稱使者, 侵掠諸郡, 水州管內安城縣以北三十餘州, 望風而降,

462) 이는 「韓脩墓誌銘」에 의거하였다.

463) 이는 『금성일기』에 의거하였다.

464) 이는 「崔宰墓誌銘」에 의거하였다.

465) 이는 『연안부지』에 의거하였다.

466) 이는 『定齋集』 권3, 潘南先生家傳, "恭愍王七年, 除尙書都事"에 의거하였다.

467) 이는 다음의 자료에 의거하였다.
- 『설곡집』卷首, 雪谷詩集序, "… 至正辛丑月日, 前宣授□□大夫·高麗王府斷事官·推誠亮節同德協義贊化功臣·壁上三韓三重大匡·門下侍中·領藝文春秋館事·金海侯致仕益齋老人李齊賢序".

468) 이는 다음의 자료에 의거하였다.
- 『목은문고』 권6, 海豊郡報法寺記, "辛丑恭愍10年, 設落成中會, 冬爲沙賊所蹂躪, 殿宇·器皿, 經卷·像設, 存者盖鮮, …".

469) 이는 다음의 자료에 의거하였다(→우왕 2년 4월 是月의 脚注).
- 『목은문고』 권2, 寶盖山地藏寺重修記, "歲辛丑恭愍10年, 兵燹及山中, 屋宇存者, 盖三之一, 僧慈惠迺發憤, 又欲新之, …".

至有以公服出迎者. 安城縣人佯降宴犒饋, 醉而殲之, 賊由是不復南下:追加].[470)]

[仁同人 張東翼 校注, 增補].

470) 이는 다음의 기사에 의거하였다..

· 지10, 지리1, 安城縣, "恭愍王十年, 紅賊入松都, 王南巡, 賊遣先鋒, 招降楊廣道州郡, 所至, 莫敢挫其鋒, 唯縣人, 佯爲降附, 設宴之, 乘其醉, 斬魁首六人, 賊由是不敢南下".

· 『양촌집』 권13, 克敵樓記, "… 至正辛丑[恭愍10年], 紅賊陷松都, 乘輿播越, 賊遣先鋒稱使者, 侵掠諸郡. 由此而北三十餘州望風而降, 至有以公服出迎, 滔天之勢汎溢而南, 將擧國淪胥, 而莫之遏. 惟此邑率先奮義, 佯降宴犒, 醉而殲之, 賊由是不復南下".

『高麗史』卷四十 世家卷四十

[輔國崇祿大夫·議政府左贊成·知集賢殿經筵春秋館成均事·世子賓客·臣金宗瑞奉教撰]

正憲大夫·工曹判書·集賢殿大提學·知經筵春秋館事兼成均大司成·臣鄭麟趾奉教修

恭愍王 三

壬寅[恭愍王]十一年, 元至正二十二年, [西曆1362年]

1362년 1월 27일(Gre2월 4일)에서 1363년 1월 15일(Gre1월 23일)까지, 354일

春正月戊申朔小盡,壬寅, 王在福州, 賀正.

[某日, 命奉安九廟假主於新鄕校, 置諸陵署於舊鄕校, 各行春享. 紅賊之後, 假安九廟神主于崇仁門彌陁房, 太祖·忠宣·忠肅·忠穆神主, 失於兵難:禮3吉禮大祀轉載].1)

[→奉安九廟假主於福州鄕校:節要轉載].

甲子17日, [雨水]. ~~都元帥~~安祐·~~元帥~~李芳實·黃裳·東北面兵馬使韓方信·李餘慶·~~元帥~~金得培·安遇慶·李龜壽·崔瑩等,2) 率兵二十萬, 屯東郊[天壽寺前:節要轉載]. 摠兵官鄭世雲督[令進軍:節要轉載], 諸將進, 圍京城, [世雲, 退屯兜率院. 時方雨雪, 賊弛備, 餘慶當崇仁門, 麾下護軍權僖, 詗知之曰, "賊之精銳, 皆聚於此, 若出其不意, 攻之, 可克":節要轉載].3)

乙丑18日,4) 昧爽, [權僖率數十騎, 突入, 鼓譟奮擊, 賊衆驚駭:節要轉載]. 諸將乘之, 四面進攻, 我太祖上將軍李成桂以麾下親兵二千人, 奮擊先登, 大破之. [日晡時:節要轉載], 斬賊魁沙劉沙劉二·關先生等. 賊徒自相蹈籍, 僵尸滿城, 斬首凡一十餘萬級, 獲元帝玉璽□□二顆·金寶□□一顆·金銀銅印·~~金銀器·牌面~~·兵仗等物. [諸將咸曰, 窮寇不可盡, 乃開崇仁·炭峴二門:節要轉載]. 餘黨破頭潘等一十餘萬遁走, 渡鴨綠江而去, 賊遂平.5) [攻城之日, 賊雖窮蹙, 築壘固守, 會日暮, 諸軍進圍逼之. □我太祖李

---

1) 延世大學本은 이 기사의 冒頭에 '十二年正月, 王在福州'로 되어 있으나 十二年은 十一年의 오자이다(東亞大學 2011년 16책 615面).

2) ~~添字~~는 『목은문고』 권11, 罪三元帥教書(『동문선』 권23)에 의거하였다.

3) 이와 같은 기사가 열전26, 安祐에도 수록되어 있다.

4) 이날은 율리우스曆으로 1362년 1월 13일(그레고리曆 1월 21일)에 해당한다.

成桂止路邊一家, 夜半, 賊闌圍而走, □我太祖李成桂馳至東門, 賊及我軍, 爭門雜沓, 不可出, 有後至賊, 以槍刺□我太祖李成桂右耳後, 勢甚迫, □我太祖李成桂遂拔劍, 斮前七八人, 躍馬踰城, 馬不蹉跌. 人皆神之:節要轉載].[6]

[□□是時, 元帥金得培麾下林樸, 收拾春秋史籍·典校祭享儀軌, 軍卒多慢棄不收. 樸與柳珣·李玖, 以爲國典不可使湮滅, 監檢收括, 得十之二:列傳24林樸轉載].[7]

[某日, 賊平, 摠兵官鄭世雲, 遣大將軍金漢貴·中郎將金景, 奉露布詣行在□所曰, "嘗軫濟世之心, 旁求俊彥, 敬承分閫之命, 恐累聖明. 竊聞, 興衰有數, 理亂無窮, 安民之要, 禦寇爲難. 太王去邠, 未能防狄人之逼, 明皇幸蜀, 不得制猲狗之侵. 掃赤眉而劉漢重興, 破黃巾而曹魏繼統, 悉惟時運, 匪獨人爲. 當去歲之仲冬, 値滔天之勍敵, 論其肆毒, 雖豺虎之莫如. 觀其行兵, 亦孫·吳之難抗. 日將自恣, 世無誰何. 乘勝長驅, 旣橫行於天下, 遠引直入, 遂大振於海東. 怒鋒不可當, 望風皆自潰. 百萬精甲, 奄屯住於都城, 億兆斯民, 蕩流離於道路. 嗟哉, 黎烝甚於塗炭, 況乘輿之

---

5) 이들 破頭潘이 이끈 殘黨들은 明年(1363) 春 某月에 上都를 공격하려다가 孛羅帖木兒[Boru Temur]에게 격파되어 항복하였다고 한다.

· 『원사』 권46, 본기46, 순제9, 지정 23년, "是春, 關先生關鐸餘黨復自高麗還寇上都, 孛羅帖木兒擊降之".

6) 이와 같은 기사가 열전26, 安祐에도 수록되어 있으나 자구에 출입이 있는데, 添字는 이에 의거하였다. 또 이때 참전한 인물로 다음이 있다. 그리고 安祐와 李芳實은 家族[梯己], 知己[心服, 心腹], 麾下士卒[手足之人] 등의 도움을 받아 戰場의 危機에서 벗어날 수 있었다고 한다.

· 『태조실록』 권13, 7년 3월 己巳22日, 金先致의 卒記, "辛丑, … 是冬, 賊陷松都, 先致從其兄得培, □□明年, 與諸將克復京城".

· 열전27, 金先致, "紅賊陷京, 從諸將收復, 官累密直副使".

· 『태종실록』 권5, 3년 4월 丁卯21日, 禹仁烈卒記, "… 歲己亥恭愍8年, 紅賊來寇, 以韓邦信韓方信爲元帥, 仁烈爲掌務. 一日, 元帥分兵于從事軍官, 仁烈請受之, 元帥曰, '掌務, 任簿書耳. 何受兵爲'. 固請, 元帥許之, 心以爲奇, 及其接刃, 身先士卒, 屢致成功. 遂薦于朝, 拜監察御史". 여기에서 韓方信이 東北面兵馬使에 임명된 것은 1358년(공민왕7) 8월이고, 이후 그의 隷下에서 禹仁烈이 홍건적의 토벌에 참여하였던 것 같다.

· 『태조실록』 권1, 總書, "恭愍王十一年壬寅正月, 參知政事安祐等九元帥率兵二十萬, 進取京城, 斬賊魁沙劉·關先生等, 斬首凡一十餘萬. 時□我太祖以麾下親兵二千人, 入自東大門, 先登大破之, 威名益著. 攻城之日, 賊雖窮蹙, 築壘固守, 會日暮, 諸軍進圍逼之. □我太祖止路邊一家, 夜半, 賊闌圍而走. □我太祖馳至東門, 賊及我軍, 爭門雜沓, 不可出. 有後至賊, 以槍刺□我太祖右耳後, 甚急, □我太祖遂拔劍, 斮前七八人, 躍馬踰城, 馬不蹉跌, 人皆神之".

· 『태종실록』 권13, 7년 1월 甲戌19日, "領議政府事成石璘, 上書陳時務二十條, 命下議政府議得. … 一. 嘗觀前朝號爲善戰者, 如安祐·李方實, 皆有梯己·心腹·手足之人, 當其臨危, 決勝之際, 皆賴其力. 宜令將相, 預選子弟·族親及所知有才力者, 各幾人, 以備緩急之用. …".

7) 原文은 "南遷時, 春秋史籍·典校祭享儀軌, 掘地以藏. 及賊平發之, 軍卒多慢棄不收. 樸與柳珣·李玖, 以爲國典不可使湮滅, 監檢收括, 得十之二"로 되어 있다.

遠狩, 實將相之深憂. 肆擧雲合之兵, 遂攻蟻聚之虜, 士卒得建瓴之勢, 赴敵何難. 頑嚚爲破竹之魂, 迎刃輒解. 制天下所不能制, 誅一世所不能誅, 魚可息於鼎中, 免難脫於網外. 田單一奇, 何足法. 葛亮八陣, 可爲師. 凌雪入城, 李愬取蔡州之地, 背水爲陣, 韓信拔趙壁之旗, 事雖不同, 義則允合. 昔蒐兵於己亥, 曾掃賊於朝鮮, 再克寇侵之强, 皆非臣等之績, 玆盖伏遇殿下. 勇智天錫, 聖敬日躋. 遠播休風, 遵禮樂於三代, 誕敷文德, 舞干羽于兩階. 梟獍之所以馴, 犬羊之所以伏, 無不關於聖化, 亦皆囿於至仁. 理之自然. 否則復泰, 斯乃重興之際, 實是更始之初. 臣等敢不競奮鷹揚之勇, 致淸明於會朝, 載伸鰲抃之誠. 佇瞻望於行在":列傳26鄭世雲轉載].[8]

己巳22日, 中書侍郎平章事金鏞矯旨, 密諭上元帥安祐·都指揮使李芳實·都兵馬使金得培, 殺摠兵官鄭世雲.

[→初, 金鏞與世雲妬寵, 又恐祐·芳實·得培等, 成大功, 爲王所重, 欲使祐等殺世雲, 因以爲罪, 而譖王盡殺之. 乃矯旨爲書, 使其姪前工部尙書金琳, 密諭祐等, 令圖世雲. 且曰, "世雲素忌卿等, 破賊之後, 必不免禍, 盍先圖之". 祐·芳實, 就得培牙帳曰, "今世雲畏賊不進, 鏞書如此, 不可不從". 得培曰, "今甫平寇賊, 豈宜自相翦滅? 昔攘苴穰苴擅誅莊賈, 衛靑不殺蘇建, 古今明鑑, 不可不愼. 若不獲已, 執致闕下, 聽上區處, 不亦可乎?". 祐·芳實乃退歸營, 及夜復來, 言曰, "討世雲, 君命也, 我輩成功, 而不奉君命, 其如後患何?". 得培堅執不可, 祐等强之. 於是, 置酒, 使人招致世雲, 旣至, 祐等目壯士, 於座擊殺之:節要轉載].[9]

庚午23日, [大將軍金漢貴·中郞將金景, 賫:節要轉載]鄭世雲露布至行在□所.[10] 王[喜, 賜漢貴黃金二十五兩·帛二匹, 景帛二匹, 卽:節要轉載]遣內詹事李大豆里, 賜世雲衣酒. [○太后洪氏·公主亦賜衣酒:列傳26鄭世雲轉載].

○遣參政參知政事李仁復, 收國史·秘書.

[□□是時, □□王開賊退, 與門下侍中洪彦博言曰, "古人稱, 壯哉山河, 此魏國之寶也. 初, 若設險守隘, 制勝可必, 恨不早圖也. 賊若野戰, 則我軍必敗, 但因雨雪, 乘賊不虞故勝之, 此賴宗社山河之祐也":列傳23李齊賢轉載].[11]

---

8) 이 露布가 『동문선』 권49, 摠兵官·中書平章事鄭世雲平紅賊露布이다.

9) 이와 같은 기사가 열전26, 安祐에도 수록되어 있고, 이를 축약한 기사도 있다.
- 열전44, 金鏞, "中書侍郎平章事金鏞素與摠兵官世雲爭寵, 及世雲與都元帥安祐·金得培·李芳實平紅賊, 鏞矯旨, 密令祐等殺世雲, 因以爲罪, 而殺祐等, 語在祐傳".

10) 添字는 『고려사절요』 권27에 의거하였다.

11) 原文에는 다음과 같이 되어 있다.

[□□[~~是時~~], 賊平, 論賞將士, 判事金貴抗言於[樞密院使柳]淑曰, “[參知政事]黃裳·金琳, 冒受高官, 貴獨何人, 功大賞微”. 淑怡然曰, “公不要忙”. 因以俚語慰之曰, “安知先之羨, 不爲後之羨也”:列傳25柳淑轉載].

辛未[24日], 將軍睦忠至自軍前言, 諸將殺鄭世雲. 秘不發.

壬申[25日], [王乃召門下侍中洪彦博·平章□[~~事~~]金鏞·慶千興·□[~~前~~]贊成事柳濯·樞密院使柳淑議, 遣直門下□□[~~省事~~]金瑱:節要轉載], 頒宥旨于諸將, 仍令督赴行在, 以安其心. [[~~旣而~~]福州守朴之英, 言于宰樞所曰, “李芳實獨謀斬鄭世雲, 安祐等亦遇害”. 於是, □[王]恐生他變, 危懼洶洶, 卽召瑱等還, 欲調兵討之:節要轉載].[12)]

[→[門下侍中]洪彦博聞其死曰, “摠兵之出師也, 言貌甚傲, 其及宜矣”:列傳26鄭世雲轉載].

甲戌[27日], 判太醫監事金賢·上將軍洪師禹來,[13)] 獻諸將論世雲書, 王□□□[~~見書大~~]悅, 賜賢等金□□[銀布]帛,[14)] [復遣瑱等, 頒宥旨, 召[朴]之英, 責曰, “汝何妄言, 予念其老, 不置於法, 只令罷, 歸鄉里”:節要轉載].[15)]

乙亥[28日], 遣知奏事元松壽, 賜諸將衣酒, 以李芳實爲中書平章政事[中書平章事].

[某日, 以[成均大司成]金鳳還爲福州牧使:追加].[16)]

[○以成元揆爲慶尙道按廉使, 閔宣爲全羅道按廉使:慶尙道營主題名記·錦城日記].

[是月, 以柳濯爲守門下侍中, 李仁復爲判開城府事:追加].[17)]

二月[丁丑朔大盡,癸卯], 己卯[3日], [驚蟄]. 趙小生誘引納哈出, 入寇三撒·忽面之地. 元季兵燹, 胡虜納哈出據有瀋陽之地, 稱行省丞相.

· “及賊退, 又與洪彦博言曰, 古人稱, 壯哉山河, 此魏國之寶也. 初, 若設險守隘, 制勝可必, 恨不早圖也. 賊若野戰, 則我軍必敗, 但因雨雪, 乘賊不虞故勝之, 此賴宗社山河之祐也”.

12) 福州牧使 朴之英은 正議大夫(正3品上)로서 1360년(공민왕9) 5월에 赴任하여 是年 2월에 遞任되었다고 한다(『안동선생안』). 또 이와 같은 기사가 열전26, 安祐에도 수록되어 있는데, ~~添字~~는 이에 의거하였다.

13) 上將軍은 延世大學本에는 土將軍으로 되어 있으나 오자일 것이다(東亞大學 2006년 25冊 437面).

14) ~~添字~~는 『고려사절요』 권27에 의거하였다.

15) 이와 같은 기사가 열전26, 安祐에도 수록되어 있다.

16) 이는 『동문선』 권103, 金大司成鳳還敎書軸跋 ; 『안동선생안』 등에 의거하였다. 이에서 金鳳還은 『안동선생안』에서 金鳳環으로 달리 표기되어 있는데, 그는 金宏弼(1454~1504)의 5代祖라고 한다(『景賢錄』上, 世系).

17) 이는 「柳濯神道碑銘」 ; 「李仁復墓誌銘」에 의거하였다.

庚辰4日, 宦者·~~前資政院使~~高龍普伏誅~~於伽耶山海印寺~~.[18]

[→恭愍□王~~-~~; 遣御史中丞鄭之祥, 斬之. 世傳忠惠之執, 龍普爲內應, 故有是刑: 列傳35高龍普轉載].

辛巳5日, 樞密院使東京尹東京留守裴天慶來, 享王, 請幸東京.[19]

[丙戌10日頃, 以樞密院使柳淑爲東京留守:追加].[20]

丁酉21日, 倭焚晋州岳陽縣.

○減扈從諸司支給, 有差.

[→減定成衆各司給料:食貨3祿俸轉載].

辛丑25日, 王發福州.

癸卯27日, 駐蹕尙州, 牧使崔宰供進無缺, 不行饋遺, 爲左右所短, 遂罷之.[21]

甲辰28日, 東北面都指揮使鄭暉與納哈出, 累戰敗績, 請遣我太祖上護軍李成桂.[22]

[○□安祐至咸昌縣, 王擇大臣有計畫者, 往迎之, 以備非常, 乃遣□守侍中柳濯. 濯至跪進酒, 請元帥立飮, 祐不敢. 濯曰, “今公收復三韓, 僕敢以爵位爲心. 一杯之後, 豈復請立飮耶”. 因泣下:列傳26安祐轉載].

乙巳29日, 安祐還詣行宮, 中書侍郞平章事金鏞使門者殺之, 遣使分捕李芳實·金得培,

---

18) ~~添字~~가 추가되어야 좋을 것이다.

19) 이때 裴天慶(裴廷芝의 次子)은 端誠康節功臣·金紫崇祿大夫로서 東京留守로 재직하였고, 같은 달 13일 上京하였다고 한다(『동도역세제자기』).

20) 이는 『동도역세제자기』에 의거하였는데, 이때 柳淑은 2월 15일 東京에 赴任하였다가 3월 3일 上京하였다고 한다.

- 열전25, 柳淑, “安祐等殺摠兵官鄭世雲曰, ‘今旣殺摠兵官矣, 柳淑居中, 每出奇謀可畏也, 盍去之’. 淑知之, 告于王曰, ‘衆怒難犯, 今諸將忌臣者, 徒以在殿下左右耳. 殿下如逐臣, 則臣一布衣耳, 誰復置齒牙閒邪’. 於是, 出爲東京留守”.
- 「柳淑墓誌銘」, “明年賊平, 三元帥功益高, 擅殺摠兵官鄭世雲, 則又曰, ‘今旣殺摠兵官矣, 柳某居中, 每出奇謀可畏也, 去之便’. 公知之, 告于上曰, ‘衆怒難犯, 今諸將忌臣者, 徒以在殿下左右耳. 殿下如逐臣, 則臣一布衣耳, 誰復置齒牙閒邪’. 於是, 出爲東京留守”.

21) 이때의 형편은 다음의 자료와 같다.

- 「崔宰墓誌銘」, “辛丑, 又出爲尙州牧, 其冬國家避兵南徙, 明年春, 幸尙州. 公盡力供辦, 惟公一毫或傷於民, 故求之, 不得者稍短之, 三月, 以奉翊大夫·典法判書分司本京, 公辭違, 玄陵引見溫言慰諭”.
- 열전24, 崔宰, “後爲尙州牧使. 王避紅賊南幸, 駐蹕于尙, 宰盡心供辦. 然不饋遺左右, 左右短之, 遂罷”.

22) 이와 같은 자료로 다음이 있지만, ~~添字~~가 추가되어야 옳게 될 것이다.

- 『태조실록』 권1, 總書, “恭愍王十一年二月, 趙小生誘引元瀋陽行省丞相納哈出, 入寇三撒·忽面之地. 都指揮使鄭暉, 累戰敗績, 請遣太祖. ~~四月.~~ 乃以太祖上護軍李成桂爲東北面兵馬使, 遣之”.

萬戶朴椿殺芳實于龍宮縣.[23)]

[→安祐·安遇慶凱還, 詣行宮, 上謁, 祐將入中門, 金鏞使門者, 槌其首. 祐辭色不變, 三指所佩囊, 大呼曰, "幸姑少緩, 願至上前, 獻囊書就戮". 槌者, 更擊殺之, 曳下庭. 王未及聞, 不知其死, 傳旨曰, "汝等擅殺鄭世雲, 身首異處. 今不斬汝, 以有大功也". ○囊書, 卽金鏞給祐等, 令殺世雲書也. 鏞恐琳泄其謀, 先斬之. 遂白王曰, "祐等擅殺主將, 是不有殿下也, 罪不可赦":節要轉載].

[→明日, 祐凱還, 詣行宮上謁, 鏞令兵部尙書?睦仁吉, 引至中門, 使門者搥其首. 祐辭色不變, 三叩所佩囊,[24)] 大呼曰, "幸小緩, 願至上前, 獻囊書就戮". 王未及聞, 搥者, 更擊殺之, 曳下庭. 王不知其死, 傳旨曰, "汝等擅殺鄭世雲, 身首異處, 今不斬汝, 以有大功也". 囊書, 卽鏞給祐等殺世雲書也. 鏞恐琳洩其謀, 先斬之, 遂白王曰, "祐等擅殺主將, 是不有殿下也, 罪不可赦":列傳26安祐轉載].

[○遂稟宣旨榜云, "祐等不忠, 擅殺世雲, 祐已伏辜. 若有能捕金得培·李芳實者, 超三級錄用". 卽遣大將軍吳仁澤·御史中丞鄭之祥·萬戶朴椿·金庾等, 分捕之. 是日, 芳實 行至龍宮縣, 椿欲傳旨, 芳實下庭跪, 仁澤拔劍擊之, 脫其衣, 卽仆而絶, 良久, 復蘇踰墻, 而走. 椿追執之, 芳實欲拔椿劍, 之祥等, 從後擊殺之:節要轉載]. [芳實, 年六十五. 恭讓王三年, 贈諡忠烈:追加].[25)] [子中文:列傳26李芳實轉載].

[→鏞與門下侍中洪彦博·前守侍中柳濯·前侍中廉悌臣·守侍中李岩李嵒·漆原侯尹桓·參知政事黃裳·判樞密院事李春富·樞密院使金希祖禀旨, "揭榜云, 安祐等不忠, 擅殺世雲. 祐已伏辜, 有能捕得培·芳實者, 超三級錄用". 分遣大將軍吳仁澤·御史中丞鄭之祥·萬戶朴椿·

---

23) 이날은 율리우스曆으로 3월 25일에, 그레고리曆으로 4월 2일에 해당한다. 이때 李芳實은 龍宮縣 官衙에서 大將軍 吳仁澤·御史中丞 鄭之祥·萬戶 朴春 등에 의해 피살되었다. 또 金得培는 基州(現 慶尙北道 榮州市 豊基邑)에서 李芳實의 피살 소식을 듣고 山陽縣(現 慶尙北道 聞慶市 山陽面)의 先塋下에 숨었다가 2일 후에 萬戶 金庾·朴椿·鄭之祥·慶尙道按廉使 成元揆 등에 의해 피살되고, 尙州에서 梟首되었다(열전26, 安祐·金得培·李芳實). 安祐·金得培·李芳實 등은 金鏞이 숙청당한 1363년(공민왕12) 윤3월 이후에 伸冤되고 官爵이 회복되었던 것 같다(「驪州神勒寺普濟舍利石幢記」, 1379年 立石, "□都僉議贊成事金得培妻董州郡夫人金氏妙煛").
그리고 安祐의 鄕里는 康津 邑城의 남쪽에 있었던 것 같고, 後日 慶尙北道 慶山市 南山面 旱谷里 394번지의 旱谷書院에 배향되었던 것 같다.
· 『艮翁集』 권9, 悲青海, 淸海津淸海鎭者, 在康津海中六十里古莞島, 今加里浦, 新羅張保皐所屯兵也. …, "… 寃魂更隣安祐宅[注, 安祐宅基在邑城南, 祐爲高麗元帥, 討紅巾賊有大功, 死於金墉金鏞之讒], 日暮悲風黃竹裏, 我作歌詞我却唱, 座中泣盡金陵妓".
24) 三叩는 延世大學本에는 王叩로 되어 있으나 오자일 것이다.
25) 이는 『咸安李氏世譜』에 의거하였다. 또 李芳實의 墓所는 京畿道 加平郡 加平邑 下色里 陵谷에 있다.

金庚等捕之. 是日, 芳實赴行在, 至龍宮縣, 王命芳實舅右散騎□□常侍辛珣·按廉□使成元揆往迎. 椿至, 稱有旨, 芳實下庭跪. 仁澤拔劒擊之, 卽仆絶, 良久復蘇, 踰垣走. 椿追執之, 芳實欲拔椿劒, 之祥等從後擊殺之:列傳26李芳實轉載].[26]

[○初, 毛貴毛居敬之寇義州也,[27] 安祐率七十餘騎, 行戰地, 登山歇馬, 値賊猝至. 將士皆懼失色, 祐談笑自若. 便旋盥嗽, 從容跨馬, 引兵直前, 與賊隔溪而陣. 賊數騎, 麾槊以示勇, 祐進擊大敗之, 卒能殲滅紅賊, 收復京城, 皆其功也:節要轉載].

[○閔渙, 拜同知密直司事. 紅賊之亂, 渙爲元帥, 以殺摠兵官鄭世雲, 與李芳實等伏誅. 渙, 以禧妃之舅, 怙勢恣横, 人皆疾之. 子輻·軾:列傳37轉載].[28]

[○□後王聞安祐死, 其幼子裸立道旁, 哀之, 召留禁中, 問其所歸, 遣之. 麾下士驚潰, 王召賜酒食勞之:列傳26安祐轉載].

[○後安祐子, 年甫十餘, 遊於市街, 人爭饋以物曰, "今我輩獲安寢食, 皆三元帥之功也". 至有泣下者:節要轉載].[29]

[是月頃, 以匡靖大夫李餘慶爲東京留守:追加].[30]

三月丁未朔小盡,甲辰, 搜捕金得培于山陽縣, 殺之, 梟首于尙州. 觀者, 莫不嗟悼.[31]

[→得培至基州, 聞變而逃, 匿在山陽縣, 萬戶金庚·御史中丞鄭之祥等, 搜捕斬之, 梟首于尙州. 觀者, 莫不嗟悼:節要轉載].

[→得培至基州, 聞變, 率數騎逃匿山陽縣先塋側. 流其弟得齊于花山, 囚得培妻拏鞫之. 其壻國子直講趙云仡謂妻母曰, "直言之, 毋受苦楚". 妻母隱忍久之, 乃告:列傳26金得培轉載].

[→□金庚·椿·之祥·元揆等捕□□□金得培, 斬之, 梟首尙州. 年五十一, 觀者, 莫不嗟悼. ○得培門生直翰林□院鄭夢周, 請王收屍, 爲文以祭曰, "嗚呼皇天, 我罪伊何. 嗚呼皇天, 此何人哉? 盖聞, 福善禍淫者, 天也, 賞善罰惡者, 人也. 天人雖殊,

26) 李岩은 李嵒의 오자인데, 『고려사』를 乙亥字로 조판할 때 採字를 잘못한 것 같다.

27) 毛貴는 毛居敬의 오자일 것이다(→공민왕 8년 12월 11일의 脚注).

28) 閔軾은 후일 同知敦寧府事에 임명되었던 것 같다(『세종실록』 권71, 18년 3월 壬辰26日).

29) 이와 같은 기사가 열전26, 安祐에도 수록되어 있다.

30) 이는 『동도역세제자기』에 의거하였다.

31) 이날은 율리우스曆으로 3월 27일에, 그레고리曆으로 4월 4일에 해당한다. 金得培, 金先致 兄弟의 生家[遺墟]는 尙州牧 西門 밖의 洛陽驛 앞에 있었다고 한다.

· 『立齋集』a권33, 高麗政堂文學諡文忠公蘭溪金公遺墟碑銘幷序, "嗚呼, 此蘭溪金文忠公諱得培之遺墟也, 在尙州西門外洛陽驛前, 盖公之弟洛城君諱先致亦同居云. …".

其理則一. 古人有言曰, 天定勝人, 人衆勝天. 天定勝人, 果何理也, 人衆勝天, 亦何理也. 往者, 紅寇闌入, 乘輿播越, 國家之命, 危如懸線. 惟公首倡大義, 遠近嚮應, 身出萬死之計, 克復三韓之業. 凡今之人, 食於斯寢於斯, 伊誰之功歟.[32] 雖有其罪, 以功掩之, 可也. 罪重於功, 必使歸服其罪, 然後誅之, 可也. 柰何汗馬未乾, 凱歌未罷, 遂使泰山之功, 轉爲鋒刃之血歟. 此吾所以泣血而問於天者也. 吾知其忠魂壯魄, 千秋萬歲, 必飮泣於九泉之下. 嗚呼, 命也如之何, 如之何":列傳26安祐轉載].

[□□先是, 以判閣門事許猷爲兵馬使, 以舊怨, 殺將軍崔福良, 王聞而惡之. 未幾, 與諸將平賊, 及從安祐凱還, 金鏞使人檛殺祐, 又斬金琳. 次及猷, 鏞止之, 流島配烽卒, 子瑞亦配烽卒. 尋召還:列傳18許猷轉載].

○下敎曰,[33] "□□~~宣旨~~, 國家不幸, 遭罹寇難, 播遷南土, 惟予小子, 否德所召, 亦惟將帥, 用軍無律, 不克禦侮故也. 方懷嘗膽之憂, 始寢敗軍之罰, 乃命門下平章事商議·會議都監事·鷹揚軍上將軍鄭世雲爲摠兵官, 賜之節鉞, 代予行事. 繼降勅書, 宣示所以委任之意, 大將·小將, 並聽約束, 俾無敢違. 果賴」祖宗之靈, 啓迪於上, 忠志之士, 奔走於下, 四面合攻, 盡殲其衆. 方俟竢凱旋, 疇賞報功, 不期祐等, 恃功驕恣, 構釁世雲, 不畏大法, 以快一朝之憤. 摠兵官代予行事, 而居下者, 敢擅殺之, 是不有我也. 陵上~~凌上~~干犯,[34] 罪孰大焉. 顧惟祐等, 爲國爪牙, 血戰數年, 頗著勞効, 而一念之謬, 前功盡棄, 予實悼焉. 雖然, 破賊之功, 一時之所或有, 無君之罪, 萬世之所不容, 輕重灼然, 有不相掩者, 釋此不誅, 何以示後. 故命有司, 將都元帥·~~都僉議贊成事~~安祐, 元帥·~~都僉議贊成事~~得培, ~~都僉議贊成事~~芳實, ~~同知密直司事~~閔渙, ~~密直副使~~金琳等, 明正典刑. 尙念舊勞, 罪不及孥, 所管大小官吏, 具令有司, 量功敍用. 其黨~~倘~~惡背功, 手害世雲, 郞將鄭贊在逃不宥外, 其餘知情不首者, 悉皆原免, 布告中外, 咸使聽聞知. 惟爾士衆, 務盡乃心, 無越爾職, 以保終始. □□□□~~故玆敎示~~, □□□□~~想宜知悉~~".[35]

32) 功歟는 延世大學本에는 功歟로 되어 있으나 오자일 것이다(東亞大學 2006년 25冊 438面).

33) 이 敎書의 原形은 『목은문고』 권11, 罪三元帥敎書인데(『동문선』 권23 소수), 제목인 敎書와는 달리 冒頭인 國家不幸 앞에 宣旨라고 되어 있고, 본문에도 勅書, 宣示 등의 용어가 사용되고 있다. 이는 이 時期에 恭愍王이 大元蒙古國의 壓制를 받기 이전의 帝王들과 거의 같이 帝王을 자처하고 있었음을 보여준다.

34) 陵上은 淩上으로 고쳐야 옳게 된다. 『목은문고』 권11, 罪三元帥敎書에는 옳게 되어 있다(『동문선』 권23도 같음).

○遣平章事李公遂·參政參知政事黃裳·樞密院使金希祖·[典法判書崔宰:追加]， 守京城.[36]

[→紅寇旣平，李公遂，復拜贊成事，領分司百官，留守京都. 甫經兵亂，庶事草創，公遂盡心區畫，朝無廢政. 時補諸陵殿直，命留都宰相薦之，多擧親屬. 公遂獨不擧一人曰，“國家有命，豈爲吾等子孫弟姪耶”:列傳25李公遂轉載].

[□□是時，中書侍郎同中書門下平章事金鏞嘗遇諫議大夫金漢龍曰，“賀公將拜奉翊.” 漢龍喜，叩頭謝. 鏞之鬻權如此:列傳44金鏞轉載].

[丙辰10日，以李子脩爲承奉郞·典工佐郞·賜紫緋魚袋:追加].[37]

丁巳11日，命諸司，分司京城. 時京城宮闕無遺，閭巷爲墟，白骨成丘. [□李公遂，量才任使，指授方略，安集流民，敎養生徒:節要轉載].

[□□是時，監察司以事劾知密直司事?睦仁吉，仁吉與宦官譖于王，欲令臺官，分司京城，以沮之. 知奏事元松壽力言不可，遂止:列傳20元松壽轉載].

己未13日，黑山島人獻倭俘.

辛酉15日，赦，大酺于行宮，勞赴征將士.

甲子18日，地震.

○改官制.

[▽是時，又罷三師·三公，□□□□□改都僉議府，復改□□□□□□□□□□稱中書門下省·尙書省,爲都僉議府，中書令爲領都僉議使司事，門下侍中·守侍中爲都僉議右·左政丞，中書侍郞平章事·門下侍郞平章事爲都僉議贊成事，參知政事爲僉議評理，知門下省事爲知都僉議府事，直門下省事爲直都僉議司事，左·右諫議大夫爲左·右司議大夫，中書舍人爲內書舍人. 復改左·右司諫，爲右左獻納陞正五品，復改都僉議錄事爲門下錄事，陞梯正七品. 復改門下注書爲都僉議注書:百官1門下府轉載].[38]

[▽罷尙書省，復置三司，判事一人從一品，左·右使各一人正二品，左·右尹各二

35) 添字는 『목은문고』 권11, 罪三元帥敎書에 의거하였다(『동문선』 권23도 같음).

36) 이 기사는 열전23, 金希祖에도 수록되어 있다. 또 崔宰는 다음의 자료에 의거하였다
· 「崔宰墓誌銘」, “三月，以奉翊大夫·典法判書，分司本京，公辭違. 玄陵引見溫言慰諭”.

37) 이는 「李子脩政案」에 의거하였다.

38) 이때 공민왕에 의한 제2차 관제개혁에서 1310년(충선왕2) 8월과 12월 改稱된 관제를 사용하였음은 같은 해 3월 5일 東京留守로 赴任했던 李餘慶의 文散階인 匡靖大夫(從2品上), 4월 安東大都護府 判官으로 赴任했던 李瑤의 承奉郞(正6品)을 통해 알 수 있다(『동도역세제자기』; 『안동선생안』).

人從三品, 副使四人正四品, 判官二人正五品, 都事階梯正七品:百官1尙書省·三司轉載].

[▽復改樞密院, 爲密直司, 判司事·司使·知司事·簽書司事·同知司事並從二品, 副使~~同知司事並從二品, 副使·簽書司事~~·提學·知申事·右·左代言·右·左副代言並正三品, 堂後官, 階梯正七品:百官1密直司轉載].[39)]

[▽復改尙書六部, 爲典理司·軍簿司·版圖司·典法司·禮儀司·典工司, 以尙書爲判書, 侍郎爲摠郎, 郎中爲正郎 , 員外郎爲佐郎:百官1六曹轉載].

[▽復稱考功郎中爲正郎 , 員外郎爲佐郎:百官1考功司轉載].

[▽都官, 加置摠郎正四品, 改郎中爲正郎 , 員外郎爲佐郎:百官1都官轉載].

[▽復改御史臺爲監察司, 仍復改中丞爲執義, 侍御史爲掌令, 殿中侍御史爲持平, 陞正五品, 監察御史爲糾正:百官1司憲府轉載].

[▽加置判開城府事, 位在尹上亦從二品:百官1開城府轉載].[40)]

[▽復稱翰林院爲藝文館, 改大學士爲大提學, 從二品, 置提學正三品, 直提學正四品, 應教正五品, 供奉仍正七品, 脩撰正八品, 檢閱降正九品:百官1藝文館轉載].

[▽復稱史館爲春秋館, 供奉正七品, 脩撰正八品, 檢閱正九品:百官1春秋館轉載].

[▽復改寶文閣大學士, 爲大提學, 復置提學, 改直學士, 爲直提學, 減待制, 置直閣正四品:百官1寶文閣轉載].

[▽廢修文殿·集賢殿大學士·直學士, 復置右文館·進賢館大提學·提學·直提學:百官1諸館殿學士轉載].

---

39) 여기에서 簽書密直司事[簽書司事, 簽書樞密院事의 改稱]가 同知密直司事[同知司事]의 上位에 정리되어 있지만, 添字와 같이 密直副使[副使]의 다음으로 順序를 바꾸어야 옳게 될 것이다. 이 시기 이후에 簽書密直司事가 同知密直司事의 上位에 있었던 事例는 찾아지지 않고, 고려전기 이래 樞密의 昇進이 樞密院副使→簽書樞密院事→同知樞密院事 혹은 簽書樞密院事→樞密院副使→同知樞密院事로 이루어졌음을 통해 볼 때, 簽書樞密院事와 樞密院副使는 序列의 上下가 없었던 것 같다.

또 이보다 1년 전인 1361년(공민왕10) 11월 19일(丙寅)에 공민왕이 紅巾賊을 피해 남쪽으로 播遷할 때, 隨從했던 臣僚의 列擧, 곧 判樞密院事李春富·簽書金希祖·知樞密院事柳淑을 가지고서 上記의 記事가 實相을 反影한 것이라고 할 수도 있다. 그렇지만 당시 金希祖의 官職은 樞密院使였기에 이곳의 簽書[簽書樞密院事]는 誤謬일 것이고(열전23, 金倫, 希祖, "後拜樞密院使, 紅賊逼京都, 從王南幸"), 그는 樞密院副使→簽書樞密院事→同知樞密院事→知樞密院事→樞密院使[密直司使]의 순서로 승진하였다.

40) 判開城府事는 1351년(공민왕 즉위년) 11월부터 찾아지고 있어, 이때 추가로 설치[加置]된 것은 아니었다(朴龍雲 2009년 203面).

[▽復稱國子監爲成均館, 改司業爲司藝, 國子博士爲成均博士, 四門博士爲諄諭博士, 陞從七品:百官1成均館轉載].

[▽復稱秘書監爲典校寺, 改監爲令, 少監爲副令, 革著作郞, 陞郞爲正七品, 革校書郞, 置注簿正八品, 校勘復降從九品, 餘並仍:百官1典校寺轉載].

[▽復改閣門爲通禮門, 引進使改副使, 引進副使改判官, 通事舍人改舍人:百官1通禮門轉載].

[▽復稱太常寺爲典儀寺, 又改卿爲令, 少卿爲副令, 降從四品, 革博士, 復置注簿, 餘並仍:百官1典儀寺轉載].

[▽復稱宗正寺爲宗簿寺, 又改卿爲令, 少卿爲副令:百官1宗簿寺轉載].

[▽復改衛尉卿爲尹, 少卿爲少尹:百官1衛尉寺轉載].

[▽復稱太僕寺 爲司僕寺,[41] 改卿爲正, 加置副正從四品, 復改注簿爲直長:百官1司僕寺轉載].

[▽復稱禮賓寺, 爲典客寺, 改卿爲令, 少卿爲副令:百官1禮賓寺轉載].

[▽改司農寺, 爲典農寺, 改卿爲正, 少卿爲副正, 革直長:百官1典農寺轉載].

[▽復稱太府監, 爲內府寺, 改卿·少卿, 爲令·副令:百官1內府寺轉載].

[▽復稱小府監, 爲小府寺, 改監·少監爲尹·少尹:百官1少府寺轉載].

[▽復稱繕工司, 爲繕工寺, 改監爲令, 少監爲副令:百官1繕工寺轉載].

[▽復改司宰卿爲令, 少卿爲副令:百官1司宰寺轉載].

[▽軍器監, 加置錄事正八品:百官1軍器寺轉載].

[▽復倂司天·太史, 爲書雲觀, 改定員吏, 判事正三品, 正從三品, 副正從四品, 丞從五品, 注簿從六品, 掌漏從七品, 視日正八品, 司曆從八品, 監候正九品, 司辰從九品:百官1書雲觀轉載].

[▽復稱太醫監, 爲典醫寺, 改監爲正, 少監爲副正, 復置檢藥:百官1典醫寺轉載].

[▽復改太廟署, 爲寢園署, 員吏如故:百官2寢園署轉載].

[▽復置諸陵署令從五品, 丞仍舊:百官2諸陵署轉載].

[▽復改良醞署, 爲司醞署, 員吏如故:百官2司醞署轉載].

41) 司僕寺는 延世大學本과 東亞大學本에 同僕寺로 되어 있으나 오자이다.

[▽復改尙食局, 爲司膳署, 改奉御爲令:百官2司膳署轉載].

[▽復改尙醫局, 爲奉醫署, 改奉御爲令:百官2奉醫署轉載].

[▽復改尙衣局, 爲掌服署, 改稱令:百官2掌服署轉載].

[▽復改尙舍署, 爲司設署, 又改奉御爲令, 罷丞:百官2司設署轉載].

[▽復改尙乘局, 爲奉車署, 又改奉御爲令:百官2奉車署轉載].

[▽復改中尙署, 爲供造署, 以奉御爲令:百官2供造署轉載].

[▽復改大官署, 爲膳官署:百官2膳官署轉載].

[▽復改大樂署, 爲典樂署, 員秩並仍:百官2典樂署轉載].

[▽復置典獄署令從八品, 丞從九品:百官2典獄署轉載].

[▽罷典廨庫:百官2典廨庫轉載].

[▽置惠濟庫, 令秩從七品, 丞從八品, 錄事從九品:百官2惠濟庫轉載].

[▽改開城府五部令爲副令:百官2五部轉載].

[▽後置內侍府, 秩比開城府. 判事一人正二品, 檢校三人·同判事一人從二品, 檢校三十二人·知事一人正三品, 檢校三十八人·僉事一人從三品, 檢校二十八人·同知事二人正四品, 同僉事二人從四品, 左承直二人正五品, 右承直二人從五品, 左副承直一人正六品, 右副承直一人從六品, 司謁一人正七品, 謁者一人從七品, 宮闈丞一人正八品, 奚官令一人從八品, 給事一人正九品, 通事一人從九品:百官2內侍府轉載].[42)]

[▽宗室諸君官爵, 復用忠宣之制:百官2宗室諸君轉載].[43)]

[▽改府院君正一品, 諸君從一品:百官2異姓諸君轉載].

[▽定管絃房判官, 雜權務:百官2管絃房轉載].

[▽復稱金吾衛, 爲備巡衛:百官2西班金吾衛轉載].

---

42) 이 기사는 공민왕 5년 宦官職 改編에 이어 “後置內侍府”로 이어진 것인데, 그 時期의 比定은 기왕의 업적(朴龍雲 2009년 467面)에 의거하여 是年에 編入하였다.

43) 충선왕에 의해 만들어진 宗室의 官爵制는 다음과 같다.

· 지31, 百官2, 宗室諸君, “忠烈王二十四年, 忠宣改官制, 定大君·院君正一品, 諸君從一品, 元尹正二品, 正尹從二品”.

[▽復改西京留守官, 爲平壤尹, 仍從二品, 餘並仍之:百官2西京留守官轉載].

[▽罷公侯伯子男爵位:百官2爵位轉載].

[▽改正一品上曰壁上三韓三重大匡, 下曰三重大匡, 從一品曰重大匡, 正二品曰匡靖大夫, 從二品曰奉翊大夫, 正三品上曰正順大夫, 下曰奉順大夫, 從三品上曰中正大夫, 下曰中顯大夫, 正四品曰奉常大夫, 從四品曰奉善大夫, 正五品曰通直郎, 從五品曰朝奉郎, 正六品曰承奉郎, 從六品曰宣德郎, 七品曰從事郎, 八品曰徵仕郎, 九品曰通仕郎:百官2文散階轉載].

▽[左政丞]李嵒[~~李嵒~~]乞辭,[44] 以[前守侍中]柳濯爲左政丞, [[判開城府事]李仁復爲僉議評理, [樞密院使·東京留守]柳淑爲匡靖大夫·知都僉議司事,[45] [左承宣]李穡爲正順大夫·密直司右代言·進賢館提學·知製敎充春秋館修撰官·知軍簿司事:追加].[46]

[辛未[25日], 以李子脩爲朝奉郎·豊儲倉使·賜紫金魚袋:追加].[47]

[癸酉[27日], 鎭星犯大微[~~太微~~]右掖門, 凡三日:天文3轉載].

乙亥[29日晦], 前史館編修官李靭上書, 陳時務十條, 王嘉之.

[是月頃, 以朴東生爲永州副使:追加].[48]

[○贈[摠兵官~~鄭世雲~~爲]僉議政丞, 葬以禮:列傳26鄭世雲轉載].

夏四月丙子朔[小盡,乙巳], 遼陽行省同知高家奴邀擊紅賊餘衆, 斬四千餘級, 擒其魁破頭潘, 遣使來報.

[乙酉[10日], 以農務方殷, 停諸道賀生辰:禮9王太子節日受宮官賀幷會儀轉載].[49]

丙戌[11日], 朔方道都指揮使擊女眞, 獻捷.

丁亥[12日], 王閱射於西門, 觀雜戲, 賜布五十匹.

---

44) 李嵒(李嵒)은 是年 3월 前後에 『白紙墨字大方廣佛華嚴經』을 筆寫하였던 것 같다(京都市 東山區 新橋通 知恩院 所藏, 禿氏祐祥 1939年 ; 張東翼 2004년 733面).
·『白紙墨字大方廣佛華嚴經』 권68, 末尾題記, "三重大匡·都僉議政丞·鐵城府院君李嵒敬書」".

45) 이때 判開城府事 李仁復이 僉議評理에 임명되었고(李仁復墓誌銘), 柳淑은 이해의 2월 15일 東京留守로 부임하였다가 곧 匡靖大夫·知都僉議司事에 임명되어 3월 3일에 行宮으로 召喚되었다[上京](『동도역세제자기』).

46) 이는 『목은집』연보에 의거하였다.

47) 이는 「李子脩政案」에 의거하였다.

48) 朴東生은 『영천선생안』에 의거하였는데, 그는 李齊賢의 壻이다(李齊賢墓誌銘).

49) 恭愍王의 誕日은 5월 6일이다.

[某日, 陞福州牧爲安東大都護府, 安城縣爲郡, 降水原府爲郡. 王之駐福也, 福人, 盡心供頓, 卒能徵兵諸道, 收復京都. 紅賊之招降楊廣也, 水原最先下, 州郡, 莫敢挫其鋒, 安城, 獨以小邑, 設計殲賊, 賊不敢南下. 割水原四部曲以隷之:節要轉載].[50]

[某日, 以通議大夫金鳳環爲安東大都護府使兼安集使, 承奉郎李瑤爲安東判官:追加].[51]

庚寅15日, 發龍門倉穀一萬石, 賑貸京畿飢民.[52]

[→京畿饑:五行3轉載].

乙未20日, [小滿]. 王射於南樓, 令近臣擊毬, 以觀.

[○鎭星犯大微太微右掖門:天文3轉載].

丙申21日, 地震.[53]

---

50) 이들 郡縣의 昇降에 관련된 기사로 다음이 있다.

- 『동문선』 권103, 金大司成鳳還教書軸跋, "明年賊平, 陞福州牧爲安東大都護府, 進公階正順大夫, 賜教書獎諭".
- 『경상도지리지』, 安東道, 安東大都護府, "恭愍王代, 至正辛丑, 紅賊之亂, 車駕南巡至府, 復爲安東大都護府".
- 『안동선생안』, "至正二十二年壬寅, …, 是年, 恭愍王陞牧爲安東大都護府使".
- 지11, 지리2, 安東府, "恭愍王十年, 避紅賊, 南巡駐輦, 以州人盡心供頓, □□明年, 復陞爲安東大都護府". 여기에서 添字가 추가되어야 옳게 될 것이다.
- 『세종실록』 권150, 지리지, 安東大都護府, "恭愍王十年辛丑, 避紅賊, 南巡駐輦, 以州人盡心供頓, 壬寅, 復陞爲安東大都護府".
- 지10, 지리1, 水原府, "恭愍王十一年, 紅賊遣先鋒, 招降楊廣道州郡, 府最先迎降, 遂降爲郡". 당시 水原府는 楊廣道按察使의 治所가 위치한 중심지였다고 한다(『목은문고』 권4, 水原府客舍池亭記).
- 『세종실록』 권148, 지리지, 水原都護府, "恭愍王十一年壬寅[卽元順帝至正二十二年], 以紅頭賊, 遣先鋒招降, 楊廣道州郡, 水原最先迎逢, 致賊勢益張, 降爲郡".
- 지10, 지리1, 安城縣, "恭愍十一年, 以功, 陞知郡事, 割水原任內陽良·甘彌呑·馬田·薪谷四部曲, 以與之. 後金鏞受賂, 以三部曲, 還屬水原". 이때 안성현은 監務官에서 知安城郡事로 승격하였다고 한다(『양촌집』 권13, 克敵樓記).

51) 이는 『안동선생안』에 의거하였다.

52) 이 기사는 지34, 食貨3, 水旱疫癘賑貸之制에도 수록되어 있다.

53) 이때 일본의 京都地域에서도 지진이 계속 이어졌다고 한다(高麗曆과 同一, 日本史料6-24冊 123面).

- 『康富記』 권11, 文安 6년 4월, "十二日壬戌, 晴, 辰剋大地震, 其後小動連々不休, 終日動搖, 不知其數矣, … 十三日癸亥, … 大地震近例, … 貞治元年五月十七日, 酉半大地震, 經時刻甚鳴動, 如去年大地震及數日者也. 十八日, 地震數度, 廿日不動歟, 至廿三日, 六月四日, 於內裏被行五壇法, 地震御祈也".
- 『續史愚抄』25, 康安 2년 5월, "十七日辛酉, 酉終大地震, 良久鳴動, 如去年大動. 十九日癸亥, 昨今度々地動. 二十日甲子, 地震大動. 廿三日丁卯, 自去廿一日, 每度地震".

[○開城大井, 濁沸:五行1水變轉載].

○以密直副使李龜壽爲全羅道鎭邊使,[54] 典理判書崔瑩爲楊廣道鎭邊使. 我太祖李成桂以上護軍爲東北面兵馬使.[55]

[丁酉22日, 鎭星犯大微太微端門:天文3轉載].

[己亥24日, 亦如之鎭星犯太微端門:天文3轉載].

[辛丑26日, 白虹貫日:天文1轉載].

[○鎭又犯大微太微端門, 凡三日:天文3轉載].

五月乙巳朔小盡丙午, [庚戌6日, 罷生辰生辰宴, 百官獻馬:禮9王太子節日受宮官賀幷會儀轉載].[56]

丁巳13日, 元遣□皇太子詹事院僉同同僉奇田龍, 賜王衣酒.[57]

乙丑21日, 遼陽省平章□□政事高家奴遣使來, 請兵.

[是月, 令省郞, 薦六品以上可外任者:選擧3選用守令轉載].

[是月辛未3日, 前應奉翰林文字·承事郞·同知制誥兼國史院編修官李穡撰'及菴詩集'敍:追加].[58]

六月甲戌朔大盡,丁未, 丙子3日, 以同知密直司事安遇慶爲西北面都兵馬使.

戊寅5日, 遣判三司事金逸逢如元, 獻方物.

辛巳8日, [小暑]. 彗見[紫微垣華盖下:天文3轉載], 長尺許, 凡三日.[59]

丙申23日, [大暑]. 監察司上言, "[大軍之後, 公私俱匱, 甚可慮也. 况慶尙道, 國之根柢, 宜廣儲蓄, 以備不虞:食貨3祿俸轉載]. 今隨駕員吏, 仰資廩給者, 月費三

---

54) 『금성일기』에는 李龜壽가 全羅道都巡問使였다고 되어 있다.

55) 이때 上護軍이 再登場하는데, 이는 같은 해 3월 甲子(18일)에 官制를 元 압제하의 그것으로 다시 還元할 때 上將軍이 上護軍으로 改稱되었던 것 같다. 이것이 지31, 백관2, 西班, 鷹揚軍에 記載된 "恭愍王改將軍爲護軍, 諸衛同"과 附合되는 것이다.

56) 이날은 恭愍王의 誕日(5월 6일)이다.

57) 僉同은 同僉(正4品)으로 고쳐야 옳게 될 것이다(『원사』 권89, 지39, 백관5, 儲政院).

58) 이는 다음의 자료에 의거하였다.

· 『급암시집』卷首, 序, "… 至正壬寅日北至, 前應奉翰林文字·承事郞·同知制誥兼國史院編修官韓山李穡敍".

59) 이때 일본의 京都에서도 彗星이 관측되었던 것 같다.

· 『續史愚抄』25, 康安 1년 6월, "四日戊寅, 自今日於宮中, 被行五壇法. 中壇阿闍梨靑蓮院入道無品尊道親王. 是依彗星·地震等事, 爲天下泰平也者".

千餘石，朝官·衛士，不可減省．宦官之輩，靡有定額[未有定額]，耗廩太多，除供職外，餘悉汰去．[又國家，寇盜連年，兵不團結，每至危急，徵兵於農，非惟擾民，亦無救於倉卒，請自今，選鍊丁壯，以備緩急:節要轉載]．殿下，初置忠勇衛，祿其將士，同於八衛者,[60] 蓋欲效力[民]於倉卒也．南幸之際，未有一人扈駕□[者]，誠爲虛設，徒費廩祿，請罷之，[分屬諸衛，收其俸祿，以補國用:兵1五軍轉載]．[又:節要轉載]竊聞乘輿，欲幸水原，營宮闕．水原陜隘濱海，倭寇可虞，首降紅賊，人心難保．淸州已備巡幸，且居三道之衝，便於轉餉，賊不能近．願姑駐駕淸州，徐俟農隙，擇京城近地，以爲移御之所．今農務方殷，豈可用經亂之民，以興工役．[又今，軍餉不給，而各道賜米頗多，自今，不得已有內賜，則下旨都堂，施行:食貨3祿俸轉載]．[舊制，外官，例進朔膳外，無供別膳者，今大小官，名爲別膳，斂民土宜，及酒肉等物，饋遺權貴，其弊莫甚．自今，請罷別膳":刑法1職制轉載]．○下都僉議□[使]司，議之．[61]

○遣典法判書李子松如元，告平紅賊，獻所獲玉璽二·金寶一·金銀銅印二十餘及金銀牌[等物，都評議使司餞子松，知密直司事睦仁吉，醉罵子松，監察司劾之．仁吉，恃功驕恣，反訴于王，臺諫再三劾啓，王不得已，罷仁吉，歸田里:節要轉載]．

[→[睦仁吉,] 轉知密直司事．仁吉，素與典法判書李子松有憾，子松奉使如元，都堂餞之，仁吉使酒，扼子松吭而罵之．監察司劾之，仁吉訴臺官于王，典法司再劾之，王不聽．諫官田祿生等上疏曰，"仁吉暗險麤暴，起自微賤，位至宰輔．挾功驕恣，肆其狂暴，陵辱子松．憲司劾之，曾不知愧，欲蓋其愆，反訴臺臣，是恃殿下之恩，而蔽殿下之耳目也．殿下豈可以負緦微勞，輕左右耳目之司乎？ 非所以示公道也"．王不得已罷，封泗城君．僉議·監察·典法復請，乃罷歸田里．王遣人，賜彩段二匹:列傳27睦仁吉轉載]．

○監察大夫金續命辭，不允．

[庚子[27日]，鎭星犯大微[太微]左執法:天文3轉載]．

[某日，以[前平章事]李公遂爲贊成事:追加]．[62]

---

60) 이에서 八衛는 二軍六衛의 合稱인 것 같다. 여기에서 八衛가 사용된 用例를 볼 때, 다음 자료의 恭讓王은 恭愍王으로 고쳐야 옳게 될 것이다.

· 지31, 백관2, 西班, "至恭讓王[恭愍王]時，二軍六衛，並稱八衛".

61) 23일(丙申) 監察司의 上疏를 史料로 이용할 때 보다 면밀한 검토가 요청된다.

62) 이는 다음의 자료에 의거하였다.

· 「李公遂墓誌銘」, "壬寅夏六月，拜贊成事，進判版圖司事·藝文館大提學·知春秋館事．是歲，沙

[□□□是月頃, 行宮所需金銀乏少, 王之用度無節, 右政丞洪彥博白曰, "內帑之儲何如. 在都時經費, 宜加裁省". 王熟視不應, 彥博退曰, "言不見從, 是何訑訑也". 前政丞李齊賢聞之曰, "吾爲相時, 每言事若此, 吾未嘗不爲王惜也":列傳24洪彥博轉載].

秋七月甲辰朔小盡,戊申, [丙午3日, 熒惑犯畢:天文3轉載].

[某日], 納哈出領兵數萬, 與卓都卿·趙小生等, 屯于洪原之韃靼洞, 遣哈剌哈剌萬戶那延帖木兒·同僉伯顏甫下伯顏不花指揮, 率兵千餘, 爲先鋒. □我太祖上護軍·東北面兵馬使李成桂遇於德山洞院平, 擊走之, 踰咸關·車踰二嶺,[63] 幾殲, 委棄鎧仗, 不可勝數.

○是日, □我太祖李成桂退屯答相谷, 納哈出怒, 移屯德山洞, □我太祖李成桂乘夜, 襲擊敗之. 納哈出退還韃靼洞, □我太祖李成桂屯舍音洞. □我太祖李成桂遣斥候, 至車踰嶺, 賊登山樵蘇甚衆. 候卒以白, □我太祖李成桂曰, "兵法當先攻弱". 遂令擒斬殆盡. 自以精騎六百, 繼之, 踰車踰嶺, 至嶺下, 賊乃覺, 欲逆戰. □我太祖李成桂率十餘騎衝賊, 射殪其裨將一人.○初, □我太祖李成桂至, 問諸將累敗狀, 諸將曰, "每戰酣, 賊將一人鐵鎧, 飾以朱旄尾, 揮槊突進, 衆披靡, 無敢敵者". □我太祖李成桂物色其人, 獨當之, 陽北走, 其人果奮前, 注槊甚急. □我太祖李成桂翻身, 着馬韂, 賊將失中, 隨槊而倒. □我太祖李成桂卽據鞍射, 又殪之. 於是, 賊狼狽奔北, □我太祖李成桂追擊至賊屯, 日暮乃還.

○納哈出之妻謂納哈出曰, "公周行天下久, 復有如此將軍乎?, 宜避而速歸". 納哈出不從. 納哈出之妹在軍中, 見□我太祖李成桂神武, 心悅之, 亦曰, "斯人也, 天下無雙".

○後數日, □我太祖李成桂踰咸關嶺, 直至韃靼洞. 納哈出置陣相當, 率十餘騎, 出陣前, □我太祖李成桂亦率十餘騎, 出陣前相當. 納哈出紿曰, "我之□初來, 本追沙劉沙劉二·關先生·潘誠等耳, 非爲侵犯貴境也. 今吾累敗, 喪卒萬餘, 亡裨將數人, 勢甚窮蹙. 乞罷戰, 惟命是從".

○時賊兵勢甚盛, □我太祖李成桂知其詐, 欲令降之. 有一將, 立納哈出之傍, □我

賊既奔潰, 京城新刳于兵, 庶事草創, 公受命而來, 量材度事, 指授方略, 朝無廢政, 勞來安輯, 給糧與種, 野無游民, 祀宗廟, 祭先聖·先師, 廩生徒, 內外學悉贍, 道成禮俗, 養育人材, 盖於投戈, 講藝息馬, 論道之義, 深有得焉".

63) 咸關嶺은 咸州(현 咸鏡南道 咸興市)의 서북쪽 30里에 있고 險峻하기가 鐵嶺과 비슷하였다고 한다.
· 『耳溪集』 권5, 朔方風謠(1777年作), 咸關平, 在府西三十里, 大嶺橫截南北, 峻險亞於鐵嶺, 太祖大破納哈出於此.

太祖射之, 應弦而倒. 又射納哈出之馬而斃, 改乘, 又斃之. 於是, 大戰良久, 互有勝負, □[我]太祖[李成桂]追逐納哈出, 納哈出急曰, "李萬戶也, 兩將何必相迫", 乃廻騎. □[我]太祖[李成桂]又射其馬斃之. 有麾下士, 下馬以授, 納哈出遂得免.

○日且暮, □[我]太祖[李成桂]麾軍以退, 自爲殿. 嶺路盤紆數層, 宦者李波羅實在最下層, 急呼曰, "令公救人, 令公救人". □[我]太祖[李成桂]在上層, 視之, 有二銀甲賊將, 逐波羅實, 注槊垂及. □[我]太祖[李成桂]回馬, 射二將, 皆斃之, 卽連斃二十餘人. 於是, 更回兵, 擊走之. 有一賊逐□[我]太祖[李成桂], 擧槊欲刺, □[我]太祖[李成桂]忽側身若墜, 仰射其腋, 卽還騎. 又一賊進, 當□[我]太祖[李成桂]而射之, □[我]太祖[李成桂]卽於馬上起立, 矢出胯下. □[我]太祖[李成桂]乃躍馬射之, 中其膝. 又於川中, 遇一賊將, 其人甲冑, 護項面甲, 又別作頤甲, 以便開口, 周護甚固, 無隙可射. □[我]太祖[李成桂]故射其馬, 馬作氣奮躍, 賊力引轡, 口乃開, □[我]太祖[李成桂]射中其口. 三人旣斃[~~旣斃三人~~]~~.~~ □□[~~於是~~], 賊大奔, □[我]太祖[李成桂]以鐵騎蹂之, 賊自相蹈籍[~~蹈藉~~],[64] 殺獲甚多.

○還屯定州, 留數日, 休士卒. 先設伏要衝, 乃分三軍, 左軍由城串, 右軍由都連浦, 自將中軍, 當[咸州]松原,[65] 與納哈出, 遇於咸興平. □[我]太祖[李成桂]單騎鼓勇, 突進試賊. 賊驍將三人, 並馳直前. □[我]太祖[李成桂]陽北走, 引其轡, 策其馬, 爲駷[促]馬狀, 三將爭追逼之. □[我]太祖[李成桂]忽跋馬右出, 三將未能控而前, □[我]太祖[李成桂]從後射之, 皆應弦而倒. 轉戰, 引至要衝, 左右伏, 俱發合擊, 大破之. 納哈出知不可敵, 收散卒遁去. 獲銀牌·銅印等物以獻, 其餘所獲, 不可勝數. 於是, 東北鄙悉平.

○□[我]桓祖[李子春]嘗入朝元, 道過[經]納哈出, 稱道□[我]太祖[李成桂]之才. 至是, 納哈出敗歸曰, "李桓祖諱[李子春]曩日, 言我有才子, 果不誣矣". 後納哈出遣人通好, 獻馬于王, 且遺鞞鼓一·良馬一于□[我]太祖[李成桂], 以致禮意, 盖心服之也.[66]

---

64) 蹈籍(도적)은 『태조실록』 권1, 總書에는 蹈藉(도자)로 되어 있는데, 後者가 옳을 것이지만 兩者는 並用(幷用)되었다.

- 『삼국지』 권46, 吳書1, 孫破虜討逆傳第1, "孫堅, 字文臺, 吳富春人, … [堅]乃謂左右曰, 向堅所以不卽起者, 恐兵相蹈藉, 諸軍不得入耳".
- 『신당서』 권148, 열전73, 康日知, 承訓, "… [龐]勛軍皆市人, 囂而狂, 未陣卽奔, 相蹈藉死者四萬. 勛釋甲服垢襦脫, 收夷痕士三千以歸, …".

65) 松原(咸興府 동쪽 14里)은 咸州(현 咸鏡南道 咸興市)에 소속되어 있었고, 雙城摠管府가 존재했을 때 哈蘭府 관할하의 雲田社였다고 한다(『신증동국여지승람』 권48, 咸興府, 古跡, 雲田社). 또 松原은 『태조실록』 권1, 總書, 공민왕 11년 7월에는 松豆等(咸興府 남쪽 10里)으로 달리 表記되어 있다.

66) 이 기사는 『태조실록』 권1, 總書, 공민왕 11년 7월에도 수록되어 있으나 字句에 出入이 있다. 또 添字는 이에 의거하였다.

庚戌[7日], [江浙太尉]張士誠遣使來, 獻沈香佛·玉香爐·玉香合·綵叚[段]·書軸等物.

○西北面兵馬使報紅賊將復入寇.[67)]

○女眞達魯花赤所音山·摠管不花殺趙小生·卓都卿及家口·麾下五十餘人.

[戊辰[25日], 熒惑犯東井:天文3轉載].

[己巳[26日], 震尙州民及其家牛二:五行1轉載].

[辛未[28日], 亦如之[熒惑犯東井]:天文3轉載].

[某日以[內書舍人]李寶林爲慶尙道按廉使, 柳惠孫爲全羅道按廉使, 李之泰爲楊廣道按廉使:慶尙道營主題名記·錦城日記].[68)]

[是月, 大禪師□諝畢工軍威縣麟角寺無無堂:追加].[69)]

八月[癸酉朔大盡,己酉], [某日, 王命楊廣道按廉使李之泰, 賜嬖人, 公州倉米五十碩. 之泰, 以爲王命, 必下兩府, 而今不然, 且兵粮不可虛與人, 不奉命. 嬖人訴于王, 王怒命繫來. [知都僉議司事]柳淑力救, 得免:節要轉載].[70)]

[丙子[4日], 虹見:五行1虹霓轉載].

庚辰[8日], 夜, 王微行, 出西門, 習騎馬.

[辛巳[9日], 熒惑犯東井:天文3轉載].

壬午[10日], [白露], 夜, 亦如之[王微行出西門習騎馬].

---

67) 이날 일본의 교토에서는 맑았다고 한다(『愚管記』제8, 康安 2년 7월, "七日庚戌, 晴").

68) 李之泰는 是年 8월 某日에 의거하였는데, 그는 明年(공민왕11) 3월 3일 羅州牧使로 赴任하였다(『금성일기』). 이를 통해 볼 때 按廉使의 任命은 1월 무렵이고, 赴任地域의 境界地點에서 이루어지는 交代(符節의 引繼引受, 交龜)는 2월 무렵이었음을 類推할 수 있다.

69) 이는 공민왕 10년 9월 是月의 脚注와 같다.

70) 이와 관련된 기사로 다음이 있다.

- 「柳淑墓誌銘」, "冬, [柳淑]遷評理·提點書雲觀事. 洪氏有封翁主者, 在南陽, 貧乏不能自存. 上憐之, 下手敎於按廉使李之泰, 賜米. 之泰曰, 凡上命, 必由兩府, 而頒布于外, 今將奈何, 不敢不受, 又不敢拆閣之案上. 其人怒, 復之于內. 上謂之泰不恭, 將使使械之泰來, 罪且不測. 公固執不可, 上怒甚曰, '事皆由卿等耶', 目公曰出, 公趨出, 上復召公, 公伏於前, 具以之泰之語白之, 且曰, '如殿下怒不已, 臣恐後世以爲口實'. 於是, 置之泰不問. 他日復召公入, 公謝曰, '臣受恩既久, 而無纖芥之効, 反以口舌, 妄觸天威, 罪在不赦'. 上賜黃金, 以慰之, 且曰, 賞卿之言也".
- 열전25, 柳淑, "[柳淑,] 遷評理, 王以手敎賜嬖人公州倉米, 按廉□[使]李之泰曰, '王命必由兩府而下, 且兵糧不可虛以與人. 不奉命'. 其人訴于王, 王怒罪且不測. 淑固執不可, 王怒甚曰, '事皆由卿等耶'. 目淑曰出, 淑趨出. 王復召之, 淑具以之泰語白王, 且曰, '殿下怒不已, 臣恐後世以爲口實'. 王怒解, 置不問. 他日, 淑謝曰, '臣受恩既久, 而無纖芥之效, 反以口舌, 妄觸天威, 罪在不赦'. 上賜黃金以慰之, 且曰, 賞卿之言也".

乙酉[13日], 王發尙州.

[丙戌[14日], 幸報令縣元巖驛:追加].[71)]

丁亥[15日], 幸俗離寺, 取觀通度寺所藏佛骨設利[佛骨舍利]·袈裟.[72)]

戊子[16日], 駕次元岩驛[元巖驛 73)], 大雨[大雨,還之元巖驛 74)], 扈從諸司帳幕漂流, 或有死者.

庚寅[18日], 駕指沃州, 以水漲取間道, 次報令縣, 命旁郡造舟十艘.

辛卯[19日], 駕次懷仁.

壬辰[20日], 駕至淸州. 初, 幸尙州, 許扈從臣僚, 僑寓人家, 令其主勿避, 亂其妻妾·子女者頗多. 至是, 淸州人皆挈家, 避之.

---

71) 이는 다음의 자료에 의거하였다(이는 『신증동국여지승람』 권16, 報恩縣, 驛院, 元岩驛에도 인용되어 있다).

- 『목은문고』 권9, 元巖讌集唱和詩序, "… 八月丙戌[14日], 行次元巖. 丁亥[15日], 幸俗離寺. 明日[戊子16日], 大雨, 回之元巖, 留一日. 諸老旣以佚豫自居. 且樂其還都之近也. 於是, 擧酒相屬, 侑之以歌者. 大將軍金何赤吹笛, 將軍金斯革彈箏, 蒼顔白髮, 笑語酬酢, 望之若神仙然".
- 『重峰集』 권1, 元巖驛, 次壁上韻, "驛, 乃恭愍王避紅巾, 自福州凱還時, 駐蹕之地也. 相國乃李牧隱, 而將軍指金斯革".

72) 이때의 俗離寺는 俗離山의 法住寺와 속리산의 서쪽에 있는 俗離寺 중에서 前者일 것이다(『신증동국여지승람』 권16, 報恩縣, 佛宇, 俗離寺, 法住寺). 또 通度寺의 佛骨舍利[佛骨設利]에 대한 기록으로 다음이 있다.

- 「俗離山法住寺之來歷」, "… 壬寅正月, 安祐·李芳實·金得培等, 大破紅賊收復京城. 八月王幸法住寺, 取看舍利與袈裟"(寺刹史料上 127面).
- 『龍溪遺稿』 권2, 遊通度寺[注, 在梁山, 傳言法堂後, 舊有龍池, 塡土埋如來腦骨云].

73) 元巖驛(元岩驛, 혹은 原巖驛)은 含林驛과 함께 慶尙道 尙州牧 報令縣의 管內에 있었는데, 『고려사』에는 猿岩驛과 舍林驛으로 달리 표기되어 있지만 誤字일 것이다. 또 이날 일본의 교토에서는 흐리다가 비가 오후 3시 무렵에 내렸다고 한다.

- 지11, 지리2, 尙州牧, 報令郡, "本新羅三年山郡, 景德王, 改爲三年郡. 高麗初, 改保齡郡[後轉而爲今名]. 顯宗九年, 來屬. 明宗二年, 置監務. 有俗離山".
- 『세종실록』 권149, 지리지, 忠淸道, "… 增若道所管驛九, [嘉禾·化仁·原巖·含林·土坡·順陽·會同·新興·田民]".
- 『세종실록』 권149, 지리지, 淸州牧 報恩縣, "驛二, 元巖·含林".
- 지36, 병2, 站驛, 京山府道, "掌二十五, 安堰·踏溪[京山], 安林[高令[高靈]], 水鄕·緣情[八莒], 舌火[花園], 茂淇[加利], 金泉(金山], 屬溪[黃間], 長谷[知禮], 順陽[陽山], 土峴[利山], 利仁[安邑], 增若[管城], 作乃[知禮], 洛陽·洛山[尙州], 會同[永同], 猿岩[元巖]·舍林[含林][報令], 秋風[御侮], 常平[中牟], 安谷[善州], 長寧[化令], 扶桑[開令[開寧]]. 여기에서 添字와 같이 고쳐야 옳게 될 것이다.
- 『신증동국여지승람』 권15, 淸州牧, 驛院, "栗峯驛, 在北七里, 察訪本道屬驛十六, 長楊·台郞·雙樹·猪山·時化·德驛·增若·嘉禾·土坡·順陽·化仁·會同·新興·原巖·含林·田民".
- 『愚管記』제8, 康安 2년 8월, "十五日戊子, 陰, 申剋降雨, 放生會延引, 依社家訴訟也云々".

74) 14일의 脚注에 의하면 添字와 같이 고쳐야 옳게 될 것이다.

甲午[22日], 以判開城府事李仁任爲西北面都指揮使, 又遣使于遼陽省, 體探紅賊.

乙未[23日], 元以滅紅賊之功, 遣集賢院侍讀學士忻都, 賜王衣酒, 兼諭與[遼陽行省平章政事]高家奴, 挾攻盖·海州紅賊餘黨.[75)]

丙申[24日], 以判衛尉寺事金蘭爲西北面兵馬使, 判典客寺事池龍壽·判衛尉寺事鄭文祐△[爲]知兵馬事.

○遣使, 調兵于慶尙·楊廣·全羅·江陵·朔方·交州道, 凡四萬餘卒.

[→遣使諸道, 調兵, 慶尙道一萬一千, 楊廣·全羅道各一萬, 江陵·朔方·交州道共一萬, 西海道盡僉丁壯:兵1五軍轉載].

○留都監察司上疏曰, "京都近經兵火, 人民離散, 里閭空虛, 其還者, 亦因訛言, 隨合隨散. 盖以分司官, 淹留不來, 而諸道貢賦, 又不輸京. 由是, 人無所繫, 狐疑未定, 日就殘弊. 乞貢賦依舊, 悉輸京都, 扈從百司, 定額侍衛, 餘悉赴都. 祭祀國之大事, 而堂後·禮儀司主之, 今堂後, 尙不來, 亦宜遣還. 史庫所藏實錄史藁, 僅有三櫃十餘笥. 置之文廟, 恐至遺失, 宜令史官, 曝曬以藏, 又令直宿".

○判密直司事宋卿罷. [卿, 言於[門下侍中]洪彥博曰, "蒼生望公復相, 久矣, 今爲冢宰, 何無一事, 叶輿望乎. 辛丑[恭愍10年]之倉卒播遷, 宗社陷賊, 主上蒙塵, 取笑天下者, 公之不早圖也. 今子握府兵, 壻長憲司, 富貴已極, 何不憂國家". 彥博憚之:節要轉載].

[→明年, 收復京城, 制勝方略, 多[右政丞洪]彥博指畫. 判密直□[司]事宋卿, 言於彥博曰, "蒼生望公復相, 久矣, 今爲首相, 何無一事, 協輿望乎? 去歲播遷, 宗社陷賊, 主上蒙塵, 取天下笑, 公之不早圖也. 今公子握府兵, 壻長憲司, 富貴已極, 何不憂國家". 彥博憚之罷卿. 時彥博壻柳淵爲監察大夫, 故卿云然:列傳24洪彥博轉載].

○贈忻都金帶·綵衣·苧麻·織布, 不受.

[□□[是月]]. 耽羅牧胡古禿不花[肖古禿不花]·石迭里必思等, 以星主高福壽叛,[76)] [增補].[77)]

---

75) 盖州는 遼陽行省 管內 遼東半島의 서북부에 盖州路(現 遼寧省 營口市 管內의 盖州市)이다. 또 海州는 遼代의 遼陽府東京의 南西方에 위치한 海州南海府이고, 金代의 澄州였으나 元代에 廢止되어 遼陽路에 편입되었고, 明初에 海州衛(現 遼寧省 海城縣)가 설치되었다(劉鈞仁 1980年).

76) 牧胡 古禿不花·石迭里必思는 공민왕 23년 7월 12일에는 哈赤 石迭里必思·肖古禿不花로 달리 표기되어 있다. 이에서 哈赤[Qachi]은 牧馬者, 牧人을 가리키는 蒙古語인데, 이 기사에서는 牧胡로 飜譯하였다.

· 『增定吏文輯覽』 권2, 濟州達達牧子, "元置牧馬場于濟州, 差韃靼人爲牧子"(7面右9行).

77) 『고려사절요』 권27에는 이 位置에 '殺萬戶朴道孫'이 더 있지만, 『고려사』世家篇에는 是年 10월 22일(癸巳) 朴都孫이 大元蒙古國에서 파견되어온 官人에 의해 피살되었다고 되어 있다.

[○大禪師□請設法會, 以落成麟角寺無無堂新築:追加].[78)]

[○密直提學·右文館提學白文寶撰'及菴詩集'序:追加].[79)]

[九月癸卯朔小盡,庚戌, 熒惑犯五諸侯, 歲星犯軒轅. 太白, 夕見西方:天文3轉載].[80)]

[某日, 置祿轉色, 自播遷以來, 祿轉出納, 不任倉官, 別立一所, 謂之祿轉色. 又以調度不給, 增斂增斂民戶米豆有差, 名曰'無端米'. 民甚苦之:節要轉載].[81)]

[→以調度不給, 增斂於民, 大戶米豆各一石, 中戶米豆各十斗, 小戶米豆各五斗. 名之曰, '無端米', 民甚苦之[注, 無端, 方言無妨]:食貨2科斂轉載].

[→祿轉捧上色[注, 恭愍王十一年, 置之. 自播遷以來, 祿轉出納, 不任倉官, 別立一所, 謂之祿轉捧上色]:百官2諸司都監各色].

己酉7日, 命政堂文學韓方信, 往江華, 修龍藏寺, 將欲移御也.

○以楊廣道巡問鎭邊使崔瑩爲都巡問使, 判宗簿寺事金鉉爲全羅道沿海巡訪兼漕轉使.

庚戌8日, 以左政丞柳濯爲西北面紅賊防禦諸軍都統使, 密直使李珣爲都兵馬使, 金漢貴爲東京道, 許綱爲安東道, 金瑱爲尙州道, 李之泰爲晋州道,[82)] 成元揆爲全州道, 林堅味林堅味爲羅州道,[83)] 金桂生爲南京·廣州道, 朴椿爲淸州·水原道, 柳繼祖

---

78) 이는 공민왕 10년 9월 是月의 脚注와 같은데, 落成式이 八月甲子로 되어 있으나 이달에는 甲子日이 없다.

79) 이는 다음의 자료에 의거하였는데, 金齊閔은 후일 九容으로 改名하였다.
- 『급암시집』卷首, 序, "余居尙一日, 及菴閔思平之外孫金君伯誾金齊閔, 編及菴詩藁, 攜以示余, 余讀之, … 至正壬寅八月有日, 密直提學·右文館提學淡菴稷山白文寶序".

80) 己酉는 9월 7일이므로, 世家篇에서 己酉 앞에 九月이 탈락되었다. 『고려사절요』 권27에는 옳게 되어 있다.

81) 無端米에서 無端은 '由來가 없는', '始終이 없는', '端緖가 없는'으로 解釋[讀]하는 것이 좋을 것이다.
- 『淮南子』 권2, 俶眞訓, 冒頭部分, "… 二者代謝舛馳, 各樂其成形. 狡猾鈍惛, 是非無端, 孰知其所萌".
- 『管子』 권3, 幼官(玄宮)第8(經言8), 末尾部分, "旗物尙白, 兵尙劒, 刑則紹昧斷絶, 始乎無端, 卒乎無窮, 始乎無端, 道也, 卒乎無端, 德也. …". 여기에서 紹昧는 斷絶과 같은 뜻으로 斬斷의 刑을 가리킨다(遠藤哲夫 1989年 152面).
- 『한서』 권21上, 律曆志第1上, "權者, 銖·兩·斤·鈞, 石也, 所以稱物平施, 知輕重也. … 以輕重爲宜, 圜而環之, 令之肉倍好者[注, 孟康曰, 謂錘之形如環也. 如淳曰, 體爲肉, 孔爲好], 周旋無端, 終而復始, 無窮已也".

82) 이때 李之泰는 楊廣道按廉使였고, 晋州道는 延世大學本에는 刻字가 잘못되어 普州道로 되어 있으나 오자이다.

爲公州道，張熙載爲忠州道，金長壽爲交州道，金庾爲江陵道兵馬使．時有紅賊聲息，又帝有挾攻之命，故有是擧．未幾，聞賊潰，乃止．

[→時訛言紅賊復來，議選大帥，以右政丞洪彦博不恤國事，命左政丞柳濯爲都統使：列傳24洪彦博轉載].

○監察司論丹陽公珛·前典理判書印安·前大護軍金瑞光·親禦軍護軍洪義·前都官侍郎閔玹·前護軍李乙柔·淮陽府使康元祐，降于紅賊之罪，錮其子孫.[84]

[→紅賊陷京城，珛與典理判書印安等，降于賊．及賊平，監察司劾奏，珛等降賊，凡沃土可居之處，畿縣米穀所在，無不指導．棄國忘親，罪莫大焉．不可與愚民一視．若以罪經赦宥，則乞禁錮子孫，籍沒田民，以懲後人，王從之:列傳4忠烈王王子江陽公滋轉載].

○命□都僉議評理李仁復，詣開泰寺太祖眞殿，卜遷都江華．[大妃~~太妃~~面責門下侍中洪彦博曰，爾以外戚，位冢宰，中外之望，悉屬于爾．今王欲遷都，而國人皆不欲，爾盍諫止之．彦博以告於王，王曰，"予欲知其吉凶"．卜果:節要轉載]不吉，乃止．[國人大悅:節要轉載].

[→王欲遷都江華，命卜於開泰寺太祖眞殿，人民洶洶．太后洪氏，彦博姑也，面責彦博曰，爾以外戚巨室，位冢宰，中外之望，咸屬焉．今王欲遷都，而國人皆不欲，爾盍諫止之．彦博以告於王，王曰，"予非決遷，欲知吉凶耳"．卜果不吉，國人大悅：列傳24洪彦博轉載].

甲寅12日，以政堂文學韓方信爲西海道都巡察使.

[戊午16日，月食:天文3轉載].[85]

[己未17日，日有黑子:天文1轉載].

辛酉19日，遣□都僉議商議姜之衍~~康之衍~~如元，賀正，典理判書李瑞龍，賀千秋節．幸北亭，拜表，遂登拱北樓，命文臣，和板上詩韻.[86]

---

83) 林堅味는 이해의 前半期에 全羅道察訪兼兵馬使로 赴任하였다(『금성일기』).

84) 都官侍郞은 都官摠郞일 가능성이 있다. 이해에 尙書都官에 摠郞이 새로이 增置[加置]되었다고 한다(지30, 백관1, 都官). 또 閔玹은 閔祥正의 아들인데(閔漬妻申氏墓誌銘), 閔祥正의 열전에는 閔賢으로 달리 표기되어 있다(열전20, 閔漬, 祥正).

85) 이날 일본의 京都에서도 월식이 관측되었던 것 같다(日本史料6-24册 426面). 이날은 율리우스력의 1362년 10월 4일이고, 월식 현상이 심했던 때의 世界時는 10시 4분, 食分은 0.15이었다(渡邊敏夫 1979年 485面).
· 『愚管記』제8, 貞治 1년 9월, "十六日戊午, 晴, 月蝕正現云々".
· 『本朝統曆』권10, 貞治 1년, "九十六望, 酉三, 月蝕, 七分弱, 申七, 酉七".

[癸亥[21日], 虹蹐于東, 低跨王宮, 兩端不過淸州內城. 是日, 王在州, 以消灾道場, 致齋:五行1虹霓轉載].[87]

甲子[22日], 設星變消災道場于內殿.

[乙丑[23日], 歲星犯軒轅:天文3轉載].

[己巳[27日], 熒惑犯輿鬼積尸:天文3轉載].

[是月, 知申事元松壽, □□□□□[掌成均館試], 取許時等百一人:選擧2國子試額轉載].

[是月頃, 王聽佛護寺僧言, 賜田. 會[左代言李]穡奉御寶, 印監試榜. 王遣宦官, 命幷印賜僧牌, 穡白曰, "此事宜議諸大臣, 不可輕易". 王怒甚, 穡恐卽印牌, 王怒猶未解, 命停印榜. 知都僉議□□[司事]柳淑諫曰, "僧以非理, 干黷聖政, 穡爭之誠是. 殿下聽非理, 而罪爭臣, 於理何". 王怒稍霽, 乃印榜:列傳28李穡轉載].

[秋某月, 以[典校令]韓脩爲奉順大夫·判司僕寺事·右文館直提學:追加].[88]

冬十月壬申朔[大盡,辛亥], [左代言]李穡上箋辭, 不允.

[→[左代言李]穡, 上箋辭職曰, "臨事徑情, 反激怒, 雷霆之下, 撫躬對影, 若難容天地之閒". 王不允:列傳28李穡轉載].

癸酉[2日], 夜王微行, 習馳馬於路, 人有不知而犯蹕者.

甲戌[3日], 亦如之.

[○雷:五行1轉載].

乙亥[4日], 留都宰樞啓, "紅賊後, 史庫破敗, 實錄散在露地, 宜遣史官收貯", 從之.

[→兵火之餘, 史局所藏史藁·實錄, 僅餘數篋, 王在淸州, 遣[藝文]供奉郭樞, 移置海印寺. [密直提學白]文寶時留都, 與金希祖議曰, "今寇亂甫定, 不可遽移國史, 駭人視聽. 留樞待後命":列傳25白文寶轉載].

戊寅[7日], 地震.[89]

---

86) 이와 관련된 자료로 다음이 있다.

· 『신증동국여지승람』 권15, 淸州牧, 樓亭, "拱北樓, 在州北三里. 白文寶'應製詩序', 歲在辛丑, 宮駕遷自福而尙, 行駐淸州. 壬寅秋九月十九日, 上率群臣拜賀正表于郊, 因御州之拱北樓, 覽一齋權漢功舊題五言句, 卽命知申事元松壽·代言李穡 · 成士達次韻製進. 於是左政丞洪陽坡[洪彦博]·李杏村[李嵒]·黃檜山[黃石奇]曁諸大夫·儒士皆和進".

87) 이날 교토에서 비가 조금 내렸던 것 같다(『愚管記』제8, 康安 2년 9월, "廿一日癸卯, 小雨").

88) 이는 「韓脩墓誌銘」에 의거하였다.

[→雷·地震·虹見:五行1轉載].

○以楊廣道按廉□[使], 扈從行在, 權置察訪別監代其務.[90)]

辛巳[10日], 地震.[91)]

[→雷, 地震:五行3轉載].

[癸未[12日], 立冬. 大雨震雷, 淸州城內, 水漲, 有死蛇漂出, 蝸上樹梢, 氣候如夏:五行1水潦轉載].

丙戌[15日], 以災異, 命百官及守令, 奏陳時政得失·民間利害.

[某日, 監察大夫金續命·右獻納黃瑾等, 上書曰, "地者, 臣道也, 今賞罰不明, 故大小之臣, 怠弛曠官. 又因軍功, 白丁, 驟拜卿相, 皁隷, 濫處朝班, 臣道淆亂, 以致地震. 請自今, 信賞必罰, 重惜名器, 左右前後, 皆正人也, 君誰與爲不正. 刑餘陰類, 而殿下, 日與相狎, 樂聞鄙俚無稽之言, 夜分不寢, 日中乃興, 疏遠大臣, 嘉謀讜議, 無自而入. 自今, 三殿宦者, 各留十人, 餘悉汰去, 正人端士, 常令侍側. ○治國之道, 專在經史, 未聞以佛書, 致治者也. 殿下, 過信佛法, 群髡緣此, 干謁濟私, 自今, 願斷緇流出入禁闥, 復開經筵, 日訪治道, 常觀聖賢之書, 勿雜異端之說. 女謁, 爲政之大害也, 今, 針線娘子·內僚之女, 亦有封翁主·宅主者, 僭擬踰分, 殊失尊卑之體, 除不得已宗室·勳舊外, 勿許封爵, 已封者, 請奪之.[92)] ○田里戚休, 在於守令, 今雖有臺省保擧之令, 皆徇面情, 其所薦擧, 至有不識字者. 願自今, 臨軒引見, 核[覈]其名實, 擧非其人, 擧主必罰".[93)] ○王召臺諫詰之, 臺諫, 面爭益切, 王怒甚. [知都僉議司事]柳淑進曰, "旣求直言, 而怒言者可乎?". 王怒, 爲之小解:節要轉載].

[→王以災異求言, [監察大夫金]續命與獻納黃瑾等上言, "書云, 元首明哉, 股肱良哉,

---

89) 이때 교토에서는 4일(丙子, 高麗曆의 5일) 밤[夜] 1시 무렵[丑時, 丁丑[5日]]에 地震이 있었던 것 같다.

90) 이때 楊廣道按廉使는 李之泰였다.

91) 이때 교토에서는 11일(癸未, 高麗曆의 12일) 새벽 5시 무렵에 地震이 있었다고 한다(日本史料6-24冊 693面).
 · 『師守記』 권36, 貞治 1년 10월, "十一日癸未, 天晴, 聊風吹, … 今曉, 卯刻地震".

92) 針線娘子 以下는 지29, 選擧3, 封贈에도 수록되어 있다.

93) 이와 관련된 기사로 다음이 있는데, 여기에서 核은 覈과 같은 意味로 사용되었다.
 · 지29, 選擧3, 選用守令, "[恭愍11年]十月, 臺諫上言, "田里休戚, 在於守令. 雖有臺諫·政曹保擧之令, 皆徇面情所薦, 至有不識字者. 願自今, 臨軒引見, 核其名實, 擧非其人, 擧主必罰".
 · 『자치통감』 권29, 漢紀21, 元帝建昭 2년(bc37) 6월, "… 荀悅曰, … 故德必核其眞, 然後授其位, 能必核其眞, 然後授其事, … 事必核其眞, 然後脩之[胡三省注, 核, 與覈同, 謂精確得其實也]".

庶事康哉. 元首叢脞哉, 股肱惰哉, 萬事墮哉.[94] 殿下氣禀沉重, 春秋鼎盛, 卽位日久, 備諳國事. 智出萬全, 多不信人, 宦官·僧徒·雜類之言, 有時信聽. 雖大臣, 議一事出一言, 必候上旨, 承順施行. 以故諂諛成風, 直言路絶, 此德政之最失者也. 地者臣道也, 今賞罰不明, 故大小之臣, 怠弛曠官. 又因軍功, 白丁驟拜卿相, 皀隷濫處朝班, 臣道淆亂, 以致地震. 請自今, 信賞必罰, 重惜名器. 古者選軍, 給之土田, 故兵皆足食, 不憚征役. 近豪勢兼幷至千百結, 曾無一畝及於軍夫. 及其徵發赴敵之際, 率皆解體, 况望敵愾乎? 請復選軍給田之法. 左右前後皆正人也, 君誰與爲不正. 刑餘陰類, 殿下日與相狎, 樂聞鄙俚無稽之言, 夜分不寢, 日中乃興, 疎遠大臣, 嘉謀讜議, 無自而入. 冬雷地震, 咎實在玆, 自今三殿宦者, 各留十人, 餘悉汰去, 正人端士, 常令侍側. 治國之道, 布在經史, 未聞以佛書致治者也. 殿下過信佛法, 群髡緣此, 干謁濟私, 願自今斷絶緇流出入禁闥. 復開經筵, 日訪治道, 常觀聖賢之書, 勿雜異端之說. 女謁爲政之大害. 今針線娘子, 內寮之女, 亦有封翁主·宅主者, 僭擬踰分, 殊失尊卑之體. 自今除宗室勳舊外, 勿許封爵, 已封者, 請奪之. 田里戚休, 在於守令. 今雖有臺省·政曹保擧之令, 皆徇面情, 其所薦擧, 至有不識字者. 願自今臨軒引見, 核其名實, 擧非其人, 必罰擧主. 傳曰, 無赦之國, 其政必平.[95] 養稂莠者害嘉穀, 惠姦宄者賊良民. 感召水旱, 在於數赦. 願自今毋赦有罪以長姦惡". 王召臺諫詰之, 臺諫面爭益切. 王怒甚, 知都僉議□□司事柳淑進曰, "旣求直言, 而怒言者可乎?". 王怒, 爲之小解:列傳24金續命轉載].[96]

庚寅19日, 命停八關·冬至賀.

○賜朴實等及第.[97]

---

94) 이 구절은 다음의 자료를 인용한 것 같다.

· 『서경』, 皐陶謨, "夔曰, 夏擊鳴球·搏拊·琴瑟, 以詠, … 皐陶, 乃賡載歌曰, 元首明哉, 股肱良哉, 庶事康哉. 又歌曰, 元首叢脞哉, 股肱惰哉, 萬事墮哉".

95) 이 구절은 다음의 자료를 인용한 것 같다.

· 『中說』 권1, 王道編, "… 子曰, 無赦之國, 其刑必平, 多斂之國, 其財必削. …".

96) 이와 관련된 기사로 다음이 있으나 ~~添字~~와 같이 고쳐야 옳게 될 것이다.

· 『錦溪集』外集권9, 黃俊良行狀, "星州牧□使黃公諱俊良, 字仲擧, 平海人. 高麗時, 有爲侍中者, 曰裕中, 其遠祖也, 侍中之孫曰瑾, 當恭愍朝, 爲左獻納右獻納, 與正言監察大夫金續命上疏, 極論震之變, 忤旨, 謫守沃川, 後官至寶文閣提學, 提學生諱有定, 仕本朝爲工曹典書 …".

97) 이와 관련된 기사로 다음이 있다.

· 지27, 선거1, 科目1, 選場, "恭愍十一年十月, 右侍中右政丞洪彦博知貢擧, 知都僉議□□司事柳淑同知貢擧, 取進士, □□庚寅, 賜朴實等三十三人及第".

· 『목은시고』 권24, 至正癸巳四月, … 壬寅歲, 駕在淸州, 洪陽坡彦博·柳商議淑典貢擧, 如癸巳無設蕪.

[□□[是時], 復用詩·賦:選擧1科目轉載].[98)]

癸巳[22日], 以李瑞龍·丁贊△[並]爲密直副使.

○濟州[耽羅]請隷于元. 元以副樞[樞密院副使]文阿但不花爲耽羅萬戶, 殺萬戶朴都孫[朴道孫].

[→[耽羅]請隷于元, 元以副樞文阿但不花爲耽羅萬戶, 與本國賤隷金長老, 到州, 杖萬戶朴都孫[朴道孫], 沉于海:地理志2耽羅縣轉載].[99)]

甲午[23日], 留都宰樞以紅賊聲息, 請移太廟神主及先王眞.

○京城懲前日之變, 避入江華者十四五.

[某日, 自諸君·宰樞, 至成衆愛馬, 令納布一匹, 給塩:食貨2塩法轉載].

[某日, 令文臣, 出戰馬:兵2馬政轉載].

[是月, 新作□□[兵難]所失四神主[太祖·忠宣·忠肅·忠穆]:禮3吉禮大祀轉載].

十一月[壬寅朔[大盡,壬子], 震電:五行1轉載].

[乙巳[4日], 天鼓, 鳴:五行1鼓妖轉載].[100)]

· 「柳淑墓誌銘」, "其秋, 駕移于淸□[州], 同知貢擧, 取朴實等三十三人, 時稱得士".

· 열전24, 洪彦博, "[洪]彦博與柳淑, 同掌貢擧, 宰樞盛設筵以慰. 彦博勳戚首相, 淑帷幄寵臣, 雖當播越之時, 群臣所以傾待者如此". 여기에서 播越은 播遷과 같은 의미이다(『후한서』 권75, 袁術列傳第65, "… 天子播越, 宮廟焚毁, 是以豪傑發憤, 沛然俱起(李賢注, 左傳曰, 王子朝云, 玆不穀震蕩播越. 播, 遷也, 越, 逸也, 言失所居]".

· 열전25, 朴宜中, "朴宜中, 字子虛, 初名實, 密城人, … 宜中, 恭愍朝擢魁科, 授典儀直長".

· 열전25, 偰遜, 長壽, "恭愍時, 以慶順府舍人, 居父憂, 王以色目人, 特命脫衰赴試. 遂登第".

· 『태조실록』 권14, 7년 8월 己巳[26日], 鄭道傳의 卒記, "壬寅, 中同進士".

· 『竹軒遺集』권下, 羅繼從行狀, "… 恭愍王十一年壬寅十月, 右侍中洪彦博知貢擧, 知都僉議□□[司事]柳淑同知貢擧, 試詩賦, 先生中第, 第十七人". 여기에서 羅繼從(初名은 啓道)이 17인으로 급제하였다고 하는데, 이때의 榜目에서 第19人 羅仲佑가 찾아진다. 兩者가 같은 인물인지는 검토하여야 할 것이다.

이때 [圓融府錄事]朴實(改宜中)·[成均進士]金濤·[麗澤齋生]金祗(改祉, 乙科3人), [成均進士]鄭履·[成均進士]李崇仁(16歲)·[進士]金仲權·[侍聘齋生]朴希道·[成均進士]康好文·[進士]趙德謙·[別將]許時(丙科7人), [服膺齋生]李猷·[成均進士]鄭可宗·[前尙禮直長]李柔·[麗澤齋生]金順生·[進均生員]李處謙·[進士]黃吉茂·[前壽安宮錄事]方得珠(改恂)·[進士]安景溫(改仲溫)·[永福都監判官]金文鉉·[行廊都監判官]金存誠·[慶順府舍人]偰長壽·[成均進士]鄭道傳·[求仁齋生]金乙貂·[諄論進士]朴元彬·[尙衣奉御]李芳垓·[諄論進士]羅仲佑·[監門衛錄事]韓理·[典客主簿]李福海(改恬)·[郞將]金子盎·[主簿]宋明誼·[鄕貢進士]崔自卑·[通禮門祗候]權揆·[養心齋生]裵仲線(同進士23人)이 급제하였다(『貞齋逸稿』 권2, 文科榜目 ; 『등과록』 ; 『전조과거사적』, 朴龍雲 1990년 ; 許興植 2005년).

98) 이는 지27, 選擧1, 科目, "恭愍王十一年, 洪彦博·柳淑掌試, 復用詩·賦"를 전재한 것이다.

99) 이와 같은 내용이 『신증동국여지승람』 권38, 제주목, 건치연혁에도 수록되어 있다.

100) 이날 교토에서는 맑았으나 오전 11시 이후에 地震이 있었다고 한다(『師守記』 권37, 貞治 1년 11월, "四日乙巳, 天晴, 午剋地震").

[○大雨, 震電:五行2轉載].

[丙午5日, 歲星犯軒轅. 鎭星犯大微太微東藩:天文3轉載].

[○震電:五行1轉載].[101]

[丁未6日, 雺霧:五行3轉載].

[○夜半, 城中馬, 長鳴者三:五行1馬禍轉載].

[戊申7日, 震雷:五行1轉載].

甲寅13日, 地震.

[→雷雨, 虹見, 地震:五行2轉載].[102]

戊午17日, 命放各處戍卒.

庚申19日, 夜, 王雜於傲巡, 習騎馬.

[壬戌21日, 虹見:五行1虹霓轉載].

[某日, 大司成金安利, □□□□掌升補試, 取鄭天益等五人:選擧2升補試轉載].

[某日, 米四斗, 直布一匹, 金銀價賤, 或有金一錠, 米當五六石, 中外皆然:食貨2市估轉載].

[是月, 無冰, 氣暖如春, 至有田中遺豆, 生葉者:五行1恒澳轉載].

[是月丁巳16日, 前宣授應奉翰林文字·承事郞·同知制誥兼國史院編修官·正順大夫密直司右代言·進賢館提學·知製敎充春秋館修撰官·知軍簿司事李穡撰'雪谷詩稿'序:追加].[103]

十二月[壬申□朔大盡,癸丑, 木稼:五行2轉載].[104]

癸酉2日, 王聞元立德興君塔思帖木兒爲國王, 疑朝臣有貳, 遣吏部尙書洪師範, 爲西北面體覆使, 審察情僞.[105]

---

101) 이날 교토에서 궂은 날씨가 계속 되다가 밤에 雷鳴이 있었고, 비가 내렸던 것 같다.
- 『師守記』 권37, 貞治 1년 11월, "十三日甲寅, 天晴, 午剋以後風吹, 終日不絶, 酉剋天陰, □同斜雨下, 入夜戌剋許雷鳴, 移剋雨下, 終夜不絶".

102) 이날 교토에서는 맑았으나 오전 11시 이후에 지진이 있었다고 한다(『師守記』 권37, 貞治 1년 11월, "四日乙巳, 天晴, 午剋地震").

103) 이는 다음의 자료에 의거하였다.
- 『설곡집』卷首, 雪谷詩稿序, "… 至正二十二年壬寅十一月旣望, 前宣授應奉翰林文字·承事郞·同知制誥兼國史院編修官·正順大夫密直司右代言·進賢館提學·知製敎充春秋館修撰官·知軍簿司事韓山牧隱李穡謹序".

104) 壬申에 朔이 탈락되었다.

[→西北面萬戶丁贊報, 元立德興君塔思帖木兒爲國王:節要轉載].

[甲戌3日, 夜, 紫氣見于西北方:五行1轉載].[106)]

丙子5日, 以成俊德爲濟州牧使.

[丁丑6日, 大霧, 二日:五行3轉載].[107)]

癸未12日, 以壽春君李壽山爲東北面都巡問使, 定女眞疆域.

癸巳22日, 以密直副使柳芳桂爲文阿但不花接伴使, 往勞于濟州.

○遣贊成事柳仁雨如元, 賀聖節, □都僉議評理黃順, 謝賜衣酒.

○遼陽行省平章政事高家奴遣使來, 獻羊四頭, 且請處女, 以前中郞將金光徹女, 送之.

[丁酉26日, 以知都僉議司事柳淑爲僉議評理·提點書雲觀事, 僉議評理李仁復爲重大臣·三司右使, 李子脩爲寢園署令:追加].[108)]

[辛丑30日, 以崔宰爲星山君→恭愍王 13年 12월로 옮겨감].[109)]

[是月, 權罷雞林府法曹:追加].[110)]

---

105) 몽골제국은 이해에 공민왕을 廢位시키고 德興君 塔思帖木兒를 高麗國王으로 삼았다.
- 『원사』 권46, 본기46, 지정 22년, 是歲, "帝以讒廢高麗王伯顔帖木兒, 立塔思帖木兒爲王. 國人上書言舊王不當廢, 新王不當立之故. 初, 皇后奇氏宗族在高麗□者, 恃寵驕橫, 伯顔帖木兒屢戒飭不悛, 高麗王遂盡殺奇氏族. 皇后謂太子曰, '爾年已長, 何不爲我報讎?'. 時高麗王昆弟有留京師者, 乃議立塔思帖木兒爲王, 而以奇族子三寶奴爲元子, 以將作□院同知崔帖木兒崔濡爲丞相, 以兵萬人送之國, 至鴨綠江, 爲高麗兵所敗, 僅餘十七騎還京師".
- 『원사』 권114, 열전1, 후비1, 順帝, 完者忽都皇后奇氏, "初, 奇氏之族在高麗者, 怙勢驕橫, 高麗王怒, 盡殺之. 至正二十三年二十二年, 后謂皇太子曰, '汝何不爲我復讎耶?'. 遂立高麗王族人留京師者爲王, 以奇族之子三寶奴爲元子, 遣同知樞密院事崔帖木兒崔濡爲丞相, 用兵一萬, 並招倭兵, 共往納之. 過鴨綠水, 伏兵四起, 乃大敗, 餘十七騎而還. 后大慙".
- 『昭代典則』 권3, 壬寅至正22 12월, "蒙古立塔思帖木兒爲高麗王, 遣兵送之國, 高麗以兵拒之, 大敗而還. 初, 皇后奇氏宗族在高麗者, 恃寵驕橫, 爲國王伯顔帖木兒所殺. 元主入后之讒, 遂廢伯顔帖木兒, 而議立其昆弟在留京師者塔思帖木兒爲王, 以奇族子三寶奴爲元子. 國人上書言, '舊王不當廢, 新王不當立'. 元主不聽, 乃以將作□院同知崔帖木兒崔濡爲丞相, 率兵萬人送之國, 至鴨綠江, 爲高麗伏兵四起, 乃大敗, 僅餘七十騎走歸京師".

106) 이날 교토에서는 흐리고 밤에 눈이 내렸다고 한다(『師守記』 권38, 貞治 1년 12월, "三日甲戌, 天陰, 自夜卯剋雪降, 聊委地, 終日猶分散").

107) 이때 교토에서는 晴陰이 交差되고 간혹 비와 눈이 내렸던 것 같다.
- 『師守記』 권38, 貞治 1년 12월, "六日丁丑, 天晴, 未剋小雨灑, 無□□程休, 今朝辰剋許地震. … 七日戊寅, 天晴, … 八日己卯, 天陰, 辰剋以後雨降, 申剋休, 時々休, 入夜休, … 九日庚辰, 天晴, 丑剋以後雪下".

108) 이는 a 「柳淑墓誌銘」; b 「李仁復墓誌銘」; c 「李子脩政案」에 의거하였는데, 日辰은 c에 의거하였다. 또 b에는 三司左使로 되어 있으나 明年 1월 1일에 의하면 三司右使이다.

109) 崔宰가 이때 封君되었다면 그 날짜는 25일의 인사이동[大政]과 같았을 것이다(校正事由).

[冬某月, 以判司僕寺事韓脩爲左副代言·寶文閣直提學·知工部事:追加].[111]

[冬, 無雪, 山崩, 井泉皆渴, 布一匹直米一斗五升:五行1轉載].[112]

[是年, 復寧州爲天安府, 改化平府爲茂珍府:轉載].[113]

[○密直提學白文寶上箚子曰, "□⼀. 自九品, 至一品, 每品, 各給職牒, 所以防奸. 近世, 品職朝謝, 初則僉署, 終則一官署, 故始難終易, 吏緣爲奸. 今後六品以上, 各自寫牒投省, 具署經印, 七品以下, 典理軍簿, 具署經印, 每品同品轉移者, 只給謝牒:選擧3選法轉載].

[□⼀. 京師近地, 平廣膏腴, 可以耕稼者, 爲牧場, 而奪其利, 宜移牧於山谷島嶼, 以興地利. 且畿內八縣田土, 亦不須頒祿科, 均給大夫士祭田, 以濟居京者之所急:食貨1經理轉載].

[□⼀. 國田之制, 取法於漢之限田, 十分稅一耳. 慶尙之田, 則稅與他道雖一, 而漕輓之費, 亦倍其稅, 故田夫之所食, 十入其一. 元定足丁, 則七結, 半丁則三結加給, 以充稅價:食貨1租稅轉載].[114]

---

110) 이는 다음의 자료에 의거하였다.
- 『동도역세제자기』, "法曹乙壬寅十二月, 淸州行宮時白活, 權停, 寧海府移次".

111) 이는 「韓脩墓誌銘」에 의거하였다. 또 이 시기에 韓脩가 인사행정을 담당하였던 것 같다(열전20, 韓康, 脩, "累遷代言, 典銓選").

112) 일본에서도 이해의 6월부터 크게 가물어서[大旱] 11월에는 琵琶湖[近江湖水]의 바닥이 凝固된 것이 4~5尺이 되었을 정도였고, 각지에 饑饉이 크게 들었다고 한다(中央氣象臺 1941年 2冊 533面 ; 權藤成卿 1984年 277面).
- 『師守記』 권38, 貞治 1년 12월, "六日丁丑, … 今日西井被□堀之, … 井□水, 自六月十三日旱魃, 諸々井水拂底, 悉拂底之故也".
- 『太平記』 권39(혹은 38), 康安 2년, 惡星出現, 湖水干事, 原文이 日本語이므로 인용을 생략함(小秋元段 等編 2011年).

113) 이는 다음의 자료를 전재하였다. 그런데 이때 天安府로 개칭된 寧州는 약간의 期間이 경과한 후 還元되었을 가능성이 있다(金아네스 2017년). 곧 高麗末인 1369년(공민왕18) 11월 27일, 1375년(우왕1) 9월 某日, 1377년 10월 某日, 1378년(우왕4) 6월 某日의 倭賊의 侵入과 관련하여 天安府가 아니라 寧州로 기록되어 있다. 또 朝鮮初인 1396년(태조5) 4월 1일(戊子), 1409년(태종9) 5월 29일(庚子)에 忠淸道 寧州(後日의 寧山)로 稱하고 있으며(1416년 以前까지), 西北地域[平安道]에도 또 다른 寧州가 있었다(『태조실록』 권9, 5년 4월 戊子 ; 『태종실록』 권17, 9년 5월 庚子, 권32, 16년 8월 己巳10日).
- 지10, 지리1, 天安府, "恭愍王十一年, 復爲天安府".
- 지11, 지리2, 海陽縣, "恭愍王十一年, 改茂珍府".

114) 延世大學本과 東亞大學本에는 入이 八로 되어 있으나 오류일 것이다(東亞大學 2012년 18책 683面).

[□¯. 江淮之民, 爲農而不憂水旱者, 水車之力也. 吾東方人, 治水田者, 必引溝澮, 不解水車之易注. 故田下有渠, 曾不足尋丈之深, 下瞰而不敢激. 是以, 汚萊之田, 什常八九. 宜命界首官, 造水車, 使效工取樣, 可傳於民間, 此備旱墾荒第一策也. 又民得兼務於下種插秧, 則亦可以備旱, 不失穀種:食貨2農桑轉載].

[□¯. 忠宣王時, 所定塩戶, 因散亡, 元額日減, 朔塩不足. 然民間朔布, 則一依前例收納, 故塩沒布在. 吏緣爲奸, 民雖納布, 而未受一升之稅. 今後以塩多寡, 准布之數, 均給, 以此爲式:食貨2塩法轉載].

[□¯. 貧民歲耕數畝, 租稅居半, 故不能卒歲, 而乏食. 至明年, 東作之時, 稱貸富戶之粟, 以備種食. 今官吏, 不恤民患, 以禁富民縱貸倍息. 自後, 勸勉富民, 優其假貸, 依例子母停息. 貸者, 延引歲月, 而妄訴債主者, 當科其罪:食貨2借貸轉載].

[□¯. 三代之制, 大國方百里, 其次方七十里, 大國之卿祿, 可食二百八十八人, 大夫可食七十人, 士可食三十六人, 下士與庶人可食九人, 今吾東方, 千里者二, 山林雖居其半, 十倍於百里之國, 而卿大夫之祿, 不足以食九人, 況其餘乎. 重祿之術, 宜令所司, 五品以上, 更議申聞:食貨3祿俸轉載].

[□¯. 春爲喜神, 秋爲怒神, 若喜神一忤, 歲功不成. 方春夏時, 輕刑, 固宜放免, 重刑, 亦宜減等量決, 速出至三·四月. 五·六月, <u>停務</u>, 大辟則待冬節, 謀危社稷, 不在<u>此限</u>:刑法2恤刑轉載].[115)]

[□¯. 國家世守東社, 文物禮樂, 有古遺風. 不意寇患屢作, 紅巾陷京, 乘輿南狩, 言之可謂痛心. 今當喪亂之後, 民不聊生, 宜霈寬恩, 以惠遺黎. 且天數循環, 周而復始, 七百年爲一小元, 積三千六百年, 爲一大周元. 此皇帝王覇, 理亂興衰之期. 吾東方, 自檀君至今, 已三千六百年, 乃爲周元之會, 宜遵堯·舜六經之道, 不行功利禍福之說. 如是則上天純祐, 陰陽順時, 國祚延長. 願念睿廟置清燕·寶文閣故事, 講究天人道德之說, 以明聖學. 且鄉曲皆正則國家可理, 唐鄉置大中正, 國初亦置事審. 今宜大小州郡, 復置事審, 糾察非違. 新羅始崇佛法, 民喜出家, 鄉·驛之吏, 悉逃徭賦, 士夫有一子, 亦皆祝髮. 自今官給度牒, 始得出家, 三丁不足者, 並不聽":列傳25白文寶轉載].

[○置<u>禮儀推正色</u>:百官2禮儀推正都監轉載].

---

115) 이 기사는 原文에서 공민왕 12년 5월의 教書 다음에 수록되어 있으나 앞으로 移動시켜 冒頭에 十一年을 추가하여야 할 것이다[繫年錯誤]. 또 即位年稱元法을 사용했던 고려시대의 기록[史草]에는 공민왕 12년으로 되어 있었을 것이다.

[○置興王都監判官, □[~~爲~~]甲科權務:百官2興王都監轉載].

[○置習射都監判官, 爲丙科權務:百官2習射都監轉載].

[○置禁殺都監, 以紅賊陷京殺牛馬殆盡, 申嚴宰殺之禁:百官2禁殺都監轉載].

[○置祿轉捧上色, 自播遷以來, 祿轉出納, 不任倉官, 別立一所, 謂之祿轉捧上色 :百官2興王都監轉載].

[○以門下侍中致仕李齊賢爲雞林府院君. 是時, 朝論以本職致仕, 非所以敬大臣也, 故有是封:追加].[116)]

[○以韓方信爲政堂文學:列傳20韓方信轉載].

[○以趙天寶爲羅州牧使, 李琳爲羅州牧判官:追加].[117)]

[○以[前工部尙書]趙暾爲海州牧使. 尋暾以母憂遞:列傳24趙暾轉載].[118)]

[○以[中郎將兼閤門引進副使]沈德符爲奉善大夫·閤門副使:追加].[119)]

[○以[太府丞]朴尙衷爲奉車令:追加].[120)]

[○以[直翰林院]鄭夢周爲藝文檢閱:列傳30鄭夢周轉載].

[□□□□[~~是年未詳~~], 復水原郡爲水原府. 初, 紅賊招降楊廣諸州, 水原府先降, 降爲郡, 削其四部曲, 隸安城. 至是, [贊成事金]鏞納水原人賂, 復陞爲府, 還其部曲:列傳44金鏞轉載].[121)]

---

116) 이는 다음의 자료에 의거하였다.
- 「李齊賢墓誌銘」, "朝論以本職致仕, 非所以敬大臣也. 壬寅[恭愍11年], 復封雞林府院君".
- 열전23, 李齊賢, "… 乞以本職致仕, 從之. 國制, 封君致仕 須祿有差. 旣老而猶受厚祿, 於義不安 故有是請. 朝論以爲本職致仕, 非所以敬大臣也 復封雞林府院君".

117) 이는 『금성일기』에 의거하였다.

118) 原文에는 "[恭愍]十一年 出牧海州 居母憂"로 되어 있다.

119) 이는 『동문선』 권117 沈德符行狀에 의거하였다.

120) 이는 『定齋集』 권3, 潘南先生家傳, "[恭愍王]十一年, 遷奉車令"에 의거하였다.

121) 원문에는 다음과 같이 되어 있다.
- 열전44, 金鏞, "[中書侍郎同中書門下平章事金鏞,] 改贊成事. 初, 紅賊招降楊廣諸州, 水原府先降, 降爲郡, 削其四部曲, 隸安城. 至是, 鏞納水原人賂, 復陞爲府, 還其部曲".
- 『세종실록』 권148, 지리지, 水原都護府, "恭愍王十一年壬寅, 以紅頭賊, 遣先鋒招降, 楊廣道州郡, 水原最先迎逢, 致賊勢益張, 降爲郡. 郡人重賂宰臣金鏞, 未幾復爲府".

癸卯[恭愍王]十二年, 元至正二十三年, [西曆1363年]

1363년 1월 16일(Gre1월 24일)에서 1364년 2월 3일(Gre2월 11일)까지, 13개월 384일

春正月壬寅朔[大盡,甲寅], 王在淸州.

○遣三司右使李仁復, 詣開泰寺太祖眞殿, 卜還都, 吉.

癸卯[2日], 命[都僉議]贊成事金鏞, 往慰[皇太子詹事院]僉同[同僉]奇田龍母, 賜土田.

乙巳[4日], 選李蒙古大女, 賜布一千五百匹, 粧送于元, 官其伯叔兄弟.

丁未[6日], 王召兩府及耆老,[122] 議還都, 皆曰, "松都宗廟所在, 國家根本, 宜速還駕, 以慰民望. 書雲觀以陰陽拘忌奏, 宜先駐駕城南興王寺, 俟修康安殿", 從之.

[□□[是時], 王將還都, 遷延不發, [右政丞洪]彥博曰, "供頓已備, 若淹此期, 防農害事, 民受其弊", 王從之. ○南遷後, 祀典隳缺, 文宣王朔望奠亦廢. 成均十二徒, 請復行, 彥博以中外多事, 寢之:列傳24洪彥博轉載].

[己酉[8日], 熒惑犯鬼:天文3轉載].

[丙寅[25日], 雷:五行1轉載].

[某日, 慶尙道按廉使李寶林·全羅道按廉使柳惠孫, 仍番:慶尙道營主題名記·錦城日記].

[是月初旬, 右代言李穡撰'益齋亂藁'序:追加].[123]

[是月乙卯[14日], 夜, 元廣西貴州火, 同知州事韓帖木兒不花[韓孝先]·判官高萬章及家人九口俱死焉:追加].[124]

[是月頃, 以[重大匡]金普爲雞林府尹:追加].[125]

[○太府少卿李彰路與其姪內書舍人·[慶尙道按廉使]李寶林開板'益齋亂藁':追加].[126)]

---

122) 이 구절은 『고려사절요』 권27에는 "召兩府與前侍中尹桓·李齊賢·李嵒·廉悌臣"으로 되어 있다.

123) 이는 다음의 자료에 의거하였다.

· 『익재난고』序, 益齋先生亂稿序, "… 至正二十三年正月初吉, 前應奉翰林文字·承事郞·同知制誥兼國史院編修官,正順大夫·密直司右代言·進賢館提學·知製敎充春秋館修撰官·知軍簿司事韓山李穡序".

124) 이는 『원사』 권51, 지3하, 火不炎上에 의거하였다. 또 湖廣行省[廣西] 貴州는 현재의 貴州省 지역이며, 同知州事 韓帖木兒不花는 高麗人출신의 韓孝先으로 추측된다(張東翼 1994년 170面).

125) 이는 『동도역세제자기』에 의거하였다.

126) 이는 이해의 正旦[初吉]에 正順大夫·右代言·進賢館提學·知製敎充春秋館修撰官·知軍簿司事 李穡이 지은 『益齋亂藁』序文에 의거하였다. 또 李穡은 1379년(우왕5) 1월 무렵에 開城府尹을 역임한 李彰路(李齊賢의 子)를 宗伯이라고 稱하였는데(『목은시고』 권14, 奉謝宗伯□[李]開京□[尹]

二月[壬申朔小盡,乙酉]，[甲戌[3日]，淸州大雪，平地深三尺:五行1雨雪轉載].[127)]

乙亥[4日]，駕發淸州，次鎭州，命禁中外迎駕，綵棚宴享.

丙子[5日]，次竹州，謁太祖眞于奉業寺.[128)]

庚辰[9日]，地震.[129)]

辛巳[10日]，駕次峯城縣，留都宰樞奉迎于臨津，

壬午[11日]，百官班迎[長湍縣]通濟院，

癸未[12日]，駕次興王寺，

甲申[13日]，百官賀還都，留都宰樞上壽，王謂宰樞曰，"不圖今日，得還京城，此皆卿等之功也". 極歡而罷.

○以□[都]僉議評理李仁任爲西北面都巡問使兼平壤尹.

乙酉[14日]，[驚蟄]. 宴群臣於行宮.

癸巳[22日]，以[都僉議]贊成事金鏞提調巡軍.

○判事李績妻與僧通，杖僧一百七，績妻七十七.

[戊戌[27日]，木稼，三日:五行2轉載].

[是月頃，以李之泰爲羅州牧使:追加].[130)]

三月[辛丑朔大盡,丙辰]，壬寅[2日]，地震.[131)]

見訪)，門生[及第者]이 座主[試官]의 아들을 宗伯이라고 呼稱한다고 한다.

· 『목은시고』 권9，憶丁亥[忠穆3年]科諸公，三首[注，國俗，進士及第，稱其座主之子曰宗伯]，"回頭丁亥歲，三十二回春，宗伯無多子，門生有幾人. …".

127) 이때 교토에서 3일(甲戌，日本曆의 閏正月)은 맑았으나 4일(乙亥)，5일(丙子)에는 낮에는 맑았으나 밤에 눈이 내렸다고 한다.

· 『師守記』 권39，貞治 2년 閏1월，"三日甲戌，天晴，… 四日乙亥，天晴，入夜亥剋許，天陰，雨降風吹，其後雪降，… 五日丙子，天晴，自夜雪下，一村許委地，終日雪分散，申剋休".

128) 이와 관련된 자료로 다음이 있다.

· 『신증동국여지승람』 권8，竹山縣，古跡，"奉業寺，在飛鳳山下. 高麗時，安太祖眞. 恭愍王十二年二月，駕發淸州，次是寺謁眞殿. 今只有石塔".

129) 이때 교토에서 14일(乙酉) 오후 3시，5시 무렵에，15일(丙戌) 오후 7시 무렵에 각각 지진이 있었다고 한다.

· 『師守記』 권39，貞治 2년 閏1월，"十四日乙酉，天晴，朝間聊小雨下，則止，… 今日申剋地震，又酉剋地震，… 十五日丙戌，天晴，申剋以後天陰雨降，… 入夜戌始地震，同剋又地震云々".

130) 이는 『금성일기』에 의거하였다.

131) 이때 교토에서는 2일 후인 4일(甲辰，日本曆의 2월) 오전 3시 무렵에 大地震이 있었고，10일(庚戌) 새벽 1시 무렵[丑時，11日[辛亥?]]에 지진이，18일(戊午) 오후 7시 무렵에 대지진과 餘震

○遣[都僉議]贊成事李公遂·密直提學許綱如元,[132] 進陳情表曰, "~~臣聞~~ 御下之方, 要使言而無隱, 事上之義, 苟有懷則必陳. 惟其氣合而意孚[~~情意以之交孚~~], 是以德隆而業廣~~德澤因之廣被~~. 稽振古而[之]若此, 矧明時而[之]何疑. 敢將無已之求, 庸瀆[黷]蓋高之聽. 臣降才[~~伏念降資~~]譾薄, 識事迂踈[~~禀性愚蒙~~], 千載風雲, 早承恩於盛旦[際], 一區山海, 甘席寵於餘生. 顧報効之無從, 惟職貢之是謹[務], 豈意遭罹寇賊, 俄而隔絶朝廷, 前平壤之蔓延, 後開城之猋及. 每交鋒而[以]示弱, 固非多筭之所爲, 不旋踵而合攻, 竟使隻輪之無返. 其不避南遷之困, 蓋欲寬東顧之憂. 果聞天聽, 獲瞻星使, 冒恩已極, 揆分何堪. 况玆尺寸之微勞, 何與鼎鍾之顯刻. 然遠人之敵愾, 其可取者或存, 在昭代之報功, 雖至微而必錄, 撫躬跼蹐[~~踧踖~~], 俟命屛營. 伏望皇帝陛下, 敦字小之仁[~~推視遠之明~~], 擴包荒之量[度], 廻九重之獨斷, 察萬里之孤忠. 渙發德音, 播之多方之口, 丕視[示]功載, 編[傳]之太史之書, 不寧耀今. 于以示後. 則臣謹當勸歌七德, 移[賡]箕封按堵之風, 祝壽萬年, 奉舜殿垂衣之化".[133]

○又賀平海·蓋賊表曰, "大人之造, 基緖彌隆, 妖寇之平, 寰區共慶. 皇帝陛下, 仁敦及物, 德洽好生. 干羽兩階, 謂昏迷之可格, 耕桑萬里, 欲黎庶之載安. 誅討不加, 猖狂未已, 長驅而直抵箕壤, 再聚而復汚松京. 自念爲寄維藩, 不可遺君以賊, 發軍盡口, 與士同心, 果仗皇靈, 累殲醜類. 何枝黨之餘喘, 尙海·蓋之爲栖, 聽帥指而往從, 助兵威而耀示, 姦萌銷沮, 殘蘖降投. 時升泰平, 聖化旣敷於率土, 境絶陵侮, 洪恩徧及於小邦. 臣敢不恪修朝聘之儀, 益貢康寧之祝".

[公遂, 奇后[奇皇后]外從兄也. 初諸奇敗, 皇后謂太子曰, "爾年已長, 何不爲我報讎". 會崔濡在元, 諂事丞相搠思監及本國宦者[~~后宮宦者本國人~~]朴不花, 爲將作□[院]同知, ~~又爲同知樞密院事.~~ 知后怨王, 又恃金鏞殺安祐等諸將, 而爲內應, 遂與群不逞, 說后, 謀構王廢之, 而立德興君[塔思帖木兒]爲主:節要轉載].[134]

[→初, 諸奇敗, 皇后謂太子曰, "爾年已長, 何不爲我報讎." 會濡在元, 諂事丞

이 있었다고 한다.

· 『師守記』 권40, 貞治 2년 2월, "四日甲辰, 天霽, … 今曉寅剋大地震, … 十日庚戌, 天陰, 雨降, … 入夜丑□[剋]地震, … 十八日戊午, 天陰, … 入夜戌剋大地震, 無程又小地震".

132) 이때의 書狀官은 林樸이었으며, 李公遂와 許綱은 4월 3일(壬寅) 興聖宮에서 惠宗[順帝]를 알현하고 예물을 바쳤고, 李公遂는 그의 姑從4寸妹인 奇皇后를 만나 공민왕의 폐위를 철회시켜 주기를 부탁하였다. 李公遂는 21일(庚申) 太常禮儀院使에 임명되었는데, 혜종이 德興君을 받들고 귀환하게 하였으나 稱病하고 머물렀다(열전24, 林樸, 열전25, 李公遂 ; 李公遂墓誌銘).

133) 이 표는 『목은문고』 권11, 平紅賊後陳情表인데, 添字는 이에 의거하였다.

134) 이 기사는 열전44, 崔濡에도 수록되어 있으나 자구에 출입이 있다.

相捌思監及后宮宦者本國人朴不花, 爲將作□院同知, 又爲同知樞密院事. 知后怨王, 又恃金鏞殺安祐等諸將而爲內應, 遂與群不逞, 說后謀廢王, 立德興君塔思帖木兒. ○同知樞密院事崔濡, 妄奏, "紅賊之難, 高麗失國印, 擅鑄新印用之". 元立德興君爲王, 以奇三寶奴爲元子, 金鏞判三司事, 濡自爲左政丞, 凡國人之在都者, 咸署僞官, 且請發遼陽□行省兵:列傳44崔濡轉載].

[○至是, 公邃, 行至西京, 謁太祖原廟,[135] 誓曰, "吾君而不復位, 臣之死, 不□復還". ~~公邃奇后內兄也,~~ 旣至京師, ~~后及太子遣人郊勞.~~ ~~帝在興慶宮召見,~~ 奇后設饌厚慰, 謂公邃曰, "卿, 盡心孝吾母, 是吾親兄也, 敢不以親兄待之". 公邃對曰, "周姜嫄·任姒, 育聖基化, 風雅存焉, 及其中衰, 姜后待罪, 宣王以興. 褒·妲·呂·武, 覆宗絶嗣, 美惡昭然, 千載龜鑑. 我高麗之於大朝也, 戎臣結兄弟於初, 天子定甥舅於後,[136] 百有餘年, 魚水相得. 矧今我皇后, 卽周之任姒也, 三韓之幸, 於斯爲大. 今王, 勤王敵愾, 爲國樹勳, 當行賞典, 昭示四方, 以激將帥, 奈何逞私憾, 廢公義乎. 丙申恭愍5年之禍, 實我家盛滿, 不知止足之致然耳, 非王之罪也. 不知自咎, 而欲廢有功之主, 他日, 必爲天下笑. ~~願善奏于帝, 復吾王, 逐姦臣~~". ○后雖感其言, □然怒猶未已, 遂令公邃, 奉德興君東歸. ~~時國人在燕京者, 皆受僞官東歸,~~ 公邃托疾, 請留後~~公邃獨不肯. 后及太子强之, 公邃曰, "老臣縱不能以頸血濺德興之轅, 其忍從邪". 辭疾請留, 皇后不敢强~~:節要轉載].[137]

乙巳5日, 命收瘞暴骸, 稾埋者, 日三食, 五日給布一匹.

[丁未7日, 月犯東井. 太白犯昴:天文3轉載].

---

135) 原廟에서 原은 再의 意味를 지니고 있기에 原廟는 이미 설치된 廟宇와 별도로 새로이 설치한 廟宇를 가리킨다. 이 기사에서 太祖原廟는 太祖의 肖像을 봉안하고 있던 西京의 聖容殿을 指稱할 것이다(→현종 9년 1월 1일).

- 『사기』 권8, 高祖本紀第8, 末尾, "… 及孝惠五年, 思高祖之悲樂沛, 以沛宮爲高祖原廟[裴駰集解, 謂原者, 再也. 先旣已立廟, 今又再立, 故謂之原廟]".
- 『한서』 권43, 叔孫通傳第13, "惠帝爲東朝長樂宮, 及間往, 數蹕煩民, 作復道, 方築武庫南. 叔孫通奏事, 因請間曰, '陛下, 何自築復道高帝寢, 衣冠月出游高廟, 子孫奈何宗廟道以上行哉'. 惠帝懼曰, '急壞之'. 通曰, '人主無過擧, 今已作, 百姓皆知矣, 願陛下爲原廟渭北, 衣冠月出遊之, 益廣元廟, 大孝之本'. 上詔有司, 立原廟["師古曰, 原, 重也, 先已有廟, 今更立之, 故云重也]". 이와 같은 내용이 『자치통감』 권12, 漢紀4, 惠帝 3년(bc192) 3월에도 수록되어 있다.
- 『考古編』 권8, 廟在郡國, 亦名原廟, "漢書叔孫通傳, 通說惠帝曰, '願益爲元廟渭北, 衣冠月出遊之', 上乃詔有司, 立原廟, 原廟之名始此. 原者, 如原蠶之原, 旣有大廟, 又有此廟, 是取重, 再爲義也. …"(四庫全書本8左4行).

136) 天子는 延世大學本에는 大子로 되어 있으나 오자일 것이다(東亞大學 2006년 25冊 406面).

137) 이 기사는 열전25, 李公邃에도 수록되어 있으나 자구에 출입이 있다. 또 이때 李公邃의 大都에서의 行蹟은 그의 묘지명에 상세히 반영되어 있다.

己酉[9日], 倭國歸我被擄人三十餘口.

辛亥[11日], 王遊賞興王寺北松嶺.

甲寅[14日], 三司右使金光載卒, [年七十, 諡文簡:追加].[138)] [光載, 台鉉之子, 事忠定, 甚見委任. 及王卽位, 杜門不出, 事母盡孝, 母歿, 廬墓終制, 每時祭, 涕泣不止. 王聞而嘉之, 命有司旌表所居曰, 靈昌[令昌坊]孝子里, 復里若干戶, 以奉事焉. 居家, 不治生產, 左右琴書, 湛如也:節要轉載].[139)]

[→[金光載,] 恭愍立, 杜門不出, 凡十二年. 奉養其母, 朝夕盡禮, 母歿廬墓終制, 每祭必涕泣不止. 王聞而嘉之, 使人諭曰, "思與卿語, 可使得見乎?". 光載時抱疾, 扶入見, 王曰, "年顔非甚衰也, 而有斯疾何耶? 歎惜久之". 命有司, 旌表所居曰靈昌[令昌]坊孝子里, 復其里若干戶, 以奉事焉. 光載, 敦行孝悌, 居家不治生產, 左右琴書, 湛如也. 臨歿謂其妻曰, "男子不絶於婦人之手禮也, 可與衆婢退矣. 且戒毋高聲疾言, 以擾我也". 子興祖, 倜儻有志, 官至軍器監, 歷宰水原·海州. 與金齊顔·金精等, 謀誅辛旽, 事洩爲所害:列傳23金光載轉載].

庚申[20日], 親設華嚴三昧懺道場于時御宮.

[○改蓋重修安東府鳳停寺極樂殿:追加].[140)]

[增補].[141)]

閏[三]月辛未朔[小盡,丙辰], 夜五鼓,[142)] [都僉議贊成事]金鏞密遣其黨五十餘人, 犯行宮[興王寺], 宿衛皆奔竄, 殺宦者安都赤及□[都]僉議評理王梓·判典校寺事金漢龍. 又殺右政丞洪彦博于其第.[143)]

---

138) 이는 『목은문고』 권17, 金光載墓誌銘에 의거하였다. 또 이 묘지명에서 高昌縣은 高敞縣의 오자일 것이다. 이날은 율리우스曆으로 1363년 3월 29일(그레고리曆 4월 6일)에 해당한다.

139) 靈昌은 東部 令昌坊의 오자일 것이다.

140) 이는 다음의 자료에 의거하였다(李基白 1987년 218面).

- 「鳳停寺極樂殿棟樑記」, "至正二十三年癸卯三月 日改蓋重修, …".
- 『퇴계집』 권4, 鳳停寺西樓次韻, [注, 樓有吏曹正郎裴杠詩, 且記事蹟云, 寺始刱於新羅, 大德能仁所刱, 仁居此山, 天燈長垂於前, 因名曰天燈山, 又山前有地名胎藏, 相傳藏某時某王胎. 樓題多稱其事, 以爲地靈異云, 余年十六, 嘗讀于此].

141) 이달(日本曆의 2월)의 15일(乙卯)에 일본의 京都에서 월식이 있었다고 한다.

- 『師守記』 권40, 貞治 2년 2월, "十五日乙卯, 天晴, … □[月]蝕, 大分皆既, 虧初午七刻□□六分, 加時申一□[刻]八分, □□[復末]酉二刻□□".

142) 五鼓는 五更, 戊夜, 平旦이라고도 하며, 현재의 시각으로 午前[曉, 새벽] 3時에서 5時까지[黎明]에 해당한다.

[→夜五鼓，賊金守·曹連等五十餘人，突至行宮興王寺，斬守門者，直入曰，“我奉帝旨來”，徑至寢殿戶外，殺宦者姜元吉，宿衛皆奔竄．宦者李剛達，負王從牖出走，詣大妃[太妃]密室，蒙毯而匿，公主坐當其戶．盜入王寢殿，有宦者安都赤，貌類王，欲以身代王，遂臥於寢內，賊認爲王，而殺之，踊躍呼萬歲．○殺侍衛□[都]僉議評理王梓·判典校寺事金漢龍等，又至右政丞洪彦博所舍曰，“出迎帝命”．彦博，整衣冠將出，子及妻覺其詐，勸避之，彦博曰，“安有爲首相，而逃死者乎?”．出見曰，“爾乃賊也，何稱帝旨”，賊遂擊殺之．○既而，賊審知王尙在，陽言於衆曰，“愼勿驚動乘輿”，分其黨四十餘人，監宮內諸務，促膳者，具膳以進，欲使王，不疑而出也．又分其黨，趣京城，殺留都宰相:節要轉載].[144)]

[→賊金守·曹連等五十餘人，夜至行宮興王寺，斬門者直入．相呼爲宰臣，稱帝旨，殺侍衛□[金]漢龍及僉議評理王梓·文睿府左司尹金台權,[145)] 宦者姜元吉，衛士七八人，徑至寢殿．宦者李剛達，負王匿太后[洪氏]密室，賊入寢殿．宦者安都赤貌類王，代王臥於寢內，賊認爲王，殺之，踴躍呼萬歲．○既而知王尙在，佯言於衆曰，“愼勿驚動乘輿.” 以其黨四十餘人，監宮內諸務，促膳夫進膳，欲王不疑而出也．賊分遣其黨入城，殺留都宰相:列傳44金鏞轉載].[146)]

[→興王之變，子師範遣人走報，令避之．時尙早，[右政丞洪]彦博方與妾臥，聞之自若曰，“不可不食而赴難”．令作粥．賊遣其黨，趣彦博所舍，門客急告曰，“賊將至而猶不起耶”．俄而賊至曰，“出迎帝命”．家人報曰，“賊在門，宜速避”．彦博曰，“吾見賊，問其故”．終不避．子及妻勸避，猶不肯曰，“安有爲首相，而逃死者乎?”．徐整衣冠，出戶曰，“爾乃賊也，何稱帝旨”．賊斮之，血濺屋椽．年五十五．賊在興

---

143) 洪彦博이 逝去한 이날[此日]은 閏年의 閏3월 1일인데, 율리우스曆으로 1363년 4월 15일(그레고리曆 4월 23일)에 해당한다. 또 閏年의 閏月[閏之後月]에 어떠한 事端이 발생하였을 경우는 平年에는 該當月[閏之前月]로 계산하였다. 그래서 洪彦博(李穡의 座主)의 忌祭는 3월 1일에 행해졌다.
- 『목은시고』 권21, 三月初一日, 陽坡先生[洪彦博]忌旦, 忘之闕助祭, 因誌其過.

144) 安都赤[安도치, 妥兒赤, dorji]에 관한 내용은 열전35, 安都赤에도 수록되어 있다.

145) 本貫이 義城인 金台權에 관련된 자료로 다음이 있다.
- 『西山集』 권16, 金宜碑陰記, “… 台權, 權文睿府左司尹, 死于金鏞之亂”.

146) 이와 관련된 기사로 다음이 있다.
- 열전2, 恭愍王妃, 魯國大長公主, “興王之變, 王入太后密室, 蒙毯而匿, 公主坐當其戶, 亂定王乃出”.
- 열전25, 柳淑, “興王之變, 王避于密室, 聞賊相語曰, 何故來遲. 曰, 殺[右政丞]洪彦博·[瑞寧君]柳淑, 故遲”.

王者聞之, 皆呼萬歲. □[後,] 贈諡文正, 以禮葬之. 子師普·師範·師禹·師瑗:列傳24洪彥博轉載].

[○會[都僉議]左政丞柳濯與諸宰相, 以朔例祝釐, 方在妙蓮寺, 聞變, 將如巡軍萬戶府, 集兵討賊, 賊先騎已至妙蓮洞口. 濯等, 駷馬由間道, 至巡軍. [贊成事]金鏞, 獨不赴妙蓮, 先至巡軍, 集衆, 陽言討賊, 謂諸宰相曰, "諸公領此兵, 可先詣行在, 予亦收散卒繼進. 濯, 揣鏞有異志, 留以觀變, 鏞與門客巡軍提控華之元, 相目, 凡賊被執來者, 不訊輒殺, 以滅口:節要轉載].[147)]

○密直使崔瑩·副使禹磾·知都僉議□□[司事]安遇慶·上護軍金長壽等, 自京城, 帥兵詣行宮, 擊賊平之, 長壽死之.

[→[密直使崔瑩等,] 帥兵馳詣行宮, 將入門, 諸將云, "當審視賊所在, 乃入", [金]長壽厲聲曰, "賊徒在內, 何謂審視", 毁門先入, 斬賊三人. 瑩等, 遂進擊盡殺之, 長壽, 中劍死之:節要轉載].

[→賊犯興王行宮, 長壽從崔瑩, 自城中率兵馳詣行宮. 將入門, 諸相曰, "當審視賊所在, 乃入". 長壽厲聲曰, "賊在內, 何謂審視". 毁門拔劒而入, 斬一人. 賊以劒, 斫其額, 血流被面, 冒刃又殺二人, 衆從而入, 長壽爲賊所害:列傳26金長壽轉載].

○亂定, 王入御[前三司右使]康得龍家.

[→亂定, 宿衛復集, 王出自密室, 卽日入京:節要轉載], 令百官宿衛, 徼巡. 命[僉都議贊成事]李仁復·[密直副使]丁贇·[密直副使]禹磾·洪善福, 鞫賊于巡軍.

[→旣而諸將率兵入討, [瑞寧君柳]淑隨之入, 王曰, "謂卿已死, 不復再見. 及見卿面, 疑其思成, 聞卿之語, 疑始釋矣". 乃拜政堂文學兼監察大夫, 策功[策扶侍避難功]爲一等:列傳25柳淑轉載].[148)]

[□□[是時], 興王之變, 衛士皆散, 無一人侍衛者. 難定, 王謂左右曰, "人皆謂睦仁吉·禹磾爲愚癡, 然二人在, 必不逃難". 遂召仁吉還. ○故事爲商議者, 雖與議國政, 不得署文移. 一日會議, 諸相曰, "商議亦相也, 同議而不署可乎?". 商議金貴,

---

147) 이와 같은 기사가 열전44, 金鏞에도 수록되어 있다.

148) 이 기사에서 瑞寧君 柳淑이 興王寺의 난이 진압된 후 곧장 政堂文學兼監察大夫에 임명된 것 같이 되어 있으나 『고려사』의 編纂者가 그의 墓誌銘을 잘못 축약한 것이다[杜撰]. 또 策功은 첨자와 같이 고쳐야 뜻이 鮮明해질 수 있다.

· 「柳淑墓誌銘」, "歲癸卯[恭愍12年], 駕還京, 以興王寺爲行宮. 賊用夜半潛入內, 殺直宿官, 上避於密室, 聞賊相語曰, '何故來遲', 賊曰, '殺洪某·柳某, 故遲來'. 旣而諸將率兵入救, 公隨之入. 上曰, '謂卿已死, 不復再見, 及見卿面, 疑其思成, 聞卿之語, 疑始釋矣'. 卽日入城, 拜政堂文學. 冬十月, 兼監察大夫".

位在仁吉下，先署之. 旣而仁吉至，嫌其先己，乃不署. 評理崔瑩怒白王令署之，仁吉竟不從，其恃寵倨傲如此:列傳27睦仁吉轉載].[149)]

[己卯9日，月暈:天文3轉載].

[○旋風忽起，吹亂市賈諸物，高擧空中，落巡軍庭，人爭拾取之:五行3轉載].

[庚辰10日，月犯軫星:天文3轉載].

辛巳11日，月暈:天文3轉載].

壬午12日，以判密直司事李珣爲楊廣道都巡問使，出鎭長巖.

[癸未13日，二獐入城中:五行2轉載].

乙酉15日，[立夏]. 錄興王討賊功. 以□□□□□~~贊成事金鏞~~·三司右使李成瑞·知都僉議□□司事安遇慶·密直使崔瑩·密直副使禹磾·韓暉·開城尹梁伯益·典理判書吳仁澤·版圖判書金漢眞·文睿府司尹金滑·右副代言柳繼祖·上護軍楊伯淵·□□□~~金長壽~~·上護軍金庾·判小府寺事金之瑞·判典醫寺事李春英·司宰令李芬·護軍李龍吉，爲一等功臣.[150)] ○版圖判書崔龍雨·典工判書李陽·大護軍權禧·李得霖·典客令全甫·版圖摠郎文天起·朴良吉·親從護軍李松·三司副使孔帖木兒·通禮門副使趙臣佐·護軍崔潭·中郎將金安壽，爲二等功臣.[151)]

○扶侍避難功，以瑞寧君柳淑·判典校寺事成士達·左代言金達祥·鷹揚軍上護軍朴椿·

---

149) 倨傲는 延世大學本에는 倨傲로 되어 있으나 오자일 것이다(東亞大學 2006년 25冊 481面).

150) 이때 興王寺討賊 一等功臣에 대한 기록으로 다음이 있고, 이때 ~~添字~~와 같이 贊成事金鏞, 上護軍 金長壽가 탈락되었던 것 같다. 그중에서 金鏞은 23일(癸巳) 파직, 유배될 때 削勳되었을 것이다.
- 열전44, 金鏞, "亂定，以討賊，爲鏞功策爲一等".
- 열전26, 安遇慶, "又討興王賊，錄功亦一等".
- 열전26, 崔瑩, "恭愍十二年，金鏞謀亂，遣其黨犯興王行宮. 瑩聞變，與禹磾·安遇慶·金長壽等率兵馳赴，擊賊盡殺之. 策勳一等，又賜土田·臧獲".
- 열전26, 金長壽, "亂定，論功爲一等".
- 열전27, 李成瑞, "王避紅賊南遷，命爲楊廣道都巡問兼兵馬使，簽兵有功. 興王之變，從崔瑩擊賊又有功，俱策爲一等".
- 열전27, 吳仁澤, "… 吳仁澤，累遷上將軍~~大將軍~~. 又從祐等，收復京城，又與崔瑩，討興王賊，錄功俱一等，賜端誠亮節功臣號". ~~添字~~와 같이 고쳐야 옳게 된다. 이때 吳仁澤이 安祐를 따라 京城을 수복한 것은 1362년(공민11) 1월 17일이고, 같은 해 2월 29일 安祐가 尙州 行宮에서 金鏞에게 피살된 후 吳仁澤은 大將軍으로서 龍宮縣으로 나가 李芳實을 처단하였다.
- 열전27, 金庾, "又策興王定亂功爲一等".
- 열전27, 楊伯淵, "後爲上護軍，從崔瑩定興王之亂，策功一等，驟遷密直副使".

151) 權禧는 權僖(1319~1405, 權近의 父)의 初名 또는 오자로 추측되는데(열전20, 權呾, 皐 ;『成化安東權氏世譜』),『태종실록』에도 兩者가 병용되고 있다(권10, 5년 12월 辛巳19日, 權禧의 卒記).

宦者延城府院君金玄·上護軍李剛達, 爲一等功臣, 禮儀摠郞柳實·司宰副令崔忠輔·典校寺丞金文鉉·中郞將金萬, 爲二等功臣.152)

○建議集兵定難功, 以左政丞柳濯爲一等功臣.153)

○又錄辛丑恭愍10年扈從功, 以卒右政丞洪彦博·贈政丞鄭世雲·鐵城府院君李嵓李嵒·判三司事金逸逢·唐城府院君洪元哲·贊成事商議慶千興·參知政事黃裳·瑞寧君柳淑·奉化府院君鄭松壽·漢陽府院君朴有文·泗城君睦仁吉·前密直副使許猷·版圖判書金漢眞·肅雍府左司尹宋仁績·前安東都護府使洪彦猷·判典校寺事成士達·文睿府右司尹張得安·判司僕寺事車安道·知申事元松壽·右代言李穡·左代言金達祥·前鷹揚軍上護軍洪師禹·前判司僕寺事朴元澤·檢校評理金桂·前上護軍許瑞·判司僕寺事李良·判典醫寺事李春榮·前判小府寺事黃大都·檢校評理李難守·李天暉·徐俊·玄之妙·金生麗·鄭之信·金勇麗·李絢·監察執義李成林·前大護軍馬天麟·李華·宗簿令金廣·前衛尉尹兪伯·前典客令楊贇·司僕正尹松·典醫副令金君鼎·通禮門副使趙臣佐·前典客副令南大剛·前軍器監金元世·護軍李邦英·玄臣祐·前護軍金天佐·金良壽·朴英祐·李乙卿·禹連·金仁雨·李光祐·典農副正孫廉·司僕副正孫元·劉信·檢校上護軍朴資·申之善·張成吉·崔伯顔·故親從護軍金承德·中郞將金龍·崔公·朴石連, 宦者延城府院君金玄·寧原府院君申小鳳·晋原府院君金壽萬·上護軍李剛達·判內府寺事尹忠佐·大護軍尹祥, 爲一等功臣.154) ○密直副使柳淵·前開城尹洪師範·朴元鏡·監察

---

152) 柳實(柳淑의 長子)은 열전25, 柳淑, 實에 "恭愍朝, 累遷禮儀摠郞, 錄辛丑扈從·興王定亂功扶侍避難功, 俱二等"으로 되어 있으나 添字와 같이 고쳐야 옳게 될 것이다.

153) 이 기사는 열전24, 柳濯에 "錄興王定難功爲一等□□功臣"으로 수록되어 있다.

154) 이때 扈從 1등 공신으로 책봉된 李穡은 田 100結, 奴婢 20口를 하사받았다고 하며(『양촌집』 권40, 李穡行狀), 이때 1등 공신에 책봉된 사례는 다음과 같다.
- 열전18, 許珙, 猷, "官累密直副使, 策扈從·收復功俱一等, 封陽川君".
- 열전20, 元傅, 松壽, "賊平, 策扈從功爲一等".
- 열전23, 金倫, 希祖, "賊平, … 錄扈從功爲一等".
- 열전24, 李嵒, "紅賊逼京城, 從王南幸, 賊平, 錄扈從功爲一等, 封鐵城府院君, 賜推誠守義同德贊化翊祚功臣號".
- 열전24, 柳濯, "又定辛丑扈從功臣, … 又爲一等".
- 열전24, 慶復興, "錄己亥擊走紅賊, 辛丑扈從功, 俱爲一等".
- 열전24, 金續命, "王避紅賊南幸, 續命扈從, 策功爲二等, 賜土田·臧獲. 轉監察大夫, 辭不允".
- 열전25, 柳淑, "又策辛丑扈從功, 亦爲一等".
- 열전27, 黃裳, "與安祐等, 收復京都, 策扈從·收復功, 俱爲一等".
- 열전27, 睦仁吉, "策己亥平賊, 辛丑扈從功, 俱爲一等, 恭愍14年, 拜僉議評理".
- 열전28, 李穡, "恭愍十年, 紅賊陷京, 王南幸扈從, 錄功爲一等".

大夫金續命·前版圖判書金元命·肅雍府右司尹金忠信·前判衛尉寺事張天志·判典客寺事張伯顔·前上護軍慶補·檢校評理洪深·宋璟·故□[判]典校寺事金漢龍·故軍器監金敦民·前司議□□[大夫]朴大陽·前大護軍金阿赤·朴普安·大護軍羅光滿·金立堅·三司右尹金光乙·軍器監金光乙[金先致?]·前司宰令金暉·典理摠郎田祿生·典法摠郎權鑄[155)]·禮儀摠郎柳實·親從護軍金世德·三司副使朴璘·前護軍趙君玉·前水原府使金興祖·前典農副正鄭世文·前護軍金斯革·康福龍·奉仁輔·護軍裵吉·李逢雨·薛松·典醫副正禹顯·軍簿正郎朴思愼·考功正郎洪師瑗·檢校上護軍宋忠·金貴萬·朴守英·金古都不花·中郎將金天老·吳守·李存敬·趙成·朴伯顔·李石丑斯·林祐·羅元·郞將李遷·張龍·劉德, 爲二等功臣.[156)] [以刑部員外郎趙云仡等爲三等功臣:追加].[157)]

○錄僉兵輔佐功, 以左政丞柳濯·三司右使李成瑞·□[都]僉議評理李春富·知密直司事李龜壽·前判典農寺事全以道·大護軍林堅味, 爲一等功臣. 判軍器監事尹海[尹侅]·前大護軍睦忠·典法摠郎柳冲, 爲二等功臣.[158)]

○又錄收復京城功. 以贊成事商議黃裳·政堂文學韓方信·知都僉議□□[司事]安遇慶·判密直司事李珣·密直使崔瑩·知密直司事李龜壽·密直副使禹磾·柳淵·韓暉·前密直副使許猷·開城尹梁伯益·□[都]僉議評理李仁任·典理判書吳仁澤·金貴·禮儀判書洪瑄·典工判書趙希古·版圖判書金漢眞·前版圖判書金元命·前典工判書金漢貴·前

· 열전26, 鄭世雲, "又追錄扈從及收復之功, 俱爲一等".

155) 權鑄는 1360년(공민왕9) 3, 4월 무렵 郞中으로 재직하면서 李穡과 교유하였던 것 같다(『목은시고』 권5, 次韻權郎中園中松, 鑄).

156) 이에서 '三司右尹金光乙·軍器監金光乙'은 오류일 것이고, 2人 중의 1人은 他人의 이름이 잘못 기재되었을 것이다. 그 중의 1人은 이 전쟁에 참전하였던 金先致(金得培의 弟)일 가능성이 있다(→공민왕 11년 1월 18일의 脚注). 또 이때 2등 공신에 책봉된 사례로 다음이 있다.
· 열전25, 田祿生, "紅賊之亂, 扈駕南幸, 錄功爲二等".
· 열전38, 金元命, "[金元命,] 遷上將軍, 錄誅奇轍及辛丑扈從功爲二等".

157) 이때 趙云仡이 3등 공신에 책봉된 것은 그의 卒記에 수록되어 있다.
· 『태종실록』 권8, 4년 12월 壬申[5日], 趙云仡의 卒記, "至正辛丑, 高麗恭愍王, 避寇南巡, 朝臣多竄匿苟活, 云仡以刑部員外郎從之, 事平, 錄功爲三等".

158) 錄僉兵輔佐功臣에 대한기록으로 다음이 있다.
· 열전24, 柳濯, "以濯濟師有勞, 又爲一等□□[功臣]".
· 열전27, 李成瑞, "王避紅賊南遷, 命爲楊廣道都巡問兼兵馬使, 簽兵有功. 興王之變, 從崔瑩擊賊又有功, 俱策爲一等".
· 열전38, 李春富, "… [李春富,] 轉都僉議評理. 賊平, 以簽兵有勞, 錄功爲一等".
· 열전27, 全以道(→공민왕 10년 11월 19일 脚注).
· 열전39, 林堅味, "賊平, 策扈從功[僉兵輔佐功]爲一等. ~~十一年, 從諸將收復京城, 又錄功爲一等~~". 여기에서 添字와 같이 고치고, 補完하여야 옳게 될 것이다(→다음의 脚注 참조).

判閤門事[前判閤門事]金得齊·左常侍金鉉·判司宰寺事權長壽·判內府寺事邊安烈·判宗簿寺事李[太祖諱][李成桂]·左代言柳繼祖·鷹揚軍上護軍朴椿·前鷹揚軍上護軍洪師禹·判宗簿寺事池龍壽·判司僕寺事朴元澤·前上護軍慶補·判司宰寺事金之瑞·大護軍林堅味·羅光滿·趙思敏·睦忠·前大護軍李元琳·金良釰·金阿赤·正尹魯哲·典客令全甫·護軍金世堅·康永·張龍·吳六和·前護軍劉富·曹金剛·親從護軍金世德·版圖摠郎朴良吉·典工正郎河乙沚·前知文州事朴仁桂·中郎將朴允清·宦者延城府院君金玄·溫陽府院君方節, 爲一等功臣.[159] ○延安君宋卿·前密直副使金光祚·軍簿判書尹陟·判書雲觀事禹吉生·判典客寺事張伯顔·衛尉尹廉興邦·廣州牧使宋良遇·漢陽尹崔安沼·安邊府使李昉·前判內府寺事閔玥·前判典農寺事全以道·上護軍金庾·判內府寺事李善·前安州牧使鄭文祐·前判繕工寺事林完·前判典醫寺事石抹天英·大護軍辛廉·李用藏·李得霖·前大護軍李華·馬天麟·金光富·許瑞·邊光秀·前典儀令金光雨[160]·海州牧使金桂生·小府尹李廣大·安邊府使金彦龍[161]·判典醫寺事崔英氣·內府令李元桂·前軍器監韓邦彦·小府尹金長桂·護軍趙仁璧·金允精·前宗簿副令康元甫·都官正郎柳珣·尙州判官崔仲清·中郎將辛之奕·尹善·典儀注簿張夏·知咸州事朴仁蒇·前護軍韓仲明·趙君玉·金斯革·軍器少監李芳年·護軍洪久佐·典理摠郎河源·前成均司藝金銖·書雲副正鄭居吉·寢園令李子修[李子脩]·中郎將趙平·李子芬·前奉車令

---

159) 이때 收復京城 一等功臣에 관한 기록으로 다음이 있다. 그런데 이 기사에는 林堅味가 1등 공신으로 책봉되었다고 하지만, 열전39, 林堅味에는 반영되어 있지 않다.

- 열전26, 安遇慶, "恭愍八年, 從安祐等, 擊走紅賊, 後與[元帥安]祐等收復京都, 錄功俱一等".
- 열전26, 崔瑩, "[恭愍]十一年, 與安祐·李芳實等, 收復京都, 錄勳爲一等, 圖形壁上, 賜土田·臧獲, 爵其父母妻. 除典理判書".
- 열전27, 黃裳, "與安祐等, 收復京都, 策扈從·收復功, 俱爲一等".
- 열전27, 池龍壽, "恭愍時, 從安祐等, 擊走紅賊, 又與祐等, 收復京城, 錄功俱一等".
- 열전27, 全以道, 上記의 脚注와 같다.
- 열전27, 吳仁澤, 上記의 脚注와 같다.
- 열전38, 金元命, "…, 錄…·收復京城功, 爲一等".
- 열전38, 金鉉, "紅賊陷京, 鉉從諸將收復□□[京城], 錄功爲一等".
- 열전39, 李仁任, "[恭愍]十一年, 與諸將收復京都, 又策功爲一等".
- 열전39, 邊安烈, "又與[元帥安]祐等, 收復京都, 錄功爲一等".

160) 金光雨는 後日 奉順大夫·判衛尉寺事에 이르러 그의 夫人 鐵城郡夫人 李氏와 함께 金字寫經을 조성하여 寺社에 奉獻하였던 것 같다(東京都 江東區 永代 2-37-23 萬德院 所藏, 김종민 2010년b ; 郭丞勳 2021년 476面).

- 『白紙金泥妙法蓮華經』 권3, 跋, "功德主奉順大夫·前判衛尉寺事金光雨,」 鐵城郡夫人李氏」 ".

161) 金彦龍은 丁克仁(1401~1481)의 祖母 安東金氏의 父인 것 같다(『不憂軒集』卷首, 丁克仁行狀).

都遇, 爲二等功臣.[162] ○一等, 圖形壁上, 父母妻超三等封爵, 官其子一人七品, 若無子, 則甥姪女壻一人拜八品. 驅史五人·眞拜把領七人, 許初入仕, 子孫蔭職敍用, 賜田一百結, 奴婢一十口. 二等, 父母妻超三等封爵, 官其子一人七品, 若無子, 則甥姪女壻一人拜八品. 驅史三人·眞拜把領五人, 許初入仕, 子孫蔭職敍用, 賜田五十結, 奴婢五口.[163]

[戊子18日, 亦如之月暈:天文3轉載].

[○獐入城中:五行2轉載].

癸巳23日, 以前侍中廉悌臣爲都僉議右政丞, 柳濯爲左政丞,[164] [瑞寧君柳淑爲政堂文學:追加],[165] 密直使崔瑩爲盡忠奮義佐命功臣·判密直司事, 禹磾爲宣力協協保功臣·密直副使, 韓暉爲推誠翊戴功臣·密直副使, 吳仁澤爲端誠亮節功臣·典理判書, 楊伯淵爲推誠翊衛功臣·開城尹, 金漢眞爲純誠保節功臣·版圖判書.

[○時廉悌臣, 新拜□右政丞, 宰樞往賀. 贊成事金鏞酒酣, 謂悌臣曰, "三患去矣, 不樂何爲". 人莫知所指, 或謂洪彥博死, 是謂一患去, 賊黨盡殲, 二患去, 自是百姓無憂, 三患去, 或云, 彥博·世雲·三元帥也. 彥博以勳戚爲首相, 鏞雖執權, 不得自逞故云:列傳44金鏞轉載].

[→定興王功臣, 賜土田·臧獲有差, 贊成事金鏞亦與焉, 鏞, 至前侍中廉悌臣家, 飮酒, 與悌臣言曰, 三患去矣, 不樂何爲, 人莫知其意:節要轉載].

[甲午24日:追加],[166] 流金鏞于密城郡. [→興王賊黨逮捕者, 凡九十餘人, 金鏞爲

---

162) 禹吉生은 禹玄寶의 父로서 赤城君에 册封되었다고 한다(열전28, 禹玄寶). 또 崔安沼는 密直司의 宰相[密直]에 이르러 禑王 初年에 江陵에 거주하고 있었던 것 같고(崔宰墓誌銘), 韓仲明은 韓宗愈의 아들인 것 같다(열전23, 韓宗愈). 또 二等功臣에 관한 기록으로 다음이 있다.
- 열전27, 金庾, "恭愍朝, 與諸將平紅賊, 收復京都, 錄功爲二等".
- 열전39, 廉興邦, "廉興邦, 尋陞知申事, 與諸將平紅賊, 收復京都, 策功爲二等". 여기에서 廉興邦은 1367년(공민왕16) 7월 2일 知申事에 임명되었기에 오류이고, 이것 앞의 기사도 1366년(공민왕15) 5월 王妃 魯國大長公主의 影殿이 축조될 시기의 것이어서 前後의 錯亂이 있어났다(→공민왕 16년 5월 11일의 脚注).

163) 이상과 같은 3種의 功臣名單에서 三等功臣은 보이지 않지만 책봉이 있었던 것 같다. 또 이는『고려』의 편찬 과정에서 생략되었을 것으로 추측된다.
- 열전28, 李崇仁, "… 功不在, 累次稱下, 辛丑南幸·癸卯興王·癸卯收復三等者, 收其田, 雖在三等之例, 其所占, 過元數者, 收其贏數, 以充軍需. 仍乞功臣之號, 除有功外, 宜重惜之"(→우왕 6년 6월 某日).

164) 이때 柳濯은 推忠秉義同德輔理翊祚功臣·都僉議政丞·判典理司事에 임명되었다고 한다(柳濯神道碑銘).

165) 이는「柳淑墓誌銘」에 의거하였다.

提調，一不鞫訊，人皆疑之．王召鏞曰，“宜下巡軍，按問情狀，但念前功，姑從末減”，卽命流于密城郡．竄其黨大護軍高懽·典理正郞華之元等數人于外．自是月初，日月無光，無雲而陰，及鏞之去，天氣淸明:節要轉載].

[→然，興王賊黨逮捕者九十餘人，[贊成事·巡軍提調金]鏞一不鞫訊，人皆疑之．王召鏞曰，“欲下汝巡軍，按問情狀，但念前功，姑從末減.”卽流密城郡，令巡軍提控表德麟押行．竄其黨[典理正郞華]之元及大護軍高懽等數人于外．自是月初，日月無光，無雲而陰，及鏞之去，天氣淸明:列傳44金鏞轉載].

[甲午[24日]，歲星犯軒轅:天文3轉載].

乙未[25日]，以興王之變，不能捍衛，流護軍安吉成·郞將池升景·元大有于外.

[○鎭星犯大微[太微]:天文3轉載].

[丙申[26日]，鎭星犯上相:天文3轉載].

[是月頃，以[正順大夫]李偉爲安東大都護府使:追加].[167)]

[○[帝]尋拜[李公遂爲]太常禮儀院使，辭曰，“臣生長荒陬，不慣華語，不習華禮，何敢冒寵取譏．況今將帥布列于外，獲功者未賞，臣恐天下有以議陛下也”，不允．適大享宗廟，公遂爲太常卿，蹈禮不違，觀者敬之．□[皇]太子以帝命召公遂，上萬壽山廣寒殿．□[皇]太子問殿額仁智之義，公遂曰，“愛民之謂仁，辨物之謂智．帝王用此御世，則可致太平矣”．□□□[皇太子]指殿金玉柱曰，“老人曾見乎?”．曰，“帝王發政施仁，則所居屋雖朽木，堅於金石．不然，金玉反不如朽木也”．□[皇]太子彈瑟未成曲曰，久不習，忘之矣．公遂跪曰，“第不忘憂民之心耳，瑟上一二調，忘之何害．帝在太液池舟上”，□[皇]太子以公遂言奏，帝曰，“朕固知此老賢，汝外家唯此一人耳”．○一日，□[皇]后問兄轍禍敗所由，公遂曰，“貪財聚怨，鮮有免者．勢激而然，非王之心也”．宦官朴不花密告□[皇]后曰，“公遂但爲其主，豈念其親”．□[皇]后由是久不召見:列傳25李公遂轉載].

[○德興□[君]至遼陽，[同知樞密院事]崔濡曰，“李公遂在都，其心莫測．事或中變，悔無及矣”．重賂禿魯帖木兒·朴不花，必欲得公遂以歸．公遂知之，謂書狀官林樸曰，“吾旣無父母，又無後，位亦極矣，豈復有一毫顧籍意耶．當祝髮入山，決不從彼也”．禿魯帖木兒等入奏，帝不從:列傳25李公遂轉載].[168)]

---

166) 23일(癸巳)의 기사를 통해 볼 때 이 기사는 24일(甲午)에 이루어진 것 같다[校正事由].

167) 이는 『안동선생안』에 의거하였다.

168) 이 기사는 『고려사절요』 권27, 공민왕 12년 3월에도 수록되어 있으나 자구에 출입이 있다.

[→[恭愍]十二年, [林樸], 以書狀官, 從李公遂如元. 時德興君[塔思帖木兒]誣奏帝曰, "高麗王薨於紅賊", 帝以德興爲王. 樸與公遂奏曰, "吾王破紅賊, 今尙無恙". 帝令樸等奉德興之國, 樸等復奏曰, "臣等若從僭王, 無異於婦人之背其夫也". 帝曰, "任從汝志". 德興□[君]謂樸曰, "爾若不從我, 死且無益". 除典理摠郞以誘之, 樸不受曰, "寧死, 誓不從". 德興□[君]將東行, 請詩於樸, 樸書其屛曰. "棄本滔滔逐末行, 泰山還似一毫輕. 投鞭直欲橫江去, 嗜餠徒勞畫地成. 得瓮舞時誰識破, 吹竽混處謾求榮. 莫將繪事迷人目, 我愛天然古石屛". 學士危素見而嘆曰, "今亦有忠節之士":列傳24林樸轉載].

[春某月, 以[三司左使]李仁復爲都僉議贊成事:追加].[169]

夏四月庚子朔[小盡,丁巳], 祈雨于毬庭.

[辛丑[2日], 小滿. 歲星犯軒轅:天文3轉載].

[癸卯[4日], 歲星·熒惑相犯:天文3轉載].

[甲辰[5日], 日暈:天文1轉載].

丙午[7日], 敎曰, "近因師旅, 民不安業, 大小朝官, 避難在外, 侵奪土田, 剝民自利, 民生益艱. 其令督赴京師".

[丁未[8日], 亦如之[日暈]:天文1轉載].

[庚戌[11日], 熒惑犯軒轅:天文3轉載].

壬子[13日], [江浙~~太尉~~]張士誠遣使□[來], 賀平紅賊, 獻彩叚[綵段]及羊·孔雀.

○王以孔雀, 賜前□[守]侍中李嵓[李喦].

甲寅[15日], 遣密直□[使?]商議洪淳·同知密直司事李壽林如元, 呈百官·耆老書于御史臺曰, "平輕重者惟衡, 辨邪正者惟鑑, 天下之枉直是非, 孰不取正於憲臺之衡鑑乎?. 伏念, 小邦賊平, 通路之後, 獻捷·賀正·謝恩·賀聖節等使, 相繼而未有一人東還者, 而又春盡而朔不頒, 赦出而使不至. 此必朝廷, 內讒人而外小邦也, 小邦果何罪哉. 爰自太祖皇帝以來, 先王所立之功, 藏在盟府, 今王自就國以來, 朝聘之禮不懈益虔. 適遇紅賊, 成功者再, 具已申於中書省矣. 儻有過誤, 累蒙恩赦, 不知讒言, 何所構而輒有異議, 朝廷何所信而乃用讒言. 有功而反傷於讒, 無功而反冒其寵, 四方聞之, 得無議乎. 讒人罔極, 交亂四方. 詩人之所戒, 無情者, 不得盡其辭, 大

169) 이는 「李仁復墓誌銘」에 의거하였다.

畏民志. 聖人之所美. 伏望, 照以至明, 權以至平, 旌我王之功, 正讒人之罪, 天下所望於憲司者, 益光矣".

○又呈書中書省曰, "勢窮則情不可掩, 情迫則言不可飾, 所以顚倒之言, 徑至於至嚴之前也. 小邦爰自太祖·世祖以來, 世爲藩翰, 親則甥舅, 字小之恩, 事大之禮, 有加無已. 逮今我王, 尤荷寵眷, 圖報之誠, 曷嘗少懈. 邇者, 紅賊犯上都, 汚穢宮闕, 攻破遼省, 焚蕩郡邑, 山東之賊, 航海而來, 與之相合, 勢甚猖獗. 己亥[恭愍8年]之春, 小邦賤价, 賀正而廻, 盡爲所害. 至其年冬, 來寇平壤, 隨卽殄滅, 至辛丑[恭愍王10年]冬, 沙劉·關先生等十餘萬衆, 又復奄至, 誘以空城, 卒以擒獲, 盖[盖州]·海[海州]餘黨, 不敢復肆, 小邦有力焉. 四方賊起, 十有餘年, 尙有未盡平者, 東方之寇, 四五年間, 便致廓淸, 天子無東顧之憂, 朝廷無遠討之勞, 我王之功, 未必在諸將之下也. 然當道梗, 捷奏未卽上達, 小邦群不逞之在都者, 因而欲濟其私, 倡爲虛辭. 眩惑朝廷. 而小邦之獻捷, 賀正之人不還, 頒朔·赦詔之使不至, 一國臣民且疑且懼. 伏惟中書, 揔百揆, 撫四夷,[170] 察之以明, 鎭之以靜, 豈惟聽不逞之徒, 反吠其主之言乎? 國旣有君, 而又求君, 此必朝廷所深嫉而誅絶者也. 萬一有過, 朝廷決不與妖賊等視, 賊尙見宥, 且爲大官, 况我王之有功無過者乎. 我王小心謹愼, 畏天之威, 德罔有缺, 民懷其德. 是以, 紅賊之逼, 倭寇之侵, 每戰每克, 不辱釐東之命, 若彼不逞之徒, 得行奸計, 是朝廷自撤其藩籬, 而奪我父母也. 且主憂臣辱, 主辱臣死, 與彼不逞之徒, 論辨曲直, 聒於朝廷之聽, 豈不紛紛然乎? 伏望, 燮理之暇, 敷奏之餘, 曲爲我王, 論功行賞, 以慰遠人之望. 取彼兇徒, 迸諸四裔, 使天下咸知朝廷報功去讒之義, 豈不美哉".

○又呈詹事院曰, "平常之言, 其事或誣, 窘急之言, 其事必直. 竊見我王, 嘗以世子, 入侍天庭, 陪書端本堂, 尤荷睿眷. 其襲爵賜環之命, 出自宸衷, 亦莫非皇太子殿下卵翼之恩.[171] 今王不幸爲讒邪所構, 事迫而勢窮矣, 不訴於諸執事, 而何哉. 我王襲位以來, 小心謹愼, 民附士悅. 頃値紅賊, 出奇制勝, 屢獲軍功. 然以道梗, 未卽獻捷, 不意讒人, 眩惑朝廷, 以致異議, 一國老幼, 罔不痛心. 竊伏惟念, 有功

---

170) 四夷에 대한 설명으로 다음이 있다.

- 『여유당전서』 권25, 小學紺珠, 四之類, "四夷者, 四海之外藩也[注, 在四荒之外]. 東曰九夷[夷, 柢也], 西曰七戎[戎, 兇也], 南曰六蠻[蠻, 慢也], 北曰八狄[狄, 辟也], 此之謂四夷也. 四夷之名, 出'爾雅'[釋地文]".

171) 卵翼에서 卵의 字體가 不足하거나(亞細亞文化社本), 卯로 되어 있으나 오자일 것이다(延世大學本, 東亞大學本).

而必賞，去邪而勿疑，天下古今之通義也．我王既勤職守，又立戰功，雖有大過，猶當見宥，況累經恩赦乎？且我王，非幼而昧於事，非耄而倦於政，不知讒人何所籍而飾其辭乎？伏望參贊之餘，煩爲我王，旌獲賊之功，雪遇讒之恥，公道幸甚".[172]

[○亦如之^日暈^:天文1轉載].

[○月暈:天文3轉載].

[乙卯^16日^，亦如之^日暈^:天文1轉載].

[丙辰^17日^，芒種．亦如之^日暈^:天文1轉載].

丁巳^18日^，^都僉議右政丞^廉悌臣罷，[173] 以柳濯爲右政丞，李公遂爲左政丞，[174] [李子脩爲通直郞·開城判官:追加].[175] [辛丑^恭愍10年^之亂，悌臣棄其母而去，臺諫不署告身，故罷:節要轉載].[176]

己未^20日^，倭船二百十三艘泊喬桐，京城戒嚴，以^知都僉議司事^安遇慶爲倭賊防禦使．

○^前贊成事^金鏞伏誅．[177] [→遣大護軍林堅味·護軍金斗，移囚金鏞于雞林府，與按廉□^使^李寶林鞫之．[178] 鏞云^曰^，"予以八年三宰，無欲不遂，豈有犯上之心乎？但欲去洪侍中耳"．堅味等詰云，[179] "何以殺安都赤乎?"．鏞無以對，遂轘之^支解^，~~徇于諸道~~，傳首京城，~~梟于市~~，籍其家^籍之^．斬其黨十餘人，其餘杖流者，亦數十人．^護軍金^斗，初至密城，拜於樓下，鏞顚倒下接之，自以罪重，見斗褫魄．飮於樓上，猶未知斗爲何人也，酒三行乃悟曰，"君是金將軍耶?"．○~~鏞既誅~~．王尙未忘鏞，爲之泣下，再嘆曰，"誰可恃者"，~~命巡軍，勿復問鏞黨~~．[180] ○後有人得鏞所畜猫兒眼精珠，獻之都堂，一座傳玩，評

---

172) 이 기사에서 공민왕이 일찍이 世子로서 大都에 들어가 端本堂에서 행해진 皇太子의 書筵에 入侍하였다고 하지만, 당시 공민왕은 世子의 자격으로 宿衛한 것은 아니었다.

173) 이와 관련된 기사로 열전24, 廉悌臣, "會金鏞誅，以鏞姻好罷．既而母沒，大斂而葬"이 있다.

174) 이때 다이두[大都]에 파견되어 있던 李公遂는 都僉議左政丞·判軍簿司事에 임명되었다(李公遂墓誌銘).

175) 이는 「李子脩政案」에 의거하였다.

176) 이와 관련된 기사로 다음이 있다.

- 열전24, 廉悌臣, "紅賊之亂，悌臣，馱妻孥財賄，車馬甚盛，棄母而去，臺諫論以不孝，拜相逾月，不署告身".
- 『태조실록』 권14, 7년 8월, "戊午^15日^，光陽府院君李茂芳卒．… 其爲獻納，權臣金鏞求見，托辭不往．廉悌臣拜侍中，公曰，'辛丑之亂，棄母而出，且不隨駕，豈宜作相'，終不署告身".

177) 이날은 율리우스曆으로 1363년 6월 2일(그레고리曆 6월 10일)에 해당한다.

178) 李寶林은 前年(공민왕11) 慶尙道秋冬番按廉使[提察使]에 임명되어 이해[是年]의 春夏番을 連任[仍番]하였다(『경상도영주제명기』).

179) 堅味는 『고려사절요』 권27에는 堅林으로 되어 있으나 오자이다(盧明鎬 等編 2016년 700面).

理崔瑩, 獨不顧曰, "鏞之志, 此等物喪之, 諸公何玩耶?":節要轉載].[181] [杖金鏞黨僉議評理房彥暉·崔守雌. 彥暉女, 適奇有傑奇世傑, 鏞, 嘗脅誘彥暉, 數私之, 以有夫, 不敢自恣, 與守雌爲妻:節要轉載].[182]

○倭寇守安縣.

[壬戌23日, 歲星犯軒轅:天文3轉載].

[癸亥24日, 亦如之日暈:天文1轉載].

丙寅27日, 太白晝見, 經天二日, [客七星並見. 三小星相鬪:天文3轉載].

[丁卯28日, 亦如之日暈:天文1轉載].

[戊辰29日晦日, 亦如之日暈:天文1轉載].

[是月頃, 以通直郞丁令孫爲雞林府判官:追加].[183]

[○權置廟主于彌陁寺, 設廟主還安都監, 密直提學白文寶與平陽伯彥陽伯金敬直, 主其事:追加].[184]

---

180) 忝字는 열전44, 金鏞에 의거하였다.

181) 金鏞의 물건에 대한 내용은 열전26, 崔瑩에도 수록되어 있다.

182) 이 기사의 奇有傑은 1356년(공민왕5) 5월 18일 이후에 피살된 奇有傑(奇轍의 子, 判三司事 元顥의 壻)이 아니라 그때 몽골제국에 있던 그의 동생 世傑의 誤字일 것이다. 또 世傑의 丈人인 房彥暉는 方彥暉의 誤字일 가능성이 높은데, 『고려사』 編纂者의 一部는 自身의 先代에 有關한 事實에 대해 任意로 改書, 改字한 경우가 있었던 것 같다.

- 열전44, 奇轍, "世傑妻房氏, 評理彥暉女也. 奇氏既滅, 金鏞脅誘彥暉, 私房氏. 以其有夫, 不敢自恣, 乃與其門客正言崔守雌爲妻. 及鏞流, 王繫彥暉·守雌于巡軍, 杖之. 鏞誅, 國人奪房氏, 後世傑迎歸于元".
- 『목은시고』 권5, 奉呈鞠野, 姓方, 諱彥暉.

183) 이는 『동도역세제자기』에 의거하였다.

184) 이와 관련된 기사로 다음이 있는데, 이에 의하면 이보다 먼저 太廟[宗廟]의 神主는 임시로 彌陀寺[彌陁寺]에 봉안하고 還安都監을 설치하였다고 한다.

- 지24, 樂1, 太廟樂章, "恭愍王十二年五月丁亥, 還安九室神主于太廟, 新撰樂章".
- 열전25, 白文寶, "初, 王還都, 權置廟主于彌陁寺, 設還安都監, 文寶與平陽伯彥陽伯金敬直, 主其事, 稽緩踰月, 王怒督之, 對以無典籍可稽. 遣史官南永伸, 詣海印史庫, 取三禮圖·杜祐通典至. 文寶倣通典, 又採寢園老給事朴忠語爲儀制. 忠不識字, 多出於臆計". 여기에서 平陽伯은 彥陽伯의 오자일 것이고, 金敬直은 檢校侍中에 이르러 逝去하였다고 한다(열전23, 金倫, 敬直, "卒, 官檢校侍中").

  또 이에서 南永伸은 1339년(충혜왕 복위년) 9월 前祭器都監判官 曹時雨가 『三十分功德疏經』을 開板할 때 筆寫를 담당하였던 草溪縣 출신의 成均館服膺齋生이었던 南永臣의 다른 표기로 추측된다(『신증동국여지승람』 권30, 草溪郡, 人物, 南永伸, 박영은 2015년→충혜왕 복위년 9월 某日).

五月己巳朔小盡,戊午，庚午2日，敎曰，“予自襲位以來，畏天愛民，罔敢或怠．理與意乖，內難屢作，外寇再侵，深惟厥咎，實在眇躬．幸賴天地神祇，宗廟·社稷之靈，聖善保佑之恩，忠臣·義士之助，用克制變，以至今日．矧當還都之初，天不悔禍，星芒示警，旱魃爲災，宜先責己，以惠于民．

[□一．其庚子年恭愍9年以前，諸道州縣，三稅雜貢，未到官者，並免追徵:節要·食貨3恩免之制轉載]．

[一．辛丑年恭愍10年以後，所沒諸家之田，悉充軍需，其所奪田土人民，悉還舊主:食貨3恩免之制轉載]．

[□一．比來，奉使之臣，字民之官，例用軍法，敢擅殺人，又於一人，旣杖且贖，予甚憫焉．今後，重刑申聞，輕者杖贖，毋得倂行:節要轉載]．

[□一．畿甸之民，因亂流離，田野多荒，若非寬恤，何以招來．其京畿公私田租，限三年，三分減一:節要·食貨3恩免之制轉載]．

[一．各道館驛，比因多故，日益凋殘．其元屬土田，爲人所奪者，官爲究治，以安生業．龍駒以北諸驛，三道之衝，供費尤多，其柴炭貢輿，免<u>三年</u>:兵2站驛轉載]．[185]

[□一．近因干戈，敎養頗弛．自今，成均·十二徒·東西學堂·諸州郡鄕校，嚴加敎誨，作成人才．其土田·人口，或被豪强所兼幷者，官爲析辨，以贍學用:選擧2學校轉載]．

[□一．守令賢否，民之休戚，係焉．今後，□都僉議·監察及六曹五品以上，各擧所知，以備擢用．所擧非人，罪及擧主:選擧3選用守令轉載]．

[□一．陣亡軍吏子孫，屢命擢用，有司視爲文具，予甚痛焉．各具姓名以聞:選擧3功臣子孫轉載]．

[□一．比年，外吏，規免本役，多以雜科出身，以致鄕邑彫廢．自今，只許赴正科，毋令與於諸業:選擧3鄕職轉載]．

[□一．田法弊久，國匱民貧，仰都評議使司，當於農隙，遴選官吏，改行經理，以便公私:食貨1經理轉載]．

[一．祿轉自量之令，已嘗頒示，州縣之吏，視爲文具，弊復如前．宜令本管官司，務要親臨，毋得縱吏爲奸，京倉交納，亦許外吏自量:食貨1租稅轉載]．

[一．諸宮司倉庫之奴，收租之弊，主典者，屢以爲言．今後，各道存撫·按廉，照

185) 이 기사는 『고려사절요』 권27에 축약되어 있다(“自龍駒以北諸驛，三道之衝，供費尤多，其柴炭貢輿，免三年”).

依各項田土元籍, 及時收納. 州縣之吏, 如有容私作弊, 隨數倍償, 痛行理罪:食貨1租稅轉載].

[□ᅳ. 塩法之設, 本以裕國便民, 法久弊生, 反爲民患. 宜令各道存撫·按廉使, 取勘塩戶見數, 給塩, 方許納布:食貨2塩法轉載].

[□ᅳ. 債負無文契, 元借錢人已物故者, 斷自辛丑恭愍10年十一月以前, 並不許追徵, 其質當子女者, 計傭, 令歸父母:食貨2借貸轉載].

[□ᅳ. 鰥寡孤獨, 癈疾之人, 在所當恤, 諸人窮乏, 不能自存者, 亦宜矜愍, 所在官司, 務加賑濟:食貨3鰥寡孤獨賑貸之制轉載].

[□ᅳ. 陣亡軍戶, 蠲雜役, 優加存恤. 州縣之吏, 發兵防戍, 免富差貧, 以逞其欲, 所在官司, 痛行禁理. 七十以上, 與免戍役, 庚寅忠定2年以來, 防戍有功者, 存撫·按廉·體察□使, 申聞錄用:兵1五軍轉載].

[□ᅳ. 比來, 各處防禦軍官, 率兵田獵, 不以其時, 敗傷胎卵, 有乖仁政, 仰諸道存撫·按廉使, 痛行禁理:刑法1職制轉載].

[□ᅳ. 刑罰失中, 民怨所萃, 今後, 中外之囚, 毋得寃滯, 刻日疏理, 期致平允:刑法2恤刑轉載].

[□ᅳ. 國之大事, 惟祀爲重, 經亂以後, 宗廟祭器禮服, 多有虧缺, 可刻日營造, 以備情文, 犧牲·粢盛, 務要蠲潔:禮3吉禮大祀轉載].

於戲, 惟爾中外大小臣僚, 尙克相余, 務求實効, 毋事虛文, 用底中興之理".

丙子8日, 罷百官徼巡.

丁丑9日, 以旱禁酒.

[癸未15日, 以李子脩爲都官正郎 :追加].[186]

丁亥19日, 還安九室神主于太廟, 復配享功臣.

[→丁亥, 還安九室神主于太廟, 以象輅載太祖主, 平輅載八廟主, 百官, 公服侍衛. 時經亂離, 具冠帶者, 僅四十餘. 其還安祭, 王不親行, 祝版, 亦不親押, 命一內侍, 奉香. 九室, 合薦一牛, 太祖室, 羊豕各一, 八室, 豕一而已. 祭將灌, 雨作, 獻官執事, 並升堂東, 立避之, 雨止, 乃復位, 初獻訖, 於各室戶外飮福, 北向拜. 執禮譏之曰, "初獻官就位, 樂九成, 再拜, 升行灌禮, 今何無此禮耶. 諸獻官獻畢, 出就前楹, 取各室酒, 合酌一爵, 飮福, 西向再拜, 何其各室飮福, 北向拜乎. 七祀位, 在庭向東, 功臣位, 庭東向西, 都監官, 皆設於庭西向東". 或譏之曰, "何其兩

186) 이는 「李子脩政案」에 의거하였다.

位，皆向東乎．都監官驚駭，遽改之，誤設七祀位於庭東向西，應鼓不縣，工人擧而擊之，如俳優戲．樂章登歌禮也，當亞獻，都監官，令登歌者皆下”．工人爭之曰，“前此樂章，皆登歌．强下之，糾正·執禮，無敢非之者”:禮3吉禮大祀轉載]．

[→丁亥　還安九室神主于太廟，新撰樂章．太祖第一室，皇太祖，景命是膺．奄有三韓，仁滂政凝．後嗣不類，時艱荐興．居歆引逸，永永其承．

惠宗第二室，天造我家，或不來庭．左右太祖，弓矢經營．觀德在廟，凜然英靈．濟屯開泰，永仰皇明．

顯宗第三室，天扶景業，用否而昌．三韓再造，百度孔彰．丕謀盛烈，迺今彌光．於千萬年，祚我無疆．

元宗第四室，明明我祖，德合乾坤．丕顯其德，垂裕後昆．克禋克祀，黍稷惟馨．是歆是享，永保康寧．

忠烈王第五室，朝彼元朝，始尙公主．王姬之車，降于東土．子孫緜緜，受天之祜．於千萬年，爲母爲父．

忠宣王第六室，念玆先祖，陟降庭止．克陳薄儀，仰止敬止．爾肴旣嘉，爾酒旣旨．享于克誠，惠我孫子．

忠肅王第七室，於皇烈祖，厥德侯純．我其嗣服，夙夜惟寅．吁何遭寇，廟貌蒙塵．以妥以侑，天休玆臻．

忠惠王第八室，徂玆戎平，寢廟載寧．以享以祀，以安厥靈．於乎丕顯，陟降于庭．庶歆庶顧，惟黍稷馨．

忠穆王第九室，英明果斷，有赫其光．於乎休矣，懷允不忘．矧當拔亂，宗禋是張．顧我明禋，惟誠之將:志24樂1太廟樂章轉載]．

○王聞元使李家奴齎遞位詔來，遣密直副使禹磾爲接伴使，令沮之曰，“近有奸人詐稱使臣，謀亂者故，本國使我來迓，敢請使事”．以知密直司事丁贇爲西北面都安撫使，閱各領諸司兵，以備南幸．時軍功政數下，王督臺省署告身於闕下，群小得志，揚言曰，“臺省多不署吾輩告身，今署乎否，不署則將率若曹，赴征矣”．

壬辰[24日]，譯語李得春還自元言，“帝以德興君爲國王，奇三寶奴爲元子，發遼陽兵以送”．得春嘗從□[都僉議商議]姜之衍如元，德興君僞授護軍，王引見，問何官，得春以實對．王卽除大護軍曰，“汝若一心輔我，宰相非難，否則禍必速矣”．

[→奇三寶奴爲元子，李公遂爲右政丞，崔濡自爲左政丞，以金鏞△[爲]判三司事．凡國人之在元者，咸署僞官，且請發遼陽省兵以來．時王不以失位，廢其貢獻[王以失位，]

~~不廢其貢獻~~,[187] 屢遣使价, 益虔事大之禮, 且陳情啓稟, 冀悟帝心, 崔濡·朴不花等, 互相壅蔽, 奪其進獻禮物·表牋, 一不得達, 王無如之何, 遂與宰樞, 議防禦之策:節要轉載].

[→時王不以失位, 廢其貢獻~~王以失位,不廢其貢獻~~, 屢遣使陳請, 冀悟帝心. 同知樞密院事崔濡與朴不花等, 奪所獻禮物·表牋, 使不得達, 王無如之何, 遣慶千興·安遇慶等, 屯西北面以備之:列傳44崔濡轉載].

○群臣會議曰, "上卽位以來, 至誠事大, 再殲勍敵, 勳勞旣著, 賊臣濡誣瞞朝廷, 構釁遞位. 又欲使本國, 區別軍民, 運粮出兵. 已遣密直使商議?洪淳, 具由呈省, 姑發兵拒守, 以俟明降". 王未敢如何, 乃以前贊成事慶千興爲西北面都元帥, 屯安州, 贊成事安遇慶爲都指揮使, 屯義州, 李龜壽爲都巡察使, 屯麟州, 李珣爲都體察使, 屯泥城, 洪瑄爲都兵馬使, 屯靜州, 禹磾·朴椿爲都兵馬使, 分屯江界禿魯江等處, 典工判書池龍壽爲巡撫使, 屯龍州, 以備西北, 皆受都元帥節度. 命李仁任爲平壤尹, 以調兵食, 都安撫使丁贇~~密直副使于贇爲西北面都安撫使~~,[188] 與韓暉, 將遊兵, 往來諸營之間, 以察軍情動靜. 以僉議評理韓方信爲東北面都指揮使, 金貴爲都兵馬使, 屯和州, 以備東北.

[→元, 立德興君爲王納之, □安遇慶以贊成事爲都指揮使, 屯義州. ○移書婆娑府脫脫禾孫曰, "本國, 自太祖神聖大王創業垂統, 正嫡承襲四百餘年. 元王元宗始事朝廷, 世祖皇帝命不改土風, 元王嫡子忠烈王尙公主, 生忠宣王, 忠宣王亦尙公主, 生忠肅王, 義爲君臣, 親爲甥舅. 今我國王, 忠肅王之嫡子, 入侍天庭十有餘年, 頗著功績. 尙公主爲駙馬, 承正統, 涖下國, 事大之禮, 恪謹一心. 不幸紅賊橫行天下, 剝殘天民, 所指火烈, 天威難制. 越己亥恭愍8年冬, 僞名毛平章毛居敬·黃院判黃志善?等賊十餘萬, 闌入東國, 至于西京, 我軍大發, 一掃無餘. 又於辛丑年恭愍10年, 沙劉沙劉二·潘平章潘誠·關先生關鐸等賊三十餘萬, 深入王京, 吾王赫怒. 諸將奮勇, 盡殲其衆, 社稷獲安, 人民受賜. 兩度破賊之事, 旣以具呈中書省矣, 東民以謂, 上國必當厚賞. 引頸北望. 豈慮本國人崔濡等, 挾其仇怨, 貝錦誣詞, 簧惑天聽, 使我主上, 至于失職, 以忠宣棄妾孽子搭思帖木兒搭思帖木兒爲王, 三千里外, 遠勞天民. 夫崔濡等事我先王, 阿諛逢迎, 陷於不義. 癸未年忠惠後4年間, 南行不返, 崔濡惡輩, 實使之也, 本國人言及於此, 未嘗不痛哭流涕. 今濡等又以笙簧之口, 掩我大功, 廢吾王, 而使本

---

187) ~~添字~~와 같이 고쳐야 옳게 될 것이다.

188) ~~添字~~는 『고려사절요』 권27에서 달리 표기된 것인데, 그렇게 고쳐야 옳게 될 것이다.

土無辜之民，不遑寧居，此本國之罪人也．吾王使宰相李公遂·柳仁雨·許綱·洪淳等賀正矣，謝恩矣，賀聖節矣，又賀千秋矣，且啓禀矣．濡等互相壅蔽，奪其方物·表箋，使不得達，拘留使价，唯己之從．且世祖皇帝命不改土風，正嫡承襲，其來遠矣．濡等冒弄朝廷，立孽庶爲王，改易土風，而使世祖皇帝詔旨，墜於空虛，此天下之罪人也．本國人搥胸切齒曰，亂臣賊子，人得而誅之，古有常憲．如濡之輩，罪不容誅，雖刳心腹，必無朝廷之議．大小奮慍，雷然一辭，必擧大兵，往討濡等惡輩，食肉寢皮，然後已．物議洶涌，不可止遏，今以精兵百萬，往討高麗逆黨，約已定矣．師之所過，荊棘生焉．大軍一擧，馬首指北，雖加禁厲，人心憤怒，氣炎如火，所觸必焚，天下無辜，忍受其禍．本職所管各部人物，卽宜收帶家口，早入山寨，遠避軍鋒．又區別崔濡等高麗逆黨，毋使諸色軍馬，濫及於禍．有能捕濡等惡輩，傳首納款，不唯本國釋怒，上國亦知濡等欺天亂法，正伏其辜，將有厚賞．本職叅詳，卽便施行，又當飛報行樞密院同知施行":列傳26安遇慶轉載].

[→元，立德興君爲王，發遼陽省兵納之．□[韓]方信以僉議評理，爲東北面都指揮使，與金貴屯和州，備東比:列傳20韓方信轉載].

癸巳[25日]，[都僉議左政丞]李公遂罷，以柳濯爲左侍中．[李公遂罷，以[譯語]李得春，傳言之誤也:節要轉載].[189)]

[○判密直□[司]事吳仁澤·密直副使金達祥建議，除臺諫·吏·兵部外添設，東班，三品以下六品以上，西班，五品以下職額．時國家連年興師，帑藏匱竭，有功者，皆賞以官．仁澤等，乃獻此議，遂典銓注．赴征將士，無不超遷，人樂從軍．然，請謁大盛，賄賂公行，工匠·賤隸，無不除授，而官爵遂大濫:節要轉載].[190)]

[→[吳仁澤，]後判密直司事，與密直副使金達祥，有寵於王，擅機密，號爲內相．時國家連年興師，帑藏匱渴，德興□[君]兵又至，有功者，皆賞以官．仁澤·達祥，首建議添設文武官，遂典銓注．赴征將士，皆得超遷，人樂從軍．然，請謁大盛，賄賂公行，工匠·賤隸，無不除授，官爵大濫:列傳27吳仁澤轉載].

[□□[是時]，改□[都]僉議右·左政丞，爲□[都]僉議左·右侍中，~~尋改左侍中爲侍中，右侍中爲守侍中~~:百官1門下府轉載].[191)]

---

189) 이 기사는 열전25, 李公遂에 "本國拜左政丞．未幾，譯語李得春妄言，德興署公遂爲右政丞，乃罷之"로 수록되어 있다.

190) 이와 관련된 기사로 다음이 있는데, 이에서 十二年閏三月은 十二年五月의 오류이다.
· 지29, 選擧3, 添設, "[恭愍]十二年閏三月[五月]，除臺諫·吏·兵部外，增置東班三品以下，六品以上，西班五品以下職額".

甲午[26日], 以全普門爲慶尙道都巡問使, 全以道爲安東道兵馬使, 安克仁爲東京道兵馬使, 柳濡爲尙州道兵馬使, 林堅味爲晋州道兵馬使, 安棍爲全州道兵馬使, 成元揆爲羅州道兵馬使, 金漢貴爲廣州道兵馬使, 張天志爲富平·水原道兵馬使, 權禧爲洪州道兵馬使, 趙思敏爲公州道兵馬使, 成元完爲淸州道兵馬使, 玉天柱爲忠州道兵馬使, 權長壽爲交州道兵馬使, 調兵.[192)]

[→遣使諸道, 點兵:節要轉載].

乙未[27日], 流密直□[使]商議金希祖于順天.[193)]

丙申[28日], 以密直副使朱思忠爲德興君內應, 殺之. 思忠, 謇直, 累建功. 初下獄, 大言曰, "我本無罪, 二三執政, 無功驟貴, 逼人如此". 及死, 人惜之.

六月[戊戌朔大盡,己未], 己亥[2日], 以版圖判書金滑·開城尹楊伯顔爲[黃州]棘城防禦使, [守岊嶺柵:節要轉載].

辛丑[4日], 李家奴入境, [→元遣李家奴□[來], 詔收王印章. 家奴入境, 王遣人:節要轉載], 執其從者□□[坱來], 問廢立之故.[194)]

[→[都兵馬使朴]椿, 聞□[李]家奴將至, 收兵得卒數千·甲士二百餘人, 生獲二獐, 詣家奴所舍曰, "椿, 某處萬戶管下千戶也, 王令椿防倭, 故到此. 今有廢立之言然乎? 椿將爲我王死也". 因泣下, 殺獐餽之, 家奴嘆息, 且有懼心. 椿又從間道, 以所領兵送珣屯所, 令珣遇家奴亦如之:列傳24慶復興轉載].

[丁未[10日], 風氣如秋, 三日:五行1恒寒轉載].

戊申[11日], 耽羅萬戶文阿但不花遣弟仁富, 獻羊馬.

○諸州兵屯東郊.

---

191) 이때 都僉議使司의 宰相인 右政丞·左政丞을 右侍中·左侍中으로 改稱하였던 것 같고, 여타의 官職과 文散階는 개칭하지 않았던 것 같다. 또 ~~添字~~는 筆者가 추가하였다.

192) 이때 임명된 兵馬使들은 該當地域의 守令과는 相關이 없는 軍事道의 指揮官이었던 것 같다. 당시 東京, 安東都護府, 羅州牧의 守令들은 이들 兵馬使와 관련이 없는 다른 인물들이었다(『동도역대제자기』; 『안동선생안』; 『금성일기』). 또 兵馬使의 麾下에 知兵馬事가 파견되었던 것 같은데, 이는 羅州道를 통해 알 수 있다. 또 이때 羅州道의 知兵馬事에 임명되었던 鄭之祥은 □□寺判事에 이르러 逝去하였다고 한다.

· 『금성일기』, 癸卯年[恭愍11年], "兵馬使成元圭[成元揆], 知兵馬使[知兵馬事]鄭之祥".

· 열전27, 鄭之祥, "[鄭之祥,] 官至判事卒. 性嚴酷, 凡戮死罪, 必遣之".

193) 이 기사는 열전23, 金倫, 希祖에 "尋以事流順天府"로 수록되어 있다.

194) ~~添字~~는 『고려사절요』 권27에 의거하였다.

[→諸州赴征軍, 屯京城東郊:節要轉載].

[丁巳20日, 立秋. 夜, 鵩鳴:五行1火行羽蟲蘖轉載].

壬戌25日, 夜五鼓, 平澤縣人於良大等憚於征役, 脅衆謀亂, 突入城門, 天明自潰, 追捕斬其魁八人.[195)]

○遣使, 盡誅金鏞黨于流所.

甲子27日, 太白晝見, 二日.

[○闕內, 驚:五行2轉載].

[丙寅29日, 夜, 馬無故長鴨:五行1馬禍轉載].

[是月頃, 以三重大匡吳偕爲雞林府尹:追加].[196)]

[○德興君之變, 諸州軍將赴西北面禦之, 屯京城東郊未發, 平澤軍謀亂伏誅. 宰樞議軍亂必由流貶宰相, 列姓名, 欲置極刑. 時李春富亦在貶中, 王曰, "金希祖·李春富, 焉有是謀", 句去之:列傳23轉載].

[夏某月, 以都僉議贊成事李仁復爲右文館大提學·監春秋館事, 賜端誠佐理功臣號, 三司都事成石璘爲承奉郞·典儀主簿:追加].[197)][

秋七月戊辰朔小盡,庚申, [庚午3日, 以李子脩爲典法正郞:追加].[198)]

甲戌7日, □□元使李家奴來, 百官陳兵迎於宣義門外.[199)]

丙子9日, 贈家奴及副各金帶二腰·鞍馬二匹·衣二襲·苧麻布十匹, 又以布分賜傔從. ○宰樞宴家奴于行省, 以百官·耆老上中書省書, 就付家奴曰, "吾雖不能達於皇帝·皇太子, 可達中書省". 其書曰, "世祖皇帝, 嘉我忠敬王元宗先天下朝覲之功, 釐降帝女于忠烈王, 且許不革國俗, 以至于今, 德興君塔思帖木兒, 是忠宣王出宮人, 嫁白文擧所產者也, 而奸臣崔濡誣告朝廷, 奪我王位. 至煩天兵, 其於世爲甥舅之意何哉. 伏望, 敷奏天聰, 執塔思帖木兒·崔濡等歸之小邦, 以快國人之憤".

---

195) 『고려사절요』 권27에는 '天明自潰' 以下는 "天已明, 知事不濟, 自潰, 追捕繫巡軍, 斬其魁八人"으로 되어 있다.

196) 이는 『동도역세제자기』에 의거하였는데, 원문에는 吳繕으로 되어 있으나 오자일 것이다(열전38, 吳潛 ; 吳潛墓誌銘).

197) 이는 「李仁復墓誌銘」; 『獨谷集』行狀에 의거하였다.

198) 이는 「李子脩政案」에 의거하였다.

199) 『고려사절요』 권27에는 '百官陳兵' 以下가 "王不出, 令百官盛陳兵衛, 以迎之"로 되어 있다.

戊寅[11日], 李家奴還, 百官會宣義門外, 陳兵以送.

辛卯[24日], 王聞征北軍多餓死, 爲之減膳.

[某日, 以鄭云敬爲奉翊大夫·檢校密直提學·寶文閣提學·上護軍:追加].200)

[某日, 以吳中陸爲慶尙道按廉使, 朴思愼爲全羅道按廉使, 李寶萬爲西海道按廉使:慶尙道營主題名記·錦城日記].201)

[是月, 神光寺住持惠勤, 再三上書辭退, 上不允, 惠勤自抽身而出, 到九月山金剛菴:追加].202)

[○重大匡·門下贊成事·進賢館大提學·知春秋館事致仕白文寶撰'懶翁錄'序:追加].203)

[是月頃, 以[朝奉郎]尹緯爲安東大都護府判官:追加].204)

八月[丁酉□[朔大盡,辛酉], 釋奠, 博士以下, 無有一人, 唯明經博士·學諭各一人而已:禮4文宣王廟轉載].205)

[某日, 宰相有勸王南巡, 避德興之難, 王頗然之. [判密直司事]吳仁澤曰, "德興□[君], 非紅賊比, 大駕一南, 都城以北, 誰從殿下者, 今日之策, 親征爲上". 議遂寢:節要轉載].

[→宰相有勸王南巡, 避難者, 王頗然之, 仁澤曰,206) "紅賊之難, 南幸而能收復者, 以其彼實猾賊, 故人人懷憤, 雲合致死而殲之. 德興□[君], 非紅賊比, 所過皆爲其民, 大駕一南, 都城以北, 誰從殿下者. 今日之策, 親征爲上". 議遂寢:列傳27吳

---

200) 이는 『삼봉집』 권4, 鄭云敬行狀에 의거하였다.

201) 李寶萬은 다음 記事의 脚注에 의거하였다(『나옹화상어록』).

202) 이는 다음의 자료에 의거하였다.

· 『나옹화상어록』, 行狀, "癸卯七月, [神光寺住持惠勤], 再三上書辭退, 上不允, 師自抽身而出, 到九月山金剛菴. 上遣內寺金仲孫, 特降內香, 又徠西海道指揮使朴曦·按廉使李寶萬·海州牧使金繼生[金桂生], 强師[惠勤]復住, 師不獲已, 十月還山, 留二載". 여기에서 金繼生은 金桂生의 誤字로 추측된다(→공민왕 12년 윤3월 15일 收復京城功臣 2等).

203) 이는 다음의 자료에 의거하였다.

· 『懶翁和尙語錄錄』序, "… 至正廿三年秋七月有日, 忠謙[忠勤]贊化功臣·重大匡·門下贊成事·進賢館大提學·知春秋館事致仕稷山淡庵白文寶和父敬序".

204) 이는 『안동선생안』에 의거하였다.

205) 이날은 仲秋의 上丁(또는 初丁), 곧 첫 번째 丁日에 설행되었던 秋丁이다(→예종 3년 7월 某日의 脚注).

206) 曰은 延世大學本에는 田로 되어 있으나 오자일 것이다(東亞大學 2006년 25册 475面).

仁澤轉載].

己亥[3日], 央土萬戶全景來投.[207)]

戊申[12日], 以[都僉議贊成事]李仁復爲西北面都察軍容使.

[癸丑[17日], 月食:天文3轉載].[208)]

[辛酉[25日], 以李子脩爲軍簿正郎 :追加].[209)]

[是月, 知南原事薛師德·判官兼權農使金英起等開板'金剛般若波羅密經':追加].[210)]

[是月頃, 以[奉翊大夫]成准得爲安東大都護府使, 吳光顯爲永州副使, 郭允明爲羅州牧判官:追加].[211)]

[九月丁卯朔[小盡,壬戌]:追加].

[秋某月, 以[日城君]鄭思道爲密直副使商議·寶文閣大提學·同知春秋館事:追加].[212)]

---

207) 央土는 조선시대의 平安道 江界府의 管內 理山郡 央土里(央土口子, 현 慈江道 楚山郡 央土里)로 추측된다. 또 口子는 조선시대의 사례를 통해 볼 때, a. 邊方의 要衝[要害]에 설치된 소규모의 防禦施設(前哨基地, 혹은 哨所, Guard Post 곧 GP), b. 據點都市의 外廓에 城柵[城墻]에 重點을 두고서 건설된 關城을 가리키는 두 부류가 있었던 것 같다.

· 『增定吏文輯覽』 권2, 口子, "邊方出入要害之處也. 又山洞·江海等處亦用口字"(12面左9行).

208) 이때 일본의 京都에서는 16일(壬子)에 월식이 관측되었다(高麗曆과 同一, 日本史料6-25冊 171面). 또 이날(癸丑)은 율리우스력의 1363년 9월 24일이고, 월식 현상이 심했던 때인 16일(壬子)의 世界時는 20시 31분, 食分은 1.40이었다(渡邊敏夫 1979年 485面).

· 『東寺長者補任』 권4, 貞治 2년, 權僧正道淵, "八月十六日, 月蝕, 御祈勤之, 聊出現".

· 『續史愚抄』25, 貞治 2년 8월, "十六日壬子, 月蝕, 蝕御祈權僧正道淵奉仕".

· 『本朝統曆』 권10, 貞治 2년, "八月十六夜望, 寅四, 月蝕, 皆旣, 丑二, 卯五".

209) 이는 「李子脩政案」에 의거하였다.

210) 이는 다음의 자료에 의거하였는데(誠庵古書博物館 所藏, 보물 제696호, 郭丞勳 2021년 443面), 이 刊記의 앞에 수록된 元版 刊記는 충숙왕 後2년 5월 是月條의 脚注에 引用되어 있다. 또 여기에서 薛師德은 判密直司事 薛玄固(蔡河中의 甥姪壻)의 次子인데(열전24, 慶復興), 1380년(우왕6) 3월 門下評理로 在職하다가 門下侍中 慶復興이 守侍中 李仁任과 贊成事 林堅味에 의해 숙청될 때, 一黨으로 몰려 杖流되었으나 途中에 逝去하였다고 한다(열전38, 蔡河中 ; 열전24, 慶復興).

· 『金剛般若波羅密經』, 卷末刊記, "奉祝」 主上殿下,壽千秋,」 公主殿下,壽齊年,」 王后殿下,壽無疆,」 干戈息靜,」 國泰民安者.」 至正二十三年癸卯八月日南原開板,」 書員信之,畵員法戒,刻字信明·法空,」 功德主 曹松柱, 勸善覺敏, 同願 李中順, 定如,」 奉常大夫·知南原□[府]事薛師德,」 判官兼權農使金英起".

211) 이는 『안동선생안』 ; 『영천선생안』 ; 『금성일기』에 의거하였다.

212) 이는 「鄭思道墓誌銘」에 의거하였다.

[○以典校丞朴尙衷爲知錦州事:追加].[213)]

[冬十月丙申朔大盡,癸亥, 某日, 以政堂文學柳淑兼監察大夫:追加].[214)]
[己未24日, 以李子脩爲奉善大夫·小府少尹:追加].[215)]
[是月頃, 以奉翊大夫李資乙爲羅州牧使:追加].[216)]

冬十一月[丙寅朔大盡,甲子, 以李子脩爲典客副令:追加].[217)]

壬申7日, 錄己亥恭愍8年擊走紅賊功, 以守□都僉議侍中慶千興·贊成事宋卿·安遇慶·前贊成事李成瑞·判開城府事李珣·三司左使禹磾·前評理睦仁吉·前知都僉議□□司事柳方啓·密直使金光祚·知密直司事池龍壽·檢校密直副使趙暾·版圖判書許子麟·辛珣·典法判書柳繼祖·前楊廣道按廉使金先致·前典法判書崔準·典工判書李善·護軍金斗達·前護軍趙璘·判事張臣輔·皇甫琳·上護軍魯哲·前上護軍金孫·司僕正王伯等, 爲一等功臣.[218)] ○□都僉議評理韓暉·[判密直司事吳仁澤:列傳27追加]·密直副使邊安烈·密直□□副使商議趙希古·前密直副使金蘭·開城尹金漢眞·朴元·版圖判書羅世·禮儀判書李守·張必禮·判典儀寺事崔公哲·前上護軍睦忠·康永·判事金良劒·李元桂·金千年·王福命·金蔕·金珍·金長柱·王普門·金光富·大護軍方天奉·朴修敬·前大護軍王安德·孔仁貴·宋希玉·高如意·前司宰令張之寶·書雲正張補之·前司宰令尹有麟·宗簿令金於巨·江華府使吳漢臣·宗簿副令李益·前內府副令兪之哲·小府少尹韓

---

213) 이는 다음의 자료에 의거하였다.
· 『定齋集』 권3, 潘南先生家傳, "恭愍王十二年, 改典儀主簿, 進典校丞, 賜章服. 秋出知錦州".

214) 이는 「柳淑墓誌銘」에 의거하였다.

215) 이는 「李子脩政案」에 의거하였다.

216) 이는 『금성일기』에 의거하였다.

217) 이는 「李子脩政案」에 의거하였다.

218) 이때 1等功臣에 관한 기록으로 다음이 있다.
· 열전18, 趙仁規, 璘, "恭愍朝, 與安祐等, 擊走紅賊, 策勳爲一等".
· 열전24, 趙暾, "□□己亥, 紅賊陷西京, 以知兵馬事隸安祐麾下, 擊走之, … 尋檢校密直副使, 錄擊走紅賊功爲一等".
· 열전26, 安遇慶, "恭愍八年從安祐等, 擊走紅賊, 後與祐等收復京都, 錄功俱一等".
· 열전27, 李成瑞, "又錄己亥擊走紅賊功, 爲一等".
· 열전27, 池龍壽, "恭愍時, 從安祐等, 擊走紅賊, 又與祐等, 收復京城, 錄功俱一等".
· 열전27, 金先致, "賊平, 錄功爲一等, 圖形壁上, 賜土田·臧獲, 選吏部侍郎".
· 열전27, 睦仁吉, 공민왕 12년 윤3월 15일의 脚注와 같음.

仲寶·前護軍高世·元奇·金于魯不花·中郞將李貴榮·宦者□□延城府院君金玄·溫陽府院君方節等，爲二等功臣.[219] ○一等，圖形壁上，父母妻超三等封爵，官其子一人七品，若無子，則甥姪女壻一人，拜八品．驅史五人·眞拜把領七人，許初入仕，子孫蔭職敍用，賜田一百結，奴婢一十口．二等，父母妻超三等封爵，官其子一人七品，若無子，則甥姪女壻一人，拜八品．驅史三人·眞拜把領五人，許初入仕，子孫蔭職敍用，賜田五十結，奴婢五口.[220]

○錄僉兵濟師功，以西北面都巡問使李仁任·安州牧使李金剛·定州牧使林熙載·順州府使曹敏修等，爲二等功臣.[221] 父母妻封爵，官其子一人七品，若無子，則甥姪女壻一人，拜八品．驅史三人·眞拜把領五人，許初入仕，子孫蔭職敍用，賜田五十結，奴婢五口.

[是月，以德興君塔思帖木兒之變，遣使勤修各處寺社，以右代言李穡香供恩津灌燭寺:追加].[222]

[是月乙酉20日，西域僧指空入寂於大都貴化方丈:追加].[223]

---

219) 이때 2등 공신에 관한 기록으로 다음이 있고, 吳仁澤이 탈락되었다.

- 열전27, 羅世, "恭愍朝，與諸將擊走紅賊，錄功爲二等".
- 열전27, 吳仁澤, "恭愍朝，從安祐等，擊走紅賊，錄功爲二等".
- 열전39, 邊安烈, "從安祐，擊走紅賊，錄其功爲二等".
- 열전39, 王安德, "王安德，鄕貫世系未詳，恭愍朝，從安祐等平紅賊，錄功爲二等".

220) 이때의 공신 책봉에서 다음의 자료가 주목된다.

- a지29, 選擧3, 封贈, "恭愍十二年十一月，敎，擊走紅賊三等功臣，並父母妻，超三等封爵".
- b열전35, 宦者, 金玄, "… 恭愍時，紅賊入寇，從刑部尙書金縉，率數百騎，… 猝遇賊三百餘人，殊死戰，斬百餘級．錄功爲二等．宦者數十人，同署狀要賞，名多僞署，玄實首謀．王察其姦，欲杖之．時宦官勢盛，相與力救得免".

  이에서 a의 三等은 二等의 誤字일 가능성이 없지 않으나 b에서 金玄·方節 이외에도 많은 宦官이 포상을 요청하였다고 한다. 그렇다면 是年(1363년, 공민왕12) 윤3월 15일 趙云仡이 辛丑扈從功臣 3등으로 책봉되었던 점과 관련시켜 볼 때, 己亥擊走紅賊에도 3등공신의 책봉도 있었을 것 같다.

221) 이때 2등 공신에 관한 기록으로 다음이 있다.

- 열전39, 李仁任, "恭愍八年，紅賊陷義州，王命仁任爲西京存撫使，以備之．賊平，策功爲二等".
- 열전39, 曹敏修, "恭愍時，出知順州，紅賊入寇，敏修與諸將擊走之，錄功爲二等".

222) 이는 다음의 자료에 의거하였다(→光宗 21년 是年의 脚注).

- 『목은시집』 권24, 僧有辦來壬戌歲灌足寺灌燭寺彌勒石像龍華會者，求緣化文，… 癸卯恭愍12年冬，降香作法，皆如夢中，作短歌而記之，"… 時時流汗警君臣，不獨口傳藏國史，癸卯仲冬邊報急，我又降香馳汲汲．…".

223) 이는 다음의 자료에 의거하였는데, 이날은 율리우스曆으로 1363년 12월 25일(그레고리曆 1364년 1월 2일)에 해당한다.

十二月[丙申朔大盡,乙丑]，[某日]，德興君屯遼東，侯騎，屢到鴨綠江，朝野震懼．[又慮邊將或生變，凡用兵方略，皆從中遙授，將帥自危，莫敢專制，頗失機會．且軍卒，皆夏月赴征，徂冬未代，粮餉又絶，凍餒顚仆．唯將吏官屬，人馬差彊，然輕兵越江，屢襲遼瀋，掠居民，以邀官賞，故未一交鋒，而先自疲弊．國家建議，令[西北面都元帥]慶千興留守西北，使[贊成事·都指揮使]安遇慶等諸將，渡鴨綠江往擊之．○平壤尹李仁任，謂都元帥府鎭撫河乙沚曰，"我軍飢寒，日夜思歸，豈無異心，但畏法不敢耳．近李都巡察[使李龜壽]，行至鳳州，軍卒謀叛伏誅，此一驗也．渡江之擧，可爲寒心，都元帥[慶千興]性多疑，必不能斷．我欲假他事，請元帥遣君，稟事於王，君其圖之"．即以[都巡察使]李龜壽軍卒叛書，授乙沚以遣，且謂之曰，"君歸，上必引見，君第獻此書，愼勿他言．主上覺悟，必命旋師"．○乙沚倍道來見，王覽書，果大驚，不暇具文牒，口諭千興罷越江．乙沚還仁任曰，"軍將渡江，元帥若以無文牒爲辭，猶豫不決，柰何．我姑先見，極陳利害，然後 子可入"．仁任，乃見千興，從容語曰，"令公曾牧尙州，初上官時，民心孰與解官時"．千興曰，"解官時，民心不如初"．仁任曰，"今日之事，殆類此，主上舊君，德興新主，愚民但知安飽之爲樂，豈知邪正之所在耶．況我軍暴露已久，皆思歸乎．一朝渡江，其變難測，莫若歛[斂]軍還營，固守鴨綠，遏彼渡江，上策也"．千興悚然曰，"業已如此，柰何．且乙沚何時還□[乎]？國家必有處分"．頃之，乙沚乃入傳旨，千興悅，立召諸將還營:節要轉載]．[224]

[□□[某廿]，復興[西北面都元帥慶千興]移檄德興君從者曰，"本國父老子弟，或以功名，或以朝覲，用賓中國．久近不同，老於旅食，豈無東意．道里云遠，盜賊蜂起，歲月愈深，歸計愈疎．父母妻子，夜夢晝思，言及涙下，貌同敬他．握粟出卜，妄喜且悲，曷月曷日，予還歸哉．柰何今又，自貽伊阻．聽人諞言，僞主云從，至爲防身，弓矢甲刃，旁招殘賊，妄謂羽翼．野宿風飧，靡所定居，惘遷延．不進則退，謀所不謀，爲所不爲，乃臆以謂，吾事儻濟，以是欲見三族，欲榮一已，夸耀里閭，拜掃松楸．何異緣木求魚，理舟涉山．祗自勞苦，斃於狂妄．緣木求魚，理舟涉山，已云狂妄，

· 『목은문집』 권14, 西天提納薄陀尊者浮屠銘幷序，"… 大順丞相之室韋氏，高麗人也，請於崇仁寺施戒，旣而至灤京，泰定之遇是已．嗚呼，師之游歷如是哉，信乎其異於人也，師自天歷褫僧衣．大府大監察罕帖木兒之室金氏，亦高麗人也，從師出家，買宅澄淸里，闢爲佛宮，迎師居之．師題其額曰法源，蓋天下之水，自西而東，故取以自比焉．師辮髮白髯，神氣黑瑩，服食極其侈，平居儼然，人望而畏之．至正二十三年冬，內侍至，師曰，'爲我奏爾主，我生日後去耶，生日前去耶'．章佩卿速哥帖木兒回旨，留師小住一冬，師又曰，天壽寺，吾影堂也．是歲十一月二十日，示寂于貴化方丈，師所構而師所名也"．

224) 이 기사는 열전39, 李仁任에도 수록되어 있는데, 字句에 출입이 있다.

猶無後災. 如爾之災, 未容口頰. 尙我主上, 至仁以慈, 欲爾改修, 存爾三族, 雖法吏議刑, 選軍革田, 亦堅執不許, 姑待須臾. 且如年前, 邊將負勇, 不備紅賊, 賊逼都城, 乃於蒼黃, 主上自令鰥寡孤獨無保持者先出, 遠害毋犯賊鋒. 及至南幸, 惠養如子, 肆爾三族, 得保首領, 又不窮乏, 今猶昔也. 爾尙不知委質報德, 誤從白家之息, 自納簒逆之罟. 必使之夷三族, 撥墳墓, 瀦宅舍,[225] 沒田口, 然後已乎? 豈惟國人, 施爾顯戮, 抑亦社鬼, 丕降陰誅, 爾何悖理, 至於如斯. 然而體思爾心, 亦不得已, 不得已說, 玆復不贅, 聊以招懷. 國中之人, 孰非故舊, 有位之士, 孰非姻親. 冀復面目, 實無異志. 爾勿爲胡越, 爾勿爲鬼. 且彼蘇武牧羊, 猶持使節, 管仲射鉤, 終相桓公, 二人之事, 其審克之. 主上宰臣, 協謀成言, 苟能來者, 仍其僞授, 不降一級, 爵之命之. 嗚呼, 四山雪滿, 大野風鳴, 覆氈車下, 仰視星斗, 於斯時也, 鄕思幾何. 越鳥南枝, 狐貉首丘, 爾可以人, 不如禽獸. 書到爾部, 不出三日, 戒爾徒旅, 勤爾跋涉, 如魚得水, 如鳥歸林. 嗚呼, 此厥不聽, 與爾永訣":列傳24慶復興轉載].

[□□[~~某日~~], [都體察使李]珣又移書, 諭崔濡·羅英傑·柳仁雨·黃順·洪法華等曰, "本朝, 自太祖統三以來, 聖子神孫, 繼繼相承, 迄于今日, 非王氏不得爲王, 爾等所共知也. 乃何以異姓白家之子, 欲立爲王, 反攻父母之邦耶. 爾等離鄕土辭親戚, 苦身憔思, 千里而從人者, 無乃欲富貴其身, 而顯榮於鄕黨親戚乎. 今若率兵欲入, 則爾之三族無遺類矣. 然則雖能得入, 誰與爲榮. 且爲人子未免亂賊之名, 則何面目立乎天地之間. 宜各挺身渡江而來. 來則罪輕, 不則罪重. 可不愼哉":列傳24慶復興轉載].

[某日, 臨於時御宮,[226] 以[僉議評理]崔瑩爲贊成事:列傳26崔瑩轉載], [[正順大夫·右代言]李穡

225) 治罪의 手段 또는 相對方에 대한 보복행위로 이루어진 瀦宅[破家瀦宅, 破墓瀦宅]은 中國 古代부터 있었던 것 같고, 고려시대[前朝]에도 시행되었던 것 같다.

- 『晋書』 권78, 열전48, 孔愉, 從子坦, "坦, 字君平, … 帝手策問曰, '吳興徐馥爲賊, 殺郡將, 郡今應擧孝廉不?', 坦對曰, '四罪不相及, 殛鯀而興禹, 徐馥爲逆, 何妨一郡之賢'. 又問, '姦臣賊子弑君, 汚宮·瀦宅, 莫大之惡也. 鄕舊廢四科之選, 今何所依'. 坦曰, '季平子逐魯昭公, 豈可以廢仲尼也", 竟不能屈".
- 『세종실록』 권9, 2년 9월 戊寅[19日], "禮曹判書許稠等啓 … 前朝之俗, 緣此義, 民有陵犯守令者, 必斥逐之, 至瀦其宅而後已. 願自今如有府史·胥徒告其官吏, 品官·吏民告其守令與監司者, 雖實, 若不關係宗社安危及非法殺人, 則在上者, 置而勿論, 如或不實, 則在下者, 加凡人之坐論罪, 從之".
- 『단종실록』 권11, 2년 6월, "己亥[18日], 議政府據刑曹呈啓, 竹山人金亡龍, 凌辱本邑守令, 按續刑典, 品官·吏民, 告其守令·監司者, 非關係宗社安危及非法殺人, 則勿受, 論以杖一百, 流三千里. 庚午年[文宗卽位年]受教, 凌辱監司·守令者, 依前朝故事, 破家瀦宅黜鄕. 今亡龍, 請依此施行, 從之".

226) 李穡이 密直提學에 임명된 이날[是日]은 時御宮[行宮]에서 年末의 人事移動[大政]의 반포가

爲丹誠輔理功臣·奉翊大夫·密直提學·右文館提學·同知春秋館事·上護軍:追加].227)

[先是, 都指揮使安遇慶令兵馬使金之瑞·玉天桂, 分守要害, 宋芬碩守義州弓庫門, 護軍金得和將十餘騎, 候鴨綠江邊. 夜半, 報賊到楸島, 遇慶遣人, 告急於都巡察使李龜壽·都兵馬使洪瑄·巡撫使池龍壽:列傳26安遇慶轉載].

[是年, 陞榮山縣爲榮山郡. 先是, 黑山島人出陸, 僑寓南浦江邊, 稱爲榮山縣:轉載].228)

[○遣田祿生·金方礪於浙江行省報聘方國珍:追加].229)

[○以政堂文學致仕尹澤爲贊成事致仕:列傳19尹澤轉載].

이루어졌고, 이곳[時御宮]은 韓渥의 故宅이었던 寶源庫의 廳事였다고 한다(『목은시고』 권20, 合坐寶源庫, …, →우왕 5년 10월 某日의 脚注).

227) 이는 다음의 기사에 의거하였다.

- 『목은집』연보, 至正卄三年癸卯, "十二月, 拜丹誠輔理功臣·奉翊大夫·密直提學·右文館提學·同知春秋館事·上護軍".
- 『양촌집』 권40, 李穡行狀, "冬, 拜本國端誠輔理功臣·奉翊大夫·密直提學·同知春秋館事·上護軍. 自是與聞國政二十餘年, 雖在罷閑, 每有大政, 必就問焉".
- 열전28, 李穡, "恭愍十二年, … 本國授密直提學同知春秋館事, 賜端誠保理輔理功臣號. 自是, 與國政, 雖在罷閑, 有大政則必就問焉".

228) 이는 다음의 자료를 전재하였는데, 이는 前年(공민왕11) 3월 13일 黑山島民이 倭賊을 捕獲하여 바친 것을 포상하여 僑郡[僑置郡縣]인 榮山縣의 邑格을 승격시킨 조치일 것이다(尹京鎭 2008년a).

- 지11, 지리2, 羅州牧, "黑山島, 島人出陸, 僑寓南浦江邊, 稱榮山縣, 恭愍王十二年, 陞爲郡".
- 『세종실록』 권151, 지리지, 羅州牧, "… 古屬縣八, 榮山, 本黑山島, 出陸移排州南十里南浦江邊[【恭愍王十二年申辰, 加郡號], 押海, …".
- 『신증동국여지승람』 권35, 羅州牧, 古跡, "榮山廢縣, 在州南十里. 本黑山島人出陸, 僑寓南浦, 稱榮山縣. 高麗恭愍王十二年, 陞爲郡, 後來屬".

229) 이는 다음의 자료에 의거하였다. 이때 大元蒙古國의 統治秩序 아래에 있던 江浙行省 參知政事 方國珍의 參謀인 左右司郎中 劉仁本이 副使 金方礪(金汝用의 初名)에게 증여했던 詩文이 수록된『羽庭集』이 高麗末期에 일본을 거쳐 고려에 유입되었던 것 같다.

- 『양촌집』 권15, 贈金仲顯詩序[注, 方礪], "金海金君汝用, 號築隱, 吾母黨族也, 初仕栢堂, 材出衆, 癸卯恭愍12年之難, 徵兵交州, 大爲玄陵器重. 其年, 使宰相田公祿生修聘浙東, 君爲副, 皆時之選也. 浙東人稱其知禮, 旣反, 拜御史歷顯秩, 端介不阿, 不久立於朝, 歸侍其親有年矣. 今來京師語予曰, '吾之奉使浙東也, 文章鉅儒若金公元素·張公翥·劉公仁本, 皆有詩文之贈, 今已燬於兵燹矣. 曩者, 人自日本來, 得羽庭藁, 卽浙東劉公所著也, 當時贈我詩在焉, 所謂贈東韓金築隱者是也, 予得而閱之, 因竊自喜且悲焉'. …".
- 『山菴雜錄』권上, "元至正丙申16年, 張士誠破蘇州城, … 丙戌18年, 方國珍爲江浙行省分省參政參知政事屯守明州, 左右司官劉仁本者, 頗嗜文學, 自編平昔小作詩文成帙, 刊板印行, 取在城僧寺藏經, 糊爲書衣, 揭去經文, 寫自詩文. 吾人見之, 雖心酸骨苦, 無如之何. 吳元年至正27年, 大兵取明州, 國珍降, 朝廷數仁本有不忠之罪, 鞭其背潰爛, 現肝臟, 乃死. …".

[○以[前密直提學]鄭思道爲日城君:追加].[230)]

[○以[左副代言]韓脩爲右副代言:追加].[231)]

[○以[閤門副使]沈德符爲奉常大夫·典工摠郎, 尋遷中顯大夫·小府尹:追加].[232)]

[○以裴克廉爲晋州牧使:追加].[233)]

[○以睦仁世爲延安府使:追加].[234)]

[○以[醇論博士]文益漸爲左正言:追加].[235)]

[○以[前宣德郎·北部令]河允潾爲朝奉郎·知肅州郡事:追加].[236)]

[○以<u>愼仁道</u>爲知安城郡事:追加].[237)]

[○以鄭可宗爲安東大都護府司錄兼參軍事:追加].[238)]

[○某等, 改修古阜郡高敞縣禪雲寺及兜率寺庵子:追加].[239)]

[○神光寺住錫<u>惠勤</u>, 入九月山, 遣內侍金仲孫請還:追加].[240)]

[○元以<u>李穡</u>爲奉訓大夫·征東行中書省儒學提擧:追加].[241)]

---

230) 이는「鄭思道墓誌銘」에 의거하였다.

231) 이는「韓脩墓誌銘」에 의거하였다.

232) 이는『동문선』권117, 沈德符行狀에 의거하였다.

233) 이는『신증동국여지승람』권30, 진주목, 古跡, 侍中栢에 의거하였다.

234) 이는『연안부지』에 의거하였다.

235) 이는 다음의 자료에 의거하였는데, 여기에서 贊成事 李公遂의 書狀官은 林樸이었으므로 文益漸은 4월 15일에 파견된 洪淳과 李壽林의 서장관일 가능성이 있다.

· 『태조실록』권14, 7년 6월 丁巳[13日], 文益漸의 卒記, "… 癸卯[恭愍12年], 以諄論博士, 陞左正言, 爲計稟使<u>左侍中</u>[贊成事]<u>李公遂</u>書狀官, 赴元朝".

236) 이는『동문선』권121, 河允潾神道碑銘에 의거하였다.

237) 이는 다음의 자료에 의거하였다.

· 『양촌집』권13, 克敵樓記, "… 樓本居昌愼君<u>仁道</u>爲宰時所置也. … 明年<u>癸卯</u>[恭愍12年], 愼君寔來以作斯樓, 則斯樓也, 所以旌敵愾之功, 陞秩之榮也"(『신증동국여지승람』권10, 安城郡, 樓亭에 인용됨).

238) 이는『안동선생안』에 의거하였다.

239) 이는 全羅北道 高敞郡 雅山面 三仁里 禪雲寺에서 출토된 瓦銘, '至正二十三年」, 癸卯」, 韓天石」, 金石龍」, 崔尙書」, 金□派」' 등에 의거하였다(世宗文化財硏究院 編 2015년 395~396面). 또 이는 1994년에 발굴된 禪雲寺의 관할 하에 있는 兜率庵에서 발견된 '至正二十三年', '兜率山仲寺', '日妙日進' 등의 기와명문[銘文瓦]에 의거하였다(國立文化財硏究所 2008년b ; 陳政煥 2015년).

240) 이는 다음의 자료에 의거하였다.

· 『목은문고』권14, 普濟尊者諡先覺塔銘幷序, "[至正,]癸卯, [~~神光寺住錫惠勤~~], 入九月山, 遣內侍<u>金仲孫</u>請還".

241) 이는 다음의 기사에 의거하였다(『양촌집』권40, 李穡行狀).

· 열전28, 李穡, "[恭愍]十二年, 元授征東行中書省儒學提擧".

[是年頃, 知申事元松壽典機務八年, 常懷憂懼, 涕泣乞代, 王曰, "卿進如卿者, 可代". 乃擧李岡以代. 除簽書密直司事, 賜忠勤贊化功臣號:列傳20元松壽轉載].[242)]

[○蒙古伶人梁濟率其徒, 詣都堂奏樂, 判三司事李壽山曰, "有樂, 不可無歌". 乃呼漢女唱歌, 與諸相極歡. 判事許佺, 竊檜山府院君黃裳嬖妾惑之,[243)] 所爲錯亂. 壽山與諸宰相會殿庭, 言其狀, 相與笑噱, 聲徹御座. 王聞之曰, "李三司老矣. 評論女色, 今可休矣":列傳27李壽山轉載].

[增補].[244)]

甲辰[恭愍王]十三年, 元至正二十四年, [西曆1364年]

1364년 2월 4일(Gre2월 12일)에서 1365년 1월 22일(Gre1월 30일)까지, 354일

春正月丙寅朔小盡,丙寅, 僞左丞相崔濡以元兵一萬, 奉德興君, 渡鴨綠江, 圍義州[弓庫門:節要轉載].[245)] 都指揮使安遇慶, 七戰却之. [濡, 登山, 覘我軍寡且無援, 乃分爲七隊, 鼓譟而進, 我軍奔還入門. 中郎將崔黑驢下馬, 執槍立門外, 濡不敢前, 黑驢殿我軍, 徐驅而入. 我軍:節要轉載]復出與戰, 都兵馬使洪瑄被擒, 我軍敗績, 走保安州, 濡入據宣州.

· 『목은집』연보, 至正廿三年癸卯, "宣授奉訓大夫·征東行中書省儒學提擧".

242) 이 기사는 열전24, 李嵒, 岡에서도 확인된다.
 · "以元松壽薦, 代松壽爲知申事, 掌銓選. 時方邊報絡繹, 上下維持, 岡之功居多. 然惟務承迎, 識者譏之".

243) 열전27, 黃裳에는 檜城府院君으로 되어 있다.

244) 다음의 기사는 『원사』에서 1362년(至正22) 是歲條에 수록되어 있으나 是年(至正23) 是歲條로 移動시켜야 옳게 될 것이다.
 · 『원사』 권46, 본기46, 순제9, 至正 22년(1362년), "是歲, … 皇太子嘗坐淸寧殿, 分布長席, 列坐西番·高麗諸僧. 皇太子曰, '李好文先生敎我儒書多年, 尙不省其義. 今聽佛法, 一夜卽能曉焉'. 於是頗崇尙佛學. 帝以讒廢高麗王伯顔帖木兒, 立塔思帖木兒爲王. 國人上書言舊王不當廢, 新王不當立之故. 初, 皇后奇氏宗族在高麗, 恃寵驕橫, 伯顔帖木兒屢戒飭不悛, 高麗王遂盡殺奇氏族. 皇后謂太子曰, '爾年已長, 何不爲我報讎', 時高麗王昆弟有留京師者, 乃議立塔思帖木兒爲王, 而以奇族子三寶奴爲元子, 以將作同知崔帖木兒塔思帖木兒爲丞相, 以兵萬人送之國, 至鴨綠江, 爲高麗兵所敗, 僅余十七騎還京師".

245) 이날 일본의 교토[京都]에서는 맑았으나 눈이 내렸다고 한다(『愚管記』제9, 貞治 3년 1월, "一日丙寅, 天晴, 雪降"). 또 이후 高麗軍이 崔濡가 이끈 몽골군[元兵]과 전투를 계속 전개한 것으로 추측되는 19일(甲申)까지 3일(戊辰)을 제외하고 모두 맑았다고 한다.

[→時士卒凍餒不能興, 黎明賊渡江. 都指揮使安遇慶將官屬七十餘騎, 登城望之, 賊圍弓庫門. 遇慶引軍趣之, 賊已踰城, 入殺守門卒, 芬碩尙未知也. 遇慶身先士卒, 與邦天奉·咸石柱·金得和·玄奴价·中郞將崔黑驢·羅成等, 七戰却之. 賊登山, 覘我軍寡且無援, 分步騎爲七隊, 鼓噪齊進. 我軍不能支, 奔還入門, 黑驢下馬, 執槊立門外, 賊不得逼, 遲我軍畢入, 上馬徐驅而入. 龜壽·瑄·龍壽等不意賊奄至, 各將十餘騎至. 我軍屢與戰不利, 瑄馬蹶, 爲賊所擒. 我軍大敗走, 保安州, 賊入據宣州:列傳26安遇慶轉載].[246]

[→恭愍十三年, 賊臣崔濡奉德興君, 渡鴨綠江. 我師與戰敗績, 賊乘勝長驅, 入據宣州, 中外洶懼:列傳26崔瑩轉載].

[→同知樞密院事崔濡, 以元兵一萬, 奉德興君, 渡鴨綠江, 圍義州. 我軍敗退, 保安州, 濡入據宣州:列傳44崔濡轉載].

□□某日, 王命都僉議贊成事崔瑩爲都巡慰使, 將精兵, 急趣安州, 節度諸軍. [瑩, 聞命卽行, 率厲將卒, 誓必滅敵, 朝野恃以無恐. 瑩:列傳26崔瑩轉載]. [道遇亡卒, 輒斬以徇, 軍令始肅:節要轉載].[247]

□□某日, 又命我太祖李成桂自東北面率精騎一千, 赴之□□泥城.[248]

□□某日, 都體察使李珣·都兵馬使禹磾·都兵馬使朴椿, 引軍來會, 我軍復振. 以版圖判書羅世代都兵馬使洪瑄.

□□某日, [濡候騎, 至定州, 都指揮使安遇慶, 將精騎三百, 掩擊敗之, 虜其將宋臣吉, 徇以徇. 濡奪氣:節要轉載].

[→□□崔濡, 渡鴨綠江, 至隨州㺚川, 爲我軍所敗, 語在濡傳. 帝尋詔放遣遼陽兵, 達達將吏, 並赴朝廷. 德興君塔思帖大兒, 止帶素領傔從人等, 歸止永平□路:列傳4忠宣王王子德興君轉載].[249]

[→王命崔瑩節度諸軍, 戰于隨州之㺚川, 濡軍大敗:列傳44崔濡轉載].

[→初, 崔濡, 啗蒙漢軍以利曰, "高麗王威脅將士, 使守西北, 聞新王來, 則不戰以散. 事定, 賞以高麗宰相以下家產". 衆皆信之, 及渡江, 我軍堅拒, 無一人降者,

---

246) 이 기사는 『태조실록』 권1, 總書, 공민왕 11년 7월에 縮約되어 있다.

247) 이 기사는 열전26, 崔瑩에도 수록되어 있는데, 그 중에서 軍令은 延世大學本에서 宣令으로 되어 있으나 오자일 것이다(東亞大學 2006년 25冊 443面).

248) 添字는 열전26, 安遇慶에 의거하였다.

249) 永平路의 治所는 現 河北省의 東北部에 위치한 秦皇島市의 盧龍縣地域이다.

蒙漢軍, 疑我誘致深入, 設伏以待之:節要轉載].[250)]

乙亥[10日], [雨水]. 以廉悌臣△[爲]領都僉議□□[司事], 洪彦猷·金元命△[並]爲密直副使,[251)] [[丹誠輔理功臣·奉翊大夫·密直提學·右文館提學·~~同知春秋館事·上護軍~~]李穡爲[奉翊大夫·密直提學·右文館提學·]~~提點書雲觀事~~, 功臣號如故:追加].[252)]

[□[是]時, 辛旽[遍照]用事, 惡[廉]悌臣不附己, 譖於王. 王命其子壻, 諭以不可絶旽之意, 悌臣終不變:列傳24廉悌臣轉載].[253)]

丁丑[12日], 以平昌縣令裴仲連, 貪殘不法, 籍其家.

○以[前贊成事]黃裳爲東北面都巡討使.

[○白氣交日:天文1轉載].

庚辰[15日], 以贊成事宋卿·知密直司事金續命爲西北面體覆使.

○女眞三善·三介等,[254)] 寇忽面·三撒. 王命交州道兵馬使成士達, 發精騎五百, 往擊之. [初, 北人金方卦, 娶我度祖[李椿]女,[255)] 生三善·三介, 於□[我]太祖[李成桂], 外兄弟也. 生長女眞, 膂力過人, 善騎射, 聚惡小[惡少],[256)] 橫行北邊, 畏□[我]太祖, 不敢肆,

---

250) 이와 같은 기사가 열전44, 崔濡에도 수록되어 있다.

251) 洪彦猷(洪奎의 孫)는 重大匡·南陽君에 이르렀다고 한다(열전19, 洪奎, 戎). 또 이 시기 이후의 金元命에 대한 기사로 다음이 있다.
- 열전38, 金元命, "… 拜密直副使. 素與贊成□[事]李龜壽爲刎頸交, 龜壽過元命家, 置酒, 見妾與妻同席曰, '君今爲相, 家且不齊, 何以正國'. 叱下, 其妾不飮而出". 여기에서 李龜壽는 이보다 먼저 知樞密院事로 西北面에 出陣하였고, 그 후 귀환하여 是年 3월 22일 僉議評理에 임명되었다. 그러므로 이 기사는 李龜壽가 贊成事에 승진했던 어느 시기에 있었던 일로 추측된다.

252) 이는 『목은집』연보에 의거하였는데, 이날 단행된 人事行政 중에서 李穡에 관한 사실이 『고려사』에 빠진 사유를 추측할 수 있다. 곧 어떤 官僚의 인사행정[陞轉]에서 本職이 그대로 유지된 채, 兼職만이 교체되는 것과 같은 微細한 사실은 『고려사』에 반영되지 않았다는 점이다.

253) 이 기사에서 辛旽은 遍照로 고치는 것이 옳을 것이다. 遍照는 1365년(공민왕14) 12월 24일 前後에 本名(혹은 改名)인 辛旽을 사용하였던 것 같다(열전45, 辛旽).

254) 三善과 三介는 李成桂의 祖父인 李椿의 壻인 女眞人 金方卦의 子이므로 李成桂의 姑從四寸에 해당한다. 이들은 1356년(공민왕5) 5월 雙城摠管府가 收復될 때 이성계의 叔父인 李子宣과 함께 북쪽으로 도망가서 高麗政府에 抵抗하였던 것으로 추측된다. 또 이날 일본의 京都에서는 맑았다고 한다(『愚管記』제9, 貞治 3년 1월, "十五日庚辰, 晴").

255) 度祖 李椿(?~1242)의 몽골 이름은 Buyan Temur[孛顔帖木兒]였고, 女眞 人[北人] 金方卦는 고려왕조의 동부 지역에서 李安社(李成桂의 高祖父)의 後裔들과 연결된 고려와 몽골제국에 時叛時服하던 邊境人이었던 것 같다.
- 『태조실록』 권1, 總書, "度祖諱椿, 小字善來, 蒙古諱孛顔帖木兒, 受宣命襲職".
- 『태조실록』 권1, 總書, 공민왕 13년 1월, "初, 三海陽[今吉州]達魯花赤金方卦娶度祖女, 生三善·三介, 於太祖爲外兄弟也".

256) 惡小는 惡少로 고쳐야 옳게 될 것이다(→명종 1년 1월 某日의 脚注).

□[我]太祖世長咸州, 恩威素積, 民仰之父母, 女眞亦畏慕自戢. 至是, 三善·三介, 聞□[我]太祖往援西北, 誘致女眞, 大肆侵略. 遂:節要轉載]賊陷咸州, 守將全以道·李熙□[等], 弃軍走還. □□□[~~東北面~~]都指揮使韓方信·□[都]兵馬使金貴, 進兵和州, 亦潰, 退保[宜州]鐵關,[257] 和州以北皆沒□[~~焉~~].[258] [官軍累敗, 將士喪氣, 日夜望□[我]太祖之至:節要轉載].

[→時女眞 亦寇邊, [東北面都指揮使韓]方信遣忽面兵馬使全以道·李熙·李用藏等, 擊破之. 初, 北人金方卦娶我度祖女, 生三善及三介, 生長女眞 , 膂力過人, 善騎射. 聚惡少, 橫行北邊, 畏我太祖, 不敢肆. 太祖世長咸州, 恩威素積, 民仰之如父母, 女眞 亦畏慕自戢. 及德興君兵壓西北, 王遣我太祖, 將精騎一千往援之. 三善·三介詗其虛, 誘致女眞 , 寇忽面·三撒. 王命交州道兵馬使成士達, 發精騎五百往擊之. 三善·三介陷咸州, 以道·熙等, 棄軍走還. 方信與[都兵馬使金]貴, 進兵和州, 亦潰, 退保鐵關, 和州以北皆沒□[~~焉~~]. 時國家兩地受敵, 又方信等敗衄, 將士喪氣, 日夜望□[我]太祖至:列傳20韓方信轉載].

[→三善·三介寇東北面, [前安東道兵馬使全]以道爲知兵馬事, 從都指揮使韓方信禦之. 以道將兵六千, 守忽面, 忽面山谿險阻, 糧運不繼. 數請退守三關, 方信恐違朝旨, 不從. 三善·三介逼忽面, 以道望風走. 時德興兵已據宣州, 與東北界, 隔一嶺. 若踰嶺, 則忽面已在賊後, 故方信不責奔敗, 使守三關. 三善·三介又逼三關, 以道不能守, 和州以北皆沒□[~~焉~~]. 及三善·三介退, 方信復使以道守忽面, 以道銜之. 以道性褊急, 每語人曰, "三善·三介之深入, 主將退次故也. 吾欲爲國家, 死守忽面, 重違主將節度, 退守三關, 爲賊所乘". 監察司聞之, 欲按方信罪, 王召監察大夫崔宰, 諭方信無罪, 事寢:列傳27全以道轉載].

壬午[17日], 大護軍金斗體覆西北, 而還. 時軍卒寒餓, 著蓑自溫, 斗米換馬. 道殣相繼, 亡卒行乞滿路, 形容羸瘁, [雖隣里故舊, 不識也, 及罷兵, 生還者, 百才一二:節要轉載]. 而用事之臣, 壅蔽不聞. 是以, 體覆之使, 雖相望於道, 軍中虛實, 王竟莫之知.[259]

[○□[~~時~~], [贊成事]安遇慶·[密直副使]李龜壽·[知密直司事]池龍壽·[版圖判書·~~都兵馬使~~]羅世爲左翼, [判開

257) 鐵關은 조선시대의 咸境道 德源府(현 北韓 江原道 文川市, 옛 文川郡 德源面과 그 인근지역)에 위치한 東北界 防禦의 중요한 하나의 거점이었던 것 같다(→고종 8년 윤12월 某日의 脚注).

258) ~~添字~~는 『고려사절요』 권28에 의거하였다.

259) 이때 知肅州郡事 河允潾(河崙의 父)이 굶주린 軍卒들을 구제하고 농민들을 구휼하였다고 한다(『동문선』 권121, 河允潾神道碑銘).

城府事李珣·三司左使禹磾·密直使朴椿·我太祖李成桂爲右翼，崔瑩爲中軍:節要轉載].[260]

癸未18日，我軍行至定州，[□我太祖李成桂見諸將退北，言其怯懦不力戰,[261] 諸將忌之．時:節要轉載]賊已屯隨州之㺚川,[262] [諸將謂□我太祖曰，“明日之戰，君獨當之”，□我太祖知諸將忌之，稍有憂色:節要轉載][263]

[明日~~甲申~~19日，賊分爲三隊:節要轉載]，我軍擊敗之.

[□□~~是日~~, □我太祖李成桂居中，手下老將二人爲左右，各當其一隊，奮擊之，□我太祖所乘馬，陷泥濘甚危，馬奮躍而出．衆皆驚異．□我太祖射賊將數人，賊乃潰去，二老將拔劍，亂擊之，賊已奔崩，唯塵埃蔽空而已:節要轉載],[264] 賊遂焚營，渡江而走.

[→及㺚川之敗，蒙漢軍, 知墮於濡計，夜，詐爲我軍狀，呼譟驚動．我軍擊敗之，賊遂焚營，渡江而走．我軍追至江，不及．柳仁雨·康之衍·安福從·~~畧千奇~~等，罷𠈁在後，執而殺之．彼兵還燕京者，凡十七騎:節要轉載].[265]

[□□~~是後~~, 同知樞密院事崔濡又托權勢，謀起大兵而東，且請于帝曰，“如得還國，盡發丁壯，以充天子衛兵，又獻糧餉及女子，歲以爲常．且於慶尙·全羅，置倭人萬戶府，招誘倭人，授金符，使爲上國之援”．○監察御史紐𠈁等言，“修文德而服遠人，乃前

---

260) 이와 같은 기사가 열전26, 安遇慶에도 있는데, 添字는 이에 의거하였다.

261) 怯懦(겁나, 懦弱)는 열전26, 安遇慶에는 刦懦로 되어 있는데 오자일 것이다.

262) 㺚川은 獺川으로도 달리 표기되어 있다.
- 열전26, 安遇慶, “時賊已屯隨州之獺川”.
- 열전26, 崔瑩, “都巡慰使崔瑩, 與諸將分軍，擊賊于獺川，大敗之”.

263) 이날 일본의 교토에서는 맑았다고 한다(『愚管記』제9, 貞治 3년 1월, “十八日癸未, 晴”).

264) 이날 교토에서는 흐렸다고 한다(『愚管記』제9, 貞治 3년 1월, “卄日乙未, 陰”). 또 이상과 같은 기사로 다음이 있는데, 여기에서 左翼과 右翼은 戰鬪編制에서의 中軍을 中心으로 한 左軍, 右軍의 三軍體制를 가리키는 것 같다.
- 『태조실록』 권1, 總書, “恭愍王十三年甲辰，初，諸奇伏誅，奇皇后有憾於恭愍王．本國崔濡，在元爲將作□院同知，與群不逞說后，構王廢之，立德興君塔思帖木兒爲王．發遼陽省兵，正月，渡鴨綠江．王遣贊成事安遇慶等禦之，敗績，退保安州．王復命贊成事崔瑩，將精兵趣安州，節度諸軍，命太祖，自東北面率精騎一千赴之．密直副使李龜壽·知密直司事池龍壽·版圖判書羅世及遇慶爲左翼，判開城□□府事李珣·三司左使禹磾·密直使朴椿及□我太祖李成桂爲右翼，崔瑩爲中軍，行至定州．太祖見諸將退北，言其怯懦不力戰，諸將忌之．時賊已屯隨州之㺚川．諸將謂太祖曰，‘明日之戰，吾獨當之’．太祖知諸將忌之，稍有憂色．明日，賊分爲三隊，太祖居中，手下老將二人爲左右，各當其一隊奮擊之．太祖所乘馬，陷泥濘甚危，馬奮躍而出，衆皆驚異．太祖射賊將數人，遂大破之．太祖望二人，二人拔劍亂擊之，賊已奔崩，唯塵埃蔽空而已”.

265) 이와 같은 기사가 열전44, 崔濡에도 수록되어 있는데, 위의 기사에서 筆者가 及字의 위치를 바꾸었다.

聖之明訓，斥姦諛以清朝政，尤臺憲之當爲．夫遠人服，則干戈屛息，讒人遠，而是非益明．比聞，高麗之爲國也，地處遐陬，威行海嶠，歷代征之而弗克，號令獨施於一方．惟我太祖皇帝，肇基北土，世祖皇帝，混一南服，恩威所至，率衆臣服．於是，授以征東丞相之職，妻以公主之榮，錫印主國．貢賦歲修，旣爲和親，永洽國典．其國王卜顏帖木兒[恭愍王]，傳嫡嗣位，恪恭乃職，方貢不匱，海隅咸服．比關賊之陸梁，殘上京於咫尺，煨燼宮闕，劫掠璽符，深入高麗，欲殘邊境．其國王卜顏帖木兒，仗義興師，誓殄厥寇，爰出奇策，屠戮殆絶．所獲璽章寶貨等物，遣使來納，究其功勳，不爲不重．豈期伊庶叔塔失帖木兒[塔思帖木兒德興君]，旣已爲僭，復圖異慮，駿奔京闕，夤緣群奸，朦朧啓奏，重授印章，俾代其位．分撥將卒，防送入國，行未及境，班師西歸．故繁纓，猶惜其妄加，而名器豈宜以復授．致生邊釁，有由然矣．察其妄誕之謀，率皆奸臣樞密院同知崔帖木兒不花[崔濡]之所致也．謹按帖木兒不花，狡獪其心，犬彘斯穢．本係高麗，仕居中土，罔知國家之大體，實爲阿諛之小人．論其才，非職任之可，加考其行，無尺寸之報效．詭妄造釁，誣廢忠良，似玆所爲，孰不切齒．迹其斯人之詭詐，揆諸典憲而難容．蓋惡不懲，何以勸天下之善邪．不去，無以彰忠義之心．事雖在於赦前，職難存於革後，罪幸遇原，理合糾正．如蒙准言，卽宜遣使詣彼，明諭卜顏帖木兒復還其職，安彼遐方，以酬前烈．收奪塔失帖木兒印章，制命，斥還帖木兒不花于本土，庶幾，息邊塵之復起，雪忠義之至寃"．○帝允之，收[德興君]塔失帖木兒[塔思帖木兒]印章，置永平府:列傳44崔濡轉載]．

丙戌[21日]，西北面都元帥慶千興，遣人告捷．王喜，遣使賜千興酒布，告諸道.[266]

[→復興[都元帥慶千興]遣錄事金南貴獻捷，王賜南貴銀一錠，遣人賜復興[千興]酒:列傳24慶復興轉載]．

[→[都巡慰使崔瑩,] 遣兵馬副使安柱報捷，王喜賜柱馬一匹·銀二錠:列傳26崔瑩轉載]．

[戊子[23日]，夜，西南有赤氣，如龍:五行1轉載]．

己丑[24日]，東寧路萬戶朴伯也大，入寇延州，[都巡慰使]崔瑩□□□[~~遣其將~~]，擊却之.[267]

辛卯[26日]，以金光祚爲東北面都巡慰使．

[壬辰[27日]，赤氣如虹，見于東方，長十餘丈:五行1轉載]．

[某日，以崔安穎爲慶尙道按廉使,[268] 洪元老爲全羅道按廉使，安某爲忠淸道按

266) 이날 교토에서는 맑았다고 한다(『愚管記』제9, 貞治 3년 1월, "廿一日丙戌，晴")．

267) ~~添字~~는 열전26, 崔瑩에 의거하였다.

268) 崔安穎은 1358년(공민왕7) 전반기에 李穡과 교유하였던 것 같다(『목은시고』 권4, 寄順興府使[副使]

廉使:慶尙道營主題名記·錦城日記].[269)]

二月乙未朔[大盡,丁卯], 我太祖[李成桂]自西北面, 引軍至鐵關, [人心皆喜, 將士膽氣自倍:節要轉載]. 與[東北面都指揮使]韓方信·[都兵馬使]金貴, 三面進攻, 三善等大敗之, 悉復和·咸等州. [三善·三介, 奔于女眞, 終不返. ○王倚賴益重:節要轉載].[270)]

[→聞□[我]太祖引軍至鐵關, 人心皆喜, 將士膽氣自倍. [東北面都指揮使韓]方信分遣麾下諸將, 往討之, □[我]太祖亦引兵來會, 與[都兵馬使金]貴等三面進攻, 大破之, 悉復和·咸等州, 三善·三介奔于女眞 , 終不還, 王倚賴□[我]太祖益重:列傳20韓方信轉載].

[□□[是時], □[有]趙武□[者], 元將也. 元衰, 率衆據孔州. □[我]太祖謂麾下士曰, "此人終必爲亂, 不可置之". 乃率衆擊之, 惜其人勇銳, 以高刀里箭, 射中數十. 武, 下馬而拜, 遂擒之. 武心服, 卒爲厮養, 終身僕役. 後官至工曹典書:追加].[271)]

丙申[2日], 以金逸逢△[爲]領都僉議□□[司事], 慶千興爲左侍中,[272)] 我太祖[上護軍李成桂]爲密直副使, 賜端誠亮節翊戴功臣之號,[273)] 權長壽·[密直副使商議]趙希古△[並]爲密直副使.

丁酉[3日], 賜[東北面都指揮使]韓方信彩段[綵段], 我太祖[李成桂]及[都兵馬使]金貴金帶.[274)]

[→賜方信綵帛, 以旌其功:列傳20韓方信轉載].

戊戌[4日], 西北面都元帥慶千興·都巡慰使崔瑩·安遇慶·李珣·禹磾·李龜壽·池龍壽·朴椿·洪師禹等凱還, 王命有司郊迓, 如迎駕儀, □[令]百官宴于國淸寺南郊, [以慰之:節要轉載].[275)]

崔侍御□[使]安穎). 이때 시어사 崔安穎의 官秩[品階]을 보아 添字로 고쳐야 옳게 될 것이다.

269) 安某의 是年 8월 是月條의 脚注에 의거하였다.

270) 이때 鄭夢周가 李成桂의 軍隊에 從軍하였다고 한다. 또 이날 교토에서는 맑았다고 한다.
- 열전30, 鄭夢周, "[恭愍]十三年, 從我太祖, 擊三善·三介于和州".
- 『愚管記』제9, 貞治 3년 1월, "廿一日丙戌, 晴".

271) 이는 『태조실록』 권1, 總書, 공민왕 13년 2월에 의거하였는데, 添字는 필자가 추가하였다.

272) 이때 左侍中은 곧 守侍中으로 改稱되었던 것 같다(→是年 3월 22일).

273) 이때 이성계와 관련된 자료로 다음이 있다.
- 『목은문고』 권15, 李子春神道碑, "… [李]穡在癸卯[恭愍12年], 承之密直提學, 明年[13年], 判事公來爲副樞".

274) 이상의 내용에서 李成桂의 역할만을 따로 정리한 기록으로 다음이 있다.
- 『태조실록』 권1, 總書, "[恭愍]十三年二月, 太祖自西北面, 引軍至鐵關, 人心皆喜, 將士膽氣自倍. 與方信·貴, 三面進攻, 大破走之, 悉復和·咸等州. 三善·三介奔于女眞 , 終不返. 王進拜太祖爲密直副使, 階奉翊□□[大夫], 賜端誠亮節翊戴功臣之號, 又賜金帶, 倚賴益重".

275) 이와 같은 기사로 다음이 있다. 또 이날 교토에서 흐린 후 밤에 비가 내렸다고 한다.
- 지18, 禮6, 師還儀, "[恭愍]十三年二月戊戌, 西北面都元帥慶千興·都巡慰使崔瑩等, 卻德興兵, 凱

己亥[5日], 以賊臣田宅·財產, 分賜諸將.

○罷京城戍卒.

○下西北面都兵馬使丁贊獄, □[贊], 憂憤而卒.[276)]

[→西北面都兵馬使丁贊麾下睦忠, 倚從兄仁吉勢, 驕橫不軌. 贊制之, 不能禁. 忠怨之, 誣告贊與德興君相通, 下巡軍, 憂憤而卒. 贊, 性寬博, 有武藝:節要轉載].

[→[西北面都兵馬使丁]贊遣麾下兵馬使睦忠, 將兵屯要害. 忠乃宰相仁吉從弟也, 依勢不從贊節度, 贊不能制. 忠怨贊, 誣構贊與德興通謀議, 乃棄屯所, 逼贊營, 欲襲殺之. 贊大懼, 棄軍奔復興[都元帥慶千興]營, 明其誣. 王遣使繫致巡軍, 召忠對置, 事無驗, 憂憤而卒. 贊, □□□□[靈光郡大], 性寬博, 有武藝, 時人惜之:列傳24慶復興轉載].[277)]

○護軍裴自富, 與德興君交通, 僞授密直副使, □□[事覺], 斬之.[278)]

[己酉[15日], 月食:天文3轉載].[279)]

壬子[18日], 東北面都指揮使韓方信·都兵馬使金貴凱還.[280)]

[→及[東北面都指揮使韓方信]凱還, 賜宴內殿:列傳20韓方信轉載].

甲寅[20日], 王宴赴征將士于時御宮.

還. 王命有司郊迓, 如迎賀儀[駕儀]". 이에서 賀儀는 駕儀로 고쳐야 옳게 될 것이다.

· 열전24, 慶復興, "… 凱還, 王命有司, 如迎駕儀, 令百官, 宴于國淸寺南郊, 慰之. 賜諸將賊臣田宅貲產".

· 열전27, 李壽山, "都元帥慶千興, 却德興兵凱還, 宰樞置酒慰之. [判三司事李]壽山被酒, 自擊檀板, 以板拍諸相以爲戲, 拍右侍中柳濯, 濯正色不言. 其輕率無儀, 類此".

·『愚管記』제9, 貞治 3년 2월, "三日戊戌, 陰, 入夜雨降".

276) 이날은 율리우스曆으로 1364년 3월 8일(그레고리曆 3월 16일)에 해당한다.

277) 丁贊은 丁克仁(1401~1481)의 曾祖父라고 한다(『不憂軒集』卷首, 丁克仁行狀).

278) 이 기사는 열전4, 忠宣王王子, 德興君에도 수록되어 있는데, 添字는 이에 의거하였다.

279) 이날(己酉, 日本曆으로 14日) 일본의 교토에서도 월식이 있었다(日本史料6-25冊 561面). 이날은 율리우스력의 1364년 3월 18일이고, 월식 현상이 심했던 때의 世界時는 16시 20분, 食分은 1.04이었다(渡邊敏夫 1979年 485面).

·『師守記』 권43, 貞治 3년 2월, "十四日己酉, 天陰, 巳剋許小雨下聊休, 午斜以後降雨, 終日不絶, 酉斜以後屬晴, 酉剋南方聊寄辰巳立虹. 今夜月蝕, 剋限正現云々, 月蝕, 大分十五分之十一半□[端], 虧初子初刻, 五十二分, 加時子七刻, 卅四分, 復末丑五刻, 七十二分".

·『愚管記』제9, 貞治 3년 2월, "十四日己酉, 雨下, 入夜晴, 月蝕正現云々".

·『東寺執行日記』 권1, 貞治 3년 2월, "十四日, 降雨, 今夜月蝕出現, 食時分天晴訖, 何人致御祈哉, 不審".

·『續史愚抄』26, 貞治 3년 2월, "十五日庚戌, 月蝕, 正見".

·『本朝統曆』 권10, 貞治 3년, "二十四夜望, 子六, 月蝕, 十一分强, 亥八, 丑四".

280) 이날 교토에서는 비가 내렸다고 한다(『愚管記』제9, 貞治 3년 2월, "十七日壬子, 雨降").

辛酉[27日], 彗見, 一在太微南, 一在大角邊, 一在北斗東北, 一在氐北, 色赤, 長尺餘.
○以曹敏修爲楊廣道都巡問使.
[○以李子脩爲奉常大夫·知春州事兼勸農防禦使:追加].[281)]

三月[乙丑朔[小盡,戊辰], 歲星犯大微[太微]右掖門. 鎭星犯角:天文3轉載].
[丁卯[3日], 太白·辰星, 會于西方:天文3轉載].
戊辰[4日], 以年饑, 禁酒.
己巳[5日], 倭船二百餘艘泊葛島.
壬申[8日], 倭寇河東.
乙亥[11日], [穀雨]. 倭寇固城·泗州.
[丁丑[13日], 月暈:天文3轉載].
己卯[15日], 以知密直司事金續命爲慶尙道都巡問使.
甲申[20日], 倭寇金海府.
乙酉[21日], 倭寇密城郡.
丙戌[22日], 倭寇梁州, 焚二百餘戶.
○以宋仁績爲西北面都巡察使.

○左正言金齊顏罷. [初, 內竪韓暉, 以邊功拜□[都]僉議評理, 諫官不署告身. 暉, 意齊顏所爲, 讃於王曰, "臣國耳忘家, 暴露霜雪, 禦侮于外. 齊顏年少, 謬居言官, 而有二心, 非唯不署臣謝牒, 凡㺚川之役, 將士謝牒, 皆不署, 是欲使將帥解體也". 王大怒, 讓簽書密直司事元松壽曰, "齊顏卿族, 卿掌銓選, 引爲諫官, 欲何爲也". 松壽, 伏地流汗, 不能對. 將下齊顏獄, 守侍中慶千興·密直副使宋仁績, 爭之不能得. 密直副使金達祥, 進曰, "齊顏諫官也, 若下獄, 後世以殿下爲何如主". 王益怒, 起入內, 然, 不下獄, 齊顏謝病, 王遣中使, 强起之, 令署暉告身. 竟罷之:節要轉載].

[→恭愍王十三年, 爲左正言. 時內竪韓暉·李龜壽, 以邊功, 超拜□[都]僉議評理, 管機密, 甚寵幸, 諫官不署告身. 二人疑齊顏, 譖王曰, "臣等, 國耳忘家, 暴露于外. 齊顏年少, 謬居言官, 非惟不署臣等告身, 凡㺚川之役將士告身, 皆不署. 是有二心, 欲使將士解體也". 王大怒, 謂□[守]侍中慶千興·僉書密直□□[司事]元松壽·密直副使金達祥曰, "韓暉·李龜壽, 備嘗艱危, 宣力有勞, 故報之以爵, 齊顏不署告身, 欲鞫之". 對曰, "郎舍衆矣, 齊顏. 豈可獨任其責?". 王曰, "齊顏卿等之族, 故爲卿

281) 이는 「李子脩政案」에 의거하였다.

等言之". 又讓松壽曰, "卿掌銓選, 引卿族爲諫官, 欲何爲也". 松壽伏地流汗, 不能對. 王將下齊顔獄, 千興與密直副使宋仁績, 爭之不能得. 達祥進曰, "齊顔諫官也, 若下獄, 後世以殿下爲何如主. 且告身不時署, 有何罪". 王益怒, 起入內:列傳17金齊顔轉載].

[翼日~~丁亥15日~~, 金齊顔謝病, 王遣中使强起, 令署暉等告身, 竟罷之:列傳17金齊顔轉載].

○全羅道漕船, 阻倭不通, 王[選東北面武士及喬桐·江華·東西江戰船八十餘艘:節要轉載], 命京畿右道兵馬使邊光秀·左道兵馬使李善, □□分將往護之.[282] 遇賊大敗, 兵馬判官李芬孫·中郎將李和尙, 死之, 士卒死者十八九.

[→光秀船至代島,[283] 有內浦民被虜者, 逃來告曰, "賊伏兵伊作島,[284] 不可輕進". 善不聽, 鼓噪先進, 賊以二艘逆之, 佯退, 俄而, 賊五十餘艘圍之. 兵馬判官李芬孫·中郎將李和尙等, 先與戰, 盡爲賊所殺. 諸船兵, 望見喪魄, 投海死者十八九. 光秀·善等觀望, 不戰而退, 戰卒大呼曰, "兵馬使何棄士卒, 而退耶. 願小駐, 爲國家破賊". 光秀等終不救, 士卒氣益沮喪, 由是大敗. ○唯□□兵馬副使朴成龍力戰, 全船而來, 身中數矢. 兵馬判官全承遠與判官金鉉·散員李天生, 殊死戰, 賊追之不敢近. 有賊船二艘, 忽從西橫擊, 士卒不能支, 皆投水. 獨承遠力戰, 中數槍, 亦投水, 然, 善泅故, 得不死. 夜還登船, 有一卒中矢, 亦投水, 援舷無力, 不能上, 承遠引致船中, 晝夜手棹三日, 得到南陽府. 還者唯光秀·善等船, 才二十艘而已, 喬桐·江華·東西江, 哭聲相聞, 光秀等竟不坐:節要轉載].[285]

[是月頃, 以奉翊大夫洪永通爲安東大都護府使, 奉翊大夫馬天麟爲羅州牧使, 通直郎朴東老爲雞林府判官:追加].[286]

---

282) 이때의 京畿左道, 右道는 행정구역인 京畿道의 分道가 아니라 方面을 가리키는 것이다. 또 添字는『고려사절요』권28에 의거하였다.

283) 代島는 위치가 不明이지만, 기사의 내용을 통해 볼 때 현재의 인천광역시 甕津郡 紫月面 관내의 紫月島, 또는 承鳳島에 비정된다.

284) 伊作島는 紫月面 伊作里를 구성한 大伊作島와 小伊作島일 것이며, 이곳은 인접한 德積島와 함께 조선시대에 牧場이 설치되어 있었다(『세종실록』권74, 18년 7월 戊午25日 ;『성종실록』권81, 8년 6월 丁未12日).

285) 이와 같은 기사가 열전27, 邊光秀에도 수록되어 있으나 자구에 출입이 있다.

286) 이는『안동선생안』;『금성일기』에 의거하였다. 또 洪永通(洪子藩의 曾孫, 繕工副令 承演의 子)은 이보다 먼저 判典客寺事로 재직 중에 金景儒와 土地를 다투다가 流配되었다고 한다.
· 열전18, 洪子藩, 永通, "恭愍時, 累遷判典客寺事. 與金景儒爭田, 景儒先穫之, 永通怒, 夜抵

[春某月，以密直副使商議鄭思道爲漢陽府尹,[287] 鄭良生爲淸州牧使:追加].[288]

夏四月甲午朔大盡,己巳，丁酉4日，全羅道都巡禦使金鋐，以漕船至內浦，與倭戰敗績，死者大半.[289]

[→全羅道都巡禦使金鋐，亦以漕船至內浦，與賊戰敗績，死者太半，嬖幸受鋐賂，反譽之，王賜內醞迎勞，人多憤恨:節要轉載].

辛丑8日，燃燈，觀呼旗戲於殿庭，賜布．國俗，以四月八日，是釋伽生日，家家燃燈．前期數旬，群童剪紙，注竿爲旗，周呼城中街里，求米布，爲其費，謂之呼旗.[290]

[癸卯10日，月暈:天文3轉載].[291]

甲辰11日，江浙吳王張士誠遣萬戶袁世雄來聘.[292]

戊申15日，雨雹[293].

甲寅21日，淮南朱平章遣萬戶許成來，獻鎧·矟.[294]

其家，奪六馬．景儒訴官，鞫永通乃伏，遂杖罷".

287) 이는 「鄭思道墓誌銘」에 의거하였다.

288) 鄭良生은 是年 8월 是月條의 脚注에 의거하였다.

289) 『고려사절요』 권28에는 이 기사가 3월에 수록되어 있는데, 이는 앞의 기사와 관련이 있기 때문일 것이다. 또 全羅道都巡禦使 金鋐은 이해의 2월 27일 船舶을 거느리고 羅州牧의 浦口(木浦 혹은 榮山浦)에서 출발하였다고 한다.
- 『錦城日記』, 甲辰年恭愍13年, "都巡御史禦使金鉉鋐, 二月二十七日，騎船發浦".
- 열전38, 金鋐, "前左常侍金鋐, 出爲全羅道都巡禦使．時全羅饑重，以兵革，民不聊生，鋐割剝，無所不至．減軍粮，用其半，稅諸州漕船，皆輸于家，一方嗷嗷．大護軍宋芬死，其妻服未闋，鋐以事鉤致，白晝强淫，因以爲妾．領漕船至內浦，與倭遇戰敗，士卒死者過半．嬖幸受鋐賂，反譽之，王遣中使，賜宮醞迎勞，國人憤恨".

290) 呼旗와 관련된 기사로 다음이 있다.
- 『용재총화』 권2, "歲時名日，所擧之事，非一，… 四月八日，燃燈，俗言釋迦如來，誕生辰也．春時兒童，剪紙爲旗，剝魚皮爲鼓，爭聚爲群，巡閭巷，乞燃燈之具，名曰呼旗，至是日，家家樹竿懸燈，豪富者，大張彩棚，層層萬盞，如星排碧落．都人，終夜遊觀，無賴少年，或仰而彈之，以爲樂．今者，不崇佛敎，雖或設之，不如昔之盛也".

291) 이날(日本曆의 9일) 일본의 교토에서는 흐리다가 오후 1시 이후에 비가 내렸다고 한다.
- 『師守記』, 貞治 3년 4월, "九日癸卯，天陰，未始以後雨下，亥剋休".

292) 張士誠은 前年(至正23) 9월에 自立하여 吳王[東吳]을 稱하였다(『吳王張士誠載記』).

293) 이와 같은 기사가 지7, 五行1, 水, 雨雹에도 수록되어 있다.

294) 淮南 朱平章은 淮南平章政事 朱元璋으로 추측되지만 분명하지 않다. 곧 朱元璋은 이해(至正24, 1364)의 正旦에 吳王[西吳]을 稱하고 分官設職하여 李善長을 右相國, 徐達을 左相國, 常遇春과 兪通海를 平章政事로 임명하였다
- 『명사』 권1, 본기1, 太祖1, 至正 24년 1월, "丙寅朔，李善長等率群臣勸進，不允．固請，卽吳

[丁巳[24日], 日暈:天文1轉載].

[○亦如之[月暈]:天文3轉載].

[戊午[25日], 亦如之[日暈]:天文1轉載].

[辛酉[28日], 芒種. 亦如之[日暈]:天文1轉載].

五月 [甲子朔[小盡,庚午], 日暈:天文1轉載].[295)]

[某日], 慶尙道都巡問使金續命擊倭三千於鎭海縣, 大破之. 獻捷. 王賜衣酒·金帶, 爵戰士有差.

[→[金續命], 遷知密直司事, 出爲慶尙道都巡問使. 倭賊三千餘人入寇鎭海縣, 續命帥兵急擊之. 賊倉皇不暇乘船, 乃登縣之北山, 斫木爲鹿角柵守之. 續命復進擊大敗之, 遂獻所獲兵仗, 王喜遣中使, 賜衣·酒·金帶, 爵戰士有差:列傳24金續命轉載].

戊辰[5日], 鐵城府院君李嵓[李喦]卒,[296)] [年六十八, 命有司, 以禮葬之, 謚文貞. 喦, 謹守繩墨, 居家不問有無. 以圖書自娛, 書法妙一時, 嘗手寫太甲篇獻王. 語其子岡曰, "汝志之. 吾旣老矣, 無官守, 無言責, 當以格君心爲務耳". 辛禑元年, 配享忠定廟庭. 子寅·崇·蔭·岡. 寅·辛禑十年, 以固城君卒. 蔭與諸將, 平紅賊, 以功拜上將軍, 戰沒:列傳24李喦轉載].[297)] [喦, 古名君侅, 再爲□[守]侍中, 謹守繩墨, 無少假僨, 居家不問有無. 以圖書自娛, 善隷草, 嘗寫太甲篇, 以獻于王. 謂其子岡曰, "汝志之, 吾旣老矣, 無官守, 無言責, 當以格君心爲務耳". 後配享忠定王廟:節要轉載].[298)]

[庚午[7日], 月冠. 歲星守大微[太微]:天文3轉載].[299)]

王位, 建百官, 以李善長爲右相國, …".

295) 甲子에 朔이 탈락되었다.

296) 이날은 율리우스曆으로 1364년 6월 5일(그레고리曆 6월 13일)에 해당한다.

297) 이는 「李喦墓誌銘」; 「李岡墓誌銘」에 의거하였다. 또 李喦의 遺墨은 金海人 金普, 完山人 柳仁雨 등에게 주어진 것 등이 찾아진다(寶物 第526號, 『海東名蹟』권상 ; 吳世昌 1928년). 또 渡江·春雨 두 詩文과(慶南大學博物館 所藏, 寺內正毅文庫의 古書畵 중에 있음, 경상남도 유형문화재 제509호, 郭魯鳳 2015년), 『妙法蓮華經授記品』第6의 寫經(慶南大學博物館 2016년 22面)이 남겨져 있다.

298) 李喦(李君侅의 改名)의 遺墟碑는 慶尙道 固城縣 西門 밖의 松谷村에 있었다고 한다. 또 그는 松雪體에 능하였다고 하며, 그의 대표적인 遺墨으로 「清平文殊寺藏經碑」, 「送李愿歸盤谷序」(韓愈, 木版本)가 있다고 한다(李星培 1994년).

· 『西山集』 권16, 文貞公杏村李先生遺墟碑, "鐵嶺[鐵城]西門外, 有村曰松谷, 北戴天王, 南挹漲海, 中藏一區, 局勢環抱, …".

299) 이날 일본의 京都에서는 맑다가 오후 5시 무렵에 흐렸다고 한다(『師守記』 권45, 貞治 3년 5월,

癸酉[10日], 遣大護軍李成林·典校副令李靭, 報聘于[江浙吳王]張士誠.

戊寅[15日], 元遣使來告, 竄搠思監于嶺北, 朴不花于甘肅, 復以孛羅帖木兒爲太尉~~太保~~.[300)]

[是月初, 贊成事致仕尹澤撰'稼亭集'跋:追加].[301)]

[是月, 蟲食松葉:五行2轉載].

[○僧戒元·優婆夷康陽郡夫人李氏勝果等寫成'梵網經菩薩戒品':追加].[302)]

六月癸巳□[朔小盡,辛未], 禁酒.[303)]

戊戌[6日], 倭寇海豊郡.

庚子[8日], 倭寇窄梁, 命密直副使邊安烈·判開城府事石文成, 領兵禦之.

[己酉[17日], 狼入城:五行2轉載].

[某日, [前左政丞]李公遂·[前密直使商議?]洪淳·[前密直提學]許綱在元, 與[前典法]判書李子松·判事

"七日庚午, 天晴, 酉剋以後天陰").

300) 몽골제국이 搠思監(搠思監, Jochigen, ?~1365)과 고려인 출신의 朴不花(혹은 王不花, ?~ 1364)를 流配시키고(곧 召還된 것 같음), 孛羅帖木兒(Boru Temur, ?~1365]를 太保(太尉는 오자일 것이다)로 임명한 것은 이해의 4월 14일(丁未)이었다(『원사』 권46, 본기46, 지정 24년 4월 丁未·권111, 表5下·권204, 열전91, 宦者, 朴不花).

301) 이는 『稼亭集』跋에 의거하였다.

· 初刊本跋, "… 今其子密直提學李穡, 於辛丑播遷蒼黃之際, 能不失遺藁, 編爲二十卷, 令妹夫錦州宰朴尙衷書, 以壽諸梓. 予得而閱之, 慨然圭復, 益歎其所樹立如此, 又嘉其有子如此, 於是乎書, 至正甲辰五月初吉, 栗亭老人尹澤謹識". 여기에서 初吉은 朔日, 또는 初旬(1日~7·8日)을 가리키는데(→고종 46년 3월 8일의 脚注), 筆者는 後者를 선택해 보았다.

302) 이는 『白紙金泥梵網經菩薩戒品』(受菩薩戒法)末尾의 題記에 의거하였다(서울시 瑞草區 牛眠洞 56 觀門寺 舊藏, 南權熙 2002년 378面 ; 張忠植 2007년 230面). 여기에서 善月은 齋月이라고도 하는데, 近代以前 社會의 佛敎徒[佛者]들은 1월, 5월, 9월이 되면 素食하며 禮佛을 드리며[持長齋], 人間답게 살면서[愼言行], 三條의 善業을 일삼았다고 한다[修善業].

· 題記, "至正二十四年甲辰夏善月日,」芝岩 敬書,」無畏 敬畵,」化主 戒元,」施主康陽郡夫人李氏勝果,」奉爲逝夫·奉翊大夫·李子猷靈」駕,兼爲亡女息災之靈,溥爲法界」一切衆生,速脫苦輪,莊嚴寶」覺,自它均利買金,倩手書成,」菩薩戒經幷問難義文,謹施」受持者耳」".

· 追記, "梵網菩薩戒經, 今余安置,」奉寄進此經,」右志者,二世悉地圓滿,眞言得果,」卽身成佛,自他法界,一切衆生,悉」有佛生,善根佛果,多也,」時于文祿四年仲春廿一日, 良以手決」". 이는 1595년(乙未, 後陽成 文祿4) 2월 21일 日本人 某[良以]가 어느 寺社에 施納한 것을 기록한 것이다. 추측컨대 이 佛典은 21세기에 어떤 個人에 의해 일본에서 購買되어 觀門寺에 奉獻된 것 같고, 현재는 忠淸北道 丹陽郡 永春面 栢子里 救仁寺(天台宗本山)에 옮겨진 것 같다(보물 제1714호).

303) 癸巳에 朔이 탈락되었다.

金庾·黃大豆·副令張子溫·北部令林樸等, 爲書納竹杖中, 遣鄭良·宋元, 從間道來報. "德興君在永平□[路], 崔濡還托權勢, 謀起大兵而東, 且請于帝曰, '如得還國, 盡發丁壯, 以充天子衛兵, 歲貢糧餉. 且於慶尙·全羅, 置倭人萬戶府, 招誘倭奴, 授金符, 使爲上國之援'. 其謀如此, 願國家毋謂德興已敗, 備之尤謹":節要轉載].

[→德興旣敗, 公遂與洪淳·許綱·李子松·金庾·黃大豆·張子溫·林樸等, 爲書納竹杖中, 潛遣傔從鄭良·宋元, 衣藍縷爲乞人狀, 從間道報, "崔濡復謀起大兵而東, 願勿謂德興已敗, 謹備之". 本國始知得春妄, 拜公遂領都僉議□□[司事], 賜推忠守義同德贊化功臣號, 以旌之. 會孛羅帖木兒引兵入都, 黜丞相代其位. 與御史大夫禿堅帖木兒·平章□□[政事]老的沙, 言曰, "高麗王有功無罪, 爲小人所陷, 盍先申理. 帝降詔復王位, 械濡以遣":列傳25李公遂轉載].

乙卯[23日], 明州司徒<u>方國珍</u>遣照磨<u>胡若海</u>, 偕<u>田祿生</u>來, 獻沈香·弓矢及'玉海'·'通志'等書.[304)]

[某日, 以卓光茂爲慶尙道按廉使, 朴東生爲全羅道按廉使:慶尙道營主題名記·錦城日記].

辛酉[29日晦], 慮囚.

秋七月[壬戌朔大盡,壬申], [乙丑[4日], 月犯<u>大微</u>[太微]端門, 又與太白·歲星同舍:天文3轉載].

丁丑[16日], [處暑]. 設百高座道場于康安殿.

[某日, 選諸道良家子弟, 補充八衛, 番上宿衛, 分隷五軍, 屯于京城四門外, 唯江陵道子弟, 屯其道, 以備東北:節要轉載].

[→選諸道良家子弟, 補充八衛, 輪番宿衛. 楊廣道八千五百人, 全羅道五千五百人, 慶尙道九千人, 交州道三千人, 江陵道一千人, 分屬五軍, 屯于京城各門. 江陵道子弟, 屯于本道, 以備東北:兵2宿衛轉載].

丁亥[26日], [江浙]吳王<u>張士誠</u>遣周<u>仲瞻</u>來, 獻玉纓·玉頂子·<u>綵叚</u>[綵段]四十匹.[305)]

---

304) 『고려사』에서 田祿生이 明州에 파견된 記事는 찾아지지 않는데, 前年(공민왕 12) 후반기에 파견되었던 것 같다(→공밍왕 12년 是年 田祿生의 脚注).

305) 張士誠은 前年(至正23, 공민왕12) 3월 安豊(現 安徽省 壽縣)을 공격하여 劉福通과 小明王[大宋皇帝] 韓林兒를 축출하고, 9월 平江府(現 江蘇省 蘇州市)에서 吳王을 自稱하고 몽골제국에 錫命을 요청하였으나 받아들여지지 않았다(『원사』 권46, 본기46, 순제9, 지정 23년 9월 ; 任致遠 1932年).

八月[壬辰朔小盡,癸酉]，癸巳[2日]，流判密直司事吳仁澤于淸風郡，密直副使金達祥于沃州，尋拜達祥爲漢陽尹．[→召侍中柳濯·[守侍中]慶千興·贊成事崔瑩曰，吳仁澤·金達祥，典銓注，遺棄賢良，進用親姻，不記功勞，惟視賄賂，傷和召灾，罔不由此，當屛諸遠方，以答天意．時仁澤·達祥，方在都堂，遣中使，宣旨於座，流仁澤于淸風郡，達祥于沃州．國人大悅．尋拜達祥爲漢陽尹．又流前軍簿判書吳英柱·三司判官吳英佐，皆仁澤之子也．英柱等從其母，卜於盲人石天祿曰，崔瑩·李龜壽，何時見斥，天祿曰不久，言洩，英柱等得罪，天祿亦杖流:節要轉載].306)

丙午[15日]，檜山君黃石奇卒.307)

甲寅[23日]，以金湑爲西北面都巡問使，以知都僉議□□[司事]梁伯益爲都指揮使，前同知密直司事柳淵爲東北面都指揮使.

[是月，淸州牧使鄭良生撰'謹齋集'跋:追加].308)

九月[辛酉朔大盡,甲戌]，己巳[9日]，護軍張子溫還自元言，[丞相孛羅帖木兒等，以謂高麗王，有功無罪，而爲小人所困，盍先治之．於是，奏:節要轉載]帝命王復位，檻送崔濡．王大悅，賜子溫廐馬一匹·金帶一腰·銀一錠·米豆五十石·布二百五十匹，拜上護軍，其從者二人各賜銀一錠·米十石.

乙酉[25日]，[前密直使商議?]洪淳·[前典法判書]李子松·[前判事]金庾·黃大豆還自元，各賜米豆三十石．[初，帝令高麗人，皆從德興之國，金添壽·柳仁雨·康之衍·黃順·安福從·[前正言]文

---

306) 이 사건에 관련된 기사로 다음이 있다.

- 열전24, 柳濯, "改侍中，與評理[贊成事]崔瑩·密直副使[判密直司事]吳仁澤，提調政房．崔·吳方有寵，一日除官，濯曰，'宜先擇臺省'．瑩率爾曰，'我擇之'．厲聲呼吏曰，'將亐達赤名簿來'．濯惡其不讓，辭色方厲，仁澤曰，'臺省豈可於亐達赤擇之，須先擇儒士與有名望者'．二人專恣，旁若無人，濯辭疾不與". 添字와 같이 고쳐야 옳게 될 것이다.
- 열전27, 吳仁澤, "王召瑩·柳濯·慶千興曰，'吳仁澤·金達祥，濫典銓注，遺弃賢良，進用親姻，不記功勞，惟視賄賂．工匠之賤，布列中外，傷和召災，罔不由此，予甚悼之．當屛諸遠方，以答天意'．時仁澤·達祥，方在都堂，遣中使宣旨，流仁澤于淸風，達祥于沃州，國人大悅．仁澤子，前軍簿判書英柱，三司判官英佐，與其母，卜於盲人石天祿曰，'崔瑩·李龜壽，何時見斥'．天祿曰，'不久矣'．言洩，乃流英柱于杞溪，英佐于川寧，幷杖流天祿".

307) 이날은 율리우스曆으로 1364년 9월 11일(그레고리曆 9월 19일)에 해당한다.

308) 이는 다음의 자료에 의거하였다.

- 『근재집』 권1, 跋, "辛丑冬[恭愍10年]，紅賊寇京，家藏舊本皆失，艱於復得，常以爲恨，甲辰春[13年]，余出判淸州，按廉使柳公得其本，屬余曰，'吾欲爲之刊行於世，子之於謹齋爲甥也，勉之哉'．余於是，欣然而喜，鳩工鋟梓，其脫誤，則嘗在側聞其口授，姑以所聞正之，至正二十四年甲辰仲秋旬，鄭良生書".

益漸·奇叔倫等, 皆附之, 淳等, 匿不從, 執節不移:節要轉載].[309]

[某日, 令各司出馬, 官買之, 補給西北面各站:兵2站驛轉載].

[秋某月, 以漢陽府尹鄭思道爲同知密直司事:追加].[310]

冬十月辛卯朔小盡,乙亥, 辛丑11日, 元遣翰林學士承旨奇田龍, 詔王復位. [都堂請王郊迎, 王不允, 命百官迎之. 且曰, "詔使, 若問不郊迎, 宜對曰, 寡君嘗獲罪天朝, 貶爵, 今雖復位, 未承明命, 不敢迎詔". 及元使至行省, 王以便服聽旨, 乃具冕服拜命:節要轉載]. □詔曰, "我世祖皇帝混一文軌, 高麗王瞰向風歸附, 授以王爵, 遂結懿親, 迨玆有年, 朝貢不絶. 汝伯顔帖木兒恭愍王, 克承先業, 世篤勤勞. 比者妖賊陸梁, 轉掠遼瀋之境, 犯其疆埸, 乃能出奇制勝, 殲除群醜, 璽章·寶玉復歸天府, 功在我家, 允有光于前烈. 不圖崔濡陰萌險譎, 妄希進用, 倚權臣搠思監, 爲蒫孳, 構閹官朴不花, 爲媒孽. 朦朧奏請詔旨, 無辜易位, 爰及干戈, 一方騷然, 朕所深嘆厥. 今公論昭著, 重以臺評, 是用, 大明黜陟. 其塔思帖木兒德興君, 收還印綬, 俾居永平, 肆命伯顔帖木兒, 仍復舊爵, 綏輯其民, 爲朕東藩. 爾其益篤忠孝, 毋替厥勳, 尙欽哉".

[→元遣翰林學士承旨奇田龍, 詔王復位. 群臣請王郊迎, 王不允曰, "吾有所受. 止命百官迎之. 且曰, 詔使若問寡人不郊迎, 宜對曰, 寡君嘗獲罪天朝, 貶爵. 今雖復位, 未承明命, 不敢迎詔. 使入國, 寡君親承復爵之命, 然後, 當冕服, 更受明命". 使至, 問之, 果以爲然. 王以便服, 出行省, 聽旨, 乃具冕服, 拜命:禮7賓禮轉載].

壬寅12日, 元執送前同知樞密院事崔濡, 繫巡軍.

癸巳~~乙巳~~15日,[311] 王宴元使奇田龍於內殿, 賜鞍馬, 田龍不受.[312]

---

309) 이와 같은 기사로 다음이 있다.

· 열전24, 李子松, "恭愍朝, 拜典法判書. 德興君之變, 前典法判書李子松與洪淳在元, 帝令高麗人, 皆從德興之國. 金添壽·柳仁雨·康之衍·黃順·安福從·文益漸·奇叔倫等, 皆附之, 唯子松·淳·黃大豆等, 匿不從. 久居燕, 錢粮匱竭, 終始不貳. 旣還, 王嘉其節義, 各賜米豆三十碩".

· 열전27, 金庾, "元之立德興也, 前判事金庾奉使在元, 國人在元者, 皆從之, 庾執節不貳".

310) 이는 「鄭思道墓誌銘」에 의거하였다.

311) 10월의 기사는 辛丑(11일), 壬寅(12일), 癸巳(3日, 立冬), 丁未(17일), 己酉(19일), 辛亥(21일), 己未(29일) 등으로 구성되어 있다. 이를 통해 볼 때 癸巳는 乙巳(15일)의 誤字임을 알 수 있다.

312) 奇田龍의 妻 孫氏의 節義에 대한 기록으로 다음이 있다. 또 孫氏는 1402년(태종2) 11월 上王 李成桂의 命을 받은 安邊府使 趙思義의 擧兵에 연루된 孫孝宗(孫興宗의 弟)의 누나[姊]인 것 같다. 그녀는 자신이 쌓은 功德으로 인해 利川縣에서 험난한 麗末鮮初를 무사히 넘겼지만, 老衰함에 미쳐 온갖 不法을 자행하던 群小의 毒手를 벗어나지 못했던 것 같다.

丁未[17日]，以李公遂△[爲]領都僉議□□[司事]，[313] [前密直使商議?]洪淳△[爲]知都僉議□□[司事]兼監察大夫，[前典法判書]李子松爲密直副使，[前判事]金庾爲密直副使，[皆賜功臣號:節要轉載].[314]

己酉[19日]，以王重貴△[爲]同知密直司事.

辛亥[21日]，遣贊成事李仁復如元，謝復位，表曰，[315] "~~山川阻隔，常懸捧日之心，雨露霑濡，彌切齊天之祝，~~ 恩還爵秩，事辨罔誣，感動干天[于天]，涕零如雨. 切[竊]以邪[奸]正之實，欲盖而彌彰，上下之情，終通而難否□□[云々]，有讒言之或售，而公論之必明. 比者，本國奸人崔帖木兒不花[崔濡]，謀立先祖臣益智禮普化王[忠宣王]出妾所生塔思帖木兒[德興君]，爲國王，因懷廢臣之心. 遂肆欺天之計，表箋[牋]禮物，公爲白日之奪攘，符璽捷書，卒沮明庭之論賞. 既自幸陰謀之中，又必欲顯罰之加，而臣孤囚山海之間，極目雲霄之表. 剝膚雖切，素節何移. 顧影自傷，赤心誰諒. 惟冀悟於萬一. 以忍死於須臾，果天道之不差，而罪人之斯得. 旌别淑慝，特頒當宁之言，振肅紀綱，丕視錄功之載. 星軺聿至，日角若臨. 釋貝錦之前疑，已爲多幸，復藩屛之舊職，益添殊榮. 矧又宮錦晝鮮，仙醪春盎，豈意非常之寵，荐加不肖之躬. 玆盖伏遇，踐懷遠以德之猷，存去邪勿疑之念. 察彼蔽聰，而明其冒膺異渥之責，憐臣敵愾，而賜以有光前烈之褒. 遂令謗毁之餘，終何保全之惠，臣敢不對揚休命，倍輸述職之誠，綏輯遺民，永戴同仁之化".[316]

· 『신증동국여지승람』 권47, 利川縣, 烈女, "孫氏，翰林承旨奇田龍妻，年二十一，田龍入中朝不返. 孫□[氏]養姑惟勤，不二於心[~~不貳於心~~]，朝廷嘉其節義，立碑以旌之".

· 『태종실록』 권17, 9년 5월, "己亥[28日]，命遣巡禁司官于伊川，推覈藏匿孫孝宗之人. 豊海道都觀察使咸傅霖啓，'孫孝宗亡匿伊川縣內同生姉奇田龍妻家'. 議政府請遣巡禁司一員，推問藏匿人，至則孝宗暴死已四日矣".

· 『태종실록』 권17, 9년 6월, "丁未[6日]，孫興宗，新恩付處，趙末通等，論決有差. … 巡禁司又啓，'奇田龍妻孫氏·孫孝宗妻加氏·學生韓浮海·前郎將咸松等，藏匿孝宗，乞依律處斬'. … 教曰，'奇田龍妻年老，孝宗妻婦人，各減一等收贖. 浮海·松，各減一等'，…".

313) 이때 다이두[大都]에서 歸國 중이던 李公遂는 三重大匡·領都僉議司事·右文館大提學·監春秋館事에 임명되었다(李公遂墓誌銘).

314) 이 기사에서 '李子松·金庾並爲密直副使'로 처리하지 않은 것은 이들이 密直副使로서 各各(文臣·武臣) 功臣號의 授與와 他官職을 兼職하였기 때문일 것이다.

· 열전24, 李子松, "授子松密直副使，賜端誠輔祚功臣號".

· 열전27, 金庾, "及還拜密直副使，賜推誠翊祚功臣號，以旌之".

315) 이 표는 『목은문고』 권11, 謝復位表인데, ~~添字~~는 이에 의거하였지만 字句에 출입이 더 있다.

316) 이때의 형편은 다음의 자료에 반영되어 있다.

· 「李仁復墓誌銘」, "… 孛剌帖木兒引兵入朝，黜丞相代其位，入奏實難其人，上又曰，'非李某不可'，先生入見丞相，辭簡貌重，丞相屢目之，先生退謂從者曰，'就之不見，所畏其斯人乎?'. 上薦幕屬于天子，又以先生左右司，遂階進奉議大夫".

乙卯[25日], [領都僉議使司事]李公遂還自元.[317)]

[□□[是時], [書狀官林]樸還, 王謂曰, "德興誘以華秩, 汝不從, 吾亦以華秩褒之". 乃除中書舍人. 樸疏上正心論相二十條, 王益重之, 又除典儀副令:列傳24林樸轉載].

己未[29日晦], 遣同知密直司事王重貴如元, 賀千秋□[節].

[是月頃, 以韓公義爲密直副使:追加].[318)]

十一月[庚申朔大盡,丙子], 辛酉[2日], [前同知樞密院事]崔濡伏誅.[319)]

丙寅[7日], 以田祿生爲監察大夫, 廉之范爲密直副使.

戊辰[9日], 遣密直副使韓公義如元, 賀正.

癸未[24日], 宥二罪以下.

○領都僉議□□[司事]金逸逢女壻版圖摠郎李林伯, 欲脅姦良家女, 其母不聽, 使奴毆殺之. 王以逸逢故, 幷宥之, 典法司以罪不入赦, 不奉旨.

[某日, 賜前判三司事孫洪亮几杖:節要轉載], [時洪亮年七十八:追加].[320)]

---

317) 이날 李公遂는 宮闕의 閤門에 나아가 恭愍王을 알현하고 복명하였고(李公遂墓誌銘), 이보다 먼저 李公遂가 大都에서 出發한 후의 逸話로 다음이 있다.

· 열전25, 李公遂, "公遂亦辭職東還, 忠義聞天下. 出燕京齊化門, 令蒼頭吹笛曰, '天下之樂, 復有加於此者乎?' 中途馬困, 蒼頭以矢買束菽, 飼之. 公遂曰, '何故奪窮民食乎?', 截緜布償之. 閭山站無人, 粟積于野, 從者又取飼馬. 公遂問粟一束直布幾尺, 如其言, 書布兩端, 置粟積中. 從者曰, '人必取去何益. 不如不償'. 曰, '吾固知之, 然必如是, 吾必得安'. 旣還, …".

318) 이는 다음의 자료에 의거하였다.

· 「韓公義墓誌銘」, "上之十四年, 平簡公始拜密直副使, 其冬將賀禮歲正京師, …".

319) 이날은 율리우스曆으로 1364년 11월 25일(그레고리曆 12월 3일)에 해당한다. 또 열전44, 崔濡에는 崔濡와 함께 몽골제국으로 逃走했던 그의 弟 崔源이 공민왕을 따라와 1354년(공민왕3) 6월 龍城君에 책봉되어 張士誠의 토벌에 參戰하였다가 六合城에서 戰死한 사실에 대한 언급이 없다.

320) 이는 다음의 자료에 의거하였다.

· 『歸鹿集』 권16, 靖平公遺墟碑, "… 甲辰[恭愍13年], 公入都賀平亂. 王喜, 手寫公眞, 並几杖以賜, 令二子扶腋出端門, 皆異恩也".

· 『朴先生遺稿』, 孫同年祖眞卷序, "上[世宗]卽位之二十六年秋, 吾同年一直孫公肇瑞, 謂余曰, '吾高祖靖平公諱洪亮, 在勝國恭愍十三年甲辰, 年七十八, 恭愍禮貌之, 賜几杖. 于時, 樵隱·牧隱諸先生, 賦詩以賀, 薦紳相繼而和, 總若干首. 恭愍, 又嘗手寫其眞, 時人榮之, 爭相歌咏. 其眞在今安東府, 鄕人立閣以尊之, 獨其詩不傳, 余忝史氏, 親覩吾祖之名於史館, 其受几杖也, 猶書于策. 其謌咏之詩, 猶藏于家, 而惟寫眞詩不傳, 寧無憾歟. 今將求詠於文苑, 以爲子孫寶, 子其爲我敍之'. 余聞靖平公在高麗, 歷事五朝, 致位台輔, 旣賜几杖以禮之, 又肖其形以寵之, 其爲人可知已. 古之帝王圖畫其臣者, 簡策聯書, 武丁之傅說, 漢之凌煙麒麟, 唐之十八學士, 寵則寵矣. 未聞其君手自親其揮洒也, 古今人不相及, 信哉. 今子乃能世濟其美, 捷巽科, 登膴仕, 珥筆乘驄, 華問大播, 欲顯揚祖先之美, 奮肆姁媮, 播之歌頌, 其用心亦可嘉矣. 有孫如是,

十二月庚寅□[~~朔~~大盡, 丁丑], 倭寇阻江[~~通津縣祖江~~]殺關吏. 命贊成事崔瑩, 將兵擊之.[321]

辛丑[12日], 命宰相, 條便民事, 以聞.

[辛丑, 以[監察大夫]崔宰爲星山君[~~完山君~~]←11년 12월에서 옮겨옴][322]

戊申[19日], 贊成事李龜壽棄官, 至瑞原高領寺[~~高嶺寺~~], 欲祝髮.[323] 王聞之, 遽使人追還, 復其職.

[某日, 命豊儲倉使丁得年, 賜閹人米, 得年, 以命不由兩府, 不奉教. 王怒, 欲杖流之, 贊成事崔瑩曰, "責在臣等, 非得年□[之]罪也". 迺釋之:節要轉載].[324]

[○以[興安君·判藝文春秋館事]李仁復爲三重大匡·都僉議贊成事·判版圖司事:追加].[325]

[是月頃, 以[典寶都監判官]鄭夢周爲典農司丞:追加].[326]

[是年, 以[政堂文學]柳淑爲僉議贊成事·商議會議都監事, [前典法判書]崔宰爲監察大夫·進賢館提學·同知春秋館事:追加].[327]

[○以[前福州牧使]爲尹侅爲奉翊大夫·判典儀寺事:追加].[328]

[○以兪臣鼎爲延安府使:追加].[329]

[○以[前小府尹]沈德符爲水原府使:追加].[330]

靖平可謂不朽矣".

· 『신증동국여지승람』 권24, 안동대호부, 人物, "孫洪亮, 一直縣人, 累官至判三司事. 恭愍王親寫眞賜之, 至今留府之臨河寺. 子孫得壽, 官至代言".

321) 庚寅에 朔이 탈락되었다. 또 阻江은 祖江(臨津江과 漢江의 合流地域, 現 京畿道 金浦市 月串面 祖江里)의 오자로 추측된다(東亞大學 1982년 4책 130面).

322) 崔宰의 묘지명에 의하면 이날 重大匡·完山君으로 책봉되었다고 한다[校正事由]. 또 崔宰는 本官이 完山임을 보아 封君號는 星山君(이 시기 이전의 星山君은 李仁復임)이 아니라 完山君이었을 것이다.

323) 高領寺는 高嶺寺의 오자일 가능성이 있다. 瑞原은 現 京畿道 坡州市의 고려시대의 명칭이고, 이의 관할지역인 楊州에 高嶺山 高嶺寺가 있었다(『신증동국여지승람』 권11, 楊州牧, 佛宇, 坡州牧, 郡名).

324) ~~添字~~는 열전26, 崔瑩에 의거하였다.

325) 이는 「李仁復墓誌銘」에 의거하였다.

326) 이는 『圃隱集』年譜考異에 의거하였다.

327) 이는 「崔宰墓誌銘」에 의거하였다.

328) 이는 「尹侅墓誌銘」에 의거하였다.

329) 이는 『연안부지』에 의거하였다.

330) 이는 다음의 자료에 의거하였다.

· 『태종실록』 권1, 1년 1월 甲戌[14日], 沈德符의 卒記, "[沈德符,] 累遷少府尹. 恭愍王十三年甲辰, 出

[○贊成事致仕尹澤, 以疾作, 乞歸錦州, 允之:列傳19尹澤轉載].

[○前書狀官文益漸還自元. □□益漸將還, 見路傍木緜樹, 取其實十許枚, 盛囊以來:追加].[331)]

[○前侍中尹桓, 收復京城之後, 稍重修報法寺, 是年, 招曹溪禪師行齊住錫:追加].[332)]

[○僧達順與判事金臣佐等, 落成巨濟縣見菴禪寺:追加].[333)]

[○元以李仁復爲奉議大夫·征東行省左右司郎中:追加].[334)]

[仁同人 張東翼 校注, 增補].

守水原府, 廉使至府, 德符納謁, 見使不袒便退, 使命吏讓之, 對以服不如儀, 使謝不敏. 其端介如此".

· 『동문선』 권117, 沈德符行狀, "甲辰乞水原府使, 廉使行郡, 公將入參, 見使不褌, 使退. 使命吏讓之, 對以服不如儀, 使謝, 其耿介不阿若此".

331) 이는 다음의 자료에 의거하였다.

· 『태조실록』 권14, 7년 6월 丁巳13日, 文益漸의 卒記, "… 癸卯恭愍12年, 以諄諭博士, 陞左正言, 爲計稟使左侍中贊成事李公遂書狀官, 赴元朝. 將還, 見路傍木緜樹, 取其實十許枚, 盛囊以來. 甲辰13年, 至晋州, 以其半與鄕人典客令致仕鄭天益, 種而培養, 唯一枚得生. 天益至秋取實至百許枚".

332) 이는 다음의 자료에 의거하였다.

· 『목은문고』 권6, 報法寺記, "國家克復京城之後, 稍修葺之, 邀曹溪禪師行齊主席, 甲辰歲也".

333) 이는 『목은문고』 권5, 巨濟縣牛頭山見菴禪寺重修記에 의거하였다(→공민왕 9년 是年의 見菴禪寺重修記의 脚注).

334) 이는 「柳淑墓誌銘」; 「李仁復墓誌銘」에 의거하였다. 또 이때 前者는 僉議贊成事·商議會議都監事·藝文館大提學·知春秋館事·上護軍·領書雲觀事에 임명되었다고 한다.

『高麗史』卷四十一 世家卷四十一

[輔國崇祿大夫·議政府左贊成·知集賢殿經筵春秋館成均事·世子賓客·臣金宗瑞奉教撰]

正憲大夫·工曹判書·集賢殿大提學·知經筵春秋館事兼成均大司成·臣鄭麟趾奉教修

恭愍王 四

乙巳[恭愍王]十四年, 元至正二十五年, [西曆1365年]

1365년 1월 23일(Gre1월 31일)에서 1366년 2월 9일(Gre2월 17일)까지, 13개월 383일

春正月[庚申朔小盡,戊寅], 戊辰[9日], 遣密直副使金庾如元, 請執送德興君. 庾至遼陽, 知樞密院事黑驢, 謂庾曰, "帝勑臣, 杖塔思帖木兒[德興君], 還其本國. 今方背疽, 待其愈, 杖而歸之". 庾聞之乃還.[1]

丙子[17日], 以密直[~~同知密直司事~~]鄭思道爲慶尙道巡問使,[2] □[都]僉議評理李金剛爲全羅道巡問使,[3] 知□[都]僉議□□[司事]洪淳爲西北面巡問使, 左常侍李成林爲西海道巡問使, 判典校寺事申翼之爲楊廣道巡問使.

己卯[20日], 地震.

[→大風雪雷, 地震,:五行3轉載].

[某日, 命典儀副令林樸, 陳時政得失. 樸上十餘事, 王嘉納. 初, 樸從李公遂如元, 德興君, 授典理摠郎, 樸不從. 及還, 乃除中書舍人以褒之. 又上書, 分成均五經四書齋, 科擧, 一依中朝之法:節要轉載].

[某日, 以朴純爲慶尙道按廉使, 全羅道按廉使朴東生, 仍番:慶尙道營主題名記·錦城日記].

二月[己丑朔大盡,己卯], [丙申[8日], 日暈:天文1轉載].

---

1) 이 기사는 열전4, 忠宣王王子, 德興君에도 수록되어 있다.

2) 이때 鄭思道는 同知密直司事로서 合浦에 出鎭하였다고 한 점을 보아(鄭思道墓誌銘), 慶尙道都巡問使의 本營은 合浦에 있었던 것 같다.

3) 李金剛은 全羅道巡問鎭邊使로 2월에 羅州에 들어왔다고 한다(『금성일기』).

[○月暈:天文3轉載].

丁酉9日, 以公主有娠彌月, 赦二罪以下.4)

[→王以公主娠彌月赦, 監察大夫田祿生與掌令李茂芳, 擇情不可原者, 復囚之. 前此, 糾正宋綱與大護軍韓仲寶爭路, 由是, 重房·憲司有隙. 至是, 倖宦尹祥爲上護軍, 重房嗛前事, 使祥譖于王. 王大怒, 將下祿生獄, 侍中慶千興諫, 乃止:列傳25田祿生轉載].

[庚子12日, 亦如之日暈:天文1轉載].

[○亦如之月暈:天文3轉載].

[辛丑13日, 亦如之日暈:天文1轉載].

[○亦如之月暈:天文3轉載].

[癸卯15日, 亦如之日暈:天文1轉載].

甲辰16日, 公主[難産:節要轉載], 病劇, 又赦一罪. 是日, 公主薨,5) 王奉太后忠肅王妃洪氏, 移御于德寧公主殿, 輟朝三日, 百官玄冠素服. [王慟甚, 置四都監十三色, 以供喪事, 命各司, 設奠, 賞其豊潔者, 又設懺經會於殯殿. 王素信釋敎, 至是, 尤酷信, 大作佛事:節要轉載].

[→甲辰, 徽懿公主薨, 輟朝三日. 百官玄冠·素服. 置殯殿·國葬·造墓都監, 及山所靈飯·法威儀·喪帷·轜車·祭器·喪服·返魂·服玩·小造·棺槨·墓室·鋪陳·眞影等十三色, 以供喪事, 又命諸司, 設奠:禮6國恤轉載].

[→及難産病劇, 令有司禱于佛宇·神祠, 又赦一罪. 王焚香端坐, 暫不離側, 公主尋薨. 王悲慟, 不知所爲, 贊成事崔瑩, 請移御他宮, 王曰, "吾與公主, 約不如是, 不可遠避他處, 以圖自便". 命王福命主喪事, 輟朝三日, 百官玄冠素服. 設~~殯殿·國葬·造墓·齋~~四都監,6) 各置判事·使·副使·判官·錄事. 又設山所·靈飯法·威儀·喪帷·轜車·祭器·喪服·返魂·服玩小造·棺槨·墓室·鋪陳·眞影等十三色, 各置別

---

4) 이 기사는 열전2, 恭愍王妃, 魯國大長公主에도 수록되어 있다.

5) 다음의 자료에도 이날 王妃[公主]가 崩御하였다고 되어 있는데, 이날은 율리우스曆으로 1365년 3월 8일(그레고리曆 3월 16일)에 해당한다.

· 『목은문고』 권14, 廣通普濟禪寺碑銘幷序, "歲乙巳二月十六日. 公主薨. 君臣獻號曰, 仁德恭明慈睿宣安王太后".

6) 이들 四都監은 1419년(세종1) 9월까지 國喪이 있을 때 설치되었지만, 그 이후의 어느 시기에 齋都監이 폐지되고 餘他 三都監制로 운영되었던 것 같다(『태종실록』 권15, 8년 5월 乙亥27日, 권23, 12년 6월 戊寅25日 ; 『세종실록』 권5, 1년 9월 戊辰26日 ; 『세조실록』 권9, 3년 9월 癸亥2日).

監, 以供喪事. 令諸司設奠, 賞其豊潔者, 於是, 爭務華侈, 至有稱貸以辦者. 王素信釋敎, 至是, 大張佛事.每七日, 令群僧梵唄, 隨魂輿, 自殯殿至寺門, 幡幢蔽路, 鐃鼓喧天. 或以錦繡, 蒙其佛宇, 金銀彩帛, 羅列左右, 觀者眩眼. 遠近諸僧, 聞者皆爭赴:列傳2恭愍王妃魯國大長公主轉載].

[丙午18日, 月犯鎭星:天文3轉載].

[庚戌22日, 春分. 夜, 赤祲見于西方:五行1轉載].

癸丑25日, 遣黃原君崔伯·左副代言金精如元, 賀聖節.

[○夜, 赤氣見于東方:五行1轉載].

甲寅26日, 赤祲見于東方:五行1轉載].

乙卯27日, 夜, 赤氣見于南北方:五行1轉載].

丙辰28日, 遣密直副使李子松, 往遼陽, 餽黑驢, 白金及鞍.

三月己未朔大盡,庚辰, 庚申2日, 倭寇喬桐·江華. 命東西江都指揮使·贊成事崔瑩, 帥兵出鎭東江.[7]

壬戌4日, 遣密直副使楊伯淵如元, 告公主喪.[8]

[丁卯9日, 日暈:天文1轉載].

[○月暈:天文3轉載].

戊辰10日, 女眞所音山·所應哥·阿豆剌阿豆剌等請降, 處之朔方.

己巳11日, 元遣吏部侍郎王朶例禿·吏部奏差胡天錫來, 冊王爲太尉, 仍賜酒. 又以壬寅恭愍王11年平紅賊功, 宣授韓方信△爲秘書監丞, 安遇慶△爲廣文監丞, 檜城府院君黃裳△爲經正監丞, 贊成事李龜壽△爲太僕寺丞, 李餘慶△爲崇文監丞, 並階奉訓大夫. 王迎于行省, 仍宴使臣.[9]

○倭入昌陵世祖, 取世祖眞以歸.

○以密直使?金續命爲東西江都指揮使.

[庚午12日, 演福寺池水, 沸:五行1水變轉載].

---

7) 이 기사는 열전26, 崔瑩에도 수록되어 있다.

8) 열전2, 后妃2, 恭愍王妃魯國大長公主에 "遣密直副使楊伯顏楊伯淵如元, 告喪"으로 되어 있으나 添字와 같이 고쳐야 옳게 될 것이다.

9) 奉訓大夫는 從5品이고(『원사』 권91, 지41상, 백관7, 文散官), 이 기사와 관련된 것으로 다음이 있다.

· 열전26, 安遇慶, "元以平紅賊功, 遣使授奉訓大夫·廣文監丞".

· 열전27, 黃裳, "元以平紅賊功, 授奉訓大夫·經正監丞".

[○黃霧四塞:五行3轉載].

己卯21日, 命領都僉議□司事李公遂, 詣昌陵世祖, 復安世祖位板.

庚辰22日, 以柳濯爲都僉議侍中, 慶千興△爲守侍中, 三司右使李壽山△爲判三司事, 李仁復·宋卿·安遇慶·崔瑩·李龜壽△並爲贊成事, 李仁任·金續命爲三司右·左使, 李珣·安遇祥△△並爲判開城府事, 禹磾·韓暉·金貴·李金剛·知都僉議司事梁伯益△並爲□都僉議評理, 洪淳△爲知都僉議□□司事, 元松壽爲政堂文學, 密直使朴椿△爲判密直司事, 知密直司事池龍壽·宋仁績△並爲密直使, 柳淵·密直副使梁伯淵楊伯淵△△並爲知密直司事,[10] ~~奉翊大夫·密直提學~~李穡△爲~~奉翊大夫~~·簽書密直司事·~~寶文閣大提學·並餘如故~~,[11] 王重貴·金元命·密直副使趙希古△△並爲同知密直司事, 邊安烈·韓公義·李子松·金庾·廉之范·洪師範△並爲密直副使, 崔孟孫爲密直提學, 韓方信爲西原君, 僉議贊成事柳淑爲瑞寧君,[12] 不花帖木兒爲高城君, [典理佐郞成石璘爲朝奉郞·軍器監丞·賜紫金魚袋:追加].[13]

戊子30日, 遣密直副使洪師範如元, 謝太尉册命, 表曰,[14] "踐修先緖, 光方膺千里之封, 廸簡上心, 又錫三公之命, 恩非意望及, 感與愧幷. □□伏念, 臣斗筲譾材, 藩輔遺裔, 由弱歲, 入承睿眷, 以致立揚. 雖寸心, 恒抱愚衷, 莫伸報効, 偶値豕蛇之至類, 少寸輸犬馬之誠. 然蠅止樊, 竟□中遭誣構之禍, 如魚脫網, 實□士荷保全之私. 甫獲更生, 絶無他望, 忽星軺之戾止, 驚璽書之在玆. 欲辭讓則近名, 故僶俛焉就職, 遠慙漸□士, 深戒滿盈. 皇帝陛下, 運撫中興, 仁同一視, 遂頒茂渥, 以寵遐邦方, 臣□□敢不謹保家聲, 益彰聖化. 九霄雖遠, 如瞻黼黻之光, 四境粗安, 惟祝岡陵之壽".[15]

---

10) 梁伯淵은 楊伯淵의 오자일 것이다.

11) 이색의 官職은 『목은집』 연보에 의거하였다.

12) 이때 柳淑이 瑞寧君에 책봉되어 現職에서 물러나게 된 것은 遍照[辛旽]로 인한 것이었다고 한다.
- 「柳淑墓誌銘」, "歲乙巳恭愍14年三月, 封瑞寧君, 旽故也. 旽之出入禁闥, 外托浮圖, 內懷譎詐, 公稍抑之, 及其長髮冠顚, 領都僉議□□司事, 作威福, 中傷大臣, 氣焰可畏, 每招公, 公絶不往來".
- 열전25, 柳淑, "忤辛旽罷, 復封瑞寧君".

13) 이는 『獨谷集』 行狀, "乙巳春, 陞軍器監丞, 賜紫金魚袋, 階朝奉郞"에 의거하였다.

14) 이 表의 原形은 다음의 자료인데, ~~沗字~~는 이에 의거하였다(『동문선』 권38, 大尉太尉謝表).
- 『목은문고』 권11, 大尉太尉謝表, 至正二十二五年. 여기에서 ~~沗字~~와 같이 고쳐야 옳게 될 것이다.

15) 여기에서 '仁同一視'는 差別이 없이 모두 同等하게 待接한다는 의미의 '一視同仁'과 같은 말인데, 몽골제국시기에 사용된 사례가 있다.
- 『國朝典章』 권1, 詔令1, 成宗皇帝, 立皇太子詔, "大德九年六月日, … 朕俯從衆願, 於今月五日, 授以皇太子寶, 所有册禮, 其如常制屬, 玆盛擧宜布新恩, … 於戲, 慶衍無疆, 旣正名于國, 本仁同一視, 尙均福于黎元, 故玆詔示, 想宜知悉".
- 『원사』 권21, 본기21, 成宗4, 9년 6월, "庚辰5日, 立皇子德壽爲皇太子, 詔告天下".

[是月癸亥5日，漆原侯尹桓妻柳氏卒.[16] 桓，督報法寺功益急，明年恭愍15年，工告畢:追加].[17]

[是月，神光寺住持惠勤，詣闕乞退，始得夙願，游砥平縣龍門·廣州牧元寂諸山:追加].[18]

[○前中顯大夫·書雲正全忠秀重刊'正本一切如來大佛頂白傘蓋陀羅尼'於春州牛頭山見岩寺:追加].[19]

[是月丙寅8日，元中書右丞相孛羅帖木兒留置皇后奇氏于諸色總管府:追加].[20]

夏四月己丑朔小盡,辛巳，辛卯3日，江浙吳王張士誠遣使來，獻方物.

壬辰4日，葬公主承懿公主寶塔失里于正陵. [王惑浮屠說，欲火葬，以問侍中柳濯，濯不可，迺止.[21] 王手寫公主眞，日夜對食悲泣，三年，不御肉膳:節要轉載].[22]

---

16) 이날은 율리우스曆으로 1365년 3월 27일(그레고리曆 4월 4일)에 해당한다.

17) 이는 다음의 자료에 의거하였다.
- 『목은문고』 권6, 報法寺記, "歲乙巳，夫人柳氏亡，公且悲且感，督功益急，明年告工畢".

18) 이는 다음의 자료에 의거하였다.
- 『목은문고』 권14, 普濟尊者諡先覺塔銘幷序, "至正,乙巳三月，惠勤，詣闕乞退，始得夙願，游龍門·元寂諸山".
- 『나옹화상어록』, 행장, "乙巳三月，惠勤，詣闕上書辭退，游龍門·元寂諸山，隨緣任運".

19) 이는 『正本一切如來大佛頂白傘盖摠持』(一切如來大佛頂白傘蓋陀羅尼)의 題記②에 의거하였다 (→충숙왕 17년 1월 是月의 脚注).

20) 이는 『원사』 권46, 본기46, 順帝9, 至正 25년 3월 丙寅에 의거하였다. 이날은 율리우스曆으로 3월 30일(그레고리曆 4월 7일)에 해당한다. 또 이때의 형편을 중국 측의 자료에는 다음과 같이 서술하였다.
- 『원사』 권114, 열전1, 후비1, 順帝，完者忽都皇后奇氏, "至正二十五年三月，遂矯制幽于諸色總管府，令其黨姚伯顏不花守之. 四月庚寅，孛羅帖木兒逼后還宮，取印章，僞爲后書召太子，后仍回幽所. 後又數納美女於孛羅帖木兒，至百日，始還宮".

21) 이 구절은 열전24, 柳濯에도 수록되어 있다.

22) 正陵은 開城市 開豊郡 解線里(지난날의 麗陵里)에 있고(국보유적 123호, 張慶姬 2013년 ; 洪榮義 2018년), 이때의 葬禮에 관련된 기록으로 다음이 있다. 또 이 시기에 侍中 柳濯은 宿直官僚에 대한 進膳에 대한 문제로 右司議大夫 崔安穎을 罷職시켰다가 衆人의 비난을 받았다고 한다. 그리고 李茂方은 『고려사』에서 太宗 李芳遠을 避諱하기위해 李茂芳의 改書된 글자인 것 같다.
- 열전25, 李茂方李茂芳, "國制，陵隧必使執義署封，世謂封陵者多不達. 及封正陵，執義洪原哲惑於拘忌，規避之. 茂方代署惟謹，王嘉之曰，掌令淸白忠直，寡人所知，達與不達，不在我乎. 原哲懼，遂祝髮避嫌".
- 『태조실록』 권14, 7년 8월 戊午15일), 李茂芳의 卒記, "… 及爲掌令，玄陵葬魯國公主，執義當封陵，以俗諺封陵者不達，托故不仕，公以次封之惟謹，玄陵重之".
- 열전24, 柳濯, "舊制，僉議·樞密·監察·重房，夕直者，供給甚盛. 亂後始廢，兩府欲復之，久未定. 都僉議司吏金富等，怒稽緩，大書錄事朴允龍·孫國英名，倒帖柱曰，誓不出二人告身. 允龍·

[→葬于正陵. 百官玄冠·素服, 送至陵, 及返魂, 改吉服, 從還. 王手寫公主眞, 日夜對食悲泣, 三年, 不御肉膳:禮6國恤轉載].

[→葬正陵, 群臣上號曰'仁德恭明慈睿宣安王太后'. 將葬, 王命畫儀衛次第·山陵制度, 觀之不覺涕泗. 喪事依齊國大長公主例, 窮奢極侈, 以此府庫虛竭. 王惑浮屠說, 欲火葬, 侍中柳濯不可, 乃止. 王手寫公主眞, 日夜對食悲泣, 三年, 不進肉膳. 令朝臣除拜及出使者, 皆詣陵下, 如閤門行禮:列傳2恭愍王妃魯國大長公主轉載].

[丁酉[9日], 月暈:天文3轉載].[23]

戊戌[10日], 平城府院君金逸逢卒.[24]

己亥[11日], 倭寇喬桐·江華, 至于東·西江, 命贊成事安遇慶·李龜壽, 領兵禦之.

辛丑[13日], 以旱雩.

○以[知密直司事]楊伯淵爲西北面都巡慰使, 前漢陽尹金達祥爲楊廣道都巡問使.

○遣監察大夫田祿生, 宦者[溫陽]府院君方節如元, 進禮物于皇太子. 又贈廓擴帖木兒[擴廓帖木兒]及瀋王[脫脫不花]等.[25]

○[黃原君]崔伯·[知密直司事]楊伯淵·[密直副使]洪師範等, 以元亂, 道梗, 不至而復.

[○亦如之[月暈]:天文3轉載].[26]

壬寅[14日], 以典理判書金先致爲東北面都巡問使, 禮儀判書李守爲西北面都兵馬使.

甲辰[16日], 以田祿生爲密直提學, [典理判書]金先致爲密直副使, 金光祚爲缶川君, 金達祥爲和義君, 李子松爲公川君, 金漢貴爲監察大夫.

丙午[18日], 以知平州事李守貪汚, 杖百七, 除名.[27]

[是月, 蟲食松葉:五行2轉載].

國英, 時掌錢穀者. 濯聞之怒, 下富等獄鞫之, 曰右司議□□[大夫]崔安穎·左正言金存誠所爲. 事聞, 罷安穎等. 初, 公主薨, 設四都監十三色, 以掌喪事, 濯多繆擧, 安穎坐府中譏議. 濯嗛之, 至是罷, 人皆非之".

23) 이날 일본의 京都에서는 흐리고 비가 내렸다고 한다.
·『師守記』 권53, 貞治 4년 4월, "九日丁酉, 天陰, 降雨, 未斜休, 酉剋已後猶雨下, 終夜不絶".

24) 이날은 율리우스曆으로 1365년 5월 1일(그레고리曆 5월 9일)에 해당한다.

25) 廓擴帖木兒는 擴廓帖木兒[kökö Temur, 漢字名은 王保保]의 오자일 것이다(『명사』 권124, 열전 12, 擴廓帖木兒). 『고려사』를 乙亥字로 처음 조판할 때 活字의 순서가 뒤바뀐 것 같다.

26) 이날 교토에서는 흐리고 비가 내렸다고 한다(『師守記』 권53, 貞治 4년 4월, "十三日辛丑, 天陰, 未剋以後降雨, 終夜不絶").

27) 知平州事 李守는 이달의 14일(壬寅) 禮儀判書로 西北面都兵馬使에 임명된 李守와 同名異人이다. 당시에도 同名異人의 관료가 많이 있었던 사례의 하나일 것이다. 또 除名은 『고려사절요』 권28에는 廢爲庶人으로 되어 있다(盧明鎬 等編 2016년 707面).

[是月庚寅[2日]，元中書右丞相孛羅帖木兒至諸色總管府，見皇后奇氏，令還宮取印章，作書遺皇太子，□[尋]，遣內侍官完者禿持往冀寧，復出皇后，幽之:追加].[28)]

五月[戊午朔大盡,壬午]，[某日]，以妖僧遍照[辛旽]爲師傅，咨訪國政.

[→初，王夢，人拔劍刺王，有僧救之，得免．明日，王以告大妃[太妃]，會金元命，以照見，其貌惟肖．王大異之．與語，聰慧辨給，自謂得道，詭爲大言，輒中旨．王旣感夢，又方感佛，由是，屢密召入內，與之談空．照，靈山縣玉泉寺奴也，目不知書，爲僧，遊京都勸緣，誑誘諸寡婦，售其奸滛[奸淫]．○自見王，枯槁其形，外務矯飾，雖盛夏隆冬，一破衲，王益重之．衣服飮食，必極淨潔，至於足襪，必頂戴致敬，乃餽之．李承慶見之曰，"亂國家者，必此髡也"，鄭世雲以爲妖僧，欲殺之，王密令避之．及承慶·世雲死，□[照,] 髮而爲頭陁,[29)] 復來謁王．至是，始入內用事，王賜號淸閑居士，稱爲師傅，咨訪國政，人多附之．士大夫之妻，聽法求福而至，輒私焉:節要轉載].[30)]

乙丑[8日]，地震.

[○熒惑犯大微[太微]上將:天文3轉載].

[某日，[守侍中]慶千興·[贊成事]崔瑩，以私兵，大獵于東郊:節要轉載].

[→[慶千興,] 又嘗與瑩率私兵，大獵東郊．時方旱蝗，識者譏之:列傳24慶復興轉載].

[史臣安仲溫曰，"時方旱蝗，而地又震，千興·瑩，身爲碩輔，民望所屬，不思所以燮理，而禽荒是事，其招辛旽讒構之禍，非不幸也":節要轉載].[31)]

---

28) 이는 『원사』 권46, 본기46, 順帝9, 至正 25년 4월 庚寅에 의거하였다. 이날은 율리우스曆으로 1365년 4월 23일(그레고리曆 5월 1일)에 해당한다.

29) 頭陀(頭陁, dhuta)는 梵語로서 抖擻浣洗煩惱의 略稱인데, 僧侶가 修行[苦行]하는 것을 가리킨다. 後世에 떠돌아다니면서 修行[行脚乞食]하는 승려를 가리키고, 이의 대표적인 인물은 迦葉尊者[摩訶迦葉]라고 한다.

· 『法苑珠林』 권101, 六度篇第85-5, 禪定部, 頭陁, "… 西云頭陁, 此云抖擻, 能行此法, 即能抖擻煩惱 去离貪著, 如衣抖擻, 能去塵垢, 是故從喩爲名, 故頭陁經論別明, …(四庫全書本6左3行)".

30) 이와 같은 기사가 열전45, 반역6, 辛旽에도 수록되어 있으나 字句와 내용에서 약간의 차이가 있다.

· 열전45, 반역6, 辛旽, "辛旽, 靈山人, 母桂城縣玉川寺婢也. 幼爲僧, 名遍照, 字耀空, 以母賤, 不見齒於其類, 常處山房". 여기에서 玉川寺는 玉泉寺의 다른 표기일 것이다. 桂城縣은 1018년(현종9) 2월 이래 密城郡의 屬縣이었으나 辛旽이 집권한 明年인 1366년(공민왕15) 靈山縣(監務官)에 移管되었다가 1390년(공양왕2) 환속되었다(지11, 지리2, 密城郡, 桂城縣·靈山縣).

또 李承慶은 1360년(공민왕9) 윤5월 18일에, 鄭世雲은 1362년(공민왕11) 1월 22일에 각각 逝去하였다.

庚午[13日], 以[前鷄林府尹]金普·李春富△[並]爲都僉議贊成事, 任君輔·金蘭·[前忠州牧使]朴曦△[並]爲密直副使, [皆遍照所善也:節要轉載].[32] 卓光茂爲內書舍人, 許少遊爲監察掌令, [贊成事]李仁復爲興安府院君, [同知密直司事]趙希古爲東川君, 洪師範爲南陽君, 崔孟孫爲鐵原君, 貶贊成事崔瑩爲雞林□[府]尹.[33]

[→又罷贊成事李仁復·密直[同知密直司事]趙希古·洪師範·崔孟孫等, 引所善蘭及金普·李春富·任君輔·朴曦, 代之:列傳45辛旽轉載].

[→妖僧遍照, 譖[贊成事]崔瑩, 貶爲雞林□[府]尹. 照, 時主[住]密直金蘭家,[34] 蘭以二處女視寢. 瑩責蘭, 照疾之, 及瑩出臘, 遂譖之. 王遣判開城府事李珣, 讓之曰, "卿爲東西江都指揮使, 倭入昌陵, 取世祖眞, 而卿不知. 以[三司左使]金續命代卿, 卿不以軍授續命, 率其兵, 田獵無時, 何也? 雖予不言, 臺諫其恕卿乎? 今以卿, 尹雞林, 可急之任". 瑩聞命, 嘆曰, "今之得罪者, 鮮克保全, 吾得雞林而往, 亦是聖恩", 遂行:節要轉載].

甲戌[17日], 以久旱, 置刑人推整都監, 按雪寃抑.[35]

---

31) 安仲溫(安宗源의 長子)은 1362년(공민왕11) 10월 同進士 8人으로 급제한 安景溫의 改名이다.

32) 이때의 인사는 辛旽[遍照]의 의사가 크게 반영되었던 것 같다.
- 열전27, 金普, "… 辛旽用事, 引爲都僉議贊成事". 金普는 三重大匡·前鷄林府尹으로 辛旽에 의해 都僉議贊成事에 임명되었던 것 같다(→공민왕 12년 1月頃).
- 열전27, 任君輔, "辛旽始用事, 引[前密直副使任]君輔, 復拜密直副使".
- 열전38, 李春富, "[僉議評理李春富,] 以事罷. 附辛旽, 爲贊成事".

33) 許少遊는 그의 母親 李氏墓誌銘에는 許少由로(『신증동국여지승람』 권46, 旌善郡, 樓亭에도 동일), 『고려사절요』 권28에는 許少游로 달리 표기되어 있다. 또 崔瑩은 5일 후인 18일(乙亥)에 雞林府에 到任하였으나, 數日이 지나지 않아 盈德縣에 安置되었다. 이때 辛旽이 그의 일당인 李得霖을 보내 최영을 鞫問하자, 慶尙道都巡問使 鄭思道가 변호하다가 파직되었다고 한다.
- 『동도역세제자기』, "乙巳五月十八日到任, 不多日內, 盈德官移安".
- 「鄭思道墓誌銘」, "俄封君, 出鎭合浦, 軍機民務, 兩得其宜, 一道便之. 會鷲城[辛旽]欲抵今判三司□[事]崔瑩死罪, 使其黨李得霖往鞫之, 公死執不可, 得霖訴于鷲城, 鷲城白于上, 罷鎭".
- 열전45, 辛旽, "[恭愍]十四年, 旽主密直金蘭家, 蘭有城府, 好毁譽人, 以二處女與之. 崔瑩責蘭, 旽嫉之, 譖貶雞林尹". 여기에서 城府는 원래 '城市와 官府', '城池와 府庫'를 가리키는 말이지만, 점차 城府를 자주 들락거리는 사람을 '心機가 難測하다', '心思가 좋지 못하다'로 인식했던 것 같다. 그래서 城府는 '심사가 淡白하지 못하다'는 의미로 사용되었던 것 같다.
- 『晋書』 권5, 帝紀5, 孝愍帝, 史論, "史臣曰, … 干寶有言曰, 昔高祖宣皇帝[司馬懿], 以雄才碩量, 應時而仕, 値魏太祖[曹操]創基之初, 籌畫軍國, 嘉謀屢中, 遂服輿軫, 驅馳三世. 性深阻有若城府, 而能寬綽以容納, 行任數以御物, 而知人善采拔, 故賢愚咸懷, 大小畢力. …".

34) 主는 住의 오자일 것이다.

35) 이와 관련된 기사로 지31, 百官2, 刑人推正都監, "恭愍王十四年, 以救旱置"가 있다.

己卯[22日], 以姜仲瑞爲普寧君, 金君鼎爲左代言, 金精·王福命爲右·左副代言.

○四都監十三色官吏及凡與公主喪事者, 悉除官.

庚辰[23日], 流贊成事李龜壽于會原, 評理梁伯益于春州, 判密直司事朴椿于光陽, 芮城君[蘂城君?]石文成于長岩[長巖],[36] 宦者·晋原府院君金壽萬于利川, [~~宦者~~·□□]府院君李寧于沃州,[37] 皆籍其家.

○命[侍中]柳濯·[三司右使]李仁任, 掌庶政于都堂, [密直副使]金蘭·[密直副使]任君輔·[前都僉議評理]睦仁吉, 掌庶務于宮中.[38] [[守侍中]慶千興, 不得與聞政事:節要轉載].[39]

[癸未[26日], 熒惑犯右執法:天文3轉載].

是月, 京畿蝗.

六月[戊子朔小盡,癸未], 庚寅[3日], 以[領都僉議司事]李公遂爲益山府院君, [守侍中]慶千興爲淸原府院君,[40] [判三司事]李壽山爲壽春府院君, 宋卿爲延安府院君, [密直副使]韓公義爲淸城君, [密直副使]朴曦爲春城君, 以金普△[爲]守都僉議侍中, 李仁復△[爲]判三司事, 李仁任爲□[都]僉議贊成事, 權適·睦仁吉△[並]爲□[都]僉議評理, 朴元鏡爲密直副使, [[簽書密直司事·寶文閣大提學]李穡爲簽書密直司事·藝文館大提學·餘並如故, 提調銓選事:追加],[41] 洪永通爲監察大夫, 崔元祐爲監察執義, 金龜壽·柳源△[並]爲監察持平. [同知密直司事]王重貴·[政

36) 長岩은 長巖(조선시대의 長巖鎭, 舒川浦營)의 略字인데, 다른 기사에서는 後者로 표기되었다. 이곳에 流配된 인물로 平章事 杜英哲이 있었다고 한다(지25, 樂2, 長巖 ; 『신증동국여지승람』 권19, 舒川郡, 關防). 이에서 平章事는 杜英哲이라는 인물의 實職은 아닐 것이다. 또 石文成의 姓氏가 忠州의 土姓일 가능성이 있으므로 그의 封君號는 芮城君이 아니고 蘂城君일 가능성이 높다. 이해의 9월에 芮城君으로 책봉된 朴元이 찾아지는데(→공민왕 14년 9월 15일), 그는 臨陂縣의 土姓으로 추측된다(『세종실록』 권149, 지리지, 忠州牧 ; 권151, 지리지, 臨陂縣 ; 『신증동국여지승람』 권14, 忠州牧, 권34, 臨陂縣).

37) ~~添字는~~ 열전45, 辛旽에 의거하였다.

38) 이와 같은 기사가 열전27, 任君輔에도 수록되어 있다(열전27, 任君輔, "[任君輔,] 遂與金蘭·睦仁吉, 掌庶務于宮中, 寵幸無比").

39) 이때 辛旽이 집권하고 있었기에 慶千興은 政事에 깊이 간여할 수 없었다고 한다(열전24, 慶復興, "辛旽用事, 復興[慶千興]雖在相位, 不得與聞政事").

40) 李公遂와 慶千興은 辛旽의 배척에 의해 파면되었다고 한다.
- 열전25, 李公遂, "辛旽當國, 忌公遂名望, 公遂亦以盛滿自戒, 杜門不出, 未嘗一日坐廟堂行事, 人頗恨之. 旽竟罷公遂, 封益山府院君".
- 열전24, 慶復興, "爲[辛]旽所擠, 罷, 封淸原府院君".

41) 이는 『목은집』 연보에 의거하였는데, 이날 단행된 人事에서 李穡에 관한 사실이 脫落된 것은 本職이 그대로 유지된 채 館職[文翰職]만이 교체되었던 점에 있을 것이다(→공민왕 13년 1월 10일 李穡의 脚注). 또 原文에는 '提調詮選事'로 되어 있으나 '提調銓選事'의 誤字일 것이다.

[堂文學]元松壽罷.42)

辛卯[4日], 王射于佛福藏, 觀群童擲草戲.43)

甲午[7日], [遍照又譖:節要轉載], 流陽川君許猷于淸州,44) 前典工判書邊光秀于三陟, 判事洪仁桂于順興.

[→又流陽川君許猷·□[前]典工判書邊光秀·判事洪仁桂·猷子典理判書瑞·僉議評理金貴·上護軍梁濟·大護軍李仁壽·護軍洪承老. 凡謗己者輒中傷, 虐焰薰灼, 大臣以下, 皆畏之:列傳45辛旽轉載].

[○月暈:天文3轉載].45)

[己亥[12日], 亦如之[~~月暈~~]:天文3轉載].46)

庚戌[23日], 流□[都]僉議評理金貴于金州, 春城君朴曦于春州, 杖流□□□[~~許猷子~~]·典理判書許瑞.47)

[是月乙巳[18日], 皇后奇氏自幽所還宮:追加].48)

[夏某月, 以[右代言]韓脩爲禮儀判書:追加].49)

[→辛旽, 方得幸於王, 其跡甚秘, [右代言韓]脩知之密啓, 旽非正人, 恐致亂, 願上思之. 非臣誰敢言. 王方惑旽, 拜脩禮儀判書, 盖踈之也:列傳20韓脩轉載].

秋七月[丁巳朔大盡,甲申], [某日], 削崔瑩·李龜壽·[僉議評理]梁伯益·[前判開城府事]石文成·[判密直司事]朴椿, 三品以上爵, [宦者·晋原府院君]金壽萬除名, 並籍其田民.

---

42) 이때 洪永通은 辛旽의 後援으로 監察大夫, 密直副使 등을 역임하였다고 한다.
- 열전18, 洪子藩, 永通, "永通附辛旽, 常饋遺伺候, 每旽出入, 必騎從. 歷監察大夫·密直副使, 皆旽力也".

43) 佛福藏은 開京 李岾에 있던 佛堂으로 1367년(공민왕16) 僧侶 千禧(千熙)가 거주하던 곳이다(열전45, 辛旽→공민왕 16년 7월 29일).

44) 열전18, 許珙, 猶에는 "時辛旽始用事, 以[許]猷謗訕譏王, 流淸州"로 되어 있다.

45) 이날 일본의 京都에서는 낮에 계속 흐리다가 오후 5시 이후에 개였다고 한다(『師守記』 권54, 貞治 4년 6월, "七日甲午, 天陰, 巳剋小雨下, 則止, 終日陰, 申斜以後晴").

46) 이날 교토에서는 흐리다가 오전 3시 이후에 비가 심하게 내렸다고 한다(『師守記』 권54, 貞治 4년 6월, "十二日己亥, 天陰, 今曉寅剋以後甚雨, 終日甚雨, 入夜聊休").

47) 添字는 『고려사절요』 권28에 의거하였다.

48) 이는 『원사』 권46, 본기46, 順帝9, 至正 25년 6월 乙巳에 의거하였다. 이날은 율리우스曆으로 1365년 7월 7일(그레고리曆 7월 15일)에 해당한다.

49) 이는 「韓脩墓誌銘」에 의거하였다.

[→遍照[辛旽], 分遣其黨上護軍李得林[李得霖]·巡軍經歷吳季南, 鞫問崔瑩·李龜壽·梁伯益·石文成·朴椿等, 交結內臣金壽萬, 離間上下, 斥去賢良, 大爲不忠, 羅織成獄. 瑩等皆誣服, 竝籍其家:節要轉載].[50)]

[→又譖流贊成李龜壽·評理梁伯益·判密直朴椿·芮城君石文成·宦者府院君李寧·金壽萬等, 分遣其黨上護軍李得霖, 巡軍經歷吳季南, 鞫瑩·龜壽等, 以交結壽萬, 離間上下, 斥去賢良, 大□[爲]不忠, 羅織成獄. 瑩等皆誣服曰, "請速卽刑." 遂削瑩等三品以上爵, 除壽萬名, 爲民, 並籍其田民:列傳45辛旽轉載].

[→[辛]旽復誣以[崔]瑩與李龜壽等交結內宦, 離間上下, 遣其黨李得林[李得霖]鞫訊. 瑩誣服曰, 請速卽刑. 乃削三品以上爵, 籍其田民,[51)] 流之□□[盈德]. 得林[得霖]之鞫瑩也, 必欲殺之, 鄭思道時鎭合浦, 死執以爲不可, 得林[得霖]訴旽, 幷罷之:列傳26崔瑩轉載].

[癸亥[7日], [辛]旽婢妾般若出產牟尼奴, 是王之子也. 初, 般若有身滿月, 旽令就友僧能祐母家產, 能祐母養之:追加].[52)]

[丁卯[11日], 立秋. 熒惑·歲星犯角. 鎭星犯亢:天文3轉載].

癸酉[17日], 竄監察掌令許少遊爲全羅戍卒. 初, 監察司鞫前護軍牛宣佐殺人狀, 宣佐逃, 收宣佐故舊吳季南家奴, 索之. 王以季南方鞫瑩等, 命勿問, 少遊不奉敎, 王怒竄之. 少遊嘆曰, 臣罪當誅, 吾君聖明. 聞者傷之. 僉議司[都評議使司官]詣闕, 請宥少遊. 王曰, 少遊之罪, 卿等所未知. 因謂左右曰, 少遊父邕强暴, 爲世所憎, 少遊眞其子也.

[史臣曰, "愛惡不可僻焉, 許邕, 直臣, 而王以少游之强, 憎及其父, 季南憸人, 而王以遍照之寵, 宥及其友, 然則爲惡者, 何所懼, 而爲善者, 何所勸哉":節要轉載].

[丙子[20日], 歲星·熒惑相犯:天文3轉載].

庚辰[24日], 以田祿生爲雞林尹,[53)] 李昉爲漢陽尹, 金漢貴爲開城尹, 李子松爲平壤尹, 李成林爲軍簿判書, 成准得爲版圖判書, 許佺·金安利並爲典法判書, 林顥·朴

---

50) 李得林은 李得霖의 오자일 것이다.

· 열전45, 辛旽, "分遣其黨上護軍李得霖·巡軍經歷吳季南, 鞫[崔]瑩·[李]龜壽等, 以交結壽萬, 離間上下, 斥去賢良, 大不忠, 羅織成獄. 瑩等皆誣服曰, '請速卽刑'. 遂削瑩等三品以上爵, 除[金]壽萬名爲民, 並籍其田民".

51) 以上과 田民은 延世大學本에는 以土와 日民으로 되어 있으나 오자일 것이다(東亞大學 2006년 25册 444面).

52) 이는 禑王總書[禑王列傳의 冒頭]에 의거하였다.

53) 鷄林府尹[鷄林尹]에 임명된 田祿生은 실제 부임하지 못하였던 것 같다. 『동도역세제자기』에는 崔瑩의 후임으로 부임한 인물은 奉翊大夫 金先致였다.

中美爲右·左司議大夫, 吳承庇爲監察掌令, 許時爲左獻納, 李得遷·[監察糾正]李存吾爲右·左正言, [54][李子脩爲中顯大夫·知春州事兼勸農防禦使:追加].[55]

[□□[是時], 旽[遍照]當注擬, 自稱擧賢良, 及除目下, 所擢授者, 皆其所善也:列傳45 辛旽轉載].

辛巳[25日], 王親設文殊會[56].

[○虎入城:五行2轉載].

癸未[27日], 封遍照[辛旽]爲眞平侯.

[○狐鳴于宮北:五行2轉載].

[甲申[28日], 夜, 東方有紅雲:五行1轉載].

[某日, 敎曰, "差使別監行李次, 庶子以下, 下馬祗送, 已有成規, 諸衙門官, 與差使別監, 違禮頡頏者有矣. 自今, 以違命論, 又各衙門常坐員, 上下爭禮, 以至公事遲緩者有之, 自今禁之. 又參上員, 朝路步行, 幷論罪":刑法1職制轉載].

[某日, 以李資爲慶尙道按廉使, 趙云傑[趙云仡]爲全羅道按廉使, 李玖爲西海道按廉使:慶尙道營主題名記·錦城日記].[57]

---

54) 열전25, 李存吾에는 "[恭愍]十五年[十四年], 爲正言"으로 되어 있으나 15년은 14년의 잘못일 것이다..

55) 이는 「李子脩政案」에 의거하였다.

56) 이 시기에 공민왕이 宰相을 거느리고 禮佛하였는데, 李穡과 李仁復은 자리를 피했다고 한다.
· 열전25, 李仁復, "王大設文殊會, 率兩府禮佛, 唯仁復與李穡至拜時, 輒出不拜".

57) 趙云傑은 趙云仡의 오자일 것이다. 趙云仡은 그의 열전에 의하면 全羅, 西海, 楊廣道 3道의 안렴사를 역임하였는데, 그중에서 전라도안렴사의 후임자는 金允瑄이었다고 한다.
· 열전25, 趙云仡, "明年[恭愍11年], 遷國子直講, 歷全羅·西海·楊廣三道按廉使. 其在全羅, 評理廉之范妾兄與其黨, 盜太山人金彦龍馬. 云仡按驗, 具服徵布, 殺爲首者. 會金允瑄代云仡, 聽之范屬, 反徵彦龍布五百匹還之. 令吏將獄辭, 押彦龍及盜, 詣法司辨之, 盜中路竊獄辭亡匿之范家. 彦龍跡而得之, 告憲司, 憲司劾之范以宰相庇盜捕之. 之范逃, 杖允瑄除名". 이에서 太山郡은 泰仁縣의 다른 이름이다.
· 『태종실록』 권8, 4년 12월 壬申[5日], 趙云仡卒記, "… 歷仕中外, 佩印五州, 觀風四道. 雖大無聲跡, 亦無塵陋".
그런데 『금성일기』에 의하면 趙云傑의 후임자는 金允觀으로 되어 있는데, 金允觀은 金允瑄의 오자일 것이다. 이와 같이 『경상도영주제명기』; 『금성일기』등과 같이 數代에 걸쳐 만들어진 先生案에서 오자가 많은 것은 轉寫過程에서 발생한 오류, 당시 帝王의 名字의 避諱, 筆寫者의 祖先에 관련된 避諱 등과 같은 사유가 있었을 것이다.
또 이때 李玖가 西海道按廉使에 임명되었을 가능성이 있다.
· 『白雲和尙語錄』序, "予[李玖]於乙巳[恭愍14年]秋, 奉使西海, 師[白雲]住神光, 一見而奇之, 知其爲人, 不見十年, 而雲[白雲]已歸寂, 是可悼也".

八月[丁亥朔小盡,乙酉], 庚寅[4日], 明州司徒方國珍遣使來聘.[58)]

庚子[14日], 瑞寧君柳淑乞歸田里, 許之.[59)]

[→召瑞寧君柳淑曰. "予望卿永作股肱, 邇來, 貌何衰, 卿其言志, 唯卿所欲". 淑乞歸田里, 許之. 初淑見王多疑忌, 功臣少有全者, 又懼盛滿, 屢乞退, 王不許. 時遍照出入禁闥, 淑稍抑之, 及其進用, 中傷大臣, 虐焰可畏. 每招淑, 淑不往, 照深銜, 讒毁百端, 王稍信之, 遂許乞退:節要轉載].

[乙巳[19日], 月暈:天文3轉載].

九月[丙辰朔小盡,丙戌], 乙丑[10日], 皇太子遣僉院成大庸□來, 宣令旨, 賜王衣酒.

[○亦如之[月暈]:天文3轉載].

[丁卯[12日], 夜, 虎入城:五行2轉載].

庚午[15日], 以權適爲□[都]僉議贊成事, 睦仁吉·金續命△[並]爲[都]僉議評理, [密直使]池龍壽△[爲]知都僉議□□[司事], [密直使]金元命爲三司左使, 金庾△[爲]同知密直司事, 安元崇·□□□[成元揆]·金漢貴△[並]爲密直副使,[60)] 成大庸爲右代言, 王福命·權仲和爲右·左副代言, 韓弘度爲監察持平, 金光祚爲洞山君, 朴元爲芮城君.

○都僉議□[守]侍中金普罷. [時[判密直司事]任君輔, 雖因遍照復相, 內懷慚愧. 嘗白王曰, "崔瑩·李龜壽等, 皆癸卯[恭愍王12年]功臣, 定亂安社, 將宥十世, 何罪貶黜. 且師傅本僧也, 雖國朝乏人, 豈可使賤僧爲政, 取笑天下". 王不聽, 君輔退, 謂人曰, "以累葉衣冠, 幸蒙上恩, 承乏政府, 使無識僧, 得肆其奸, 後世其謂我何". ○普亦屢

---

58) 이 시기에 方國珍(1319~1374)은 台州(現 浙江省 台州市)·溫州(現 溫州市)·明州(慶元, 現 寧波市) 等地에서 세력을 확보하고 있던 漢人群雄의 하나로서, 몽골제국과 小明王 韓林兒의 部下인 吳國公 朱元璋의 틈새에서 自立하고 있었다.

59) 이때 柳淑이 瑞州[鄕里]로 돌아간 형편은 다음의 자료와 같다.
- 「柳淑墓誌銘」, 冒頭, "至正辛巳[1年], 以侍學從玄陵居燕京, 十一年[恭愍王卽位年]受履以東, 叅掌機密□[二]十五年[14年]退老于鄕, 以避鷙城之禍者四年, 旣卒四年而鷙城誅, 又六年而配享大室".
- 「柳淑墓誌銘」, "歲乙巳[恭愍14年]三月, 封瑞寧君, 盹故也, 盹之出入禁闥, 外托浮屠, 內懷譎詐. 公稍抑之, 及其長髮冠顚, 領都僉議□□[司事], 作威福, 中傷大臣, 氣焰可畏. 每招公, 公絶不往來, 及其秋乞歸田里, 卜築伊山縣之伽倻山, 優游以自老".

이 중에서 前者는 至正 25년(공민왕14)이므로 이 記述은 "[至正二]十五年退老于鄕, 以避鷙城[辛盹]之禍者四年, 旣卒四年而鷙城[辛盹]誅, 又六年而配享大室[太室]"로 파악하여야 한다. 곧 至正은 앞 句節에서 提示되었기에 문제가 없고, 十五年은 二十五年에서 二字가 탈락되었을 것이다. 이를 감안하지 않으면 前後의 事情을 적절히 이해할 수가 없다.

60) 成元揆는 『고려사절요』 권28에 의거하였다(盧明鎬 等編 2016년 709面).

言於王，遍照，讒普罷相，欲幷斥君輔，王曰，“普與君輔，同時復進，今復無故盡逐，人謂我與卿，進退大輕，不如姑待後日”．自是，君輔，雖在政府，不復預聞國事:節要轉載]．

[→知密直司事任君輔，又陞判司事．君輔雖因旽復相，內懷慚愧，嘗白王曰，“崔瑩·李龜壽等，皆癸卯定亂功臣，將宥十世，何罪貶黜．且師傅本僧也．雖國朝乏人，豈可使賤僧爲政，取笑天下”．王不聽．君輔退，謂人曰，“予以累葉衣冠，幸蒙上恩，承乏政府，使無識僧，得肆其姦，後世其謂我何”．○金普亦屢言於王，“旽照，讒普罷相，欲幷斥君輔”，王曰，“普與君輔，同時復進，今復無故盡逐，人謂我與卿，進退太輕，不如緩之”．自是，君輔，雖在政府，不復與聞國事:列傳27任君輔轉載]．

[→金普，尋拜左侍中守侍中，賜忠勤亮節同德輔理功臣號．普屢毁旽於王，旽譖普復罷之:列傳27金普轉載]．

[辛未16日，雷震:五行1轉載]．

[甲戌19日，月犯畢星:天文3轉載]．

乙亥20日，以漆原府院君尹桓爲東西北面都統使，僉議評理禹磾爲都元帥，知都僉議□□司事池龍壽爲上元帥，前同知密直司事趙希古爲副元帥．

[○月暈:天文3轉載]．

[丙子21日，月入東井南垣:天文3轉載]．

[丁丑22日，日暈:天文1轉載]．

[己卯24日，月暈:天文3轉載]．

[癸未28日，霜降．夜，鵩鳴:五行1火行羽蟲蘖轉載]．

[是月頃，以奉翊大夫柳襦柳濡爲羅州牧使，李舒爲羅州牧判官:追加]．[61]

[秋某月，以禮儀判書韓脩爲軍簿判書，[62] 軍器監丞成石璘爲奉善大夫·典校副令·寶文閣直提學．石璘尋兼箚子房知印尙書:追加]．[63]

冬十月乙酉朔大盡,丁亥，[丙戌2日，黑氣見于西方:五行1黑眚黑祥轉載]．

---

61) 이는 『금성일기』에 의거하였는데，柳襦는 柳濡의 오자로 추측된다(→공민왕 12년 5월 26일).

62) 이는 「韓脩墓誌銘」에 의거하였다.

63) 이는 다음의 자료에 의거하였다.

· 『獨谷集』行狀，“… 乙巳秋拜典校副令·寶文閣直提學，階奉善大夫，蓋褒之也．玄陵且謂‘成某詞翰如神，而諳鍊旣久，可爲知印尙書’，卽命之”．

[己丑[5日], 日暈:天文1轉載].

[庚寅[6日], 夜, 黑氣如雲:五行1黑眚黑祥轉載].

癸巳[9日], 明州司徒方國珍遣使來聘.

[乙未[11日], 亦如之月暈:天文3轉載].

[○雷電:五行1轉載].

[丁酉[13日], 雉入內乘庭:五行1轉載].

[丙申[12日], 亦如之雷電:五行1轉載].

[癸卯[19日], 亦如之月暈:天文3轉載].

[庚戌[26日], 先是, 王命有司, 習正陵祭樂, 及是日, 親閱之:樂志2轉載].[64)]

[壬子[28日], 命宰樞, 祭正陵, 奏所習之樂:樂志2轉載].[65)]

[癸丑[29日], 流星向東北隅:天文3轉載].

閏[十]月乙卯朔小盡,丁亥, 丁巳[3日], 以全普門△爲判三司事, 崔伯爲密直使商議.

[壬戌[8日], 歲星·鎭星, 入氐二日:天文3轉載].

[○震電, 以雪:五行1轉載].

癸亥[9日], 遣密直使商議崔伯如元, 賀千秋節.

甲子[10日], 賜尹紹宗等及第.[66)] [是時, 禁擧子挾册, 易書試卷, 以防假濫:選擧1科

---

64) 이는 다음의 기사를 전재한 것이다.

· 지25, 樂2, 用俗樂節度, "恭愍王十四年十月庚戌. 初, 王命有司, 習正陵祭樂, 及是日, 親閱之".

65) 이는 다음의 기사를 전재한 것이다.

· 樂志2, 用俗樂節度, "恭愍十四年十月壬子, 命宰樞, 祭正陵, 奏所習之樂".

66) 이와 관련된 기사로 다음이 있다. 이때 尹紹宗·朴尙眞·河崙·盧崇(『목은시고』 권30, 賀門生盧崇, 拜密直提學)·孟希道(孟思誠의 父) 등이 급제하였다(『登科錄』; 『前朝科擧事蹟』; 朴龍雲 1990년·許興植 2005년).

· 지27, 선거1, 科目1, 選場, "恭愍十四年閏十月, 興安府院君李仁復知貢擧, 簽書密直司事李穡同知貢擧, 取進士, 甲子, 賜尹紹宗等二十八人及第".

· 『목은시고』 권24, 至正癸巳四月, … 歲乙巳, 李憔隱再知貢擧, 穡副之, □□□無設宴. ….

· 「李仁復墓誌銘」, "閏十月, 穡如先生同在貢院, 先生封君之命又下, 取今典校寺丞尹紹宗等廿八人".

· 『목은집』연보, 至正廿五年乙巳, "十月, 李穡, 同知貢擧".

· 열전33, 尹紹宗, "恭愍朝, 擢魁科, 選補史官".

· 『태조실록』 권4, 2년 9월 己未[17日], 尹紹宗의 卒記, "乙巳年二十一, 中乙科第一人. 對策高出前輩, 遂拜春秋修撰".

· 『태종실록』 권28, 14년 8월 甲辰[4日], 盧嵩의 卒記, "檢校議政府右議政盧嵩卒. 嵩, 光州人, 字中甫, 號桑村, 監察持平俊卿之子. 中乙巳科, 累歷淸要, 官至知申事, 出納惟允".

目轉載].[67)]

○元遣大府少監[~~太府少監~~]安僧來, 詔皇太子討平逆賊[中書右丞相·節制天下軍馬]孛羅帖木兒.[68)]

[是時, 詔使, 擧止甚峻, 宰相見者, 不肯與坐. 及見王, 亦頗傲. 侍中柳濯至上堂, 詔使禮接甚恭. 簽書密直司事李穡謂同列曰, "侍中公動容中禮, 發言當理, 其見重於華人宜矣":追加].[69)]

[丙寅[12日], 歲星·鎭星犯氐:天文3轉載].

[是月, 典理判書韓蒧, □□□□□[~~掌成均館試~~], 取古賦閔安仁等五十五人, 十韻詩林幹等四十一人:選擧2國子試額轉載].[70)]

十一月[甲申朔大盡,戊子], [壬辰[9日], 太白·熒惑相犯:天文3轉載].

癸巳[10日], 元遣直省舍人阿敦也海來, 詔以伯撒里爲太師·右丞相, 廓擴帖木兒[~~擴廓~~]

· 『태종실록』 권32, 16년 11월 癸巳[6日], 河崙의 卒記, "崙, 晋州人, 順興府使允麟之子也. 中至正乙巳科, 座主李仁復一見奇之, 以其弟仁美之子妻之".

67) 이는 다음의 기사를 전재한 것이다.

· 지27, 選擧1, 科目, "[恭愍]十四年十月, 李仁復·李穡建議, 禁擧子挾册, 易書試卷, 以防假濫".

68) 孛羅帖木兒[Boru Temur]는 같은 해 7월 29일(乙酉) 伏誅되었다(『원사』 권46, 본기46, 至正 25년 7월 乙酉). 이는 外地에 축출되어 있던 황태자가 擴廓帖木兒[kökö Temur]와 협력하여 軍閥 孛羅帖木兒를 제거한 사건이다.

69) 이는 다음의 자료를 적절히 變改하여 추가하였다.

· 『양촌집』 권39, 柳濯神道碑銘幷序, "乙巳[恭愍14年], 有詔使來, 擧止甚峻, 宰相見者, 不肯與坐. 及見王, 亦頗傲. 公至上堂, 詔使禮接甚恭. 簽書[密直司事]李穡謂同列曰, 侍中動容中禮, 發言當理, 其見重於華人宜矣".

· 열전24, 柳濯, "有詔使來, 擧止甚峻, 頗傲於王, 見宰相不肯與坐. 及見濯, 禮貌甚恭, 簽書[密直司事]李穡謂同列曰, 侍中動容中禮, 見重宜矣".

또 이 시기에 柳濯이 監察執義 崔元祐를 부당하게 파직시켰다고 한다.

· 열전24, 柳濯, "監察司囚都評議錄事家奴, 濯見執義崔元祐請放. 元祐旣許, 退又囚一奴, 濯曰, 囚錄事家奴, 是囚我奴也. 怒不朝. 宰樞囚元祐獄, 罷之, 元祐嘆曰, 臺中事, 必會議而行, 豈獨老夫. 但老夫無用, 固宜貶黜".

70) 이때 李詹·金德潤 등이 합격하였다고 한다.

· 지28, 선거2, 科目2, 國子試之額, "[恭愍]十四年□[~~閏~~]十月, 典理判書韓蒧取古賦閔安仁等五十五人, 十韻詩林幹等四十一人". 여기에서 ~~添字~~가 脫落되었을 가능성이 있다.

· 『태종실록』 권9, 5년 3월 乙丑[30日], 李詹의 卒記, "詹, 洪州人, 字中叔, 自號雙梅堂, 贈參贊議政府事熙祥之子, 至正乙巳, 中監試第二人".

· 『雙梅堂篋藏集』年譜, "至正二十五年乙巳冬閏十二月[~~閏十月~~], 恕齋韓藏掌試, 中進士第二名". ~~添字~~와 같이 고쳐야 옳게 될 것이다.

· 『쌍매당협장집』 권22, 雜著, 雜錄, "金潤德, 泗州鄕貢進士也, 與余俱出於恕齊韓公之門. 割達好談論, … 官至開城少尹, 後爲昌寧監務, …".

~~帖木兒~~爲太傅·左丞相.[71)]

[丙申13日, 歲星·鎭星犯氐. 月犯畢星. 時歲星日近房星:天文3轉載].

[辛丑18日, 朝霧, 木稼:五行3轉載].

[壬子29日, 夜, 鵩鳴□于景靈殿松:五行1火行羽蟲蘖轉載].

[癸丑30日, 狐鳴□于景靈殿:五行2轉載].

[某日, 遣使如元, 賀正:追加].[72)]

十二月甲寅朔小盡,己丑, [丙辰3日, 月犯太白:天文3轉載].

丁丑24日, 以眞平侯辛旽爲守正履順論道燮理保世功臣·壁上三韓三重大匡·領都僉議使司事·判~~重房~~監察司事·鷲城府院君·提調僧錄司事兼判書雲觀事. 旽卽遍照□世.[73)] [~~初~~王在位日久, 宰相多不稱意志, 嘗以謂, “世臣大族, 親黨根連, 互爲掩蔽. 草野新進, 矯情飾行, 以取名望, 及其貴顯, 自恥門地單寒, 連姻大族, 盡棄其初. 儒生懦而少剛, 又有門生座主同年之號, 黨比徇情, 三者, 皆不足用也”. 思得離世獨立之人, ~~大用之,~~ 以革因循之弊者, 久矣. ○及見旽, 以爲得道寡欲, 且出於賤微, 更無親比, 任之大事, 則必徑行, 而無所顧籍, 故拔於髡緇, 授以國政, 而不疑也. 王請旽屈行, 以救世事, 旽陽不肯, 以堅王意, 王强之. 旽曰, “嘗聞, 國王大臣, 多信讒間, 愼毋如此, 乃可福利世間也”. 王乃手寫盟辭曰, “師救我, 我救師. 死生以之, 無惑人言, 佛天證明”:節要轉載].

[於是, 旽與議國政, 用事三旬, 罷逐親勳·名望, 冢宰·臺諫, 皆出其口. 旽以辰巳聖人出之讖, 昌言曰, 所謂聖人, 豈非我歟. 至是, 始出禁中, 寓奇顯家, 百官詣門議事. 以三司左使金元命, 兼鷹揚軍上護軍, 掌八衛四十二都府兵.[74)] 初, 顯後妻寡居, 旽爲僧得通, 後乃歸顯. 及旽貴, 以其妻主中饋, 旽, 貪滛~~貪淫~~日甚, 貨賂輻湊, 居家飮酒啗肉, 恣意聲色, 謁王, 則淸談, 齕菜果茗飮:節要轉載].

---

71) 이들은 9월 27일(壬午)에 임명되었는데(『원사』 권46, 본기46, 至正 25년 9월 壬午·권113, 지6下, 宰相年表2), 그중 擴廓帖木兒[kökö Temur]는 太尉에 임명되었다고 한다. 그렇지만 『庚申外史』에는 『고려사』와 같이 太傅로 되어 있다.

72) 이때 林大光이 賀正副使로 참여하였다(→공민왕 15년 4월 9일).

73) ~~添字~~는 『고려사절요』 권28에 의거하였다.

74) 이때 金元命의 임명은 辛旽과 연결되어 있었다고 한다.

· 열전38, 金元命, “初, 辛旽爲僧, 依元命見王, 及旽得幸, 以元命爲三司左使·鷹揚軍上護軍, 掌八衛四十二都府兵”.

[→於是, 辛旽與議國政. 用事三旬, 讒毁大臣, 罷逐領都僉議□□□~~使司事~~李公遂·侍中慶千興· 判三司事李壽山·贊成事宋卿·密直副使?韓公義·政堂□□文學元松壽·同知密直□□~~司事~~王重貴等, 冢宰臺諫, 皆出其口. 領都僉議□□□~~使司事~~久虛其位, 至是, 自領之. ○始出禁中, 寓奇顯家, 百官詣門議事. 旽以辰巳聖人出之讖, 揚言曰, "所謂聖人, 豈非我歟". 以三司左使金元命兼鷹揚軍上護軍, 掌八衛四十二都府兵, 元命·蘭皆以旽故大用. ○初顯後妻寡居, 旽爲僧通焉, 後歸顯. 及旽貴, 主顯家又通焉, 以顯妻主中饋. 旽貪淫日甚, 貨賂輻湊, 居家, 飮酒啗肉, 恣意聲色, 謁王則淸談, 齕菜果茗飮, 密直提學李達衷, 嘗於廣坐, 謂旽曰, "人謂公酒色過度". 旽不悅罷之:列傳45辛旽轉載].[75]

[是月乙卯2日, 詔立次皇后奇氏爲皇后, 改奇氏爲肅良合氏, 詔天下. 仍封奇氏父以上三世, 皆爲王爵:追加].[76]

[冬某月, 以奉善大夫·典校副令成石璘爲奉常大夫:追加].[77]

[是年, 以奉翊大夫·密直副使金先致爲雞林府尹兼管內勸農使:追加].[78]

[○以完山君崔宰爲典理判書:追加].[79]

[○以知錦州事朴尙衷爲三司判官:追加].[80]

[○以奉翊大夫孫湧爲安東大都護府使, 通直郞宋玄植爲安東判官:追加].[81]

[○以陳平仲爲延安府使:追加].[82]

---

75) 이 기사는 열전25, 李達衷에도 수록되어 있는데, 1366년(공민왕15)에 있었던 일인 것 같이 정리되어 있다.

76) 이는 『원사』 권46, 본기46, 順帝9, 至正 25년 12월 乙卯에 의거하였다. 이날은 율리우스曆으로 1366년 1월 13일(그레고리曆 1월 21일)에 해당한다.
- 『新元史』 권104, 열전1, 后妃, 惠宗, 完子忽都皇后, 奇氏, "… 元稱西夏·高麗, 不擧其國, 擧其部族曰唐兀氏·肅良合氏. 至是, 乃以后爲肅良合氏, 詔天下".

77) 이는 『獨谷集』行狀에 의거하였다.

78) 이는 『동도역세제자기』에 의거하였는데, 그의 열전에는 밀직부사를 거쳐 계림부윤이 되었다고 한다.
- 열전27, 金先致, "官累密直副使. 出爲雞林府尹, 時强盜繫獄, 連坐者百餘人, 久未決. 先致辨理, 全活甚衆. 封尙城君, 賜推誠翊衛功臣號".

79) 이는 「崔宰墓誌銘」에 의거하였다.

80) 이는 다음의 자료에 의거하였다.
- 『定齋集』 권3, 潘南先生家傳, "恭愍王十四年, 入補三司判官".

81) 이는 『안동선생안』에 의거하였다.

[○以鄭邦弼爲知寧海府事:追加].[83]

[○王思故鐵城府院君李嵓, 命工畵其形, 旣肖錫朋酒, 以祭之:追加].[84]

[○重大臣·淸城君韓公義卒, 年五十九, 謚平簡:追加].[85]

[○知密陽郡事金湊改創客館東古嶺南寺之小樓, 因改稱嶺南樓:追加].[86]

丙午[恭愍王]十五年, 元至正二十六年, [西曆1366年]

1366년 2월 10일(Gre2월 18일)에서 1367년 1월 30일(Gre2월 7일)까지, 384일

[春正月癸未朔大盡,庚寅, 乙巳23日, 前檢校密直提學鄭云敬卒於榮州:追加].[87]

---

82) 이는 『연안부지』에 의거하였는데, 陳平冲은 陳平仲의 오자일 것이다.

83) 이는 『寧海先生案』(『盈寧志』 권2, 官案, 宦蹟)에 의거하였다.

84) 이는 다음의 자료에 의거하였는데, 이때 제작된 李嵒(徐居正의 外高祖父)의 畫像은 조선 초에 그의 曾孫 僉中樞院事 李某가 소장하고 있었다고 한다. 또 朋酒는 보통 두 개의 술잔[兩樽酒]을 가리키지만, 술잔치[酒宴]로 해석하는 견해도 있다(石川忠久 1998年 124面).

· 『목은문고』 권17, 李嵒墓誌銘, "明年恭愍王14年, 上思公, 親命工畫其形, 旣肖, 錫朋酒, 以祭. 季子岡泣謝, 退徵穡銘曰, …".

· 『四佳集』시집권21, 杏村李文貞公, 居正外高祖也. 其嗣曾孫李僉樞, 將玄陵御筆畫像及謚號, 以示之, 有感.

· 『詩經』, 豳風, 七月, "九月肅霜, 十月滌場, 朋酒斯饗, 曰殺羔羊. 9월에는 차가운 서리가 내리고, 10월에는 벼를 타작하는 場所를 청소하고, 친족들을 불러 술잔치를 하고 羊을 잡아 供物로 하여 靈堂에 祭祀를 드리고 큰 잔[樽]을 들어 올려 一族의 長壽를 祖靈에게 빈다".

85) 이는 「韓公義墓誌銘」에 의거하였는데, 그의 葬事日이 11월 1일(甲申)임을 보아 9월 또는 10월 무렵에 逝去한 것 같다.

86) 이는 다음의 자료에 의거하였는데, 至元乙巳는 至正乙巳(공민왕14)로 고쳐야 옳게 될 것이다.

· 『신증동국여지승람』 권26, 密陽都護府, 樓亭, "嶺南樓, 在客館東, 卽古嶺南寺之小樓, 寺廢, 至元乙巳~~至正乙巳~~, 金湊爲知郡因舊改創, 因以寺名, 名之, 後府使安質重修, 天順庚辰, 府使姜叔卿又重修, 恢拓舊規, 壯麗無比. 高麗金湊記, '密城在慶尙爲名區, 而其廨宇東有樓曰嶺南, 俯控長川, 平呑曠野, 尤爲一郡之勝. 至正乙巳之春, 予出爲宰, 視事之暇, 乃觀斯樓, 制度隘陋, 屋小簷短, 風斜雨入, 日側陽來, 雖樂登臨, 難祛燥濕, 思欲革舊, 悉皆撤去. 難其工匠, 咨於郡人, 僉曰, 有郡奴素稱良匠, 旣老且病, 難以執役, 猶可臥而指授. 余乃使吏致之, 語以其故, 令遣晉陽, 使圖矗石之制, 及其旣還, 病始小愈. 又率徒役入山取材, 則日以差强, 能起而步, 量其尺度, 視其繩墨, 至畢其功, 而遂以永瘳.…".

87) 이는 『삼봉집』 권4, 鄭云敬行狀에 의거하였다. 이날은 율리우스曆으로 1366년 3월 4일(그레고리曆 3월 12일)에 해당한다.

· 열전34, 良吏, 鄭云敬, "… 後以檢校密直提學, 謝病歸榮州, 卒. 子道傳·道尊·道復, 道傳自有傳".

· 『태종실록』 권27, 14년 5월 壬午10日, "召領春秋館事河崙, 命竄定高麗史. 國初, 命鄭道傳·鄭摠

[某日, 以禹玄寶爲慶尙道按廉使, 金允觀~~金允琯~~爲全羅道按廉使. 旣而金允琯徵召, 以李普万代之:慶尙道營主題名記·錦城日記].[88)]

[某日, 元遣使來, 頒皇后册封詔書:追加].[89)]

[某日, 遣使如元, 賀皇后册封:追加].[90)]

[是月頃, 以呂衛賢~~呂渭賢~~爲羅州牧使, 朝奉郞閔受生爲雞林府判官, 許承祐爲羅州牧判官:追加].[91)]

[三月~~二月癸丑朔~~大盡,大盡,辛卯, 己未7日, 月暈:天文3轉載].

[庚申8日, 亦如之~~月暈~~:天文3轉載].

[辛酉9日, 月在大微~~太微~~, 暈:天文3轉載].[92)]

[是月頃, 以李皓爲永州副使:追加].[93)]

春三月癸未朔小盡,壬辰, 庚子18日, 親設文殊會於宮中. [時領都僉議司事辛旽, 不坐宰

等撰之, 僞朝以後之事, 頗多失眞, 故有是命, 蓋因崙之請也. 初, 上謂群臣曰, '予觀高麗史末紀, 太祖之事, 頗有不實'. … 上曰, '若如此書, 前朝之季, 直言於君者, 唯尹紹宗一人而已, 善爲州者, 唯鄭云敬一人而已. 開國之時, 機密之事, 予悉知之矣'. 韓尙德曰, '臣聞諸趙浚亦曰, 玄陵以後之事, 皆誤書矣. 夫信史, 所以示後也, 以殿下所知, 改正何如'. 上曰, 吾當與領議政議. 遂命承文院, 編次丁亥年太宗7年以後受教條畫".

· 『태종실록』 권18, 9년 8월 戊午19日, "以鄭道復爲仁寧府司尹. 道復, 道傳之弟, 方道傳當國, 勢傾朝野, 召道復至京, 辭曰, '勢位難久, 不可恃也, 且吾寒門也, 榮已至矣, 復何望哉. 當釣水耕田, 以終吾年, 請兄毋相煩'. 後爲星州儒學教授官者七年, 以久見召".

88) 金允觀은 金允琯의 오자인데, 그는 6월에 司憲府 糾正[監察御史]으로 徵召되었다고 한다. 또 春夏番按廉使의 任期末[番滿]은 보통 6월 또는 7월인데, 이해는 8월이 滿期였던 것 같다.

· 『금성일기』, 丙午年, "春夏番按廉使金允觀金允琯, 六月日, 以監察宣喚, … 按廉使李普万, 八月番滿上京".

89) 이는 『목은문고』 권11, 皇后封册表에 의거하였다.

90) 이는 『동문선』 권32, 奇皇后受册賀太子箋(鄭樞 作)에 의거하였다.

91) 이는 『금성일기』; 『동도역세제자기』에 의거하였는데, 呂衛賢은 呂渭賢의 오자일 것이고, 閔受生은 閔壽生의 오자일 가능성이 있다.

92) 지3, 天文3에는 3월의 己未·庚申·辛酉로 되어 있으나, 이들은 3월에는 없고 2월과 4월에 있다. 漢字의 一·二·三의 세 글자 간에는 혼동이 있을 수 있으므로 三月은 二月의 잘못일 것이다. 또 이때 일본의 교토에서 7일(己未)와 8일(庚申)은 흐렸고, 9일(辛酉)은 晴陰이 불분명하였다고 한다.

· 『愚管記』제10, 貞治 5년 2월, "七日己未, 陰, 終日風吹. 八日庚申, 陰, 時々小雨, 不及濕地, … 九日辛酉, 晴陰不定".

93) 李皓는 『영천선생안』에 의거하였는데, 그는 許邕의 壻로 추측된다(許邕妻李氏墓誌銘).

相之列, 敢與王並坐, 間不數尺, 國人驚駭, 罔不洶洶:追加].[94]

○遣密直提學田祿生[·軍簿佐郎金齊顔:列傳17金齊顔轉載], 聘于天下惣兵官·河南王廓擴帖木兒擴廓帖木兒.

○遣使賀皇太子定難還都, 箋曰, "龍旗攸指, 肅將天子之威, 鶴駕言旋, 大慰都人之望, 屬玆播告, 擧有欣歡. 皇太子殿下, 偉量淵冲, 英猷果斷. 勵精弘化, 贊文德於誕敷, 受命啓行, 揚戎兵於克詰. 匪徒振耀, 惟以敉寧, 妖寇如鼎魚, 應悔乞降之不早, 逆臣爲社鼠, 方知犯順之必誅. 何猖獗之足虞, 盖指揮之有定. 風霆動盪, 詎容邪氣之留, 日月淸明, 遂絶浮雲之蔽. 玆皆睿算, 上恊協宸衷, 事有萬全, 與神謀, 與衆共, 心無貳適, 爲子孝, 爲臣忠. 是宜出紓國步之艱, 入奉天顔之喜, 聲名廣被於中外, 功業卓冠於古今. 凡在見聞, 疇非蹈舞. 臣跡慙蠖屈, 心慕鷹揚, 萬騎來朝, 遙想凱歌之奏, 四方稱慶, 倍祈胡考之休".

[是月, 前神光寺住持惠勤, 入金剛山, 住正陽寺:追加].[95]

夏四月壬子□朔大盡,癸巳, 上將軍趙藺通宮女有孕, 王赦藺, 黜宮女.[96]

---

94) 이는 『동문선』 권52, 論辛旽疏(李存吾 撰) ; 열전25, 李存吾에 의거하였다(→4월 13일).

95) 이는 다음의 자료에 의거하였다. 또 조선시대의 正陽寺에 대한 기록으로 다음이 있는데, 正陽寺는 현재 북한의 국보유적 제99호이다.

- 『나옹화상어록』, 행장, "丙午三月, 前神光寺住持惠勤, 入金剛山, 住正陽寺".
- 『樂全堂集』 권7, 遊金剛內外山諸記, "… 西南爲普賢岾, 邐迤而南, 爲放光臺. 臺下爲正陽寺. 沙門之內有六角無梁閣, 前後有牖, 左右四壁, 寫諸佛及天王法神凡四十位, 元時畫師摹得吳道子筆傳之. 不特運毫施繪之妙, 人物排序, 咸墳起如眞. 閣中安石佛, 藥師像云, 閣前豎石塔·長明燈·法堂宏敞, 後起一殿, 藏懶翁影眞, 北階上有懶翁浮屠, …".
- 『白軒集』 권10, 楓嶽錄, "… 由表訓□寺上二里許, 卽正陽寺也, 去長安寺十里餘. 寺在放光臺下, 正南向殿前, 有六面藥師殿, 安石佛一軀. 壁上六面有畫, 僧輩說稱吳道子畫, 其言無可徵也, 其筆畫金碧, 宛然如新. 佛殿前庭, 有五層浮屠, 佛殿後壁, 掛懶翁影子, 又有懶翁舍利一顆, 錦袈裟一, 葛布袈裟一, 水精柄拂子等物". 여기에서 吳道子(혹은 吳道玄)는 8세기 前半에 활약했던 唐代의 畫家로서 後世에 畫聖으로 불린 인물이다.
- 『東里集』 권5, 過靑龍潭, 坐萬瀑洞巖石上小憩, … 夕間入正陽寺中, 先見法堂, 歷見藥師殿, 殿宇六面甚整, 其大只一間, 中安石佛, 所謂藥師之像, 左有彩畫四十軀, 云是吳道子所爲. 眉眼如生, 若有神助, 眞所謂奪天造也. 各像之上, 紅圈而書名字甚精, 不知誰人筆, 而字體如金生書(1664年撰).
- 『游齋集』 권9, 東游錄下, 六角藥師殿佛畫, 乃元時畫師摹得吳道子筆者也, 而僧輩稱以吳道子畫云.
- 『希樂堂稿』 권8, 龍泉談寂記, "古來畫者, 唐以前不多聞, 其筆跡遠不可傳. 至唐吳道子, 去宋不甚遠, 蘇子瞻猶曰, 一二見而已矣. 況今千載之下乎? 中國猶然, 況外國乎? 今人畜畫者, 往往以爲唐人畫, 且謂吳道子筆者, 恐皆非眞也".

癸丑[2日]，貶監察執義崔元祐爲貞海監務.

乙卯[4日]，[三司左使兼鷹揚軍上護軍金元命:節要轉載]，鑿溝于市北街. [自言，"將以壓朝廷也"，術家曰，"徑市鑿溝，武盛文衰". 時元命黨辛旽，恐臺諫文臣發其奸，用術家語，以壓之:節要轉載].

[→三司左使兼鷹揚軍上護軍金元命率徒兵，修旻天寺薑池，鑿渠堰石，徑市北街，引流達于巡軍北橋，自言，"將以壓朝廷也"，術家曰，"徑市鑿溝，武盛文衰". 元命黨於旽，恐臺諫文臣發其姦，用術家語，以壓之:列傳38金元命轉載].

[史臣尹紹宗曰，"我東方，箕子所敎之地，在漢，有仁賢之化，在唐，爲君子之國. 本朝，世崇文敎，布列朝廷者，皆讀書人. 至於命將出師，亦用文臣，姜仁獻公邯贊，走遼師，固封畿，尹文肅公瓘，斥女眞，立九城，西都妙淸之僭號也，金侍中富軾討之，金山王子之東寇也，趙太尉沖，平之. 皆用儒臣，以成大功，豈儒者，短於武歟. 毅廟之季，鄭仲夫盡殲朝臣，始指文臣，爲朝廷. 自是，武夫擅政，祖宗法毁，至今，朝廷讀書者，無幾，而元命，以區區妖術，求以壓勝. 小人之欲害君子，而恣其險譎，無所不至，多類此，可勝痛哉":節要轉載].

戊午[7日]，王觀呼旗童戲於殿庭，賜布百匹. [國俗，以四月八日，是釋迦生日，家家燃燈，群童翦紙，注竿爲旗，周呼城中街里，求米布爲其費，謂之呼旗:節要轉載].

[己未[8日]，領都僉議使司事旽，大燃燈于其第，京城爭效之，貧戶至乞丐以辦:列傳45辛旽轉載].[97]

庚申[9日]，賀正副使林大光，還自元. 大光至遼陽，爲群盜所圍，以所賫賜王衣酒及皇太子令旨，示之，盜曰，"無以此物爲也，但爲高麗王". 釋之.

壬戌[11日]，大雨雹.[98]

[某日，王以無嗣，選德豊君義·右常侍安克仁女，爲妃，與辛旽共觀之. 旽據胡床自若:節要轉載].[99]

[→王以無嗣，欲納妃，親選德豊君王義·散騎~~右常侍~~安克仁·正郞鄭寓·判官鄭良生女于內庭，旽與王並據胡床觀之:列傳45辛旽轉載].[100]

---

96) 壬子에 朔이 탈락되었다.

97) 原文에는 "旽以四月八日，大燃燈于其第，京城爭效之，貧戶至乞丐以辦"으로 되어 있다.

98) 이와 같은 기사가 지7, 五行1, 水, 雨雹에도 수록되어 있다.

99) 恭愍王 世家篇에는 이 納妃의 기사가 是年 10월 29일에 수록되어 있다. 이때는 選定을 위한 첫 對面이었기에 上記의 記事가 더 적합할 것이다(辛旽列傳).

100) ~~添字~~와 같이 고쳐야 옳게 될 것이다.

甲子[13日]，左司議大夫鄭樞·右正言李存吾上䟽，論[領都僉議使司事]辛旽，王大怒，貶樞爲東萊縣令，存吾爲長沙監務.[101)]

[→左司議□□[大夫]鄭樞·右正言李存吾，上疏曰，“臣等，伏値三月十八日，於殿內，設文殊會，領都僉議□□[司事]辛旽，不坐宰臣之列，敢與殿下並坐，間不數尺，國人驚駭，罔不洶洶. 夫禮所以辨上下，定民志，苟無禮焉. 何以爲君臣，何以爲父子，何以爲國家乎. 聖人制禮，嚴上下之分，謀深而慮遠也. 竊見旽，過蒙上恩，專國政，而有無君之心. 當初，領都僉議□□[司事]·判監察命下之日，法當朝服進謝，而半月不出，及進闕庭，膝不少屈，常騎馬，出入紅門，與殿下，並據胡床，在其家，宰相拜庭下，皆坐待之. 雖崔沆·金仁俊·林衍之所爲，亦未有如此者也. 昔爲沙門，當置之度外，不必責其無禮，今爲宰相，名位定矣，而敢失禮毁常若此，原究其由. 必託以師傅之名. 然兪升旦，高王之師，鄭可臣，德陵之傅，臣等未聞彼二人者. 敢若此也. 李資謙，仁王之外祖，仁王謙讓，欲以祖孫之禮相見，畏公論而不敢，蓋君臣之分，素定故也. 是禮也，自有君臣以來，亘萬古而不易，非旽與殿下之所得私也. 旽是何人，敢自尊若此乎? 洪範曰，惟辟作福，惟辟作威，惟辟玉食.[102)] 臣而作福作威玉食，必害于家，凶于國，人用側頗僻，民用僭忒. 是謂臣而僭上之權，則有位者，皆不安其分，小民化之，亦踰越其常也. 旽旣作福作威，又與殿下抗禮，是國有兩君也. 陵僭之至，驕慢成習，則有位者，皆不安其分，小民踰越其常，可不畏哉. 宋司馬光曰，紀綱不立，奸雄生心.[103)] 然則禮不可不嚴，習不可不愼. 若殿下，必敬此人，而民無災禍，則髡其頭，緇其服，削其官，置之寺院而敬之. 必用此人，而國家平康，則裁抑其權，嚴上下之禮以使之，民志定矣，國難紓矣. 且殿下，以旽爲賢，自旽用事以來，陰陽失時，冬月而雷，黃霧四塞，彌旬日黑，子夜赤祲，天狗墜地，

---

101) 李存吾는 長沙縣(현 전라북도 高敞郡)의 監務로 貶職었다가 곧 長鬐縣(현 경상북도 포항시 남구 長鬐面)에 安置되었던 것 같다.
- 『錦溪集』外集권4, 次長鬐軒[注, 乃李存吾忤旽謫居之地].

102) 이 구절은 『尙書』 권7, 洪範第6, 周書, 三德, “惟辟作福, 惟辟作威, 惟辟玉食”을 인용한 것이다.
- 『여유당전서』 권25, 小學紺珠, 三之類, “三德者, 天下之達德也, 知道曰智[注, 知, 五倫之道], 行道曰仁[行, 五倫之道], 勉行曰勇[勇, 所以成功], 此之謂三德也. 三德之名, 出‘中庸’[‘洪範’以正直·剛克·柔克, 爲三德]”.

103) 이 구절은 다음의 자료를 인용한 것이다.
- 『續資治通鑑長編』 권196, 仁宗, 嘉祐 7년 5월, “丁未朔, 命起居舍人·天章閣待制兼侍講司馬光, 仍知諫院, 光上疏曰, … 由是觀之, 紀綱不立, 則姦雄生心矣”.
- 『皇朝編年備要』 권16, 仁宗皇帝[壬寅], 嘉祐 7년 5월, “[司馬]光疏略曰, … 由是觀之, 紀綱不立, 則姦雄生心矣”.

木氷太甚，淸明之後，雨雹寒風，乾文屢變，山禽野獸，白日飛走於城中．旽之論道燮理功臣之號，果合於天地祖宗之意乎？ 臣等，職在諫院，惜殿下相非其人，將取笑於四方，見譏於萬世，故不得嘿嘿，庶免不言之責．旣已言矣，敬聽所裁”．○疏上，王大怒，覽未半，遽命焚之，召樞等面責．時旽與王對床，存吾，目旽叱之曰，“老僧，何得無禮如此?”，旽惶駭，不覺下床．王愈怒，下樞等巡軍獄，命[都僉議]贊成事李春富·密直副使金蘭·簽書密直□□[司事]李穡·同知密直□□[司事]金達祥，鞫之．乃謂左右曰，“予畏存吾怒目也”．初，存吾，草疏赴省，出藁袖中，示之諸郞，皆難之．存吾與樞姻親也，謂樞曰，“兄不當如是，樞從之”，遂與上疏．○春富等，問樞曰，“誘汝上疏者，誰歟”．對曰，“吾父子相繼，爲諫大夫，俱受國恩，今見上委政非人，將危社稷，人人憤恨，故在言職．不得嘿嘿耳．豈待人誘之，然後言乎?．且旽擅威福，道路以目，孰使之者歟．問存吾曰，‘爾尙乳臭童子，何能自知，必有老狐陰嗾者，其無隱’．對曰，國家不以童子無知，置之言官，敢不言，以負國家耶”．○時存吾年二十五，旽黨，因此欲盡去異己，凡有名望者，必欲樞等援引．或謂樞等曰，“若云前政堂元松壽·前侍中慶千興，嗾之則可免死”．答曰，“身爲諫官，第論國賊耳，安有爲人所指乎?．且死生有命，豈可誣人以求免耶?”．○右獻納朴晋祿·右司議□□[大夫]林顯，見樞等于巡軍獄，晋祿，將出曰，“我輩不人不人”，顯，愕然趨出曰，“是何言也?”．○竟貶樞爲東萊縣令，存吾爲長沙監務．樞等之下獄也，旽黨，必欲殺之．穡謂春富曰，“二人狂妄，固可罪矣．然我太祖以來五百年間，未嘗殺一諫官，今因令公殺諫官，恐惡聲遠播．且小儒之言，於大人何損．不如白令公勿殺”，春富等然之，得免．○存吾，慶州人，早孤力學，忼慷有志節，至是，憂憤成疾．後六年[恭愍20年]，病革，謂左右扶起曰，“旽尙熾乎?”，左右曰，“然”．還臥曰，“旽亡，吾乃亡”，返席未安而歿．存吾歿四月[三月]，而旽誅．王思其忠，贈成均大司成，子來，年十歲．王手書‘諫臣存吾之子安國’，下政房，授掌車直長．安國，來少字:節要轉載]．[104]

---

104) 이 기사는 열전25, 李存吾에도 수록되어 있고, 이와 관련된 기사로 다음이 있다. 또 前長沙監務 李存吾는 1371년(공민왕20) 5월 23일 逝去하였고, 辛旽은 같은 해 7월 11일 誅殺되었으므로 ‘四月’은 ‘三月’로 고치는 것이 옳을 것이다.

· 열전19, 鄭瑎, 公權, “[恭愍]十五年, [左司議大夫鄭公權]與正言李存吾，極言辛旽誤國之罪．王大怒，召公權等面詰，下巡軍，命李春富·金蘭·李穡·金達祥等鞫之．問曰，誘汝上疏者誰．公權曰，吾父子相繼爲諫大夫，受國恩厚．見上委政非人，社稷將危，人人憤恨，故在言職，不得嘿嘿，豈待人言．且旽擅威福，道路以目，孰敢誘耶．達祥令跪，公權不屈，使人捽其髮，蹴而跪之，問曰，雖無誘者，必有知之者．曰，典校令林樸·右司議[大夫]林顯·前郡事金湊知之．湊□[守]侍中金普妻姪也，旽嘗譖普，罷之．春富等意湊挾其憾，嗾公權等害旽，卽逮湊栲訊，構公權等罪．旽黨欲因此，盡

丙寅[15日]，以卓光茂爲左司議大夫，[前護軍]金南得爲監察執義，奇仲脩·朴興陽△[並]爲監察持平，徐鈞衡爲右正言.[105)]

辛未[20日]，賀正使·判三司事全普門，還自元，帝授翰林侍講學士·知制誥·同脩國史. 普門目不知書，國人大駭，元末官爵之濫，如此.

乙亥[24日]，竄□[都]僉議評理睦仁吉于全州，判密直司事任君輔于驪興. [先是，仁吉，徼巡京城，有人犯夜，走入魯國公主從兄哈剌不花[哈剌不花]之第，索之甚急. 哈剌不花[哈剌不花]，訴於王. 王怒. 辛旽旣以計，盡逐舊臣. 仁吉，雖潛邸舊臣，以武人不識字，不爲忌. 至是，旽兇詐益露，恐仁吉白王，乘王怒，譖之. 君輔言，"仁吉舊人，不可以小失去"，旽素銜君輔，又聞鄭樞之逐，君輔營救，益嫉之，故同日被竄:節要轉載].[106)]

[→及鄭樞·李存吾，以論旽見逐，君輔營救，旽益嫉之. 會[領都僉議使司事辛]旽譖睦仁吉竄全州，君輔言，"仁吉舊人，不可以小失去". 旽因譖曰，"奇田龍之還燕，君輔有密言". 王信之，遂竄于驪興. 子巨敬[臣敬]:列傳27任君輔轉載].[107)]

[→[領都僉議使司事辛]旽以黃裳·李壽山·韓方信·安遇祥·李金剛·池龍壽·楊伯淵·金達祥·李云牧·張必禮·李善等爲禁衛提調官. 於是，內外之權，悉摠於旽:列傳45辛旽轉載].

戊寅[27日]，王率百官，幸王輪寺，觀舍利，施黃金·綵帛，賜僧布八百匹.

[→[領都僉議使司事]辛旽與宰樞，迎廣州天王寺佛舍利，置之王輪寺. 王率百官，往觀之，施黃金·綵帛. 又賜僧布八百匹. 宰樞以下，冠帶立庭，旽著半臂衣，手圓扇，竝

去異己，凡有名望者，必令公權等援引，或謂曰，若言慶千興·元松壽嗾之，可免死. 公權曰，身爲諫官，義當論國賊，死生有命，豈可誣人，以求免耶. 顯及右獻納朴晋祿，見公權等于獄，晋祿曰，我輩不人. 顯愕然曰，是何言耶. 旽黨聲言，上怒未霽，公權等必死. 穡入見，王無怒色，乃知其妄. 旽黨必欲殺之，穡言於春富得免，貶東萊縣令. 自是，宰相·臺諫皆附旽，言路絶矣".

· 열전27, 金湊，"恭愍朝，累遷成均直講. 諫官鄭樞等，上書論辛旽，王怒下獄鞫之，辭連湊，杖流于鄕. 尋宥許從便".

· 열전45, 辛旽，"諫官鄭樞·李存上䟽，極論旽罪惡，皆見貶逐. 語在存吾傳. 自是，旽之桀驁尤甚，宰相·臺諫，皆附旽而言路塞矣".

105) 金南得은 1356년(공민왕5) 10월 이전에 楊廣道按廉使로 재직하면서 鄭世雲，金鏞 등과 사이가 좋았다고 한다.

· 열전26, 鄭世雲，"楊廣道按廣[按廉使]金南得笞辱忽赤·中郞將鄭谷，谷同僚權石和等訴於王. [鄭]世雲·[金]鏞與南得善，請王杖流石和等于海島".

106) 이 기사는 열전45, 辛旽에도 수록되어 있고, 이의 縮約이 열전27, 睦仁吉에 수록되어 있다.

107) 여기에서 巨敬은 臣敬[臣卿]의 오자일 가능성이 있다. 다음의 자료는 後代에 만들어 진 것이지만. 任君輔는 臣卿과 元卿의 2子，金蘭，鄭南晋[鄭南鎭]의 2壻가 있었다고 한다(『氏族源流』，豊川任氏，蔡雄錫敎授의 敎示).

御床坐，王拜舍利，旽亦拜，旽袖緣化文，立授王，王受之愈謹:節要轉載].

[→領都僉議使司事旽與宰樞，迎廣州天王寺舍利于王輪寺，王率百官往觀．百官冠帶立庭，旽著半臂，手圓扇，竝御床坐，袖緣化文，立授王令押，王受之愈謹．居數日，旽率僧徒，還舍利，贊成□~~事~~李仁任從旽，步至天壽寺，送之:列傳45辛旽轉載].

[□□~~是時~~，榮州有佛塔，知州事鄭習仁，訊其名，曰無信，習仁曰，異哉，惡木不息，盜泉不飮，惡其名也．烏有巍然其形，爲一邑所瞻視，而以無信，表之者乎．乃令州吏，刻日夷之，用其甎，以修賓館．旽聞而怒，令繫雞林府獄，閱五月，移繫典法獄，困苦之．時習仁持母服，旽必欲置死地，廷臣憐之，多爲白王者，乃得免，廢爲庶人，令就州，復構其塔:節要轉載].[108]

[辛巳30日，獐鳴□~~于~~東宮:五行2轉載].

五月壬午朔大盡,甲午，益山府院君李公遂卒，[年五十九:追加].[109] [公遂，益州人，精明謹愼，果斷剛毅，屹然不爲權勢所窘．時辛旽當國，頗忌之，公遂，亦以盛滿自戒，居德水縣別墅，幅巾藜杖，嘯咏其中，風流閑雅，蕭然有山野之趣．及遘疾，親戚謂夫人金氏曰，“盍禱于佛”，金氏曰，“公平生，未嘗佞佛，妾，安敢背其道，以欺公耶”．卒，謚~~諡~~文忠，後配享王廟:節要轉載].

[→恭愍十五年卒，年五十九．王哀悼，命官庀葬事，謚文忠．公遂，精明謹愼，一毫不妄取與，臨事剛毅，不爲形勢所窘．風流閑雅，蕭然有山野之趣．置別墅德水縣，自稱南村先生，幅巾藜杖，逍遙自適．早喪母，長於姊夫全公義家，既顯，事公義如父姊如母．公遂遘疾，親屬謂妻金氏曰，“盍禱于佛”．金曰，“公平生，未嘗佞佛，安敢背其道，以欺耶”．辛禑二年，配享恭愍廟庭．無子:列傳25李公遂轉載].

○倭寇楊州深嶽縣.

[○月暈:天文3轉載].

乙酉4日，遣鄭元庇，聘于河南王擴廓帖木兒~~擴廓帖木兒~~.[110]

---

108) 이 기사는 열전25, 鄭習仁에도 수록되어 있다. 또 “惡木不息, 盜泉不飮”은 다음의 자료에서 따온 것이다.
- 『文選』 권28, 樂府下, 猛虎行(晋 陸士衡 作), “渴不飮盜泉水, 熱不息惡木陰. 惡木豈無枝, 志士多苦心”.

109) 이는 「李公遂墓誌銘」에 의거하였는데, 이날은 율리우스曆으로 1366년 6월 9일(그레고리曆 6월 17일)에 해당한다.

110) 鄭元庇는 後日 鄭庇로 改名하였는데, 1373년(공민왕22) 2월 18일에는 鄭庇로, 6월 21일에는 鄭

丙戌[5日], 王出時御宮東岡, 觀擊毬.

丁亥[6日], [夏至]. 以誕日, 飯僧七百于內殿, 賜布千餘匹.

[己丑[8日], 亦如之月暈:天文3轉載].

[庚寅[9日], 月在大微太微, 暈:天文3轉載].

[辛卯[10日], 大霧:五行3轉載].

[某日, 置田民推整都監, 以領都僉議使司事辛旽爲判事. 於是, 權豪多以所奪田民, 還其本主, 中外欣然. 旽, 間一日而至都監, 贊成事李仁任·李春富以下, 聽決焉. 旽外假公義, 實欲市恩於人, 凡賤隸訴良者, 一皆良之. 於是, 奴婢之背主者, 蜂起曰, "聖人出矣". 旽, 欲收群小之心, 以濟奸慝, 類此. 婦人訟者, 若有姿色, 旽外示哀矜, 誘致其家, 輒滛淫焉:節要轉載].

[→領都僉議使司事辛旽, 請置田民辨整都監, 自爲判事, 榜諭中外曰, "比來, 紀綱大壞, 貪墨成風, 宗廟·學校·倉庫·寺社·祿轉·軍須田, 及國人世業田民, 豪强之家, 奪占幾盡. 或已決仍執, 或認民爲隸, 州縣驛吏·官奴·百姓之逃役者, 悉皆漏隱, 大置農莊, 病民瘠國, 感召水旱水旱, 癘疫不息. 今設都監, 俾之推整, 京中限十五日, 諸道四十日, 其知非自改者勿問, 過限事覺者糾治, 妄訴者反坐". 令出, 權豪多以所奪田民還其主, 中外忻然. 旽間一日至都監, 贊成事李仁任·李春富以下, 聽決焉. 旽外假公義, 欲市恩於人, 凡賤隸訴良者, 一皆良之. 於是, 奴隸背主者, 蜂起曰, "聖人出矣". 婦人訟者貌美, 旽外示哀矜, 誘致其家, 輒淫焉, 訟必得伸. 由是, 女謁盛行, 士人切齒. 判事張海家奴爲郎將, 遇海高揖不下馬. 海怒鞭之, 奴訴旽, 旽囚海及其女于巡軍. 其欲收群小心, 以濟姦慝類此:列傳45辛旽轉載].

壬辰[11日], 都僉議侍中柳濯謝病, 乞退, □□不允.[111]

癸巳[12日], □役正陵恭愍王妃役, 大伐德陵忠宣王木殆盡, 以營齋室, 守陵者不敢禁.

[史臣尹紹宗曰, "王性至孝, 卽位之初, 以宰相張沆邃禮學, 命修正大廟太廟禮樂器服. 及沆卒, 王嘆曰, 今宰相, 安有盡心宗廟, 如張訥齋者耶.[112] 乃命知奏事元松壽, 改畫太祖以來先王先后眞, 而其眞殿山陵, 一皆新之, 王奉先追遠之意至矣. 自辛旽用事, 諸賢旣斥, 小人面諛, 臺諫杜口, 至伐祖陵松柏, 而王不知, 可勝痛哉":

元庇로, 1374년(공민왕23) 2월 28일 이후에는 鄭庇로 표기되었다. 後者는 脫字로 인한 결과일 수도 있다.

111) 添字는 열전24, 柳濯, '累乞退不允'에 의거하였다.

112) 이 구절은 열전22, 張沆에도 수록되어 있다.

節要轉載].

○又大起公主影殿于王輪寺東南, 令百官, 以秩出役夫, 輦木石. 數百人挽一木, 尙不能進, 呼耶聲, 動天地, 晝夜不絶, 牛死者, 相繼于道.113)

[□□是時, 以中郞將羅興儒, 爲影殿都監判官. 須鬢皓白, 督丁夫運石, 手執旗竿登石上, 麾而呼之, 王悅累遷禮儀摠郞. 以王命, 監造木蟠龍爲殿門飾, 遂以技巧稱. 陞司宰令, 遷司農少卿. 撰中原及本國地圖, 敘開闢以來, 帝王興廢·疆理離合之迹曰, 好古博雅君子覽之, 胸臆間一天地也. 遂進于王, 王見而嘉之. 興儒能言前代故事, 王愛幸, 常目爲老生, 朝夕在左右, 或命賦詩, 或戱語. 時賜御膳, 至手調羹予之, 興儒輒夸語於人. 寫所賦命題詩, 送史館曰, 老臣獲紆上知, 類太公之遇文王, 賜膳給札賦詩, 同太白之遇玄宗. 豈無秉周柱董狐之筆者乎. 其自飾要名, 類此:列傳27羅興儒轉載].

甲午13日, 百官會于領都僉議使司事辛旽家. ○地大震.

[→百官嘗會領都僉議使司事辛旽家, 車馬塡街, 而宮門寂然, 識者寒心. 是日, 地大震. 時, 公卿舊臣, 皆被竄逐, 旽惟憚太后洪氏, 讒間百計:列傳45辛旽轉載].

庚子19日, 判三司事全普門卒, 謚諡安敬.114)

[某日, 倭奪漕船三艘, 死傷甚衆:節要轉載].

[甲辰23日, 亦如之月在太微暈:天文3轉載].

乙巳24日, 倭屠喬桐, 留屯不去.115)

○京城, □地大震.

[→京城, 地大震:五行3轉載].

○王命都僉議贊成事安遇慶·評理池龍壽·判開城府事李珣等, 領三十三兵馬使, 出屯東西江·昇天府, [以補之:列傳26安遇慶轉載]. 時影殿·正陵役大興, 百司所事, 不出土木, 庶事廢弛, 倉廩虛竭, 宿衛單弱. 軍政不修, 至無兵可操, 無甲可授, 諸軍索然, 望賊不敢進.

[是月, 都僉議侍中柳濯所營, 眞宗寺功畢, 邀名僧卅三人, 設華嚴法會, 落其成, 衣鉢供具, 悉新悉贍. 上聞之, 降香幣, 以賁其會, 公卿搢紳, 奔走讚歎, 坐無虛席

---

113) 이 기사는 열전2, 恭愍王妃, 魯國大長公主에도 수록되어 있다.

114) 이날은 율리우스曆으로 1366년 6월 27일(그레고리曆 7월 5일)에 해당한다.

115) 이 시기에 喬桐에 침입한 倭賊에 관한 기사로 다음이 있다.

- 열전27, 羅世, "累轉版圖判書. 爲喬桐萬戶, 倭入寇, 世逃還, 王怒命囚巡衛府".
- 열전18, 趙仁規, 璘, "累遷鷹揚軍上護軍. 倭寇喬桐, 璘又擊走之".

者十日. 其造營二年而畢, 其夫日役, 五百餘指, 其屋間計六十有奇, 費不官削, 役不厲民. 眞宗寺, 柳淸臣之影堂也:追加].[116)]

[○都僉議侍中柳濯造成眞宗寺香垸等諸般佛具:追加].[117)]

[是月頃, 以金璔爲羅州牧判官:追加].[118)]

六月壬子朔小盡,乙未, [己未8日, 月暈氐·歲·鎭星:天文3轉載].

辛酉10日, 修九齋.[119)]

壬戌11日, 密直提學田祿生, 不達河南而還, 書狀官金齊顔欲達使命, 留燕京.

[→田祿生, 不達河南而還. 祿生至燕京, 皇太子, 不欲我通信河南, 命祿生東還. 書狀官·軍簿佐郞金齊顔, 謂祿生曰, "公大臣, 不可留也, 予且留, 必達使命于河南". 遂留燕京. 王以齊顔爲携貳, 徵還所賜治裝·錢穀:節要轉載].

[→金齊顔以軍簿佐郞, 從田祿生, 聘河南王擴廓帖木兒. 至燕京, 皇太子惡其通信, 命東還. 齊顔謂祿生曰, "公大臣, 不可留, 予且留, 必達使命". 遂稱疾留燕. 寄書其兄齊閔曰, "燕都雖不如昔, 丈夫可居之地也". 王以齊顔有異謀, 徵例賜錢穀. 居無何, 齊顔自燕, 單騎走河南, 達國書曰, "宰相田祿生, 被令旨還國, 齊顔以王命不可不達. 又樂聞大王名, 不遠萬里而來. 仍獻玉燭". 王問何物, 曰, "此明燈之具, 爇而暗, 修則復明. 冀王修德若此. 因上書以爲, 我王聰明仁武, 坐殲紅賊百萬之衆, 以安帝室, 爲天下倡. 今大王忠義聞天下, 欲東西協力, 削平僭亂, 夾輔帝室".

---

116) 이는 다음의 자료에 의거하였는데, 添字와 같이 고쳐야 옳게 될 것이다.

· 『목은문고』 권1, 眞宗寺記, "至正丙午恭愍15年夏五月, 侍中柳公所營眞宗寺功告畢, 邀韻釋卅三人, 講其所謂華嚴法者, 以落其成, 衣鉢供具, 悉新悉贍, 上聞之, 降香幣, 以貢其會, 公卿搢紳, 奔走讚歎, 坐無虛席者十日, 予始得而寓目焉. … 考其肇功, 則在甲辰13年夏孟孟夏, 其夫日役五百餘指, 其屋間計六十有奇, 費不官削, 役罔厲民, 是何成之疾也. …".

117) 이는 다음의 자료에 의거하였는데, 上記의 記事에 의하면 명문의 刻字 또는 判讀에서 오류가 있었을 것이다.

· 眞宗寺 香垸, "至正二十六年丙午五月 日, 直宗寺眞宗寺香垸"(許興植 1984년 1192面).

118) 이는 『금성일기』에 의거하였다.

119) 九齋는 海東孔子로 불리는 崔沖이 創立한 文憲公徒에 설치된 一種의 學科이지만 고려 후기에는 國學인 七管(七齋의 別稱)에 對稱되는 私學인 十二徒의 別稱으로 불리기도 하였다(→충렬왕 32년 9월 17일의 脚注). 그렇지만 위의 기사와 같이 國家가 九齋를 修理하였다는 것은 그 성격이 私立에서 國立으로 전환되었을 가능성이 있다. 또 이곳에는 건립 시기를 알 수 없는 九齋碑가 19世紀 後半 開城府의 扶山洞(現 開城市 扶山洞)에 남겨져 있었다고 한다.

· 『眉山集』 권2, 紫霞洞賞春[注, 扶山洞, 有崔文憲沖九齋碑].

王大喜, 奏授中議大夫·中書兵部郞中·簽書河南江北等處行樞密院事. 齊顔素善儒琴, 至是爲王彈之, 王悅:列傳17金齊顔轉載].

[某日, 以全羅道春夏番按廉使金允觀爲司憲糾正:追加].120)

乙丑14日, 以領都僉議使司事辛旽黨上護軍李得霖爲全羅道按廉使. 憲司劾得霖, 嘗盜廣州貢紬. 王命勿治, 督令之任.121)

[○月食:天文3轉載].122)

丙子25日, 前政堂文學元松壽卒,123) [年四十三. 有宰相器, 國人惜之. 王命有司葬之, 加等諡文定, 子序·庠:列傳20元松壽轉載]. [松壽, 參銓注八年, 愼重名器, 不少私. 王敬重, 見松壽至, 必起待之, 及旽用事, 以憂卒:節要轉載].

[是月丙寅15日, 元, 皇后肅良合氏奇皇后生日, 百官進箋, 皇后諭沙藍答里等曰, "自世祖以來, 正宮皇后壽日, 不曾進箋, 近年雖行, 不合典故". 却之:追加].124)

秋七月辛巳朔小盡,丙申, 日食, 旣.125)

[戊子8日, 處暑. 月暈氐·鎭·歲星:天文3轉載].

[某日, 以安承履爲慶尙道按廉使, 辛元佐爲全羅道按廉使:慶尙道營主題名記·錦城日記].

---

120) 이는 『금성일기』, "春夏番按廉使金允觀, 六月日, 以監察宣喚"에 의거하였다.

121) 李得霖은 이 기사와 같이 司憲府[憲司]의 彈劾으로 인해 赴任하지 못하였던 것 같다. 이해[是年]의 全羅道 春夏番按廉使 金允觀은 6월에 司憲糾正[監察]이 되어 召還[宣喚]되었고, 後任者 李寶万은 8월에 任期가 滿了[番滿]되어 上京하였다. 또 秋冬番按廉使는 辛元佐로서 8월 17일 初祭(錦城山에서의 祭禮?)를 위해 羅州에 들어왔다(『금성일기』).

122) 이날은 율리우스曆의 1366년 7월 22일이고, 월식 현상이 심했던 때의 世界時는 16시 57분, 食分은 0.38이었다(渡邊敏夫 1979年 485面).

123) 이날은 율리우스曆으로 1366년 8월 2일(그레고리曆 8월 10일)에 해당한다.

124) 이는 『원사』 권47, 본기47, 順帝10, 至正 26년 6월 丙寅에 의거하였다.

125) 이날 中原에서도 일식이 있었고(『원사』 권47, 본기47, 順帝10, 至正 26년 7월 辛巳), 일본의 교토에서도 일식이 있었다(高麗曆과 同一, 日本史料6-27冊 329面). 이날의 일식은 尹紹宗이 實見하였다고 하는데(공민왕 22년 5월 某日 尹紹宗의 上疏文에서 확인된다), 이날은 율리우스曆의 1366년 8월 7일이고, 開京에서 日食의 現象이 심했던 시간은 14시 50분, 食分은 0.93이었다(渡邊敏夫 1979年 312面).

- 『吉田家日次記』 권1, 貞治 5년 7월, "一日辛巳, 天晴, 今日參吉田社, 神供可備進之處, 日蝕也, 以後可備進神供之由存之, 祗候社頭, 如曆注者, 未一剋復末, 未六剋云々".
- 『續史愚抄』26, 貞治 5년 7월, "一日辛巳, 日蝕, 晝暗, 如夜云, 酉刻末伏".
- 『本朝統曆』 권10, 貞治 5년, "七大, 朔辛巳, 午八, 日蝕, 九分弱, 午三, 未六".

己酉[29日晦], 王步至佛福藏, 訪僧千禧[千熙].[126)]

八月[庚戌朔大盡,丁酉], [壬子[3日], 太白·熒惑, 同舍于柳:天文3轉載].

丙辰[7日], 太白晝見, 經天, 至于九月.

[某日, 德寧公主[忠惠王妃], 亨太后[洪氏]于文睿府, 王侍宴, 辛旽, 從王入見, 太后不賜坐. 旽趨出. 王白太后曰, "□[都]僉議, 國之柱石, 何不賜坐". 太后正色曰, "未亡人, 安敢與外僧共坐耶". 王嘿然. 由是, 旽深銜之. 時公卿舊臣, 皆爲所逐, 旽所憚者, 獨太后, 故讒間百計:節要轉載].[127)]

[癸亥[13日], 遣左右衛保勝中郎將金龍如日本, 請禁海賊:追加].[128)]

丙寅[17日], 髡[前都僉議贊成事]李龜壽置于松廣寺, [前都僉議評理]金貴于盧山寺, [前判密直司事]朴椿

---

126) 千禧는 千熙의 다른 표기인데(지11, 지리2, 東京留守官慶州, 興海郡에는 千凞로 표기하였다), 이때 공민왕이 千熙를 訪問한 것은 求法하러 中原에 들어가는 것을 慰勞하기 위해서였다고 한다(水原彰聖寺眞覺國師大覺圓照塔碑).

127) 이 기사는 열전2, 忠肅王, 明德太后洪氏에도 수록되어 있고, 그 縮約이 열전45, 辛旽에도 있다 ("時公卿舊臣, 皆被竄逐, 旽惟憚太后, 讒閒百計").

128) 이는 다음의 자료에 의거하였고(張東翼 2004년 249面), 이때의 事情을 정리한 硏究도 있다 (張東翼 2004년 244~253面·2007년·2015年 ; 藤田明良 2008年).

· 『太平記』40(혹은 39), 高麗人來朝事, "四十余年ガ間、本朝大ニ二亂テ、外國暫モ不靜.此動亂ニ事ヲ寄セテ、山路ニハ山賊有テ、旅客綠林ノ陰ヲ不過得、海上ニハ海賊多シテ、舟人白浪ノ難ヲ去兼タリ.欲心强盛ノ溢物共、以類集リシカバ、浦々嶋々、多ク盜賊ニ被押取テ、驛路ニ驛屋ノ長モナク、關屋ニ關守人ヲ替タリ.結局、以賊徒數千艘ノ舟ヲソロヘテ、元朝・高麗ノ津津泊々ニ押寄テ、明州・福州ノ財寶ヲ奪取ル.宮舍・寺院ヲ燒拂ヒケル間、元朝・三韓ノ吏民、是ヲ防兼テ、浦近キ國々數十箇國、皆栖人モナク荒ニケリ依之リ.依之、高麗國ノ王ヨリ、元朝皇帝ノ勅宣ヲ受テ、牒使十七人、吾國ニ來朝ス.此使、異國ノ至正二十三[六]年八月十三日ニ高麗ヲ立テ、日本國貞治五年九月二十三日出雲ニ着岸ス.道驛ヲ重テ、無程京都ニ着シカバ、洛中ヘハ不被入シテ、天龍寺ニゾ被置レケル.此時ノ長老、春屋[妙葩]和尙覺普明國師、牒狀ヲ進奏セラル. 其詞云.

皇帝聖旨裏, 征東行中省照得, 日本與本省所轄高麗地境, 水路相接, 凡遇貴國飄風人物, 往々依理護送, 不期, 自至正十年庚寅, 有賊船數多, 出自貴國地面前來, 侵本省合浦等處, 燒毁官廨, 搔擾百姓, 甚至殺害, 經及一十餘年. 海船不通, 邊界居民, 不能寧處. 蓋是嶋嶼居民, 不懼官法, 專務貪婪, 潛地出海劫奪. 尙慮貴國之廣, 豈能周知, 若使發兵勦捕, 恐非交隣之道. 徐[除]巳移文日本國照驗, 煩爲行下概管地面海嶋 嚴加禁治, 毋使以前出境作耗. 本省府, 今差本職等, 一同馳驛恭詣國主前, 啓稟. 仍守取日本國回文, 還省, 合下仰照驗, 依上施行. 須議劄付者, 一實起[脫落], 右劄付差去. 萬戶金乙[凡]貴·千戶金龍等, 准此.

トゾ書タリケル.賊船ノ異國ヲ犯奪事ハ、皆四國・九州ノ海賊共ガスル所ナレバ、帝都ヨリ嚴刑ヲ加ルニ據ナシトテ、返牒ヲバ不被送、只來獻ノ報酬トテ、鞍馬十疋・鎧二領・白太刀三振・御綾十段・綵絹百段・扇子三百本、國々ノ奉送使ヲ副テ、高麗ヘゾ送リ被著ケル".

于裂巖寺. [領都僉議使司事]辛旽尋遣人殺之.

[→後二年, 旽遣人, 皆沈于江, 殺之:節要轉載].

[→旽, 尋祝[李]龜壽·[金]貴·[朴]椿髮, 置山寺, 遣白絢·李元具, 杖之, 復遣王安德·裵仁吉, 沈于海:列傳45辛旽轉載].[129)]

丁卯[18日], 瀋王篤朶不花[脫脫不花]遣使來. [瀋王, 卽暠之孫也. 先是, 元皇后·太子, 憾王誅奇氏, 以金鏞爲內應, 欲立瀋王. 瀋王固辭曰, "叔父無子, 百歲後,[130)] 國焉往. 今叔父無恙, 吾而可奪叔父位耶? 天下莫不賢之". 王聞而嘉之, 問遺甚厚:節要轉載].[131)]

[○隕霜殺菽:五行1轉載].

壬申[23日], 王更名顓, 遣使如元, 表請曰, "命物以類, 宜莫尙於自嫌[謙]. 登名于朝, 敢無因而輒改, 故當敷奏, 采切凌兢. 切[竊]惟小國之風, 尙[當]仍其舊, 盖由世皇之詔, 毋變其初. 自臣名祺, 襲封歸國[古國], 大而官司[師]案牘, 微而里巷書詞, 凡爲字從示從其, 而其聲相同相近, 悉皆請[諱]避, 謂是故常. 臣久乃知, 事多有礙, 故[顧]衆情之莫奪, 惟自改之爲便. 臣曾祖忠烈王諱諶改昛, 祖忠宣王諱謜改璋, 考其所由, 罔不在此. 臣今亦擬顓字爲名, 儻[倘]垂兼聽, 曲貸擅更, □[臣]謹當期一[壹]節以釐東, 立揚終始, 誓專[全]心於拱北, 報答生成".[132)]

○設文殊會於宮中, 凡七日. [王憂無嗣, 或至泣下. 辛旽說王曰, "開文殊會, 則必誕元良", 王從之, 欣然有得子之望, 前會一日, 別建淨殿於宮內, 覆以白茅, 爲道場, 吹螺擊鼓, 如三軍鼓角. 都人初聞, 以爲宮中有變, 皆驚駭, 久之乃定. 旽入道場, 終會而出, 緇黃雜流, 塡咽宮掖, 縻費不貲:節要轉載].

[→王憂無嗣, 形于辭色, 或至泣下, 旽說王曰 "開文殊會, 則君臣和協, 佛天歡喜, 必誕元良", 王從之, 設會於宮中凡七日, 欣然, 有得子之望. 前會一日, 別建淨殿, 覆以白茅爲道場, 吹螺擊鼓, 如三軍鼓角, 聲振城中. 都人初聞, 以爲宮中有變,

---

129) 이 기사는 辛旽의 열전에서 1365년(공민왕14) 7월에 해당하는 곳에 수록되어 있다.

130) 여기에서 百歲後는 死後를 回避한 字句인 것 같다.

· 『자치통감』 권6, 秦紀1, 始皇帝 9년(bc238) 9월, "楚考烈王無子, 春申君[黃歇]患之, 求婦人宜子者甚重, 進之, 卒無子. … 李園使其妹說春申君曰, '楚王貴幸君, 雖兄弟不如也. 今君相楚二十餘年而王無子, 卽百歲後將更立兄弟[胡三省注, 人謂死後爲百歲後], 彼亦各貴其故所親, 君又安得常保此寵乎. …".

131) 이 기사는 열전4, 忠烈王王子, 江陽公滋에도 수록되어 있다.

132) 이 표는 『목은문고』 권11, 請改名表인데, 添字는 이에 의거하였다.

皆驚駭，久之乃定．會罷，旽乃出，緇黃雜流，塡咽宮掖．令諸君·宰樞及各司，逐日設齋，糜費不貲:列傳45辛旽轉載].

[癸酉[24日]，寒露．太白·熒惑犯軒轅．月在井南，暈:天文3轉載].

[甲戌[25日]，雌雉落于王后殿[公主殿]，而死:五行1轉載].[133)]

[乙亥[26日]，月犯軒轅大星:天文3轉載].

丙子[27日]，夜，王微行觀影殿．

[○亦如之[月犯軒轅大星]:天文3轉載].

戊寅[29日]，幸奉先寺，觀星象圖．

己卯[30日]，遼陽平章□□[政事]高家奴獻鴾，王放之．王性慈愛，不忍害物．嘗見狗鳴急，曰，“此必腹痛也”，命出內藥，藥未至，王立待之．在位踰紀，未嘗一爲遊畋之樂．

[○熒惑犯軒轅大星:天文3轉載].

九月[庚辰朔小盡,戊戌]，辛巳[2日]，西方流星晝隕．

[○西北有物，赤如血，大如篦．自天而下，隕于·白州之境，白氣射天，良久乃散:五行1轉載].

戊子[9日]，幸[開城府長湍縣]洛山寺．[辛旽願刹也．左右爭言於王曰，“今歲大稔”．王跪于佛曰，“自不穀莅國，十有五年，水旱爲灾，今歲之稔，實由□[都]僉議之燮理也”．王敬旽，稱僉議而不名．旽以洛山觀音靈異，令吳一鶚，密書願狀曰，“願令弟子分身牟尼奴，福壽住國”．牟尼奴，旽婢妾般若所生，是爲禑．或云，初，旽納私婢般若，有娠，屬伴僧能祐，使就產於其母家，七日而般若還．能祐母，收而養之，未期年，其兒死．能祐恐被旽讓，竊取他人兒，置諸他所，請於旽曰，“兒有疾，移養城外，何如”．旽許之，比及一年，旽取養于家，般若亦未知非其兒也．王常求嗣，謀所以立後，一日，微行至旽第．旽指其兒曰，“願殿下，爲養子以立後”，王睨而笑之，不答．然猶心許之:節要轉載].

[庚寅[11日]，月暈:天文3轉載].

[○夜，大風雨:五行3轉載].

[壬辰[13日]，熒惑犯大微[太微]右執法，入天庭:天文3轉載].

[甲午[15日]，大震雷·雨雹:五行1轉載].

[辛丑[22日]，有星于房虛上星:天文3轉載].[134)]

---

133) 王后殿은 『고려사』의 기재 방식에 따르면 公主殿이 되어야 할 것이다.

[壬寅[23日], □□[有星]又見于南方:天文3轉載].

丁未[28日], 倭入陽川縣, 掠漕船.

[○以狼入城, 設金經道場:五行2轉載].

[是月, 都評議錄事·典農直長權圖南, 備巡衛精勇別將權仁達等寫成'紺紙金字妙法蓮華經', 備置鳳停寺:追加].[135]

[是月頃, 以金甲寶爲雞林府司錄·參軍事兼掌書記爲雞林府:追加].[136]

冬十月[己酉朔大盡,己亥], [壬子[4日], 全羅道都巡問使金庾, 獻十節稻:五行3轉載].

癸丑[5日], 地震.

[→大震雷·地震:節要·五行1轉載].

丙辰[8日], 又震.

○全羅道都巡問使金庾募兵, 得百艘, 討濟州, 敗績.[137]

[壬戌[14日], 月暈:天文3轉載].

[甲子[16日], 夜, 黃霧:五行3轉載].[138]

[乙丑[17日], 亦如之[月暈]:天文3轉載].

[丙寅[18日], 亦如之[月暈]:天文3轉載].

[丁卯[19日], 亦如之[月暈]:天文3轉載].

[庚午[22日], 亦如之[月暈]:天文3轉載].

---

134) 이날 교토에서도 같은 천문현상이 있었던 것 같다.

· 『續史愚抄』26, 貞治 5넌 9월, "廿二日辛丑, … 今夜, 有異星, 大如月云".

135) 이는 『紺紙金泥妙法蓮華經』 권7의 末尾 題記에 의거하였다(보물 제1138호, 國立中央博物館所藏, 南權熙 2002년 379面 ; 張忠植 2007년 234面).

· 題記, "夫此妙典文字,非外色香, 皆中非」 離器,求金也,是故信則刹那成佛,謗則墮」 於泥犁,昔慧恭之敬頌一部,遂感天」 花亂墜,山龍之唱,首題名而使,地獄」 皆空,瀨心披經,唯見黃紙了無一字.」 今遇雖未若思齊地心,但發難遭」 之相,故敬寫一部,特爲先」 父,累劫親緣,超生淨土云耳.」 至正二十六年丙午[恭愍15年]九月日,鳳停留鎭,」 施主,」 都評議錄事·典農直長 權圖南,」 備巡衛精勇別將 權仁達,」 司醞直長同正 權有成,」 司醞直長同正 權敉奴,」 道人 戒珠,」 道人 世昰」 ".

136) 이는 『동도역세제자기』에 의거하였다.

137) 金庾는 5월 8일 羅州에 들어왔다고 한다(『금성일기』, 이에서 金侑는 金庾의 오자이다).

138) 이날(甲子, 日本曆의 15일) 일본의 교토에서 오전 1시[乙丑[16日?]] 이후에 비가 내렸다고 한다. 또 이후 19일(辛未, 高麗曆의 20일)까지 비가 오락가락 하였던 것 같다.

· 『師守記』 권55, 貞治 5넌 10월, "十五日甲子, 天晴, 入夜丑剋以後雨下, 終夜不絶, … 十六日乙丑, 天晴, 今晩卯剋已後, 雨脚休, … 十九日戊辰, 天陰, 雨降, 時々休, □□[入夜]亥剋以後雨脚止, 廿日己巳, 天晴".

庚午[22日], 淮王遣使, 獻羊百二十頭.

[丙子[28日], 赤氣見于東方:五行1轉載].

丁丑[29日], 幸板房庵, 納宗室德豊君王義女, 右常侍安克仁女爲妃.[139]

[○大震電, 以雨:五行1轉載].[140]

[戊寅[30日], 熒惑犯大微[太微]左執法. 太白犯氐:天文3轉載].

[某月, 王師普愚辭位, 封還印章, 從之. [領都僉議使司事]辛旽用事故也:追加].[141]

十一月[己卯朔小盡,庚子.]

庚辰[2日], 宰樞享王于板房庵.

[癸未[5日], 鵠峯上, 有白雲, 宮中謂瑞氣:五行2轉載].[142]

[丙戌[8日], 朝, 虹見東方:五行1虹霓轉載].[143]

壬辰[14日], 遣檢校中郎將金逸如日本, 請禁海賊.[144]

---

139) 『고려사절요』 권28에는 이 納妃의 기사가 是年 4월 11일(壬戌)에서 13일(甲子) 사이에 수록되어 있다.

140) 교토에서 이날은 맑았으나 30일(戊寅, 일본력의 29일)은 밤에 비가 심하게 내렸다고 한다.
・『師守記』 권55, 貞治 5년 10월, 11월, "廿八日丁丑, 天晴, … 廿九日戊寅, 天晴, 未剋以後天陰, 小雨間降, 入夜終夜甚雨, … [十一月]一日己卯, 天晴, 今曉卯□[剋]雨脚止".

141) 이는 「楊州太古寺圓證國師塔碑」에 의거하였다.

142) 이날 교토에서 낮에 계속 흐렸으나 밤이 되어 맑았다고 한다(『師守記』 권55, 貞治 5년 11월, "五日癸未, 終日天陰, 入夜晴").

143) 前日(7일) 교토에서 밤에 비가 조금 내렸다고 한다.
・『師守記』 권55, 貞治 5년 11월, "七日乙酉, 天晴, 入夜亥剋小雨下, 則止, … 八日丙戌, 天晴, 酉時風吹小雪散, 則止".

144) 金逸의 파견은 是年 8월 13일 일본에 파견된 金龍의 行方이 모연하여 같은 목적으로 재차 파견된 것으로 이해된다. 이에 관련된 자료로 다음이 있다(張東翼 2004년 244~247面).

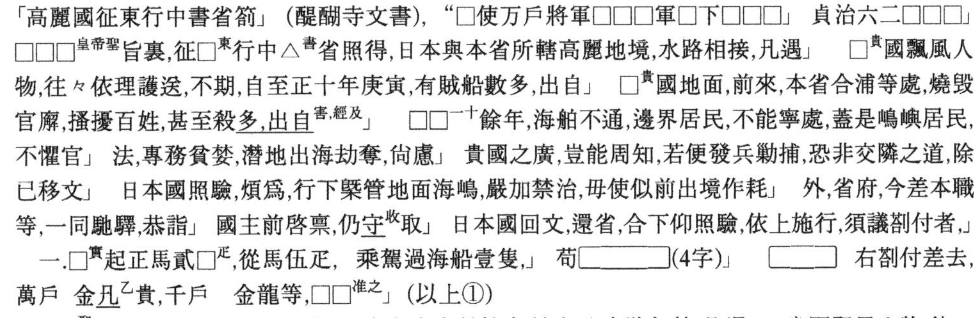

・「高麗國征東行中書省箚」 (醍醐寺文書), "□使万戶將軍□□□軍□下□□□」 貞治六二□□□」 □□□[皇帝聖]旨裏,征□[東]行中△[書]省照得,日本與本省所轄高麗地境,水路相接,凡遇」 □[貴]國飄風人物,往々依理護送,不期,自至正十年庚寅,有賊船數多,出自」 □[貴]國地面,前來,本省合浦等處,燒毁官廨,搔擾百姓,甚至殺多,出自[害,經及]」 □□[一十]餘年,海船不通,邊界居民,不能寧處,蓋是嶋嶼居民,不懼官」 法,專務貪婪,潛地出海劫奪,尙慮」 貴國之廣,豈能周知,若便發兵勦捕,恐非交隣之道,除已移文」 日本國照驗,煩爲,行下槩管地面海嶋,嚴加禁治,毋使似前出境作耗」 外,省府,今差本職等,一同馳驛,恭詣」 國主前啓禀,仍守[收]取」 日本國回文,還省,合下仰照驗,依上施行,須議劄付者,」
一.□[實]起正馬貳□[疋],從馬伍疋, 乘駕過海船壹隻,」 苟□(4字)」 □ 右劄付差去,
萬戶 金凡[乙]貴,千戶 金龍等,□□[准之]」 (以上①)
皇帝□[聖]旨裏,征東行中書省照得,日本與本省所轄高麗地面,水路相接,凡遇」 貴國飄風人物,往々依理護送,不期,自至正十年庚寅,有賊船數多,出自」 貴國地面,前來本省合浦等處,燒毁官廨,搔擾

[甲午16日, 月暈:天文3轉載].[145)]

[己亥21日, 大霧:五行3轉載].

庚子22日, 設北帝天兵護國道場于內殿.

辛丑23日, 河南王擴廓帖木兒遣中書檢校郭永錫, 偕書狀官金齊顔來, 報聘.[146)]

[→金齊顔自燕京, 單騎走河南, 達國書. 因上書, 以爲大王忠義聞天下, 吾王欲

百姓,甚至殺害,經及」 一十餘年,海舶不通,邊界居民,不能寧處,蓋是嶋嶼居民,不懼官」 法,專務貪婪,潛地出海劫奪,尙慮」 貴國之廣,豈能周知,若便發兵勦捕,恐非交隣之道,除已差」 萬戶金凡乙貴·千戶金龍等 馳驛,恭詣」 國主前啓禀外,爲此,本省合行移文,請」 照驗,煩爲行下槩管地面海嶋,嚴加禁治,毋使似前出境作耗,仍希」 公文曰回示,須至咨者,」 右□呈」 日本國,伏請 禮物白苧布拾疋」 照驗謹咨 綿紬拾疋」 □禁□約 □ □□(4字) 豹皮參領」 □ 虎皮貳張」 (以上②)

高麗國投拜使左」 萬戶左右衛保勝中郎將金龍」 □□檢校左右衛保勝中郎將於重二人」 別將朴之」 別將李長壽」 別將沖釼」 別將金大」 散員金哲」 散員祁邦之用」 散員金壽」 散員金玉」 伍尉金能文,伍尉朴天震」 伍尉金千 伍尉權成」 伍尉□崔舛玉」 伍尉□□金英」 (以上③)

禪雲寺長老延□銅

高麗國使□佐我國

皇帝說言,日本國皇帝[　　]之意,交親隣國,故事奉上寳物綿紬十疋,苧布十疋,豹□皮三領,虎皮二張」 (以上④)

大□□將軍大□官前□上」

金□□□□□□□□□□□□□□金線衣二,紵布衣二,綿細布一,持來也,遇惡□不到杵築,□□□□過去隱岐國,」

□□去年九月□十六日□到[　　]月 □留隱□岐十二月十六日,渡海伯耆國,」

正□□□□□□□月山雪多,路惡,故留在,今京□□上也,□丁未二月十三日」

[　　　]日本國皇帝兄 □□□高麗國皇帝弟之意也」 (以上⑤)

이 자료는 筆者가 기왕의 업적에 수록되어 있는 사진판에 의거하여 『異國出契』, 『太平記』 등의 자료 및 이 문서를 판독했던 자료집에 의거하여 재구성한 것이다. 이에서 □는 磨耗된 글자이고, △는 빠진 글자이다(中村榮孝 1969年·張東翼 2004년 246~247面). 이 자료를 통해 1366년(공민왕15, 貞治5) 8월 일본에 파견된 고려 사신단의 일정을 정리해보면 다음과 같다.

· 8월 13일(壬戌) 征東行中書省이 左右衛保勝中郎將 金龍 등 17人을 일본에 파견하여 왜구를 금지할 것을 청하였다(『太平記』 권40, 高麗人來朝事 ; 醍醐寺 宝聚院에 所藏된 征東行中書省咨文).

· 9월 23일 무렵, 高麗使臣團 金龍一行이 出雲國 杵築(島根縣 出雲市 大社町)에 도착하였으나 상륙하지 못하고 바다로 나갔다가 九州의 왜적들을 만나 禮物을 빼앗겼다(『太平記』 권40, 高麗人來朝事 ; 醍醐寺宝聚院所藏征東行中書省咨文 ; 『後愚昧記』, 貞治 6년 3월 24일 ; 『京都將軍家譜』권上, 義詮, 貞治 5年).

· 9월 26일 무렵, 金龍一行이 隱岐國으로 移動하여 2개월간 머물렀다(醍醐寺宝聚院所藏征東行中書省咨文).

· 11월 14일(壬辰) 檢校中郎將 金逸을 일본에 보내 해적을 금지할 것을 청하였다(『고려사』 권41).

145) 이날 교토에서 낮에 계속 흐렸으나 밤이 되어 맑았다고 한다.

· 『師守記』 권55, 貞治 5년 11월, "十六日甲午, 天陰, 入夜屬晴".

146) 中書檢校는 1291년(至元28, 충렬왕17) 8월 5일(己巳) 설치된 中書省檢校의 略稱으로 추측된다.

· 『원사』 권16, 본기16, 세조13, 지원 28년 8월, "己巳, 置中書省檢校二員, 秩正七品, 俾考覈戶·工部文案疏緩者".

與大王，東西協力，削平僭亂，夾輔帝室．河南王大悅，奏授齊顔，□[爲]中議大夫·中書兵部郎中·簽書河南江北等處行樞密院事．至是，偕永錫來，王欲拜代言，辛旽以齊顔，不私謁己，沮之．乃授內書舍人:節要轉載].[147)]

[→河南王使郭永錫來，[典儀令林]樸爲館伴．永錫曰，“嘗聞高麗山水之異，尙有箕子之風，願觀地圖·禮樂·官制”．樸曰，“欲知我國山水靈異，方今上有皇后太子，豈非鍾其秀氣耶?”．永錫拊膝高吟曰，“遂令天下父母心，不重生男重生女”．左右慚赧:列傳24林樸轉載].

[癸卯[25日]，大霧，三日:五行3轉載].

[甲辰[26日]，木稼:五行2轉載].

[乙巳[27日]，小寒．亦如之[木稼]:五行2轉載].

十二月戊申朔[大盡,辛丑]，郭永錫謁文廟．[□□[永錫]，見學舍荒頹，謂館伴·[密直]李穡曰,[148)] “吾聞貴國，自古右文，何至是耶?”．穡曰，“國學火于辛丑[恭愍王10年]，王方務息民，至於宮禁，尙未營葺，此乃開城府學也”．王聞而甚慚:節要轉載].

[庚戌[3日]，初昏，東方有氣，如月浸雲:五行1轉載].

辛亥[4日]，郭永錫以百金，享王，承河南王之命也．酒半，永錫請侍臣聯句，左右皆武人，相顧失色，王甚慙.

癸丑[6日]，王宴郭永錫，贈襲衣·金帶·鞍馬，不受.

甲寅[7日]，封王氏爲益妃，賜姓韓氏，安氏爲定妃.[149)]

[□□□[是日頃] 王上壽太后[洪氏]，益妃·定妃侍宴，[領都僉議使司事辛]旽亦與焉:列傳45辛旽轉載].

[□□[某日]，[都僉議]侍中柳濯享王．王·安兩妃在東，辛旽在西，[領都僉議使司事辛]旽謂王曰，“二妃年少而愚”，王曰，“不愚”．旽又戲王曰，“聖體不已勞乎”，王曰，“勞矣哉”:節要轉載].[150)]

[○宰樞享河南王使郭永錫，奏鄕·唐樂，以請觀我樂也:樂志2轉載].[151)]

---

147) 이와 같은 기사가 열전17, 金方慶, 齊顔에도 수록되어 있다.

148) 이때 李穡의 관직은 知密直司事 또는 密直司使로 추측된다.

149) 이와 같은 기사가 열전2, 恭愍王妃, 定妃安氏에도 수록되어 있다(“定妃安氏，竹州人，竹城君克仁之女．[恭愍]十五年，以選入，封定妃”).

150) 이 기사는 열전45, 辛旽에도 수록되어 있다.

151) 이는 다음의 자료를 전재한 것이다.

己未[12日]，郭永錫還，至平壤府，題箕子廟詩曰，“何事佯狂被髮爲，欲將殷祚獨扶持．去之祇爲身長潔，諫死誰嗟國已危．魯土一丘松栢在，忠魂萬古鬼神知．晚來立馬朝鮮道，髣髴猶聞麥秀詩”．

[甲子[17日]，月食:天文3轉載].[152)]

[乙丑[18日]，黃霧四塞:五行3轉載].

癸酉[26日]，遼陽省同知[平章政事]高家奴遣使來，獻田犬.[153)]

[某日，以李云牧爲鷹揚軍上護軍．云牧，與辛旽爲比隣，其女適高漢雨，有姿色．云牧邀旽于家，使女行酒，旽悅而淫[淫]焉:節要轉載].

[→[上護軍李]弟云牧與辛旽比隣，其女有姿色．已適高漢雨，云牧邀辛旽于家，使女行酒．旽悅而淫焉，遂以云牧爲鷹揚上護軍，漢雨大護軍，[江陽伯李]承老復爲政堂文學:列傳27李承老轉載].

[□□[~~某日~~]， [領都僉議使司事辛]旽又欲娶故密直提學許綱妻金氏， 金聞之曰，“吾夫平日，未嘗睆粉黛，今妾未亡，何忍背耶?，必欲汚我，當自刎”．遂祝髮爲尼:節要轉載].

[→密直□□[提學]許綱妻金氏，上洛君永煦孫也，綱死，旽慕其門閥，欲娶之，金聞之曰，“我公平生，未嘗睆粉黛，妾何忍背耶? 必欲汚，我當自刎”．遂斷髮爲尼．旽聞而止:列傳45辛旽轉載].

[是月，定外官衙從馬匹，留守官尹，衙從九·馬五疋，判官，衙從四·馬三疋，參軍·法曹，各衙從三·馬二疋，大都護府使，衙從六·馬四疋，判官，衙從四·馬三疋，司錄，衙從三·馬二疋．牧官使·判官司錄，衙從馬匹[並同大都護府]．中都護府使，衙從五·馬三疋，司錄，衙從三·馬二疋，知州事，衙從四·馬三疋，判官，衙從二·馬二疋，縣令，衙從三·馬二疋，監務，衙從二·馬二疋:輿服1外官衙從轉載].

· 지25，樂2，用俗樂節度，“[恭愍]十五年十二月甲寅，宰樞享河南王使郭永錫，奏鄕·唐樂，以請觀我樂也”.

152) 月食은 15일 또는 曆의 정밀하지 못함으로 인해 그 전후인 14일, 16일에 이루어지는데, 17일에 이루어졌다는 것은 기록에서 문제가 있었을 것이다. 일본의 교토에서 16일(癸亥) 皆既月蝕이 있었다(高麗曆과 同一, 日本史料6-27册 630面). 또 이날(甲子)은 율리우스력의 1367년 1월 17일이고, 월식 현상이 심했던 때인 16일(癸亥)의 世界時는 19시 46분, 食分은 1.55이었다(渡邊敏夫 1979年 485面).

· 『吉田家日次記』, 貞治 5년 12월, “十六日癸亥，天晴，今夜月蝕，皆既，丑三刻八分，加卯五刻，十四分，復末□卯七刻，十九分”.

· 『續史愚抄』26, 貞治 5년 12월, “十六日己亥，月蝕，皆既”.

· 『本朝統曆』 권10, 貞治 5년, “十二大，十六夜望，寅三，月蝕，皆既，丑一，卯五”.

153) 遼陽省同知는 遼陽行省平章政事의 오류일 것이다.

[是月頃, 以李翃爲永州副使:追加].[154)]
[增補].[155)]

[是年],[156)] 無冰.
[○陞義州爲牧, 淸道監務官爲知郡事官, 延州防禦使爲延山府:轉載].[157)]
[○以慶尙道密城郡屬縣桂城縣, 移屬靈山縣. 又以撫·渭二州, 屬于泰州郡, 稱泰州事:轉載].[158)]
[○以典理判書崔宰爲開城府尹:追加].[159)]
[○以水原府使沈德符爲江華府尹:追加].[160)]
[○以朝奉郎申子展爲安東大都護府判官, 崔之冶爲安東大都護府司錄兼參軍事:

154) 이는 『영천선생안』에 의거하였다.
155) [日本] 12월 16일, 金龍 一行이 바다를 건너 伯耆國(現 鳥取縣 西部地域)에 도착하였다(醍醐寺宝聚院所藏征東行中書省咨文).
· 이해에 高麗使者가 왔다(『和漢合運曆』, 貞治 5年條). 이후 1367년(공민왕16, 貞治6)의 사정은 고려의 사신단이 歸國한 1368년(공민왕17) 1월 17일(戊子)에 收錄하였다.
[中原] 12월 某日, 大宋皇帝 韓林兒가 部下인 朱元璋에 의해 揚子江에서 被殺되었다(龍鳳12年).
156) 이 位置에서 是月 또는 是年이 탈락되었을 것인데, 다음의 기사에 의하면 後者가 더 적합할 것이다.
· 지7, 五行1, 火, 冬, 恒燠, "恭愍王十五年, 冬無冰".
157) 이는 다음의 자료에 의거하였다.
· 지12, 지리3, 義州, "恭愍王十五年, 陞爲牧".
· 『경상도지리지』, 慶州道, 淸道郡, "恭愍王時, 至正丙午, 郡人監察大夫金漢貴等, 具奏前功與無故降號之由, 復升爲知郡事".
· 지11, 지리2, 淸道郡, "恭愍王十五年, 郡人金漢貴爲監察大夫, 復請, 陞爲知郡事".
· 지12, 지리3, 延州, "恭愍王十五年, 陞延山府".
158) 이는 다음의 자료를 전재하였다.
· 『경상도지리지』, 慶州道, 密陽都護府, "桂城縣, 恭愍代, 至元至正丙午, 移屬靈山縣".
· 『경상도지리지』, 慶州道, 兼桂城縣, "恭愍王代, 至元至正丙午, 合屬靈山".
· 지11, 지리2, 桂城縣, "恭愍王十五年, 移屬靈山".
· 지12, 지리3, 泰州, "恭愍王十五年, 以撫·渭二州, 屬于郡, 稱泰州事".
· 『세종실록』 권154, 지리지, 泰川郡, "恭愍王十五年丙午, 以撫·渭二州屬于郡, 爲三城兼官, 稱泰州事".
· 지12, 지리3, 撫州, "恭愍王十八年, 移屬泰州". 上記의 두 기사에 의하면 18년은 15년의 오류일 수도 있다. 그래서 原典을 保存하기 위해 15년, 18년의 기사를 모두 살려 두었다(→공민왕 18년 是年).
159) 이는 「崔宰墓誌銘」에 의거하였다.
160) 이는 『동문선』 권117, 沈德符行狀에 의거하였다.

追加].[161]

[○以李忍爲延安府使:追加].[162]

[○以安儉爲知寧海府事:追加].[163]

[○通禮門祗候鄭道傳, 以父母喪廬墓:追加].[164]

[○惠勤入金剛山:追加].[165]

丁未[恭愍王]十六年, 元至正二十七年, [西曆1367年]

1367년 1월 31일(Gre2월 8일)에서 1368년 1월 19일(Gre1월 27일)까지, 354일

春正月戊寅朔小盡,壬寅, [乙酉8日, 赤氣如火, 西方爲甚:五行1轉載].

丁亥10日, 元遣前遼陽□省 理問忽都帖木兒, 追錫永陵忠惠王曰攄誠宣忠崇仁秉德協恭協恭寅亮功臣, 謚謚 忠惠明陵曰協誠協誠輔理演德宣惠奉化保慶功臣, 謚謚忠穆, 聰陵曰守誠履正佐理翊順保義迪慶功臣, 謚謚忠定. 忠肅王妃伯顏忽都公主慶華公主曰肅恭徽寧公主, 王妃寶塔實里公主曰 魯國徽翼大長公主,[166] 封永陵妃亦憐眞班公主德寧公主爲貞順淑儀公主.

[庚寅13日, 雨水. 日下, 有環如日, 白虹匝其外:天文1轉載].[167]

戊戌21日, 彗見, 垂地.

[○日暈, 兩珥如兩日:天文1轉載].

---

161) 이는 『안동선생안』에 의거하였는데, 申子展은 이해에 判官에 임명되어 明年(1367) 8월까지 재직하였다. 그런데 白文寶는 1368년(공민왕17) 判官[州倅] 申子展이 暎湖樓를 중건하였다고 하는데(『동문선』 권69, 金榜記), 이때의 판관은 鄭褒였다.

162) 이는 『연안부지』에 의거하였다.

163) 이는 『寧海先生案』에 의거하였다.

164) 이는 다음의 자료에 의거하였다.

· 『태조실록』 권14, 7년 8월 己巳26日, 鄭道傳의 卒記, "… 累遷至通禮門祗候, 恭愍丙午, 連喪父母, 廬墓終制".

165) 이는 다음의 자료에 의거하였다.

· 『목은문고』 권14, 普濟尊者謚先覺塔銘幷序, "至正丙午 惠勤, 入金剛山".

166) 寶塔實里公主(恭愍王妃)는 열전2, 후비2, 恭愍王妃에는 寶塔失里로 달리 표기되어 있다.

167) 이날 일본의 京都에서는 晴陰이 불분명하였다고 한다(『愚管記』제11, 貞治 6년 1월, "十三日庚寅, 晴陰不定").

[辛丑24日, 漏壺有聲, 如牛吼:五行1鼓妖轉載].

[某日, 以鄭寓爲慶尙道按廉使:慶尙道營主題名記].

丙午29日晦, [驚蟄]. 幸公主魂殿, 告錫命, [初獻, 奏'太平年'之曲, 亞獻, 奏'水龍吟'之曲, 終獻, 奏'憶吹簫'之曲:樂志2轉載].[168] 仍設大享, 敎坊奏新撰'樂章'. 王坐對公主眞, 侑食禮如平生.[169] 宗室·宰樞侍宴, 領都僉議使司事辛旽與王並坐殿上.

[→丙午, 幸徽懿徽翼公主魂殿, 告錫命, 仍設大享, 敎坊奏新撰樂章. 初獻. 思齊承懿, 文武之孫, 魏王之子. 君王之妃, 俔天之妹. 肅肅雍雍, 允矣王姬. 聿來胥宇, 百祿是宜.

亞獻. 思齊承懿, 肅肅其德. 駿惠我王, 莫匪爾極. 永言在天, 嗚呼不忘. 我將我享, 以洽百禮, 永觀厥成.

三獻. 嗚呼承懿, 德音不已. 勉勉我王, 聿追祀事. 樂旣和奏, 以妥以侑. 神嗜飮食, 日監在玆, 胡臭亶時.

四獻. 明明承懿, 允恭允明. 淑愼爾止, 厥類惟彰. 於論伐鼓, 以禋以祀, 以假以享. 賚我思成, 穆穆厥聲.

五獻. 奏鼓簡簡, 衎我承懿, 或歌或咢. 磬管以閒, 昭格不遲. 懷我好音, 介爾景福. 禮儀卒度, 鮮不爲則.

終獻. 其禮伊何, 烝烝皇皇. 或肆或將, 不吳不揚. 旣敬旣戒, 執事有恪. 伊嘏承懿, 於千萬年, 永永無斁:樂1太廟樂章轉載].

[→後兩府祭正陵, 旽不拜, 坐對公主神座, 侑食:列傳45辛旽轉載].[170]

[○夜, 赤祲見于東方:五行1轉載].

[○夜, 西方大明如晝:五行2轉載].

[增補].[171]

---

168) 이는 다음의 기사를 전재한 것이다.

· 지25, 樂2, 用俗樂節度, "恭愍十六年, 正月丙午, 告錫命于徽懿徽翼公主魂殿, 初獻, 奏太平年之曲, 亞獻, 奏水龍吟之曲, 終獻, 奏憶吹簫之曲".

169) 이와 관련된 기사로 다음이 있다.

· 열전2, 恭愍王妃, 魯國大長公主, "恭愍十六年, 元遣前遼陽理問忽都帖木兒, 賜公主諡曰, 魯國徽翼大長公主. 王幸魂殿, 告錫命, 設大享, 敎坊奏新撰樂詞".

170) 이 기사는 열전45, 辛旽에도 수록되어 있으나 1366년(공민왕15) 4월 27일의 位置에 열거한 辛旽의 無禮 事例에 일괄 정리되어 있다.

171) 1월 某日, 고려 사신단인 金龍 一行이 伯耆國(鳥取縣 西部地域)에 눈이 많고 길이 험하여 이곳에 머물다가 陸路로 移動하였다(報恩院文書高麗國征東行中書省咨). 또 이 시기의 일본에서

二月[丁未朔大盡,癸卯, 夜, 赤祲見于東西:五行1轉載].

[戊申2日, 夜, 赤祲見于東:五行1轉載].

[己酉3日, 日有兩珥, 虹圍日:天文1轉載].172)

庚戌4日, 皇太子遣大府卿太府卿大都驢□來, 賜王衣酒. 王以衣一襲, 賜公主魂殿宦者尹忠佐, 令宿衛, 向忠佐三拜.

[○夜, 東西南方, 赤氣衝天:五行1轉載].

壬子6日, 王宴大都驢.173)

[○夜, 赤氣衝天:五行1轉載].

[丁巳11日, 松岳祠南虎岩頹:五行3轉載].

[○以宦者·寧原府院君申小鳳, 守正陵三年, 加密直使商議, 賜忠誠節義翊衛功臣號. 仍命百官, 迎于迎賓館:節要轉載].

[→後封寧原府院君. 魯國公主薨, 申小鳳守陵. 喪畢, 賞其勞, 賜忠勤節義翊衛功臣號, 拜密直使商議會議都監事, 命百官迎于賓館. 是日, 松嶽崩, 時議以爲, 祖宗之法, 宦者不得受叅官. 今毁舊法, 置之巖廊, 國鎭之崩, 未必不由是也:列傳35申小鳳轉載].

[某日, 有民兄弟偕行, 弟得黃金二錠, 以其一與兄. 至陽川江, 同舟而濟, 弟忽投金於水, 兄怪而問之, 答曰, "吾平日, 愛兄甚篤, 今而分金, 忽萌忌兄之心, 此乃不祥之物也, 不若投諸江, 而忘之". 兄曰, "汝言誠是, 亦投金於水". 時同舟者, 皆愚民, 故無有問其姓名·邑里云:節要轉載].174)

의 고려 측의 요구에 대한 對應에 대한 업적도 있다(藤田明良 2008年).

172) 이날 일본의 교토에서는 아침에 맑았으나 저녁 무렵에 흐렸다고 한다.
- 『愚管記』제11, 貞治 6년 2월, "二日己酉, 朝間晴, 夕陰, 午剋地震".

173) 이때 大都驢[Daiduliu]는 개경에 도착한 堤州[堤川]의 어떤 巫女를 治罪하여 때린 侍中 柳濯을 점잖게 타일렀다고 한다.
- 열전24, 柳濯, "有巫自稱帝釋天, 妖言惑衆, 杖之. 元使大都驢謂濯曰, '古安有刑婦人者'. 濯無學, 不能對".
- 열전27, 李承老, 云牧, "有妖巫自提州堤州來, 自稱天帝釋帝釋天, 妄言人禍福, 遠近奉之, 猶恐不及, 所至貨財山積. 至天壽寺曰, 吾入京, 年豊兵息, 國家太平. 若上不出迎, 我必昇天. 都人皆惑, 歸之如市. 鷹揚軍上護軍李云牧率騎卒與臺吏, 執巫斷其髮, 囚街衢獄, 杖而逐之". 여기에서 疷字와 같이 고쳐야 옳게 될 것이다.

174) 이와 같은 기사로 다음이 있다. 또 이 설화가 이루어진 陽川江은 孔巖津이 있던 현재의 金浦市 지역으로 추정된다(『신증동국여지승람』 권10, 陽川縣, 山川, 孔巖津).
- 열전34, 鄭愈, "… 時先是又有民兄弟偕行, 弟得黃金二錠, 以其一與兄. 至陽川江, 同舟而濟,

[壬戌[16日], 大風終夜:五行3轉載].[175)]

癸亥[17日], 元使[御衣酒使]高大悲來自濟州,[176)] 帝賜王綵帛·錦絹五百五十匹, 宰樞亦有差. 時帝[惠宗]欲避亂濟州, 仍輸御府金帛, 乃詔以濟州, 復屬高麗. 時牧胡, 數殺國家所遣牧使·萬戶以叛, 及[全羅道都巡問使]金庾之討, 牧胡訴于元, 請置萬戶府. 王奏, "金庾實非討濟州, 因捕倭, 追至州境, 樵蘇牧胡, 妄生疑惑, 遂與相戰耳. 請令本國, 自遣牧使·萬戶, 擇牧胡所養馬以獻, 如故事". 帝從之.[177)]

[○亦如之[大風終夜]:五行3轉載].

[○熒惑犯月:天文3轉載].

[甲子[18日], 月色如血:天文3轉載].[178)]

庚午[24日], 元, 以[領都僉議使司事]辛旽爲集賢殿大學士, 賜衣酒. [旽受宣于家, 置之座傍曰, "安用此物爲, 但他所與, 不可棄也". 旽之驕傲如此:節要轉載].

[→[恭愍]十六年, 元以旽爲榮祿大夫·集賢殿大學士, 賜衣酒, 旽受宣□□[于家], 置座傍曰, "安用此物爲, 但他所與, 不可弃也":列傳45辛旽轉載].

弟忽投金於水. 兄怪而問之, 答曰, '吾平日愛兄甚篤, 今而分金, 忽萌忌兄之心. 此乃不祥之物也, 不若投諸江而忘之.' 兄曰, '汝之言, 誠是矣.' 亦投金於水. 時同舟者, 皆愚民故, 無有問其姓名邑里云". 이 기사에서 時는 先是로 고쳐야 옳게 될 것이다.

175) 이때 교토에서 15일(壬戌)은 흐렸고, 16일(癸亥)은 흐리고 온 밤중에 大風이 불며 비가 내렸다고 한다.

· 『愚管記』제11, 貞治 6년 2월, "十五日壬戌, 陰, … 十六日癸亥, 陰, 終夜大風, 降雨".

176) 添字는 『고려사절요』 권28에 의거하였다. 또 이때 元使 高大悲의 行路는 韓半島를 거친 것이 아니라 中原의 남쪽, 곧 上海縣地域에서 海路로 濟州에 도착하였다가 歸路에 開京에 들린 것 같다.

177) 이와 관련된 자료로 다음이 있다. 또 惠宗[順帝]이 濟州지역으로 피난하기 위해 御府의 金帛을 輸送하였다고 하는데, 이때 조선왕조 초기까지 法華寺(옛 大靜縣 管內, 현 濟州島 西歸浦市 河原洞 1071번지 위치)에 소장되어 있었다는 彌陀三尊佛이 포함되어 있었을 가능성이 있다는 견해도 있다(岡田英弘 1985年).

· 지11, 지리2, 耽羅縣, "[恭愍]十六年, 元以州, 復來屬. 時牧胡强, 數殺國家所遣牧使·萬戶, 以叛. 及金庾之討, 牧胡訴于元, 請置萬戶府, 王奏請, 令本國, 自署官, 擇牧胡所養馬, 以獻如故事, 帝從之".

· 『태종실록』 권11, 6년 4월 19일, 20일, "己卯[19日], 朝廷內使黃儼·楊寧·韓帖木兒, 尙寶司尙寶奇原等至, 結山棚儺禮, 上以時服, 率百官出盤松亭, 陳百戲, 迎至景福宮. 勑曰, '朕重惟先皇考·皇妣恩德, 欲擧薦揚之典, 特遣司禮監太監黃儼等, 往爾國及耽羅, 求銅佛像數座, 尙相成之, 以副朕意'. … 庚辰[20日], …上至[太平]館設宴. 酒酣, [明使黃]儼辭以醉, 先入室. 帖木兒曰, '濟州法華寺彌陀三尊, 元朝時, 良工所鑄也. 某等當徑往取之'. 上戲曰, '固當, 但恐水入耳'. 帖木兒等皆大笑".

178) 이날 교토에서는 비가 내렸다고 한다(『愚管記』제11, 貞治 6년 2월, "十七日甲子, 雨降").

[○赤氣見于東北方:五行1轉載].

[乙亥29日, 午時, 白虹見于南方:五行2轉載].[179]

[某日, 以諸道閑散官, 隷五軍, 尋罷之:兵1五軍轉載].

[是月頃, 以正順大夫尹控爲安東大都護府使, 通直郞李傑生爲雞林府判官兼勸農使:追加].[180]

[增補].[181]

三月丁丑朔小盡,甲辰, 庚辰4日, 遣典法判書白漢龍如元, 謝恩, 前同知密直司事王重貴, 賀聖節.

[丙戌10日, 月暈:天文3轉載].[182]

己丑13日, 倭掠江華府.[183]

辛卯15日, [穀雨]. 幸演福寺, 大設文殊會. [中佛殿, 結綵帛爲須彌山, 環山燃燭, 大如柱, 高丈餘, 夜明如晝. 絲花綵鳳, 炫耀人目. 幣用綵帛十六束, 選僧三百, 遶須彌山作法梵唄震天, 執事者, 無慮八千人. 王與辛旽坐須彌山東, 率兩府禮佛. 旽白王曰, 善男女, 願從上結文殊勝因, 請許諸婦女上殿聽法. 於是, 士女雜遝, 寡婦至有爲旽治容者. 及至飯僧:節要轉載], 王手擎金爐, 逐僧行香, 略無倦容. [旽以餠果, 散於婦女, 咸喜曰, □都僉議乃文殊後身也. 王命忽赤·忠勇衛二百五十人, 晝夜衛旽. 是會凡七日, 暴風終日, 黃塵漲天, 人不能開目. 會凡七日, 而暴風三日, 大霜三日:節要·五行3轉載].[184]

[→王惑旽言, 冀生子, 又大設文殊會於演福寺中佛殿, 結彩帛爲須彌山, 環山燃大燭. 又環佛殿燃燭, 燭大如柱, 高丈餘, 負以獅象, 夜明如晝. 備列珍羞凡五行,

---

179) 이날 교토에서는 흐렸다고 한다(『愚管記』제11, 貞治 6년 2월, "廿八日乙亥, 陰").

180) 이는 『안동선생안』; 『동도역세제자기』에 의거하였다.

181) 2월 14일, 金龍 一行이 攝津國 福原의 兵庫島(兵庫縣 神戶市)에 도착하여 이후 京都 天龍寺로 옮겨졌다(『善隣國寶記』권上, 貞治 6年 ; 報恩院文書高麗國征東行中書省咨).

182) 이날 교토에서는 맑았으나 明日(丁亥)은 흐리다가 저녁에 비가 내렸다고 한다.
· 『愚管記』제11, 貞治 6년 3월, "十日丙戌, 晴, … 十一日丁亥, 陰, 及晩雨下".

183) 이날 교토에서는 흐렸다고 한다(『愚管記』제11, 貞治 6년 3월, "十三日己丑, 陰").

184) 이날 교토에서는 맑았다고 하며, 이후 16일(壬辰)은 晴陰이 불분명하고, 17일에서 22일까지 계속 맑았다고 한다.
· 『愚管記』제11, 貞治 6년 3월, "十五日辛卯, 晴, … 十六日壬辰, 晴陰不定, …十七日癸巳, 晴, … 廿二日戊戌, 晴".

絲花彩鳳，炫耀人目，幣用彩帛十六束．又以金銀作假山，置于庭，幢幡葆蓋，五色暐日．選僧三百，遶須彌山作法，梵唄震天，隨喜執事者，無慮八千人．王與旽坐須彌山東，率兩府禮佛，旽白王曰，“善男女願從上，結文殊勝因，請許諸婦女上殿，聽法”．於是，士女雜遝，寡婦至有爲旽治容者．旽以餠果，散於婦女，咸喜曰，“僉議乃文殊後身也”．士女飫珍羞，或弃地，一會所費，至鉅萬．王命忽赤·忠勇衛二百五十人，晝夜衛旽．○演福寺僧達孜，嘗以讖說旽曰，“寺有三池九井，三池澄淨，扶蘇山映池心 則君臣心正，致大平．九井者，九龍所在，堙塞久，不可不開”．將設會，旽令李云牧，役府兵，開三池九井．是會凡七日，暴風三日，大霜三日，始會暴風，終日黃埃漲天，御床爲人所觸而碎:列傳45辛旽轉載].

[某日，憲司劾政堂文學李承老，私其妻弟．除名爲民，籍其家:節要轉載].

[→政堂文學李承老嘗私妻弟生子，詐稱遺棄兒養之．承老妻恐事覺汚家聲，不形言色者二十餘年，雖親近未之知也．監察大夫金漢貴，執承老妻及弟，訊之皆服．流承老于中牟~~尙州牧中牟縣~~，籍其家，以妻弟爲承老所暴，免之:列傳27李承老轉載].

癸卯27日，遼陽平章平章政事洪寶寶·知遼陽沿海行樞密院事於山帖木兒也先帖木兒遣使來聘.

[是月，前興威衛護軍朴光美與退火郡夫人朴氏寫成‘金字金剛般若波羅蜜經’:追加].[185]

[增補].[186]

夏四月丙午朔大盡,乙巳，[壬子7日，獐入時坐宮坊:五行2轉載].

甲寅9日，有奴背其主，托永安君思濟者，都官佐郎堅思濟決，還其主．王曰，“永安，監我影殿役，雖所爲實非禮，當申聞．遽決與彼，豈臣子義乎?”，即下思濟獄.

乙卯10日，大雨雹.[187]

---

185) 이는 佐賀縣 佐賀市 本庄町 鹿子 慶誾寺에 소장되어 있는『白紙金泥金剛般若波羅蜜經』第11紙의 題記에 의거하였다(臺信祐爾 1983年 ; 權熹耕 1986년 439面 ; 張東翼 2004년 733面 ; 張忠植 2007년 236面).

· 題記, “至正二十七年丁未三月 日誌,」 施主奉善大夫·前興威衛精勇護軍朴光美,」 吹火郡~~退火郡~~夫人朴氏」”. 여기에서 吹火郡은 退火郡의 오자일 것이다.

186) 이달에 일본에 파견된 사신단의 일정은 다음과 같다.

· 3월 27일, 高麗使臣 中正大夫·前典儀令 金逸 一行 30餘人이 攝津國 福原의 兵庫島(現 兵庫縣 神戶市)에 도착하여 4월 초에 京都 天龍寺로 옮겨졌다(『善隣國寶記』권上, 後光嚴院, 貞治 6년 ;『後愚昧記』, 貞治 6년 3월 24일 ;『愚管記』, 貞治 6년 3월 20일 ;『太平記』권40, 高麗人來朝事).

○命[領都僉議使司事]辛旽，相宅于平壤.

[→辛旽，相地于平壤，贊成事李春富·知密直□□[司事]金達祥等，從之，儀衛如乘輿. 時旽以'道詵記'，松都氣衰之說，勸王遷都，王方惑於影殿之役，不樂聞. 旽不復言:節要轉載].[188)]

[→[領都僉議使司事辛]旽，以'道詵祕記'松都氣衰之說，勸王遷都，王命旽往平壤相地. [李]春富·[金]達祥·宦者禮儀判書尹忠佐等從之，典校令林樸·內書舍人金麟·知製敎金禧，皆佩劒以行. 麟，監察大夫漢貴之子，禧，漢貴姪也. 漢貴嘗詐稱旽戚屬，故從之:列傳45辛旽轉載].

庚申[15日]，遣典校令林樸，宣撫濟州. [先是，國家所遣官吏，率皆貪暴，民皆苦之，牧胡，誘以數叛. 樸，一毫不取，民大悅曰，"王官，皆如林宣撫，我輩，何至叛乎?":節要轉載].

[→[恭愍]十六年，爲濟州宣撫使，樸至州謂其萬戶曰，"達達牧子[哈赤]喜反側，君宜盡心撫綏，勿令生事". 又謂星主·王子曰，"君輩乃神人之後，入新羅爲星主，入本朝爲王子. 服事歷代，歷代之待君輩亦甚厚，君輩宜各一心服事，勿與牧子扇變". 於是，星主·王子及軍民，皆俯伏曰，"敢不唯命". 先是，宣撫者率皆貪暴，恣其侵漁，民甚苦之，牧胡因誘以數叛. 樸行至羅州，取水盛瓮而歸，雖茶湯不入口，民大悅相謂曰，"聖人來也. 王官皆如林宣撫，我輩何至叛乎?". 然州人或有譏其載水者:列傳24林樸轉載].

壬戌[17日]，[小滿]. 大雨雹.[189)]

[→大雨雹·震電，平壤尤甚，田頭饁器皆碎. 時辛旽以相宅，方在平壤:五行1雨雹轉載].

---

187) 이와 같은 기사가 지7, 五行1, 水, 雨雹에도 수록되어 있다. 이날 교토에서는 맑았으나 明日(丙辰)의 새벽부터 風雨가 개이고 흐리다가 오전 11시 무렵 雷鳴과 함께 비가 내리다가 곧 맑았다고 한다.

· 『愚管記』제11, 貞治 6년 4월, "九日乙卯，晴，… 十日丙辰，今曉風雨霽，至午剋許又雷鳴雨降，卽屬晴".

188) 이 시기에 1364년(공민왕13) 8월 무렵까지 金達祥과 긴밀한 관계에 있던 前判密直司事 吳仁澤도 유배지에서 소환되어 知都僉議司事에 임명되었다고 한다.

· 열전26, 吳仁澤, "辛旽當國，召拜知都僉議□□[司事].

189) 이날(壬戌，日本曆의 16일) 일본의 교토(京都)에서 낮에 잠시 무렵에 비가 내렸고, 京都의 남쪽에서 雷鳴이 있었다고 한다.

· 『師守記』 권56, 貞治 6년 4월, "十六日壬戌，天晴，申一點雨下，則止，南方雷鳴".

· 『愚管記』제11, 貞治 6년 4월, "十六日壬戌，晴".

[癸亥[18日], 雨雹:五行1轉載].[190)]

[○狼及獐入于市, 又獐入城:五行2轉載].

甲子[19日], 王步至奉先寺松岡, 觀擊毬.

[○亦如之[雨雹]:五行1雨雹轉載].[191)]

[□□[某日], 及旽還, 四日猶不朝謁. 王以久不見, 悵然不樂, 使人請見, 旽曰, “吾今疲矣, 明日乃進”:列傳45辛旽轉載].

丙寅[21日], 命放影殿役夫, 止留工匠及僧徒. 時徵發六道丁夫, 督役太急, 逃者相繼, 以久旱放之, 乃雨.[192)]

[癸酉[28日], 西風甚寒:五行1恒寒轉載].

[是月, 江東有桃結子, 每顆, 一面不毛:五行2轉載].

[○晉州斷俗寺僵松, 自起:五行2轉載].

[增補].[193)]

五月[丙子朔[大盡,丙午], 雨血于泥峴:五行1轉載].[194)]

戊寅[3日], 遣張子溫報聘于河南王[擴廓帖木兒].

---

190) 이와 같은 기사가 지7, 五行1, 水, 雨雹에도 수록되어 있다. 이날(癸亥, 日本曆의 17일) 교토에서 밤 1시 이후[丑時, 甲子[18日?]]에 비가 내렸고, 京都의 남쪽에서 雷鳴이 있었다고 한다.
- 『師守記』 권56, 貞治 6년 4월, “十七日癸亥, 天晴, 入夜丑剋以後雨下, 申剋南方雷鳴”.
- 『愚管記』제11, 貞治 6년 4월, “十七日癸亥, 晴”.

191) 이날 교토에서는 흐리다가 하루 종일 비가 내렸다고 한다.
- 『師守記』 권56, 貞治 6년 4월, “十八日甲子, 天陰, 降雨終日不絶, 間休”.
- 『愚管記』제11, 貞治 6년 4월, “十八日甲子, 雨降”.

192) 이날 교토에서는 맑았다고 한다(『愚管記』제11, 貞治 6년 4월, “廿日丙寅, 晴”).

193) 이달에 日本 朝廷에서 고려의 사신단에 대한 對處는 다음과 같다.
- 4월 6일(壬子), 中原師守가 高麗人 30餘人이 嵯峨(天龍寺)로 머물고 있다는 것을 들었다(『師守記』 권56, 貞治 6년 4월 6일 ; 『鳩嶺雜事記』, 貞治 6년 3월 某日).
- 4월 17일(癸亥), 이보다 먼저 良智房이 高麗牒[異國牒]을 中原師茂(中原師守의 兄)에게 가져온 적이 있었는데, 이날 다시 방문하였다(『師守記』 권56).
- 4월 18일(甲子), 將軍 足利義詮이 天龍寺 雲居庵에 가서 고려 사신단의 舞樂을 관람하였다(『師守記』 권56 ; 『善隣國寶記』권上, 後光嚴院, 貞治 6년 ; 『京都將軍家譜』권上, 義詮, 貞治 5년).
- 4월 23일(己巳), 柳原忠光이 異國牒에 대한 先例[勘例]를 紛失하여 中原師茂에게 이를 베껴 줄 것을 요구하였다(『師守記』 권56). 이후 24日(庚午)·25日(辛未)·26日(壬申)·5月 5日(庚辰)에 걸쳐 前內府 三條公忠·右大辨 萬里小路嗣房 등이 中原師茂에게 弘安·正應 年間의 異國牒에 대한 처리 및 논의 과정에 대해 諮問을 구하였다. 그 과정에서 嘉祿·文永 年間의 異國牒에 대한 처리가 參考되었고, 答書[返牒]에 대한 의논도 이루어졌다(『師守記』 권56).

194) 이날 교토에서는 맑았다고 한다(『愚管記』제11, 貞治 6년 5월, “一日丙子, 晴”).

庚辰[5日], 王與益妃·定妃, 幸高羅里, 觀擊毬戲. 大陳百戲, 百官皆從, □[都]僉議評理韓暉與伎對舞, 王顧謂曰, "韓宰臣其樂耶?".

[□□[~~某日~~], 命起樓於宮門東, 大陳百戲擊毬以觀之. 辛旽騎馬, 至都評議□[使]司幕前, 宰相皆起立拱手, [領都僉議使司事辛]旽馬而與語. 見者, 皆憤其無禮:節要轉載].

[→王觀擊毬宮門外, 旽騎過都評議□[使]司帳幕, [贊成事李春]富與密直□□[~~副使~~]金蘭, 就立馬前, 拱手而語, 若奴隷然:列傳38李春富轉載].

[→王嘗御假樓, 觀擊毬雜戲, 都堂帳幕在樓東, 旽騎馬至幕前, 諸相皆起立. 旽馬而與語, 至樓下乃下馬, 與王坐樓上. 侍中柳濯進饌, 旽坐受, 旽服飾一如王, 見者不能辨:列傳45辛旽轉載].195)

甲申[9日], 王如太后[洪氏]殿, 上壽.

丙戌[11日], 命重營國學□□□□□□[~~于崇文館舊址~~].196) [令中外儒官, 隨品出布, 以助其費.197) □□□[~~十二月~~], 又以判開城府事李穡兼大司成, 增置生員. □□□□[~~常養一百~~]. □□□□□□□[~~始分五經四書齋~~].198) 又擇經術之士金九容·[禮曹正郎]鄭夢周·朴尙衷·朴宜中[朴實]·李崇仁等, 皆兼學官:節要轉載].199) [先是, 成均祭酒林樸上言, 請改造成均館, □[又]請

---

195) 앞의 脚注와 같다.

196) 이때 重建된 成均館[國學]은 馬巖의 북쪽, 馬巖影殿의 後方에 있던 옛 崇文館의 遺址였다고 한다.

- 『定齋集』 권3, 潘南先生家傳, "[恭愍王]十六年, 王以兵後, 學校廢弛, 重營國學于崇文館舊基. 按行狀云, 移國學于馬巖北, 盖崇文館舊基, 在馬巖北".
- 『신증동국여지승람』 권5, 開城府下, 古跡, 馬巖影殿, "在成均館前, 恭愍王爲魯國公主, 大營影殿于此, 窮極奢麗, 今有遺址".

197) 이때 經費 마련[助成]에 관한 기사로 다음이 있다.

- 열전25, 李公遂, "時[恭愍15年], 方修國學, 公遂喜, 卽解帝所賜金帶, 助其費".
- 열전39, 廉興邦, "[廉興邦,] 累遷左代言, 尋罷. 王欲興儒術, 重營國學于崇文館舊址, 興邦主其事, 令文臣, 隨品出布. 典校郎尹商拔賣衣得布五十端, 以助其費, 興邦責不出布者曰, '商拔寒儒, 祿不足以度朝夕, 尙賣衣助費. 公等可出商拔下乎?'. 旬日間, 得布至萬端. 時影殿役大興, 倉庾虛竭, 而不仰公廩, 得營國學". 여기에서 尹商拔은 韓山君 李穡의 門人으로 知谷州事를 역임했던 尹商發의 다른 표기이다(『목은문고』 권19, 送門生尹商發赴官谷州, 권29, 門生尹商發送其家釀一瓶 ; 『목은문고』 권3, 谷州公館新樓記).

198) ~~添字~~가 추가되어야 옳게 될 것이다.

199) 金九容(上洛君 金昴의 長子)은 金齊閔의 改名이고(열전17, 金方慶, 九容), 字는 敬之이며 三司左尹으로 재직하다가 安東으로 退去하였다고 한다.

- 열전17, 金方慶, 九容, "九容, 字敬之, 初名齊閔".
- 『목은시고』 권9, 驪江四絶, 有懷漁父金敬之, [注, 名九容, 由三司左尹, 退去于鄕, □□□□□[~~尋被召貶外~~]]. 여기에서 ~~添字~~가 추가되어야 옳게 될 것이다.

科學一依中朝搜撿通考之法:轉載].[200]

[→王命營成均館, 領都僉議使司事辛旽與侍中柳濯·判密直司事李穡會崇文館, 相舊址, 旽免冠扣頭, 誓先聖曰, "盡心重營". 左右皆曰 "少損舊制, 可易成". 旽曰, "文宣王天下萬世之師也, 可靳小費, 虧前代之規乎":列傳45辛旽轉載].

[→恭愍十六年□□五月, 重營成均館, □□□十二月, 以判密直司事李穡判開城府事兼成均大司成.[201] 增置生員, 擇經術之士金九容·鄭夢周·禮儀郞朴尙衷·朴宜中朴實·李崇仁, 皆以他官, 兼敎官. 先是, 館生不過數十. 穡更定學式, 每日坐明倫堂, 分經授業, 講畢相與論難忘倦. 於是, 學者坌集, 相與觀感, 程朱性理之學始興:列傳28李穡轉載].[202]

[→恭愍十六年□□五月, 鄭夢周, 以禮曹正郞兼成均博士. 時經書至東方者, 唯'朱子集註'耳. 夢周講說發越, 超出人意, 聞者頗疑. 及得胡炳文四書通, 無不脗合, 諸儒尤加嘆服. 判開城府事李穡亟稱之曰, "夢周論理, 橫說竪說, 無非當理". □□□是以, 後? 推爲東方理學之祖:列傳30鄭夢周轉載].[203]

[某日, 監察司, 請禁人妻死, 繼娶妻之姊妹及娶異姓再從姊妹:節要·刑法1奸非轉載].[204]

[某日, 册千熙千禧爲國師, 賜法號, 陞其鄕興海監務官爲知郡事官:轉載].[205]

---

200) 이는 다음의 자료를 적절히 分載하였다.
- 지28, 선거2, 學校, "成均祭酒林樸上言, 請改造成均館, 命重營國學于崇文館舊址. 令中外儒官, 隨品出布, 以助其費, 增置生員, 常養一百. 始分五經四書齋".
- 지27, 선거1, 科目, "恭愍十六年, 林樸上書, 請科學一依中朝搜撿搜檢通考之法"(보통 檢字를 行書로 쓸 때 撿으로 쓴다).
- 열전24, 林樸, "轉成均祭酒, 上書始分五經四書齋, 科擧一依中朝搜檢通考之法". 여기에서 四書는 延世大學本에는 田書로 되어 있으나 오자이다(東亞大學 2006년 25册 400面).

201) 이때 李穡은 判密直司事로 재직하다가 判開城府事兼成均大司成에 임명되었던 것 같다.
- 『목은시고』 권22, 兩朝文學歌幷序, "丁未歲, 予以判密直□□司事, 遷□判開城□□府事".

202) 朴實은 1371년(공민왕20) 3월 1일부터 1388년(우왕14) 2월 下旬사이에 朴宜中으로 개명하였으므로 이 기사의 朴宜中은 朴實로 고쳐야 옳게 될 것이다.

203) 이 기사에서 添字가 추가되어야 옳게 될 것이다.

204) 여기에서 再從姊妹는 同一한 曾祖父의 孫女, 곧 再從兄弟를 가리킨다.
- 『자치통감』 권192, 唐紀8, 高祖武德 9년(626) 10월 甲申, "初, 上皇欲强宗室以鎭天下, 故皇再從·三從弟[胡三省注, 同曾祖爲再從兄弟, 同高祖爲三從兄弟]及兄弟之子, 雖童孺皆爲王, 王者數十人[注, 封宗室爲郡王]".

205) 이는 다음의 자료에 의거하였다.
- 지11, 地理2, 東京留守官慶州, "興海郡, 本新羅退火郡, … 高麗初, 改今名. 顯宗九年, 來屬. 明宗二年, 置監務. 恭愍王十六年, 以國師千熙之鄕, 陞知郡事".
- 『경상도지리지』, 慶州道, 興海郡, "恭愍王代, 洪武丁未吳元年, 以雪山國師千凞千禧鄕, 升爲知興海

[→有僧禪顯·千禧, 皆旽所善者也, 千禧自言, "入江浙, 傳達磨法".[206] 王親訪于佛腹藏, 尋封國師. 又邀禪顯于康安殿, 封王師, 王九拜, 禪顯立受. 百官朝服就班, 領都僉議使司事辛旽獨戎服, 立殿上, 每王一拜, 輒嘖嘖稱嘆, 私語宦者曰, "主上禮容, 天下稀有". 其陰媚取寵如此. 史官尹紹宗在傍, 旽顧謂曰, "毋妄書國事. 吾將取觀之". 初禪顯之未封也, 紹宗族僧夫目, 謂紹宗曰 "旽之貪暴, 犬豕不若, 必誤國家. 禪顯附之, 吾不忍見". 遂逃入山:列傳45辛旽轉載].

甲辰29日, 大雨, 民始播種.[207]

[→大雨. 時南方大旱, 行旅不得水, 熊津渡淺, 纔濡馬足. 至是乃雨, 民始播稻:五行2轉載].

乙巳30日, 元中書省遣直省舍人乞徹, 牒曰, "倭賊入寇, 必經高麗, 宜出兵捕之".

[→元使乞徹至, 問曰, "聞爾國有權王, 何在?". 時中國謂旽爲權王故云.

[增補].[208]

郡事". 이 기사에서 洪武丁未는 吳元年으로 고쳐야 옳게 될 것이다.

206) 이때 千禧가 江浙地域에서 菩提達磨[達磨]의 佛法을 傳受받아 왔다고 하는데, 師承關係[師資相承]를 重視하는 禪宗에서 師僧[法師]을 밝히지 않은 것이 특이하다. 千禧의 系派[系譜]는 당시 江南 佛敎界의 主軸을 이루고 있던 曹洞宗, 臨濟宗 楊岐派와 大慧派의 3개 宗團 중의 어느 하나였을 것으로 추측된다.

207) 이날 교토에서는 흐리다가 오후 3시 이후 비가 30일(乙巳) 새벽까지 계속 내렸다고 한다.
- 『師守記』, 貞治 6년 5월, "廿九日甲辰, 天陰, 申剋以後雨降, 終 夜不絶, … 卅日乙巳, 天陰, 今曉寅剋以後雨止".
- 『愚管記』제11, 貞治 6년 5월, "廿九日甲辰, 晴, 及晚雨降, … 卅日乙巳, 陰".

208) 고려사신단에 대해 5월에 행해진 일본 측의 대응은 다음과 같다.
- 5월 4일, 春屋妙葩가 將軍 足利義詮의 母 赤橋登子의 大祥을 맞이하여 지은 請文에 '日本의 德이 高麗國에 미쳐 고려의 使臣이 法寶를 배에 싣고 왔다. 仁化德賓高麗國 法寶船載沙竭宮'은 日本 優位의 觀念을 보여 주는 것이다(『智覺普明國師語錄』 권4, 登眞院大禪定尼赤橋登子大祥忌辰請).
- 8일(癸未), 北朝 朝廷[公家]에서 高麗牒을 어떻게 처리할 것인가를 의논하고, 朝廷이 答書를 작성할 것인가(返牒), 武家에게 의뢰하여 답서를 작성할 것인가를 논의하다가 최종적으로 武家側에서 답서를 작성하기로 하였다(『師守記』 권57).
- 9일(甲申), 고려첩에 대한 논의 과정에서 한반도 및 중국에서 일본에 보내온 國書에 수록되어 있는 言辭 중에 일본에게 無禮한 것으로 판단된 것들에 대한 논의가 중점적으로 다루어졌다. 이때 中原師守의 兄인 大外記 中原師茂가 朝廷에 보고했던[注進] 여러 條目의 先例가 『師守記』에 收錄되었다(『師守記』 권57). 이날 三條公忠과 毗沙門堂僧正實耆의 閑談에서 使臣이 蒙古人이 아니라 高麗人이라고 하였다(『後愚昧記』).
- 10일(乙酉), 朝廷[公家]에서 高麗牒에 대한 議論[殿上會議]이 이루어졌다. 이후 15日(庚寅)·16日(辛卯)·18日(癸巳)에도 계속되었다(『師守記』 권57·권58).
- 19일(甲午), 사신단 일행이 奈良 大佛(東大寺 大佛)을 관람하러 갔다(『師守記』 권58).

[六月丙午朔小盡,丁未, 戊申3日, 大蛇見于寢殿御床:五行1龍蛇之孽轉載].[209]

[丁巳12日, 設眞言法席于宮內, 以禳之:五行1龍蛇之孽轉載].

[庚申15日, 大雨, 五日:五行2轉載].[210]

[庚午25日, 漣州澄波渡, 水赤三日:五行1轉載].

[辛未26日, 大風:五行3轉載].[211]

[壬申27日, 北風甚寒, 城中皆着重裘:五行1恒寒轉載].

[增補].[212]

- 20일(乙未), 高麗牒에 대해 의논하고 21일(丙申)에도 계속 되었다(『師守記』 권58).
- 23일(戊戌), 朝廷[公家]의 殿上會議에서 高麗牒에 대해 의논하고 답서를 보내지 않기로 결정하였다(『愚管記』; 『師守記』 권58 ; 『後愚昧記』; 『續史愚抄』26).

209) 이날 교토에서 陰晴이 불분명한 가운데 비가 조금씩 내렸던 것 같다.
- 『師守記』 권59, 貞治 6년 6월, "三日戊申, 陰晴不定, 未始小雨, 不及地濕, 則止, 申斜雨下, 則止".
- 『愚管記』제11, 貞治 6년 6월, "三日戊申, 陰".

210) 이때 교토에서 15일(庚申) 이후 25일(庚午)까지 계속 맑았으나 15일과 16일에 雷鳴이 있었던 것 갔다. 또 13일(戊午) 이후 장마전선이 日本에서 北上하여 한반도로 옮겨 갔던 것 같다.
- 『師守記』 권59, 貞治 6년 6월, "十五日庚申, 天晴陰, 申斜雷鳴, 小雨下, 則止, … 十六日辛酉, 天晴, 申剋夕立, 雷鳴甚, 無程休, … 十七日壬戌, 天晴, … 廿五日庚午, 天晴". 여기에서 夕立은 夕立雨의 略稱으로 저녁 무렵에 비가 내리는 것을 指稱한다고 한다.
- 『愚管記』제11, 貞治 6년 6월, "十五日庚申, 晴陰不定, 時々雨灑, 十六日辛酉, 陰, 夕立, 十七日壬戌, 晴, …, 十九日甲子, 晴, …".

211) 이때의 大風은 南方에서 불어오던 季節風(颱風)은 아닌 것 같다.
- 『師守記』 권59, 貞治 6년 6월, "廿六日辛未, 天晴, 酉剋未申方夕立, 同小雨下, 無程止, … 廿七日壬申, 天晴".
- 『愚管記』제11, 貞治 6년 6월, "廿六日辛未, 晴, 及晩夕立, 廿七日壬申, 晴".

212) 6월에 일본 측이 고려 사신에게 행한 對應은 다음과 같다.
- 6월 4일(己酉). 막부에서 卜部兼熈에 의해 만들어진 고려에 보낼 答書[返牒]의 草案이 검토되었다(『師守記』 권59).
- 6월 7일, 幕府가 天龍寺의 승려 春屋妙葩로 하여금 僧錄의 稱號를 사용하여 그의 이름으로 답서를 보내도록 하게 하였다(鹿王院文書).
- 6월 13일(戊午), 答書[返牒]의 초안이 검토되었다(『師守記』 권59).
- 6월 26일(辛未), 金龍 一行이 將軍 足利義詮으로부터 답서를 받아 일본이 파견한 天龍寺의 僧侶와 함께 귀국의 길에 올랐다(『後愚昧記』; 『師守記』권 ; 『愚管記』, 應安 1년 閏6월 2일 ; 『續史愚抄』26 ; 『善隣國寶記』권上, 貞治 6년 ; 鹿王院文書). 이들 사신단 일행이 귀국할 때 春屋妙葩가 詩文을 지어 贈呈하였다(『智覺普明國師語錄』 권6, 送高麗使萬戶金龍歸等4首). 이때 金龍 등 25人이 西山에 머물면서 妙葩의 名望을 듣고서 모두 受戒를 받고 弟子의 禮를 하였다고 한다(『智覺普明國師語錄』 권8, 寶幢開山智覺普明國師行業實錄 ; 『本朝高僧傳』 권35, 京兆萬年山相國寺沙門妙葩傳).

秋七月[乙亥朔大盡,戊申]，丙子[2日]，以李岡爲密直副使，[前左代言]廉興邦爲密直知申事，李云牧爲典理判書，[[奉翊大夫]李達衷爲鷄林府尹:追加].[213)]

壬辰[18日]，以田祿生爲慶尙道都巡問使，金漢貴爲全羅道都巡問使，[評理]池龍壽爲西北面都巡問使，李成林爲東北面都巡問使.

丙申[22日]，地震.

[庚子[26日]，移文宣王塑像于崇文館，文武百官，冠帶侍衛:禮4文宣王廟轉載].

癸卯[29日]，雞林府院君李齊賢卒，[年八十一，謚文忠:列傳23李齊賢轉載].[214)] [齊賢，瑱之子，自幼，嶷然如成人. 忠宣留元，構萬卷堂，姚燧·閻復·元明善·趙孟頫等諸學士，咸遊王門. 齊賢，周旋其間，學益進，天資厚重，加以文學，發於議論，措諸事業，俱有可觀. 平生，未嘗疾言遽色，自號益齋，人無貴賤，皆稱益齋. 然，不樂性理之學，無定力，嘗權行省，陞陛上拜表，儀衛與王無異，人譏之. 後[禑王2年10月]配享王廟:節要轉載].

[→□□[齊賢]，天資厚重，輔以學問，其發於議論，措諸事業者，俱有可觀. 初齊賢讀史，至則天紀曰，'那將周餘分，續我唐日月'. 後得'朱子綱目',[215)] 自驗其學之正. 人有片善，稱譽惟恐不聞，先輩遺事,[216)] 雖細以爲難及，平生未嘗疾言遽色又及穢語. 晚年閑居，對客置酒，商搉古今，亹亹不倦，崔瀣嘗歎曰，"士別三日，刮目相

---

213) 이는 다음의 자료에 의거하였다. 李達衷은 10월 21일에 鷄林에 到任하였다(『동도역세제자기』).
- 『동문선』 권42, 辭鷄林尹表(李達衷 撰), "臣言去七月初二日，命臣出尹雞林，以臣之鄕貫，故申辭不允，…".

214) 李穡이 李齊賢의 忌日[明忌]이 7월 29일이라고 하였는데, 이는 當時의 曆日을 검정하는데 하나의 잣대가 될 수 있다. 이날은 율리우스曆으로 1367년 8월 24일(그레고리曆 9월 1일)에 해당한다. 또 李齊賢의 墓誌石은 2008년 4월에 발견되어 현재 開城博物館에 전시되어 있다. 또 이제현이 1319년(충숙왕6) 충선왕을 수종하여 절강행성에 갔을 때 陳鑑如가 그린 肖像(絹本彩色, 177.3×93.0cm, 국보 제110호)은 국립중앙박물관에 소장되어 있다. 그리고 그의 遺墨은 瀟湘八景 8首가 남아 있는데(吳世昌 1928년), 이는 『익재난고』 권10에 수록되어 있는 2種 중의 前者이지만 字句에 차이가 있다. 또 그가 다이두[大都]에서 朱德潤의 「美人屛風四詩」에 次韻한 詩文도 찾아졌다(張東翼 2016년 131~132面).
- 『목은시고』 권8, 七月二十九日，益齋先生明忌，病不能與祭，感奮述懷，二首 ; 『목은시고』 권25, 二十九日，益齋侍中忌旦也，與同年鄭簽書公[公權]，赴圓明齋席.

215) 『朱子綱目』(혹은 綱目)은 朱熹의 『資治通鑑綱目』59권의 略稱이다.

216) 遺事에 대한 설명으로 다음이 있다.
- 『아언각비』 권2, 遺事, "遺事者，逸事也. 謂於史家記錄之外，其遺逸而不章顯者，我爲之表發也. … '開元遺事'者，開元之逸事也. '天寶遺事'者，天寶之逸事也. 今人誤以遺事認之如舊事，備錄一生之跡，並其世系官践，無不詳載，而名之曰遺事. 是於行狀墓誌之外，別一名也，誤".

待, 吾於益齋見之矣". 齊賢務遵古法, 不喜更張曰, "吾志豈不如古, 但吾才不及今人耳". 齊賢之孫, 連姻奇氏, 齊賢忌其盛滿. 及拜平章□□政事, 恭愍勑兩制, 賦詩以賀, 且命齊賢敍其事, 齊賢辭不爲. 恭愍之寵辛旽也, 齊賢白王曰, "臣嘗一見旽, 其骨法類古之凶人, 必貽後患, 請上勿近". 旽深銜之, 毁之百端, 以其老不得加害. 乃謂王曰, "儒者稱座主·門生, 布列中外, 互相干請, 恣其所欲, 如李齊賢門生. 門下見門生, 遂爲滿國之盜, 儒者之爲害如此". 及旽之敗, 王曰, "益齋先見之明, 不可及已". 自少, 儕輩不敢斥名, 必稱益齋, 及爲宰相, 人無貴賤, 皆稱益齋, 其見重於世如此. 然不樂性理之學, 無定力, 空談孔孟. 心術不端, 作事未甚合理, 爲識者所短. 後配享恭愍廟庭. 所著亂藁十卷, 行於世. 齊賢嘗病國史不備, 與白文寶·李達忠, 作紀年傳志. 齊賢起太祖至肅宗, 文寶·達忠撰睿宗以下. 文寶僅草睿·仁二朝, 達忠未就藁. 南遷時皆散逸, 唯齊賢太祖紀年在. 三子, 瑞種·達尊·彰路, 瑞種子寶林:列傳23李齊賢轉載].

[某日, 教曰, "我國群臣冠服, 旣以土風所宜制定, 俾有上下之辨, 不可易也. 近來, 輕改趍便, 尊卑混淆. 今後, 諸君·宰樞·代言·判書·上·大護軍·判通禮門□事·三司左右尹·知通禮門□事, 黑笠白玉頂子, 三親從·諸摠郎·三司副使·八備身·前陪後殿護軍, 黑笠青玉頂子, 諸正·佐郎, 黑笠水精頂子. 省臺·成均·典校·知製教員及外方各官員, 黑笠隨品頂子. 縣令·監務, 黑笠無臺水精頂子":輿服1冠服通制轉載].

[某日, 以申系令爲慶尙道按廉使, 鄭良生爲交州道按廉使:慶尙道營主題名記].[217]

八月乙巳朔小盡,己酉, 丙午2日, 王謁文廟, 又幸王輪寺, 觀影殿.

[辛亥7日, 熒惑犯房:天文3轉載].

[壬子8日, 歲星犯月:天文3轉載].

乙卯11日, 元遣直省舍人山塔失里來, 告以完者帖木兒爲左丞相~~右丞相~~.[218]

己未15日, 宰相會雲岩寺雲巖寺, 設大酺, 陳妓樂, 祭正陵恭愍王妃, 宮人皆會.

壬戌18日, 幸安和寺, 還至影殿, 大餉役徒.

[某日, 令諸道散官閑散官, 赴京宿衛:兵2宿衛轉載].

---

217) 鄭良生은 是年 秋某月의 脚注에 의거하였다(懶翁行狀).

218) 完者帖木兒는 같은 해 5월 10일(乙酉) 中書右丞相에 임명되었으므로 左丞相은 右丞相의 오자이다(『원사』 권47, 본기47, 至正 27년 5월 乙酉·권113, 表6下, 宰相年表2).

九月[甲戌朔大盡,庚戌]，丁丑[4日]，元遣長秋寺少卿篤怜帖木兒來，告罷廓擴帖木兒[擴廓帖木兒]惣兵官，命皇太子[愛猷食理達臘]摠天下兵馬.[219)]

甲申[11日]，王步幸[領都僉議使司事]辛旽家.

[→王一日步幸旽第，[領都僉議使司事辛]旽與王並踞，如儕輩，無復君臣之禮. [旽,]每出入騎從百餘，儀衛擬於乘輿:列傳45辛旽轉載].[220)]

辛卯[18日]，幸[長湍縣]洛山寺.

[丁酉[24日]，熒惑犯南斗:天文3轉載].

己亥[26日]，王率百官，幸吉祥寺，遂遊朴淵，三日乃還.

[庚子[27日]，月入大微[太微]:天文3轉載].

[某日，以宜寧君洪仲宣爲安東府使，監察糾正鄭袤爲安東判官:追加].[221)]

[某日，百官始着笠，朝謁:輿服1冠服通制轉載].

[是月，以[正順大夫·贊成事]洪仲元爲安東大都護府使，[通直郎·監察糾正]鄭袤爲安東大都護府判官:追加].[222)]

[秋某月，上命交州道按廉使鄭良生，請正陽寺僧惠勤住淸平山文殊寺:追加].[223)]

---

219) 長秋寺(혹은 長秋監)는 중국 古代이래 皇后宮[中宮]의 諸般 事務를 담당하던 관서인데, 몽골제국에서는 1313년(皇慶2) 7월 12일(庚子) 武宗皇后의 宮政을 담당하기 위해 설치되었다. 정3품의 관서로서 卿 5人은 正3品, 少卿 2人은 從4品이었다(『원사』 권24, 본기24, 인종1, 황경 2년 7월 庚子·권90, 지40, 백관6, 長秋寺). 또 皇太子가 天下兵馬를 總括한 것은 같은 해 8월 2일(丙午)이다(『원사』 권47, 본기47, 至正 27년 8월 丙午).

· 『자치통감』 권185, 唐紀1, 高祖武德 1년(618) 7월 乙卯, "… [元]文都自將宿衛兵欲出玄武門以襲其後, 長秋監段瑜[胡三省注, 煬帝大業三年, 開內侍省爲長秋監]稱求門鑰不獲, 稽留遂久. …".

220) 이 기사는 열전45, 辛旽에도 수록되어 있으나 1366년(공민왕15) 4월 27일의 기사에 열거된 辛旽의 無禮 事例에 일괄 정리되어 있다. 또 이 기사 앞에 "又與侍中尹桓, 侍王宴, 桓行酒, 旽以飮餘授桓, 桓飮之, 無愧色"이 있으나 時期를 推測하기에 어려움이 있다.

221) 이는 『목은문고』 권1(『동문선』 권72) 安東藥院記에 의거하였다. 이에서 府使는 號가 栢亭이며 都僉議贊成事에 이르렀다고 함을 보아 洪仲元(洪仲宣으로 改名)임을 알 수 있다. 府使 洪仲元[洪冲元]은 正順大夫(正3品上)로서 是年 10월에 赴任하여 明年(공민왕17) 6월 母喪을 당하여 百日後에 還任하였다가 1369년(공민왕18) 1월에 遞任하였다고 한다. 또 判官 鄭袤는 通直郎(정5품)으로 홍중원과 동시에 부임하여 1369년(공민왕18) 3월에 遞任하였다고 한다(『안동선생안』; 『목은문고』 권1, 安東藥院記).

222) 이는 『안동선생안』에 의거하였다.

223) 이는 다음의 자료에 의거하였다.

· 『목은문고』 권14, 普濟尊者諡先覺塔銘幷序, "[至正]丁未秋, [正陽寺僧惠勤], 住淸平寺".

· 『나옹화상어록』, 행장, "丁未秋, 上命交州道按廉使鄭良生, 請住淸平寺".

冬十月[甲辰朔小盡,辛亥],[癸丑[10日], 早朝, 安東判官鄭衺先至廳舍行禮, 向闕謝恩, 庭迎府使洪仲元, 仲元行禮如判官, 謹甚, 府使與判官退, 尋同受州吏謁禮:追加].[224]

己未[16日], 幸[領都僉議使司事]辛旽家, 置酒落成. [初, 旽在奇顯家, 由奉先寺松岡, 出入王宮, 岡西南有隙地. 旽白王曰, "幸就此, 構小房, 則庶便老僕進退". 王許之. 旽分其黨督役, 不日而成, 又於北園, 作別室, 重門深幽, 明窗淨几, 焚香獨坐. 蕭然若無欲者, 惟許奇顯妻及二婢出入, 凡陷罪[訴寃]者·求官者, 必遣妻妾, 先賂顯妻內謁, 顯妻出謂曰, "別室甚狹, 不可著表衣, 又不可率從者以入", 其妻妾去表衣, 以短衫, 賫賄貨獨入, 具陳所欲. 旽獨與相對, 頗有醜聲. ~~判事朴普安·三宰姜碩, 嘗以事遣其妻謁旽, 旽欲污之, 皆厲聲固拒.~~ 顯與妻事旽, 朝夕不離側, 若老奴婢然:節要轉載].[225]

◯納哈出遣使來, 獻馬.

[庚申[17日], 霧:五行3轉載].[226]

辛酉[18日], 幸[領都僉議使司事]辛旽別室.

[甲子[21日], 小雪. 虹見西北方:五行1虹霓轉載].

[乙丑[22日], 亦如之[霧]:五行3轉載].

[丙寅[23日], 黑祲, 四日:五行1黑眚黑祥轉載].

辛未[28日], 杖流前□[守]侍中慶千興·知都僉議□□[~~司事~~]吳仁澤·前評理睦仁吉·三司右使安遇慶·三司左使金元命·前密直副使[~~前同知密直司事~~]趙希古于南裔, 沒爲官奴, 籍其家.[227]

[→知都僉議□□[~~司事~~]吳仁澤與前□[守]侍中慶千興·前評理睦仁吉·三司右使安遇慶·三司左使金元命·前密直副使[~~前同知密直司事~~]趙希古·判開城□□[~~府事~~]李珣[~~李希泌~~]·評理韓輝·鷹揚軍上護軍趙璘·上護軍尹承順等,[228] 密議曰, "辛旽, 邪佞陰狡, 好讒毁人, 斥逐勳舊, 殺戮無辜, 黨與日盛. 道詵記, 有非僧非俗, 亂政亡國之語, 必是此人. 將爲國家大患, 宜白王, 早除之". 判小府寺事姜元甫, ~~與判書辛貴善, 會貴遣人, 借器於元甫, 元甫~~

---

224) 이는 다음의 자료에 의거하였는데, 여기에서 廳事는 廳舍와 같은 意味로 사용되었다.
· 『목은문고』 권1, 安東藥院記, "… 用其年冬十月十日早朝, 判官先至廳事行禮, 向闕謝恩, 庭迎使, 々行禮如判官, 謹甚, 退受州吏謁禮畢".

225) ~~添字~~는 열전45, 辛旽에 의거하였다.

226) 이날 일본의 京都에서 비가 내렸다고 한다(『愚管記』제11, 貞治 6년 10월, "十七日庚申, 晴").

227) 趙希古의 관직은 ~~添字~~와 같이 고쳐야 옳게 될 것이다(→공민왕 14년 3월 22일, 9월 22일).

228) 李珣은 1366년(공민왕15) 5월 24일에서 1367년 10월 28일 사이에 希泌(洪倫의 丈人)로 개명하였던 것 같다.

~~曰"欲何用?". 曰"將以饋旽". 元甫曰"何用饋, 我與某某將除之". 其人歸告貴~~, 聞以告旽, 旽入告于王曰~~貴馳往告旽, 旽夜令其徒, 備弓劒以衛, 詣王告變曰~~, "旽山水間一衲者也, 上勒令至此. □旽不敢違命, 思欲去姦惡, 用賢良, 使三韓百姓, 粗得平安, 然後, 將一衣鉢, 還向山林. 今國人將殺旽, 願上哀矜. 王驚問之, 旽具以元甫貴語對, 乃命繫仁澤等于巡軍, ~~又因貴·元甫,~~ 鞫之. 杖流仁澤·希古·千興·元命·遇慶·仁吉, ~~及仁澤子英佐~~于南裔, 沒爲官奴, 籍其家.[229]

[壬申29日晦, 太白·熒惑相犯:天文3轉載].[230]

[○黑祲:五行1黑眚黑祥轉載].

十一月 [癸酉朔大盡,壬子, 黑祲:五行1黑眚黑祥轉載].[231]

[乙亥3日, 白虹貫日:天文1轉載].

[○霧:五行3轉載].[232]

戊寅6日, 流都僉議評理韓暉·判開城府事李珣希泌·上護軍趙璘·尹承順·~~大護軍~~柳仁梓·姜元輔·大護軍韓德卿于外. ~~又以郞將田永貴·朴世元, 私議千興等無罪, 幷流之. 獄方興, 旽赴西普通院法席, 二品以下, 皆帶弓劒以衛.~~[233]

[○後前知都僉議司事吳仁澤聞旽必欲殺己, 乃逃. 領都僉議使司事辛旽繫仁澤妻子于巡軍. 又以判司僕寺事玉天桂, 嘗養仁澤小子, 疑與仁澤同謀, 痛行榜掠, 卒死獄中. 獲仁

---

229) ~~添字~~는 열전45, 辛旽에 의거하였고, 이 사건과 관련된 기사로 다음이 있다.
- 열전18, 趙仁規, 璘, "時辛旽當國, 人爭附, 璘未嘗一詣其門. 嘗詆旽爲老和尙. 與知都僉議□□司事吳仁澤·班主尹承順等, 謀去旽, 事洩, 杖流南裔, 沒爲官奴".
- 열전24, 慶復興, "後與吳仁澤等, 謀除旽事洩, 杖流興州, 沒爲奴, 籍其家".
- 열전26, 安遇慶, "未幾, 賜推誠亮節宣力翊贊功臣號. 與吳仁澤等謀除辛旽, 事洩, 杖流南原, 沒爲奴, 籍其家".
- 열전27, 吳仁澤, "吳仁澤與慶千興等, 謀去旽, 事洩繫巡軍, 杖流尙州, 又杖流英佐于水原, 皆沒爲奴".
- 열전27, 睦仁吉, "後與吳仁澤謀除旽, 事洩杖流淸州, 爲官奴, 籍其家".
- 열전38, 金元命, "後元命與吳仁澤等謀除旽, 旽知之, 訴于王, 繫巡軍鞫之, 杖流盈德, 沒爲奴, 籍其家. 久之, 明年十一月.旽遣其黨孫演, 杖殺之".

230) 지3, 天3에는 9월의 壬申으로 되어 있으나, 이달에는 壬申이 없다. 9월이 옳다면 壬申은 壬寅(29일)의 오자일 것이고, 壬申이 옳다면 이의 앞에 十月이 추가되어야 할 것이다.

231) 교토에서 이날(癸酉, 10월 30일)는 맑았으나 明日(甲戌, 11월 1일)은 비가 내렸다고 한다.
- 『愚管記』제11, 貞治 6년 10월, 11월, "十月卅日癸酉, 晴, … 十一月一日甲戌, 雨降".

232) 이날 교토에서는 晴陰이 불분명하고 때때로 비가 조금씩 내렸다고 한다.
- 『愚管記』제11, 貞治 6년 11월, "二日乙亥, 晴陰不定, 時々小雨".

233) ~~添字~~는 열전45, 辛旽에 의거하였다.

澤, 杖配烽卒:節要轉載].

[→後仁澤聞旽必欲殺己,[234] 與英柱·英佐逃. 旽遣使楊廣·全羅·慶尙道搜捕, 又繫仁澤妻子. 判事玉天柱, 養仁澤少子, 旽疑與仁澤同謀, 繫巡軍, 拷掠殺之. 尋獲仁澤, 杖配思利城烽卒:列傳27吳仁澤轉載].[235]

[○霧:五行3轉載].[236]

[己卯7日, 大雪. 亦如之霧:五行3轉載]

[甲申12日, 亦如之霧:五行3轉載].

[乙酉13日, 日暈珥:天文1轉載].

[丙戌14日, 大霧:五行3轉載].[237]

[辛卯19日, 夜, 赤氣見于西北:五行1轉載].

[壬辰20日, 夜, 赤氣見于東北:五行1轉載].

[甲午22日, 月入大微太微屛星:天文3轉載].

[某日, 以大護軍李元具爲慶尙·江陵·朔方道察訪使. 元具, 旽素所相善者也, 旽既得志, 元具來謁, 還求去. 旽曰, "國家欲選賢良, 君何求去之速, 其留以待", 尋除大護軍, 爲察訪使. 凡旽之讎怨, 皆爲之報復:節要轉載].

[→領都僉議使司事辛旽以其黨李元具爲慶尙江陵·朔方道察訪使, 金鼎爲楊廣·全羅道察訪使, 高漢雨爲西海·平壤·交州道察訪使. 元具素與旽相善, 及旽得志, 來謁尋求去. 旽曰, "國家欲選賢良, 君何去也", 俄授大護軍爲察訪□使. 凡旽之讎怨, 皆爲之報, 累遷判大太僕事:列傳45辛旽轉載].

丁酉25日, 地震.

[→雷, 地震:五行3轉載].

○左司議□□大夫申德隣申德隣·獻納朴晋孫·李竴·正言鄭鼇·安勉罷.[238]

---

234) 己는 延世大學本에는 巳로 되어 있으나 오자일 것이다(東亞大學 2006년 25冊 475面).

235) 이 기사에서 思利城 烽燧가 어디인지는 알 수 없으나 音이 비슷한 봉수로 三水府(現 兩江道 三水郡)의 沙里峯 烽燧가 찾아진다(『정조실록』 권53, 24년 3월 己卯27日).

236) 이날 교토에서 비가 약간 내렸던 것 같다(『愚管記』제11, 貞治 6년 11월, "五日戊寅, 小雨降").

237) 이때 교토에서는 乙酉(12일)는 흐렸고, 丙戌(13일)은 맑았다고 한다.

· 『愚管記』제11, 貞治 6년 11월, "十二日乙酉, 陰, … 十三日丙戌, 晴".

238) 申德隣(叔舟의 曾祖)의 본관은 高靈이며 禮儀判書로 致仕한 것 같고, 李穡과 함께 고려말기의 혼탁함을 힘들게 바라보고 있었던 것 같다. 그는 草書에 능하였다고 하며 遺墨으로 「滕王閣」이 남겨져 있다(『海東名蹟』권상 ; 吳世昌 1928년).

· 『목은시고』 권8, 憶申判書德麟, "少年日々苦相邀, 泥醉沈吟放短謠, 閑裏草書風雨快, … 契友

[→密直副使洪永通嘗管別軍, 行八關, 都省庭壇祭, 別軍攘奠物, 省吏訶止之. 永通縱別軍, 亂擊省官, 左司議□□大夫申德隣·獻納朴晋祿·李竴·正言鄭釐·安勉, 俱見傷, 血濺屛褥. 右司議□□大夫卓光茂劾, '永通嗾別軍, 凌轢諫官, 是可忍, 孰不可忍? 請廢爲民, 籍其家'. 賴旽營救得免. 德隣等, 反以辱命見罷:列傳18洪永通轉載].

[某日, 以直密李穡爲匡靖大夫·判密直司事, 餘並如故:追加].[239]

十二月癸卯朔小盡,癸丑, 日食, 天陰不見.[240]

甲辰2日, 以都僉議評理金續命爲平壤道都巡問使.

乙巳3日, 王步幸領都僉議使司事辛旽家. [自是數幸:節要轉載].

[丙午4日, 日重暈, 背珥:天文1轉載].

[○月冠赤黑氣:天文3轉載].

[丁未5日, 山嵐如春:五行1恒澳轉載].

[戊申6日, 亦如之山嵐如春:五行1恒澳轉載].[241]

[戊午16日, 月食, 密雲不見:天文3轉載].[242]

[某日, 以林樸爲箚子房政房知印.[243] 先是恭愍14年秋, 成石璘爲知印, 不阿附旽, 旽,

獨公猶健在, 可憐老牧政心焦". 여기에서 이름[名字]가 『고려사』의 그것과 달리 표기되어 있다.

· 『태종실록』 권3, 2년 4월, "乙卯3日, 覆試鄭還等三十三人, 擢申曉爲第一. 上問左右曰, '居京應擧者爲壯元, 尙矣'. 代言李膺對曰, '以文取才, 京外何分', … 知申事朴錫命啓曰, '新及第申檣, 前朝諫議德隣之孫也. 德隣工書, 檣之筆法似之'. 上嘉之, 除檣尙書尙瑞錄事". 여기에서 添字와 같이 고쳐야 옳게 될 것이다.

· 『신증동국여지승람』 권29, 高靈縣, 人物, "申德隣, 成用四代孫也, 登第備歷淸要, 累官至禮儀判書, 以善書名世".

239) 이는 『목은집』연보에 의거하였다.

240) 이날 중원에서도 일식이 있었고(『원사』 권47, 본기47, 順帝10, 至正 27년 12월 癸卯), 일본의 京都에서도 일식이 있었다(日本史料6-28册 558面). 이날은 율리우스력의 1367년 12월 22일이고, 개경에서 일식 현상이 심했던 時間은 8시 53분, 食分은 0.77이었다(渡邊敏夫 1979年 312面).

· 『愚管記』제11, 貞治 6년 12월, "一日癸卯, 晴, 日蝕正見".

· 『本朝統曆』 권10, 貞治 6년, "十二大, 朔癸卯, 巳三, 日蝕, 十二分弱, 辰五, 巳七".

241) 이때 교토에서 5일(丁未)은 흐렸고, 6일(戊申)은 晴陰이 불분명하고 때때로 눈이 날렸다고 한다.

· 『愚管記』제11, 貞治 6년 11월, "五日丁未, 陰 … 六日戊申, 晴陰不定, 時々雪散".

242) 이때 교토에서 15일(丁巳) 월식이 있었다(高麗曆과 同一, 日本史料6-28册 605面). 또 이날(戊午)은 율리우스력의 1368년 1월 6일이고, 월식 현상이 심했던 때인 15일(丁巳)의 世界時는 20시 19분, 食分은 0.83이었다(渡邊敏夫 1979年 485面).

· 『愚管記』제11, 貞治 6년 12월, "十五日丁巳, 晴, 月蝕正現".

· 『本朝統曆』 권10, 貞治 6년, "十二大, 十五夜望, 寅八, 月蝕, 十一分弱, 寅初, 卯八".

譖于王，以樸代之．樸好詭異，又喜立名，嘗自言但知奉公，未嘗干謁，然每夜，出入旽家，爲旽劃計，蹤迹詭秘，且譽旽爲盛德，旽說之．及爲知印，善伺候王意，又揣旽好惡，惟務迎合，見遇日密:節要轉載].

[→陞大司成·判典校□[~~寺~~]事．初，成石璘爲箚子房知印，不阿附辛旽，旽譖于王，以樸代之．樸性好詭異，倜儻敢言，又喜立名．常自言，但知奉公，未嘗干謁．然每夜敝衣徒行，出入旽第，爲旽畫計，蹤迹詭秘．旽嘗往平壤，樸佩刀從行，無愧色．每譽旽爲盛德，故旽說之．及爲知印，手執班簿，品第高下，親舊之人，則曾不薦引，宦官·宮妾，咸得所欲．善伺候王意，又揣旽好惡，唯務迎合．於是，眷遇日密，權在代言之上，慶復興·[贊成事]李仁任等，深忌其專．樸嘗語旽曰，“公摠國政，宜整田民爭訟之寃者”．旽遂白王，立推整都監，命旽爲提調，樸爲使．樸多所平決，然旽之偏聽者，不爲之辨，故寃屈頗多:列傳24林樸轉載].

甲子[22日]，以判開城府事李穡兼成均大司成[~~以判密直司事李穡爲判開城府事兼成均館大司成~~]，宦者申小鳳爲都僉議評理·商議會議都監事.[244)]

[是月，元宣慰副使孛羅帖木兒妻高麗氏，聞其夫死於兵，乃積薪塞戶，以火自焚而死:追加].[245)]

---

243) 箚子房은 原文에는 劄子房으로 되어 있는데 誤字일 것이고, 知印房과 함께 政房의 別稱이다(東亞大學 2006년 25册 400面).

- 지31, 백관2, 尙瑞司, “尙瑞司，卽政房，或稱知印房，或稱箚子房”.
- 열전30, 成石璘, “… 累遷典醫注簿[~~典儀主簿~~]. 王見而器之，命爲箚字房必闍赤，歷典理佐郞·典校副令．王曰，‘石璘善書且諳鍊’．陞爲知印，遷典理摠郞，…”. 여기에서 成石璘의 出身과 下記의 記事에 의하면 ~~添字~~와 같이 고쳐야 옳게 될 것이다.
- 『세종실록』 권19, 5년 1월 甲午[12日], 成石璘의 卒記, “… 遷直史官，時益齋~~李齊賢~~修國史，一見奇之，令操筆，遷藝文供奉·三司都事·典儀注簿，恭愍王器之，擢置恭愍王器之，擢置箚子房闔闍赤[秘閣的]，累遷典校副令，又爲知印尙書，遷禮儀摠郞，…”.

244) ~~添字~~와 같이 고쳐야 이 시기의 成均館의 革新에 대한 前後의 記事를 제대로 파악할 수 있을 것이다. 또 成均館大司成이 兼職으로 임명된 것은 李穡이 처음이었다고 한다(『양촌집』 권40, 李穡行狀). 그리고 僉議評理 申小鳳은 이 시기 이후에 逝去하여 忠禧라는 諡號를 하사받았다고 한다.

- 『목은집』연보, 至正卄七年丁未, “十二月，拜判開城府事·藝文館大提學·知春秋館事·上護軍兼成均□[館]大司成·提點書雲觀事，功臣號如故”.
- 열전35, 申小鳳, “… 轉僉議評理，卒．官庇葬事，特賜諡忠禧”.

245) 이는 『원사』 권201, 열전88, 烈女[列女]2, 高麗氏에 의거하였다. 또 이 시기에 남편과 함께 賊兵에 의해 피살된 朶里不花의 妾 高麗氏가 있다(권195, 忠義3, 朶里不花).

[冬某月，猊普菴長老自元來，親受指空遺囑袈裟一領·手書一紙，到清平文殊寺，授惠勤曰，“治命也”:追加].[246)]

[○元宣授李穡爲朝列大夫·征東行中書省左右司郞中:追加].[247)]

[是年，民間訛言，五六月，人當盡死. 人各美衣食，待之. 憲司禁之，益譁:五行2 轉載].

[○以前同知密直司事鄭思道爲簽書密直司事:追加].[248)]

[○以宋湖山爲延安府使:追加].[249)]

[○以李成吉爲知寧海府事:追加].[250)]

[○漆原府院君尹桓，再印行大藏經，於江浙行省，奉安報法寺:追加].[251)]

---

246) 이는 다음의 자료에 의거하였다.

· 『목은문고』 권14, 普濟尊者諡先覺塔銘幷序, “至正丁未，其冬，猊寶嚴以指空袈裟·手書，授師曰，治命也”.

· 『나옹화상어록』, 行狀, “是年冬，普菴長老，親受指空遺囑袈裟一領·手書一紙，到淸平文殊寺授之. 師乃拈香普說”.

247) 이는 다음의 기사에 의거하였는데, 添字와 같이 고쳐야 될 것이다.

· 열전28, 李穡, “恭愍十六年，… 元授征東行中書省左右司郞中”.

· 『양촌집』 권40, 李穡行狀, “丁未恭愍16年冬，宣授朝列大夫·征東行中書省左右司郞中，以本國判開城□□府事兼成均□館大司成”.

· 『목은집』, 李穡神道碑, “丁未16年，元朝授征東行中書省左右司郞中，戊申17年，以判開城□□府事兼成均□館大司成”(河崙 撰). 여기에서 ‘戊申’ 二字는 다음 기사인 柳濯의 靈殿事件 앞으로 옮겨야 할 것이다.

· 『목은집』연보, 至正廿八年戊申丁未16年，“宣授李穡爲朝列大夫·征東行中書省左右司郞中”. 여기에서 戊申은 丁未일 것이고, 또 年譜는 圖板으로 제작된 것이기에 잘못 刻板되었을 것으로 추측된다.

248) 이는 「鄭思道墓誌銘」에 의거하였다.

249) 이는 『연안부지』에 의거하였는데, 宋湖山은 金宗衍의 丈人인 宋壺山의 오자일 가능성이 있다(열전17, 金周鼎, 宗衍).

250) 이는 『영해선생안』에 의거하였다.

251) 이는 다음의 자료에 의거하였다.

· 『목은문고』 권6, 報法寺記, “丁未，又取藏經江浙”.

戊申[恭愍王]十七年，元至正二十八年，[明太祖，洪武元年]，[西曆1368年]

1368년 1월 20일(Gre1월 28일)에서 1369년 2월 6일(Gre2월 14일)까지, 13개월 384일

春正月壬申朔[大盡,甲寅]，放朝賀.

丙戌[15日]，王步幸[領都僉議使司事]辛旽家.

戊子[17日]，日本國遣僧梵盪·梵鏐，偕[檢校中郎將]金逸來，報聘. [先是，王患倭寇侵擾，遣金逸，請禁之:節要轉載].

[→日本遣僧梵盪等，來聘. 梵盪等，至行省，諸相皆立，[領都僉議使司事辛]旽獨南向坐，不爲禮. 梵盪等怒詰之，旽忿甚，欲毆之. 館待甚薄，至闕其饔餼，[李]仁任私餉之. 王聞甚慚，旽終無愧悔:列傳45辛旽轉載].

○遼陽省平章[~~平章政事~~]洪寶寶·哈剌不花[~~哈剌不花~~]等，遣客省大使卜顔帖木兒[伯顔帖木兒]來諭，大明兵勢甚盛，請悉心備禦.

[某日，以[都官郎中?]宋明誼爲慶尙道按廉使:慶尙道營主題名記].[252]

[是月乙亥[18日]，吳王朱元璋稱帝，建立明，改元洪武，是爲太祖:追加].

二月[壬寅朔小盡,乙卯]，[甲辰[3日]，日暈有珥:天文1轉載].[253]

[○夜，赤祲如火:五行1轉載].

丁未[6日]，幸法王·王輪二寺，遂幸影殿.

[戊申[7日]，日暈:天文1轉載].

[庚戌[9日]，月暈:天文3轉載].[254]

[甲寅[13日]，日暈幷珥:天文1轉載].[255]

---

252) 이때 이색은 宋明誼를 餞別하는 詩文을 지었다(→參考文獻, 『慶尙道營主題名記』의 脚注를 參考).
· 『목은문고』 권7, 送慶尙道按廉使宋都官序, □[名]明誼, "… 歲春秋, 選朝臣八人者, 分遣之. 其人近名, 民必戚, 其人寬裕有容, 民必受其賜, 朝廷知其如此也, 每重玆選, 非其人, 罕有得者. 曩余嘗參兩府, 與議是選者, 非一再矣. 都官宋君, 未嘗不在其中, 以都官爲首相泰齋公姻親, 是以不果用, 是避嫌也". 여기에서 '泰齋'를 號로 삼은 首相을 찾지 못했다.

253) 이때 일본의 京都에서 2일(壬寅), 3일(甲辰) 계속 비가 내리다가 3일 저녁에 멎었다고 한다.
· 『愚管記』제12, 貞治 7년 2월, "二日癸卯, 終日·終夜降雨, 無間斷, 三日甲辰, 雨猶不休, 及晩止".

254) 이때 교토에서 7일(戊申)에서 9일(庚戌) 사이에 흐리고 일시 비가 내렸다고 한다.
· 『愚管記』제12, 貞治 7년 2월, "七日戊申, 陰, 及晩雨降, 八日己酉, 朝間雨降, 及晩晴, … 九日庚戌, 雨降".

己未[18日], 彗見于西方, 長丈餘.[256)]

[壬戌[21日], 夜, 赤祲:五行1轉載].

[甲子[23日], 亦如之[夜赤祲]:五行1轉載].

乙丑[24日], 王步幸[領都僉議使司事]辛旽家.

[戊辰[27日], 赤祲:五行1轉載].

[某日, 罷國子監試[成均館試]. 王欲選三品官通經者, 爲試官, 辛旽, 欲以監察大夫孫湧爲之, 宦者李剛達, 欲以判典校寺事李茂芳·權思復, 爲之. 王患其爭, 乃曰, "監試所取, 例皆童蒙, 非經明行修之士, 無益國家". 罷之:節要轉載].[257)]

[是月, 安東府使洪仲元, 與判官鄭袤相地, 立藥院數間於法曹衙舊地:追加].[258)]

[是月頃, 以李容爲永州副使:追加].[259)]

三月辛未朔[大盡,丙辰], 王謁顯陵[太祖]·毅陵[忠肅王]·善陵,[260)] 遂幸正陵[恭愍王妃].

[→辛未□[朔], 王詣顯陵·毅陵·善陵, 行別祭, 奏樂三獻, 每獻三拜, 百官皆拜. 至正陵[恭愍王妃], 亦如之, 膳羞豊潔, 倍於三陵:禮3吉禮大祀轉載].[261)]

[→王謁諸陵, 百官皆隨王拜, [領都僉議使司事辛]旽獨立不拜:列傳45辛旽轉載].

[○夜, 赤祲如火, 至乙亥[5日]:五行1轉載].

[己卯[9日], 風, 大寒, 冰:五行1恒寒轉載].

[辛巳[11日], 又大風:五行1恒寒轉載].

---

255) 이날 교토에서 하루 내내 비가 쉬엄쉬엄 내렸던 것 같다.
- 『愚管記』제12, 貞治 7년 2월, "十三日甲寅, 日景與小雨, 時々相交, 終日如此, 午剋雷鳴發聲, 雨甚降, 卽止".

256) 이때 교토에서 19일(庚申) 이래 혜성이 관측되었다고 한다(高麗曆과 同一, 日本史料6-29册 127面).
- 『愚管記』제12, 應安 1년 3월, "廿二日壬辰, 晴, 去夜戌剋, 乾方有星, 光芒甚長, 彗星歟之由, 今朝相尋[安倍]親宣朝臣之處, 無子細云々, 去月十九日戌剋, 出現西方, 一夜之後, 連陰降雨之間不見, 去夜ハ猶光芒之由申之, 可驚々々, 可恐々々. 廿三日癸巳, … 彗星猶出現, 廿四日甲午, 晴, 今夜彗星不見, 乾方陰之故□云々, … 廿五日乙未, 晴, … 彗星猶見云々, 廿六日丙申, 晴, 彗星見, …".

257) 이와 같은 기사가 選擧志2, 國子監試에도 수록되어 있다.

258) 이는 『목은문고』 권1, 安東藥院記에 의거하였다.

259) 이는 『영천선생안』, "副使李容, 戊申三月到, 刱明遠樓, 庚戌正月遞"에 의거하였는데, 李容이 明遠樓를 창건하였다는 것은 다른 기록에서도 찾아진다(『포은집』 권2, 重九日題益陽守李容…).

260) 善陵은 누구의 陵인지는 알 수 없으나 父王인 忠肅王의 后妃 중의 一人으로 推定한 見解도 있었다(『동사강목』제15상, 공민왕 16년 3월 ; 東亞大學 2012년 10책 247面).

261) 이 기사의 冒頭에 十六年三月이 있으나 十七年三月의 오류일 것이다.

[壬午12日，冰堅絶流，又大雪:五行1恒寒轉載].262)

甲申14日，彗見西方.

庚寅20日，彗出大陵·積屍間.

辛卯21日，彗出大陵·卷舌間，[射天船九星:天文3轉載].

甲午24日，王以忠肅王忌辰，如妙蓮寺行香.

乙未25日，王步幸領都僉議使司事辛旽家.

丙申26日，[穀雨]. 彗出卷舌上.

己亥29日，彗出大陵上.

夏四月辛丑朔小盡,丁巳，彗見.263)

庚戌10日，幸領都僉議使司事辛旽家，觀燃燈火山.

[→旽，燃燈設火山，邀王幸其第，與云牧·顥，知申事廉興邦，鷹揚軍上護軍李得霖等，率文武數百人，爲左右隊，督之. 燈以百萬計，極其奇巧，又盛陳雜戲，王賜布百匹. 得霖本隊尉，夤緣附旽驟顯，貪縱不法. 嘗恭愍15年爲全羅道按廉□使，未行，憲府劾得霖盜廣州貢紬，王命臺官，勿問，督令之任. 及爲班主，縛敺內侍別監，憲府又劾之，王亦不問:列傳45辛旽轉載].

壬子12日，[立夏]. 幸九齋，賜李詹等及第.264) [初，王之寵辛旽也，李齊賢白王

---

262) 이때 일본의 京都에서도 9일(己卯)에서 12일(壬午) 사이에 궂은 날씨가 이어진 것 같다.

· 『愚管記』제12, 應安 1년 3월, "九日己卯，晴陰不定，白雪·微霰，時々飛散，十日庚辰，陰，… 十一日辛巳，陰，風吹，… 十二日壬午，晴陰不定，時々細雨·灑雪，有交降之時".

263) 지3, 天文3에는 辛丑에 朔이 탈락되었다. 또 일본의 京都에서 4월 12일(壬子) 무렵 혜성이 보이지 않았다고 한다.

· 『愚管記』제12, 應安 1년 4월, "二日壬寅，晴，彗星猶見，光芒頗微，三日癸卯晴，彗星見，… 十二日壬子，晴，彗星，此間不見云々".

· 『鳩嶺雜事記』, 應安 1년 4월, "上旬比，彗星乾角乾方出現，凶云々".

· 『續史愚抄』26, 應安 1년 4월, "某日，有彗星見東北".

264) 이와 관련된 기사로 다음이 있다.

· 지27, 선거1, 科目1, 選場, "恭愍十七年四月，幸九齋，親試，賜李詹等七人及第".

· 열전30, 李詹, "恭愍王幸九齋，試經義，賜詹等七人及第，授詹藝文檢閱".

· 『양촌집』 권40, 李穡行狀, "明年戊申夏四月，王幸九齋，親試諸生經義，命公讀卷，取李詹等七人，賜及第".

· 『목은집』연보, 至正廿八年戊申, "四月，上幸九齋，親試經義，命公讀卷，取李詹等七人，賜及第".

· 『태종실록』 권9, 5년 3월 乙丑30日，李詹의 卒記, "戊申恭愍17年，恭愍王幸九齋，以經義試諸生，命李穡讀卷，中者七人，詹爲第一，特賜及第，拜藝文檢閱".

曰, "臣嘗一見旽, 其骨法, 類古之凶人, 請上勿近". 旽深銜之, 毁之百端, 以其老, 不得加害. 乃謂王曰, "儒者, 稱座主·門生, 布列中外, 互相干謁, 恣其所欲. 如李齊賢門生, 門下見門生, 遂爲滿國之盜, 儒者之有害, 如此". 時藝文館, 再以三館員少, 請行科擧, 王重違旽意, 不許. 至是, 乃行親試:節要轉載].

[→[辛]旽始有寵, 李齊賢白王曰, "旽骨法, 類古之凶人, 請勿近". 旽深銜之, 以老不得加害, 乃謂王曰, "儒者, 稱座主·門生, 互相干請. 如李齊賢門生, 門下見門生, 遂爲滿國之盜, 科擧之害, 有如此". 時藝文館, 請行科擧, 王素疑署科或濫, 且重違旽意, 不許. 旣而, 聞典校寺書疏祝者惟一人, 乃幸九齋, 取李詹等七人:列傳45辛旽轉載].

[○是時, 用經義:選擧1科目轉載].

戊午[18日], 幸演福寺, 設文殊會, 凡九日.

庚申[20日], [有氣如煙, 生于演福寺佛殿, 二日:節要·五行2轉載].

[○[領都僉議使司事]辛旽白王曰, "佛放光":節要轉載].[265]

[→王又親設文殊會於演福寺, 有氣如烟, 出佛殿三日, [領都僉議使司事辛]旽白王曰 "佛放光":列傳45辛旽轉載].[266]

○密直提學李岡卒,[267] [年三十六. 王悼甚, 賜重賻. 樞密[密直]例不得謚, 特謚文敬. 子原:列傳24李岡轉載].

[→[李]岡, 少好學, 爲吏部郞中. 當遷, 啓曰, "臣執筆注臣名, 臣實不敢". 王重之. 然, 惟務承迎, 識者譏之. 及卒, 王悼甚, 樞密[密直]不應謚, 特謚文敬:節要轉載].[268]

· 『동문선』 권77, 永州城門記(李詹 撰), "… 壬戌[禑王8年]春, 李侯止中出知永州閱月, 倭入寇, 是後相繼呑噬, 凡三十六次, … 李侯同年友也, 嘉其興大作而不忝于素, 故其求記也, 不敢以文拙辭". 여기에서 知永州事 李止中은 李展의 號일 것이다(『永州先生案』).

· 『신증동국여지승람』 권27, 玄風縣, 樓亭, 仰風樓(李詹 撰), "… 余[李詹]於田侯同年友也, 其誦田侯之風, 無辱焉". 여기에서 田平遠은 田某의 號일 것이다.
이때 [進士]李詹·[算員]郭復·[成均進士]閔中理·[成均進士]鄭居義·[別將]李展·田某[平遠]·[成均進士]許溫·金子贇 등의 8人이 급제하였다(『등과록』; 『전조과거사적』, 朴龍雲 1990년).

265) 이때 일본의 京都에서 20일(庚申)과 21일(辛酉)이 모두 맑았으나 21일은 오전 11시 무렵에 雷鳴과 함께 비가 잠시 내렸던 것 같다.

· 『愚管記』제12, 應安 1년 4월, "廿日庚申, 晴, 廿一日辛酉. 晴, 午剋雷鳴·雨降, 卽屬霽, 風頗吹".

266) 原文에는 이 기사가 1367년(공민왕16) 3월 15일에 붙어 있다.

267) 이날은 율리우스曆으로 1368년 5월 7일(그레고리曆 5월 15일)에 해당한다.

268) 이와 관련된 기사로 다음이 있다. 또 李岡의 遺墨은 詩文 1首가 남겨져 있다(『海東名蹟』권하 ; 吳世昌 1928년).

[丙寅[26日], 市廛災:五行1火災轉載].

五月[庚午朔大盡,戊午], [甲戌~~5日~~:比定],[269] [王觀擊毬戱:節要轉載].

乙亥[6日], 以誕日, 飯僧三千於王輪寺.

[戊寅[9日], 月入大微~~太微~~:天文3轉載].

辛巳[12日], 幸[領都僉議使司事]辛旽家.

壬辰[23日], 王以王輪□~~寺~~影殿, 佛宇俠小, 不能容僧三千, 欲改營, 幸福源宮相之.

甲午[25日], 幸馬岩, 相影殿基.

乙未[26日], 撤王輪□~~寺~~影殿, 改營于馬岩. 怨咨大興.[270]

六月[庚子朔小盡,己未], 辛丑[2日], 盡發坊里丁及四十二都府, 鑿溝于馬岩.

甲辰[5日], 王微行, 幸馬岩.

乙巳[6日], 幸定妃宮, 乳媪白王曰, "今方農月旱甚, 願停影殿之役", 王怒黜之.

[戊申[9日], 卽知峴井, 赤沸:五行1轉載].

己未[20日], 幸定妃宮, 與[典理典書]李云牧圍碁, 賭宴.

庚申[21日], 以旱甚, 禁宰牛, 理寃獄, 放二罪以下囚.

秋七月[己巳朔大盡,庚申], 乙亥[7日], 日本遣使來聘.

己卯[11日], 對馬島萬戶[守護代宗宗慶]遣使來, 獻土物.

[辛巳[13日], 宰樞, 奏樂於仁熙殿[王妃魂殿], 上食:禮3吉禮大祀轉載].

戊子[20日], 遼陽省~~知遼陽沿海行樞密院事~~於山帖木兒遣使來聘.[271]

甲午[26日], 幸王輪寺影殿, 遂幸馬岩.

[某日, 以陳枰仲~~陳平仲~~爲慶尙道按廉使:慶尙道營主題名記].[272]

閏[七]月[己亥朔大盡,庚申], [某日], 以旱, 放影殿役徒.

· 지18, 禮6, 諸臣喪, "十七年□□[四月], 密直副使李岡卒, 王悼甚, 賜厚賻. 樞密例不得謚, 特謚文敬".

269) 고려의 歷代 帝王은 5월 5일 端午에 擊毬를 觀覽하였다.

270) 『고려사절요』 권28에는 壬辰(23일)에서 乙未(26일)까지의 기사가 6월에 수록되어 있으나 잘못일 것이다.

271) 於山帖木兒(也先帖木兒, Esen Temur)의 官職은 공민왕 16년 3월 27일에 의거하였다.

272) 陳枰仲은 陳平仲의 오자로 추측된다.

○遣講究使李夏生于對馬島.

壬寅4日, 雨, 國人相謂曰, "影殿小弛, 而天小雨, 若罷則天必大雨".

乙巳7日, 幸奉先寺, 設消災道場.

壬戌24日, 隕霜殺菽.

[癸亥25日, 天狗墜地:天文3轉載].

[是月, 以新進士李詹爲藝文檢閱:追加].[273)]

[○判事金元永·入絲匠徐勉鑄成表訓寺香爐一座:追加].[274)]

[是月乙丑27日, 詔淮王王帖木兒不花監國, □以慶童爲中書左丞相, 同守京城. 丙寅28日, 帝御淸寧殿, 集三宮后妃, 皇太子·皇太子妃權謙之女?, 同議避兵北行, 失列門及知樞密院事黑厮·宦者趙伯顔不花等諫, 以爲不可行, 不聽. 伯顔不花慟哭諫曰, "天下者, 世祖之天下, 陛下當以死守, 奈何棄之. 臣等願率軍民及諸怯薛歹出城拒戰, 願陛下固守京城", 卒不聽. 夜半, 開建德門蒙塵于上都:追加].[275)]

八月己巳朔小盡,辛酉, 庚午2日, 下都僉議侍中柳濯·簽書密直□□~~司事~~鄭思道于巡軍, 以李春富爲都僉議侍中.[276)]

[→□~~都~~僉議侍中柳濯, 謂同知密直□□~~司事~~安克仁·簽盡密直□□~~司事~~鄭思道曰, "今馬岩之役, 非止勞民傷財, 術家有言, 作室此地, 異姓王矣, 臣濫摠百揆, 不憂社稷可乎. 寧死, 當極諫", 克仁等, 從濯上書, 極言不可. 王大怒, 下濯·思道獄, 克仁

273) 이는 다음의 자료에 의거하였다.

· 『쌍매당협장집』연보, "至正戊申二十八年夏四月, 上親試, 牧隱李文靖公穡參掌禮闈, 中第一名, 秋闈七月, 拜藝文檢閱".

274) 이는 表訓寺香爐의 銘文에 의거하였다(許興植 1984년 1193面).

275) 이는 『원사』 권47, 본기47, 順帝10, 至正 28년 윤7월 乙丑, 丙寅에 의거하였다. 이날(28日)은 율리우스曆으로 1368년 9월 10일(그레고리曆 9월 18일)에 해당한다. 또 建德門은 大都城의 北門(2個, 安定門) 중의 하나이다.

· 『宋學士全集』 권18, 故翰林侍講學士…危公新墓碑銘, "… 公諱素, 字太樸, … 至正二十八年閏七月, 元順帝北奔, 淮王帖木兒不花監國承制".

· 『明鑑綱目』 권1, 太祖洪武 1년, "[綱], 秋七月, 明師克通州, 元帝北去, 八月, 徐達入大都, 監國淮王特穆爾布哈~~帖木兒不花~~死之, 元亡". 여기에서 ~~添字~~는 元代의 表記이고, 밑줄[下部線]은 淸代에 改書된 表記이다.

276) 이때 李春富와 관련된 기사로 다음이 있다.

· 열전38, 李春富, "… 春富無才望, 以柔順諂事旽, 又務迎合王心, 遂拜侍中, 賜忠勤節義同德贊化功臣號. 常與蘭爲旽腹心, 每朝, 二人必先謁旽私第, 然後赴衙".

以定妃父, 命歸家, 禁其出入. 出妃歸第曰, "非惡汝也, 惡汝父也".[277] ○大妃[太妃德寧公主] 使人諭王曰, "是祗以彰君之過, 而顯宰相之賢也, 可釋濯等". 王不聽,[278] 卽以李春富, 代濯爲都僉議侍中. 命三司左使李穡·知都僉議□□[司事]柳淵,[279] 鞫濯等曰, "魯國上昇之初, 闕祭三日, 其葬, 又用永和公主例, 何也?".[280] 濯曰, "公主一國之母, 上昇之初, 臣等不勝哀痛, 罔知所措, 偶爾闕祭, 其葬禮, 辛丑[恭愍10年]之亂, 禮文皆失, 故以臣等所知, 爲例耳, 非有他也". ○穡等以聞, 王怒甚, 旽出曰, "侍中當死矣. 王欲殺濯, 命穡製敎諭衆, 穡請罪名". 王曰, "久爲首相, 多行不義, 致天大旱, 一也. 奪演福寺田, 二也. 公主之薨, 三日闕祭, 三也. 其葬, 降用永和之例, 四也. 不忠不義, 孰大於此". 穡曰, "此皆已往事也, 近日, 濯等上書, 請寢土木之役, 雖以四事歸罪, 國人皆謂上書之故. 又此四條, 皆非可殺之罪也, 願更思之". 王益怒, 促愈急. ○穡俯伏曰, "臣寧得罪, 安敢爲文, 以成其罪. 又上書之事, 非獨濯, 領都僉議□□[司事], 亦知之矣". 旽方在側, 不得已, 乃曰, "老夫亦知之, 但爲上怒甚, 不敢告耳". 王命侍中李春富, 封國印, 春富俯伏, 不敢進, 旽曰, "宜令言者, 封之". 乃命穡, 穡恐王益怒, 乃封之, 書曰, "臣穡謹封". ○王曰, "卿以予爲否德, 不從予言, 持此去, 求有德者. 我太祖, 初豈王孫哉, 予乃遜位矣". 乃移御定妃宮, 不許進膳. 知印林樸奉國印進, 命宦者, 排出之. 旽欲解王怒, 啓王, 下穡獄, 使[贊成事]李仁任·柳淵, 鞫之, 穡曰, "今柳侍中, 在縲絏, 穡爲問事官, 而敢盡言者, 欲王動心省悟也". 因泣下曰, "穡之泣, 非畏死也. 但恐因此一失, 主上之名, 不美於天下後世也". ○[贊成事李]仁任等, 具以聞, 王遂感悟, 命皆釋之:節要轉載].[281]

---

277) 安克仁과 관련된 기사로 다음이 있다.
- 열전2, 恭愍王妃, 定妃安氏, "克仁, 爲同知密直□□[司事], 與侍中柳濯等, 上書諫馬巖役, 王大怒, 出妃歸第曰, 非惡汝也, 惡汝父也. 尋召妃".

278) 이 구절과 같은 기사로 다음이 있다.
- 열전2, 忠肅王妃, 明德太后洪氏, "侍中柳濯, 以諫馬巖役繫獄, 后使人諭王釋之, 王不聽".

279) 李穡은 『목은집』연보에 의하면 이해의 8월 某日에 三司左使에 임명되었다고 하여 차이가 있다.
- 『목은시고』 권22, 兩朝文學歌幷序, "明年[戊申恭愍17年], 又遷三司□□[左使]".

280) 永和公主는 여타의 자료에서 확인되지 않아 누구인지는 알 수 없으나, 公主의 爵號가 찾아지지 않는 瀋王 暠의 妃인 訥倫[narin] 公主일 가능성이 없지 않다. 그런데 恭愍王妃를 因山할 때 忠烈王妃인 齊國大長公主의 事例에 의거하였다고 하는데(→공민왕 15년 4월 4일), 이에 따랐다면 柳濯이 治罪될 名目은 아니었을 것이다.

281) 이 기사는 열전24, 柳濯, 열전28, 李穡 등에도 수록되어 있으나 字句에 出入이 있다.
- 『태조실록』 권9, 5년 5월 癸亥[7日], "韓山伯李穡卒于驪興神勒寺, … 王構魯國影殿, 窮極侈麗, 侍中柳濯, 上書請止, 王怒, 欲誅濯, 命穡製諭衆文. 穡請罪名, 王數濯四罪. 穡對曰, '此非可殺

[翌日, 柳濯等進謝, 賜酒, 慰諭曰, "予失於怒, 辱卿等數日, 毋怪也". 又謂穡曰, "毋嫌前怒, 宜更盡忠", 召還定妃:節要轉載].[282)]

[→恭愍十七年, 侍中柳濯等上書, 諫馬岩影殿之役, 王大怒下濯等獄, 使穡鞫之. 王欲以事誅濯, 命穡制諭衆文. 穡請濯罪名, 王曰, "久爲首相, 多行不義, 致天大旱, 一也. 奪演福寺田, 二也. 公主之薨, 三日闕祭, 三也. 其葬, 降用永和公主之例, 四也. 不忠不義, 孰大於此". 穡曰, "此皆既往事也. 近日濯等, 請寢影殿之役, 雖以四事歸罪, 國人皆以爲上書之故. 且此四事, 皆非可殺之罪, 願更思之". 王益怒趣益急, 穡伏俯曰, "臣寧得罪, 安敢爲文, 以成其罪. 且上書之事, 非獨濯, 領都僉議□□司事亦知之矣". 時辛旽爲領都僉議□□司事, 方在王側, 不得已乃曰, "老夫亦知之, 但以上怒, 不敢告耳". 王命侍中李春富封御寶, 春富俛伏不敢進. 旽曰, "宜令言者封之". 乃命穡, 穡恐王益怒, 乃封之. 書曰, "臣穡謹封". 王曰, "以予否德, 不從予言, 持此去求有德者事之. 我太祖, 初豈王孫哉. 予避位矣". 乃移御定妃宮, 不許進膳. 翼日, 旽欲解王怒, 啓王下穡獄, 使贊成事李仁任, 知都僉議柳淵訊之, 坐以不從王命. 穡曰, "臣自布衣, 謬蒙上知, 不有戰功, 不經吏職, 但以文墨小才, 驟至宰相, 上恩深重圖報無由. 嘗謂苟可以有益上德者, 不惜身命, 力言之, 以報萬一. 今柳侍中在縲絏, 穡爲問事官, 而敢盡言者, 欲王動心省悟, 不濫殺大臣也". 因泣曰, "穡之泣, 非爲見恤於獄官, 非敢望達於上聽, 又非畏死也. 但恐因此, 一失主上之名, 不美於天下後世也". 仁任等以聞, 王遂感悟, 放濯等, 命穡曰, "沐浴而朝, 予將與之言". 明日, 穡進謝, 王曰, "毋嫌前怒, 宜更盡心":列傳28李穡轉載].

[某日, 以郭儀爲朔方·江陵道按廉使. 儀居玄風, 每遇名日, 備酒饌, 往靈山, 奠旽父墳. 令直墳者, 具辭達旽, 旽以儀素不相識, 驚喜召之, 尋除正言. 識者鄙之:節要轉載].[283)]

[丁亥19日, 黃霧:五行3轉載].

[己丑21日, 大風, 飛瓦拔木:五行3轉載].[284)]

之罪, 願更思之'. 王益怒, 促愈亟, 穡曰, '臣寧得罪, 安敢爲文, 以成其罪'. 王遂感悟, 濯得全".

282) 이에서 翌日은 柳濯이 下獄된 2일(庚午) 다음인 3일(辛未)이 아니라 數日이 경과한 어느 날[某日]일 것이다.

283) 이와 같은 기사로 다음이 있다.
- 열전45, 辛旽, "玄風人郭儀, 每遇俗節, 備酒饌, 往靈山, 奠旽父墳, 令守者達旽. 旽以素不相識, 驚喜召之, 尋除正言".

284) 이날(己酉, 11일) 일본의 京都에서 한밤중[三更, 零時]에 비가 심하게 내렸다고 한다(『愚管記』

[庚寅[22日], 冰:五行1恒寒轉載].

[癸巳[25日], 大震雷, 雨雹:五行1轉載].

[甲午[26日], 熒惑犯大微[太微]上將. 月入大微[太微]:天文3轉載].

[○雨雪:五行1雨雪轉載].

乙未[27日], 王聞大明兵, 圍皇城甚急, 以左常侍曹敏修爲義靜州等處安慰使, 前典理判書林堅味爲安州巡撫使.

[某日, 以[判開城府事兼成均館大司成]李穡爲三司左使, 餘並如故:追加].[285)]

[是月, 取□□□[升補試]全伯英等三十七人:選擧2升補試轉載].[286)]

[是月庚午[2日], 明兵入大都, 大元蒙古國滅亡:追加].[287)]

[某日, 洪武帝朱元璋, 以應天府爲首都, 曰南京, 開封府爲北京:追加].[288)]

九月[戊戌朔大盡,壬戌], [某日], 遼陽省平章□□[政事]洪寶寶遣使來聘.

辛丑[4日], 以李成林爲楊廣道都巡問使, [都僉議評理]李金剛爲全羅道都巡問使.

戊申[11日], 幸馬岩影殿.

[己酉[12日], 大風:五行3轉載].[289)]

[辛亥[14日], 亦如之[大風]:五行3轉載].

제12, 應安 1년 9월, "十一日己酉, 晴, 半夜雨甚降").

285) 이는 『목은집』연보에 의거하였다.

286) 1405년(태종5) 6월에 발급된 劉敬의 政案寫本(「劉敞政案」)에 의하면(『江陵劉氏世譜』, 南權熙 2002년 446面), 이때 劉敬도 生員試에 합격하였다고 한다("戊申年, 全伯英榜下, 生員試入格").

287) 이는 『원사』 권47, 본기47, 順帝10, 至正 28년 8월 庚午에 의거하였다. 이날(28日)은 율리우스曆으로 1368년 9월 14일(그레고리曆 9월 22일)에 해당한다. 이때 順承門(大都城의 南門)을 防禦하던 高麗人[肅良合台] 出身의 中書省平章政事 朴賽因不花(朴賽顏不花, Sain Buqa)가 明軍에 逮捕되어 屈服하지 않다가 피살되었다(『원사』 권196, 열전82, 忠義4, 朴賽因不花). 또 그는 宰相年表에는 魏賽因不花로 되어 있으나 誤字일 것이다(『원사』 권113, 宰相年表2, 至正 28년, 平章政事).

288) 이는 다음의 資料에 의거하였는데, 應天府는 後日 朱元璋의 據點都市[首都]인 南京, 京城[京師]로 발전하게 되었다.

- 『明史』 권40, 지16, 지리1, 京師, "應天府[注, 元集慶路, 屬江浙行省], 太祖丙申年[至正16年]三月日曰應天府, 洪武元年八月, 建都曰南京, 十一年曰京師, 永樂元年仍曰南京".
- 『명사』 권42, 지18, 지리3, 河南, "開封府[注, 元汴梁路, 河南江北行省], 洪武元年五月曰開封府, 八月建北京, 十一年, 京罷".

289) 이날 일본의 京都에서는 한밤중[三更, 零時]에 비가 심하게 내렸다고 한다(『愚管記』제12, 應安 1년 8월, "廿一日己丑, 晴, 半夜雨甚降").

甲寅[17日], [立冬]. 始賜正陵光岩寺米, 月三十石, 又養鳩□[于]宮中數百, [→王又好鳩, 常養數百于宮中:節要轉載], 作籠費布一千匹, 飼穀月十二斛.

乙卯[18日], 本國人金之秀, 自元來言, "大明舟師萬餘艘, 泊通州, 入京城, 元帝與皇后, 奔上都, 太子戰敗, 又奔上都".

丙辰[19日], 杖□[杖流瑞寧君]柳淑于洪州,[290] [和義君]金達祥于淸州. [領都僉議使司事]辛旽尋[十二月]遣人, 殺之.

[○黃霧四塞:五行3轉載].[291]

丁巳[20日], 令百官, 議通使大明.

○始賜[領都僉議使司事]辛旽妾般若, 米月三十石.

[庚申[23日], 亦如之[黃霧四塞]:五行3轉載].

[某日, 監察大夫孫湧, 日詣旽家啓事, 旽坐堂上, 湧每出入, 伏地堂下:節要轉載].[292] 郭儀

[是月, 恒霧:五行3轉載].

冬十月[戊辰朔大盡,癸亥], 癸酉[6日], 遣判宗簿寺事文天式如元, 賀千秋節, 天式至遼陽, 道梗而還, 杖復遣之.

甲戌[7日], 以金蘭爲西北面都體察使.

[某日, [領都僉議使司事]辛旽殺前密直副使金精·[軍器監]金興祖·趙思恭·兪思義等. 初, 精等與[典校副令]金齊顔·金龜寶·李元林·尹希宗等, 謀誅旽. 思恭, 洩謀於所善前洪州牧使鄭暉, 暉與提學韓蕆, 告侍中李春富, 春富入告王, 乃命繫巡軍獄, 並杖流于外. 旽追遣人於路, 皆縊殺之:節要轉載].[293]

十一月[戊戌朔小盡,甲子], 丙午[9日], 對馬島萬戶[安護代]崇宗慶[宗宗慶]遣使來朝[聘], 賜宗慶米一千石.[294]

---

290) 여기에서 杖은 杖流[先施杖刑, 然後流放]에서 流가 탈락되었을 것이다.

291) 이날 교토에서는 비가 내렸다고 한다(『愚管記』제12, 應安 1년 9월, "十八日丙辰, 雨降").

292) 이 기사는 열전45, 辛旽에는 1367년(공민왕16) 11월의 기사에 붙어 있다.

293) 이와 같은 기사가 열전17, 金方慶, 齊顔 ; 열전45, 辛旽에도 수록되어 있다. 또 金精은 三司右使 金承嗣의 子이고, 金宗衍의 父이며, 金興祖는 金光載의 子이다(金光載墓誌銘).
· 열전17, 金周鼎, 宗衍, "宗衍, 父密直副使精, 謀誅辛旽, 事洩爲旽所殺".

294) 崇宗慶은 宗宗慶의 오자로 추측되는데, 이 시기의 對馬島 支配層[島主]의 姓氏는 宗氏[소우

人相, 故范蠡云然'. 淑乃以上比勾踐, 罪莫大焉". 王曰, "何以聞之", 旽曰, "淑將行賦詩, 其一聯云云, 此其驗也. 今淑在瑞州, 近海甚, 若效范蠡, 乘舟而去, 則必向燕都, 謀立僭王, 不如早除, 以絶後患". 王問諸左右曰, "淑去時作詩否, 有擧末聯以對者", 王愈疑之. ○達祥, 長子曰君鼎, 次曰文鉉. 君鼎有愛妾, 當入直, 夜半稱疾, 遽還妾房, 覺房有人, 欲執之, 其人拔劍擊君鼎, 欲突出, 君鼎大叫, 僕隷坌集. 其人匿床下, 達[逮]曉視之, 乃文鉉也. 由是, 達祥疾之甚. 文鉉復殺人取財, 又奸故署令朴禑[朴瑀]妻.[304] 達祥又懼憲司按治, 請[辛]旽曰, "文鉉不肖, 在京必將不孝, 願置于外". 旽曰, "何罪?", 達祥不忍斥言, 但云狂惑. 文鉉聞之, 怨恨, 又忌其兄, 謁旽曰, "文鉉, 不幸爲父兄所疾, 願公哀矜, 不置死地". 旽曰, "汝父兄, 何疾汝耶", 文鉉曰, "我有何罪? 第畏吾口耳". 旽曰, "何畏耶?", 文鉉若不忍言者, 旽疑之, 密謂文鉉曰, "汝父兄, 有何所爲?", 文鉉, 又若不忍言者. 旽益疑, 佯怒曰, "汝若不言, 繫汝巡軍鞫之", 文鉉曰, "吾父兄, 談公不德曰, '將必亡國', 予適聞之, 顧畏吾泄此言也". 旽信之, 未幾, 譖于王, 黜其父及兄. 至是, 旽, 欲殺淑及達祥, 王重違旽意, 乃許杖之, 除名籍沒. 旽遂殺之:節要轉載].[305]

[某日, 用循資格:節要·選擧2選法轉載].[306]

[是月, 明遣符寶郞偰斯奉璽書, 使高麗:追加].[307]

---

304) 이때 金文鉉의 惡行은 다음과 같다.

· 열전44, 金文鉉, "文鉉, 嘗在善州, 州人林永和與弟寶劒, 從李芳實, 擊紅賊. 及[恭愍11年]芳實誅, 文鉉利永和家産, 率二十餘人, 夜至其家, 矯旨稱芳實之黨, 皆置極刑, 乃執永和兄弟斬之, 盡奪其財及馬九匹以歸. 又與署令朴瑀善, 瑀死, 遂姦其妻, 又竊宰相[同知密直司事]金鋐妾".

305) 이 기사는 原文에서 9월 19일에 수록되어 있으나 「柳淑墓誌銘」에 따라 이곳으로 옮겼다[校正事由]. 柳淑은 是年 12월 21일(丁亥) 靈光에서 辛旽에 의해 絞殺되었다. 또 柳淑과 金達祥에 관한 기사는 열전25, 柳淑 ; 열전44, 반역5, 金文鉉에도 수록되어 있으나 자구에 출입이 있다. 그리고 이를 압축한 기사도 있다.

· 열전45, 辛旽, "[領都僉議使司事辛]旽惡柳淑, 譖王殺之, 又聽金文鉉讒, 殺文鉉父達祥, 及其兄君鼎, 語在淑·文鉉傳".

306) 循資格은 730년(開元18) 唐의 侍中兼吏部尙書 裴光庭(678~733)의 건의에 의해 채택하였던 官僚의 昇進制度이다. 이는 勤務期間을 발탁의 중요한 요소로 삼았기에 北魏의 停年格과 유사한 점이 있다고 한다. 그래서 관료로서의 賢愚가 판별되지 않아 오랫동안 淹滯되어 있었던 인물들에 의해 환영을 받았으나 文翰·行政的 能力보다는 經歷을 더 중시하는 短點이 있다고 한다(『신당서』 권45, 지35, 選擧志下). 고려에서도 前期이래 이 제도를 어느 정도 준용하고 있었음은 李奎報의 指摘을 통해 알 수 있다(『동국이상국집』前集권26, 上趙太尉書, 上相國崔詵書).

307) 이는 다음의 자료에 의거하였다.

·『憲章錄』 권1, 洪武 1년 12월, "遣符寶郞偰斯奉璽書, 使高麗".

·『昭代典則』 권4, 洪武 1년 12월, "遣符寶郞偰斯以即皇帝位, 號國大明, 建元洪武, 賜璽書高麗

[史臣河崙曰, "書曰, '官不必備, 惟其人',[308] 爵罔及惡德, 惟其賢. 官爵者, 人君所以待賢材, 而與之爲理者也. 循資之格, 但以歲月久近, 勤勞多少, 爲等第. 賢智者, 宜在上, 而反滯乎下, 愚不肖者, 宜在後, 而反居乎前, 以致玉石相混, 薰蕕無辯. 此朝廷之所以不尊, 而庶績之所以不熙也. 願理之君, 其可以此, 爲用人之法乎?":節要轉載].

[冬某月, 以奉常大夫·典理摠郎成石璘爲中顯大夫·海州牧使:追加].[309]

[是年, 還慶尙道都巡問使本營於金海:追加].[310]

[○降洪州牧爲知洪州事:地理1轉載].

[○以前知密直司事尹之彪爲知密直司事:追加].[311]

[○以禮曹正郎鄭夢周爲成均司藝:列傳30鄭夢周轉載].

[○以宋茂爲延安府使, 尋以金禧代之:追加].[312]

[○永寧君彬, 來自元曰, "元朝政亂民饑, 群盜日盛, 元祚不久矣":列傳3顯宗王子平壤公基轉載].

[○漆原府院君尹桓, 造成報法寺所須器皿, 又完則曰, '此吾寺之重創也', 乃設落成法會:追加].[313]

[○元中書省譯史趙胖來自大都:追加].[314]

國王王顓知之".

308) 이 구절은 『尙書』 권4, 咸有一德第8, 尙書, "周官, 官不必備, 惟其人"에서 따온 것이다.

309) 이는 다음의 자료에 의거하였다

· 『獨谷集』, 行狀, "有明洪武元年戊申冬, 出牧海州, 階中顯大夫, 時辛旽當國, 疾公恩遇, 謀欲陷公, 玄陵審其然, 有是命, 旣至三月而召還".

· 『세종실록』 권19, 5년 1월 甲午[12日], 成石璘의 卒記, "… 出爲海州牧使, 時辛旽忌其知遇, 故有是命, 單騎赴郡, 居三月, 拜成均司成·三司左尹".

310) 이는 다음의 자료에 의거하였다. 이때 合浦(現 慶尙南道 昌原市 合浦區 地域)에 있던 慶尙道都巡問使의 本營이 일시 金海府로 옮겨 갔던 것[還爲本營]으로 추정된다.

· 『경상도지리지』, 晋州道, 金海都護府, "恭愍王, 至正戊申, 還爲本營".

311) 이는 「尹之彪墓誌銘」에 의거하였다.

312) 이는 『연안부지』에 의거하였다.

313) 이는 다음의 자료에 의거하였는데, 再初가 무슨 의미인지를 알 수 없으나 再造[重創]를 指稱하는 것으로 추측된다.

· 『목은문고』 권6, 報法寺記, "明年, 所須器皿, 又完則曰, '此吾寺之再初也', 乃設落成初會".

[○明軍之攻陷大都宮闕時, 宮人五百餘人被拉, 而其中有高麗咸安郡人周英贊之女, 尋周女身屬皇后郭氏, 而受親敎. 後日蒙洪武帝朱元璋之寵愛也:追加].[315)]

[是年頃, 成均司藝鄭夢周力請于朝, 首先歸附於明:列傳30鄭夢周轉載].[316)]

己酉[恭愍王]十八年, 元至正二十九年→5月高麗停至正年號, [只用當該年干支], [明洪武二年], [西曆1369年]

1369년 2월 7일(Gre2월 15일)에서 1370년 1월 27일(Gre2월 4일)까지, 355일

春正月丙申朔大盡,丙寅, 辛丑6日, [雨水]. 遼陽省納哈出及平章□□政事洪寶寶遣使來聘.

壬寅7日, 王親祭公主魂殿, 奏妓樂極懽, 如平生. 德寧公主及領都僉議使司事辛吨侍宴, 夜分乃罷.

[甲辰9日, 霧, 二日:五行3轉載].

[己酉14日, 夜, 霧:五行3轉載].

[庚戌15日, 大霧:五行3轉載].

---

314) 이는 다음의 자료에 의거하였다.

- 『태종실록』 권2, 1년 10월 27일(壬午), 趙胖의 卒記, "… 戊申恭愍17年, 以親老東歸".

315) 이는 다음의 자료에 의거하였다.

- 『明太祖文集』 권18, 述周誼驅無寧日, "洪武初, 朕命大將軍率雄師三十萬, 抵胡都而破之, 大將軍封宮室 閉府庫, 以聽朕命. 逾月, 朕命內官往視元宮, 宦臣抵其宮而視之, 其諸宮美麗者, 十去八九, 內存一二, 守宮, 尙五百餘人, 人各自生, 然諸宮人者, 朝望御榻而悲, 暮倚寢床而泣, 皆昔日之怨女也. 朕命各適其人, 使有善終之道, 聘配間, 獨一女, 言殊語異, 貌資嫩幼, 弗應是行. 因是宦臣將入吾宮, 詢其由, 乃朝鮮之女也. 皇后憐其遠離父母, 且幼無知, 特敎育以培之. 明年, 高麗入貢, 是女父至焉. 朕命待以厚禮, 贖贈以歸, 是後, 使者相望, 不絶而至, 又七年餘, 彼中逆賊弑其王, 兼詭殺朝使及內官者, 斯殺也. 初本欲設巧以掩非, 何其搆成大禍, 又三年, 事不獲已, 乃令女子兄周誼者, 作行人, 往來飾非, 將必脫此奸頑, 豈不愚之甚者也. 因是周誼兄弟父子, 往來爲驅, 直至歿身者有之, 生而復至者有之, 惟周誼歲居山海, 少會眷屬, 備歷艱辛, 日無休息, 更兼久無善終之道, 必爲致疑而歿身. 夫何以見, 所以見者, 誼之生長, 本於朝鮮, 心何離之, 奈群逆强差, 安敢弗行, 旣行且囑托以虛誑, 果使誼訴於朕前, 誼必不得已爲彼飾非, 若不止之, 使盡飾其非, 將後我不誼悅, 假使誼不飾彼之非, 則誼必不利於身家. 斯兩難之道, 孰能決之, 人皆弗決. 吾將以爲誼捨彼而就此, 脫高麗驅役之患, 而從斯之樂, 不亦可乎?".

316) 原文에는 "初, 皇明肇興, 夢周力請于朝, 首先歸附"로 되어 있다.

[某日, 以金龜壽爲慶尙道按廉使:慶尙道營主題名記].

[是月, 以[藝文檢閱]李詹爲藝文修撰:追加].[317]

[是月頃, 以[正順大夫]崔安穎爲安東大都護府使:追加].[318]

二月[丙寅朔小盡,丁卯], 丁卯[2日], 親祭正陵.

癸酉[8日], 幸王輪寺.

[癸未[18日], 月暈:天文3轉載].[319]

[某日, [領都僉議使司事]辛旽, 欲自爲五道都事審官, 令三司上書, 請復事審官. 王曰, "我皇考忠肅王, 値旱災, 焚香告天, 罷此官, 天乃雨. 寡人, 可忘先王之意乎?", 焚其書:節要轉載].[320]

[→旽, 欲自爲五道都事審官, 令三司上書, 請復之, 王曰, "我皇考忠肅王, 値旱災, 焚香告天, 罷此官, 天乃雨. 寡人可忘先王之意乎", 焚其書. ○後旽齎諸道州縣事審奏目詣王, 王戱曰, "五道都事審僉議可自爲之". 又曰, "大盜, 莫若諸州事審", 事遂寢:列傳45辛旽轉載].[321]

戊子[23日], 元遣中書省右丞豆利罕, 賜王衣酒, 王贈豆利罕衣服·金帶, 不受.

[丙辰[某日], 寅時, 訛言, 唐船[明船]已入西江, 城中洶洶, 流離失所者, 頗衆:五行2轉載].[322]

三月[乙未朔大盡,戊辰], 癸卯[9日], 元遣使, 進王爲[征東行中書省]右丞相.

[壬子[18日], 天鳴:五行1鼓妖轉載].[323]

---

317) 이는 『쌍매당협장집』 연보에 의거하였다.

318) 이는 『안동선생안』에 의거하였다.

319) 이날 일본의 교토[京都]에서 晴陰이 交差되다가 때때로 비가 내렸다고 한다(『愚管記』제13, 應安 2년 2월, "十八日癸未, 或晴或陰, 時々雨灑").

320) 이와 같은 기사가 열전45, 辛旽에도 수록되어 있다. 또 이 시기 이후에도 事審官이 있었음은 和寧府事審 李成桂(→공양왕 2년 11월 30일의 脚注), 全羅道 朱溪郡의 사심관이었던 楊廣道 雙阜監務 裵宗衍(李穡의 知人, 「尹龜生妻崔氏墓誌銘」) 등을 통해 알 수 있다.

321) 後日에 事審官에 대한 論議가 있었다고 하는데, 언제 이루어졌는지를 알 수 없다.

322) 이달에는 丙辰이 없다. 그런데 訛言이 일어났다는 寅時는 오전 3시에서 5시이고, 辰時는 오전 7시에서 9시이므로 "丙辰寅時"는 "丙寅朔辰時"의 오류일 수도 있다.

323) 原文에서는 "[恭愍]十八年二月壬子, 天鳴, 丙辰夜, 又大鳴"으로 되어 있으나 2월에는 壬子가 없다. 이에서 "二月壬子"는 "三月壬子"로 고쳐야 옳게 될 것이다. 또 이날 교토에서 흐리고 밤에 비가 내렸다고 한다.

· 『愚管記』제13, 應安 2년 3월, "十八日壬子, 陰, 入夜雨降".

甲寅[20日]，遣同知密直司事王重貴如元，賀聖節，又謝恩表曰，[324] "敷告明綸，方深驚省，登庸峻級，采極震惶，重以匪頒，益知顚隕．~~臣某~~ 竊以[惟]分封建長，譬腹心之賴股肱，敵愾勤王，猶手足之捍頭目，此古今共由之大體，實上下相與之至情．如臣者，係出館甥，恩叨襲爵．當天弋月捷南土，恨未報[補]於分毫，値龍馭冬巡上都，誠不辭於糜粉．想方召中興周室，思郭·李再造唐家，抗表出師，非敢後也．飛芻輓粟，厥惟艱哉，時易逝，而功莫成，志徒勤，而力不逮．何圖聖慮，遠燭愚衷，賜溫言於前，旣先之以奬誘[諭]，進右揆於後，復繼之以褒崇，斯皆希[稀]世之至榮，況乃連旬而倂得．酒導投河之飮，衣興挾纊之情，祇荷寵靈，愈增憂責．皇帝陛下[伏遇~~云々~~]，躬生知之聖，履交泰之時，恭默淵冲，洞進退存亡之故，作興振起，收予奪廢置之權．屈群策以雜施，感衆心而齊奮，神明恊贊，旦夕削平．賞不遺遐，悉令歸極，非謂臣多多益辦，盖緣[憐]臣斷斷無他．臣敢不誓節義，金石之堅[竪]，惟一終始，伸壽考岡陵之祝，倍萬尋常"．重貴道梗，不達而還．

◯命宰樞議移都．

[丙辰[22日]，夜，□[天]又大鳴:五行1鼓妖轉載].[325]

[某日，前左右衛保勝中郎將孫有證，前千牛衛護軍林祐等寫成'金字法華經':追加].[326]

[是月頃，以[奉翊大夫]河楫爲雞林府尹，[奉翊大夫]成元揆爲安東大都護府使，[朝奉郎]許進卿爲安東大都護府判官:追加].[327]

夏四月[乙丑朔小盡,己巳]，丁卯[3日]，[領都僉議使司事]辛旽設文殊會於演福寺，王往觀之，賜僧

---

324) 이 표는 『목은문고』 권11, 謝恩表인데, 添字는 이에 의거하였다.

325) 이날 교토에서 비가 내렸으나 때때로 太陽을 볼 수도 있었다고 한다(『愚管記』제13, 應安 2년 3월, "廿二日丙辰，雨降，時々見日景").

326) 이는 京都市 北區 大宮栗栖町 常德寺에 소장되어 있는 『金泥法華經』第1의 제기에 의거하였다(京都府文化財保護基金 1986年 249面 ; 張東翼 2004년 712面).
· 題記，"伏玆」大乘功德，恭順」主上殿下，壽万歲，」王后殿下，壽無疆，」文武官僚，忠貞補國，時淸戈戢，穀」登民安，法界生沒有情，俱獲妙利，」佛日增輝，法輪常轉者，」至正二十九年己酉三月日誌，」勸善比丘六盧，」同願比丘頂嚴，」施主前左右衛保勝中郎將孫有證，」施主漆原郡夫人尹氏，」施主檢校護軍蔡仁甫，」同願奉善大夫·前千牛衛護軍林祐，」".

327) 이는『동도역세제자기』;『안동선생안』에 의거하였다. 또 河楫(河允源의 父)은 僉議贊成事로 致仕한 후 晋川君에 봉해졌고, 死後에 元正이라는 諡號가 내려졌다고 한다. 또 元珪(河允源의 兄弟)는 大禪師로 斷俗寺에 거주하다가 1377년(우왕3, 宣光7) 11월 先妣 鐵城郡夫人 李氏와 父 重大匡·晋城君 河楫을 위해 『妙法蓮華經』을 寫成하였다고 한다(湖林博物館 所藏 ; 權熹耕 2006년).
· 열전25, 河允源, "父楫, 贊成事致仕, 封晋川君, □[及]卒, 子僧元珪火葬. 諡元正".

布五千五百匹.

[→[恭愍]十八年, [領都僉議使司事辛旽,] 以公主忌晨[~~忌辰~~], 設會于演福寺, 僧尼數千, 施布八百匹. 時水原道饑, 流民聞會坌集, 旽以餘布分與流民, 以干譽:列傳45辛旽轉載].

辛未[7日], 幸影殿.

壬申[8日], [小滿]. 幸公主魂殿, 飯僧.

癸酉[9日], 王觀火山戲.

甲申[20日], 慶昌□□[~~府院~~]大君瑜卒.[328)]

壬辰[28日], 大明皇帝遣符寶郎偰斯, 賜璽書及紗羅·段匹[~~綵段~~]摠四十匹, 王率百官, 出迎于崇仁門外. 其書曰, “大明皇帝致書高麗國王. 自有宋失馭, 天絶其祀, 元非我類, 天命入主中國, 百有餘年. 天厭其昏淫, 亦用隕絶其命, 華夷擾亂, 十有八年. 當群雄初起時, 朕爲淮右布衣, 忽暴兵疾至, 誤入其中. 見其無成, 憂懼不寧, 荷天之靈, 授以文武, 東渡江左, 習養民之道, 十有四年. 其間, 西平漢主陳友諒, 東縛吳王於姑蘇, 南平閩越, 勘定八蕃, 北逐胡君, 肅淸華夏, 復我中國之舊疆. 今年正月, 臣民推戴, 即皇帝位, 定有天下之號曰大明, 建元洪武. 惟四夷未報, 故修書遣使, 涉海洋, 入高麗, 報王知之. 昔我中國之君, 與高麗壤地相接, 其王或臣或賓, 盖慕中國之風, 爲安生靈而已. 天監其德, 豈不永王高麗也哉? 朕雖德不及中國之先哲王, 使四夷懷之, 然不可不使天下周知”. 斯以去年十一月, 發金陵, 海道艱關, 至是乃來, 斯卽遜之弟也.[329)]

○遣[都僉議評理]禹磾, 聘于淮王[~~王帖木兒不花?~~].

[□□[~~是月~~]],[330)] 旱.

五月甲午朔[小盡,庚午], 日食.[331)]

---

328) 이 기사는 열전4, 神宗王子, 襄陽公恕에도 수록되어 있다. 이날은 율리우스曆으로 1369년 5월 26일(그레고리曆 6월 3일)에 해당한다.

329) 偰斯는 前年(洪武1, 공민왕17) 12월 26일(丁卯) 파견의 命을 받았고, 朱元璋의 璽書는『明太祖實錄』에도 수록되어 있으나 字句에 出入이 있다(권37, 본기1, 洪武 1년 12월, 壬辰). 또 이때 烏斯道가 餞別의 詩文을 지었다(『春草齋集』 권4, 送偰尙賓使高麗).

330) 是月이 탈락되었을 것이다.

331) 이날 明에서도 일식이 있었고(『명태조실록』 권42 ; 『명사』 권2, 太祖2, 洪武 1년 5월 甲午), 일본에서는 일식에 대한 기록이 찾아지지 않았던 것 같다(高麗曆과 同一, 日本史料6-30册 425面). 이날은 율리우스력의 1369년 6월 5일이고, 開京에서 일식 현상이 심했던 시간은 12시 22분, 食分은 0.79이었다(渡邊敏夫 1979年 312面).

乙未[2日], 偰斯以二羊, 享王.

丁酉[4日], [偰]斯還, 王餽鞍馬·衣服, 不受, 宰樞贈人參[大蔘]·藥物, 亦不受. 王命文臣, 賦詩以贈.

戊戌[5日], 幸高羅里, 觀擊毬.

[→戊戌, 端午, 御帳殿于高羅里, 觀擊毬, 兩府侍坐. [領都僉議使司事]辛旽於帳殿前乘馬, 侍中以下, 皆起立, 旽騎過, 垂鞭自若:節要轉載].

[→王又幸高羅里, 觀擊毬, 旽於帳殿前乘馬, 侍中以下起立, [領都僉議使司事辛]旽騎過, 垂鞭自若:列傳45辛旽轉載].[332)]

己亥[6日], 以誕日, 飯僧三千於影殿.

辛丑[8日], 停至正年號.[333)]

[某日, 王謁太后[洪氏], 語及旱甚, 太后曰, "王知天之所以旱歟. 去年不雨, 百姓飢死, 今又大旱, 民不聊生, 王孰與爲君. 奈何, 委政臣下, 多殺有功無罪之人, 大興土木, 致傷和氣耶. 王爲元子時, 百姓屬望, 惟恐王不爲君, 怨忠惠無道, 我亦以爲然. 忠惠時, 豊年多, 而殺人少, 今可反不及耶. 且王年非幼, 何假國柄他手乎?", 因泣下沾襟. 王有不豫色曰, "母后, 何彰子之過, 若是其甚歟? 殺人之多, 非寡人之罪, 但禁亂臣而已". 自是, 孝衰, 又因旽之譖間也:節要轉載].[334)]

甲辰[11日], 遣禮部尙書洪尙載·監門衛上護軍李夏生, 奉表如金陵, 賀登極, 仍謝恩, 其表曰,[335)] "秉籙膺圖, 復中國皇王之統, 體元居正, 同萬邦[方]臣妾之心, 景命有歸[故], 懽聲旁達. □□[欽惟]」皇帝陛下[云云], 文明邁舜, 勇智[智勇]躋湯. 雷厲風飛, 集大勳於戡定, 鼎新革古, 熙洪號以創垂, 典章文物之粲然, 華夏蠻貊之率俾. □□[云云], 臣邈處東表, 顒望北辰, 雖未參稱賀之班, 願恒貢蕲傾之懇".[336)]

---

332) 이 기사는 열전45, 辛旽에도 수록되어 있으나 1366년(공민왕15) 4월 27일의 기사에서 열거된 辛旽의 無禮한 事例에 일괄 정리되어 있다.

333) 『東都歷世諸子記』에는 至正年號를 停止한 것이 5월 5일(戊戌)로 되어 있다("至正二十九年己酉, 五月初五日, 始除至正"). 여기에서 5월 5일(戊戌)은 율리우스曆으로 1369년 6월 9일(그레고리曆 6월 17일), 8일(辛丑)은 6월 12일(20일)에 각각 해당한다.

334) 이와 유사한 기사가 열전2, 忠肅王妃, 明德太后洪氏에도 수록되어 있다.

335) 이 표는 『목은문고』 권11, 賀登極表인데, ~~添字~~는 이에 의거하였다.

336) 洪尙載는 8월 2일(甲子) 朱元璋을 알현하고 表를 올려 卽位를 賀禮하고 封爵을 請하였다. 또 方物을 바치고 中宮·皇太子에게도 禮物을 바치자 洪尙載 以下에게 羅綺를 差等있게 지급하였다.
- 『明太祖實錄』 권44, 홍무 2년 8월 甲子, "高麗國王王顓, 遣其禮部尙書洪尙載等奉表, 賀卽位, 請封爵, 且貢方物, 中宮及皇太子, 皆有獻, 賜尙載以下羅綺有差".

六月[癸亥朔大盡,辛未], 丙寅[4日], 皇帝遣宦者金麗淵□[來], 致書曰, "去年冬, 專使涉海, 具述安定中國之由, 諒達已久. 繼又削平晋冀, 以及秦隴, 生民庶有休息之期矣. 比移幽燕之民, 南來就食, 內有高麗民百六十五人, 豈無鄕里骨肉之思. 朕甚憫焉, 卽命有司具舟, 欲遣使護送東歸. 適內使監丞金麗淵在側, 麗淵亦高麗人, 嘗言家有老母, 久不得見, 朕念其情, 就令其行, 并遂省親之願. 仍賫紗羅各六匹, 侑緘至可領也".[337)]

己巳[7日], 改官制.[338)]

[是時. 改都僉議府爲門下府, 改領都僉議使司事爲領門下府事, 都僉議左·右侍中爲門下左·右侍中, 都僉議贊成事爲門下贊成事, 僉議評理爲參知門下府事, 知都僉議府事爲知門下府事, 直都僉議司事爲直門下事, 左·右司議大夫爲左·右諫議大夫, 內書舍人爲門下舍人, 復改左·右獻納爲左·右司諫, 都僉議錄事爲門下錄事. 都僉議注書爲門下注書:百官1門下府轉載].[339)]

[○改□□[三司]副使爲少尹:百官1三司轉載].

[○降□□[密直]簽書□□□□[密直司事], □[爲]正三品, 改提學爲學士, 代言爲承宣:百官1密直司轉載].

[○復改典理司, 爲選部, 軍簿司爲摠部, 版圖司爲民部, 典法司爲理部, 禮儀司

---

337) 洪武帝 朱元璋은 4월 1일(乙丑) 고려인 출신의 宦官[內臣] 金麗淵을 고려에 보내 江南에 流寓하고 있던 高麗人 160餘人을 쇄환시키려는 璽書와 紗羅 各 6疋을 전하게 하였다. 또 內使는 皇帝의 詔令을 전달하는 內監[宦官]을 가리킨다.

- 『명태조실록』 권41, 洪武 2년 4월, "乙丑朔, 遣內臣送高麗流寓人還其國, 以璽書賜其王王顓曰, 去冬, 嘗遣使至王國, 以璽書賜王, 比因南徙幽·燕之民, 其間有高麗流寓者百六十餘人. 朕念其人豈無鄕里骨肉之思, 故令有司遣送東歸, 而內使金麗淵適在朕側, 自言亦高麗人, 家有老母久不得見. 朕念其情就今歸省, 并護送流寓者還, 賜王紗羅客六匹, 至可領也".
- 『자치통감』 권223, 唐紀39, 代宗廣德 1년(763) 10월 己亥, "… [宦官]驃騎大將軍·判元帥行軍司馬程元振專權自恣, 人畏之甚於[宦官]李輔國. … 悉出內使隸諸州[胡三省注, 言悉出諸宦官隸諸州羈管也. 時宦官皆爲內諸司使, 故曰內使], …". 여기에서 羈管(覊管)은 特定人이 逃亡가지 못하게 잡아두는 것을 가리킨다[拘禁管束].
- 『송사』 권27, 본기27, 高宗4, 紹興 2년 윤4월, "丁酉[7日], 左朝奉郎孫覿坐前知臨安府贓汚, 貸死除名, 象州羈管".
- 『增定吏文輯覽』 권2, 羈管, "將罪入寄留人家, 使不得他往"(8面右7行).

338) 이때 공민왕에 의한 제3차 관제개혁은 다시 황제국의 정치 체제였던 文宗代의 관제를 준용한 것이었다.(또 이날은 율리우스曆으로 1369년 7월 10일(그레고리曆 7월 18일)에 해당한다.)

339) 이는 지30, 百官1, 門下府, "[恭愍王]十八年, 改門下左·右侍中. 辛昌復改侍中·守侍中"에 의거하였지만, 世家編의 사례를 통해 볼 때 그러하지 않았다. 향후 공민왕대 이후의 政治制度의 變化에 대한 면밀한 검토가 있어야 하겠다.

爲禮部, 典工司爲工部. 稱尙書·議郎·直郎·散郎:百官1六曹轉載].

[○改考功正郎爲直郎, 佐郎爲散郎:百官1考功司轉載].

[○革都官摠郎, 改正郎爲直郎, 佐郎爲散郎:百官1都官轉載].

[○復稱監察司, 爲司憲府, 改大夫爲大司憲, 革執義, 置知事·兼知事從三品, 掌令改侍史, 持平改雜端, 降從五品, 加置兼糾正:百官1司憲府轉載].

[○藝文館提學, 例改□□□[提學爲]學士:百官1藝文館轉載].

[○寶文閣提學, 例改□□□[提學爲]學士, 減直閣, 置應敎正五品:百官1寶文閣轉載].

[○復置修文殿·集賢殿, 例改提學爲學士:百官1諸館殿學士轉載].

[○改□□[成均]祭酒爲司成:百官1成均館轉載].

[○典校寺, 復用五年官制:百官1典校寺轉載].[340)]

[○復改通禮門, 爲閤門[閤門], 又改副使爲引進使, 判官爲引進副使, 舍人爲通事舍人:百官1通禮門轉載].

[○復稱典儀寺, 爲太常寺, 改令爲卿, 副令爲少卿, 陞正四品, 注簿爲博士:百官1典儀寺轉載].

[○復稱宗簿寺, 爲宗正寺, 例改爲卿·少卿:百官1宗簿寺轉載].

[○復改衛尉尹爲卿, 少尹爲少卿:百官1衛尉寺轉載].

[○復稱司僕寺, 爲太僕寺, 又改正爲卿, 副正爲少卿, 直長爲注簿:百官1司僕寺轉載].

[○復稱典客寺, 爲禮賓寺, 例改爲卿·少卿:百官1禮賓寺轉載].

[○復稱典農寺, 爲司農寺, 又改正·副正, 爲卿·少卿, 復置直長:百官1典農寺轉載].

[○復稱太府寺, 仍復爲卿·少卿:百官1內府寺轉載].

[○復稱少府寺, 爲少府監, 又改爲監·少監:百官1少府寺轉載].

[○復稱繕工寺, 爲將作監, 又改令·副令爲監·少監:百官1繕工寺轉載].

[○改司宰寺, 爲司宰監, 復改令·副令爲監·少監:百官1司宰寺轉載].

[○改軍器監, 爲軍器寺:百官1軍器寺轉載].[341)]

---

340) 典校寺의 공민왕 5년 官制는 다음과 같다.

· 지30, 百官1, "復稱秘書監, 改令爲監, 副令爲少監. 置著作郎二人正七品, 郎增二人, 降從七品, 復置秘書郎四人正八品, 校勘陞正九品, 判事·丞·正字如故".

341) 이는 다음의 기사를 전재하여 적절히 변개하였다.

· 지30, 百官1, 軍器寺, "[恭愍]十一年, 加置錄事正八品, 後改軍器寺".

[○復分爲司天監·太史局, 員吏品秩, 用五年官制:百官1書雲觀轉載][342].

[○復稱典醫寺, 爲大醫監^太醫監^, 又改正·副正爲監·少監:百官1典醫寺轉載].

[○復改寢園署, 爲大廟署^太廟署^:百官2寢園署轉載].

[○復改司醞署, 爲良醞署:百官2司醞署轉載].

[○復改司膳署, 爲尙食局, 復稱奉御:百官2司膳署轉載].

[○復改奉醫署, 爲尙醫局, 又改稱奉御:百官2奉醫署轉載].

[○復改掌服署, 爲尙衣局, 又稱奉御:百官2掌服署轉載].

[○復改司設署, 爲尙舍署, 又改令爲奉御, 復置丞:百官2司設署轉載].

[○復改奉車署, 爲尙乘局, 又改稱奉御:百官2奉車署轉載].

[○復改供造署, 爲中尙署, 令丞如故:百官2供造署轉載].

[○復改膳官署, 爲大官署:百官2膳官署轉載].

[○復改典樂署, 爲大樂署:百官2典樂署轉載].

[○復置典廨庫:百官2典廨庫轉載].

[○置寶源解典庫, 使秩從五品, 副使從六品, 丞從七品, 注簿從八品, 錄事從九品:百官2寶源解典庫轉載].

[○復改開城府五部副令爲令:百官2五部轉載].

[○改巡軍萬戶府爲司平巡衛府, 置提調一人, 判事三人, 參詳官四人, 巡衛官六人, 評事官五人:百官2巡軍萬戶府轉載].[343]

[○復稱備巡衛, 爲金吾衛. 後復改備巡衛:百官2西班金吾衛轉載].

---

342) 書雲觀의 공민왕 5년 관제는 다음과 같다.

· 지30, 백관1, "復改司天監, 判事以下, 並復文宗舊制. 但加置卜助敎從九品, 又別立太史局, 令以下品秩, 亦復文宗舊制".

343) 이후 司平巡衛府는 略稱으로 巡衛府 또는 司平府로 불렸고, 禑王代에 다시 巡軍萬戶府로 改編되었다고 한다(지31, 百官2, 諸司都監各色, 巡軍萬戶府). 그렇지만 여전히 巡軍으로 불리어지기도 하였지만(『고려사』세가43, 공민왕 21년 6월 丁丑 ; 열전46, 우왕 2년 7월, 3년 12월), 崔瑩이 判司平巡衛府事로 활약하던 1378년(우왕5)까지 司平巡衛府의 體制를 유지하였다(열전26, 崔瑩 ;『獨谷集』권下, 哭唐府尹誠). 1382년(우왕8) 4월 이후에는 巡軍으로 呼稱되고 있음을 보아(열전47, 우왕 8년 4월) 1378년에서 1382년 사이에 순군만호부로 개편되었음을 알 수 있다(張東翼 2009년 494面).

[○置各道都摠都統使. 鎭撫二人, 一從二品, 一正三品, 經歷二人四品, 知事二人五六品:百官2外職轉載].

[○復用公侯伯子男, 並正一品:百官2爵位轉載].

[○改正一品上曰特進輔國三重大匡, 下曰特進三重大匡, 從一品上曰三重大匡, 下曰重大匡, 正二品上曰光祿大夫, 下曰崇祿大夫, 從二品上曰榮祿大夫, 下曰資德大夫, 正三品上曰正議大夫, 下曰通議大夫, 從三品上曰大中大夫, 下曰中正大夫, 正四品上曰中散大夫, 下曰中議大夫, 從四品上曰朝散大夫, 下曰朝列大夫, 正五品以下, 同五年之制:百官2文散階轉載].

[○是時, 以, [匡靖大夫·三司左使]李穡爲崇祿大夫·三司右使·進賢館大學士·知春秋館事兼成均館大司成·提點司天監事,[344] [重大匡·開城府尹]崔宰爲崇祿大夫:追加].[345]

庚辰[18日], 王微行, 幸影殿,

辛巳[19日], 亦如之.

壬午[20日], 王以倖臣上將軍盧璹奸閹人妻, 令左右棒八百. 又謂倖臣大護軍鄭熙啓曰, "爾亦行同於璹, 不罰何懲, 棒四百", 命憲府[司憲府]鞫之, 三人瀕死, 不得更訊, 璹尋死.[346]

癸未[21日], 賜柳伯濡等及第.[347]

---

344) 이는 『목은집』연보에 의거하였다.

345) 이는 다음의 자료에 의거하였는데, 첨자와 같이 고쳐야 옳게 될 것이다.
- 『목은문고』 권15, 崔宰墓誌銘, "… 又明年移開城尹, 己酉[恭愍18年]官制行改榮祿大夫[崇祿大夫], …".

346) 이 기사에서 上將軍과 大護軍이 함께 사용되었는데, 前者는 같은 달 己巳(7일)에 관제를 또다시 文宗의 舊制로 환원하였기에 적합하고, 後者는 前職 또는 오자로 추측된다.

347) 이와 관련된 기사로 다음이 있다.
- 지27, 선거1, 科目1, 選場, "[恭愍]十八年六月, 興安伯李仁復知貢擧, 三司左使[~~三司右使~~]李穡同知貢擧, 取進士, [癸未], 賜柳伯濡等三十三人及第". 여기에서 李穡은 是月 7日에 三司左使에서 三司右使로 轉職되었는데, 이보다 먼저 同知貢擧에 임명될 때는 前者를 띠고 있었을 것이다. 급제가 하사된 이날(21日)은 後者였다.
- 『목은시고』 권24, 至正癸巳四月, … 歲己酉, 又如之[~~李仁復~~再知貢擧, 穡副之], □□□[~~無設宴~~]. ….
- 「李仁復墓誌銘」, "歲己酉先生知貢擧, 穡爲副焉, 取今左獻納柳伯濡等三十三人".
- 『양촌집』 권40, 李穡行狀, "己酉夏, 同知貢擧, 取柳伯濡等三十三人. 始用中朝科擧, 易書通考之法".
- 『목은집』연보, 洪武二年己酉, "八月[尋], 同知貢擧". 여기에서 8월은 6월의 오류이고, 이 앞의 記事가 6월이므로 八月은 尋으로 고쳐야 옳게 될 것이다.
- 열전20, 權咀, 近, "初名晋, … 恭愍朝, 年十八登第. 唱名入庭, 王怒曰, '彼少者, 亦登第耶?'.

[○是時，始用元朝鄕試·會試·殿試之制[考試程式]，定爲常式:選擧1科目轉載].

[○舊制取士，預命知貢擧. 自此定制，至試期前一日，命主文考試等官:追加].[348]

[是月，以諸衙門印信体小，並收，禮儀司改鑄新印，賜之:輿服1諸衙門印轉載].

秋七月[癸巳朔大盡,壬申]，戊戌[6日]，王疑盧璹詐死，發其塚，梟其首，流其父楨及妻于東京[~~雞林府~~].[349] 以憲府不能理璹罪，流□□[~~司憲~~]雜端閔壽生于驪興.

辛丑[9日]，巨濟·南海縣投化倭，叛歸其國.

甲辰[12日]，幸佛恩寺，又幸興國·法王二寺. [先是，辛旽密令侍中李春富，請移都忠州，王怒，旽托言松京濱海，海寇可畏，以解之:節要轉載]. 下敎曰，“昔我太祖，每當四仲之年,[350] 巡駐三蘇. 予亦將幸平壤，巡金剛山，駐駕忠州”.[351]

[某日， 以李頤爲慶尙道按廉使， 辛元佐爲全羅道按廉使:慶尙道營主題名記·錦城日記].[352]

[是月，以開城府尹林堅味爲安州上萬戶:追加].[353]

同知貢擧李穡對曰，將大用，不可少之也”.

이때 [生員]柳伯濡(樗亭記)·[生員]金孟·[進士]吳偃棧(乙科3人)，[生員]姜日華·[生員]權晋(改近)·[生員]裴尙度·[諄諭進士]李允蕃·[進士]徐甄·[生員]金篤(農隱記)·[進士]金霔(丙科7人)，[鄕貢生員[鄕生]]鄭達蒙·[生員]朴文絢·[前陵直]金祐·[諄諭進士]張德良(林亭記)·[料物庫主簿]鄭國鉉·[齋生]裴仲有·[前陵直]蔡克敬·[縣尉[縣丞]]裴仲綸·[進士]崔成淵·[侍聽齋生[侍聽]]李阜·[軍器錄事]閔安世·[進士]潘有賢·[生員]李恒懋·[進士]李至·[前田壇直]宋文貴(改文中)·[學生]張躋(南谷記)·[義興錄事]閔由義·[前都監判官]李益仁·[進士]郭思忠·[諄諭進士]朴養元·[生員]薛君[薛群]·[鄕貢進士]蔡游(同進士23人) 등이 급제하였다(『등과록』; 『전조과거사적』, 朴龍雲 1990년).

348) 이는 다음의 자료에 의거하였다.
- 『定齋集』 권3, 潘南先生家傳, “舊制取士，預命知貢擧. 始自十八年定制，至試期前一日，始命主文考試等官”.

349) 東京은 雞林府의 오류이다. 이 시기에 雞林府가 東京으로 승격된 것은 1357년(丁酉, 공민왕6) 5월에서 1363년(癸卯, 공민왕12) 1월까지이다(『동도역대제자기』).

350) 四仲之年은 子·午·卯·酉의 12支가 들어 있는 해이다.

351) 이와 같은 기사가 열전45, 辛旽에도 수록되어 있다. 또 이때 離宮을 營造하려는 平壤, 金剛山, 忠州의 세 지역은 이보다 먼저 三蘇로 기능해 왔던 左蘇 白岳山, 右蘇 白馬山, 北蘇 箕達山를 變更하려는 조치는 아닐 것이다(→명종 4년 5월 某日, 是年 11월 某日 北蘇 箕達山에 대한 論議).

352) 이후 李頤는 慶尙道按廉使로 그의 座主인 閔思平(號 及菴, 金九容의 外祖)의 ‘及菴詩集’을 개판하였다고 한다.
- 『목은문고』 권31, 跋及菴詩集, “… 先生門人李端公頤適按慶尙，鋟梓之功，由玆克成，豈天相敬之篤孝之誠也. … 敬之更名九容，今遷民部議郞，[成均]講官如故云”.

353) 이는 공민왕 20년 11월 是月條의 脚注의 자료에 의거하였다.

八月癸亥朔小盡,癸酉, [甲子2日, 雨雹:五行1雨雹轉載].[354]

乙丑3日, 置萬戶·千戶于西京·義州·靜州·泥城·江界等處.

○時以巡駐三蘇之敎, 發民除道, 多損禾穀, 又於平壤·忠州, 皆作離宮. 及公主魂殿, 儲峙供頓, 民甚苦之.[355]

丙寅4日, 判司天監事陳永緖等, ~~上書~~以爲, “近者, 太白晝見, 年又凶荒. 靜吉動凶”. 王悅曰, “何晩奏耶?”, 卽收巡駐之命.

[→判司天監陳永緖等, 上書以爲, “近者, 太白晝見, 又年饑, 靜吉動凶”. 王曰, “何晩奏耶?”. 明日丁卯5日, 謂左右曰, “國事, 大臣不可不與聞.” 與旽議, 罷之:列傳45辛旽轉載].

[丁卯5日, 命三司右使李穡, 釋奠于文廟. 自辛丑恭愍10年播遷之後, 禮文廢墜, 釋采之儀, 不中法式, 穡考正其失, 選諸生爲執事, 肄儀三日, 禮度可觀:禮4文宣王廟轉載].

戊辰6日, 遣揔部尙書成准得如京師南京,[356] 賀聖節, 大將軍金甲雨賀皇太子千秋節, 工部尙書張子溫賀正. 仍請賜‘本國朝賀儀注’.[357]

---

354) 이날 일본의 교토[京都]에서 비가 내렸다고 한다(『愚管記』제13, 應安 2년 8월, “二日甲子, 雨降”).

355) 이와 같은 기사가 열전45, 辛旽에도 수록되어 있다.

356) 京師는 『고려사절요』 권28에는 金陵으로 되어 있지만(盧明鎬 等編 2016년 722面), 이때의 首都[京師]는 南京이라고 불렸고, 金陵은 楚國時代 이래 불려온 옛 名稱[古稱]이다.

357) 成准得과 金甲雨를 9월 15일(丙午) 京師에서 表를 바치고 方物을 바쳐 謝恩하였고, 太祖의 生日(千秋聖節, 18日)을 賀禮하고 中宮·皇太子에게도 禮物을 바치며, 祭服制度를 要請하자 朱元璋이 工部에 命하여 製作하여 下賜하게 하였다. 또 ‘本國朝賀儀注’는 『고려사절요』권에는 ‘本國朝賀儀’로 되어 있지만 注字가 脫落된 것이다(盧明鎬 等編 2016년 722面).

· 『명태조실록』 권45, 홍무 2년 9월, “丙午, 高麗國王王顓遣其總部~~揔府~~尙書成惟得~~成准得~~·千牛衛大將軍金甲雨上表, 貢方物謝思弁賀天壽聖節, 中宮及皇太子皆有獻, 就請祭服制度. 上命工部製, 賜之”. 이와 같은 기사가 『續文獻通考』 권29, 土貢考에도 수록되어 있다.

· 『명사』 권320, 열전208, 外國1, 朝鮮, 洪武 2년, “其秋, 顓遣總部~~揔府~~尙書成惟得~~成准得~~·千牛衛大將軍金甲兩~~金甲雨~~上表謝, 幷賀天壽節, 因請祭服制度, 帝命工部製賜之. 惟得~~准得~~等辭歸, 帝從容問, ‘王居國何爲? 城郭修乎? 兵甲利乎? 宮室壯乎?’ 頓首言, ‘東海波臣, 惟知崇信釋氏, 他未遑也’. 遂以書諭之, ‘古者王公設險, 未嘗去兵. 民以食爲天, 而國必有出政令之所. 今有人, 民而無城郭, 人將何依? 武備不修, 則威弛, 地不耕, 則民艱於食, 且有居室, 無廳事, 無以示尊嚴. 此數者, 朕甚不取. 夫國之大事, 在祀與戎. 苟闕斯二者, 而徒事佛求福, 梁武之事, 可爲明鑑. 王國北接契丹·女直, 而南接倭, 備禦之道, 王其念之’. 因賜之六經·四書·通鑑. 自是貢獻數至, 元旦及聖節皆遣使朝賀, 歲以爲常”.

또 張子溫은 12월 13일(甲戌) 表를 올려 襲封을 謝禮하고 明年의 正旦를 賀禮하며 方物을 바치고, 中宮·東宮에게도 禮物을 바쳤다.

· 『명태조실록』 권47, 홍무 2년 12월 甲戌, “高麗國王王顓遣其臣張子溫等上表, 謝封爵幷賀明年

[某日, 雲巖寺僧詣都堂, 請給餉客之米, 宰樞議給轉輸都監米五十碩. 三宰李成瑞, 方在告, 錄事請署其案, 成瑞嘆曰, "今頒祿不給, 而雲巖僧, 惟其所欲, 請養居僧, 則與之, 請食役夫, 則與之. 今又給餉客之費, 以有限之財, 供無益之用, 國用焉得不匱". 遂不署:節要轉載].

[→王起正陵, 以雲菴寺[雲巖寺]爲願刹, 給寺僧米月三十石, 凡所供給, 無不至. 寺僧又詣都堂, 請給餉客之需, 宰樞重違其請, 議給轉輸都監米五十石. [贊成事李]成瑞在告, 吏奉牒請署之, 成瑞嘆曰, "我年十三始仕, 二十九入宰府, 今五十一年. 歷己亥[恭愍8年]之旱, 辛丑[10年]之賊, 凶荒亂離, 其變極矣, 未聞有倉廩罄竭, 而俸祿不給也. 今頒祿不給, 而於雲菴[雲巖]僧, 惟其所欲, 請養居僧則與之. 請食役夫則與之, 又給餉客之費. 以有限之財, 供無已之求, 國焉得不匱. 予備員宰相, 不可不言". 遂不署:列傳27李成瑞轉載].

癸酉[11日], 設功德天道場于康安殿.

[癸未[21日], 熒惑犯南斗, 二日:天文3轉載].

丙戌[24日], 北元中書省及太尉·丞相·奇平章□□[政事]遣使來聘.[358]

[庚寅[28日], 月入大微[太微]:天文3轉載].

[是月丙子[14日], 洪武帝遣寶符郞偰斯齎詔及金印·誥文, 封王顓爲高麗國王:追加].[359]

[是月頃, 以[榮祿大夫]石抹天英爲安東大都護府使:追加].[360]

正旦, 貢方物, 中宮·東宮皆有獻".

358) 奇平章政事는 奇轍의 아들 賽因帖木兒[Sain Temur]이다(→공민왕 21년 3월 3일).

359) 이는 다음의 자료에 의거하였다. 偰斯는 明年(홍무3, 공민왕19) 5월 2일 羅州 木浦에 도착하였던 것을 고려하면, 이때 어떠한 事由로 出發이 遲延되었던 것 같다.

· 『명태조실록』 권44, 홍무 2년 8월, "丙子[14日], 遣符寶郞偰斯齎詔及金印·誥文, 往高麗封王顓爲國王. 詔曰, '自有元之失馭兵爭, 夷夏者列若星陳, 至於擅土宇異聲教, 豈殊于瓜分虐黔黎專生殺, 不異於五季. 若此者將及二紀, 治在人思眷從天至. 朕本布衣, 君位中國, 撫諸夷於八極, 各相安於彼此, 他無肆侮於邊陲, 未嘗妄興於九伐. 爾高麗, 天造東夷地設險遠, 朕意不司簡生釁隙, 使各安生, 何數請隸而辭意益堅, 群臣皆言當納所請, 是以一視同仁, 不分化外, 允其虔懇, 命承前爵儀, 從本俗法守舊章. 嗚呼, 盡夷夏之咸安, 必上天之昭鑒, 旣從朕命, 勿萌釁端, 故玆詔示想宜知悉'. 誥曰, 咨爾高麗國王王顓, 世守朝鮮, 紹前王之令緒, 恪尊華夏, 爲東土之名藩. 當四方之旣平, 嘗專使而往報, 卽陳表貢, 備悉衷誠, 良由素習於文風, 斯克勤脩於臣職. 允宜嘉尙, 是用褒崇, 今遣使齎印, 仍封爲高麗國王. 儀制服用, 許從本俗. 於戲, 保民社而肇封, 式遵典禮, 傳子孫於永世. 作鎭邊陲, 其服訓詞, 益綏福履, 仍賜顓大統曆一本, 錦繡絨綺十匹. 又賜其王母妃金綺·紗羅各四匹, 并賜其相國申盹[辛旽]·侍中李春富·李仁人[李仁任]文綺紗羅十二匹".

· 『昭代典則』 권6, 홍무 2년 8월, "丙子, 遣寶符郞偰斯齎詔及金印·誥文, 封朝鮮王顓爲高麗國王".

360) 이는 『안동선생안』에 의거하였다.

九月壬辰朔大盡,甲戌, [戊戌7日, 月掩南斗:天文3轉載].[361]

[○雷:五行1轉載].[362]

己亥8日, 北元吳王·淮王~~王帖木兒不花?~~·雙哈達王皆遣使, 報聘, 獻馬四十餘匹. 時吳王等, 先聘于我, 我遣都僉議評理禹磾回謝, 吳王請昏請婚于我, 淮王待磾甚厚, 且欲以其女, 歸于我, 請觀其女. 磾辭曰, "臣受命修聘耳, 若請昏請婚, 非臣所知. 王强使見之".[363]

[○月與熒惑, 相守:天文3轉載].

[戊申17日, 大風雨雹, 雷震人:五行3轉載].[364]

[己未28日, 立冬. 雷, 雨雹:五行1轉載].[365]

庚申29日, 遣使度田于京畿.[366]

辛酉30日, 幸王輪寺, 設天兵神衆道場七日, 乃還, 王手書疏, 賜僧布一千五百匹, 領門下府事辛旽亦施千五百匹.

[○雷:五行1轉載].[367]

---

361) 지3, 天文3에는 戊戌(7일)과 己亥(8일) 앞에 각각 九月이 붙어 있다[重出].

362) 일본에서 9월 2일(甲午, 高麗曆의 3일) 京都와 3일(乙未) 鎌倉에서 大風雨가 있었다고 한다(日本史料6-31册 47面 ; 中央氣象臺 1941年 1册 51面).

· 『後愚昧記』, 應安 2년 9월, "二日, 入夜大風, 雨又降, 後聞, 依此風仁和寺圓宗寺·本寺仁和寺觀音院·太政官廳東門·眞言院等顚倒云々".

· 『愚管記』 권13, 應安 2년 9월, "二日甲午, 雨降, 終夜風雨不休".

· 『南方紀傳』, 應安 2년, "九月三日, 大風吹, 鎌倉大佛殿顚倒".

· 『續史愚抄』26, 應安 2년 4월, "二日甲午, 大風, 太政官廳東門及圓宗寺·觀音院·眞言院等倒. 又鎌倉大佛殿倒".

· 『鎌倉大日記』, 應安 2년, "九·三, 大風, 鎌倉大佛殿顚倒"(이는 增補史料大成本에는 없음, 筆者 未確認).

363) 이후 禹磾의 行蹟이 찾아지지 않는데, 그는 丹陽人으로 將軍, 提學, 밀직부사, 京城收復 一等功臣, 都兵馬使, 三司左使, 僉議評理, 都元帥 등을 거쳐 平章事[贊成事]에 이르렀다. 李穡과 교유하면서 趙孟頫가 쓴 '證道歌'를 開板한 점을 고려해보면 급제자 출신으로 文武를 구비한 재상이었던 것 같은데, 事由不明으로 『고려사』에 入傳되지 못했다(『목은문고』 권13, 書證道歌後, 跋愚谷諸先生送洪進士詩卷).

364) 이날(戊申, 16일) 일본의 京都에서는 맑았으나 17일(己酉)은 비가 내렸다고 한다.

· 『愚管記』제13, 應安 2년 9월, "十六日戊申, 晴, 十七日己酉, 雨降".

365) 이날(己未, 27일) 京都에서는 흐렸다고 한다(『愚管記』제13, 應安 2년 9월, "廿七日己未, 陰").

366) 中原에서 度田은 土地를 測量하는 것을 가리키지만, 이 말에는 戶口를 調査한 것도 포함되어 있으므로 그 실시의 목적은 租稅와 賦役의 徵收를 통한 中央政府의 收入을 增加시키는 데에 있다고 한다(光武度田, 曹金華 1989年).

367) 이날(辛酉, 29일) 교토에서는 맑았다고 한다(『愚管記』제13, 應安 2년 9월, "廿九日辛酉, 晴").

是月，伐礎石于崇仁門外，輓致馬岩，大如屋，震且吼，聲如牛.

[→伐德巖石,[368] 輸于馬岩影殿，其大如屋，振且吼，聲如牛:節要轉載]. 又發丁州縣，需材水運，或壓或溺，死者無算. 中外困弊，無敢言者. 時王召元朝梓人元世于濟州，使營影殿，世等十一人，挈家而來. 世言於宰輔曰，“元皇帝好興土木，以失民心，自知不能卒保四海，乃詔吾輩，營宮耽羅. 欲爲避亂之計，功未訖而元亡，吾輩失衣食，今被徵，復衣食，誠萬幸也. 然元以天下之大，勞民以亡，高麗雖大，其能不失民心乎. 願諸相啓王”. 宰輔不敢以聞.

○濟州□□□□~~蒙古牧子~~降，以朴允青爲牧使.[369]

[○淸平文殊寺住持惠勤，以疾辭退，又入五臺山，住靈感菴:追加].[370]

冬十月壬戌朔大盡,乙亥，甲子3日，王在王輪寺，宴淮王·吳王使二使，各獻黃金佛一軀. 時王方惑浮屠，故因所好爲贄.

丁卯6日，幸影殿，餉役徒.

[丙子15日，月食:天文3轉載].[371]

---

368) 여기에서 影殿을 건설하기 위해 採石[伐石]한 곳이 崇仁門과 德巖[德岩]으로 달리 表記되어 있지만(盧明鎬 等編 2016년 723面), 崇仁門은 開京의 東門이고, 德巖은 開京府의 동쪽 9里에 위치해 있다. 이때의 採石場所는 '崇仁門之外德巖'이었던 것 같다.
- 『세종실록』 권148, 지리지, 開城留後司, “… 穆淸殿[注，在崇仁門內安定坊，俗號於背洞，卽我太祖康獻大王潛邸舊宅也]”. 여기에서 安定坊은 開城府 5部 중의 東部에 속해 있었다.
- 『신증동국여지승람』 권4, 開城府上，山川，“德巖，在府東九里”.

369) 이때 濟州島[濟州]가 降服했다는 것과 관련된 자료로 다음이 있다. 그런데 1369년(공민왕18)에는 元의 牧子[哈赤]가 跋扈하면서 官吏를 살해한 적이 없고, 그러한 사실은 1366년(공민왕15) 10월 8일 全羅道都巡問使 金庾가 濟州를 토벌하다가 패배한 이전에 일어난 사건이다. 그렇다면 위의 기사는 a과 같이 고쳐야 할 것이고, 上記의 記事도 添字를 追加하여야 옳게 될 것이다.
- 지11, 지리2, 耽羅縣，“恭愍十八年，元牧子哈赤跋扈，殺害官吏，越六年恭愍23年八月，王遣都統使崔瑩，討滅哈赤，復置官吏”. 여기에서 牧子와 哈赤[Qachi]은 같은 意味[牧馬者]이므로 '牧子[哈赤]'로 表記해야 옳을 것이다.
- a “恭愍十八年九月，元哈赤降，置官吏. 又越六年，哈赤又跋扈，八月，王遣都統使崔瑩，討滅哈赤，復置官吏”[校正].

370) 이는 다음의 자료에 의거하였다.
- 『나옹화상어록』, 행장, “己酉九月，淸平文殊寺住持惠勤，以疾辭退，又入臺山，住靈感菴”.

371) 이날 일본의 교토에서도 월식이 있었다(高麗曆과 同一，日本史料6-31冊 94面). 이날은 율리우스曆의 1369년 11월 14일이고, 월식 현상이 심했던 때의 世界時는 13시 0분, 食分은 0.06이었다(渡邊敏夫 1979年 485面).
- 『愚管記』제13, 應安 2년 10월, “十五日丙子，淸陰不定，月蝕正現云々”.
- 『續史愚抄』26, 應安 2년 10월, “十五日丙子，月蝕，正見云”.

乙酉[24日]，遣參知門下大將軍崔伯·柳雲[~~參知門下府事崔伯·大將軍柳雲~~]，[372] 歸侍中金逸逢女于吳王，且逆女于淮王．伯道卒，淮王不果送女．

丙戌[25日]，王微行，幸[領門下府事]辛旽家．

[丁亥[26日]，暖如春:五行1轉載]．

[戊子[27日]，太白犯月:天文3轉載]．

[○亦如之[暖如春]:五行1轉載]．

[□□[~~是月~~]，城嘉州:節要·兵2城堡轉載]．

[是月壬戌朔，高麗使者歸，洪武帝以書賜其國王王顓，諭以持危保國之道，戒其奉佛求福之謬，而倭人出沒，尤當愼禦．又以六經·四書·通鑑·漢書，賜之:追加]．[373]

[是月頃，遣池龍壽及西北面副元帥楊伯淵·安州上萬戶林堅味，往東寧府，擊奇賽因帖木兒一黨:追加]．[374]

[→元亡，賽因帖木兒，與遼瀋官吏平章□□[~~政事~~]金伯顔·右丞哈剌波豆[哈剌波豆兒]·叅政[參知政事]德左不花等，招集亡元遺衆，割據東寧府．憾其父誅，將寇我北鄙，報仇．王命池龍壽·楊伯顔[~~楊伯淵~~]，往擊之，賽因帖木兒遁．語在龍壽傳:列傳44奇轍轉載]．

[→初，奇賽因帖木兒，仕元爲平章□□[~~政事~~]，元亡，與遼瀋官吏平章□□[~~政事~~]金伯顔等，據東寧府，憾其父轍誅，將欲寇邊．王遣龍壽及西北面副元帥楊伯顔[~~楊伯淵~~]·安州上萬戶林堅味，與我太祖[李成桂]，往擊之．以□[守]侍中李仁任爲都統使，屯安州:列傳27池龍壽轉載]．[375]

十一月壬辰朔[大盡,丙子]，牙州獲倭船三艘，獻俘二級．

· 『本朝統曆』 권10, "十大, 十五小雪, 巳一, 望, 戌七, 月蝕, 六分弱, 戌三, 亥二".

372) '參知門下大將軍崔伯·柳雲'은 '參知門下府事崔伯·大將軍柳雲'을 잘못 板刻한 것 같다. 崔伯은 密直副使(공민왕 3년 11월 25일)→黃原君(14년 2월 25일)→密直使商議(14년 閏 10월 3일)를 거쳐 이때 參知門下府事(옛 參知政事)에 이르렀고, 柳雲은 門下侍中 柳濯의 長子이다(열전24, 柳濯). 또 『고려사절요』 권28에는 '參知門下崔伯'으로 되어 있다.

373) 이는 다음의 자료에 의거하였다.

· 『憲章錄』 권1, 洪武 2년 10월, "壬戌朔, 高麗使者歸, 上以書賜其國王王顓, 諭以持危保國之道, 戒其奉佛求福之謬, 而倭人出沒, 尤當愼禦. 又以六經·四書·通鑑·漢書, 賜之".

374) 이는 다음에 이어지는 기사에 의거하여 필자가 追加하였는데, 이 시기는 林堅味가 安州上萬戶에 임명된 8월 이후에서 西京府尹으로 전출한 11월 이전이다. 또 이인임이 守侍中(혹은 左侍中)으로 재직할 때이다.

375) 이와 관련된 기사로 다음이 있고, 添字와 같이 고쳐야 옳게 될 것이다.

· 열전27, 楊伯淵, "又從我太祖[李成桂], 擊東寧府".

[乙未[4日], 鳶飛蔽天, 集白鹿山, 分爲三隊, 一隊, 可五千許:五行1轉載].

[□□[~~丙午15日~~], 八關會, [領門下府事]辛旽攝王, 受群臣朝于儀鳳樓:節要轉載].[376)]

[丁未[16日], 赤氣如火, 見于西南:五行1轉載].

[庚戌[19日], 歲星·熒惑相犯:天文3轉載].

[某日, [領門下府事]辛旽, 祝高仁器髮, 放于金剛山. 仁器, 本僧釋溫也, 附旽, 拜判少府監事, 至是, 洩旽逆謀, 旽自辨於王, 髡而逐之, 實陰護之也:節要轉載].

[→旽, 於八關會, 攝王受群臣朝于儀鳳樓. 王性猜忍, 雖腹心大臣, 及其權盛, 必忌而誅之. 旽自知鴟張太甚, 恐王忌之, 密謀不軌. 僧釋溫, 初附旽, 以辛丑[恭愍10年]戰功, 封輔理君, 後被罪逃, 髮而改姓, 名高仁器, 拜判少府監事. 洩旽逆謀, 旽因自辨於王, 復祝仁器髮, 放于金剛山, 實庇之:列傳45辛旽轉載].

[→初, 高仁器泄旽逆謀, 春富與蘭先白王, 以故寬其罪:列傳38李春富轉載].

戊午[27日], 納哈出遣使來, 獻馬.

○倭掠寧州·溫水·禮山·沔州漕船. 初, 倭人願居巨濟, 永結和親, 國家信而許之. 至是入寇.

[某日, 令[置]西京萬戶府, 左翼·右翼·前軍·後軍·精銳·精毅·忠毅·忠誠·新僉·新成十軍. 安州萬戶府, 左勇·右勇·左猛·右猛·前勇·後勇·前猛·後猛八軍. 義州萬戶府, 左精·右精·忠信·義勇四軍. 泥城萬戶府, 鎭平·鎭江·鎭靜·鎭遠四軍. 江界萬戶府, 鎭邊·鎭成·鎭安·鎭寧四軍. 皆置上·副萬戶:兵1五軍轉載].[377)]

[→設西京萬戶府, 置安州萬戶府於寧州, 置義州·泥城萬戶府. 又改禿魯江萬戶爲江界萬戶府:轉載].[378)]

---

376) 고려시대의 帝王은 11월 15일에 개최되는 팔관회의 大會 때에 威鳳樓에 행차하여 문무백관의 하례를 받았다.

377) 令은 置 또는 設로 고쳐야 옳게 될 것이다. 또 이와 같은 기사로 다음이 있다.
- 지12, 지리3, 西京留守官平壤府, "恭愍王十八年, 設萬戶府".
- 『세종실록』 권154, 지리지, 平壤府, "恭愍王十八年己酉[大明太祖洪武二年], 置萬戶府于西京, 左翼·右翼·前軍·後軍·精銳·精毅·忠義·忠誠·新僉·新成十軍, 各置上·副千[萬]戶". 添字와 같이 고쳐야 할 것이다.

378) 이는 다음의 자료를 전재하였다.
- 지12, 지리3, 西京留守官平壤府, "恭愍王十八年, 設萬戶府".
- 지12, 지리3, 安北大都護府寧州, "恭愍王十八年, 置安州萬戶府". 여기의 寧州는 安北大都護府의 治所인 安州를 가리키는 것 같지만, 이 시기에 天安府도 寧州로 불리었다(→공민왕 11년 是年條 天安府의 脚注).
- 지12, 지리3, 義州, "[恭愍]十八年, 置萬戶府".

[是月, 以安州上萬戶林堅味爲西京府尹兼西北面都巡問使:追加].[379)]

[十二月[壬戌朔小盡,丁丑]],[380)] [某日, 民部尙書李得林[李得霖], 伏誅. 得林[得霖], 起自隊尉, 夤緣附辛旽, 驟顯. 至是, 忤旽, 坐貪縱不法, 且盜影殿材, 殺之:節要轉載].[381)]

庚午[9日], 以[樞密院使?]我太祖[李成桂]爲東北面元帥·知門下省事, [平章事]池龍壽爲西北面元帥兼平壤尹.[382)]

辛未[10日], 下前侍中柳濯于獄, 尋釋之.

[→臘, 不祭正陵, 王以爲前侍中柳濯所定, 下濯獄, 免爲庶人, 籍其家. 都堂以諸陵皆無臘祭, 請王釋之:節要轉載].[383)]

○瑞原君盧亶, 奉元詔, 至黃州. 王遣大將軍宋光美, 殺之.

[→執亶, 鞫其來由. 亶誣服, 與[前監察大夫]王重貴·[樞密院使]李壽林等, 通謀行諜. 於是,

· 지12, 지리3, 泥城府, "恭愍王十八年, 置泥城萬戶府".
· 지12, 지리3, 江界府, "[恭愍]十八年, 改今名, 爲萬戶府".

379) 이는 다음의 자료에 의거하였는데, 이때 林堅味는 西京府尹兼西北面都巡問使에 임명되었던 것 같다.
· 『목은문고』 권1, 西京風月樓記, "上之十九年[~~恭愍18年~~]秋七月, 以開城尹林公[堅味], 長萬夫于安住, 未踰年, 軍政具擧, 其冬十有一月, 移尹西京[~~兼西北面都巡問使~~]".
· 『신증동국여지승람』 권51, 平壤府, 樓亭, "風月樓, 在府內, … 徐居正重新記, 平壤, 三朝鮮·高句麗之古都. 高麗氏置西京, 又曰鎬京, 後設萬戶府, 又改爲平壤府. … 洪武辛亥[~~恭愍20年~~], 巡問使林侯[林堅味]始建風月樓五楹於廣會之中, …".

380) 11월의 庚午는 12월(壬戌朔) 9일이므로, 庚午 앞에 十二月이 탈락되었다. 『고려사절요』 권28에는 옳게 되어 있다.

381) 이 기사는 열전45, 辛旽에도 수록되어 있으나 1368년(공민왕17) 4월 10일의 記事에 連結되어 있다. 여기에서 李得林은 이곳에서만 찾아지는 것을 보아 李得霖의 오자인 것 같다(盧明鎬 等編 2016년 723面).

382) 열전27, 池龍壽에는 元帥가 上元帥로 되어 있다. 上記의 기사는 이성계와 지용수의 순서가 바뀌어야 바르게 될 것이다. 또 이와 같은 기사로 다음이 있다.
· 『태조실록』 권1, 總書, 공민왕 18년, "初, 奇賽因帖木兒, 轍之子也. 事元爲平章□[政]事, 元亡, 與分司遼瀋官吏平章□□[政事]金伯顔等, 招集亡元遺衆, 割據東寧府, 憾其父見誅, 入寇北鄙, 必欲報仇. 王以臣事大明, 欲擊東寧府, 以絶北元. 十二月, 以太祖[李成桂]爲東北面元帥, 池龍壽·楊伯淵爲西北面元帥".

383) 臘祭는 일반적으로 12월에 擧行하므로 이달을 臘月이라고 하며, 臘祭는 擇日하여 거행하였다. 宋曆에 따라서는 冬至 이후의 3회에 걸친 戌日 중에 擇日되었으나 高麗曆에서는 大寒을 前後한 未日 중에 擇一하였던 것 같다(→문종 35년 12월 11일의 脚注 ; 徐今錫 2014년c). 또 이와 같은 기사로 다음이 있다.
· 열전24, 柳濯, "後王又以正陵無臘祭, 爲濯所定, 下獄, 免爲庶人, 籍其家. 都堂言, 諸陵皆無臘祭, 請釋之. 王怒解, 還告身及家財".

幷其一行十八人，殺之. 初，王求龍腦於和義翁主奇氏，不得，及是，髡奇氏，置尼院，殺王重貴·李壽林，皆奇后之族甥，疑與北元通也. 時人憐其無辜:節要轉載].[384)]

[→旹，封慶原君，仕元爲兵部尙書. 恭愍十八年，自漠北，奉元詔來. 至黃州，王遣大將軍宋光美，執旹鞫其來故. 旹誣服，"與前監察大夫王重貴，樞密院使李壽林及李明等，通謀行諜." 於是，幷其一行十八人殺之. 王嘗求龍腦於和義翁主奇氏，不得，至是，託以與北元通謀，下巡衛府. 又囚重貴等及前佐郎方得珠獄，未幾，殺重貴·壽林·明，梟于市，髡奇氏置之尼院. 皆奇后之族，時人憐其無辜. 得珠附辛旽免:列傳44盧頙轉載].

○以守門下侍中李仁任爲西北面都統使，賜大纛以遣之.[385)] 王嘗巡御西京，製大纛，置官守衛，以時致祭. 至是，授仁任出鎭. 禡于大淸觀，及行令五軍，衛送于午正門外黃橋. 又以密直副使楊伯顔知密直司事楊伯淵爲副元帥.[386)]

[某日，各司各愛馬·五部閑良品官，皆分屬五軍，旗幟衣服，隨方色有別:兵1五軍轉載].

○自秋以來，東·西北面要害，多置萬戶·千戶. 又遣元帥，將擊東寧府，以絶北元.

[是月，以藝文修撰李詹爲朝請郞·右正言·知製敎:追加].[387)]

[是月壬午21日，帝命高麗使者，護忠惠王女長寧公主歸本國. 先是，高麗國王王顓有姪女，遇亂陷沒于軍，使者入朝，言其故. 上命中使訪得之. 至是，賜以衣資廩餼，

---

384) 이 기사를 통해 볼 때 和義翁主 奇氏는 盧旹(盧頙의 3子)의 妻일 가능성이 있다. 또 王重貴는 奇轍의 壻이고, 李壽林(李達尊의 次子)은 德陽君 奇輈의 壻이자, 奇仁傑의 妻男이다(李齊賢墓誌銘).

· 열전23, 王煦, 重貴, "恭愍十八年, 瑞原君盧旹奉北元詔, 至黃州, 王遣大將軍宋光美, 執旹鞫其由. 旹誣服與重貴·李壽林·李明等謀行諜, 遂囚重貴等獄 殺之, 梟首于市, 人皆惜其無辜".

· 열전44, 盧頙, "… 王嘗求龍腦於和義翁主奇氏, 不得, 至是, 託以與北元通謀, 下巡衛府. 又囚重貴等及前佐郎方得珠獄, 未幾, 殺重貴·壽林·明, 梟于市, 髡奇氏置之尼院. 皆奇后之族, 時人憐其無辜".

385) 이와 같은 기사로 다음이 있지만, 十一月은 十二月의 오류이다. 이 시기에 門下右侍中을 門下侍中으로, 門下左侍中을 門下守侍中으로 改稱하였던 것 같다.

· 지18, 禮6, 軍禮, "十一月十二月辛未, 以守門下侍中李仁任爲西北面都統使, 賜大纛以遣之".

386) 大淸觀에 관련된 기사로 다음이 있다. 또 密直副使 楊伯顔은 知密直司事 楊伯淵의 오자인데, 『고려사절요』 권28에는 옳게 되어 있다("密直楊伯淵爲副元帥").

· 지31, 百官2, 大淸觀, "忠宣王置判官, 秩從九品, 主藏纛, 凡出征必禡于本觀. 恭愍王將討紅賊, 制大纛, 設官爲纛赤".

· 열전27, 楊伯淵, "陞判□□密直司事. 出爲西北面元帥".

387) 이는 『쌍매당협장집』 연보에 의거하였다.

送還:追加].[388]

[冬某月, 以前海州牧使成石璘爲中正大夫·成均司成·藝文館直提學·知製敎:追加].[389]

[是年, 陞和州爲和寧府, 設土官, 陞咸州萬戶府爲咸州牧. 又以慶尙道安德縣管內知道保部曲爲宜仁縣, 屬安東大都護府:轉載].[390]

[○避門下侍中慶復興之名, 還稱知復興郡事爲白州:轉載].[391]

[○嘉州管內撫州, 移屬泰州:轉載].[392]

[○以禮儀郞兼成均博士朴尙衷爲成均司藝兼知製敎:追加].[393]

[○以嚴益謙爲延安府使:追加].[394]

[○以韓哲冲爲知寧海府事:追加].[395]

[○重修伊川縣管內菩薩寺. 此寺無學自超於至正年間始創:追加].[396]

---

388) 이는 다음의 자료에 의거하였다.

- 『명태조실록』 권47, 홍무 2년 12월, "壬午, 先是, 高麗國王王顓有姪女遇亂陷沒于軍, 使者入朝, 言其故. 上令中使訪得之. 至是, 賜以衣資廩餼, 令其使者護歸本國".
- 『憲章錄』 권1, 홍무 2년 12월, "□□某日, 高麗使者言其國王王顓有姪女遇亂沒于軍, 上令中使訪得之, 賜以衣資廩餼, 令使者護歸本國".

389) 이는 『獨谷集』行狀에 의거하였다.

390) 이는 다음의 자료를 전재하였다.

- 지12, 지리3, 和州, "恭愍十八年, 陞爲和寧府, 設土官".
- 지12, 지리3, 咸州大都督府, "恭愍十八年, 陞爲牧".
- 지11, 지리2, 安德縣, "恭愍王十八年, 陞知道保部曲, 爲宜仁縣, 屬安東".

391) 이는 다음의 자료를 전재하였지만, 사실로 인정하기에 어려움이 있다. 이에서 十八年은 己酉年(洪武2)인데, 이 시기는 守侍中 慶千興이 失勢했던 時期이고, 아직 復興으로 改名하지 않았기에 紀年 表記에 어떤 錯誤가 있었던 것 같다.

- 지12, 지리3, 白州, "恭愍王十八年, 避侍中慶復興之名, 還稱白州".
- 『세종실록』 권152, 지리지, 黃海道, 白川郡, "至恭愍王十八年戊申[大明洪武元年], 避侍中慶復興之名, 復稱白州". 이 記載는 고려시대의 年代表記方式(卽位年稱元法)이고, 이를 『고려사』의 표기방식(踰年稱元法)으로 하면 "至恭愍王十七年戊申[大明洪武元年], 避侍中慶復興之名, 復稱白州"가 되어야 한다.

392) 이는 지12, 지리3, 撫州, "恭愍王十八年, 移屬泰州"를 전재한 것인데, 18년이 15년의 잘못일 수도 있을 것이다(→공민왕 15년 是年).

393) 이는 다음의 자료에 의거하였다.

- 『定齋集』 권3, 潘南先生家傳, "恭愍王十八年, 陞成均司藝·知製敎".

394) 이는 『연안부지』에 의거하였다.

395) 이는 『영해선생안』에 의거하였다.

[○惠勤, 再入五臺山:追加].[397]

[○元完子忽都皇后[奇皇后]肅良合氏崩於應昌府:追加].[398]

[□□□[~~是年頃~~], [領門下府事]辛旽擅權, 士大夫爭趨附之, 有執政者言, 吾等薦公於領相[領門下府事], 諫官可得, 宜速往謁. [典法摠郞安]宗源辭曰, “我本疎懶, 趨勢非吾所能也”. 執政慚, 反譖之, 出爲江陵府使, 有惠政. 未久而代, 民立生祠以祀之. 閑居七八年, 屛跡不出:列傳22安宗源轉載].[399]

[仁同人 張東翼 校注, 增補].

396) 이는 다음의 자료에 의거하였다.

- 『陶谷集』 권25, 伊川諸勝遊覽記(1710년 撰), “… 踰古歸樂寺基, 入菩薩寺. 此寺, 無學於至正年間始創, 洪武二年重修, 今其改構者云”.

397) 이는 『목은문고』 권14, 普濟尊者諡先覺塔銘幷序에 의거하였다.

398) 이는 다음의 자료에 의거하였는데, 筆者는 證憑資料를 확인하지 못했다. 또 『新元史』257권은 柯劭忞(가소민, 1848~1933)에 의해 편찬되어 1920년에 완성되고, 明年에 總統 徐世昌이 正史에 편입시켰다(25史).

- 『新元史』 권104, 열전1, 后妃, 惠宗, 完子忽都皇后, 奇氏, “… [至正]二十八年, 明兵破大都, 從帝北奔. 二十九年, [后,] 崩”.

399) 이때 安宗源과 관련된 기사로 다음이 있다.

- 『태조실록』 권5, 3년 3월 癸亥[24日], 安宗源의 卒記, “… 甲辰, 拜典法摠郞, 辛旽當國, 以不附, 出爲江陵府使, 有惠政, 去後, 民立生祠以祭”.

『高麗史』卷四十二 世家卷四十二

[輔國崇祿大夫·議政府左贊成·知集賢殿經筵春秋館成均事·世子賓客·臣金宗瑞奉教撰]

正憲大夫·工曹判書·集賢殿大提學·知經筵春秋館事兼成均大司成·臣鄭麟趾奉教修

恭愍王 五

庚戌[恭愍王]十九年, [只用當該年干支]→7月高麗明洪武三年, [西曆1370年]

1370년 1월 28일(Gre2월 5일)에서 1371년 1월 16일(Gre1월 24일)까지, 354일

春正月辛卯朔小盡,戊寅, 甲午4日, 彗見東北方.

○我太祖東北面元帥李成桂以騎兵五千·步兵一萬, 自東北面, 踰黃草嶺, 行六百餘里, 至雪寒嶺, 又行七百餘里.[1)]

甲辰14日, 李成桂.渡鴨綠江. 是夕, 西北方, 紫氣漫空, 影皆南. 書雲觀言, 猛將之氣, 王喜曰, "予遣李[太祖舊諱]成桂必其應也".

○時東寧府同知李吾魯帖木兒, 聞□我太祖李成桂來. 移保亐羅山城,[2)] 欲據險以拒, □我太祖李成桂至也頓村, 吾魯帖木兒來挑戰, 俄而棄甲再拜曰, "吾先, 本高麗人, 願爲臣僕", 率三百餘戶□來降. 吾魯帖木兒, 後改名原景.[3)] 其酋高安慰帥麾下, 嬰城

---

1) 이 기사와 같은 내용으로 다음이 있는데, 雪寒嶺은 薛列罕嶺으로도 表記되었던 것 같다.

· 『태조실록』 권1, 總書, "恭愍王十九年庚戌正月, 太祖以騎兵五千·步兵一萬, 自東北面踰黃草嶺, 行六百餘里, 至雪寒嶺, 又行七百餘里, 渡鴨綠江".

· 『신증동국여지승람』 권55, 江界都護府, 山川, "薛列罕嶺, 在府南三百六里, 東卽咸鏡道咸興府界. 恭愍王以我太祖爲東北面元帥, 擊東寧府以絶北元. 太祖率騎兵五千·步兵一萬, 自東北面踰草黃嶺黃草嶺, 行六百餘里, 至雪寒嶺, 卽此嶺".

2) 亐羅山城은 1371년(공민왕20) 9월 2일(辛亥)에는 五老山城으로 달리 표기되어 있다(세가43). 亐羅(五老, 兀老, 兀剌, ula) 山城(現 遼寧省 桓仁縣 서북의 渾江 西岸)은 平安道 理山郡으로부터 270里에 있고, 북쪽으로 압록강·婆猪江을 건너야 도착할 수 있으며, 城郭이 큰 들판[大野]의 가운데 있으며 四面이 모두 絶壁이어서 서쪽으로만 올라 갈 수 있었다고 한다(『연려실기술』 권24, 經史門, 北元 ; 『동사강목』 권15하, 공민왕 19년 1월).

· 『신증동국여지승람』 권55, 理山郡, 山川, "兀剌山, 距郡二百七十里, 鴨綠江外之地. 自央土口子, 北渡鴨綠·婆猪二江, 大野之中有城, 名兀剌山城. 四面壁立高絶, 唯西可上. …".

拒守, 我師圍之. □[~~時~~]□[~~我~~]太祖[李成桂]適不御弓矢, 取從者之弓, 用片箭射之, 凡七十餘發, 皆正中其面. 城中奪氣, 安慰□□□[~~不能支~~], 棄妻孥, 縋城夜遁.

明日[~~乙巳1~~5日], 頭目二十餘人, 率其衆[~~百姓~~]出降, 諸城望風皆降, 得戶凡萬餘. 以所獲牛二千餘頭, 馬數百餘匹, 悉還其主. 北人大悅, 歸者如市. □□[~~於是,~~] 東至皇城,[4] 北至東寧府, 西至于海, 南至鴨綠□[~~江~~], 爲之一空. □□[~~皇城~~], □□□□□□□[~~古女眞—皇帝城也~~][5].

戊申[18日], 女眞萬戶弓大獻方物, 以部落一百戶, 請隷正陵[恭愍王妃].

壬子[22日], 地震.

甲寅[24日], 幸王輪寺, 觀佛齒及胡僧指空頭骨, 親自頂戴, 遂迎入禁中.[6]

丙辰[26日], 王親祀圜丘.

[某日, 以朝列大夫郭儀爲慶尙道按廉使, 全羅道按廉使辛元佐, 仍番:慶尙道營主題名記·錦城日記].[7]

[是月頃, 以李進修爲羅州牧使:追加].[8]

[○以[修職郞]裵尙度爲雞林府司錄兼參軍事:追加].[9]

[是月庚子[10日], 明洪武帝遣使往安南·高麗·占城, 祀其國山川:追加].[10]

---

3) 이후 李吾魯帖木兒(李原景)는 東北面 吉州지역으로 옮겨져 예하의 300餘戶를 거느리고 이 지역의 防禦와 개척에 종사하였던 것으로 추측된다. 이는 그의 아들 判永興大都護府事 李仁和가 吉州에 거주하였고, 그 族親이 여러 지역에 盤據하여 土豪로 존재하며 良民을 모아, 土田을 占據하여 財産이 鉅萬이었다고 한다. 또 이를 보존하기 위해 손자인 李施愛가 1467년(세조13) 5월 咸吉道에서 중앙집권화정책에 반대하여 반란을 일으켰다는 점에서 알 수 있다(『세조실록』 권42, 13년 8월 12일).

4) 皇城은 現 吉林省의 南部地域인 通化市 管內의 集安市 一帶로서, 그 동남쪽으로 압록강이 흐르고 있다.

5) 이상의 기사에서 平章事·西北面上元帥 池龍壽, 知樞密院事·副元帥 楊伯淵의 活躍은 반영되어 있지 않고, 密直副使·東北面元帥 李成桂의 戰功만이 기록되어 있다. 또 이 기사는 『태조실록』 권1, 總書, 공민왕 19년 1월에도 수록되어 있는데, ~~添字~~는 이에 의거하였다.

6) 이해의 1월[春] 司徒 達睿(達叡, Darma)가 大都에서 指空의 靈骨을 받들고 와서 檜巖寺(現 京畿道 楊州郡 檜泉邑 檜岩里 天寶山에 위치)에 奉安하였다고 한다.
- 『목은문고』 권14, 普濟尊者諡禪覺塔銘幷序, "庚戌春□□[~~正月~~], 司徒達叡奉指空靈骨來, 厝于檜巖".
- 『나옹화상어록』, 행장, "洪武庚戌秋[~~春正月~~], 元朝司徒達睿奉指空靈骨舍利, 到檜巖". 이상에서 ~~添字~~가 追加되어야 좋을 것이다.

7) 이때 郭儀는 朝列大夫(從4품)·慶尙道按廉使로서 中正大夫·晋州牧使兼官內勸農·防禦使 李仁敏과 함께 『近思錄』의 간행에 참여하였다(권14, 跋, 崔然柱 2009년).

8) 이는 『금성일기』에 의거하였다.

9) 이는 『동도역세제자기』에 의거하였는데, 정확한 月次는 알 수 없다.

10) 이는 다음의 자료에 의거하였다.

二月[庚申朔大盡,己卯], [癸亥[4日], 市廛火:五行1火災轉載].

丙寅[7日], 以[西京府尹]林堅味爲密直副使.[11)]

己巳[10日], 倭寇內浦, 破兵船三十餘艘, 掠諸州租粟.

癸酉[14日], 倭寇宣州, [西北面副元帥]楊伯淵邀擊, 斬五十餘級.[12)]

○王以公主忌日, 幸魂殿,[13)] 飯僧三日. 用布爲花, 費五千餘匹, 他物稱是.

戊寅[19日], 我太祖[東北面元帥李成桂]以元樞密副使拜住及吾魯帖木兒·李伯淵[李伯顔]·李長壽·李天祐·玄多士·金阿魯丁等三百餘戶來獻.[14)]

[己卯[20日], 赤祲:五行1轉載].

壬午[23日], [西北面副元帥]楊伯淵亦以東寧府頭目五十餘人還.

○納哈出遣使來, 獻方物, 仍求官, 且以黃金八兩, 求婦人腰帶. 授三重大匡·司徒, 賜細布二匹, 婦人金帶一腰, 還其金.

[是月辛未[12日], 三司右使·集賢殿大學士·知春秋館事兼成均大司成·提點司天監事李穡撰'及菴詩集'跋:追加].[15)]

[是月頃, 以安習生爲永州副使, [朝請郞]崔廉爲雞林府判官:追加].[16)]

三月庚寅朔[小盡,庚辰], 達魯王[韃靼王]哈剌八禿[哈剌八禿]及也先不花遣使來聘.

· 『명태조실록』 권48, 홍무 3년 1월, "庚子, 遣使往安南·高麗·占城, 祀其國山川".

· 『昭代典則』 권6, 홍무 3년 1월, "庚子, 遣使往安南·高麗·占城, 祀其國山川, 仍命各國圖其山川及摹錄其碑碣·圖籍, 付使者還". 이는 『憲章錄』 권2, 홍무 3년 **2**월의 기사와 동일하다.

11) 이는 安州上萬戶, 西京府尹을 역임한 林堅味의 功績을 포상한 京職의 陞級이었고, 上京入相[宣喚入相]은 아니었다.

· 『목은문고』 권1, 西京風月樓記, "其[恭愍18年]冬十有一月, 移尹西京, 巡問其道, 御兵撫民, 威惠益著, 明年二月, 進拜密直副使, 皆褒之也. 化既大行, 人樂爲用, 迺以五月初吉, 卜地于迎仙店之舊基, 作樓五楹營".

12) 이와 같은 기사가 열전27, 楊伯淵에도 수록되어 있다.

13) 恭愍王妃 魯國大長公主의 忌日은 2월 16일이다.

14) 이 기사는 『태조실록』 권1, 總書, 공민왕 19년 1월에도 수록되어 있는데, 李伯淵은 李伯顔으로 달리 표기되어 있다.

15) 이는 다음의 자료에 의거하였는데, 여기에서 商橫은 古甲子로서 商陽, 上章[庚]의 다른 표기이다.

· 『급암시집』卷首, 跋, "及菴閔公, 於予爲先達, 其外孫敬之過予言, '先祖有美而不知, 不明也. 知而不傳, 不仁也. 吾外祖功德之美, 載於國史者甚悉, 吾不諜可傳也 … 商橫閹茂[庚戌]姑洗[三月]既望, 端誠佐理功臣·三重大匡·檢校守門下侍中·藝文館大學士·知春秋館事李仁復跋".

16) 이는 『영천선생안』; 『동도역세제자기』에 의거하였는데, 崔廉은 李琳(後日 禑王의 丈人)의 壻 崔濂의 오자일 가능성이 있다.

甲午[5日], [北元]吳王·淮王遣使來, 獻方物.

○王憂無嗣, 將改葬毅陵[忠肅王], 命知申事廉興邦·判司天監事陳永緒等相地, 不果.

[乙巳[16日], 王欲躬耕籍田, 令有司講求儀注, 以儀物未備, 命守侍中李仁任攝行. 仁任祭訖, 遂行耕籍之禮:禮4籍田轉載].

癸丑[24日], 以忠肅王忌日, 如敬天寺.

甲寅[25日], 幸雲巖寺, 祭正陵[恭愍王妃].

[是月乙巳[16日], 檢校守門下侍中·藝文館大學士·知春秋館事李仁復撰'及菴詩集'跋:追加].[17]

[是月, 惠勤禮其師指空西靈骨焉:追加].[18]

夏四月[己未朔大盡,辛巳], [某日], 作觀音殿於影殿, 凡九楹, 制甚高廣.

癸亥[5日], 放役徒五千餘人, 歸農.

[某日, 設文殊會于演福寺, 命[領門下府事]辛旽先往, 乃令承宣及衛士衛旽, 遂親幸觀之:節要轉載].

戊辰[10日], 幸演福寺, 設文殊會.

[己丑[15日], 惠勤以王命赴召, 上堂說法, 結夏安居, 於廣明寺:追加].[19]

甲戌[16日], 又幸演福寺, 飯僧千四百餘.

[○月食:天文3轉載].[20]

---

17) 이는 다음의 자료에 의거하였는데, 李頤는 前年(공민왕18) 秋冬番慶尙道按廉使였다.

- 『급암시집』卷首, 跋, "曩予旣爲金氏兄弟, 序其外大父及菴先生之詩矣. 及今與敬之[金齊閔]同在成均, 每見敬之授徒餘暇, 輒屛靜處, 日書一紙, 豊暑弗輟, 予益重之. … 先生門人李端公頤適按慶尙, 鋟梓之功, 由玆克成, 豈天相敬之篤孝之誠耶? 弟公[金齊顏]入游中原, 上書河南王[擴廓帖木兒]軍門, 大蒙賞異, 拜中議大夫·中書兵部郞中兼簽書河南江北等處行樞密院事, 旣歸, 不幸而殞, 敬之更名九容, 今遷民部議郞, 講官如故云, 庚戌春分前五日, 端誠輔理功臣·崇祿大夫·三司右使·集賢殿大學士·知春秋館事兼成均大司成·提點司天監事韓山李穡跋".

18) 이는 자료에 의거하였다.

- 『목은문고』 권14, 普濟尊者諡先覺塔銘幷序, "[至正庚戌]□□[~~二月~~], 師禮師骨". 여기에서 ~~添字~~가 追加되어야 좋을 것이다.
- 『나옹화상어록』, 행장, "[至正庚戌]三月, 師因禮骨出山. 上遣近臣金元富, 迎之. 禮骨已入城".

19) 이는 다음의 자료에 의거하였는데, 夏安居는 대개 4월 15일에서 7월 15일까지이다(→고종 20년 4월 15일).

- 『목은문고』 권14, 普濟尊者諡先覺塔銘幷序, "[至正庚戌, 惠勤,] 因赴召, 結夏□[於]廣明寺".
- 『나옹화상어록』, 행장, "[至正庚戌]結夏於廣明寺".

20) 이날은 율리우스력의 1370년 5월 11일이고, 월식 현상이 심했던 때의 世界時는 11시 31분, 食分

庚辰[22日], 帝遣道士徐師昊來, 祭山川, 祝文曰, "皇帝遣朝天宮道士徐師昊,[21)] 致祭于高麗首山及諸山之神, 首水及諸水之神. 高麗爲國, 奠于海東, 山勢磅礴, 水德汪洋. 實皆靈氣所鍾, 故能使境土安寧, 國君世享富貴. 尊慕中國, 以保生民, 神功爲大. 朕起自布衣, 今混一天下, 以承正統. 比者, 高麗奉表稱臣, 朕喜[嘉]其誠, 已封王爵. 考之古典, 天子於山川之祀, 無所不通, 是用遣使, 敬將牲幣, 修其祀事, 以答神靈, 惟神鑑之". 師昊又載碑石而來, 問曰, "都城南楓川, 何地". 乃以會賓門外陽陵井對, 遂立之. 其文曰, "洪武三年春正月三日癸巳, 皇帝御奉天殿, 受群臣朝, 乃言曰, 朕賴天地祖宗眷祐, 位於臣民之上, 郊廟社稷, 以及岳鎭海瀆之祭, 不敢不恭. 邇者, 高麗遣使, 奉表稱臣, 朕已封其王, 爲高麗國王, 則其國之境內山川, 旣歸職方. 考諸古典, 天子望祭, 雖無不通, 然未聞行實禮, 達其敬者. 今當具牲幣, 遣朝天宮道士徐師昊前往, 用答神靈. 禮部尙書臣崔亮, 欽承上旨惟謹, 乃諭臣師昊, 致其誠潔以俟. 於是, 上齊戒七日, 親製祝文, 至十日庚子, 上臨朝, 以香授臣師昊, 將命而行, 臣師昊以四月二十二日[庚辰]至其國, 設壇城南, 五月丁酉[9日] 敬行祀事於高麗之首山大華嶽神及諸山之神, 首水大南海神及諸水之神, 禮用告成. 臣師昊聞, 帝王之勤民者, 必致敬於神. 欽惟皇上, 受天明命, 丕承正統, 四海內外, 悉皆臣屬, 思與溥天之下, 共享昇平之治, 故遣臣師昊, 致祭于神. 神旣歆格, 必能庇其國王, 世保境土, 使風雨以時, 年穀豊登, 民庶得以靖安. 庶昭聖天子一視同仁之意, 是用刻文于石, 以垂視永久. 臣師昊謹記".[22)]

은 1.08이었다(渡邊敏夫 1979年 485面).

21) 朝天宮은 현재의 江蘇省 南京市 秦淮區 朝天宮街道 水西門에 있는 南京市博物館이다.

22) 前年(홍무2) 12월 21일(壬午) 明 太祖가 中書省과 禮官에게 명하여 臣附한 安南·고려의 경내에 있는 산천에 致祭하게 하자, 禮官이 안남의 21個所, 고려의 魯陽·嵩·葦의 3山, 禮成·鹽難水·浿水·訾水(鴨綠江)의 4川을 보고하자 祀典에 기록하게 하고 致祭하게 하였다. 이어서 今年 1월 10일(庚子) 사신을 안남·고려·占城(占波, champa)에 파견하여 산천에 치제하게 하였고, 각국의 산천을 模寫하여 바치게 하고 碑碣과 圖籍을 보내 諸國에서 勒石하여 건립하게 하였다. 이에 中書省이 道士 徐師昊를 파견하여 고려의 산천에 제사를 지내게 한다는 咨文을 발급하였고, 祭文은 翰林學士 宋濂이, 祝文은 王禕가 撰하였다.
또 이와 관련된 기록으로 『명태조실록』 권48, 홍무 3년 1월 庚子 ; 『吏文』 권2, 咨奏申呈照會1, 中書省據尙書省禮部呈 ; 『宋學士文集』 권1(宋學士全集에서 권4), 代祀高麗國山川記 ; 『皇明文衡』 권1, 祭高麗國山川祝文 ; 『신증동국여지승람』 권4, 開城府上, 山川, 陽陵井 등이 있다.
· 『명태조실록』 권47, 홍무 2년 12월 壬午, "上謂中書及禮官曰, 今安南·高麗皆臣附, 其國內山川宜與中國一體致祭. 於是, 禮部考其山川, 安南之山二十有一, 曰佛跡, 曰徹圍, … 高麗山有三, 曰魯陽, 曰嵩, 曰葦, 水有四, 曰川禮成, 曰鹽難水, 曰浿水, 曰馬訾水, 卽鴨綠江也 遂命著之祀典, 設位以祭".

○師昊之來也，王疑道士行壓勝之術，稱疾不出，乃命百僚迎詔.

[又遣還忠惠王女長寧公主. □□公主，卽德寧公主出也. 領門下府事辛旽令左司議大夫吳中陸等，上書曰，"婦人，從一而終，而長寧公主在元朝，有帷箔之譏，當元亡之際，又不能守節，被俘于大明，甚可恥也. 天子念我祖宗之裔，以歸于我，若迎置京城，則如宗廟何，如國人耳目何. 請置邊遠，以保其生"，不允:節要轉載].

[→長寧公主，德寧公主所生. 適元魯王，元之亡也，失於北平. 恭愍王遣尙書成准得，告中書省，索之. 太祖高皇帝，遣宦者，訪天下軍前. 得於北京，賜衣食遣還. 王聞而不悅，辛旽密令左司議大夫吳中陸等，上書曰，"婦人從一而終義，不敢他適. 長寧公主，本麟趾之孫，其在元朝，嘗有帷薄之譏，我國之恥也. 當元朝離亂之際，又不能守節徇身，爲虜獲于大明，亦可恥也. 大明猶念我祖宗之裔，以歸于我，殿下何以待之. 若優容而列於五殿，以供奉，如宗廟何. 如國人耳目何. 請寘邊遠，以保其生". 不聽，召入京，命百寮出迎，居德寧公主殿:列傳4忠惠王公主轉載].

[是月丙戌28日，至正皇帝，以痢疾崩御於應昌府，在位三十八年，壽五十一，上尊諡□□，廟號惠宗:追加].[23]

五月己丑朔小盡,壬午，雨. 王恐防影殿之役，祈晴于佛宇·神祠.

[史臣曰，"春秋，書雨不雨，以著閔雨不閔雨，[24] 褒貶嚴矣. 況當五月，農務方急，天若不雨，則饑饉荐臻，盜賊興起矣. 王不此之慮，而爲影殿祈晴，食絶民散，影殿雖成，其可守乎. 甚矣，王之惑也":節要轉載].

· 『碩齋稿』 권9, 海東外史, 陽陵井, "在朝鮮開城府南八里會賓門外, 水甚清洌, 深費繘百餘尺, 猶不窮, 刻石爲甃, 一名楓川. 明高皇帝洪武三年, 遣朝天宮道士徐師昊, 至高麗祭山川, 其祝曰, (以下 上記의 資料와 같음). 余聞朝鮮端川府懸德山上頂, 四隅峻整若城郭, 溟渤積宿之氣, 常逗於此, 而一面僅通人跡, 有鐵釘如椽, 露幾二尺, 盖徐師昊望氣壓勝云. 然師昊未能遍北方, 故不知後二百年, 洪陁始起於長白山下, 虛洩朝鮮名岳之靈, 俾不得産將帥之材, 遏洪陀始. 於是師昊兩失之焉, 然運數攸係也, 師昊何有哉?".

23) 이는 『원사』 권40, 본기40, 順帝3, 至正 28년의 末尾에 의거하였다. 應昌府는 현재의 內蒙古自治區 赤峰市 克什克騰旗의 서쪽인 達里諾爾 서남쪽 지역인데, 1712년(숙종38) 燕行使로 파견된 金昌業(1658~1722)에 의하면 惠宗[順帝]은 小凌河의 상류지역인 紅螺山(혹은 紅羅山, 淸代에 烏蘭哈朗噶山으로 改書)에서 崩御하였다고 한다(『老稼齋燕行日記』2, 1712년 12월 15일). 또 『원사』에는 在位가 36年이라고 되어 있으나 오류일 것이다. 이날은 율리우스曆으로 1370년 5월 23일(그레고리曆 5월 31일)에 해당한다.

24) 이 구절은 다음의 자료를 念頭에 둔 것으로 추측된다.

· 『春秋穀梁傳』, 僖公第5, 3년, "春正月, 不雨, 不雨者, 勤雨也. 夏四月, 不雨, 一時言不雨者, 閔雨也. 閔雨者, 有志乎民者也".

[是日，密直副使·西京府尹林堅味，建風月樓五楹，於迎仙店舊基:追加].[25]

[庚寅2日，詔書使偰斯，回謝使副洪尙載·李夏生，書狀官·押物·打軍·譯語行次還自京師，下陸羅州木浦，仍到羅州，又成簽院·洪經歷到羅州:追加].

[壬辰4日，長寧公主行次及護送使火者二人·節日使成准得·副使金□□甲雨·書狀官李□·譯語·押物·打軍行次及護送孫百戶·丁百戶等各行次到羅州:追加].[26]

[丁酉9日，百官與徐師昊，合祭山水之神于城南:追加].[27]

丁未19日，置守正陵戶，納田民于雲岩寺雲巖寺.

[→置守陵戶，納土田·臧獲于雲岩寺. ○王與群臣，同盟曰，"有國有家，配匹莫重，矧玆內助之賢，宜在不忘. 惟仁德恭明慈睿宣安徽懿魯國大長公主，分派天潢，連芳戚畹，禮從親迎，來嬪我家. 潛邸燕京，旣同甘苦，迨及東旋，再定禍亂. 辛丑恭愍10年妖賊犯京，播遷于南，贊成克復，癸卯12年興王倉猝之變，賊在跬步，橫身障蔽. 又其兇謀，攘竊國璽，乃能出奇，密令收護，俾我國家，式至今日，比功提甲，亦無忝焉. 溫恭小心，循蹈婦則，慈祥惠愛，克著母儀. 儆戒相成，多所匡救. 是宜終始，共守宗祧. 乃以彌月之辰，竟殞厥身. 興言及此，痛楚尤深. 上國贈徽懿魯國大長公主之號，群臣獻慈睿宣安之謚諡. 葬于雲岩寺雲巖寺東麓，號曰正陵，神御之所在城中者曰仁熙. 仰稽太祖以來，歷代成規，增益光大，期盡予心. 肆與群臣，同發誓願，於仁熙殿. 立千手道場，又以德泉庫·寶源庫·延德宮·永和宮·永福宮·永興宮屬之，以備供用. 又於寶源庫，別置解典庫. 又將宮中所御之物，買布一萬五千二百九十三匹，分給州郡，隨本多少以取息. 諸道諸色人匠，合納貢布，幷委寶源庫收掌. 雲岩寺納田二千二百四十結，奴婢四十六口，以資冥福. 置陵戶百有十四，期至不替. 佛天在上，宗社在下，今我同盟，及後代君臣，不遵此盟，或有侵奪盜用者，神必殛

25) 이는 다음의 자료에 의거하였다.

· 『목은문고』 권1, 西京風月樓記, "明年恭愍19年二月，林堅味, 進拜密直副使，皆褒之也. 化旣大行，人樂爲用，迺以五月初吉，卜地于迎仙店之舊基，作樓五楹營".

26) 이상 2일, 4일의 두 기사는 다음의 자료에 의거하였다. 이에서 副使는 使副로도 표기되고, 이들은 前年(공민왕18) 5월 11일에 파견된 洪尙載·李夏生 등의 歸還을 가리키는 것이다.

· 『금성일기』, "庚戌年恭愍19年，… 五月初二日，詔書使佐偰相公偰斯·回謝副使·書狀·押物·打軍·譯語並只還出來州之木浦下陸，到州. 成簽院·洪經歷一行到州，同月初四日，長寧公主行次及護送使火者二分·節日使成俊得成准得·副使金□□甲雨·書狀李□·譯語·押物·打軍行次及護送孫百戶·丁百戶等各行次乙都巡問使李□□金䦗·按廉使辛□□元佐·牧使□□進修一同攤禮以迎逢役只乙良,道內各村爲等如使內乎事".

27) 이는 『목은문고』 권7, 送徐道士使還序에 의거하였다.

之". ○雲岩[雲巖], 元係教宗, 今改昌化, 屬禪宗, 又改光岩[光巖]:列傳2恭愍王妃魯國大長公主轉載].

[→置守正陵戶百十四, 又納田二千二百四十結·奴婢四十六口·布一萬五千二百九十三匹, 于陵傍光岩寺[光巖寺], 以資冥福. ○王與群臣, 同盟曰, "後代君臣, 不遵此盟, 侵奪盜用者, 神必殛之":節要轉載].

己酉[21日], 祈晴于宗廟·社稷·山川·佛宇·神祠. 王謂[領門下府事]辛旽曰, "今年恒雨, 深思厥咎. 必刑獄不平, 使陰陽失和, 予若親諭法官, 恐其煩也, 卿以予意諭之, 自今其務平允".

庚戌[22日], 以久雨, 放囚.[28)]

壬子[24日], 王聞公主父魏王[孛羅帖木兒]誅死, 輟朝素膳.

甲寅[26日], 帝遣尙寶司丞偰斯來, 錫王命. 王率百官郊迎. 誥曰, "咨爾高麗國王王顓, 世守朝鮮, 紹前王之令緖, 恪遵華夏, 爲東土之名藩. 當四方之旣平, 嘗專使而往報, 卽陳表貢, 備悉忠誠, 良由素習於文風, 斯克謹修於臣職. 允宜嘉尙, 是用褒崇, 今遣使齎印, 仍封爾爲高麗王. 凡儀制服用, 許從本俗. 於戱, 保民社而襲封, 式遵典禮, 傳子孫於永世. 作鎭邊陲, 其服訓辭, 益綏福履. 今賜大統曆一本, 錦綉絨段十匹, 至可領也". 幷賜太妃金叚[金段]·色叚[色段]·線羅紗各四匹, 王妃亦如之, 相國辛旽·侍中李春富·李仁任,[29)] 色叚[色段]各四匹·線羅各四匹·紗各四匹.[30)]

---

28) 이 시기에 내린 많은 비[大雨, 大水]로 인해 長城縣 白羊寺의 樓閣이 붕괴되었던 것 같다.
- 『목은문고』 권3, 長城縣白巖寺雙溪樓記, "庚戌夏, 水大至, 石堤隳, 樓因壞".

29) 이때 明이 '相國辛旽'이라고 稱한 것이 辛旽의 열전을 撰한 사람의 관심을 끈 것 같다.
- 열전45, 辛旽, "[恭愍]十九年, 帝遣使來, 錫王命, 幷賜旽綵帛璽書, 稱相國辛旽".

30) 이 誥命과 함께 내려진 것으로 추측되는 조서도 찾아진다.
- 『王忠文公文集』 권12, 封高麗國王詔, "朕肇膺正統, 誕撫多方乃眷, 高麗襲朝鮮之遺壤, 克尊中夏, 逾渤海而稱臣. 頃詔使之往臨, 卽表詞之來, 上有嘉, 方物良仞衷情, 蓋由夙慕於華風, 用是恪修於臣職. 況爾三韓之累世, 皆愼始終, 屬玆四海之一家, 何殊內外, 爰稽彝制, 再錫眞封. 今遣某官齎印, 仍封爾爲高麗國王. 於戱, 保民社而王, 纂榮懷於舊服, 守禮義之國, 作屛翰於東藩, 其始自今毋替. 朕命故玆詔示, 想宜知悉". 이 자료는 『皇明文衡』 권1 ; 『皇明詔令』 권3, 太祖高皇帝下에도 수록되어 있다.
  또 이때의 印章과 관련된 기사로 다음이 있고, 이 金印은 1393년 3월 太祖 李成桂가 明에 돌려주었던 것 같다. 또 偰斯의 파견은 前年(홍무2) 8월 14일(丙子)에 결정되었다.
- 지26, 輿服, 王印章, "恭愍王十九年五月, 太祖高皇帝, 賜金印一顆, 龜紐盤綬, 其文曰, 高麗國王之印".
- 『태조실록』 권3, 2년 3월 甲寅[9日], "… 又遣政堂文學李恬, 送納高麗恭愍王時所降金印一顆".
- 『명태조실록』 권44, 홍무 2년 8월 甲子[2日], "高麗國王王顓遣其禮部尙書洪尙載等奉表賀卽位, 請

○成准得還自京師, 帝賜璽書曰, "近者使歸, 問國王之政, 言王惟務釋氏之道, 經由海濱, 去海五十里, 或三四十里, 民方寧居者. 朕詢其故, 言倭奴所擾. 因問城郭何如, 言有民無城. 問甲兵何如, 言未見其嚴肅, 問王居何如, 言有居而無聽政之所. 朕因思之, 若果如是, 深爲王慮也. 朕雖德薄, 爲中國主, 王已稱臣修貢, 事合古禮. 凡諸侯之國, 勢將近危, 朕所以持危之道, 不可不諭. 王知之, 中古以來, 王公設險, 以守其國. 今王有民而無城, 則民命將危. 爲國者, 未嘗去兵, 今王武備不修, 則國威將危. 民以食爲天, 今王濱海之地不耕, 則民食將危. 凡有國者, 必有聽政之所, 今王有居室, 而聽政之所不設, 非所以示尊嚴於陪臣. 若或設之, 但不當過於奢侈耳. 歷代之君, 不間華夷, 惟行仁義禮樂, 可以化民成俗. 今王舍而不務, 日以持齋守戒爲事. 望脫愆寃, 以求再生之福, 佛經之說, 雖有然, 不崇王道, 而崇佛道, 失其要矣. 佛之道幽微, 三皇五帝之時, 未聞有佛, 而天下大治, 何也. 盖古人淳朴而易化, 故王道可治. 後世帝王之治, 不及於古, 釋氏因出其間, 密贊王綱, 以助治化, 此天意也. 王者擧王道以應之, 則無不治矣, 若眞僧化民爲善, 密贊之功已成, 佛之大乘, 斯非小補. 國王大臣, 儻昧於此, 而誤國之政, 亦非小殃. 所可汰者冗僧耳, 敬之則遊食者衆, 慢之則使民不敬於佛, 不敬不汰, 則善惡不分, 在王處之如何耳. 朕幼嘗爲僧, 禪講亦曾參究, 惟聞有佛而已, 度死超生, 未見盡驗. 古今務釋氏, 而成國家者, 實未之有, 梁武之事, 可爲明鑑. 今乃惟佛敎是崇, 非王之所宜, 王之所以王高麗者, 莫不由前世所積. 今旣爲王, 有土有民, 能擧先王之道, 與民興利除害. 使父母妻子, 飽食暖衣, 各得其所, 生齒日繁. 此道若擧, 佛家之齊戒, 其可與並驅乎. 在朕思之, 必不能出此道之上, 誠能行此道, 則福德之應, 王子必生於宮中, 此則修行之大者也. 朕爲人神之主, 天地百神之祀, 犧牲未嘗敢闕. 聞王之國, 孶生不育, 何以供境內山川城隍之祀乎? 有國之君, 當崇祀典, 劉康公有言曰, 國之大事, 在祀與戎. 若戎事不備, 祀事不合典禮, 其何以爲國乎? 今胡運旣終, 沙塞之民, 非一時可統, 而朕兵未至遼瀋, 其間或有狂暴者出. 不爲中國患, 恐爲高麗之擾. 况倭奴出入海島, 十有餘年, 王之虛實, 豈不周知, 皆不可不慮也. 王欲拒之, 非雄武之將, 勇猛之兵, 不可遠戰於封疆之外. 王若守之, 非深溝高壘, 廣其儲蓄, 四有援兵, 不能挫銳而擒敵. 由是而觀, 王之負荷, 可謂甚重, 惟智者, 能圖患於未然, 轉危以爲安也. 前之數事, 所言喋喋, 不過與王同憂耳, 王其審圖之. 使至且知王欲制法服, 以奉宗廟, 朕深以爲喜. 今賜王冠服·樂器·陪臣冠服及洪武三年大統

封爵, 且貢方物中宮及皇太子, 皆有獻, 賜尙載以下羅綺有差".

曆, 至可領也".[31)]

○又賜王六經·四書·通鑑·漢書. 皇后賜王妃冠服.[32)]

---

31) 成准得은 전년(洪武2) 10월 1일(壬戌)에 朱元璋에게 下直人事를 드리자, 朱元璋이 詔書를 내려 倭寇의 侵入으로 인해 人民들이 海濱에서 30里, 50里 떨어져 居處함을 勘案하여 對策을 마련할 것을 促求하였는데, 위의 기사와 비교하면 字句의 출입이 있다(『명태조실록』 권46, 홍무 2년 10월 壬戌).

32) 이와 관련된 기사로 다음이 있다.

- 지26, 輿服1, 祭服, "恭愍王十九年五月 太祖高皇帝, 賜冕服. 圭九寸, 冕青珠九旒, 青衣纁裳九章, 畫龍·山·華虫·火·宗彝五章在衣, 繡藻·粉米·黼·黻·四章在裳. 白紗中單, 黼領青緣袖襴. 蔽膝, 纁色, 繡火·山二章. 革帶, 金鉤鰈, 玉佩. 赤白縹綠四綵, 綬, 小綬, 二間施金環. 大帶, 表裏白羅紅綠. 白襪赤履. 奉祀朝覲之服也".
- 지24, 樂1, 軒架樂獨奏節度, "恭愍十九年五月, 成准得還自京師, 太祖皇帝賜樂器. 編鍾十六架全, 編磬十六架全, 鍾架全, 磬架全. 笙簫琴瑟排簫一".
- 지26, 輿服, 視朝之服, "恭愍王十九年五月, 太祖高皇帝, 賜遠遊冠七梁, 加金博山, 附蟬七首, 上施珠翠, 犀簪導. 絳紗袍, 紅裳, 白紗中單, 黑領青緣袖, 裙, 襦, 紗蔽膝, 白假帶, 方心曲領, 紅革帶, 金鉤鰈, 白襪黑舃, 受群臣朝賀服之".
- 지26, 輿服, 王妃冠服, "恭愍王十九年五月, 太祖高皇帝孝慈皇后, 賜冠服. 冠, 飾以七翬二鳳, 花釵九樹, 小花如大花之數. 兩博鬢九鈿, 翟衣青質, 繡翟九等. 素紗中單黼領, 羅縠爲緣, 以紅色. 蔽膝如裳色, 以緅爲領緣, 繡翟二等. 大帶隨衣色, 革帶, 金鉤鰈, 珮綬, 青襪, 青舃".
- 지26, 輿服, 百官祭服, "恭愍王十九年五月 太祖高皇帝, 賜群臣陪祭冠服, 比中朝臣下九等, 遞降二等, 王國七等, 通服. 青羅衣, 白紗中單, 皀領袖襴, 紅羅裙皀緣, 紅羅蔽膝, 紅白大帶, 方心曲領, 革帶 綬環 白襪 黑履. 冠, 五頂五梁, 至一梁, 角簪導. 服樣一副, 羅衣·中單·裙·蔽膝·大帶·方心曲領·白襪·黑履. 全服段, 青羅十一匹·白羅十一匹·紅羅六匹·皀羅四匹·青絹三十五匹·白絹三十五匹·紅絹十七匹·皀絹十匹·生絹七十一匹, 綬樣三副, 紫錦綬一副, 銀環二, 赤錦綬一副, 鍮石銅環二. 綠錦綬一副, 鍮石銅環二, 綬料, 紫錦綬五副, 赤錦綬六副, 綠錦綬三十五副, 五色線七斤, 革帶銀鉤鰈一副, 鍮石銅鉤鰈一副. 第一等, 秩比中朝第三等, 服五梁冠, 革帶銀鉤鰈, 紫錦綬銀環. 第二等, 秩比中朝第四等, 服四梁冠, 餘同前. 第三等, 秩比中朝第五等, 服三梁冠, 革帶銅鉤鰈, 紫錦綬銅環. 第四等, 第五等, 秩比中朝第六等, 第七等, 服二梁冠, 赤錦綬銅環. 第六等, 第七等, 秩比中朝第八等, 第九等, 服一梁冠, 綠錦綬銅環".
- 『忍齋集』 권4, 題樂院樂器形止案後, "丙子宣祖9年秋, 院主簿朴湘, 點檢庫藏雜物, 偶得一弊册于破笥中, 携以示余領議政洪暹, 則正統十三年戊辰世宗30年, 先正黃翼成公喜領議政黃喜所成奉常寺欽賜樂器形止案也. 案留院中一百三十年, 提調暨僚屬, 下及胥隷, 不曾知有是案, 幾未免爲覆諸瓿, 而塗之壁, 吁亦幸矣哉. 按'高麗史樂志', 睿宗遣吏部尙書王字之·文公美于宋, 及其還, 徽宗皇帝下詔, 賜大晟樂, 政和丙申睿宗11年, 遣李資諒于宋, 謝賜樂·續綱目, 徽宗政和三年睿宗3年, 頒新樂. 今所存編鐘二十一下付標書曰, '宋朝出來', 簫四下付標書曰, '洪武時出來', 編鐘十六下付標書曰, 永樂丙戌太宗6年出來. 其餘特鐘鎛·鐘召·磬·瑟·笙, 竝無標識可辨, 不知孰爲頒大晟樂時所賜, 孰爲洪武·永樂年所賜. 所謂鎛鐘, 始見于周禮, 歷代通用, 而我國'五禮儀', 無所謂鎛鐘者. 徽宗頒新樂時, 有鎛鐘十二之文, 疑此爲大晟樂之一, 而然無標識, 不敢强以爲是也. …".

또 이때 가져온 樂器는 鍾·磬 各 1架, 琴·瑟·笙·竽·和·蕭·管 등의 각각 2部였는데, 홍건적의 침입 때에 樂工이 연못에 던져 넣어 보존될 수 있었고, 그중에서 編鍾은 1430년(세종12) 奉常寺에 保管되어 있었다(『세종실록』 권50, 12년 윤12월 1일·권59, 15년 1월 1일). 이때의 冠服

[→成准得還自京師，太祖皇帝賜樂器．編鍾十六架全，編磬十六架全，鍾架全，磬架全．笙簫琴瑟排簫一:志24樂1軒架樂獨奏節度轉載]．

[是月己丑朔，晋州牧使兼管內勸農防禦使李仁敏·判官兼勸農防禦使金子贇等開板'近思錄':追加]．[33]

[是月，僧慈頔開板'圓頓宗眼':追加]．[34]

六月[戊午朔小盡,癸未]，癸亥[6日]，[小暑]．構觀音殿第三層上梁，壓死者二十六人．太后[洪氏]聞之，請罷役．王不聽．

[→王構佛宇上樑，壓死者二十六人，肢體異處，不可忍視．后聞之，請罷役，不聽:列傳2忠肅王明德太后洪氏轉載]．

甲戌[17日]，[工部尙書]張子溫還自京師，帝[太祖]賜'本國朝賀儀注'一册及金龍紵絲·紅熟裏絹，各二匹．[35]

乙亥[18日]，徐師昊還，王表謝云，誕受厥命，海嶽旣歸，咸秩無文，山川是望．百神受職，一國與榮．臣於夏月以來，病不視事，聞朝天宮道士徐師昊，以中書省欽奉聖旨公文，賚香·祝板·幡·幣，并買牲牢·段匹前來．臣欽依，涓日差官，行祭了．當師昊所製記文，緣備載聖訓，謹令立石．惟祭祀之及玆，實古今之罕有，皇帝陛下，類

은 여러 번 改造되어 1438년(세종20)까지 尙衣院에 보관되어 있었다고 한다(『세종실록』 권83, 20년 10월 5일).

33) 이는 다음의 자료에 의거하였는데(郭丞勳 2021년 462面), 成均生은 成均生員, 成均學徒를 가리키는 것 같다.

· 『근사록』 권14, 권말간기, "… 庚戌□□[五月]己丑朔,星山魯叔 謹識,」 中正大夫·晋州牧使兼管內勸農防禦使李仁敏,」 朝奉郎·晋州牧判官兼勸農防禦使·賜紫金魚袋金子贇,」 司錄,」 校正 成均生 鄭翼吾,」 鄕貢進士鄭思吾,」 色 戶長正朝 河乙澤,」 刻板 道人 戒松,」 道人 戒恒」".

34) 이는 다음의 자료에 의거하였다(郭丞勳 2021년 454面).

· 『圓頓宗眼』跋, "庚戌仲夏上旬, 慈頔 跋".

35) 이때 보내진 『本國朝賀儀注』1册은 1369년(홍무2) 9월에 제정된 蕃王朝貢禮 4則 중의 一部分인 것 같다(→공민왕 21년 11월 18일의 脚注). 또 1450년(문종 즉위년) 6월과 1451년(단종 즉위년) 8월에 明의 使臣과 迎接을 둘러싸고, 1370년(洪武3, 공민왕9)에 발급된 『藩國儀注[蕃國儀注]』가 검토되었는데(『문종실록』 권2, 즉위년 6월 丁丑[5日] ; 『단종실록』 권2, 즉위년 8월 壬午[22日]), 이것이 『朝賀儀注』와 같은 책일 가능성이 있다.

또 高啓(1336~1374)를 위시한 文人들이 張子溫을 餞送하기 위해 餞別詩를 지었고, 翰林學士 宋濂이 이의 序文을 찬하였다(『高太史大全集』 권13, 送高麗賀正旦使張子溫還國 ; 『宋學士文集』 권6, 贈高麗張尙書還國序, 全集에서 권9). 한편 이해에 使臣으로 간 刑部侍郎 金柱가 그의 8世祖 金緣이 지은 「淸宴閣讌記」를 蘇伯衡(生沒年不詳)에게 보여주고, 이에 대한 跋文을 받았다고 한다(『蘇平仲文集』 권10, 書淸宴閣讌記後 ; 『皇明文衡』 권46).

禋繼舜，明恤躋湯．道兼帝王之隆，德叶神人之望．用頒實禮，爰及遐方．臣謹當愼守世封，恭陳時祀．歛龜疇之五福，[36] 上虎拜之萬年．

辛巳[24日]，領門下府事辛旽·右侍中李春富等，再請罷馬岩影殿[馬巖影殿]，王從之．復修王輪影殿．

○帝封諸子，遣禮部主事栢禮來，頒詔．又遣侍儀舍人卜謙來，頒科擧程式，詔曰，"朕聞，成周之際，取材[才]於貢士，故賢者在職，而其民有士君子之行．是以，風俗淳美[風淳俗美]，國易爲治，而敎化彰顯也．漢唐及宋，科擧取士，各有定制，然但貴詞章之學，而未求六藝[~~德藝~~]之全．至於前元，依古設科，待士甚優，而權豪勢要之官，每納奔競之人，辛勤歲月[~~夤緣阿附~~]，輒竊仕祿，所得資品，或居擧人[~~貢士~~]之上．其懷材抱道之賢，恥[~~耻~~]於並進，甘隱山林而不起，風俗之弊，一至於此．今朕統一中國[~~華夷~~]，外撫四夷，方與斯民，共享昇平之治，所慮官非其人，有傷[~~殃~~]吾民．願得賢能[大]君子，而用之．自洪武三[今]年八月爲始，特設科擧，以起懷材[才]抱道之士．務在明經行修，博古通今，文質得中，名實相稱．其中選者，朕將親策于庭，觀其學識，品其高下，而任之以官，果有材[才]學出衆者，待以顯擢．使中外之臣，皆由科擧而選，非科擧者，毋得與官，敢有[~~彼~~]遊食奔競之徒，坐以重罪，以稱朕責實求賢之意．所有合行事宜，條列于後．

一．鄕試·會試，文字程式．第一場．試五經義，各試本經一道．不拘舊格，惟務經旨通暢，限五百字以上．易，程氏·朱氏·注古注疏．書，蔡氏傳·古注疏．詩，朱氏傳·古注疏．春秋，左氏·公羊·穀梁·胡氏·張洽傳.[37] 禮記，古注疏．四書疑一道，限三百字以上．第二場．試禮·樂論一道，限三百字以上，詔·誥·表·箋內，科一道．第三場．試經·史·時務策一道，惟務直述，不尙文藻，限一千字以上．試三場，後十日，面試．騎觀其馳驟便捷．射觀其中數多寡．書觀其筆畫端楷．算觀其乘除明白．律聽其講解詳審．律用見行律令．

一．殿試．時務策一道．惟務直述，限一千字以上．

一．出身．第一甲三名，第一名，從六品，第二·第三名，正七品，賜進士及第．第二甲一十七名，從七品，賜進士出身．第三甲八十名，正八品，賜同進士出身．

---

36) 五福에 대한 설명으로 다음이 있다.

· 『여유당전서』 권25, 小學紺珠，五之類，"五福者，庶民之吉祿也．一曰壽，二曰富，三曰康寧，四曰攸好德[注，樂其善]，五曰考終[得令終]，此之謂五福也．五福之名，出洪範".

37) 여기에서 胡氏와 張洽傳은 胡安國(1074~1138)과 張洽(1161~1237)이 각각 注疏한 『春秋傳』(胡氏春秋傳)30권, 『春秋集註傳』(春秋集註，張氏春秋集注)을 指稱하는 것 같다.

一. 鄕試, 各省並直隷府州等處通選, 以五百名爲率. 其人材衆多去處, 不拘額數, 若人材未備, 選不及數者, 從實充貢. 河南省四十名, 山東省四十名, 山西省四十名, 陝西省四十名, 北平省四十名, 福建省三十名, 江西省四十名, 浙江省四十名, 湖廣省四十名, 廣東省二十五名, 廣西省二十五名. 在京鄕試直隷府州一百名.

一. 會試, 額取一百名.

一. 高麗·安南·占城等國, 如有經明行修之士, 各就本國鄕試, 貢赴京師會試, 不拘額數選取.

一. 開試日期, 鄕試, 八月初九日, 第一場, 十二日, 第二場, 十五日, 第三場·會試, 次年二月初九日, 第一場, 十二日, 第二場, 十五日, 第三場·殿試, 三月初一日, 三年一次開試.

一. 於洪武三年鄕試, 洪武四年會試.

一. 各省自行鄕試, 其直隷府州, 赴京鄕試. 凡擧人, 各具籍貫·年甲·三代本, 經鄕里擧保縣·州申府, 府申行省, 印卷鄕試. 中者, 行省咨解中書省, 判送禮部, 印卷會試.

一. 仕宦已入流品, 及曾於前元登科, 幷曾仕宦者, 不許應試. 其餘各色人氏, 幷流寓各處者, 一體應試.

一. 有過罷閑人吏·娼優之人, 幷不得應試.

一. 應擧下第之人, 不許喧鬨摭拾試官, 及擅擊登聞鼓, 違者究治.

一. 凡試官不得將弟男子姪親屬, 徇私取中. 違者, 許赴省臺, 指實陳告.

一. 科擧取士, 務得全材. 但慮開設之初, 騎·射·書·算·律, 未能徧習. 除今科免試外, 候三年之後, 須要全備, 方得中選. 於戱, 設科取士, 期必得於全材, 任官惟賢, 庶可成於治道".[38]

○中書省又移咨曰, "試場合用人員. 考試官主文二人, 同考試二人, 須用明經公正之人, 於儒官儒士內選充, 以禮敦請. 提調官, 中書省官一人, 禮部尙書一人, 在

---

38) 이때 明은 4월 7일(乙丑) 諸皇子를 王으로 책봉하고 8일(丙寅) 사신을 安南·高麗 등의 諸國에 보내 諸王을 封建한 詔書를 반포하였다(『명태조실록』 권51). 이어서 5월 11일(己亥) 科擧를 실시하여 인재를 선발[設科取士]하게 하고, 사신을 高麗·安南·占城(champa)에 보내 詔書를 반포하게 하였다(『명태조실록』 권52). 이의 詔書에서 ~~添字~~와 같이 달리 표기되어 있고, 자구의 출입이 많은데, 원래의 詔書를 명과 고려에서 각각 『명태조실록』, 『공민왕실록』, 『明史』를 편찬할 때 潤文하였던 결과로 추측된다. 以下 兩國 사이에 오간 文書를 比較하지 않으므로 研究者는 필히 對照하기 바란다.

外，行省官．監試官，監察御史二人，在外，監察司官．供給官，應天府官一人，在外，所在府官．收掌試卷官一人，彌封官一人，謄錄官二人，對讀官四人，受卷官二人．並選用淸愼人．巡綽官四人，都督府委官，在外，守禦官委用．鎖院監門，搜檢懷挾，禁約喧鬧．其搭盖試院房室，幷合用筆墨紙箚，及供給試官·擧人·執事人等飮膳，就於係官錢粮內，從實支用．試院四圍，用棘針圍護，擧人入院，每一人，用軍人一名看守，不許互相講問．鄕試中選擧人，出給公據，官爲應付廩給脚力，[39] 赴京會試，就將所試文字，繳咨".

○中書省遣百戶丁志·孫昌甫等來，究蘭秀山叛賊陳君祥等，咨曰，"君祥等，積年在海作耗，大軍克平浙東之後，本賊旣降復叛，劫殺將官．已嘗調兵往討，其賊畏罪逋逃，今有明州人鮑進保，自高麗來告，君祥等挈其黨，見於王京古阜，匿罪潛居．王國必所未知，撫以爲民，其賊詭計偸生，姦心實在．若使久居王國，將見染惑善良，爲患匪輕．忽然復歸其穴，則往來旣無少阻，請將賊徒解來，明正其罪，庶絶姦惡". ○王命並其妻子及貲產以送，凡百餘人．

[→又遣百戶丁志·孫玉來，執蘭秀山叛賊陳君祥·陳魁一等以歸．先是，君祥等，居江南，詐降于明，殺其官吏，率徒百餘人，航海而來，居于古阜:節要轉載].

[是月，優婆塞林桂印成'楞嚴經'一本十卷，備追薦:追加].[40]

[是月丁丑20日，明頒平定沙漠詔于天下，仍遣使齎詔諭安南·高麗·占城:追加].[41]

秋七月丁亥朔大盡,甲申，癸巳7日，[立秋]．全羅道體覆使崔龍蘇還京，先見領門下府事辛旽，後謁王，命有司杖之．

乙未9日，始行洪武年號.[42]

壬寅16日，帝遣秘書監直長夏祥鳳來，詔曰，"自有元失馭，群雄鼎沸，土宇分裂，

---

39) 應付에 대한 注釋으로 다음이 있다.

· 『增定吏文輯覽』 권3, 應付, "應當也．付給也．如使客往來者，皆有廩給·口糧·脚力官爲例當給，故曰應付"(19面左末行).

40) 이는 다음의 자료에 의거하였다(기림사 소장, 郭丞勳 2021년 455面).

· 『大佛頂如來密因修證了義諸菩薩萬行首楞嚴經』 권7，卷末題記[墨書]，"竊爲」先亡父母,往生淨界,曁我亡耦李氏超生之」願,印成楞嚴經一本十卷,用薦」充逝者.」庚戌年六月　日　誌,」居士林桂」".

41) 이는 다음의 자료에 의거하였다.

· 『憲章錄』 권2, 洪武 3년 6월, "丁丑，頒平定沙漠詔于天下，仍遣使齎詔諭安南·高麗·占城".

42) 『동도역세제자기』에는 5월에 洪武年號를 사용하였다고 되어 있다.

聲敎不同，朕奮起布衣，以安民爲念，訓將鍊兵，平定華夷，大統旣正．永惟爲治之道，必本於禮．考諸祀典，知五嶽五鎭·四海·四瀆之封，起自唐世，崇明美號，歷代有加．在朕思之，則有不然．夫嶽鎭海瀆，皆高山廣水，自天地開闢，以至于今，英靈之氣，萃而爲神．必皆受命於上帝，幽微莫測，豈國家封號之所可加．瀆禮不敬，莫此爲甚．至如忠臣烈士，雖可加以封號，亦惟當時爲宜．夫禮所以明神人，正名分，不可以僭差．今命依古定制，凡嶽鎭海瀆，並去其前代所封名號，止以山水本號，稱其神．郡縣城隍神號，一體改封，歷代忠臣烈士，亦依當時初封，以爲實號，後世溢美之稱，皆與革去．其孔子善明先王之要道，爲天下師，以濟後世，非有功於一方一時者可比，所有封爵，宜仍其舊．庶幾神人之際，名正言順，於理爲當，用稱朕以禮祀神之意．所有定到神號，開列于後．

一．五嶽，稱東嶽泰山之神·南嶽衡山之神·中嶽嵩山之神·西嶽華山之神·北嶽恒山之神．

一．五鎭，稱東鎭沂山之神·南鎭會稽山之神·中鎭霍山之神·西鎭吳山之神·北鎭醫無閭山之神.[43]

一．四海，稱東海之神·南海之神·西海之神·北海之神．

一．四瀆，稱東瀆大淮之神·南瀆大江之神·西瀆大河之神·北瀆大濟之神．

一．各處州府縣城隍，稱某府城隍之神·某州城隍之神·某縣城隍之神．

一．歷代忠臣烈士，並依當時初封名爵，稱之．

一．天下神祠，無功於民，不應祀典者，卽係滛祀[淫祀]，有司毋得致祭．於戱，明則有禮樂，幽則有鬼神，其理旣同，其分當正“．

甲辰[18日]，遣三司左使姜師贊如京師，謝册命及璽書，幷納前元所降金印，仍計稟耽羅事，[且請樂工:節要轉載].[44] 其謝册命表曰，“賜履舊邦，頒正大統，恩非望及，感與愧幷．臣性闇資庸，才踈識短，當興師始自葛，悔無助於初征．及受貢會于塗，責宜加於後至．洪武三年五月二十六日，尙寶寺丞偰斯至，欽奉詔書，封臣爲高麗

---

43) 醫無閭山(혹은 醫巫閭山, 現 遼寧省 錦州市 北鎭 管內)은 五岳北鎭으로 明代의 廣寧城 서쪽 5里에 있었다고 한다(『艮齋集』 권3, 望醫無閭山 ; 『月沙集』 권38, 遊醫巫閭山記).

44) 이와 관련된 기사로 다음이 있다. 또 姜師贊은 8월 5일(辛酉) 明에서 表를 올려 冕服을 下賜한 것을 謝禮하고 方物과 元으로부터 받은 金印을 바쳤다(『명태조실록』 권55 ; 『속문헌통고』 권29, 土貢考. 이에서 姜德贊으로 달리 표기되어 있다).

· 지24, 樂1, 軒架樂獨奏節度, “[恭愍19年]七月，遣姜師贊如京師，請樂工精通衆音，兼備諸伎者，發送傳業”.

國王，鑄降金印一顆，儀制服用，許從本俗，仍賜大統曆一道，錦繡絨段十匹．幷賜臣母·臣妃及陪臣，段匹紗羅總六十八匹，寵焉希世，惠又光今．揆涯分而何堪，怳心顏而交怍．皇帝陛下，大度含垢，至仁固存．建侯，旁摭於周書，以蕃王室，欽天，若稽於堯典，敬授人時．分在笥之珍，以勸忠，定班瑞之制，而示信，令殊俗，各安其性，故盛德無能爲名．臣謹當祗率保釐，恪勤平秩，服訓辭之深切，不二不三．祈壽筭之洪延，時萬時億”．

○謝璽書表曰，“聖謨諄切，曲賜矜怜，天貺便蕃，尤加奬掖，感銘曷已，圖報末由．臣學問之無本也，不足以誠心，政事之乖方也，不足以治國．蒙先祖之遺業，玩歲月於餘生，何圖睿訓之丁寧，乃及小邦之闕失．威不違於咫尺，難施有靦之顏，恩莫重於丘山，猶喜自新之路．况法服所以辨上下，而雅樂所以事神祇，經稽道德之精微，史覈古今之興替，頒正朔，以廣聲敎，釋俘虜，以示懷柔．玆盖端居九重，明見萬里，發一札十行之詔，塞三韓百弊之源，慮之深，故言之詳．推赤心，置人腹，仁之至，而義之盡，爲萬世，開大平．臣謹當見善卽遷，非禮不動，措諸事業，第勤懷德之寧，樂與臣民，共祝齊天之壽”．

○耽羅計禀表曰，“居高聽卑，從欲是急，以小事大，禀命宜先．玆用控陳，輒增隕越．切以耽羅之島，卽是高麗之人，開國以來，置州爲牧．自近代通燕之後，有前朝牧馬其中，但資水草之饒，其在封疆如舊．乃者奇氏兄弟，謀亂伏誅，辭連耽羅達達牧子忽忽達思，差人究問，宰相尹時遇等，盡爲所殺．其後，前侍中尹桓家奴金長老，黨附前賊，謀害本國，俱各服罪．島嶼雖云蕞爾，人民屢至騷然，病根苟存，醫術難效．伏望，體容光之日月，辨同器之薰蕕，將前朝太僕寺·宣徽院·中政院·資政院，所放馬匹騾子等，許令濟州官吏，照依元籍，責付土人牧養，時節進獻．其達達牧子等，亦令本國，撫爲良民，則於聖朝馬政之官，豈無小補．而小國民生之業，亦將稍安．區區之情，焉敢緘嘿”．

乙巳[19日]，帝遣中書省宣史孟原哲來,[45] 詔曰，“朕本農家，樂生於有元之世．何庚申之君[惠宗]，荒滛[荒淫]昏弱，紀綱大壞．由是，豪傑並起，海內爪分[瓜分]，雖元兵轉戰華夏終不能治，此天意也．然倡亂之徒，首禍天下，謀奪疆土，欲爲王霸，觀其所行，未合於禮，故皆滅亡，此亦天意也．朕當是時，年二十有四，擾攘之秋，盤桓避亂，終不寧居，遂乃托身行伍，驅馳三年．覩群雄無成，徒擾生民，朕乃率衆渡江．訓將鍊兵，奉天征討，于今十有六年 ，削平彊暴，混一天下，大統旣正，民庶皆安．今年

45) 이때 孟原哲의 파견은 6월 20일(丁丑)에 결정되었다(『명태조실록』 권53).

六月十日，左副將軍李文忠·副將軍趙庸等遣使，來奏，‘五月十六日，率兵北至沙漠，於應昌府，獲元君[順帝]之孫買的里八剌[剌]及其后妃幷寶册等物．知庚申之君[惠宗]，已於四月二十八日，因痢疾，歿於應昌．大軍所至，俘獲無遺’.[46] 中書上言，‘宜將其孫及其后妃幷寶册，獻俘于太廟’．朕心思之，深有不忍．其君之亡，係于天運，所遺幼孫，若行獻俘，加殃其身，朕所不爲也．況朕本元民，天下之亂，實非朕始．今定四海，休息吾民於田里，非朕所能，亦天運所致也．尙慮臣民未知朕意，是用播告天下，所有事宜，條列于後．

一．摠兵官，以禮護送買的里八剌[買的里八剌]，已至北平，[47] 朕憐帝王之後，難同庶民，及首亂僭號來歸者，特封崇禮侯．總其眷屬，以及母后等同居，飮食服用出官民上，故存元之祭祀，禮法前王，不肯過虧．

一．元君[惠宗]之子愛猷識里達臘畏懼，倉卒流離塞地，豈不知天運旣去，人力難爲．若審度朕心，籌之左右，來撫妻子，朕當效古先帝王之禮，使作賓於吾朝．果能如是，朕不食言．

一．元君[惠宗]隨駕人員，倉卒廻避者有之，賢智者，豈不自度．曩者，有元興起，係是外夷，猶能胡越一家．況我中原，歷代之君，每居中國，而統四夷，非止一朝而已，如果審識天命，傾心來歸，不分等類，驗才委任．卽今在朝諸色人物，皆已官之，朕言不謬．

一．朕卽位之初，卽遣使，往諭四夷，高麗·占城·交趾，皆已奉表稱臣．惟沙漠之地，尙未往報，盖因庚申之君，擁殘兵於應昌故爾．今彼祿位旣終，人心絶望，詔書到日，凡迆北各枝諸王，各愛馬頭目人等，並依舊制來朝，或遣使歸順．當與換給印信，還領所部，本居地方，羊馬孳畜，從便牧養．

一． 迆北各枝諸王幷各愛馬人等，昔遵前元約束，得安其生，今朕旣爲天下主，一視同仁，華夷無間，姓氏雖異，撫治如前．詔書到日，敢有違者，必大擧六師，以淸沙漠，毋或執迷，以貽後悔．

一．迆北達達百姓，因元喪亂，連年起取軍人，供給羊馬，差發煩重，朕甚憫焉．

---

46) 이때 應昌府(上都에서 東北으로 300里 位置, 現 內蒙古自治區 克什克騰旗의 達里諾爾 서남쪽)에서 51歲로 붕어한 惠宗[順帝, 庚申君]의 忌日인 4월 28일(丙戌)은 율리우스曆으로 1370년 5월 23일(그레고리曆 5월 31일)에 해당한다. 이후 明軍의 습격을 받아 황태자 愛猷識里達臘은 북쪽으로 피신한 것 같고, 皇孫 買的里八剌[Maidir Bala]과 嬪은 被擄되었던 것 같다(朱采赫 2011년 302面).

47) 北平은 현재의 遼寧省 朝陽市 일대에 있던 明初의 北平府로 추측된다.

朕今混一天下，甲兵錢穀，倍於前代，今後迆北人民，各安所居．於戲，君舟民水，覆載不常，可不畏哉．然禮德尙矣，使民懷仁，天下寧有不治安者乎?”．

[某日，以李傑生爲慶尙道按廉使，辛元佐爲全羅道按廉使兼防禦察訪別監:慶尙道營主題名記·錦城日記]．

[是月，惠勤，自廣明寺，還檜巖寺:追加]．[48]

[是月頃，遣偰長壽，奉箋，獻方物，賀皇太子[朱標]秋節:追加]．[49]

八月[丁巳朔小盡,乙酉]，戊午[2日]，司憲府請易服色，從之．

己巳[13日]，命[東北面元帥]我太祖及西北面上元帥池龍壽·副元帥楊伯淵等，往擊東寧府．[50]

[庚午[14日]，赤祲見于東北方:五行1轉載]．

壬申[16日]，以元樞密院副使拜住△[爲朱標]判司農寺事，賜姓名韓復．[初，我太祖[李成桂]之降亐羅也，[51] 聞毁垣中，有哭聲，使人就視，有一人裸立掩泣，執以問，乃曰，“我元朝狀元拜住也，[52] 貴國李仁復，吾同年也”．□[我]太祖[李成桂]，□□□□□□~~一聞壯元之名~~，卽解衣，衣之，與馬騎之，遂與俱來．王厚加接遇．拜住，事太祖甚謹:節要轉載]，[53)]

[又與□[李]仁復·李穡相從唱和．擧子多以程文取正．累遷至大匡·西原君，進賢館大提學:列傳25韓復轉載]．

癸酉[17日]，幸壽昌宮，相舊基，乃命營宮．

甲戌[18日]，遣判宗簿寺事尹控如京師，賀聖節，又賀封建親王，表曰，“秉籙握樞，奄宅輿圖之廣，分茅胙土，肇基盤石之安，喜溢臣民，事關宗社．皇帝陛下，乃神乃聖，克類克明，尊國体而係人心，大行封建，貽孫謀而示帝範，永保盈成，金枝玉葉之交輝，航海梯山之畢至，臣猥將淺薄，叨遇休明，雖阻跡於鳧趨，倍馳情於燕賀”．[54]

---

48) 이는 자료에 의거하였다.
 · 『목은문고』 권14, 普濟尊者諡先覺塔銘幷序, “[至正庚戌，惠勤，]秋初，還檜巖”.

49) 이는 다음의 자료에 의거하였다.
 · 『명태조실록』 권56, 홍무 3년 9월, “癸丑，高麗遣其臣偰長壽奉箋，獻方物，賀皇太子千秋節”.

50) 이 기사는 『태조실록』 권1, 總書, 공민왕 19년 8월에도 수록되어 있다.

51) 亐羅[ula]는 열전25, 韓復에는 兀剌山城으로 되어 있다(盧明鎬 等編 2016년 728面, 是年 1월 14일의 脚注).

52) 狀元은 열전25, 韓復에는 壯元으로 되어 있으나 前者가 正字이다(→의종 10년 6월 21일의 脚注, 盧明鎬 等編 2016년 728面).

53) 이 기사는 『태조실록』 권1, 總書, 공민왕 19년 1월에도 수록되어 있는데, ~~添字~~는 이에 의거하였다.

54) 尹控은 10월 6일(辛酉) 명에서 方物을 바치고 太祖의 生日(天壽聖節, 9월 18일)을 賀禮하였으

[是月己未[3日], 惠勤赴內齋, 齋畢, 上堂說法. 癸酉[17日], 上遣近臣安益祥, 爲輔行, 請住檜巖寺:追加].[55)]

[是月, [興安伯]李仁復·[三司左使?]李穡爲[制科鄕試]考試官, 通考三場文字, 取李崇仁·朴實·[王府必闍赤]權近·金濤·柳伯濡, 以充貢士. 崇仁·近, 以年未滿二十五, 不遣:選擧2制科轉載].[56)]

[○禪師空默·全羅道按廉使辛元佐·都巡問使李金剛等開板'法寶壇經':追加].[57)]

[是月頃, 王欲幸籍田, 先命[領門下府事]辛旽往觀之. [判司農寺事韓]復初欲偕往見, 旽以女樂自隨, 惡其偕乃止:列傳25韓復轉載].

九月丙戌朔[大盡,丙戌], 王以影殿規模狹隘, 撤而更營, 民甚苦之.

乙未[10日], 幸籍田.

[○遣中使廣明寺, 召惠勤入闕:追加].[58)]

丙申[11日], 幸藥王院北岡, 宴群臣.

丁酉[12日], □[都]僉議贊成事致仕尹澤卒□□□[於錦州],[59)] [年八十二, 諡文貞. 疾篤, 前

나, 期日 내에 到着하지 못했다는 이유로 該當官廳[所司]에 命하여 禮遇하여 돌려보내게 하였다(『명태조실록』 권57).

55) 이는 다음의 자료에 의거하였다.
- 『나옹화상어록』, 행장, "[洪武庚戌,]八月初三日, 赴內齋, 齋畢, 普說. 十七日, 上遣近臣安益祥, 爲輔行, 請住檜巖寺".
- 『大宋僧史略』卷下, 內齋附, "皇帝誕日, 詔選高德僧, 入內殿賜食加厚嚫, 尋文起於後魏之間, 多延上達, 用徼福壽. 唐自代宗, 置內道場, 每年降聖節召名僧, 入飯嚫, 謂之內齋. 及文宗大和七年十月, 改慶成節, 勅停僧道內齋. 至無終初年, 重置內道場, 并設內齋. …".

56) 이와 관련된 기사로 다음이 있는데, 記事의 添字는 필자가 추가하였다.
- 열전20, 權旵, 近, "[權近,] 選補史翰, 爲王府必闍赤. 本國選文士, 應擧京師, 近再中鄕試, 以年少不赴".
- 열전28, 李崇仁, "累遷長興庫使兼進德博士. 本國選文士, 應擧京師, 崇仁爲首選, 以年未二十五不遣".
- 『憲章錄』 권2, 홍무 3년 8월, "□□[某日], 京師及各行省開科鄕試".

57) 이는 다음의 자료에 의거하였다(延世大學本, 孟東燮 2002年 ; 郭丞勳 2021년 455面).
- 『六祖大師法寶壇經』, 卷末刊記, "庚戌八月 日 開板,」 留板南京歸正寺,」 大化主 禪師 空默,」 緣化 知識 知川, 正行,」 刻字 三重 省珠, 覺明,」 錬板 知識 法堅,」 功德主」 雞林郡夫人 金氏,」 全羅道按廉使 申元淳[辛元佐],」 都巡問使·光祿大夫·知門下省事李金剛」 ". 여기에서 申元恠은 辛元佐의 오자일 것이다.

58) 이는 다음의 자료에 의거하였다.
- 『목은문고』 권14, 普濟尊者諡先覺塔銘幷序, "玄陵在位二十年庚戌秋九月十日, 召師入京, 十六日 …".

子孫而訓之曰，“吾祖興寒地，以淸白忠直，名一時．吾夙夜不克繼志是懼，誤爲上知，寵祿過望，年逾八旬，此皆先世之所遺也．我死葬，毋用浮屠法”．澤，早孤，不識父面，時祭上冢，必哭盡哀．於方策，見述父子之情，未嘗不流涕:列傳19尹澤轉載］．［常佩一囊，得異味，必盛以獻母．又嘗遊燕京，道見遺金百兩，以待其主，其主泣謝而去．平生布被弊席，晏如也:節要轉載］．［自號栗亭，恭愍手寫眞，又書栗亭二大字以賜．所著有‘栗亭集’，行於世．子龜生·鳳生·東明．龜生，自有傳:列傳19尹澤轉載］.[60)]

辛丑[16日]，幸廣明寺，大會僧徒，命僧惠勤，試功夫選.[61)]

○遣工部尙書權鈞如京師，賀正．擧子[太常博士]朴實，[正言]金濤，[春秋修撰]柳伯濡從行．濤，中□□□□[~~明年二月~~]制科.[62)]

乙巳[20日]，元丞相廓擴帖木兒[擴廓帖木兒]遣使，來.

冬十月[丙辰朔大盡,丁亥]，己卯[24日]，王謂□[~~右~~]侍中李春富等曰，“冬雷木稼，天道不順．是雖否德所召，亦由獄多寃滯．推整都監之設，本欲糾察諸司，卿等爲判事，不治其職，於治道如何．上古先王，皆親聽政，自今其令臺諫·六部，日仕本官，各稱[~~親~~]啓事”.[63)]

甲申[29日]，放影殿役徒.

［□□[~~某日~~]，雷:五行1轉載］.[64)]

---

59) 이날은 율리우스曆으로 1370년 10월 1일(그레고리曆 10월 9일)에 해당한다.

60) 이때 尹澤은 重大匡·□[~~都~~]僉議贊成事致仕였다고 한다(『동문선』 권69, 尹氏墳廟記).

61) 이때 실시된 僧科［功夫選，工夫選］의 樣相은「楊州檜巖寺禪覺王師塔碑」；「水原彰聖寺眞覺國師大覺圓照塔碑」；「忠州青龍寺普覺國師塔碑銘」；『懶翁和尙語錄』，庚戌九月十六日國試工夫選場垂語 ；『목은문고』 권4，幻菴記 등에 反影되어 있다. 또 이날 혜근의 물음에 대해 幻庵混脩(混修)가 능히 답변할 수 있었다고 한다.

- 『목은문고』 권14，普濟尊者諡先覺塔銘并序，“… [九月]十六日，就師所廣明寺，大會兩宗五敎諸山衲子，試其所自得，號曰功夫選，上親觀焉．師拈香畢，昇法座迺言曰，… 然幻菴脩禪師後至，師歷問三句·三關．會罷還檜巖 … 九月，卽功夫選也，師所居室曰，江月軒，平生未嘗世俗文字，…”．
- 『나옹화상어록』，행장，“[洪武庚戌，]九月功夫選，大會兩宗五敎諸山衲子，選其所自得，請師主盟．十六日開選席，上率諸君·兩府文武百僚，親幸，臨觀禪講．諸德·江湖衲子，悉皆集會．時雪山國師，亦赴是會，師與國尊相見，… 十八日，上遣知申事廉興邦，安下金經寺，翌日，又遣代言金鎭，迎入內庭，勞慰賜鞍馬，遣內侍安益祥，送至檜巖，師旣到寺已，還送鞍馬”．
- 『백운화상어록』권상，洪武庚戌九月十五日，承內敎功夫選取御前，呈辭言句．

62) ~~添字~~는『고려사절요』 권29에 의거하였는데，이에는 이 기사가 8월에 수록되어 있다.

63) 稱은『고려사절요』 권29에는 親으로 되어 있는데，後者가 옳을 것이다.

64) 原文에서 日辰이 탈락되었다.

[□□~~某日~~, 木稼:五行轉載].[65)]

[壬辰~~某日~~, 虎入城:五行2轉載].[66)]

[是月丁巳2日, □明中書省臣言, '高麗使者入貢, 多齎私物貨鬻, 請征其說'. 上曰, 遠夷跋涉萬里而來, 暫爾鬻貨求利, 難與商賈同論聽, 其交易, 勿征其稅:追加].[67)]

[甲子9日, 中書省云, 自洪武元年正月以來, 討伐明州蘭秀山之叛賊, 玆省兼發給咨文, 曰高麗人高伯一, 有關於六月十二日, 由耽羅到高阜之陳君祥一黨, 而依附刷送姜師贊之歸還:追加].[68)]

十一月丙戌朔大盡,戊子, 丁亥2日, 東北面元帥我太祖與西北面上元帥池龍壽等至義州, 造浮橋, 渡鴨綠江, [士卒, 三日畢濟[69)]. 是夕, 雷雨暴作, 衆皆憂懼, 兵馬使李玖曰, "吉兆何疑, 諸元帥問其故". 玖曰, "龍之動, 必有雷雨, 今上元帥龍其名,[70)] 而渡江之日, 有雷雨, 戰勝之兆也". 衆心稍安:節要轉載].

[→師至義州, 令萬戶鄭元庇·崔奕成·金用珍等, 造浮橋於鴨綠江, 可並三四馬. 我太祖李成桂與安州上萬戶林堅味先渡, 諸軍以次渡, 士卒爭橋, 有溺死者, 凡三日畢濟. 是夕, 雷雨暴作, 衆皆疑懼. 兵馬使李玖曰, "吉兆何疑. 諸將問其故". 玖曰, "龍之動, 必有雷雨. 今上元帥龍其名, 而渡江之日, 有雷雨, 戰勝之兆也". 衆心稍安:列傳27池龍壽轉載].

[○虹見西北方:五行1虹霓轉載].

[戊子3日, □師至螺匠塔, 去遼城二日程, 留輜重, 賫七日粮以行:節要轉載]. [告諭遼瀋人曰, "遼瀋是吾國界, 民是吾民. 今擧義兵撫安之, 如有逃隱山寨者, 恐爲各枝軍馬所害, 卽詣軍前告情":列傳27池龍壽轉載].

己丑4日, [使裨將洪仁桂·崔公哲等, 領輕騎三千:節要轉載]. 進襲遼城, 急攻拔之. [→彼見我師少, 易之與戰, 大軍繼至, 城中望見落膽. 其將處明, 恃驍勇, 猶拒

---

65) 原文에서 日辰이 탈락되었다.

66) 이달에는 壬辰이 없고, 11월 7일이 壬辰이다.

67) 이는 『명태조실록』 권57, 홍무 3년 10월 丁巳를 전재하였다.

68) 이는 『吏文』 권2, 咨奏申呈照會3, 中書省據刑部呈에 의거하였다.

69) 이 기사는 다음의 자료에도 수록되어 있으나 ~~添字~~와 같이 고쳐야 옳게 될 것이다.
- 『태조실록』 권1, 總書, 공민왕 19년, "十二月~~十一月~~, 太祖以親兵一千六百人至義州, 造浮橋, 渡鴨綠江, 士卒三日畢濟".

70) 上元帥는 延世大學本에는 土元帥로 되어 있으나 오자이다(東亞大學 2006년 25冊 469面).

戰, □[我]太祖使李原景, 喩之曰, "殺汝甚易, 但欲活汝收用, 其速降". 不從, 原景曰, "汝不知我將之才也. 汝若不降, 則一射洞貫矣", 猶不降. 太祖故射, 汰胄[拂其兜牟], 又使原景喩之, 又不從. 太祖又射其脚, 處明中箭退走. 旣而, 復來欲戰, 又使原景喩之曰, "汝若不降, 卽射汝面". 處明遂下馬, 叩頭而降. 有一人, 登城呼曰, "我輩, 聞大軍來, 皆欲投降, 守將[官員]勒使拒戰, 若力攻城, 可取也". 城甚高峻, 矢下如雨, 又雜以木石, 我步兵冒矢石, 薄城急攻, 遂拔之. [平章政事奇]賽因帖木兒遁, 虜[平章政事]金伯顔, 退師城東:節要轉載].[71)]

[○張榜諭納哈出·也先不花等曰, "奇賽因帖木兒, 本國微臣, 昵近天庭, 過蒙殊恩, 位至一品, 義同休戚, 天子蒙塵于外, 義當左右先後, 效死勿去爾. 乃背恩忘義, 竄身東寧府, 以其父輒伏誅, 挾讎本國, 潛圖不軌. 年前國家, 遣兵追襲, 逃不血刃, 又不赴行在, 退保東寧城. 與平章□□[政事]金伯顔等, 結爲心腹, 松甫里·法禿河·阿尙介等處, 團結軍馬, 又欲侵害本國. 罪在不原. □[故]今擧義兵以問. 又與金伯顔等, 誘脅小民, 堅壁拒命. 哨馬前鋒, 生獲金伯顔外, 哈剌波豆·德左不花·高達魯花赤, 摠管頭目[大都摠管等大小頭目], 盡行勦捕. 賽因帖木兒, 又逃不首罪, 其所投各寨, 卽捕獲飛報. 如有隱匿者, 鑑在東京". ○又榜金·復州等處曰, "本國與堯並立, 周武王封箕子于朝鮮, 而賜之履, 西至于遼河, 世守疆域. 元朝一統, 釐降公主, 遼瀋地面, 以爲湯沐, 因置分省. 叔季失德, 天子蒙塵于外, 遼瀋頭目官等, 罔聞不赴, 又不修禮於本國. 卽與本國罪人奇賽因帖木兒, 結爲腹心, 嘯聚虐民, 不忠之罪, 不可逭也. 今擧義兵以問, 賽因帖木兒等, 據東寧城, 恃强方命. 大軍所至, 玉石俱焚, 噬臍何及. 凡遼河以東, 本國疆內之民, 大小頭目等, 速自來朝, 共享爵祿. 如有不庭, 鑑在東京":列傳27池龍壽轉載].[72)]

[翌日[庚寅5日], 師次城西十里. 是夜, 有赤氣射營, 熾如火. 日官□□□[盧乙俊]曰, "異氣臨營, 移屯大吉":節要轉載].[73)] [時萬戶裴彥等擊高家奴于石城, 未還, 欲留待,

---

71) 이 기사는 열전27, 池龍壽 ; 『태조실록』 권1, 總書, 공민왕 19년 11월에도 수록되어 있으나 자구에 출입이 있는데, 添字는 후자에 의거하였다.

72) 이 기사는 『태조실록』 권1, 總書, 공민왕 19년 11월에도 수록되어 있으나 자구에 출입이 있으므로 兩者를 함께 읽어야 할 것이다.

73) 添字는 열전27, 池龍壽에 의거하였다. 또 盧乙俊은 후일 柳方澤과 함께 日官으로 재직하면서 天時를 살펴 李成桂의 王位簒奪에 힘써 開國原從功臣(開國元宗從臣)에 책봉되었던 것 같다.
· 『태조실록』 권4, 2년 7월 壬申[29日], "敎曰, '前判三司事姜仁裕·前判開城府事韓蒧等七十一人, 自辛氏竊位, 亂極思治之際, 而安危皆注意於予, 論德宣譽, 馴致今日, 功亦不細矣. 檢校密直副使柳方澤·盧乙俊等十一人, 方卽位之時, 俱在日官, 心不疑貳, 謹卜天時, 勸登大位, 其功亦可

以乙俊言班師:列傳27池龍壽轉載].

[辛卯[6日], 遂班師. 初城陷, 我軍火倉廩殆盡, 無所取粮. 軍中大飢, 乃殺牛馬以食, 未暇成陣, 恐有追兵, 由間道還, 野宿. 令士卒, 各作溷厠·馬廏. 納哈躡後, 行二日曰, “作厠與廏, 師行整齊, 不可襲也”, 乃還:節要轉載]. [時中國人曰, “攻城必取, 未有如高麗者也”:追加].[74]

[→初, 城陷, 我軍火倉廩殆盡, 由是, 軍中乏食. 諸將請由直路, 龍壽不從欲觀兵, 循海邊還師. 士卒大飢, 殺牛馬而食, 軍不得成列. 衆皆尤之, 遂取徑而還, 恐有追兵, 野宿. 必令士卒, 各作溷·厠馬廐. 納哈出果躡後, 行二日曰, “作厠與廐, 師行整齊, 不可襲也”. 乃還. 三日, 師至松站, 鎭撫羅天瑞, 得穀數百石, 以餉之, 師遂以濟. 是役也, 風雪冱寒, 道途冰滑, 士馬多物故者:列傳27池龍壽轉載].

[○赤祲見于西北:五行1轉載].[75]

[□□[某日], 師至安州, 誅金伯顔, 其父本國僧也, 奸通濟院婢, 生伯顔, 入元, 歷仕至平章□□[政事]:節要轉載].

[→金伯顔者, 其父本國僧也, 姦通濟院婢生, 伯顔, 仕本國爲郞將, 入元歷臺省, 至平章□□[政事]. □□[是時], 師還至安州, 伯顔有不遜言, 斬之:列傳27池龍壽轉載].

辛丑[16日], 令每月六衙日, 六部·臺省官親奏事, 又令史官□□[二大]近侍.

[→□[右]正言李詹上疏, “請六部·臺省官, 每月六衙日, 親奏事, 又令史官□□[二大]入侍:節要轉載]. [令考功, 考各司公座簿, 凡在官者, 日出而聚, 日午而散, 有不如法, 憲司糾察”:選擧3考課轉載], [從之:節要轉載].[76]

尙也. 其褒賞之典, 有司擧行”.

· 「金懷鍊開國原從功臣錄券」, “… 口傳, 王旨, 紀功行賞, 古有令典, 矧當創始之初, 是宜先擧其功. 前判三司事[姜]仁裕·前判開城府事韓蔵等陸拾壹員, 自辛氏竊位, 亂極思治之際, 而安危皆注意於予, 論德宣譽, 馴致今日, 功亦不細矣. 檢校密直副使[柳]方澤·檢校中樞院副使[盧]乙俊等拾壹員, 亦方」卽位之時, 俱在日官, 心不疑貳, 謹卜天時, 勸登」大位, 其功亦可賞已. 其褒賞之典, 有司擧行爲良敎是齊洪武貳拾陸年柒月貳拾玖日, 左承旨李懃次知 ”. 이와 같은 내용이 「鄭津開國原從功臣錄券」, 「韓努介開國原從功臣錄券」에도 수록되어 있으나 자구에 출입이 있다.

74) 이는 『태조실록』 권1, 總書, 공민왕 19년 11월에 의거하였다.

75) 일본의 교토에서는 11월 7일(壬辰) 赤氣가 북방에 있었다고 한다(中央氣象臺 1941年 2册 688面).

· 『鳩嶺雜事記』, 應安 3년, “十一月六日夜, 子丑寅刻に赤氣, 北の天に現ず, 深赤色, 先々超過, 諸人目を驚す. 白色黑色等の大小の筋, 赤色の上に南北へ光明の如く現ず, 稀代の形色也”.

· 『續史愚抄』26, 應安 3년 11월, “七日壬辰, 赤氣見北方, 有光色白黑”.

76) 公座簿는 이 기사와 같이 官僚가 該當官署에 아침에 出勤한 후 저녁에 퇴근할 때까지의 근무사항을 기록한 것이다(『元典章』, 吏部권7, 典章13, 公規1, 署押, 官暫事故詣宅圓押). 또 이 기사

[→三轉爲正言, 上疏曰, "史典之法尙矣. 古者諸侯無私史, 邦國之志, 藏於王室而已. 及其三史繼作, 列國皆有史官, 掌記時事. 本朝自統三以來, 褒貶可記之事常多, 史官筆不停書, 易世而後, 乃編摩. 然其所載, 只陰晴日歷耳, 若其先王行事之跡, 與夫國家黜陟之典, 官或失之, 其故何歟? 大抵, 事之形迹, 雖已著明, 己之耳目, 皆不可信. 史臣非不欲見聞於闕下, 書生辭色拙訥, 人亦不以情狀告之故, 退而瞞不知何事. 嘉言善行, 至於再傳, 而狃於私見, 然後掇拾, 以爲實錄. 是非混淆, 世莫能矯, 是豈獨天地之罪人? 抑殿下之罪人也. 然亦非史臣之罪, 遠史臣之過也. 傳曰, '君擧必書'.[77)] 此言, 君之言動, 左右史皆得以書之也. 伏望, 下親近史臣, 言動施爲, 令悉書之. 又令諸司, 具事以報而錄之, 則紀載必不差謬. 此乃殿下觀感修省之機也. 臣又聞, 古之帝王, 未有宴安而能致治者. 文王不遑暇食, 宣王常設庭燎. 二君用心於民, 如此其勤故, 垂統之功, 莫不縣遠, 中興之業, 益有光明. 終始成周, 而爲有道之長, 後世人主之所當取法也. 殿下卽位之初, 勵精圖理, 御殿聽政, 自宰相至于群有司, 咸得進言, 各以其職聞奏. 故民情上達, 事無壅塞, 幾致昇平. 及其涉歷萬機, 自有私見以謂, '臣下之言, 莫能予智'. 賞罰廢置, 斷自宸衷, 無所咨諏. 故國之理亂, 政之得失, 庶官無敢言者, 誠可嘆也. 願殿下, 親臨庶政, 自宰相至于大司憲·六部尙書·諫議大夫, 皆得以言事之得失, 則昇平之理, 庶幾可復. 若計較小功, 糾擿細過, 有司之任, 非殿下所當爲也. 殿下近値冬雷之變, 以爲, '此百職懈位, 政刑不明之應'. 乃令諸司, 日書坐目, 具箚子以聞. 此誠殿下畏天勤民之美意也. 然以身敎者從, 以言敎者訟. 若殿下昧爽夙興, 平旦視朝, 以示百官, 誰敢曠官尸祿, 以自安乎? 苟不然, 則必將托以疾病事, 故誣殿下者多矣, 焉能人人而誅之? 臣計以爲, 使考功考各司勤怠, 凡在官者, 日出而聚, 日午而散, 其有不如法者, 憲司糾理. 伏惟, 殿下法文·宣之成憲, 無安於位, 無倦于政, 以達輿情". ○王從之, 令每月六衙日, 六部·臺省官親奏事, 又令史官□□[二人]近侍:列傳30李詹陽轉載].

乙巳[20日], 女眞達麻大遣使□[來], 獻地, 以達麻大爲大將軍·鎭邊都護府使, 賜衣□[服].

[→女眞 達麼大遣使□[來], 獻地, 以達麼大爲大將軍·鎭邊都護府使, 賜衣服:節要

와 관련된 자료로 다음이 있다.

· 『태종실록』 권9, 5년 3월 乙丑[30日], 李詹의 卒記, "明年, 擢右正言, 上疏請令百官, 每日五更啓事, 史官二人入侍左右, 王從之". 이것에 의거하여 本文의 記事에 添字를 추가하였다.

977) 君擧必書는 공양왕 2년 3월 某日의 脚注에서 典據를 제시하였다.

轉載].

○命前禮儀判書韓脩, 書無逸篇, 揭于報平廳.

十二月丙辰朔[小盡,己丑], 以禮部尙書張子溫爲鎭邊都護府安撫使.

丁巳[2日], 都評議使司移咨東寧府曰, "奇賽因帖木兒, 自伊父謀亂伏誅之後, 挾讎懷怨, 常畜異謀. 近因車駕北遷, 不肯扈從, 竄身東寧·遼陽等處, 結構分省分院官, 志在假威. 大行□[帝]訃音, 亦不通報, 專逞己私, 肯恤公義. 又慮遼·瀋, 元係本國舊界, 事大以來, 結親甥舅, 任爲行省管轄, 賽因帖木兒占作巢穴, 上不爲朝廷効忠, 下則爲本國生事, 以此去歲遣軍追襲, 緣彼姦回, 累及良善, 尙不悛過, 復圖前計. 玆復調兵問罪, 彼乃稔惡, 捍拒力戰, 勢難中止, 遂進攻破, 本人逃去, 未卽捕獲. 本人旣是忘本, 好生釁端, 省院官吏, 他日恐爲所誤. 除惡務本, 兵非得已, 前日之事, 唯爲賽因帖木兒一人而已. 蒙古·漢人並無干涉, 本人如或透漏在彼, 卽便捕送".

○令江界萬戶府, 牓諭遼·瀋人曰, "遼陽元是國界, 大軍又出, 恐害及良善. 其願渡江爲民者, 官給粮種, 各令安業".

丙寅[11日], [小寒]. 王始御報平廳, 視事, 史官二人侍左右. 司憲府·理部, 奏奴婢事. 王曰, "憲司彈糾百官, 理部專任刑獄, 何奏奴婢事乎. 自今各供其職, 勿侵官". 又謂□諫議大夫吳中陸曰, "民閒利病, 寡人得失, 悉陳無隱".[78)]

[史臣曰, "致治之要, 惟在於命相, 諫官之職, 莫先於正君. 旽之詐慝, 愚夫·愚婦之所共知, 所當先去, 李詹等, 爲其肺腑, 曾無一言及旽, 唯以近史臣, 聽庶政爲言, 以塞不言之責. 方是時, 旽擅威福, 屛王耳目, 雖近史臣, 聽庶政, 奚益於治道哉? 王求言之志切矣, 而中陸, 亦觀望不言, 鄙夫, 何足道哉?":節要轉載].

丁卯[12日], [領門下府事]辛旽請, 每月六衙日內, 惟初二·十六, 兩日視事, 從之

[→辛旽啓曰, "每月以六衙日聽政, 則聽訟官, 五日內, 難以窮治, 請於初二·十六日視事", 從之:節要轉載].

[→王因諫官言, 令六部臺省, 官每月六衙日, 親奏事. 旽言, "六衙日聽政, 則聽訟官, 五日內, 未能窮治, 請於初二·十六兩日, 視事", 從之:列傳45辛旽轉載].

庚午[15日], 日有黑子, 太白晝見. 日官請禳之. 王曰, "日黑子, 咎在寡人, 勿禳, 太白應在卿相, 其禳之".

[○木稼:五行2轉載].

78) 任은 延世大學本과 東亞大學本에는 仁으로 되어 있으나 오자일 것이다.

[某日, 門下府啓曰, "先王, 置鹽倉於濱海之州, 令深陸之民, 納稅和賣, 近者, 納稅而未受者, 或至十年, 民無所賴, 私販遽興. 請自今, 令鹽戶, 安其所業, 又使守令, 償民所納, 仍禁私販", 從之:節要轉載].

[→門下府啓曰, "榷塩之法, 尙矣. 是以, 先王置塩倉於濱海之州, 乃令深陸之民, 納稅和賣, 以通上下之利. 近者, 法久弊生, 納稅而未受者, 或至十年. 民無所賴, 私販遽興, 非先王之本意也. 請自今, 令塩戶安其所業, 又使守令, 償民所納, 仍禁私販", 王從之:食貨2塩法轉載].

癸酉[18日], 納哈出遣使來朝□[聘].

戊寅[23日], 幸[領門下府事]辛旽家, 問疾.

○以知門下□[府]事李金剛爲全羅道都巡問使. [金剛, 貪財賄, 酗酒色, 奪羅州牧使河乙沚[河乙沚]玉頂兒. 又漕運後期, 以致漂沒. 憲府將劾之, 知申事廉興邦, 聞之曰, "金剛, 賄賂絡繹, 憲府何能爲?", 金剛果以賄免:節要轉載].[79)]

[→全羅道都巡問使李金剛, 貪財喜酒色, 奪羅州牧使河乙沚玉頂兒, 又漕運後期, 致漂沒. 憲府將劾之, 知申事廉興邦聞之曰, "金剛, 賄賂絡繹, 憲府何能爲?". 金剛果以賄免罪. 後拜四宰, 諫官不署告身, 辛旽謂[李]詹曰, "何不署金剛告身?", 詹曰, "何可署也? 吾父若祖俱令同正, 吾得爲正言足矣". 旽默然. 後貶知通州事:列傳30李詹轉載].[80)]

○以[大將軍·鎭邊都護府使]達麻大[達麻大]爲□□[鎭邊]元帥府元帥,[81)] 賜銀印一顆.

[是月, 全州副使兼兵馬鈴轄·試衛尉少卿郭有楨, 殿前承旨李公庇等開板'妙法蓮華經':追加].[82)]

---

79) 李金剛이 羅州牧使 河乙沚(?~是年 1月 在職)의 玉頂兒를 빼앗은 것, 漕運을 늦게 출발시켜 敗沒하게 한 것은 그가 全羅道都巡問使에 임명된 1368년(공민왕17) 9월 4일(辛丑) 이후 일어난 사건으로 추측된다. 또 그가 이해의 全羅道都巡問使였던 것도 확인된다(『금성일기』). 그리고 玉頂兒는 冠帽에 玉으로 만들어 부착한 粧飾인 玉頂子(玉石頂子, 冠頂)의 다른 표기로 추측되는데, 이는 官僚의 位階를 나타내는 것인 標識인 것 같다.

· 『정조실록』 권20, 9년 6월 乙酉[8日], "召見'大典通編'摠裁大臣金致仁, 敎曰, 因大典通編見儀章條, 有曰, '司憲府·司諫院官笠飾, 用玉頂子, 大司憲胸褙獬豸'. 近來則玉頂, 只用於憲長, 諫官則不用. 本院如有流來頂子, 依例用之. 曾聞獬豸胸褙, 至今在府中. 向者一都憲外, 除却不用, 此亦儀章也. 況冠貼獬豸胸褙, 豈或異同? 此後申飭復舊制. …".

80) 李詹이 지방관으로 좌천된 것은 1371년(공민왕20) 6월 21일이다.

81) 鎭邊은 1371년(공민왕20) 12월 28일에 의거하였다.

82) 이는 다음의 자료에 의거하였다(祇林寺 所藏, 朴相國 1990년 ; 南權熙 2002년 80面).

· 『妙法蓮華經』 권7, 卷末刊記, "海東全州鈴轄·試衛尉少卿郭有楨,」 弟子早信是經殊勝功德相續

[□□□[是月頃], 一日, 王欲除拜. 時池龍壽等擊東寧府, 師未還. [侍中李]春富曰 "今將士暴露于外, 破敵成功, 不行論賞, 而在廷之臣, 先受官爵, 武臣必觖望." 王從之. 軍中聞之, 大悅:列傳38李春富轉載].

[是年, 置籍田官, 令一人肄本寺[司農寺]:百官1典農寺轉載].

[○以[知密直司事]尹之彪爲密直使:追加].[83]

[○尙州牧使金南得重營尙州廨宇:追加].[84]

[○以[興安府院君]李仁復爲檢校侍中:追加].[85]

[○以金還吉爲延安府使:追加].[86]

[是年頃, 三重大匡·福利君雲菴淸叟重建長城縣白巖寺雙溪樓. 淸叟, 前侍中李嵒季弟也:追加].[87]

[仁同人 張東翼 校注, 增補].

奉」 持者,有年矣,是經也,於諸經中最」 尊最勝,是以敬捨私賄,募工鏤板,」 藏于私第,印施無窮流布,妙法曁」 諸含靈,同入法華三昧者.歲在庚」 戌[恭愍19年]臘月上旬　日　誌,」 同願殿前□□[承旨]李公庇,」 都色」 前權知戶長李興,」 副戶長李東成」 ".

83) 이는「尹之彪墓誌銘」에 의거하였다.

84) 이는『양촌집』권14, 尙州風咏樓記, "… 洪武庚戌, 牧使金公南得重營廨宇, 始置菓園于東北, 開亭其中"에 의거하였다.

85) 이는「李仁復墓誌銘」에 의거하였다.

86) 이는『연안부지』에 의거하였다.

87) 이는 다음의 자료에 의거하였다.

· 『목은문고』 권3, 長城縣白巖寺雙溪樓記, "三重大匡·福利君雲菴澄公淸叟, 因絶磵倫公名其樓, 且以三峯鄭氏記相示, 寺之故詳矣. 而溪之爲溪, 樓之爲樓, 皆略之而不書, 蓋難手命其名矣. … 庚戌[恭愍19年]夏, 水大至, 石堤隳, 樓因以壞. 淸叟曰, '樓吾師所起也, 如此可乎? 吾師師師相傳凡五代, 所以留意山門者至矣, 樓今亡, 責將誰歸', 乃剋日考工復其舊, 腐者堅, 漫漶者鮮明. … 予[李穡]嘗師事杏村侍中公[李嵒], 與子姪遊, 師其季也".

『高麗史』卷四十三 世家卷四十三

[輔國崇祿大夫·議政府左贊成·知集賢殿經筵春秋館成均事·世子賓客·臣金宗瑞奉敎撰]

正憲大夫·工曹判書·集賢殿大提學·知經筵春秋館事兼成均大司成·臣鄭麟趾奉敎修

恭愍王 六

辛亥[恭愍王]二十年, 明洪武四年, 北元宣光元年, [西曆1371年]

1371년 1월 17일(Gre1월 25일)에서 1372년 2월 4일(Gre2월 12일)까지, 13개월 384일

春正月乙酉朔大盡,庚寅, 王親祭公主魂殿.

己丑5日, 又幸影殿, 飯僧八百.

庚寅6日, 幸魂殿.

己亥15日, 幸演福寺, 設談禪會.

[己卯某日, 赤氣見于西方:五行1轉載].[1)]

[某日, 以郭翀龍郭仲龍爲慶尙道按廉使, 李□某爲全羅道按廉使:慶尙道營主題名記·錦城日記].[2)]

[是月, 判曹溪宗事覺雲上言, "傳燈錄, 禪學之指南也, 板本燬于兵, 手鈔甚艱, 況今專務默坐, 冀萬一成功, 竊恐談理者又廢, 斯道益以晦, 乞重刊廣布, 以惠學者". 上曰可. 於是, 廣明寺住持景猊·開天寺住持克聞·堀山寺住持惠湜·伏巖寺住持坦宜幹其事, 皆上命也:追加].[3)]

二月乙卯朔大盡,辛卯, 己未5日, 幸魂殿, 飯僧.

---

1) 이달에는 己卯가 없다.

2) 郭翀龍(곽충룡)은 『고려사』에는 郭仲龍으로 달리 표기되어 있다.

3) 이는 다음의 자료에 의거하였다.

· 『목은문고』 권7, 傳燈錄序, "上之廿又一年正月, 判曹溪宗事臣覺雲上言, '傳燈錄, 禪學之指南也, 板本燬于兵, 手鈔甚艱, 況今專務默坐, 冀萬一成功, 竊恐談理者又廢, 斯道益以晦, 乞重刊廣布, 以惠學者'. 上曰可. 於是, 廣明寺住持景猊·開天寺住持克聞·堀山寺住持惠湜·伏巖寺住持坦宜幹其事, 皆上命也".

甲子[10日], 以韓蕆爲慶尙道都巡問使, 楊伯顔爲全羅道都巡問使.[4)]

己巳[15日], 王以公主忌日, 幸王輪寺, 飯僧千餘.[5)]

甲戌[20日], 女眞千戶李豆蘭帖木兒, 遣百戶甫介, 以一百戶來投.[6)]

[→李豆蘭, 初名□□[古論]豆蘭帖木兒, 女直金牌千戶阿羅不花之子, 襲世職爲千戶. 恭愍時豆蘭遣其百戶甫介, 以一百戶來投. 仍居北靑州, 事我太祖[李成桂], 屬麾下:列傳29李豆蘭轉載].

三月[乙酉朔小盡,壬辰], 丁亥[3日], 幸雲岩寺, 飯僧, 祭正陵[恭愍王妃].

○倭入海州, 火官廨, 虜牧使妻及女以歸.[7)]

庚子[16日], 王出報平廳視事. 謂諫官曰, "初, 以一月再聽政, 若有故則一月不視事, 必矣. 自今大事, 不待報平, 奏之. 且憲府[司憲府]職掌彈糾, 有訴誤斷者, 宜令憲府聽理".

辛丑[17日], 王謁大妃[太妃德寧公主]問疾. 王久闕定省. 至是, 大妃[太妃]有疾, 乃往省之.

戊申[24日], 王以忠肅王忌日, 如寶國寺.

[癸丑[29日晦], 日暈:天文1轉載].[8)]

[某日, 李穡知貢擧, 田祿生同知貢擧, 取進士:選擧1選場轉載].[9)]

[是月, 敎, 自今年, 未滿二十五歲者, 毋得赴擧:選擧1科目轉載], [兵興以來, 戰亡將士, 悉加追贈, 官其子孫:選擧3功臣子孫·封贈轉載].[10)]

---

4) 이 기사에서 楊伯顔이 全羅道都巡問使에 임명되었다고 되어 있으나, 『금성일기』에는 都巡問使 鄭暉가 3월 某日에 羅州에 들어왔다고 한다.

5) 恭愍王妃 魯國大長公主의 忌日은 2월 16일이다.

6) 李豆蘭帖木兒의 初名은 古論豆蘭帖木兒(女眞名, kurunTemur)이었으나 後日 李氏를 賜姓받은 것 같고, 이후 李豆蘭, 李之蘭으로 改稱하였던 것 같다.

· 『龍飛御天歌』52章, "古論豆蘭帖木兒[고론두만티물], [注, 古論豆蘭帖木兒, 卽李豆蘭也, 後改名之蘭, 得與開國·定社·佐命功臣之列]".

· 『태종실록』 권3, 2년 4월 辛酉[9日], 李之蘭의 卒記, "○靑海君李之蘭卒. 之蘭, 東北面靑州府人也, 古名豆蘭帖木兒, 稟性純厚, 有武才, 早從太上王征戰獻捷, 竟與開國之列".

7) 이날 일본의 교토에서 오후 1시 무렵까지 비가 내렸다고 한다.

· 『愚管記』제15, 應安 4년 3월, "三日丁亥, 降雨, 雖休陰, 至未霽".

8) 이날 교토에서 새벽에 비가 조금 내렸으나 곧 멈추고 흐렸다고 한다.

· 『愚管記』제15, 應安 4년 3월, "廿九日癸丑, 陰, 早朝小雨, 卽止".

9) 이는 지27, 선거1, 科目1, 選場에서 전재하였다.

· 『목은집』연보, 洪武四年, "春□□[二月], 知貢擧". 여기에서 添字가 추가되면 좋을 것이다.

10) 이 기사는 다음의 자료를 적절히 變改한 것이다.

[是月乙酉朔，明策進士于奉天殿，登第者百二十人，賜吳伯宗等三名進士及第. 高麗入試者三人，惟金濤登第，授東昌府安丘縣丞，朴實·柳伯儒皆不第. 三人俱以不通華言，請還本國，詔厚給道里費，遣舟送還:追加].[11]

[己亥[15日]，明中書省臣奏言，高麗國郞將李英等因入朝貢，多帶物出境，請加禁止. 詔勿禁:追加].[12]

閏[三]月[甲寅朔小盡,壬辰]，[某日，[領門下府事]辛旽傔人，宴旽于穿坂. 自侍中以下時·散

· 지29, 選擧3, 功臣子孫, “[恭愍]二十年三月, 敎, 兵興以來, 戰亡將士,官其子孫”.
· 지29, 選擧3, 封贈, “[恭愍]二十年三月, 戰亡將士, 悉加追贈”.

11) 이는 『명태조실록』 권62, 홍무 4년 3월 乙酉朔을 전재하였다. 이때의 會試는 같은 해 2월 18일(壬申)에 실시되어 120人이 선발되었고, 3월 1일 奉天殿에서 행해진 殿試에서 吳伯宗 등 3人은 進士及第를, 第2甲 17人은 進士出身을, 第3甲 100人은 同進士出身을 下賜받았다. 이때 金濤가 會試에서 第97人으로, 殿試에서 第3甲 第5名(전체 중 25名)으로 及第하여 東昌府(現 山東省) 安丘縣丞에 任命되었으나, 3人이 모두 華語에 通하지 아니하여 還國을 請하자 旅費를 厚하게 주어 還國시켰다고 한다(열전24, 金濤 ; 『양촌집』 권15, 送金少年自知之陽山詩序 ; 『신증동국여지승람』 권43, 延安都護府, 人物 ; 『朝天記』권上, 甲戌年 7월 23일 ; 『熱河日記』, 謁聖退述太學 ; 『명태조실록』 권61·62).
· 지28, 選擧2, 科目2, 制科, “[恭愍]二十年, 濤, 中制科第二十五名[~~中制科第二甲五名~~], 授東昌府丞”.
· 『목은문고』 권12, 上扎讚幷序, “成均司藝金濤於穡曰 … 赴秋闈果中, 會試又中, 對策 天子之庭, 則入高等爲二十五名, 是科中者, 凡百有二十人, 居其上者, 若此其少, 則君才力可知也. 授丘縣丞, 辭曰, ‘臣言語不通, 且父母皆老, 乞歸養’. 遂得放歸”. 여기에서 ~~添字~~와 같이 고쳐야 할 것이다. 또 丘縣은 현재의 河北省 邯鄲市의 동북부 지역에 위치한 邱縣(丘縣의 改稱, 孔子에 대한 敬諱)인데, 朝鮮王朝 末期에 大丘都護府가 大邱都護府로 改書된 것도 같은 樣相이었다.
· 『憲章錄』 권3, 홍무 4년 3월, “□□□[~~乙酉朔~~], 親策會試中式擧人于奉天殿, 賜吳伯宗等一百二十人進士及第·出身有次. 是科, 高麗金濤中三科, 授東昌安丘縣丞, 以不通華言, 請還本國, 詔給道里費, 送歸”.
· 『洪武四年進士登科錄』, “第一甲三名,」 賜進士及第, 第一名授承正郞, 第二名授承事郞, 第三名授承事郞,」 [一大]吳伯宗,」 貫江西撫州府金谿縣, 儒籍, 治書經, 字伯宗, 年三十八, 八月二十九日生,」 曾祖可, 宋等仕郞, 漕貢進士, 祖泰運, 父儀, 元鄕貢進士, 母何氏, 俱慶下, 娶倪氏,」 鄕試第一名, 會試第二十四名, 授禮部員外郞」. … 第二甲一十七名,」 賜進士出身, 授承事郞,」 [一大]楊自立,」 貫江西吉安府泰和縣, 儒籍, 治春秋, 字吾年, 三十八, 八月十一日生,」 曾祖復圭, 元贈朝列大夫·富州尹·輕車都尉, 弘農, 諡伯元, 祖會可, 父觀, 母郭氏, 永感下, 娶郭氏,」 鄕試第八名, 會試第三名, 授吏部主事」. 第三甲一百名,」 賜同進士出身, 授將仕郞,」 [一大]姚宗敬,」 貫江西饒州府德興縣, 民籍, 治春秋, 字宗敬, 年五十,」 鄕試第二十一名, 會試第一百十六名, 授西安府潦城縣丞」. … [五大]金濤,」 貫高麗, 治春秋, 字仲恬,」 鄕試第□□[二大], 會試第九十七名, □□□□□□□□□□□[~~授東昌府安丘縣丞~~]」.… ”. 여기에서 ~~添字~~는 필자가 추가한 것이다.

12) 이는 다음의 자료에 의거하였다.
· 『명태조실록』 권62, 홍무 4년 3월, “己亥, … 中書省臣奏言, 高麗國郞將李英等因入朝貢, 多帶物出境, 請加禁止. 詔勿禁”.

各品，皆與焉，凡二百餘人．都人聚觀，謂之僉議餞送:節要轉載］．

［→恭愍二十年，旽傔人，享旽于穿坂．王出涼廳望之，自侍中以下有爵者皆與，凡二百餘人．都人聚觀，謂之僉議餞送:列傳45辛旽轉載］．

丙辰3日，諫官請禁奢靡之俗，從之．

己未6日，幸演福寺，又幸影殿．

○北元遼陽省平章平章政事劉益·王右丞等欲歸附大明，慮遷居民，以遼陽本我地，若我國請命，可免遷徙，遣使來告.[13)]

［丁卯14日，立夏．白虹貫日:天文1轉載］.[14)]

庚午17日，幸長湍，謁靖陵，命大將軍李和率工人，乘舟中流，奏伎樂．王觀之樂焉，上將軍金興慶侍側曰，“請上親自御舟”．王曰，“吾雖樂此，不爲是也”.[15)]

壬申19日，王乘舟，張女樂，遊觀石壁.[16)]

癸酉20日，謁憲陵光宗，駐駕龍逼野，觀射，以李沃·金用貂金用超?善射，各賜鞍馬.[17)]

甲戌21日，謁景陵文宗．

---

13) 王右丞은 右丞 王哈剌不花(王Qara Buqa)이다.

14) 이날 교토에서 가랑비가 하루 종일 내렸다고 한다.
- 『愚管記』제15, 應安 4년 윤3월, “十四日丁卯，終日微雨降”.

15) 靖陵은 누구의 陵인지는 알 수 없다. 또 이 시기에 金興慶은 공민왕의 특이한 寵愛를 받고 있었다고 한다.
- 열전37, 폐행2, 金興慶, “金興慶，侍中就礪之曾孫，聰慧便佞．恭愍朝，選補于達赤，王見而悅之，以爲內速古赤．有龍陽之寵，常侍內寢，未嘗一夕許休沐．數月間超遷，至三司左尹，轉左右衛上護軍，寵愛日深．嘗入直據胡床，王見之怒，使上護軍盧璹，拳毆幾斃．後王又以事笞興慶，興慶怒，毆內侍宋良哲，復矯命杖之”. 여기에서 金興慶이 金就礪의 曾孫으로 되어 있지만, 金就礪(1172~1234)의 曾孫은 金倫(1277~1348)이므로 系譜가 적절하지 못하다. 곧 이 시기(공민왕20, 1371)에 청년기인 金興慶은 金倫의 孫으로 추측되고, 또 그의 母인 柳氏의 封君號가 積善翁主, 辰韓國大夫人인 점을 감안하면 興慶의 父는 이 시기에 이미 封君된 宰相일 수밖에 없다. 그렇다면 興慶은 金倫의 7男 2女 중에서 2子인 重大匡·陽城君을 역임한 후 彥陽伯, 檢校侍中으로 逝去했던 敬直의 아들인 것 같다. 그러므로 ‘金興慶，侍中就礪之曾孫’은 a‘侍中就礪之玄孫’, b‘彥陽君倫之孫’, c‘彥陽伯敬直之子’의 오류일 가능성이 높으며, 自身의 系譜에 흠집을 내지 않으려던 『고려사』편찬자의 方式에 의하면 a가 가장 적합했을 것이다.

16) 庚午와 壬申의 기사는 『신증동국여지승람』 권12, 長湍都護府, 山川, 長湍渡에도 인용되어 있으며, 三月은 閏三月의 오류이다.

17) 李沃은 李春富의 長子이고(열전38, 李春富), 金用貂는 1390년(공양왕2), 1392년(공양왕4) 6월 密直副使로 재직한 金用超의 初名 또는 오자일 가능성이 있다(→공양왕 2년 6월 19일, 4년 6월 19일).
- 『태종실록』 권111, 6년 1월 甲辰19日, “前忠淸道兵馬都節制使金用超卒，賜祭于殯．用超，義城縣人，性質直，有武才”.

夏四月癸未朔[小盡,癸巳], [小滿]. 雨雹.

[→雷, 雨雹:五行1轉載]. 王曰, “天之動威, 責在法司斷獄不公”. 乃命放囚.[18]

[某日, [前僉議贊成事]權適大宴[領門下府事]辛旽, 設火山臺. 旽不敢自安, 乃移涼廳, 請王觀之:節要轉載].

[→權適又大享旽, 設火山臺, 旽不敢自安, 乃移涼廳, 請王觀之. 旽初以僧行, 見信於王, 旣納蘭女, 又畜妾無筭, 卿大夫妻貌美者, 必密招私之. 凡在朝者, 皆希恩畏威, 爭獻臧獲·寶器, 王猶以不受祿, 不近色, 不置田園, 信重之. 旽恣行威福, 恩讎必復, 世家大族, 誅殺殆盡, 人視若虎狼. 至使仕者, 夜直其第, 論貲授官, 出則侍中以下, 擁前後, 道路爲之塡塞, 市不開貨. 奇顯·崔思遠爲腹心, [李]春富·[金]蘭爲羽翼, 黨與滿朝, 王亦有不自安之意, 稱領相, 而不敢官:列傳45辛旽轉載].

戊戌[16日], [芒種]. 中書省□[移]咨告, 前元遼陽行省平章□□[政事]劉益, 以金·復·盖·海等地歸順, [洪武]帝以爲本衛指揮.[19]

○幸演福寺, 設文殊會.

庚戌[28日], 太白晝見.

○幸影殿, 觀上梁, 仍幸慈恩寺.

五月[壬子朔大盡,甲午], 癸丑[2日], [夏至]. [北元]劉平章□□[~~政事劉益~~]·王右丞[~~右丞王哈剌不花~~]·和尙院使[~~□□院使和尙~~]遣人來, 賀誕辰.[20]

丁巳[6日], 以誕日, 幸魂殿飯僧八百. 有忽只[忽赤]一人, 善弄杖, 王喜賜內乘馬.

壬戌[11日], 幸靈通寺.[21]

---

18) 이날 교토에서 晴陰이 交差되며 저녁에 가랑비가 내렸다고 한다.

・『愚管記』제15, 應安 4년 4월, “一日癸未, 或晴或陰, 夕微雨下”.

19) 劉益은 이해의 2월 28일(壬午)에 통솔하던 遼東地域의 人馬를 거느리고 항복하였다고 한다.

・『명태조실록』 권61, 홍무 4년 2월, “壬午, 上還京師. … 故元遼陽行省平章劉益, 以遼東州郡地圖幷籍其兵馬·錢糧之數, 遣右丞董遵·僉院楊賢, 奉表來降, 其辭曰, … 上覽表嘉其誠, 詔置遼東衛指揮使司, 以益爲指揮同知, …”.

・『명사』 권2, 본기2, 太祖2, 홍무 4년 2월, “壬午, □[上]至自中都. 元平章劉益, 以遼東降”.

20) 이 기사는 ~~添字~~와 같이 飜譯하는 것이 좋을 것이다.

21) 權韠(1569~1612)의 詩文에 의하면 靈通寺는 임진왜란 때에 크게 燒盡되고 하나의 殿閣만이 남겨져 있었다고 한다. 1672년(현종12) 金昌協(1651~1708)의 靈通寺에 대한 견문도 있다.

・『石洲集』 권4, 再宿靈通寺[注, 寺爲兵火所燒, 一殿巍然獨存], “昔年曾向此間行[注, 余[權韠]於辛卯[宣祖24年]秋嘗遊于此, 夜上西樓聽水聲, 溪月欲沈秋樹黑, 佛燈初盡曉鐘鳴, 塹灰過劫驚浮世, 塵路關心歎此生, 山意似知曾宿客, 故將雲雨掩歸程[注, 是日有雨]”.

[辛未20日, 三司左使姜師贊還自京師, 帝命大常太常樂工, 赴京習學:節要·樂志1軒架樂獨奏節度轉載].[22)]

壬申21日, 王以久雨, 妨影殿役, 祈晴于順天寺.[23)]

癸酉22日, 命檢校侍中·監春秋館事李仁復·知春秋舘事李穡等, 增修'本朝金鏡錄'.

甲戌23日, 前長沙監務李存吾卒.[24)]

乙亥24日, 北元吳王遣使來聘.

[某日, 榮祿大夫·安東大都護府使石抹天英卒:追加].[25)]

六月壬午朔小盡,乙未, 癸巳12日, 以前都僉議評理姜仲祥△爲判開城府事, 鄭思道△爲知密直司事, 洪仲元爲惣部摠部尙書, [朝請郞·右正言·知製敎李詹爲朝請郞·知通州事兼勸農防禦使:追加].[26)]

壬寅21日, 貶左司諫閔壽生·右司諫奇叔倫·右正言李詹·司憲雜端金孝先, 補外.

丁未26日, 賜金潛等及第.[27)]

· 『谷雲集』 권3, 遊松都記(1670年撰,) "… 由天磨峯之傍, 緣山而東出五冠山, 到靈通寺, 寺有古碑, 高麗金富軾所撰, 吳彦侯所書, 字多殘缺, 寺燬於兵燹, 此是近年草創者云". 여기의 靈通寺 大覺國師塔碑(寶物級 文化財 第37號)는 開城市 龍興洞 靈通寺址에 있다.

· 『鼇巖集』 권23, 游松京記, "… 又前數里, 山回境闢, 仰見五峰, 森然競秀, 互爲長弟, 即五冠山也. 其下爲靈通寺, 寺故松京大伽藍, 中經燬燼, 只存十一二, 庭中立三□級石塔, 門外有麗僧義天碑, 自腰以下, 剝落不可讀, 蔡壽'松都錄', 盛稱西樓之勝, 今亡之".

22) 이때 姜師贊은 1370년(洪武3) 10월 9일 中書省이 恭愍王에게 발급한 蘭秀山의 叛亂에 관련되었던 高伯一에 대한 처리 결과의 咨文을 가져왔던 것 같다(『吏文』 권2, 咨奏申呈照會2, 中書省據刑部呈, 蘭秀山叛賊干連人高伯一發回咨).

23) 이때 교토에서는 4월 29일(辛亥)부터 5월 6일(戊午, 高麗曆의 7일)까지 계속 비가 내렸다고 한다(『愚管記』제15, 應安 4년 4월, 5월).

24) 이날은 율리우스曆으로 1371년 7월 5일(그레고리曆 7월 13일)에 해당한다. 또 李存吾는 扶餘의 顯義祠에 배향되어 있다고 한다.

· 『栢潭集』 권2, 發定山, 抵汪津, 敎授姜君節·縣監洪君可臣·察訪金君欽, 同舟向扶餘紀行, … [注, 主守洪君所建, 祀百濟階伯·成忠, 高麗正言李存吾. 前構講堂].

25) 이는 『안동선생안』에 의거하였다.

26) 이는 『쌍매당협장집』연보에 의거하였다.

27) 이와 관련된 기사로 다음이 있다. 이때는 大元蒙古國의 영향으로 初試, 會試, 廷試[親試]의 三場制로 실시되어 4월에 會試가, 6월에 殿試[廷試]가 각각 실시되어 급제자의 발표[放榜]가 이루어졌던 것 같다. 또 이때 殿試에서 知貢擧 李穡, 同知貢擧 田祿生가 讀券官이 되지 못하고 他人이 任命되었다고 한다.

· 지27, 선거1, 科目1, 選場, "恭愍二十年三月□□某日, 李穡知貢擧, 田祿生同知貢擧, 取進士, 六月□□丁未, 親試, 賜金潛等三十一人三十三人及第". 이에서 三十一人은 三十三人의 오자일 것이다.

[是月頃, 以[前通禮門祗候]鄭道傳爲太常博士:追加].[28)]

[○以朴光理爲永州副使:追加].[29)]

秋七月[辛亥朔大盡,丙申], 癸丑[3日], 倭寇禮成江, 焚兵船四十餘艘, 杖流兵馬使金立堅于安山.

○以我太祖[知門下省事李成桂]爲西江都指揮使, 楊伯淵爲東江都指揮使.

○[遼陽行省平章政事]高家奴·王右丞遣使來聘.

이는 知貢擧 李穡의 行狀에서도 33人으로 되어 있고(『양촌집』 권40), 及第榜目에도 33人의 人名이 登載되어 있음에서 알 수 있다.

- 『목은시고』 권29, [禑王6年]庚申科及第李正言[文和]等, 呈名箋於其座主廉東亭[興邦], 東亭呼其前門生[恭愍18年]己酉科·甲寅[23年]科, 合享之. 穡承招與坐, 酒酣聯句有云, 三領門生頭尙黑. 僕亦三主禮闈, 以[14年]乙巳科殿試之制未行, [20年]辛亥科殿試讀卷, 別用人, 獨己酉科殿試, 僕亦與焉. ….
- 『목은시고』 권24, 至正癸巳四月, … 歲辛亥[恭愍20年], 穡知貢擧, 田政堂[祿生]副之, □□□[無設宴]. ….
- 『목은시고』 권24, 辛亥會試, 門生吳毅來云, 由糾正出判羅州牧, 今爲張西京幕下僚佐, 而事請假而來玆, 又旋歸西京, ….
- 열전29, 王康, "王康, 宗室疏屬. □□□□□[父昇,順興君], 恭愍二十年, 應擧中會試, 康於儕輩年最少. 王召見謂曰, 判官曹崇禮·進士閔安仁, 老成儒者, 尙未中第, 況此少者乎, 必假手也. 使寫會試策題, 不克. 王怒停殿試, 命自今, 年未十五歲者, 毋得赴試. 踰數月, 覆試賜同進士第". 이에서 添字가 추가되어야 옳게 될 것이다(→是年의 及第榜目).
- 『태종실록』 권22, 11년 10월 丙申[8日], 許應의 卒記, "丙申, 前開城留後許應卒. 應, 陽川人, 開城尹喬之子, 洪武辛亥及第, 累歷臺·諫官".
- 『세종실록』 권14, 3년 12월 戊戌[10日], 劉敞의 卒記, "玉川府院君劉敞卒. 敞古名敬, 江陵府羽溪縣人, 高麗恭愍王二十年登第, 補成均學諭, 遷博士, 移門下注書. 太祖在潛邸, 常與敬讀書, 因蒙知待".
- 『세종실록』 권60, 15년 5월 己未[7日], 柳寬의 卒記, "右議政仍令致仕柳寬卒. … 寬, 初名觀, 字夢思, 後改寬, 字敬夫. 黃海道文化縣人, 高麗政堂文學公權之七代孫也. 中辛亥科, 累遷典理正郞, 典校副令, 出守鳳山, 入爲成均司藝. 歷內史舍人[內書舍人], 司憲中丞, 太祖賜元從功臣之券".

  이때 [成均幼學]金潛·[成均生員]吳毅·[成均進士]朴元素(乙科3人), [成均生員]金道·朴毅·金伯英·閔坦·李行·尹就·[成均學生]李濡(丙科7人), [成均進士]李成範·張志道·[成均進士]崔允灊·[學生]金敬崇·[生員]鄭穆·[生員]南謙·[學生]李才·[成均生員]金若采·柳觀(改寬)·金若恒·王康·金震陽·廉廷秀·[鄕貢進士]鄭思吾·[成均進士]曹庶·[成均生員]劉敬(改敞)·[學生]朴文賚·[生員]許應·金賓·[麗澤齋生]文益孚·[侍聘齋生]宋致中·崔寔(同進士23人) 등이 급제하였다(『登科錄』; 『前朝科擧事蹟』, 朴龍雲 1990년·許興植 2005년).

28) 이는 다음의 자료에 의거하였다.
- 『태조실록』 권14, 7년 8월 己巳[26日], 鄭道傳의 卒記, "… 累遷至通禮門祗候, …[恭愍]辛亥, 召拜太常博士".
- 『삼봉집』 권1. 秋夜[注, 辛亥秋七月, 公[鄭道傳]聞辛旽被誅, 赴開京. 時王以誅旽親告太廟, 凡禮數·樂節命公議之, 以前祗候除太常博士, 仍掌銓選凡五年].

29) 이는 『영천선생안』에 의거하였다.

丙辰[6日]，選部議郎李靭上匿名書，告[領門下府事]辛旽謀逆．鞫其黨奇顯·崔思遠·鄭龜漢·陳允儉·奇仲脩等，誅之．

[→選部議郎李靭，知辛旽謀逆，乃匿姓名，稱爲寒林居士，爲書夜投宰相[僉議評理]金續命第．續命以聞，王命收捕旽黨奇顯·崔思遠·鄭龜漢·陳允儉·奇仲修[仲脩]等，誅之．王性猜忍，雖腹心大臣，及其權盛，必忌而誅之．旽，自知鴟張大極，恐王忌之，遂謀不軌．王之謁憲·景二陵，旽，分遣其黨，設伏道旁，約行大事．及王還宮，旽謂其黨曰，“何不如約?”，其黨曰，“見上儀衛甚盛，不忍犯也”．旽怒且罵曰，“爾輩誠怯懦，無用者也”．自是，日夜聚謀，更刻日擧事．○時求官者悉附旽，靭爲旽門客，備知兇謀，陰籍記之．及事迫，具上變，卽微服亡去．王始疑靭誣構，不之信，及捕旽黨，鞫之皆驗:節要轉載]．

[→□□[先是]，王謁憲·景二陵，旽分遣其黨，設伏道傍，約行大事．及王還宮，旽謂其黨曰，“何不如約”．其黨曰，“見上，儀衛甚盛，不忍犯也”．旽怒，且罵曰，“爾輩誠怯懦，無用者也”．自是，日夜聚謀，更刻日擧事．○時求官者，悉附旽，選部議郎李靭亦爲旽門客，備知兇謀，陰籍記之．事迫，乃匿姓名，稱爲寒林居士，爲書，夜投宰相金續命第，卽微服亡去．續命以其書聞，王命巡衛府，收捕旽黨[奇]顯·[崔]思遠·[高]仁器，前少尹鄭龜漢，將軍陳允儉，顯子前正郎仲脩·韓乙松等，鞫之．王始疑靭誣構，不之信，及訊其黨，皆服，乃誅顯·思遠·龜漢·允儉·仲脩·仁器·乙松等，流[李]云牧·辛貴·辛修:列傳45辛旽轉載]．

[翼日[丁巳7日]，旽以小兒[牟尼奴]生辰，飯僧廣明寺，王命承宣權仲和，降香，賜蟒龍衣．旽遂謁正陵，王命[贊成事李]仁任·[知中事廉]興邦及頭裏速古赤，從之:列傳45辛旽轉載]．[30]

己未[9日]，流[領門下府事]辛旽于水原．[31]

[→遂流旽于水原．王嘆曰，“益齋[李齊賢]嘗言，旽非端人，必貽後患，先見之明，不可及已”．又謂近臣曰，“予嘗至旽家，幸侍婢生子，毋令驚動，善保護之”．子卽牟尼奴[禑王]也:節要轉載]．

[→後二日，流旽于水原，命李成林·王安德押行:列傳45辛旽轉載]．

[○左侍中李春富·參知門下府事金蘭·同知密直□□[司事]洪永通·承旨[承宣]金縝， 謝罪曰，“臣等，與[領門下府事辛]旽同事久矣，今旽流，而臣等獨免，如國論何?”．王曰，“且歸視事”:節要轉載]．[32]

---

30) 禑王의 生辰은 7월 7일로 이 기사와 일치한다(→禑王 總論).

31) 이날은 율리우스曆으로 1371년 8월 19일(그레고리曆 8월 27일)에 해당한다.

[○兩府·臺諫·理部上書曰, “大逆, 天下萬世之所不容. 辛旽, 本一微僧, 濫遇上知, 位極人臣, 而進退百官, 頤指氣使, 視其附已與否, 而予奪之. 廣植兇徒, 覬覦非分, 幸賴祖宗之靈, 殿下先見之明, 陰謀發覺, 乃用寬典, 止於流放, 三韓觖望. 且旽之黨與, 豈惟[崔]思遠·奇顯等七人而已. 伏望殿下, 斷以大義, 寘旽極刑, 籍沒家產, 幷夷其黨, 以快衆心”, 王從之:節要轉載].[33)]

[→理部·憲司請族[奇]顯等, 王曰, “門下·重房, 何無狀䟽?”. ○都評議司奏曰, “旽本庸僧, 過蒙恩幸, 乃詭謀竊權, 陰結黨與, 圖爲不軌, 幸賴天佑, 剪除其黨. 旽以逆首, 只竄于外, 尙保首領, 宜置極刑, 幷誅遺孽同產, 及其黨顯·思遠等子, 餘黨亦悉窮治”. ○門下省[~~門下府~~]奏曰, “大逆, 天下萬世之所不容, 辛旽本一微僧, 濫遇上知, 位極人臣, 進退百官, 頤指氣使, 廣植兇徒, 覬覦非分, 幸賴祖宗之靈, 殿下先見之明, 兇謀發覺, 乃用寬典, 止於流放, 三韓缺望. 且旽之黨與, 不但[奇]顯·[崔]思遠等七人而已. 伏望□□[~~殿下~~], 斷以大義, 置旽極刑, 籍沒家產, 幷夷其黨, 以快衆心”. ○憲府又請, 誅旽, 流其親黨, 籍產瀦宅, 王曰, “法者, 天下萬世之公, 予不得私撓, 宜如所奏”:列傳45辛旽轉載].

庚申[10日], 召前□[守]侍中慶千興·前贊成事安祐祥[~~安遇祥~~]·前評理李珣[~~李希泌~~]·上將軍尹承順于貶所.[34)]

辛酉[11日], [前領門下府事]辛旽伏誅.[35)]

---

32) 이와 관련된 기사로 다음이 있다.
- 열전38, 李春富, “[領門下府事辛]旽與其黨奇顯等謀逆, 事覺, 流于水原, [李]春富·[李]蘭·洪永通·金瑱[金縝]詣宮門言, ‘臣等與旽同事久, 今旽流, 而臣等獨免, 如國論何’. 王曰 且歸視事”. 여기에서 金瑱은 金縝의 오자일 것이다(→是月 26일).,

33) 이 기사의 冒頭는 다음의 기사를 볼 때 적절하게 정리되지 못한 官府의 列擧일 것이다.

34) 慶千興은 1371년(공민왕20) 7월 10일에서 1372년 9월 7일 사이에 慶復興으로 改名하였다(열전24, 慶復興). 또 安祐祥은 安遇祥으로도 표기되었는데(世家→공민왕 14년 3월 22일, 열전45, 辛旽→15년 4월 24일), 前者가 1回, 後者가 2回로 찾아지고 있음을 보아 後者가 옳을 가능성이 있다.

35) 이날은 율리우스曆으로 8월 21일(그레고리曆 8월 29일)에 해당한다. 또 辛旽이 誅殺된 후 慶尙道 玄風縣(現 大邱市 達城郡 瑜伽面) 筆峰에 위치한 그의 母의 墓所가 掘塚되어 못으로 만들어졌다고 한다. 또 이때 宰相인 池奫이 辛旽의 愛玩品을 취하였고, 前密直提學 李達衷이 辛旽의 非行을 詩로 지었다고 한다.
- 『玄風邑誌』, 古蹟, 筆峰, “高麗僧辛旽, 葬其母於此峯之麓. 及旽誅, 掘塚鑿池. 今爲涸池, 只有形址”.
- 열전38, 池奫, “… 辛旽誅, 奫盡取其服玩, 而有之”.
- 열전25, 李達衷, “… 及旽伏誅, 作詩云, ‘天地生成品彙煩, 誰干洪造擅寒暄. 歡情浹洽藏春塢, 怒氣陰凝蔽日雲. 雉蛩鷹鳩猶足怪, 龍魚鼠虎豈容言. 可憐老木風吹倒, 蘿蔦離披失所援. 騁怪馳

[→遣大司成林樸·判事金斗, 斬旽于水原, 支解以徇,[36] 梟首京城東門. ○初王與[辛]旽·[李]春富等同盟, 至是, 授樸盟文, 使示旽數罪. 樸至水原, 使人詐報宣召, 旽喜曰, "今日召還, 蓋爲阿只思我也". 阿只, 方言小兒之尊稱. 旽當刑, 束手乞哀於樸曰, "願見阿只, 以活我命". 旽性畏畋犬, 惡射獵, 且縱滛[縱淫], 常殺烏鷄[烏骨鷄]·白馬, 以助陽道. 時人謂旽爲老狐精:節要轉載].[37]

[→遣察訪使林樸, 体覆使金㪷于水原,[38] 誅旽, 卽召還旽所逐千興·瑩·希泌·承順等.

○初, 王與旽·春富等同盟, 至是, 授樸盟書, 使示旽數罪曰, "爾嘗謂近婦女 所以導引養氣, 非敢私之. 今聞, 至生兒息, 是在盟書者歟. 城中造甲第至七, 是在盟書者歟. 如是者數事, 數罪訖, 可焚此書". 樸至水原, 使人詐報宣召, 旽喜曰, "今日召還, 盖爲阿只, 思我也". 阿只方言, 小兒之稱. 旽婢妾般若生牟尼奴, 王以爲己子. 是爲禑, 阿只指牟尼奴也. 水原府使朴東生泣旽前, 陳其情款, [李]成林叱退之. 旽當刑束手, 乞哀於樸曰, "願公見阿只, 活我". 乃斬之, 支解徇諸道, 梟首京城東門:列傳45辛旽轉載].

○誅其黨大護軍李伯脩, 流成汝完·趙思謙·柳濬.

[某日, 司憲府啓曰, "[左侍中]李春富·[參知門下府事]金蘭·[同知密直司事]洪永通, 皆黨於旽, 請誅之". 命免官勿問:節要轉載].

[→憲司奏曰, "[李]春富·金蘭, 與[辛]旽, 同是宰輔, 名位相等, 趍走庭下, 曲意承奉, 養成無君之心, 其罪大矣. 旽惡未著, 人不及知, 春富獨先知之情, 固可疑. 旣知其謀, 非唯不禁, 互相比周, 姦狀已著. 且奇顯等謀擧大事, 必有倚恃, 春富不究治, 趣令殺之. 同時事旽者, 並受重刑, 春富當惶懼, 自退俟罪不暇, 乃畏人發姦, 不離宮省, 蒙蔽天聽, 兇詐益甚. 豈可以曖昧微功, 枉稽天誅, 請置於法." 王不聽, 止罷

妖老野狐, 那知有手競張弧. 威能假虎熊羆慴, 媚或爲男婦女趨. 黃狗蒼鷹尤所忌, 烏雞白馬是何辜. 曾聞汝死必丘首, 今見城東官道隅'. 旽性畏畋犬惡射獵, 且縱淫, 常殺烏雞[烏骨雞]·白馬以助陽道. 時人謂旽爲老狐精故云".

36) 支解는 體解와 같은 의미를 지니고 있다.
·『자치통감』 권7, 秦紀2, 始皇帝 20년(bc227), "荊軻至咸陽, 因王寵姬蒙嘉卑辭以求見, 王大喜, … 遂體解荊軻以徇[胡三省注, 體解, 支解也], 王於是大怒, 發兵詣趙, …".

37) 頓 以下의 구절은 열전45, 辛旽에도 수록되어 있다.

38) 体覆使 金㪷는 여타의 자료에는 모두 金斗로 표기되었는데, 이곳에서만 前者로 표기되었다. 金斗는 護軍으로 金鏞을 鞫問, 處刑하였고, 大護軍으로 西北地域의 體覆使로 파견되었다가 1364년(공민왕13) 1월 17일 歸還하였다.

其職:列傳38李春富轉載].

丙寅[16日], 以[漆原伯]尹桓爲門下侍中, 韓方信爲贊成事, [三司左使]李穡爲文[~~忠保節贊化功臣·崇祿大夫~~]·政堂文學,[39] 我太祖[李成桂]△[爲]知門下府事. [王問近臣曰, 文臣穡, 武臣某[太祖舊諱][李成桂]同日入省, 廷議以謂如何. 蓋自多其得人也:節要轉載].[40]

[→[恭愍]二十年, [李穡,] 拜政堂文學, 加文忠保節贊化功臣號. 我太祖[李成桂]爲知門下府事, 王謂近臣曰, "近日物議何如". 對曰, "皆言國家得人". 王笑曰, "文武皆用第一流, 以爲宰相, 誰敢議之". ○王每召見穡及李仁復, 必令左右, 洒掃焚香. 幸僧神照白王曰, "君見臣, 何必致敬如此?". 王曰, "爾何知此, 二公道德非庸儒. 且穡學問, 舍肌膚而得骨髓, 雖中國亦罕比, 烏敢慢哉?":列傳28李穡轉載].

丁卯[17日], 王以前侍中柳濯黨於旽, 將殺之. 太后[洪氏]使宦者沙顔不花, 請宥之. 王怒囚沙顔不花, 遂□□□[~~翌日~~,] [縊]殺濯. 又誅旽黨白絢·孫演·金斗達·金元萬, 杖流宋蘭·石蘭·孫湊·金安·金仲源·朴千祐.[41]

[→辛旽既誅, 憲司奏, "濯爲首相, 嘗欲專占全羅軍民, 依妹壻也先帖木兒, 設萬戶府, 成軍目靑册, 納樞密院. 又公主昇遐之初, 闕殯奠, 葬用薄禮. 又黨逆賊辛旽, 賄以奴婢·錢財, 相與結援, 李伯修告旽逆謀, 濯知而不首. 乞置典刑, 以正不敬不忠之罪", 王從之. 太后使宦者沙顔不花, 請宥之, 王怒囚沙顔不花:列傳24柳濯轉載].

[→旽伏誅, 王以濯爲旽黨, 將殺之. 后使人請赦, 王怒, 縛使者繫獄. 王久闕定省, 及后有疾, 乃往省之:列傳2忠肅王明德太后洪氏轉載].[42]

戊辰[18日], 召牟尼奴, 納太后殿. [乃屬守侍中李仁任曰, "元子在, 吾無憂矣". 因言有美婦在旽第, 聞其宜子, 遂幸之, 乃有此兒. ○初, 林樸與上將軍李美冲侍□[王], 王目美冲曰, "汝知阿只事矣". 對曰, "臣知之矣". 樸怪之, 及出, 以問美冲, 美冲

---

39) ~~添字~~는 『목은집』 연보에 의거하였다.

40) 이 기사는 『태조실록』 권1, 總書, 공민왕 20년 7월에도 수록되어 있다. 또 이 시기에 李成桂는 庶母 金氏(李子春의 小室)를 開京으로 招致하여 奉養하면서 그녀의 身上인 노비문서[賤案]를 燒却하였다고 한다.

· "初, 桓祖[李子春]薨, 太祖迎定安翁主金氏, 至京第, 事之甚謹, 每進見, 常跪於階下. 恭愍王敬重太祖之故, 寵待金氏子和, 常令侍禁中, 數辦宴席, 賜和令享母, 且賜敎坊音樂, 以示褒寵. 太祖榮君之賜, 多給纏頭, 又與和及庶母兄元桂, 常相共處, 友愛益篤, 悉焚其母賤案".

41) ~~添字~~는 『고려사절요』 권29에 의거하였다. 또 左右衛保勝將軍을 역임하였던 白絢(洪壽山의 壻)은 洪彬의 孫壻이다(洪彬墓誌銘).

42) 이 기사에서 밑줄 친 부분 以下만 是年 3월 17일에 있었던 일이다.

曰, "上嘗鑄金錢授臣, 往旽家, 賜阿只, 阿只大喜. 辛旽謂予曰, '上數幸吾家, 非爲我也'. 美冲具以聞, 故上有是言". 至是, 樸謂史官閔由誼·李至曰, "上幸宮人生子, 今已七歲. 旽潛養之, 不使國人知, 是亦當誅也, 史官宜知之":節要轉載].[43)]

[→初, 林樸與上將軍李美冲侍王, 王目美冲曰, "汝知阿只事矣". 對曰, "臣已知". 樸怪之, 出以問美冲, 美冲曰, "上嘗鑄金錢授臣, 往旽家, 賜阿只. 阿只大喜, 旽謂予曰, '上數幸吾家, 非爲我也'. 予具以聞, 故上有是言". 至是, 旽誅, 樸謂史官閔由誼·李至曰, "誅辛旽, 國家大慶, 又有大慶, 君等知乎. 上幸宮人生子, 今已七歲, 旽潛養之, 不使國人知, 是亦當誅. 史官宜知之":列傳45辛旽轉載].

[○縊殺前侍中柳濯于青郊, 年六十一.[44)] 國人有涕泣者, 時議以爲, 王憾濯諫止影殿之役也. 後我~~大我朝~~,[45)] 太祖夢濯祈爵其子湜, 異之, 贈濯特進輔國·高興伯, 謚忠靖, 授湜官. 子雲·湜·湆:列傳24柳濯轉載].[46)]

己巳19日, 流大司憲孫湧, 以田祿生代之.

[某日, 憲司又奏曰, "李春富旣知旽逆謀, 宜卽上聞, 反與賊旽商搉數日, 至不得已乃聞, 非但無功, 罪惡反重. 及辛旽敗露, 上自親問, 不唯庇旽, 其黨所爲, 亦皆掩護. 爲旽謀主, 情迹暴著, 宜正典刑, 垂戒後世". ○命誅之, 下教暴其罪:列傳38李春富轉載].

乙亥25日, 遣判開城府事姜仲祥如京師, 賀聖節, 知密直司事鄭思道, 賀正, 摠部尙書洪仲元, 賀千秋節.[47)]

丙子26日, 誅辛旽黨前侍中李春富·金蘭·李云牧, 編配其子. 又斬辛旽子二歲兒及奇顯子仲平, 杖流金縝及大護軍金鼎.

---

43) 이때 제작된 것으로 추측되는 金錢이 1906년에 長湍지역의 古墳에서, 1908년 10월 恭愍王陵[玄陵]에서 각각 출토된 적이 있다고 한다(井上正夫 1992年).

44) 이날은 율리우스曆으로 8월 28일(그레고리曆 9월 5일)에 해당한다.

45) ~~添字~~와 같이 고쳐야 옳게 될 것이다.

46) 柳濯은 18일(戊辰) 青郊驛에서 絞殺당하였고, 그에 관련된 기록으로 다음이 있다.

· 『양촌집』 권39, 柳濯神道碑銘, "辛亥秋, 誅辛旽, 竟以前憾逮公, 七月十八日, 縊于青郊, 年六十一, 國人有泣涕者, 噫命矣夫".

· 『태조실록』 권12, 6년 12월 癸巳15日, "追謚前朝侍中柳濯, 忠靖公".

47) 姜仲祥 등은 9월 5일(甲寅) 應天府(元代 江浙行省 建康路, 改稱集慶路, 現 江蘇省 南京市)에서 表를 올리고 金銀龍盤·布·文席·龜貝 등을 바쳐 太祖의 生日[天壽聖節]과 황태자의 千秋節을 하례하였다(『명태조실록』 권68). 또 應天府는 中原의 統一王朝가 揚子江 流域에 설치한 첫 首都이다(1368년 8월에서 1421년 1월까지).

[→又斬辛旽二歲兒及旽異父弟判事姜成乙, 誅李春富·金蘭·李云牧, 其子沒爲官奴:列傳45辛旽轉載].

丁丑27日, 敎曰, "太祖創業垂統, 列聖相承, 傳次在予. 夙夜兢惕, 敬天勤民. 適時多艱, 責成輔弼, 不圖辛旽, 擅行威福, 覬覦非分. 李春富·金蘭爲其腹心, 及高仁器妄發大言, 陽爲首告, 陰實蔽覆, 致令仁器, 逃刑三年. 奇顯·崔思遠, 事覺伏誅, 李春富·金蘭猶黨於旽, 不卽加誅. 尙賴天地祖宗之靈, 斷自予衷, 流竄辛旽, 廷臣憲司, 交章請誅, 卽置極刑, 李春富·金蘭, 情見事白, 亦伏其辜. 鄭龜漢·陳允儉·韓乙松·奇仲修·柳濯·李云牧·李伯修·白絢·孫演·金元萬·林仁茂·妖僧哲觀·天正, 並正典刑, 外連累人等, 悉從輕決. 屬玆靖亂之初, 宜示推恩之典. 自洪武四年七月二十七日昧爽以前, 除謀叛大逆, 殺祖父母·父母, 妻妾殺夫, 奴婢殺主, 謀故殺人, 蠱毒·魘魅, 但犯强盜外, 其餘罪犯, 咸宥除之".[48)]

己卯29日, 羅州牧使李進修上疏曰, "□一. 內宰樞, 不可不去也, 宰臣·樞密會于都堂, 燮理陰陽, 題品人物, 如有議事, 皆詣紫門, 稟命而發, 安有非時入見, 出專威福, 使同列, 莫知其由. 朝野皆聚其門, 僭逾之心, 於是乎起矣. 國制, 知申事一人·承宣四人, 位皆不過三品, 更日入直, 執禮報平, 出納王命, 雖片言不敢自發, 是謂龍喉, 又謂內相. 傳曰, 遵先王之法, 而過者, 未之有也.[49)] 君臣相安之要, 在除內宰樞一擧.

[□一. 盜賊四起, 國家軍務, 一無統紀, 倉卒臨時, 何時而可. 宜四怯薛外, 別置軍帥府, 仍令左右前後軍, 各有將帥僚佐, 以管時散, 文武品官受約束於都統使, 都統使受約束於怯薛官, 怯薛官, 事無鉅細, 聞奏施行. 雖在外方, 亦各以其方, 東面屬左軍, 南面屬前軍, 西海屬右軍, 北界屬後軍. 然則內外上下脉絡相通, 綱擧目張矣:兵1五軍轉載].

[□一. 侍衛之於宮闕, 猶四支之於身体, 仁義識理者爲最, 勇敢者次之. 宜置四怯薛官, 各那演那顔若干人,[50)] 不拘文武·耆德. 其有八上將軍, 十六大將軍, 四十二都府, 忽赤·忠勇各四番, 均分屬之, 訓鍊士卒, 嚴明器械, 更日侍衛, 稟行軍令. 又兼管中外帥府, 則其於軍國重事, 若身之使臂, 臂之使指, 身安而事擧矣:兵2宿

---

48) 李伯修 以下는 8월 13일에 處刑되었기에 아직 刑이 집행되지 않은 상태이다.

49) 이 구절은 『맹자』 권7, 離婁章句上, "遵先王之法, 而過者, 未之有也"를 인용한 것이다.

50) 那演은 那顔(혹은 那衍, 那延, nayan)의 다른 表記로 王公, 長官, 官人 등을 指稱하는 것 같다(『元史』下, 中華書局, 185面, 後注12 ; 東亞大學 2011년 19册 92面).

衛轉載].[51)]

[□⁻. 官爵, 人君任賢授能之器也, 安有人臣, 盜主之恩, 掠美於僚友, 妄自尊大者乎? 慶弔外, 諸司官員, 投謁權門, 又稱件倘騎從者, 及常選外, 諸都監雜路薦狀, 一皆命法司, 痛理斷之. 旣有各掌百官, 何必別立都監, 旣有電吏·丘史, 何必品官騎從乎? 品官, 非宰相之臣僕, 諸司公事啓課者, 進達於合坐所. 其一至權門者, 削其職, 再至者, 加之以罪, 三至者, 終身不敍, 其餘至者,[52)] 田民屬公":刑法1 職制轉載]. ○王嘉之, 除判典校寺事.[53)]

[某日, 以崔元濡爲慶尙道按廉使, 將軍安益詳爲全羅道按廉使:慶尙道營主題名記·錦城日記].

[是月, 晋州牧開板'中庸':追加].[54)]

[○比丘尼妙智·妙珠寫成'白紙金泥金剛般若波羅蜜經':追加].[55)]

八月[辛巳朔小盡,丁酉], 丁亥[7日], 以僧惠勤爲王師.[56)]

辛卯[11日], 誅旽黨[前版圖判書]辛純[~~辛珣~~]·辛貴·林熙載·奇叔倫·奇仲齊·崔津, 流[同知密直司事]洪永通·[同知密直司事]金鉉·許完·吳仲華·成俊德·吳一鶚及[前右侍中]李春富弟光富·原富[~~元富~~].[57)]

[→又誅[辛]旽黨大護軍李伯修, 護軍白絢·孫演·金斗達·金元萬, 僧天正·哲觀, 奇顯子仲齊·淑倫·仲平, 林熙載·辛純[~~辛珣~~]·辛貴·林世·崔津·林仁茂·林端. 沒[金]蘭從弟

51) 이들 李進修의 上疏는 『고려사절요』 권29에 크게 축약되어 있다("請罷內宰樞, 嚴近侍衛, 立軍帥府, 斷奔競").

52) 至者는 延世大學本과 東亞大學本에 至百으로 되어 있으나 誤字일 것이다(孫曉 等編 2014年 2675面).

53) 李進修는 1370년(庚戌, 공민왕19) 2월 9일 羅州牧使로 到任하였고, 같은 해 8월 26일에 判司宰監事로 소환되었다고 한다(『금성일기』).

54) 이는 『中庸(朱子或問, 四書或問)』의 卷末刊記에 의거하였다(高麗大學 所藏, 보물 제706호, 南權熙 2002년 67面).

· 刊記, "洪虎[~~洪武~~]四年辛亥七月 日,晋州牧開板」".

55) 이는 다음의 자료에 의거하였다(直指寺 所藏, 보물 제1303호, 郭丞勳 2021년 463面).

·『白紙金泥金剛般若波羅蜜經』末尾跋, "洪武四年辛亥七月 日 誌,」 施主比丘尼 妙智,」 同願比丘尼 妙珠」".

56) 이달의 26일(丙午)에 工部尙書 張子溫을 楊州 檜巖寺에 파견하여 册封文書와 法號를 下賜하였다(楊州檜巖寺禪覺王師塔碑 ; 『懶翁和尙語錄』, 王師封崇日普說, 辛亥[恭愍20年]八月二十六日).

57) 辛純은 이 기사에서만 찾아짐을 보아 辛珣의 오자일 것이다. 또 原富는 『고려사절요』 권29에는 李元富로 달리 표기되어 있는데, 後者가 옳을 것이다. 그리고 열전38, 李春富에는 元富, 光富의 순서로 되어 있다.

大護軍千寶, [林]端弟郎將桂爲奴, 皆伏劒自死. 杖流[大司憲孫]湧·[同知密直司事洪]永通·金鉉·許完, 前承旨[前子宣]金縝, [李]春富弟光富·元富, 上將軍金重源, 大護軍宋蘭·孫湊·金安·石蘭·金鼎·[前典工判書?]吳仲華,[58] 民部尙書成俊德·成汝完,[59] 禮部直郎吳一鶚, 大常少卿趙思謙·柳澮, 郞將朴千祐, 前軍簿正郞柳資澤, 尹德方·韓休·楊天式·羅松·金暉西·辛兀之·金良劒·高敏等有差. ○[趙]思謙, 後爲判事, 論通其妻父之妾, 又附旽多受賄賂, 廢爲庶人, 流遠州. [吳]一鶚, 嘗爲政房少卿, 冒受中郎將河永洪俸祿, 監察司論劾, 除名不敍, 附[辛]旽得官, 至是敗. 三司右尹李遇龍, 亦以旽黨免官. 旽及逆黨妻妾, 皆沒爲官婢. [李]韌後以功, 驟遷至政堂文學:列傳45辛旽轉載].[60]

[○[李]春富弟元富爲鷹揚軍上將軍, 光富爲承宣, 兄弟三人皆據權要, 宗族多居顯列. 春富誅, 元富·光富亦以旽黨流于外. 春富子沃·贇·畜·澣·瀓並沒爲奴, 分隷州郡. 沃隷江陵, [恭愍21年6月,]倭寇東界, 我軍望風奔潰. 沃素以勇聞, 按廉授兵, 使擊賊, 沃力戰却之, 江陵一境賴以免. 事聞, 賜鞍馬, 免其役. 後辛禑給春富告身:列傳38李春富轉載].[61]

[□□[是時], 前版圖判書辛珣, 附辛旽伏誅, 其姊兄永興君環, 緣坐流武陵島[鬱陵島]:列傳4神宗王子襄陽公恕轉載].[62]

---

58) 이보다 歲月이 지난 1374년(공민왕23) 7월 前後에 吳仲華의 夫人 權氏가 寫經에 참여했던 자료도 찾아진다(郭丞勳 2021년 454面).

· 『白紙金泥佛說長壽滅罪諸同字陁羅尼經』, 卷末題記, "大功德主, [破損],」 忠勤翊贊功臣□城君鄭 □□,」 [破損],」 推忠翊祚功臣·匡靖大夫·知門下府事·上護軍金庚,」 月城郡夫人金氏,」 輸忠輔理功臣·重大匡·瑞城君崔公哲,」 通州郡夫人李氏,」 子安國,」 奉翊大夫·前典工判書吳仲華,」 □□□[郡]夫人權氏.」".

59) 成汝完은 石璘의 父, 三問의 高祖父이다(『獨谷集』行狀 ; 『成謹甫集』 권3, 世系).

60) 洪永通(洪子藩의 曾孫)의 처벌은 그의 열전에도 기록되어 있다(열전18, 洪子藩, 永通, "及旽誅, 憲府, [洪永通]以旽黨, 請誅之, 王不從, 止免官, 旣而流之"). 또 이때 李韌은 政堂文學에 발탁되었다고 하지만, 그는 1381년(우왕7) 6월 下旬에 그보다 下位職인 知門下府事商議로서 逝去하였던 것 같다.

61) 李春富의 열전에는 그의 世系가 다음과 같이 기록되어 있으나 ~~孫字~~가 추가되어야 옳게 될 것이다.

· 열전38, 姦臣1, 李春富, "…, 陽城縣人. □[曾]祖椗陽城君, 父那海僉議評理. 美容儀, 心如其貌, 有寵於英宗皇帝, 除直省舍人. 春富歷三司左尹·密直代言, 恭愍朝累拜判樞密院事".

· 『退溪集』續集권8, 中訓大夫李公墓碣銘幷序, "公姓李, 諱薰, 字子馨, 陽城人也. 高麗金吾衛大將軍椗之後, 金吾生典書靖, 典書生判樞密□[院]事守義, 入仕元朝, 賜名那海, 樞密生領侍中春富, 侍中生嘉善□□[大夫]·工曹參判澣, …".

62) 이는 다음의 기사를 전재하여 적절히 變改하였다. 또 이와 관련된 기사도 찾아진다. 그리고 武陵島는 鬱陵島의 別稱 또는 동쪽에 있는 小島(현재의 竹島)일 것이다(지12, 지리3, 東界, 蔚珍縣).

· 열전4, 神宗王子, 襄陽公恕, "環, 封永興君, 妻弟辛珣, 附辛旽伏誅, 緣坐流武陵島".

[某日，憲府啓，贊成事李成瑞妻，與岫通，配徒役:節要轉載].

癸卯[23日]，倭寇鳳州.

乙巳[25日]，以黃裳·安遇慶·崔瑩△[並]爲門下贊成事,[63] 李珣爲三司左使，以武臣侍中尹桓△[爲]監春秋館事,[64] [[羅州牧使]李進修爲判司宰監事:追加].[65]

[丙午[26日]，遣工部尙書張子溫於檜巖寺惠勤，賫書降印，并賜金襴袈裟·內外法服·鉢盂，封爲王師·大曹溪宗師·禪敎都摠攝·勤修本智,重興祖風,福國祐世,普濟尊者．太后[洪氏]亦獻金襴袈裟．謂松廣寺，爲東方第一道場，乃命居之，遣內侍李士渭，爲輔行:追加].[66]

[是月頃，以[榮祿大夫]崔宰爲安東大都護府使，[朝奉郞]崔龍蘇爲雞林府判官兼勸農使，[理部散郞]愼仁道爲安東大都護府判官，朴林宗爲羅州牧使:追加].[67]

· 열전39，池奫，"宰臣辛順[辛珣]誅，奫以其子益謙，妻順[順]女，遂出順[珣]所沒第宅貲產，與之". 여기에서 添字와 같이 고쳐야 옳게 될 것이다.

63) 이후 天下名弓이라고 불렸던 黃裳의 射侯[彈弓] 솜씨가 前知門下府事 李成桂에 비해 크게 돋보이지 않았다고 한다. 또 이성계는 항상 겸손하여 隱忍自重하였다고 하지만, 記錄者의 誇張이 없지 않았을 것이다(→공민왕 21년 6월 24일의 脚注).

· 『태조실록』 권1, 總書, 공민왕 21년 6월 이후, "恭愍王令卿大夫射侯，親觀之．太祖百發百中，王歎曰，'今日之射，唯李[太祖舊諱]一人而已'．贊成事黃裳仕元，以善射聞於天下，順帝親引其臂，而觀之．太祖會諸同列，射侯於德巖，置侯於百五十步，太祖每發盡中之．日旣午，裳至，諸相請太祖獨與裳射，凡數百發．裳連中五十後，或中或不中，太祖無一不中焉．王聞之，乃曰，'李[太祖舊諱]，固非常人也'．又嘗出內府銀小鏡十介，置八十步，命公卿射之，約中者與之．太祖十發十中，王稱嘆．太祖常以謙退自居，不欲上人，每射侯，但視其耦能否·籌之多少，纔令與耦相等而已，無所勝負，人雖有願觀而勸之者，亦不過一籌之加耳".

64) 尹桓과 관련된 기사로 다음이 있다.

· 열전27，尹桓，"[門下侍中尹]桓，本武人，王命監春秋館事，賜玉頂兒·玉纓笠".

65) 이는 다음의 자료에 의거하였다.

· 『금성일기』，"牧使李進修，八月二十六日，□[判]司宰監事以宣喚".

66) 이는 다음의 자료에 의거하였다.

· 『목은문고』 권14，普濟尊者諡先覺塔銘幷序，"辛亥八月二十六日，遣工部尙書張子溫，賫書降印，法服·鉢盂皆具，封爲王師·大曹溪宗師·禪敎都摠攝·勤修本智,重興祖風,福國祐世,普濟尊者．謂松廣寺．東方第一道場，迺命居之".

· 『나옹화상어록』，행장，"辛亥八月二十六日，遣工部尙書張子溫，賫書降印，并賜金襴袈裟·內外法服·鉢盂，封爲王師·大曹溪宗師·禪敎都摠攝·勤修本智,重興祖風,福國祐世,普濟尊者．太后亦獻金襴袈裟．謂松廣寺，爲東方第一道場，乃命居之，遣內侍李士渭，爲輔行．二十八日，發檜巖，九月二十七日，到松廣".

67) 이는 『안동선생안』; 『동도역세제자기』; 『금성일기』; 「崔宰墓誌銘」에 의거하였다.

九月[庚戌朔大盡,戊戌], 辛亥[2日], 遣西京都萬戶安遇慶·安州上萬戶李珣, 往伐五老山城.

癸丑[4日], 東平王遣使來.[68)]

[丙辰[7日], 月犯南斗:天文3轉載].

[丁巳[8日], □[月]犯哭星:天文3轉載].

[庚申[11日], 赤氣見于西方:五行1轉載].[69)]

乙亥[26日], 以[領都僉議司事]廉悌臣爲西北面都統使.

[→兀剌[五老]之役, 悌臣爲西北面都統使, 節度諸將. 師還封曲城伯, 親圖形賜之:列傳24廉悌臣轉載].[70)]

[丙子[27日], 習太廟樂於毬庭:樂志1軒架樂獨奏節度轉載].

[戊寅[29日], 習太廟樂於毬庭:樂志1軒架樂獨奏節度轉載←21年 10月에서 移動해옴].[71)]

[癸巳[某日], 日有黑子:天文1轉載].[72)]

[是月乙亥[26日], 政堂文學李穡, 以丁母免職:追加].[73)]

[是月丁丑[28日], 明戶部言, "高麗·三佛齊入貢, 其高麗海船至太倉, 三佛齊海船至泉州海口, 並請征其貨, 詔勿征":追加].[74)]

---

68) 東平王은 元의 諸王으로 고려와 어떤 연관성이 있었을 것이지만 인적 사항은 알 수 없다. 또 東平은 현재의 山東省 泰安市 東平縣 지역이지만 封君號와 관련이 없을 것이다.

69) 일본에서는 9월 교토[京都]에서 赤氣가 있었다고 한다(中央氣象臺 1941年 2册 689面).
· 『鳩嶺雜事記』, 應安 4년, "九月, 兩夜赤氣, 又天に見ゆ".
· 『續史愚抄』27, 應安 4년 9월, "某日, 有赤氣, 見北方".

70) 兀剌[ulug]은 五老의 다른 표기인데, 『고려사』에서 地名의 표기에서 일관성을 잃은 하나의 사례이다. 또 이때 공민왕이 그렸다고 전하는 염제신의 초상화는 고려후기 宰相의 日常服 樣式을 잘 보여주는 사례의 하나가 될 것이다(坡州廉氏光州宗親會 所藏, 寶物 第1097號, 絹本彩色, 53.8×42.1cm, 실제는 조선후기에 그려졌다고 한다. 李源福 2015년).

71) 이는 아래 기사의 일부를 전재한 것이다. 이 기사에서 "恭愍王二十一年三月甲寅"은 사실과 일치되지만, 이해의 9월에는 丙子와 戊寅이 없고, '十月庚辰朔'은 사실과 부합하지 아니한다. 또 '十月庚辰朔'은 바로 是年의 사실이므로, 이들 기사는 是年으로 移動해와야 한다[校正事由].
· 지24, 樂1, 軒架樂獨奏節度, "恭愍王二十一年三月甲寅, 遣洪師範移咨中書省曰, 近因兵後, 雅樂散失, 朝廷所賜樂器, 只用於宗廟, 其餘社稷·耕籍·文廟所用雅樂內, 鐘磬並闕, 今賚價赴京收買. 九月丙子, 習太廟樂於毬庭. 戊寅, 習太廟樂於毬庭. □□□[二十年]十月庚辰朔, 習太廟樂於毬庭".

72) 9월에는 癸巳가 없고, 癸丑(4일), 癸亥(14일), 癸酉(24일)가 있다.

73) 이는 다음의 자료에 의거하였다.
· 『양촌집』 권40, 李穡行狀, "辛亥[恭愍20年], … 秋拜政堂文學, … 九月, 丁母遼陽縣君憂".
· 『목은집』연보, 洪武四年辛亥, "九月, 丁母遼陽縣君憂".
· 『목은시고』 권26, 廿五日, 入聖居山, 明日[26日], 設齋薦先妣, …(→우왕 6년 9월 26일의 脚注).

74) 이는 『명태조실록』 권68, 홍무 4년 9월 28일(丁丑)을 전재하였다. 太倉衛[太倉]는 揚子江 河口

[是月頃, 西京府尹林堅味建風月樓於府內:追加].[75)]

[秋某月, 以[前軍簿判書]韓脩爲榮祿大夫·理部尙書·修文殿大學士, 尋爲正議大夫·右承宣:追加].[76)]

[→[辛]旽敗, 王曰, [韓]脩有先見之明. 授理部尙書·修文殿學士, 尋復拜右承宣, 知銓選:列傳20韓脩轉載].

冬十月[庚辰朔[大盡,己亥], 習太廟樂於毬庭:樂志1軒架樂獨奏節度轉載←21年 10月에서 移動해옴].[77)]

[甲申[5日], 雷:五行1轉載].[78)]

[乙酉[6日], 小雪. 以新及第劉敬爲成均學諭:追加].[79)]

丙戌[7日], 判事黃用成來報, 我軍克五老山城, 虜元樞密院副使哈剌不花[哈剌不花]. 王賜用成鞍馬.[80)]

庚寅[11日], 全羅道都巡問使[李金剛?]捕倭船一艘.

乙未[16日], 親享大廟[太廟], 受群臣賀.[81)] 還次崇仁門內, 成均學官率生員·十二徒生

에 위치한 元代의 海運基地(現 江蘇省 太倉市)인데, 이 기사와 같이 高麗使臣이 入港하여 南京으로 나아갔던 것 같다.

75) 이는 다음의 자료에 의거하였다.

· 『목은문고』 권1, 西京風月樓記, "… [密直副使·西京府尹林堅味,] 迺以五月初吉, 卜地于迎仙店之舊基, 作樓五楹, 塗塈丹雘, 五閱月而告成, 望之翼如也".

· 『신증동국여지승람』 권51, 平壤府, 樓亭, "風月樓, 在府內, … 徐居正重新記, 平壤, … 又改爲平壤府. … 洪武辛亥[恭愍20年], 巡問使林侯[林堅味]始建風月樓五楹於廣會之中, 群山拱挹, 長江逶迤, 俯臨池沼, 上下天光, 樓之勝與浮碧齊名, …".

76) 이는 「韓脩墓誌銘」에 의거하였다.

77) 이 기사의 移動은 9월 丙子(27日), 戊寅(29日)과 같다[校正事由].

78) 이때 일본의 교토에서 4일(癸未) 밤부터 비가 내려 5일(甲申) 오전 11시 무렵까지 이어졌던 것 같다.

· 『愚管記』제15, 應安 4년 10월, "四日癸未, 晴, 入夜雨降, 五日甲申, 午剋雨止, 屬晴".

79) 이는 『江陵劉氏族譜』, 劉敞政案, "同年[洪武四年]十月初六日, 判成均館學儒"에 의거하였다.

80) 이와 같은 기사로 다음이 있다.

· 열전26, 安遇慶, "[辛]旽誅, 復召爲贊成事, 出爲西京都萬戶. 與[安州上萬戶李]珣往擊五老山城克之, 虜元樞密院副使哈剌[剌]不花還".

81) 이와 관련된 기사로 다음이 있다.

· 지24, 樂1, 太廟樂章, "[恭愍]二十年, 十月乙未, 親享太廟, 新撰樂章".

· 열전32, 鄭道傳, "王親享宗廟, 命道傳按圖製樂器".

徒，獻歌謠曰，“臣等伏覩，主上殿下，芟夷宿慝，刑政修擧，爰擇吉日，親行告廟之禮，典章文物，一遵古初．臣於此時，幸蒙聖恩，獲在學官，領幼學生員等，俯伏道左，以獻頌”．○頌曰，“皇祖肇祀，垂五百年，我后受之，匪懈益虔，祗肅廟社，敬供于天．昇平旣極，禍生奸權，上曰，嗚呼，大統予傳，予懼宗社，旣墜以顚，夙夜兢惕，若涉春冰．賴祖宗靈，大憝克淸，神怡人懌，朝野以寧．曰爾廷臣，戒爾齋明，予入室祼，以祀以享．昧爽濯盥，有嚴法服，登于廟廷，洞洞屬屬，顧瞻堂宇，聖容有感．承是俎豆，苾芬黍稷，琴瑟柷敔，樂旣具作，奠幣獻斝，拜俯降陟．執事有恪，左右奔走，禮儀卒度，無有悔懼，工祝致告，錫我純嘏．純嘏伊何，黃耈眉壽，子孫千億克昌厥後．禮旣成矣，受群臣賀，有覺其庭，冠冕巍峩．闔廟旋車，日尙未晡，旗常旌纛，旆旆旟旟．老幼士女，踴躍歡呼，推恩慶賞，巫歌史書．臣拜稽首，君王至仁，奉養母后，睦于族親．臣拜稽首，君王聖神，惟君子用，無邇憸人，萬有千歲，父母斯民”．

○敎坊亦獻歌謠．

[→乙未，親享太廟，新撰樂章．王入門奏[闕]之曲，於穆淸廟，我享我將．威儀反反，鍾鼓喤喤．至止肅肅，休有烈光．必恭敬止，介福無疆．

王盥洗奏[闕]之曲，有洌氿泉，實惟何期．可以濯漑，維淸緝熙．旣敬旣戒，攝以威儀．式序在位，曾孫篤之．

王升殿降殿奏[闕]之曲，於穆淸廟，載見辟王．明明黼黻，肅肅班行．苾芬是潔，登降偕臧．何以賜我，萬壽無疆．

王出入小次奏[闕]之曲，維玆孝敬，小次敢忘．出入有節，威儀孔彰．精禋<u>䀚䀚</u>，雅樂洋洋．何以綏我，降之百祥．

迎神奏[闕]之曲，維精維純，盛服齊明．感痛肹蠁，樂焉九成．僾乎有聞，烝烝孝誠．神之格思，來燕來寧．

奠幣奏[闕]之曲，彝倫攸序，匪報維親．孝思不匱，有嚴淸純．惟恭奏幣，嘉玉載陳．感格如響，休祥畢臻．

司徒奉俎奏[闕]之曲，於薦廣牡，籩豆大房．或肆或將，以孝以享．誰其尸之，曾孫之將．旣右享之，惠我無疆．

[闕]第一室奏[闕]之曲，於乎皇王，受命溥將．遂荒大東，四方之綱．克開厥後，

· 『태조실록』 권14, 7년 8월 己巳26日, 鄭道傳의 卒記, “恭愍辛亥，召拜太常博士．恭愍親享宗廟，□命<u>道傳</u>按圖製樂器．遷禮儀正郞”．

繼序其皇. 於萬斯年, 降福無疆.

[闕]第二室奏[闕]曲, 於皇武王, 荷天之龍. 旣右烈考, 耆定爾功. 小東大東, 亦是率從. 勿替引之, 福祿攸同.

[闕]第三室奏[闕]之曲, 休矣皇考, 將受厥明. 允文允武, 以赫厥靈. 有震且業, 迄用有成. 萬有千年, 保我後生.

[闕]第四室奏[闕]之曲, 允王維后, 穆穆皇皇. 天命匪懈, 萬民所望. 夙夜敬止, 祀事孔明. 綏我眉壽, 自天降康.

[闕]第五室奏[闕]之曲, 皇王烝哉, 百祿是遒. 允也天子, 世德作俅. 子孫千億, 優游爾休. 永言孝思, 於乎悠哉.

[闕]第六室奏[闕]之曲, 勉勉我王, 丕顯其德. 宣昭義問, 順帝之則. 王此大邦, 臨下有赫. 貽厥孫謀, 以介景福.

[闕]第七室奏[闕]之曲, 於乎皇考, 其德克明. 永言配命, 則篤其慶. 綏予孝子, 茀祿爾康. 本支百世, 永觀厥成.

王飮福, 奏'釐成之曲', 閟宮有侐, 祀事孔明. 神嗜飮食, 賚我思成. 酌彼康爵, 孝孫有慶. 於萬斯年, 受福無疆.

文舞退, 武舞進, 奏'肅寧之曲', 嗟嗟烈祖, 赫赫厥聲. 允文允武, 保我後生. 植其露羽, 干戈戚揚. 萬舞有奕, 展也大成:樂1太廟樂章轉載].

○家州哈剌匠[哈剌匠]同知來見.[82)]

戊申[29日], 宴群臣于太妃殿. 至初夜, 有矢墜于庭, 上下驚駭, 宮城戒嚴.

十一月庚戌朔[大盡,庚子], 太后[洪氏]使宦者金壽萬, 齎酒饌饋王. 王飮不止, 壽萬曰, "老奴, 常祝聖體安寧, 請隨量節飮. [奴若宿留, 恐太后必以爲進酒多, 而遲回也". 卽辭去:節要轉載]. 時王使酒, 屢杖左右, 故宦寺欲王沈醉, 不省, 爭相進酒. 王醉甚, 思公主而泣.

壬戌[13日], 設八關小會, 幸康安殿.

丙寅[17日], 司憲府上疏, 請開經筵, 繕兵訓卒, 省赦.

戊辰[19日], 復置鷹坊, 王曰, "予之畜鷹, 非爲獵也, 愛其猛俊耳".[83)]

---

82) 家州는 어느 곳에 있었는지는 알 수 없으나 雙城摠管府가 있던 和州(현 咸鏡南道 永興市) 북쪽의 어느 지역으로 추측된다(→공민왕 21년 2월 26일).

83) 이와 관련된 기사로 다음이 있다.

甲戌[25日], 謁顯[太祖]·慶[忠烈王]·善·高[忠烈王妃]·德[忠宣王]五陵.[84)]

乙亥[26日], 祭正陵[恭愍王妃].

○□[移]咨中書省曰, "於本年八月, 遣同知密直司事[~~知密直司事~~]鄭思道,[85)] 駕海赴京, 賀明年正, 到喬桐島, 船著淺穿漏, 不得前去. 又於本年九月, 更遣密直副使韓邦彦, 賀正, 開船忽被暴風, 渰沒. 小邦去京, 師隔海甚遠, 天寒冰合, 難以發船, 恐違進賀之期. 金·復等州, 涉海稍近, 驛路可通, 經由遼東, 庶望及期. 今遣韓邦彦, 前往遼東都司[遼東都指揮使司], 赴京進賀. 請聞奏施行".[86)]

丁丑[28日], 納曲城伯廉悌臣女, 爲愼妃.

[→愼妃廉氏, 瑞原縣人, 曲城府院君悌臣之女. 以選入封愼妃:列傳2恭愍王妃愼妃廉氏轉載].

十二月[庚辰朔[小盡,辛丑], 始復行朔望祭于顯陵[太祖]:禮3吉禮大祀·節要轉載].[87)]

辛巳[2日], 吏部上言曰,[88)] "漢文皇之却駿馬, 唐太宗之袖鷂子, 至今稱頌不已. 我朝舊置鷹坊, 騷擾中外, 民甚苦之. 是以, 先王深軫其弊, 乃命罷去, 其慮遠矣. 今邊境多虞, 軍旅方殷, 不此之圖, 復設鷹坊. 上行下效, 捷於影響, 臣等恐群下化之, 耽于遊畋, 怠棄職事, 踐蹂禾稼, 病我生民. 是前日之弊, 復生於今日也, 請罷之", 從之.

[癸巳[14日], 月犯鬼星:天文3轉載].

乙未[16日], 王視事, 百官各以其職, 入啓. 諫官請嚴武備, 以禦倭寇, 重賞罰, 以勵士志.

· 지31, 百官2, 鷹坊, "恭愍王二十年, 設鷹坊, 其養飼者, 名曰時波赤, 定四品去官".

84) 善陵은 누구의 陵인지는 알 수 없다.

85) 同知密直司事는 知密直司事의 오자이다. 곧 鄭思道는 이해의 6월 12일(癸巳) 知密直司事에 임명되었다.

86) 그런데 중국 측의 자료에는 12월에 高麗國王 王顓이 使臣을 보내와 方物을 바치고 明年 正旦節을 賀禮하였다고 되어 있다. 그렇지만 이때 재차 파견된 密直副使 韓邦彦은 2월 19일(丁酉) 表를 바치고 金龍紅臺雙盞·蓮花臺雙盞·金龍頭鐙·銀龍頭鐙·六面壺·玳瑁刀鞘·筆鞘·細布·文席·貂皮 등을 바쳤다고 한다.(『명태조실록』 권72).

·『명태조실록』 권70, 홍무 4년 12월, "是月, 高麗王顓遣使貢方物, 賀明年正旦節".

87) 여기에서 于字는 여러 版本의 『고려사』에서 丁字과 같이 되어 있어나 처음 乙亥字로 組版할 때 字體의 上段部가 蜜蠟에 가려진 것 같다. 『고려사절요』에는 바르게 되어 있다.

88) 이 시기에 정치 제도를 다시 文宗代에 운용되었던 皇帝國 體制로 환원하였던 것 같다.

[戊戌[19日], 月犯角星:天文3轉載].

己亥[20日], 敎曰, "予以眇躬, 纂承洪業, 托於臣民之上, 任大守重, 夙夜不敢遑寧, 期至乂安, 于今二十有一年. 頃者, 逆臣謀亂, 禍在不測, 幸賴天地·祖宗之靈, 隨卽平定, 宗社載安. 已嘗謹具禮幣, 伻告上下, 修葺太室[太廟],[89)] 躬服袞冕, 烝嘗以禮. 加謚[諡]世祖·太祖而下先王·先后, 雖儀物之不及, 尙誠忱之可格. 載惟聖善, 母儀一國, 德與年高, 尊稱尙闕, 宜擇吉辰, 親行册禮. 又慮政事, 有所未擧, 民生有所未安, 博採群言, 布告中外.

□[一]. 義夫·節婦·孝子·順孫, 風俗所係, 並行旌表.

□[一]. 郊社宗廟, 祭祀爲大, 仰都評議使□[司], 摠理其事, 大常寺[太常寺]管領太廟署·諸陵署·都祭庫·太樂署·檢察如儀, 務極豊潔.

□[一]. 保擧圜丘·籍田·社稷壇直, 選揀諸陵殿直, 充其祝史齋郎, 及將歌舞人樂工等, 習學成才.

□[一]. 司農寺率其籍田·典廐, 以備粢盛·酒醴·犧牲, 毋致失誤. 其有不如法者, 司憲府嚴行糾理.

□[一]. 國內名山大川, 載在祀典, 並加德號, 致祭涓潔. 太廟九室, 配享功臣, 遺風餘烈, 永世難忘, 仰拘該官司, 並加追贈.

[□[一]. 文武之用, 不可偏廢, 內自成均, 外至鄕校, 開設文武二學, 養成人才, 以備擢用:選擧2學校轉載].

[一. 本國戶口之法, 近因播遷, 皆失其舊. 自壬子年[忠宣4年]爲始, 幷依舊制, 良賤生口, 分揀成籍, 隨其式年, 解納民部, 以備參考:食貨2戶口轉載].

[一. 單丁從役, 自丙申年[恭愍5年], 已在禁限, 官吏, 不體予意, 役使如初, 尤可憐憫. 須給助役, 毋令失業, 年滿六十, 免役:食貨2戶口轉載].[90)]

[一. 東西兩界, 新附人戶, 理宜安集, 其令都巡問使, 給糧與田, 無令失業:食貨2戶口轉載].

[□[一]. 民惟邦本, 近來, 軍國事繁, 差發尤重, 其免洪武三年以前, 各道逋欠賦稅:食貨3恩免之制轉載].

---

89) 이에서 太室은 太廟를 指稱한다(東亞大學 2008년 11책 31面).

90) 이 구절은 지38, 刑法1, 戶婚에도 수록되어 있으나 不體予意가 탈락되었다. 또 丙申年의 禁限은 다음의 기사와 같았을 것으로 추측된다(蔡雄錫 2009년 342面).

· 지35, 兵1, 五軍, 공민왕 5년 6월의 "一. 征戍之卒, 雙丁僉一丁, 亦非得已, 單丁可愍, 勿使從軍".

[□〻. 農桑, 衣食之本, 諸道巡問·按廉, 考其守令種桑·墾田多少, 具名申聞, 以憑黜陟:食貨2農桑轉載].

[□〻. 債負止於一本一利, 貪利之徒, 不畏公法, 取息無已, 重困吾民. 仰中外官司, 取勘元契, 果有違犯者, 將本錢沒官, 利錢, 還付貸者. 貧民, 或有賣子女者, 計傭償直, 令還父母:食貨2借貸轉載].

[□〻. 救荒賑飢, 王政所急, 忠宣王, 嘗置有備倉, 又設烟戶米法, 其慮甚遠. 比來, 名存實亡, 殊失賑濟之意, 其復忠宣王常平·義倉之制:食貨3常平·義倉轉載].91)

[□〻. 鰥寡孤獨, 仁政所先, 宜加矜恤:食貨3鰥寡孤獨賑貸之制轉載].

[一. 東西大悲院, 先王本爲惠民而設, 近年以主者, 不爲用心, 致使貧病·流離之人, 無所仰給, 予甚憫焉. 仰都評議使司·司憲府, 常加體察, 取勘元屬田民, 以贍醫藥粥飯之資:食貨3水旱疫癘賑貸之制轉載].

[一. 醫藥活人, 仁政所先, 國初, 郡縣皆置醫師, 民無夭扎. 自今, 守令其訪醫人, 修合藥物, 以濟民命:食貨3水旱疫癘賑貸之制轉載].92)

[一. 近因倭寇, 漕運不通, 遠近輸轉, 皆由陸路, 其令州郡, 修葺院館, 儲峙薪

---

91) 烟戶米法은 屯田之法과 함께 충선왕대에 民生의 安定을 위해 설치된 법으로 고려 말에 폐지된 것이라고 하지만, 그 내용 다음과 같은 법이었을 것이다.

· 『태종실록』 권13, 7년 6월 癸未2日, "刑曹判書金希善·司憲府大司憲成石因·司諫院右司諫大夫吳陞等上疏. 諫院疏曰, … 諫院又上疏言, '天人之際, 感應之理, 至難言也. 不可指言某事之失, 致某災之應也, 然不可謂人事旣盡, 而氣數適爾. 蓋天之視聽, 卽人爲有以動天者矣. 臣等之所望於殿下, 不過四事, 曰誠身也, 事親也, 修政也, 恤民也. 誠身之道, 在殿下自勉焉耳, 事親之實, 在殿下自盡焉耳, 至於修政之事、恤民之目, 謹具于後, 下議政府擬議. 一, 屯田之法, 誠國家之所不得已而爲之者. 殿下初行此法, 進言者必以爲國無軍實, 當廣積貯之術, 而屯田之法, 取於民者不多, 上得重利, 民不甚困矣. 然而此令旣下, 百姓聞之, 莫不嗷嗷. 臣等聞保國之道, 以民心爲本·守國之策, 以人和爲上. 尹鐸損其戶口, 晉陽之圍, 民無叛意, 煬帝蓄積甚多, 而召兵之詔, 民無應者. 故人君當以保民爲心, 不當以富國爲急. 若以富國爲事, 則害必及民矣. 雖有百萬之儲, 人主誰與而守國乎? 伏惟殿下收還成命, 罷屯田之法, 專以養民爲務. 一, 烟戶米, 所以備水旱荒政之一事, 卽戰國魏李悝斂散之法, 前漢耿壽昌和糴之意. 歷代相承, 或謂常平, 或謂廣惠, 年豐則斂之, 凶則散之, 然法雖古而民不悅, 則弊法也. 以今觀之, 前年以中年例收之, 納者莫不苦之, 或有典賣稱貸者. 朝夕之資, 尙不能給, 何暇爲後日之望也哉? 殿下雖令諸道監司, 以豐熟地面收之, 然殿下, 田野之事, 豈能具知? 一方之地, 雖號豐熟, 其間或地品之肥瘠·人事之不齊, 未能皆得豐熟之利, 大率十室之邑, 貧者多至八九, 富者不能一二. 然則民之能出戶米者, 幾何人哉? 加以近年以來, 連年水旱, 未能家給人足, 今取民目前之所急, 而爲後日之所賑, 無怪乎民之不樂也. 臣等願殿下姑停烟戶米法, 待連年豐熟之後, 乃復行之'. ○政府議得, 右二條, 前朝忠宣王, 爲民生立法, 至僞朝之季廢絶, 今年因陳言復立, 二三年試可後, 更加商量".

92) 이때 『鄕藥惠民經驗方』이 편찬되었던 것으로 추측되었다(李泰鎭 1999년).

葯, 以便行旅:食貨3水旱疫癘賑貸之制轉載].

[□⁻. 選軍給田, 已有成法, 近年, 田制紊亂, 府兵不得受田, 殊失募軍之意, 其復舊制. 兵興以來, 戰亡將士, 悉加褒贈, 官其子孫, 卒伍則存恤其家:兵1五軍轉載].

[□⁻. 置郵, 本爲傳命, 近年諸司, 凡有轉輸, 皆委驛戶, 致令人馬困斃. 自今, 都評議使司·諸道按廉□使, 嚴加禁治:兵2站驛轉載].

[一. 百僚庶務, 斷自都堂, 近年, 諸司, 凡有公事, 擅移諸道存撫·按廉, 遣人徵督, 甚者, 直牒州縣, 病民實多, 自今, 幷令稟都評議司, 區處:刑法1職制轉載].

[一. 諸人未受度牒, 不許出家, 已嘗著令,[93] 主掌官司, 奉行未至, 致使丁口, 規避身役, 不修戒行, 至敗敎門, 今後, 情願爲僧者, 先赴所在官司, 納訖丁錢五十匹布, 方許祝髮. 違者, 罪師長父母. 自鄕吏及津驛, 公私有役人等, 幷行禁約:刑法1職制轉載].

[一. 民之流離, 盖爲官吏無良, 苟當差役, 寧有彼此. 今後, 各處流移人口, 除鄕吏官寺津驛人外, 餘幷仍舊當差:刑法1職制轉載].

[□⁻. 無故宰殺, 明有禁令, 市井無賴之徒, 州郡公須伎會之家, 必用屠宰, 有乖禮典. 所在官司, 比附前例, 痛行禁斷:刑法2禁令轉載].

[□⁻. 罰懲非死, 民極于病. 比來, 中外官, 曾不恤刑, 旣杖且贖, 民何以堪 自今, 毋得並行杖贖, 如有違者, 許諸人赴官陳訴, 倍數徵還. 刑罰, 明有條例, 不宜輕重出入. 自逆臣擅柄, 凡用笞杖, 必中虛怯, 旣貶之後, 陰囑管押之人, 中路殺之, 深爲慘毒. 今後, 中外執法官吏, 敢有如此者, 都評議使, 申聞斷罪:刑法2恤刑轉載].

[□⁻. 命平壤府, 修箕子祠宇, 以時祭之":禮5雜祀轉載].

[某日, 命左承宣金興慶曰, "今兵革未偃, 錢財罄竭,[94] 有軍功者, 無以賞之. 添

---

93) 著令은 文書로서 作成된 法令을 指稱하는 것 같고, 이에 대한 주석으로 다음이 있다.

· 『한서』 권5, 景帝紀第5, 1년, "秋七月, 詔曰, '吏受所監臨, 以飮食免, 重. 受財物, 賤買貴賣, 論輕'. 廷尉與丞相更議著令[注, 蘇林曰, 著音著, 幘之著. 師古曰, 蘇音非也. 著音著, 作之著, 音竹筯反]".

· 『자치통감』 권235, 唐紀51, 德宗貞元 12년(796) 6월 乙丑[6日], "… 翰林學士鄭絪奏言, '故事惟封王·命相用白麻, 今以命中尉, 不識陛下特以寵[護軍·右神策中尉竇]文場邪, 遂爲著令也[胡三省注, 著令者, 定著爲令], …".

· 『夢溪筆談』 권1, 故事1, "衣冠故事, 多無著令, 但相承爲例. 如學士舍人躡履, 見丞相往還用平狀, 扣堦乘馬之類, 皆用故事也. 近世多用靴簡. 章子厚爲學士日, 因事論列, 今則遂爲著令矣"(四庫全書本5面左6行).

94) 罄竭(경갈)은 지29, 選擧3, 添設職에 罄渴로 되어 있으나 오자일 것이다.

· 『晋書』 권122, 載記22, 呂纂, "纂將伐禿髮利鹿孤, 中書令楊穎諫曰, '… 比年多事, 公私罄竭,

設文官三品，武官五品以下官，以賞軍功":節要·選擧3添設轉載].

辛丑[22日]，[立春]. 宦者李剛達，私詣都堂，恃寵倨傲，宰相怒，詣闕以聞. 王下剛達獄.

翌日[壬寅23日]，釋之.

癸卯[24日]，賜親享執事官爵一級.[95)]

丁未[28日]，海陽萬戶弓大及鎭邊□□□[元帥府]元帥達麻大[達麽大]遣使□[來]，賀正.[96)]

[冬某月，以[右承宣]韓脩爲左承宣:追加].[97)]

[是年，復知洪州事爲洪州牧，以扶餘監務兼石城縣監務，陞中和郡縣令官爲知州事官:轉載].[98)]

[○以延山府管內嘉山西村寓居雲州，復立爲雲州郡，嘉州管內僑寓博州，復郡，隨州管內僑寓郭州，復郡，成州管內德州，析爲知州事:轉載].[99)]

不深根固本，恐爲患將來，願抑赫斯之怒，思萬全之算'，纛不從".

95) 이 敎令에 의거하여 前政堂文學 李穡의 封君號인 文忠·保節·贊化功臣에 同德이라는 2字가 追加되었을 가능성이 있다.
- 『목은집』연보，洪武四年辛亥，"十二月，加文忠·保節·同德·贊化功臣之號".

96) 海陽은 원래 고려의 吉州였으나 雙城摠管府가 설치된 이후 그곳에 거주하던 女眞이 改稱한 것이라고 한다. 또 다음의 기사에서 至元初는 至元前으로 고쳐야 옳게 된다.
- 『태종실록』 권7, 4년 5월, "己未[19日]，… 遣計稟使·藝文館提學金瞻如京師. 瞻與[明使王]可仁偕行. 奏本云，照得，本國東北地方，自公嶮鎭歷孔州·吉州·端州·英州·雄州·咸州等州，俱係本國之地. 至遼乾統七年[睿宗2年]，東女眞 作亂，奪據咸州迤北之地. 高麗睿王王俁告遼請討，遣兵克復.及至元初[前]戊午年[高宗45年]間，蒙古散吉·普只等官，收付女眞 之時，本國叛民趙暉·卓靑等，以其地迎降，以趙暉爲摠管，卓靑爲千戶，管轄軍民. 由是女眞 人民，雜處其間，各以方言，名其所居，吉州稱海陽，端州稱禿魯兀，英州稱三散，雄州稱洪肯，咸州稱哈蘭. 至至正十六年[恭愍王5年]間，恭愍王王顓，申達元朝，竝行革罷，仍以公嶮鎭迤南，還屬本國，委定官吏管治".

97) 이는「韓脩墓誌銘」에 의거하였다.

98) 이는 다음의 자료를 전재하였다.
- 지10, 지리1, 洪州, "[恭愍]二十年，復爲牧".
- 지10, 지리1, 石城縣, "恭愍王二十年，以扶餘監務，來兼".
- 지12, 지리3, 中和縣, "恭愍王二十年，又陞爲知郡事".

99) 이는 다음의 자료를 전재하였다.
- 지12, 지리3, 雲州, "恭愍王二十年，復立郡".
- 지12, 지12, 지리3, 博州, "恭愍王二十年，復郡號".
- 지12, 지리3, 嘉州, "後析置泰·撫·渭三州，惟博州仍屬. 至恭愍王二十年，又析置博州".
- 지12, 지리3, 郭州, "恭愍王二十年，復郡號".

[○論故政堂文學·星山君李兆年功, 贈星山侯, 配享忠惠王廟:追加].[100)]

[○以密直使尹之彪爲知門下省事·商議會議都監事:追加].[101)]

[○以簽書密直司事鄭思道爲知密直司事:追加].[102)]

[○以成均司藝鄭夢周爲太常少卿, 尋改成均司成:列傳30鄭夢周轉載].

[○以通憲大夫沈德符爲忠州牧使:追加].[103)]

[○以朴元義爲延安府使:追加].[104)]

[○以張子忠爲知寧海府事:追加].[105)]

[○以河崙爲知榮州事:追加].[106)]

[○以李詹爲知通州事. 詹置常平寶, 以備凶歉:追加].[107)]

[○以趙浚爲大殿步馬陪行首:追加].[108)]

[○召還□□□□□崔瑩於盈德, 復拜贊成事:列傳26崔瑩轉載].

[○及旽誅, 王乃召前班主尹承順, 拜鷹揚上護軍, 承順還京, 謁前鷹揚軍上護軍趙璘母號慟, 以玄冠素服, 收葬璘骨, 聞者莫不嘆之. 王嘉承順信義, 仍遣承順, 祭璘墓曰, "惟爾祖貞肅公仁規, 相我先王, 功在社稷. 爾自妙年, 亦佑寡躬, 己亥恭愍王8年以來, 靡役不從. 厥有成績, 世濟其美. 予嘉乃忠, 俾將府衛, 方且大用, 不圖賊旽, 憚爾義勇, 迸汝遐陬, 卒至隕命. 及旽伏辜, 知汝至此, 玆極慟悼, 賜爾一酌. 魂而不昧, 諒予至忱":列傳18趙璘轉載].[109)]

· 지12, 지리3, 隨州, "恭愍王二十年, 復析置郭州".
· 지12, 지리3, 德州, "恭愍王二十年, 析爲知州事".

100) 이는 「李仁復墓誌銘」에 의거하였다.

101) 이는 「尹之彪墓誌銘」에 의거하였다.

102) 이는 「鄭思道墓誌銘」에 의거하였다.

103) 이는 『동문선』 권117, 沈德符行狀에 의거하였다.

104) 이는 『연안부지』에 의거하였다.

105) 이는 『영해선생안』에 의거하였다.

106) 이는 다음의 자료에 의거하였다.
· 『태종실록』 권32, 16년 11월 癸巳6日, 河崙의 卒記, "辛亥恭愍20年, 知榮州□事, 明年春夏番按廉使金湊上其治行第一, 召拜考功佐郞".

107) 이는 다음의 자료에 의거하였다.
· 『신증동국여지승람』 권45, 通川郡, 名宦, "李詹, 洪武四年知州事. 立常平寶, 以備凶歉".

108) 이는 다음의 자료에 의거하였다.
· 『태종실록』 권9, 5년 6월 辛卯27日, 趙浚의 卒記, "洪武辛亥4年, 恭愍王在壽德宮, 浚挾册過宮前, 王見而奇之, 卽補步寶馬陪行首, 甚愛之".
· 열전31, 趙浚, "恭愍王在壽德宮, 望見浚挾書過宮前, 召見奇之, 問其家世, 卽命屬寶馬陪指諭".

[○以[成均司藝兼知製教]朴尚衷爲太常少卿·寶文閣應教兼成均直講:追加].[110]

[○召還[前東萊縣令]鄭樞, 復除左諫議大夫:列傳19鄭公權轉載].

[○制科及第·[前正言]金濤還. 王謂左右曰, "我國之人, 登制科者固罕, 况此人旣登科, 又蒙勑授, 名揚一時, 使天下知我國有人. 恨不早知其來而禮迎之". 遂擢右司諫·藝文應敎:列傳24金濤轉載].

[○僧天亘, 中曹溪宗選, 亘, 俗姓崔氏, 法號古巖:追加].[111]

[○北元以至正三十一年爲天光元年:追加].[112]

壬子[恭愍王]二十一年, 明洪武五年, [西曆1372年]

1372년 2월 5일(Gre2월 13일)에서 1373년 1월 23일(Gre1월 31일)까지, 354일

春正月[己酉朔大盡,壬寅], 癸丑[5日], 飯僧于宮中.

乙卯[7日], 王親祭魂殿, [奏鄕·唐樂:樂志2轉載].[113]

[→乙卯, 王幸仁熙殿, 奏樂行祭, 命大臣, 祭正陵, 用樂. 仁熙殿·正陵每祭, 皆三行, 內行·國行·都評議司[都評議使司]行也:禮3吉禮大祀轉載].

戊午[10日], 命宰樞宴哈剌匠[哈剌匠]同知, 賜爵□□大將軍.[114]

---

109) 趙璘에 관한 기사로 다음이 있다.

- 『선조실록』 권111, 32년 4월 甲戌[25日], "弘文館啓曰, … 大將軍趙璘, 謀誅辛旽, 爲其所殺. 萬曆己丑年[宣祖22年], 監司尹斗壽, 皆表而立祠, 權徵繼至, 上聞賜額".

110) 이는 다음의 자료에 의거하였다.

- 『定齋集』 권3, 潘南先生家傳, "[恭愍王]二十年, 授太常少卿·寶文閣應敎兼成均直講".

111) 이는 다음의 자료에 의거하였다.

- 『목은문고』 권6, 古巖記, "曹溪辛亥大選天亘, 吾同年崔兵部之弟也".

112) 이는 다음의 자료에 의거하였는데, 北元의 年號인 宣光과 天元에 대한 검토가 있다(神田喜一郎 1941年 ; 方齡貴 1984年). 또 이 시기에 昭宗(愛猷識理達臘, Ayu Siri Dala)은 和林(Qara-Qorum, 現 몽골 哈爾和林, 옛 嶺北行省의 治所, 渾河上流의 東岸)을 거점으로 하고, 遼東行省(滿洲地域)·甘肅行省·티베트·雲南行省 등의 지역과 연결하여 남쪽으로 明을 압박하였다.

- 『十駕齋養新錄附餘錄』 권9, 順帝後世次, "元順帝, 以至正廿八年, 失大都, 北走. 又一年, 殂於應昌, 太子愛猷識理達臘嗣位, 上廟號曰惠宗, 明年, 改元宣光".

113) 이는 다음의 자료를 전재한 것이다.

- 지25, 樂2, 用俗樂節度, "[恭愍]二十一年正月乙卯, 王幸仁熙殿行祭, 奏鄕·唐樂".

114) 이 大將軍은 고려전기 이래 고려에 往來하던 女眞族의 支配層에게 주어진 歸化武散階인 大將軍의 하나일 것이다(→현종 15년 5월 14일의 脚注).

[己未[11日], 禮葬故僉議贊成事柳淑于德豊縣:追加].[115)]

乙丑[17日], 王率群臣, 詣太后殿, 上尊號曰, '崇敬王太后',[116)] 改文睿府爲崇敬, 赦二罪以下.

[→王服黃袍·遠遊冠, 詣太后殿, 奉玉册金寶, 上尊號曰, '崇敬王太后':禮7册太后儀轉載].

[→王上尊號, 赦二罪以下. 册曰, "王化之本, 莫先於孝, 人子之職, 宜顯其親. 況聖善之有恩, 盍封崇之以禮. 恭惟, 王大妃[太妃], 夙傳家業, 克著母儀. 貞靜本乎天資, 柔順形於日用. 配先考, 專治于內, 警戒無違, 保小子, 式至于今, 劬勞罔極. 年垂八秩, 位冠東闈. 以言其德, 則宗社之所由安, 以言其功, 則臣民之所共賴. 持蠡抱管, 雖未足以形容, 檢玉泥金, 庶小伸於愛敬. 考本朝之舊典, 遵歷代之通規, 謹率百官, 奉金寶玉册, 上尊號曰, '崇敬王太后'. 茂對鴻名, 誕膺鉅慶, 躋于萬壽, 祚我三韓". ○改文睿府爲崇敬:列傳2忠肅王明德太后洪氏轉載].

甲戌[26日], 於山不花[也先不花]·納哈出·[遼陽行省平章政事]高家奴·古提豆·王曹丞等來, 侵泥城·江界等處.[117)]

丙子[28日], 以池奫爲西北面元帥.

[某日, 以金湊爲慶尙道按廉使, 尹珎爲全羅道按廉使:慶尙道營主題名記].[118)]

---

115) 이는 다음의 자료에 의거하였다.

· 「柳淑墓誌銘」, "及[辛]旽敗, 上始知其然, 悼甚, 有旨雪其寃, 謚文僖. 歲壬子正月十一日, 以禮葬于德豊縣加也洞".

· 열전25, 柳淑, "及[辛]旽誅, 王始知其然悼甚, 有旨雪其寃, 謚文僖. 召還實·厚, 又命以禮葬之".

116) 이때의 諡册文이 『동문선』 권29, 獻王室加上尊諡册文이다.

117) 이 기사에서 於山不花는 開元(開原, 혹은 咸平, 現 遼寧省 開原 老城鎭)에 根據하고 있었던 遼陽行省의 左丞相 也先不花[Esen Buqa)의 다른 表記인 것 같다. 이때 明帝國은 遼東地域에서 遼陽을 중심으로 한 일부지역을 확보하고 있었고, 몽골제국의 太尉 納哈出[Nagachu]은 金山(東遼河의 북쪽, 伊通河의 서쪽, 吉林省 南西部에 위치한 四平市 管轄의 雙遼市 懷德一帶)에, 平章政事 高家奴[Kogiyaliu]는 遼陽山寨(老鴉山, 遼陽市 북동쪽 渾河一帶)에, 그리고 이 記事에 나타나지 않은 知樞密院事[知院] 哈剌張(哈剌, Qara jang)은 瀋陽古城(瀋陽市), 平章政事 劉益과 洪保保는 遼東半島의 金州(現 金縣)·復州(復縣)·海州(海城)·盖州(盖縣)에 각각 布陣하여 和林(Qara-Qorum의 愛猷識理達臘(Ayu Siri Dala, 昭宗) 政權을 後援하고 있었던 것 같다(『명태조실록』 권66, 洪武 4년 6월 壬寅[21日], 達力扎布 2003年 23面).

118) 이해에 金湊가 慶尙道按廉使가 된 것은 自身이 지은 密陽의 嶺南樓記文에 기록되어 있다(『신증동국여지승람』 권26, 密陽都護府, 嶺南樓). 그는 이 직책에 있을 때 知陜州事 姜蓍가 『農桑輯要』를 板刻하려고 하자 費用을 보조하여 주었다고 한다. 또 『금성일기』에 尹珎이 春夏番安集使에 임명되었다고 하지만, 按廉使의 오자일 것이다.

· 『榮川邑誌』, 宦蹟, 河崙, "洪武四年, 知州□[事], 按廉使金湊上治行第一".

[是月乙丑[17日], □[明]歸德侯陳理·歸義侯明昇, 居常, 鬱鬱不樂, 頗出怨言. 上[明太祖]聞之曰, "此童孺輩, 言語小過, 不足問, 但恐爲小人瞽惑, 不能保始終, 宜處之遠方, 則釁隙無自生, 可始終保全矣". 於是, 徙之高麗, 遣元樞密使延安答理護送而往, 仍賜高麗國王紗羅文綺四十八疋, 俾善待之:追加].[119]

二月[己卯朔小盡,癸卯], 庚辰[2日], 諫官以全羅道漕運, 常被倭掠, 請令陸轉.

壬午[4日], 倭寇白州金谷驛.

丙戌[8日], 流司憲糾正林台達·金孟·許溫·軍器注簿任獻. 初, 糾正等欺臺長柳源·安景·金存誠·崔斯正, 書于糾正房壁云, "存誠無誠, 斯正不正, 柳源似猿, 安景眞犬". 大司憲權鎬·知司憲府事崔乙義等啓王, 下房主林台達, 有司許溫于巡衛府, 拷問書壁者. 溫不忍榜掠服曰, "前糾正任獻". 皆流之.[120]

[丁亥[9日], 春分. 木稼:五行2轉載].[121]

· 『목은문고』 권9, 農桑輯要後序, "奉善大夫·知陜州事姜蓍, 走書於予曰, 農桑輯要, 杏村李侍中[嵒]授之外甥判事禹確, 蓍又從禹得之. … 吾將刻諸州理[州治], 以廣其傳, 患其字大帙重, 艱於致遠, 以用小楷謄書. 而按廉金公湊, 又以布若干, 相其費矣. 請志卷末".

119) 이는 『명태조실록』 권71, 홍무 5년 1월 乙丑을 전재하였는데, 이와 관련된 자료로 다음이 있다.

· 『明鑑綱目』 권1, 太祖洪武 5년 1월, "]綱], 徙陳理·明昇於高麗. [目], 或告陳理·明昇, 有怨言, 帝曰, '童孺輩言語小過, 不足問, 但恐爲小人蠱惑, 將不能保始終, 宜處之遠方, 則隙無自生'. 乃徙高麗".

· 『國史紀聞』 권2, 太祖洪武 5년 1월, "徙陳理·明昇于高麗. 陳理·明昇居常鬱鬱, 頗出怨言, 上聞之曰, '此童孺輩言語小過, 不足問, 但恐爲小人蠱惑, 不能保其始終'. 于是, 徙之高麗, 仍令高麗王善待之".

· 『성종실록』 권282, 24년 9월 壬寅(11일), "兵曹啓, 開城府居學生明貴石上言, '臣高祖欽文昭武皇帝明玉珍, 於元末自稱大夏皇帝, 其子明昇與母彭氏爲虜於大明, 太祖高皇帝仍命居朝鮮. 其詔勑云, 不做軍, 不做民. 而今以臣偏[編]軍伍, 不勝冤悶. 臣等參詳勑書, 雖云不做軍, 不做民. 此一時特恩耳, 豈以此至子孫, 永免軍役乎?' 其申訴宜勿聽. 命議于領敦寧以上及議政府. 尹弼商議, 洪武五年中書省啓, 欽奉聖旨, 就將陳皇帝老少, 夏皇帝老少, 去王京, 不做軍, 不做民, 閑住著他, 自過活此. 則明有聖旨. 但不知子孫在我國, 何以處之, 乃合大體, 令禮曹廣考古制, 啓聞後更議. 李克培·盧思愼·尹壕·李鐵堅·尹孝孫議, 依所啓施行. 許琮議, 依向化例施行, 鄭文炯議, 勑書云, 不做軍, 不做民者, 的指當身而已, 非指永世子孫也. 今明貴, 乃是明昇曾孫, 則代已玄遠, 雖軍役無妨. 況禮曹受敎云, 向化子孫, 有同編民, 依例軍役乎. 從弼商議".

· 『存齋集』a권13, 覽明氏世譜, 作二絶以寄之[注, 隨州人明玉珍, 據蜀稱帝, 國號大夏. 及其子昇襲位, 敗於大明, 遂納款, 太祖封歸命侯[歸義侯], 出送亞東. 時詔書, 有不做軍, 不做民間, 住過活之敎. 其子孫, 至今雖不軍役, 或吏校於海邑者, 多矣].

120) 糾正房은 監察糾正의 原名稱이었던 監察御史 10人의 執務機關이었던 監察房의 다른 표기이고, 이에는 房主監察, 有司監察과 같은 自治組織이 있었던 것 같다(『세종실록』 권84, 21년 3월 乙丑[17日], 朴龍雲 2009년 192面).

[庚寅[12日], 開城井水, 赤沸三日:五行1轉載].

乙未[17日], 王以公主忌日, 幸王輪寺, 聽法, 賜僧布三百餘匹.[122)]

己亥[21日], 以公主生辰, 命設宴于魂殿.

庚子[22日], [□□大將軍]哈剌匠[哈剌匠]同知還家州, 州人殺護送官及傔從人·通事.

辛丑[23日], 胡拔都·張海馬等來, 侵泥城·江界等處. 泥城萬戶斬首三級, 以獻.

癸卯[25日], 幸魂殿, 以觀音殿制度卑隘, 命改創.

甲辰[26日], 遣判事趙仁璧, 討家州□□[等處], 屠之.[123)]

[某日, 以[前江陵府使]安宗源爲司憲侍史:追加].[124)]

[是月頃, 以[榮祿大夫]金庾爲雞林府尹·兵馬鈐轄兼管內勸農使, 都天成爲永州副使:追加].[125)]

三月[戊申朔大盡,甲辰], 庚戌[3日], 移咨定遼衛曰,[126)] "前元奇后兄弟, 憑恃勢力, 爲害百端. 其兄奇轍, 因謀不軌, 事覺伏誅, 奇氏挾讎, 侵陵本國, 靡所不爲. 奇轍子平章[平章政事]賽因帖木兒, 稔惡不已, 結構遼陽路及東寧府官, 屢爲邊患. 以此, 再調兵馬, 攻破兩處城池, 其賽因帖木兒, 挺身逃走, 不獲而還. 爲因倭賊, 近境作耗, 其勢益橫, 未能再行追捕. ○至洪武五年正月, 有東寧府餘黨胡拔都等, 潛入波兒口子, 殺守禦官金天奇等, 虜掠人口以去. 至二月, 又突入山羊會口子, 守禦官張元呂等, 擊逐之. 又於本月, 有僉院曹家兒·萬戶高鐵頭等, 引軍潛入陰童口子, 守禦官金光富等, 又擊逐之, 過江陷沒幾盡. 竊詳, 東寧·遼陽·未曾歸附朝廷, 卽是梗化之人, 況與我構隙, 理宜防備. 已令把守要害, 待變勦捕, 如獲奇賽因帖木兒, 起遣前來".

---

121) 이날 일본의 교토에서는 흐리고 때때로 비가 조금씩 뿌렸다고 한다.
 · 『愚管記』제16, 應安 5년 2월, "九日丁亥, 陰, 時々小雨灑".

122) 恭愍王妃 魯國大長公主의 忌日은 2월 16일이므로, 이날은 罷祭日이다.

123) ~~添字~~는 『고려사절요』 권29에 의거하였다.

124) 이는 다음의 자료에 의거하였다. 또 안종원은 江陵府使로 재직할 때에 惠政을 베풀었다고 한다.
 · 『양촌집』 권38, 安宗源墓碑銘, "洪武辛亥[恭愍20年], [辛]旽伏誅, 壬子二月, 復爲司憲侍史".
 · 열전22, 安軸, 宗源, "及[辛]旽誅, 起爲司憲侍史".
 · 『태조실록』 권5, 3년 3월 癸亥[24日], 安宗源의 卒記, "… 辛亥, 旽敗, 起拜司憲侍史, 歷左司議□□[大夫]·右□□[散騎]常侍".
 · 『선조실록』 권111, 32년 4월 甲戌[25日], "弘文館啓曰, … 高麗安宗源, 本朝趙云仡·辛有天·柳亮, 皆領江陵府使, 民感德政, 並立生祠".

125) 이는 『동도역세제자기』; 『영천선생안』에 의거하였다.

126) 定遼衛는 現在의 遼寧省 遼陽市에 설치되어 있던 明初 동북지역에의 前進基地이다.

甲寅[7日]，遣知密直司事洪師範如京師，賀平蜀．表曰，[127] "皇建極而撫九有，奄宅中邦，師以律而出萬全，畢熠群醜．捷音遠播[所及]，喜氣交騰．□□欽惟皇帝陛下[云云]，以堯舜神聖之資，當殷周征伐之擧．起江淮[江湖]，跨楚越，所向無前，平齊魯，掃燕雲，攸徂相慶，大勳斯集．汚俗維新[惟新]，[128] 男有室，女有家，悉皆按堵，書同文，車同軌，孰敢不庭．惟彼蜀方[邦]，盜稱名字，負險拒命，夫豈知螂臂圖輪．聲罪加誅，不啻若鴻毛燎火，劍[劒]閣坦道[途]，灩滪安流．玆由天運之方來，實出聖謨之獨斷，混一之速，前古所稀．臣□[某]幸獲逢辰，想聞奏凱．緹封[對]守職，敢忘再造之私．虎拜楊[揚]休，恭上萬年之祝".

○又請遣子弟入學表曰，[129] "秉彝好德，無古今智愚之殊．用夏變夷，在詩書禮樂

---

127) 이 賀表는 『목은문고』 권11, 賀平蜀表(『동문선』 권32, 賀平蜀表은 『고려사』의 字句와 類似함)인데, 添字는 이에 의거한 것이다. 또 이때 洪師範은 書狀官·成均司成 鄭夢周를 帶同하고 같은 달[同月] 明에 들어가서 夏를 평정한 것을 賀禮하며 방물을 바치고, 子弟를 太學에 입학시켜 줄 것을 요청하자, 명 태조가 中書省官에게 명해 의논하여 시행하게 하였다(『명태조실록』 권73). 이에 중서성이 고려가 蜀[夏]를 평정한 것을 하례한 것과 자제의 입학을 요청하는 표에 대한 답신을 발급하였다(『吏文』 권2, 咨奏申呈照會7, 中書省准來咨).
그리고 이때 鄭夢周 일행의 행로는 구체적으로 알 수 없으나 각종 자료를 바탕으로 재구성해보면 다음과 같다. 3월 7일 知密直司事 洪師範·書狀官 鄭夢周를 명에 파견함→義州에 도착하여 點馬한 후 渡江함→3월 洪師範·鄭夢周 등의 入境이 보고되자, 中書省官에게 명해 의논하여 시행하게 함→4월 중서성이 고려가 蜀[夏]을 평정한 것을 하례한 것·자제의 입학을 요청하는 표에 대한 답신을 발급함→(4월) 고려 사신단이 京師를 출발함→4월 瓜州→8월 29일 太倉衛(揚子江口에 위치)가 高麗使臣圛이 渡海하다가 許山에서 颶風으로 顚覆되어 洪師範 등 39人이 溺死하고, 鄭夢周 등 113人이 嘉興府 지역에 표류하다가 百戶 鄭明에 의해 구출되었다고 보고하자, 鄭夢周 등을 京師로 上京시키게 함→ 9월 鄭夢周 일행이 太倉衛(揚子江口에 위치)에서 머무름[停留]→9월 29일 鄭夢周 등이 京師에 도착하자 다시 의복을 하사하여 귀환시킴→10월 12일 정몽주 일행이 京師를 출발하여 鎭江府 丹徒驛에서 숙박함→金山寺→12월 7일 고려의 사신단 贊成事 姜仁裕·同知密直司事 金湑·成元揆·版圖判書 林完·書狀官 鄭夢周 등이 浙江省에 체재하고 있다가 중서성이 差遣한 禮部主事 王本道가 전한 聖旨에 의거하여 金陵으로 출발하게 됨→12월 8일 고려 사신단이 太倉衛(揚子江口에 위치)가 준비한 快速船[快船] 2隻을 타고 鎭撫 周成禮와 함께 출발함→12월 29일[除夜] 常州에서 머무름[停留]→揚子江을 건넘→登州→(渡海)→嗚呼島(渤海).
· 열전30, 鄭夢周, "[恭愍]二十一年，以書狀，從洪師範如京師，賀平蜀．還至海中許山，遭颶風船敗，漂抵岩島．師範溺死，其得免者纔什二，夢周瀕死乃生，割韉而食者十三日．事聞，帝具舟楫取還，厚加恩恤遣還".

128) 維新은 革新을 가리키고[變法維新], 惟新은 改良[更新]을 가리키지만, 같은 의미로 使用되었다.

129) 이 表는 『목은문고』 권11, 請子弟入學表인데, 添字는 이에 의거하였다. 또 이 자료의 일부가 중국 측의 자료에도 수록되어 있으나 是年 2월에 정리되었다.
· 『昭代典則』 권7, 홍무 5년 2월, "高麗國王王顓請遣子弟太學".
· 『國史紀聞』 권2, 홍무 5년 2월, "高麗王顓請遣子弟入太學，許之".

禮樂詩書之習，苟因陋而就寡，奚修業以及時？故我東人方，肇從炎漢，遣子弟鼓篋而入學，歷唐宋聯書而可稽．豈徒有尊崇中國之心．亦足爲賁飾太平之具．□□欽惟皇帝陛下云云，神武定天下，文德來遠人．頒聖經與史書，學規斯著，賜法服兼雅樂，祀事一新．第因習俗俗習之澆淸漓，深慮儒風之墜軼．辭藻浮華之末，罕見其工，聖賢義理之宗，孰知其正．如欲期於變魯，必先務於觀周．伏望□□云云，憐臣嚮化之誠，諒臣成人之美，特垂明詔，渙發兪音．儻倘容互鄕之童，得齒虞庠之冑，臣謹當奉揚聲教，永綏箕子之封，罄竭忠誠勤，益貢華人之祝”．

○又□移咨中書省曰，“近因兵後，雅樂散失，見蒙朝廷，給降樂器，用於宗廟，外社稷·耕籍·文廟，鍾磬並闕，今將錢物前去，收買”．[130]

○遣禮部尙書吳季南，獻馬□□□于京師，以秘書監劉景元爲宥旨別監兼揀選御馬使，偕季南，往耽羅．[131]

[丙辰9日，赤氣見于西北方:五行1轉載]．

[壬戌15日，月食，密雲不見:天文3轉載]．[132]

癸亥16日，倭寇順天·長興·耽津·道康郡．

庚午23日，王手寫星山君李褒眞，賜其子守侍中仁任．

辛未24日，王以忠肅王忌日，如廣濟寺，遂幸王輪寺巡視影殿工役．

[是月初旬，前政堂文學·集賢殿大學士李穡撰‘景德傳燈錄’序:追加]．[133]

---

130) 이와 관련된 기사로 다음이 있다.

· 지24，樂1，軒架樂獨奏節度，“恭愍二十一年三月甲寅，遣洪師範移咨中書省曰，近因兵後，雅樂散失，朝廷所賜樂器，只用於宗廟，其餘社稷·耕籍·文廟所用雅樂內，鐘磬並闕，今賫價赴京收買”．

·『憲章錄』 권4, 홍무 5년 3월, “□□某日，高麗國王王顓遣使奉表賀平夏，貢方物，且請遣子弟入學”．

131) 吳季南은 3월 17일 羅州에 들어와서 4월 2일 濟州에 들어가려고 하였으나, 牧胡 加乙進에 의해 遮斷되어 4월 17일 羅州로 돌아와서 上京하였다고 한다(『錦城日記』→4월 2일, 25일). 또 添字는 『고려사절요』 권29에 의거하였다.

132) 이날(壬戌, 日本曆의 3월 14일)은 율리우스曆의 1372년 4월 18일이며, 일본의 교토에서도 月食이 예측되었다고 한다. 그렇지만 월식에 관련된 각종 정보가 없다(渡邊敏夫 1979年 486面).

133) 이는 다음의 자료에 의거하였는데(郭丞勳 2021년 464面), 이 서문은 『목은문집』 권7에 수록되어 있지만, 末尾의 刊記는 없다.

·『景德傳燈錄』序，“上之廿又一年春正月，判曺溪宗事臣覺雲上言，‘傳‘燈錄禪學之指南也，板本燬于兵，手鈔甚艱．況今事務默坐，冀萬一成功，竊恐談理者又廢，斯道益以晦．乞重刊廣布，以惠學者’．上曰，可．於是，廣明寺住持景猊·開天寺住持克文·幅山寺住持惠湜·伏岩寺住持坦宜幹其事，皆上命也．… 靑龍壬子三月初吉起復，文忠保節同德贊化功臣·崇祿大夫·政堂文學·集賢殿大學士·知春秋館事兼太常寺事·成均大司成·提點司天監事臣李穡奉 敎謹序”．

夏四月[戊寅朔小盡,乙巳], 己卯[2日], 耽羅殺[宥旨別監兼揀選御馬使]劉景元及牧使兼萬戶李用藏, 以叛, [禮部尙書]吳季南不克入, 乃還.[134)]

[壬午[5日], 日有黑子:天文1轉載].

甲申[7日], 納哈出遣使來, 獻土物.

[丙戌[9日], 月暈大微~~太微~~:天文3轉載].[135)]

庚寅[13日], 前評理~~贊成事~~安遇慶卒.[136)]

辛卯[14日], 以旱禱雨[校正].[137)]

壬辰[15日], 以禹仁烈爲濟州體覆使.

○倭掠鎭溟倉.[138)]

壬寅[25日], 遣民部尙書張子溫如京師, 請討耽羅表曰, "海邦雖陋, 唯知事上之心, 島夷不恭, 敢阻朝天之路, 玆殫愚懇, 仰瀆聰聞. 伏念, 臣昧於爲國之方, 嘗有徑情之請, 謂致耽羅之安業, 莫如韃靼之移居. 尋奉詔書, 示以烹鮮之訓, 欽遵條約, 遂其按堵之生. 第貢獻之稽期, 非陳告之本意. 於本年三月, 差陪臣禮部尙書吳季南, 前往耽羅, 粧載馬匹, 赴京進獻, 以倭賊在海, 差弓兵四百二十五人防送. 不期韃靼牧子等, 將先差去秘書監劉景元及濟州牧使李用藏·判官文瑞鳳·權萬戶安邦彦等, 盡殺之, 及季南至, 又將弓兵先上岸者三百餘名, 亦皆殺之, 以此, 季南不能前進, 廻還. 如斯變故, 義當往訊其由, 未及奏陳, 禮無擅興之理, 祇增愧赧, 庸切籲呼. 伏望, 遠垂日月之明, 一視輿圖之廣, 明臣效忠之實, 愍臣抱屈之情, 俯頒德音, 爲之區處. 則臣之感戴, 粉骨何忘". [是時, 復稱民部爲版圖司:追加].[139)]

甲辰[27日], 命[密直學士]李茂芳禱雨于康安殿.

[→陞密直學士. 王以旱, 命茂方禱雨于康安殿, 茂方燃臂以禱. 王聞之曰, "愛民如是, 可爲首相":列傳25李茂方~~李茂芳~~轉載].

---

134) 이와 관련된 자료로 다음이 있다. 또 이날은 율리우스曆으로 1372년 5월 5일(그레고리曆 5월 13일)에 해당한다.
- 『신증동국여지승람』 권38, 旌義縣, 古跡, "古旌義縣, 在縣東二十七里. 元牧子[哈赤]殺本州萬戶于此".

135) 이날 일본의 교토에서는 흐렸다고 한다(『愚管記』제16, 應安 5년 4월, "九日丙戌, 陰").

136) 評理는 贊成事의 오류이고, 安遇慶의 열전에는 逝去한 사실이 탈락되어 있다(열전26). 이날은 율리우스曆으로 1372년 5월 16일(그레고리曆 5월 24일)에 해당한다.

137) 辛卯(14일)와 庚寅(13일)은 順序가 바뀌어서 바로 잡았다[校正事由].

138) 이날 교토에서는 맑았다고 한다(『愚管記』제16, 應安 5년 4월, "十五日壬辰, 晴").

139) 이 시기에 民部를 다시 版圖司로 改稱하였던 것 같다.

丙午[29日晦]，以濟州叛，遣禮部尙書吳季南，獻本國馬六匹于京師.[140)]
[是月頃，以[撰儀宣力功臣·榮祿大夫]朴元爲安東大都護府使:追加].[141)]

五月[丁未朔小盡,丙午]，戊申[2日]，鎭邊[元帥府]元帥達麻大[達麼大]·女眞萬戶弓大遣使□[來]，賀誕辰.

壬子[6日]，[左承宣]金興慶請赦，王曰，"太后誕日，可赦，予之誕日，不可赦．唯赦金用輝".[142)]

癸丑[7日]，以旱，放[前領門下府事]辛旽黨人妻妾沒爲官婢者.[143)]

[→王太后使人告王曰，"天之久旱，由人所召，辛旽黨人妻妾沒爲官婢者，可令放之．婦人何與焉?"，王從之:節要轉載]，惟旽妻妾不赦.

[→其年[恭愍20年]夏旱．后使人告王曰，"天之久旱，由人所召．辛旽黨人妻妾，沒爲官婢者，可令放之，婦人何與焉"，王從之，惟旽妻妾不赦:列傳2忠肅王明德太后洪氏轉載].

辛酉[15日]，影殿正門成，王以不壯麗，命撤之.

癸亥[17日]，帝遣宦者·前元院使[~~樞密院使~~]延達麻失里[~~延答里麻失里~~]及孫內侍來,[144)] 錫王綵叚[綵段]·紗羅四十八匹，王出迎于迎賓館．中書省移咨曰，"欽奉聖旨，那海東高麗國

---

140) 吳季南은 張子溫과 함께 7월 25일(庚午) 명에서 表를 올리고 馬·方物을 바쳤다. 表에 耽羅國에 殘留하고 있는 蒙古人이 王命을 따르지 않고 蘭秀山(定海縣)에서 逃亡해 온 賊徒와 連結할 가능성이 있으므로 發兵하여 토벌해 줄 것을 요청하자, 태조 주원장은 탐라는 고려의 관할이니 王이 스스로 판단하라고 하면서도 토벌하지 말 것을 권유한 것 같다(『명태조실록』 권75 ; 『속문헌통고』 권29, 土貢考).

· 『昭代典則』 권7, 홍무 5년 7월, "□□[某日]，高麗王顓請發兵土耽羅國，賜璽書止之．高麗王遣其兵部尙書吳季南·張子溫，奉表貢馬及方物，言，'耽羅國恃其險遠，不奉朝貢，及多有蒙古人留居其國，宜徙之．蘭秀山逋逃所聚，恐爲寇患，乞發兵討之'．上賜顓璽書曰，耽羅居海之東，密邇高麗，朕卽位之初，遣使之通王國，未達耽羅．此耽羅已屬高麗，其中生殺，王已專之．雖有胡人部落，已聽命於高麗，又別無相誘之國，何疑忌之深也? 因小隙而構成大禍，智士之所愼也，王宜熟慮，烹鮮之圖，不但靖安國之境土，而耽羅亦蒙其德矣".

141) 이는 『안동선생안』에 의거하였다.

142) 忠肅王妃 洪氏의 誕日은 7월 18일이다(→공민왕 21년 7월 18일). 또 이때 金用輝가 赦免된 것은 金興慶의 奏請에 의한 것이라고 한다.

· 열전37, 폐행, 金興慶, "拜代言，有上護軍金用輝，諂附興慶，嘗奸高家奴妻當坐，興慶因誕辰，請王赦，遂得免".

143) 이때 日本의 교토에서 朝廷[北朝]이 5월 8일 祈雨를 위해 奉幣使를 社寺에 파견하였다(高麗曆과 같음, 日本史料6-35冊 324面).

· 『愚管記』 권16, 應安 5년 5월, "九日乙卯，雨降，去夜被行祈雨奉幣云々".

144) 添字는 是年 10월 是年甲午와 明年 7월 13일의 記事에 의거하였다.

王，那裏自前年，爲做立石碑，祭祀山川，飛報各處捷音，及送法服．使者重疊，王好生被暑熱來爲那般．我想着限山隔海，天造地設生成的國土，那王每有仁政，管撫的好時天地也喜．我這裏勤勤的使臣往來呵，似乎勳勞王身體一般．爲那般上頭，我一年光景，不曾敎人去．于今恁每中書省省收拾紗羅叚子[段子]四十八匹，差元朝舊日老院使送去，選海船一隻，用全身掛甲的軍人，在上面防海．就將那陳皇帝[陳理]老少，夏皇帝[明昇]老少去王京，不做軍，不做民，閑住他自過活．王肯敎那裏住呵留，下不肯時節載回來．恁省家文書上好生說得子細了”．

○右丞相汪廣洋又致書曰，“曩因元政不綱，群雄並起，各擁兵衆分據土疆．我聖上，乘時啓運，奮興淮右，肇基江左，命將四征，削平群雄．陳友諒竊據湖湘，妄稱大漢，明貞[明王珍]據有川蜀，[145] 僭號大夏．是以，聖上統御六師，親臨湖廣，其陳氏勢窮力屈，率衆就降．去年春，命中山侯[湯和]·穎川侯[傅友德]等，[146] 總率師旅，水陸並進直擣川蜀，明氏力不能支啣璧請命．皆已欽蒙聖恩，特加赦宥，保全其生，然揆之以理，不可使久處京師，今令各將家屬，往王國，閑居．如可則，留之，其不可則，仍發廻還．尙冀裁度”．

乙丑[19日]，[前漢皇帝·歸德侯]陳理，[前夏皇帝·歸義侯]明昇等，男婦共二十七人入京．理·昇詣闕．王出御報平廳，理·昇拜于階上，王坐受之．禮訖，坐於使臣之下，昇年十八，理年二十二．

癸酉[27日]，[小暑]．孫內侍自縊于佛恩寺松樹．

甲戌[28日]，大雨，王慮影殿漏濕，親往觀之．[147]

○政堂文學韓仲禮買蘭秀山賊船，帝聞之曰，“宰相不當買賊船，宜速推還”．船已壞．[148]

[某日，命代言·班主以上，皆戴黑草方笠:輿服1冠服通制轉載]．

[是時，改稱密直承宣，爲代言:百官1密直司轉載]．[149]

---

145) 明貞은 明玉珍(名은 瑞，字는 玉珍，夏 黃宰，1329~1366)을 가리킨다.

146) 中山侯는 朱元璋과 鄕里가 같은 濠州 鐘离(現 安徽省 鳳陽) 출신의 征西將軍 湯和(1326~1395)이고, 穎川侯는 宿州 相城(現 安徽省 淮北市) 출신의 征虜前將軍 傅友德(?~1394)이다(『명사』 권126, 열전14, 湯和 ; 권129, 열전17, 傅友德).

147) 이날 일본의 교토에서 晴陰이 불분명하고 때때로 비가 내렸다고 한다.
·『愚管記』제16, 應安 5년 5월, “廿八日甲戌，晴陰不定，時々又雨降”.

148) 韓仲禮는 1376년(우왕2) 2월[仲春朔日]에 三重大匡·上黨君의 職銜을 띠고서 『禮念彌陁道場懺法』 권10의 刊行에 참여한 흔적이 찾아진다(啓明大學 所藏本, 권7~10).

149) 이는 다음의 기사를 전재하여 적절히 변개하였다.

[是月戊辰22日, □□□□明洪武帝詔有司, □以高麗·日本歸所掠海濱男女七十八人, 送還鄕里:追加].150)

[是月頃, 以修職郎吳毅爲雞林府司錄·參軍事兼掌書記:追加].151)

六月丙子朔大盡,丁未, 丁丑2日, 下政堂文學韓仲禮于巡軍獄司平巡衛府獄, 督令修之.152)

戊寅3日, 大雨, 王爲影殿之役, 祈晴.153)

[庚辰5日, 訛言, "唐人, 食人於京內外":五行2轉載].

辛巳6日, 賜前漢皇帝·歸德侯陳理·前夏皇帝·歸義侯明昇, 苧布九匹.

○倭寇江陵府及盈德·德原二縣. [時, 前右侍中李春富子沃, 沒爲東界官奴. 及倭寇至, 我軍望風奔潰. 府使·按廉□使, 聞沃勇銳, 授兵, 使擊之. 沃, 力戰却之. 王賜鞍馬, 免其役:節要轉載].154)

○命起壽陵于正陵之側, 百官以秩, 出役夫輸石.

乙酉10日, 改官制.

[是時, 復改參知門下府事爲門下評理, 左·右諫議大夫爲左·右司議大夫, 左·右司諫爲左·右獻納:百官1門下府轉載].155)

[○復改選部爲典理司, 摠部爲軍簿司, 民部爲版圖司, 理部爲典法司, 禮部爲禮儀司, 工部爲典工司. 仍復判書·摠郞·正郞 ·佐郞之號:百官1六曹轉載].

[○復稱考功·都官直郞爲正郞, 散郞爲佐郞:百官1六曹轉載].

[○革知司憲府事, 復置執義, 改侍史復爲掌令, 雜端爲持平:百官1司憲府轉載].

[○復改學士, 爲提學:百官1藝文館轉載].

· 지30, 百官1, 密直司, "恭愍王18年後復改學士爲提學, 承宣爲代言".

150) 이는 다음의 자료에 의거하였다.

· 『명태조실록』 권73, 홍무 5년 5월 戊辰, "高麗·日本歸所掠海濱男女七十八人, 詔有司送還鄕里".

151) 이는 『동도역세제자기』에 의거하였다.

152) 이때의 巡軍獄은 司平巡衛府獄을 가리키는 것으로 추측된다.

153) 이때 일본의 교토에서 1일(丁丑), 2일(戊寅), 4일(庚辰)은 모두 때때로 비가 내렸다고 한다.

· 『愚管記』제16, 應安 5년 6월, "一日丁丑, 時々雨降, … 二日戊寅, 時々雨降, … 四日庚辰, 時々雨降, …".

154) 李沃(李鍾德의 妻男)에 관한 내용은 다음의 기사에도 수록되어 있다.

· 열전38, 李春富, "李春富子沃·賁·畜·辮·澂並沒爲奴, 分隷州郡. 沃隷江陵, 倭寇東界, 我軍望風奔潰. 沃素以勇聞, 按廉授兵, 使擊賊, 沃力戰却之, 江陵一境賴以免. 事聞, 賜鞍馬, 免其役".

155) 이때 공민왕에 의한 제4차 관제 개혁은 1362년(공민왕11) 3월의 元 壓制下의 명칭으로 환원한 것인데, 明帝國의 제도와 차별을 두려고 한 것 같다.

[○復用[恭愍]十一年官制:百官1寶文閣轉載].[156]

[○復置右文進賢館, 改學士爲提學:百官1諸館殿學士轉載].

[○典校寺, 復用[恭愍]十一年官制:百官1典校寺轉載].[157]

[○復稱閤門, 爲通禮門, 仍改稱副使·判官·舍人:百官1通禮門轉載].

[○典儀寺, 復用[恭愍]十一年官制:百官1典儀寺轉載].[158]

[○復稱宗正寺, 爲宗簿寺, 仍改爲令·副令:百官1宗簿寺轉載].

[○復改衛尉, 爲尹·少尹:百官1衛尉寺轉載].

[○復稱太僕寺, 司僕寺, 又改爲正·副正·直長:百官1司僕寺轉載].

[○復稱禮賓寺, 爲典客寺, 又改爲令·副令:百官1禮賓寺轉載].

[○復稱司農寺, 爲典農寺, 仍復爲正·副正:百官1典農寺轉載].

[○復稱太府寺, 爲內府寺, 又改爲令·副令:百官1內府寺轉載].

[○復稱小府監, 爲小府寺, 仍復爲尹·少尹:百官1少府寺轉載].

[○復稱將作監, 爲繕工寺, 仍復爲令·副令:百官1繕工寺轉載].

[○復稱司宰監, 爲司宰寺, 仍改爲令·副令:百官1司宰寺轉載].

[○復倂爲書雲觀, 用十一年官制:百官1書雲觀轉載].[159]

[○復稱太醫監, 爲典醫寺, 仍改爲正·副正:百官1典醫寺轉載].

[○復改太廟署, 爲寢園署:百官2寢園署轉載].

[○復改良醞署, 爲司醞署:百官2司醞署轉載].

[○復改尙食局, 爲司膳署, 又復稱令:百官2司膳署轉載].

---

156) 1362년(공민왕11) 寶文閣의 관제는 "復改寶文閣大學士爲大提學, 復置提學, 改直學士爲直提學, 減待制, 置直閣正四品"이다(지30, 百官1, 寶文閣).

157) 典校寺의 공민왕 11년 관제는 다음과 같다.

· 지30, 백관1, 典校寺, "復稱典校寺, 改監爲令, 少監爲副令, 革著作郎, 陞郞爲正七品, 革校書郎, 置注簿正八品, 校勘復降從九品, 餘並仍".

158) 典儀寺의 공민왕 11년 官制는 다음과 같다.

· 지30, 백관1, 典儀寺, "復稱典儀寺, 又改卿爲令, 少卿爲副令, 降從四品, 革博士, 復置注簿, 餘並仍".

159) 書雲觀의 공민왕 11년 官制는 다음과 같다.

· 지30, 백관1, 書雲觀, "復倂司天·太史, 爲書雲觀, 改定員吏, 判事正三品, 正從三品, 副正從四品, 丞從五品, 注簿從六品, 掌漏從七品, 視日正八品, 司曆從八品, 監候正九品, 司辰從九品".

[○復改尙醫局, 爲奉醫署, 仍改爲令:百官2奉醫署轉載].

[○復改尙衣局, 爲掌服署, 又稱令:百官2掌服署轉載].

[○復改尙舍署, 爲司設署, 仍改爲令:百官2司設署轉載].

[○復改尙乘局, 爲奉車署, 又改爲令:百官2奉車署轉載].

[○復改中尙署, 爲供造署:百官2供造署轉載].

[○復改大官署, 爲膳官署:百官2膳官署轉載].[160)]

[○復改大樂署, 爲典樂署:百官2典樂署轉載].

[○又罷公侯伯子男爵位:百官2爵位轉載].

[○又改階號, 未考 :百官2文散階轉載].

○倭寇安邊·咸州. 以安邊府使張伯顔不能備禦, 杖八十七.

[某日, 諫官李寶林·張夏等言, "金文鉉, 黨附逆旽, 譖殺父兄, 其交構誣陷之事, 辛旽·李春富之所常說, 一國臣民之所共知. 其父臨死, 亦言爲文鉉所陷, 有冤痛之聲, 此亦人之所共聞也. 此正天地所不容, 王法所必誅, 若置不問, 天理滅矣, 人道絶矣. 請加典刑, 以示後世". 王不允. 諫官復爭之, 不得:節要轉載].[161)]

戊戌[23日], 濟州人殺叛賊, 以降. [濟州牧使兼萬戶]李用藏之死, 判官文瑞鳳逃以免. 至是, 共推瑞鳳爲權知牧使, 遣人請命, 獻馬. 以□□[判事]李夏生爲安撫使.[162)]

己亥[24日], 以我太祖[知門下府事李成桂]爲和寧府尹, 仍爲元帥, 以禦倭賊.[163)]

---

160) 原文에는 다음과 같이 되어 있으나, 二十二年은 二十一年의 誤字일 것이다.
· 지31, 百官2, 大官署, "[恭愍]二十二年~~二十一年~~, 復改膳官署".

161) 이 기사는 열전44, 金文鉉에도 수록되어 있다.

162) 濟州按撫使 李夏生(李下生)은 8월 6일 羅州牧에 들어와 18일 發船하였다고 한다.
·『금성일기』, "濟州按廉使[按撫使]李下生[李夏生], 八月初六日入州, 十八日發船".

163) 이 시기에 이성계는 鄕里에서 親知들에게 빼어난 弓術을 보이면서 錦衣還鄕을 誇示[自負]하였던 것 같다. 또 이후에 李成桂가 倭賊의 掃蕩에 투입되었는데, 倭와의 전투에서 長槍兵을 앞장세웠다고 한다.
·『태조실록』 권1, 總書, 공민왕 21년, "六月, 倭寇東北界. 以太祖爲和寧府尹, 仍爲元帥, 以禦之. 遼城將處明, 時年已老, 從太祖往和寧. 一日出獵, 地險仄凍滑, 太祖馳下峻坂, 射大熊數四, 皆一矢而斃. 處明歎曰, '僕閱人多矣, 公才天下一人耳'. ○太祖嘗獵于洪原之照浦山, 有三獐爲群而出, 太祖馳射, 先射一獐而斃. 二獐竝走, 又射之, 一發疊洞, 矢著於槎. 李原景取其矢而至, 太祖曰, '爾來何遲也', 原景曰, '矢深著於木, 未易拔'. 太祖笑曰, '假使三獐, 乃公矢力, 亦足洞貫矣';. ○太祖嘗盛集親朋, 置酒射侯. 有梨樹立百步外, 樹頭有實數十顆, 相積離離, 衆

辛丑26日, 倭寇東界安邊等處, 虜婦女, 掠倉米萬餘石. 免東北面存撫使李子松官, 放歸田里.

[→李子松, 出爲東北面存撫使, 倭寇安邊等地, 掠婦女, 奪倉米萬餘石, 坐罷歸田里:列傳24李子松轉載].

壬寅27日, 倭又寇咸州·北青州, 萬戶趙仁璧伏兵, 大破之, 斬首七十餘級, 拜奉翊大夫.

癸卯28日, 倭寇洪州.

[某日, 命前政堂文學李穡起復, 爲匡靖大夫·政堂文學·藝文館大提學·知春秋館事兼判典醫寺事·成均館大司成·提點書雲觀事, 功臣號如故. 穡以疾辭:追加].[164)]

[是月癸卯28日, 明洪武帝詔有司, 以先爲倭寇所掠高麗人, 附高麗使者歸還. 先是, 指揮使毛驤敗倭寇於溫州下湖山, 追至石塘大洋, 獲倭船十二艘, 生擒一百三十餘人及倭弓等器送京師. 時又幷得所掠高麗人三人].[165)]

[是月頃, 判曹溪宗事覺雲訪韓山君李穡第, 以'傳燈錄'板刻事, 畢功, 促其序文:追加].[166)]

秋七月丙午朔小盡,戊申, 戊申3日, 影殿鍾樓成, 王以爲尙未高大, 卽命改營.

己未14日, [處暑]. 倭寇楊廣道.

癸亥18日, 以太后誕辰, 放囚.

賓請太祖射之. 一發盡落, 取以供賓, 衆賓歎服, 擧酒相賀. ○太祖與李豆蘭竝逐一鹿, 忽遇僵樹當前, 鹿從樹下走, 豆蘭勒馬回去, 太祖超踰樹上, 馬出其下, 卽及騎追射獲之. 豆蘭驚歎曰, 公天才, 非人力所及".

· 『세조실록』 권343, 10년 8월 壬午朔, "同知中樞院事梁誠之上書曰, … 一. 整軍器, … 臣觀吳璘疊陣法, 每戰以長槍居前, 我太祖征倭之時, 亦以長槍結陣, 乞今置陣, 以彭排居前, 次長槍, 次銃筒, 使賊騎, 不得馳突". 이 기사는 『訥齋集』 권3, 軍政十策에도 수록되어 있다. 또 여기에서 吳璘(1102~1167)은 宋代의 武將으로 1133년(紹興3) 金의 大軍과 싸워 蜀地域을 守護하였으며, 兵法 2篇을 著述하였다고 한다(『송사』 권366, 열전125, 吳璘).

164) 이는 『양촌집』 권40, 李穡行狀 ; 『목은집』 연보에 의거하였다.

165) 이는 다음의 자료에 의거하였다.

· 『명태조실록』 권74, 홍무 5년 6월, 癸卯, "指揮使毛驤敗倭寇於溫州下湖山, 追至石塘大洋, 獲倭船十二艘, 生擒一百三十餘人及倭弓等器送京師 … 時又幷得所掠高麗人三人, 適高麗使者至, 命領之以歸".

166) 이는 다음의 자료에 의거하였다.

· 『목은문고』 권7, 傳燈錄序, "… 請下文臣敍其事. 迺以命臣穡, 會穡丁母憂去國. 明年起復, 旣至, 雲來趣文曰, 功畢矣".

[某日，憲府上疏，請誅金文鉉．文鉉逃:節要轉載].

辛未26日，遣同知密直司事金湑如京師，進方物，同知密直司事成元揆，賀聖節，版圖判書林完，賀千秋□節.[167]

[某日，以朴東貴爲慶尙道按廉使，南乙番爲全羅道按廉使:慶尙道營主題名記·錦城日記].

八月乙亥朔大盡,己酉，[丁丑3日，大風雨，拔木:五行3轉載].[168]

[戊寅4日，亦如之大風雨:五行3轉載].[169]

甲辰某日，王微行幸影殿.[170]

甲午20日，影殿鷲頭成,[171] 其飾黃金六百五十兩，白銀八百兩.

壬寅28日，遣贊成事姜仁裕如京師，謝賜綵匹，表曰,[172] “使華忽至，天眖特加，揆分踰涯，措躬無地．臣智不足以圖治，才不足以文身，自愧荒踈，粗保箕裘之業，何圖瑣末上煩黈纊之聽．爰從歸附以還，叨過荷寵靈之被，禮服樂器，示華制於方來，經籍史書，發良心於久昧．加匪頒之殊渥，旣滋至而弗堪，又此拜嘉，彌用增惕．□□□□~~玆盖伏遇~~皇帝陛下~~云云~~，師禹致美，法文卽康，命服德則在笥之是遵擧，御將則解衣

167) 金湑 등은 10월 17일(庚寅) 應天府에서 表를 올려 하례하였고, 明年 正旦에 金銀玳瑁 등을 바쳤다고 한다.

· 『명태조실록』 권76, 洪武 5년 10월, “庚寅，高麗國王王顓遣其同知密直司事金湑等，奉表箋賀明年正旦幷貢金銀玳瑁等器”.

168) 이날 일본의 교토[京都]에서도 雷鳴·降雨가 있었다(日本史料6-36册 173面).

· 『愚管記』제16, 應安 5년 8월, “三日丁丑，陰晴不定，申剋雷鳴·降雨”.

169) 이날 교토에서 흐리고 때때로 비가 조금 내렸다고 한다(日本史料6-36册 173面).

· 『愚管記』제16, 應安 5년 8월, “四日戊寅，陰，時々小雨”.

170) 世家篇에서 8월(乙亥朔)의 기사는 甲辰(30일), 甲午(20일), 壬寅(28일)로 구성되어 있어 순서가 바뀌었거나, 甲辰이 오자일 것이다. 추측하건대 甲辰은 庚辰(6일) 또는 甲申(10일)의 오자일 것이다.

171) 鷲頭는 殿閣의 기와지붕 마루에 올리는 鷲瓦를 가리킨다. 鷲는 매과[鷹科]의 大型鳥類인데, 크기[體長] 1m 內外로서 禿鷲(學名Aegypius monachus)·王鷲(Sarcoramphus papa)·蛇鷲(secretary bird) 등이 있다고 한다.

· 『자치통감』 권32, 漢紀24, 成帝綏和 1년(bc8) 8월, “匈奴車牙單于死，弟囊知牙斯立，爲烏珠留若鞮單于．… 或說票騎將軍王根曰，‘匈奴有頭入漢地，直張掖郡[注，師古曰，斗，絶也，地之斗曲入漢界者也．直，當也]，生奇材箭竿·鷲羽[師古曰，鷲，大鵰也，黃頭赤目，其羽可爲箭．竿，音工旱翻．鷲，音就．余胡三省按鷲羽可爲箭翎也．山海經曰，景山多鷲，黑色多力，所謂皁鵰是也]，得如之，於邊甚饒，國家有廣地之實，將軍顯功垂於無窮’．根爲上言其利，…”.

172) 이 표는 『목은문고』 권11, 謝紗羅表인데, 添字는 이에 의거하였다.

之尤急. 遂令幅員之廣, 咸入經綸之中, 如臣之微, 受賜亦厚, 敢不推好賢之美意, 弊又改爲, 竭祝壽之卑誠, 服之無斁".

[庚午某日, 大霧:五行3轉載].[173)]

[是月, 前政堂文學·集賢殿大學士李穡撰'近思齋逸藁'跋:追加].[174)]

[是月頃, 王師惠勤, 以王命赴楊州檜巖寺法會, 仍上書請住, 居之:追加].[175)]

九月乙巳朔小盡,庚戌, 戊申4日, 王使僧唱無常歌, 聽至夜分.

辛亥7日, 門下侍中尹桓罷, 以慶復興爲左侍中. [復興, 卽千興□世:節要轉載].[176)]

[壬子8日, 月暈:天文3轉載].

[癸丑9日, 亦如之月暈:天文3轉載].[177)]

甲寅10日, 王微行, 幸影殿, 觀鷲頭.

[戊午14日, 亦如之月暈:天文3轉載].

庚申16日, [霜降]. 楊廣道巡問使趙天輔, 與倭戰于龍城, 敗死, 王命追贈, □□有加.[178)]

[○亦如之月暈:天文3轉載].[179)]

壬戌18日, 張子溫·禮部尙書吳季南還. 帝賜王藥材, 親諭子溫等曰, "前年, 恁國家爲耽羅牧子的事, 進將表文來呵. 我尋思這耽羅的牧子, 係元朝達達人, 本是牧養爲業, 別不會做莊家有. 又兼積年生長耽羅, 樂土過活的人有. 更這廝每, 從前殺了恁

---

173) 이달에는 庚午가 없다.

174) 이는 다음의 자료에 의거하였는데, 本文은 『목은문집』 권7에 수록되어 있다고 한다(郭丞勳 2021년 467面).

· 『近思齋逸藁』跋, "本文省略 … 青龍壬子仲秋".

175) 이는 다음의 자료에 의거하였다.

· 『목은문고』 권14, 普濟尊者諡先覺塔銘并序, "壬子秋, 會以召. 赴是寺法會, 得請居焉".

· 『懶翁和尙語錄』行狀, "壬子秋, 師偶念指空'三山兩水之記', 請移錫檜巖, 上又遣李士渭, 迎來檜巖".

176) 이때 慶復興은 인사행정권[銓注權]을 장악하였던 것 같고, 곧 侍中이 되었던 것 같다(열전23, 慶復興, "旽誅, 召還復拜左侍中, 提調政房").

177) 이때 일본의 교토에서 8일(壬子)은 맑았으나 9일(癸丑)은 흐렸고, 아침에 비가 조금 내렸다고 한다.

· 『愚管記』제16, 應安 5년 9월, "八日壬子, 晴, … 九日癸丑, 陰, 朝間小雨".

178) 添字는 『고려사절요』 권29에 의거하였는데, 이날은 율리우스曆으로 1372년 10월 13일(그레고리曆 10월 21일)에 해당한다.

179) 이때 교토에서 14일(戊午)은 맑았으나 16일(庚申)은 비가 조금 내리다가 오후 1시 무렵에 暴雨와 雷鳴이 있었다고 한다.

· 『愚管記』제16, 應安 5년 9월, "十四日戊午, 晴, … 十六日庚申, 小雨降, 及未又暴雨·雷鳴".

國家差去的尹宰相麽道. 把這廝每遷將別處住去呵, 怕那廝不知國王的好意思, 疑惑着別生事端, 所以不准來. 今番這廝每又怎的如此作亂有, 我如今國王根底與將書去有. 恁到那裏, 國王根底備細說者, 休小覷他, 多多的起將軍馬, 盡行勦捕者. 我聽得恁那地面裏倭賊縱橫劫掠, 濱海人民避怕逃竄, 不能鎭遏, 致使本賊過海前來作耗的上頭, 我這裏戒飭沿海守禦官, 見獲到前賊船一十三隻, 有若耽羅牧子每, 與此等賊徒相合一處呵, 勦捕的較難, 有又聽得女直每在恁地面東北, 他每自古豪傑, 不是分守的人有, 恁去國王根底說着, 用心堤坊[提防]者. 又聽得恁國家疑惑大麽道. 自古天下有中國有外國, 高麗是海外之國, 自來與中國相通, 不失事大之禮, 守分的好有. 況今朝聘之禮不曾有闕, 有甚麽疑惑處? 昔日好謊的君王如隋煬帝者, 欲廣土地, 枉興兵革, 敎後世笑壞他, 我心裏最嫌有. 我這說的話, 恁去國王根底明白說到".[180)]

○又手詔曰, "七月二十五日, 張子溫至, 表言耽羅牧子無狀, 官吏·軍兵沒於非命, 深可恨怒. 春秋之法, 亂臣賊子, 人人得而誅. 今牧子如此, 所當誅討. 然國無大小, 蜂蠆有毒, 縱彼可盡滅, 在此亦必有所傷. 蓋往者之失, 因小事而搆大禍, 惜哉. 豈非烹鮮之急, 情忌至甚而致然歟? 事旣如是, 王不可因循被侮. 其速發兵以討, 然事機緩急, 王其審圖之".

[九月丙子習太廟樂於毬庭. 戊寅習太廟樂於毬庭. 十月庚辰朔, 習太廟樂於毬庭.:樂志1軒架樂獨奏節度轉載→20年 9月로 移動해감].

[是月庚戌[6日], 晉州牧使偰長壽撰'農桑輯要後記':追加].[181)]

[是月庚午[26日], 建西域僧西天提納薄陀尊者指空浮屠於楊州檜巖寺:追加].[182)]

---

180) 이 宣諭는 7월 25일(庚午) 아침 張子溫이 奉天門 앞에서 받은 것으로 추측되며, 그때 한반도의 동부지역에 살고 있는 女眞을 잘 防禦하라는 命도 있었던 것 같다.

· 『세조실록』 권21, 6년 8월 壬戌[19日], "洪武五年七月十五日, 早朝, 奉天門陪臣張子溫欽奉宣諭聖旨節該, 我聽得女眞 每在恁地面東北. 他每自古豪傑, 不是守分的人. 有恁去國王根底, 說着用心隄防者".

181) 이는 다음의 자료에 의거하였는데(李宗峯 1991년 ; 魏恩淑 2000년), 여기에서 使君은 地方官(守令)을 지칭한다.

· 『農桑輯要』後記, 書農桑輯要後, "洪武壬子[5年], 陝州姜使君蓍既受」命到官,迺以事至晋,而於余曰, … 是歲重陽前三日,正議大夫·晋州牧使·兵馬鈐轄兼管內勸農使·北元偰長壽天民謹題".

· 『아언각비』 권1, 太守· 使君, "本皆尊稱, 太守者郡守也, 而諸縣令長, 咸爲所領, 其職與今之監司, 不甚相遠. 使君者, 奉命之臣也 … 東人錯認, 今陽川縣令·麻田郡守, 咸稱使君, 斯亦習焉而弗察也. 縣令之稱太守亦非[注, 縣令宜稱宰]".

182) 이는 다음의 자료에 의거하였다.

[是月, 親禦軍大護軍兼內府令李美冲·判典儀寺事朴成亮·判內侍府事金師幸等造成'華嚴變相圖板', 置於五冠山靈通寺, 備於印施廣布:追加].[183)]

[是月壬戌[18日], 明聖壽節, 前一日, 中書右丞相汪廣洋率百官, 請行慶賀禮. 上曰, "朕已令罷此禮, 卿等其體朕懷, 勿賀". 時高麗國王王顓遣同知密直司事成□[元]揆進表稱賀, 并遣版圖判書林完賀皇太子千秋節, 貢金銀龍蓋龜貝玳瑁之屬, 詔中書諭其王, 繼令聖壽節·千秋節, 俱免慶賀禮. 自是, 每歲聖節之日, 齊居素食, 不受朝賀:追加].[184)]

[癸酉[29日晦], 高麗使者鄭夢周等至京□[師], □□[明洪武帝]復賜衣服, 而遣之:追加].[185)]

冬十月甲戌朔[大盡,辛亥], 寘子弟衛, 選年小皃美者, 屬焉, 以代言金興慶, 惣之. 於是, 洪倫·韓安·權瑨·洪寬·盧瑄等, 俱以寵幸, 常侍臥內. 王性不喜色, 又不能御, 故公主生時, 御幸甚稀. 及薨, 雖納諸妃, 置諸別宮, 不能近, 日夜悲思公主, 遂成心疾. 常自粉黛爲婦人狀, 先納內婢少者房中, 取袱掩其面, 召興慶及倫輩, 亂之. 王從旁室穴隙, 視之. 及心歆動, 卽引倫輩入臥內, 使行於己如男女. 更數十人乃

· 『목은문고』 권14, 西天提納薄陀尊者指空浮屠銘并序, "壬子九月□[二]十六日, 以王命樹浮屠於檜巖寺, 將入塔灌骨, 得舍利若干粒". 여기에서 十六日은 二十六日에서 脫字가 발생한 것 같다.

· 『懶翁和尙語錄』行狀, "[壬子,] 九月二十六日, 將指空靈骨舍利, 安塔于[檜巖]寺之北峯".

183) 이는 『刻注華嚴經都變相緣起』에 의거하였는데, 이 圖版은 1423년(세종5) 10월 25일(壬申) 이후 漢城으로 옮겨졌다가 明年 1월 日本使臣 圭籌의 요청에 의해 무로마치[室町] 幕府에 下賜되었던 것 같다(南權熙 2002년 97面).

· 緣起文, "華嚴海會, 稱周法界依正主件, 重重無盡, 珠網鏡燈, 未足」 爲喩, 豈可以凡心凡筆, 形容者哉.然凡夫昧非相, 無以生信.」由是,古今寫佛經者,皆畵變相,冠於卷首,盖爲令物生」信,因此而入道也,其益豈小乎.此注經板,乃大覺國師求」法入宋,泛海賚來也.所恨但無此變相,某等此依古範」 募工彫板,留于五冠山靈通寺,印施無窮者.」 洪武五年壬子[恭愍21年]九月日.」 中正大夫·親禦□[軍]大護軍兼內府令李美冲,」 正順大夫·判典儀寺事朴成亮,」 忠勤佐命功臣·大匡·判內侍府事金師幸」".

· 『세종실록』 권22, 5년 10월 壬申[25日], "傳旨于留後司曰, 金沙寺'眞言大藏經', 靈通寺'華嚴經'等板子及雲巖寺'金字三本華嚴經'一部·金字單本'華嚴經'一部等, 以水站船隻載送".

· 『세종실록』 권23, 6년 1월 戊寅[1日], "[日本使]圭籌等上知申事書曰, 圭籌等舊各承命, 容拜於殿庭, 卽謹言來意, 殿下曰, 大藏經板只一本也, 不可賜. 更以'金字華嚴經'八十卷·'梵字密敎經板藏經'一部、'注華嚴經板', 此四者賜焉, 皆天下無雙之法寶也. 嗚呼, 殿下之大恩 至哉偉哉. …".

184) 이는 『명태조실록』 권76, 洪武 5년 9월 壬戌을 전재하였다.

· 『憲章錄』 권4, 홍무 5년 9월, "壬戌[18日], 聖誕, 前一日, 中書右丞相汪廣洋請行慶賀禮. 上曰, '朕已令罷此禮, 卿等其體朕懷'. 時高麗國遣陪臣進表稱賀, 并賀皇太子千秋節. 上詔中書悉諭, 免之".

185) 이는 『명태조실록』 권76, 홍무 5년 9월 癸酉를 전재하였다.

已, 由是, 日晏乃起, 其或稱意, 賞賜無筭, 王慮無嗣, 因使倫安等, 强辱諸妃, 冀其生男, 以爲己子. 定·惠·愼三妃, 死拒不從.[186)]

[○大殿寶馬陪行首趙浚嘆曰, "人道滅矣, 復奚言哉. 且王以威福與奪, 常與群小謀, 而不及君子, 今日之勢, 岌岌乎殆哉":節要轉載].

[○後幸益妃宮,使興慶·倫·安等通妃拒之,王拔劒欲擊,妃懼從之.自是,矯旨數往來→恭愍王 22년 2월로 옮겨감].

乙亥[2日], [立冬]. 王謁昌陵[世祖].

丁丑[4日], 王祭正陵[恭愍王妃], 祭畢, 巡視塋域, 徘徊悲思, 御丁字閣, 對公主眞設宴, 奏胡樂, 獻酬如生平. [宗親·宰樞, 亦皆侍宴:節要轉載].[187)] [尋命改公主諡, 李仁復·李穡, 遂改徽懿以聞, 從之:列傳2恭愍王妃魯國大長公主轉載].

己卯[6日], 謁陽陵[神宗], 於道上奏雜戲, 還宮.

[○以典理判書曹敏修之子取貴, 不從駕, 杖殺之. 取貴, 嘗爲辛旽所愛, 倖臣[·代言]金興慶, 譖之:節要轉載].[188)]

○以宦者[·判內侍府事]金師幸能督工役, 賜鞍馬.

[○流星出胃北, 墜地, 大如鉢:天文3轉載].

[○大霧:五行3轉載].[189)]

辛巳[8日], 倭船二十七艘入陽川, 留三日, 諸將領兵出戰, 我軍皆成衆愛馬, 未習水戰, 故大敗. 賊奪元帥旗鼓, 至江華, 遣邑人而去.

[→倭船二十七艘, 入陽川浦, 諸將出戰而敗:兵1五軍轉載].

○王以各司成衆愛馬及五部坊里人, 分隷五軍.

[→命成衆愛馬及五部坊里人, 分隷五軍:兵1五軍轉載].

[○大風, 雷:五行3轉載].

[癸未[10日], 以[成均學諭]劉敬爲成均進德博士:追加].[190)]

---

186) 이와 관련된 기사로 다음이 있다.

· 열전44, 洪倫, "洪倫, 南陽人, 侍中彦博之孫. 恭愍王, 選年少貌美者, 寘子弟衛, 倫與韓安·權瑨·洪寬·盧瑄等, 皆屬焉, 以淫穢得幸. 倫等常直禁中, 或終歲不得休沐, 皆懷怨懟. 王使倫等, 通諸妃嬪, 冀生子以爲嗣".

187) 이 기사는 열전2, 恭愍王妃, 魯國大長公主에도 수록되어 있다.

188) 이와 같은 기사가 열전39, 曹敏修에도 수록되어 있다.

· "子取貴嘗爲辛旽所愛, □□[恭愍]□□□□[二十一年,] 金興慶譖于王, 王謁陽陵, 取貴不扈駕, 杖殺之".

189) 이날 일본의 교토에서는 흐리다가 저녁에 맑았다고 한다(『愚管記』제16, 應安 5년 10월, "六日癸卯 陰, 及晩晴").

[乙酉[12日], 月暈:天文3轉載].

[丁亥[14日], 亦如之[月暈]:天文3轉載].[191]

庚寅[17日], [小雪]. 親率五軍, 出次昇天府.[192]

辛卯[18日], 次[昇天府]白馬山.

壬辰[19日], 次芒浦峯, 判事洪師祖不被甲, 王怒命歐之. 開城參軍金臣儉, 不脩橋梁, 又杖之.

[○亦如之[月暈]:天文3轉載].

癸巳[20日], 次安國寺峯.

甲午[21日], 次引月串, 放火箭.

乙未[22日], 登經浦峯, 觀舟, 遂次龍泉寺峯, 以宿衛不嚴, 杖諸提調官. 謂贊成事安師琦曰, "予之此行, 非好慢遊, 欲觀行師如何耳. 庚子[恭愍王9年]·辛丑[10年]之紅賊, 非不可禦, 庚寅[忠定王2年]以來之倭賊, 非不可敵, 而民被虜掠, 國至播越者, 以用兵無律, 號令不嚴耳. 今予親臨, 尙有不用命者, 况諸將代行者乎? 卿其體予至意, 曉諭衆人, 自今軍令, 毋或不謹".

[史臣曰, "王, 憤島夷肆暴, 思振國威, 若洗心滌慮, 斥嬖幸, 罷土木, 求賢圖治, 則保民禦寇, 何難之有. 惜乎? 王不能然, 倚一師琦, 欲振軍令, 其可得哉?":節要轉載].

丙申[23日], 次甑山峯, 終夜設火山儺戲, 以觀.

丁酉[24日], 於道上設儺戲, 還宮.

[是月甲午[21日], 明洪武帝, 高麗賀正旦使金湑等先至京師, 以正旦期尙遠, 恐久淹其使, 因姜仁裕継至, 遂皆命還國. 因謂中書省臣曰, '曩因高麗貢獻煩數, 故遣延安答里[~~延答里麻失里~~]往諭此意, 今一歲之間, 貢獻數至, 旣困弊其民, 而使涉海道路艱險, 如洪師範歸國蹈覆溺之患, 幸有得免者, 能歸言其故, 不然豈不致疑. 夫古者諸

---

190) 이는 「劉敞政案」, "洪武五年十月初十日, 判進德博士"에 의거하였데, 進德博士는 四門博士의 改稱인 것 같다.

191) 이때 일본의 교토에서 12일(乙酉)은 비가 내렸고, 13일(丙戌)은 바람이 불고 비가 내렸고, 14일(丁亥)은 맑았다고 한다.

· 『愚管記』제16, 應安 5년 10월, "十二日乙酉, 雨降, … 十三日丙戌, 風吹雨降, … 十四日丁亥, 晴".

192) 昇天府는 『고려사절요』권에는 昇平府로 되어 있으나 誤字이다(盧明鎬 等編 2016년 734面). 고려시대에 昇平郡(現 全羅南道 順天市)이 있었으나 昇平府는 없었고, 이 시기에 昇平郡은 順天府로 존재하고 있었다.

侯之於天子，比年一小聘，三年一大聘，若九州之外蕃邦遠國，則惟世見而已，其所貢獻，亦無過侈之物．今高麗去中國稍近，人知經史，文物禮樂，略似中國，非他邦之比，宜令遵三年一聘之禮，或比年一來，所貢方物，止以所產之布十匹足矣，毋令過多． 中書其以朕意諭之， 占城·安南·西洋瑣里·爪哇·渤尼·三佛齊·暹羅斛·眞臘等國，新附遠邦，凡來朝者，亦明告以朕意．中書因使者還如上旨，咨諭其王’．仍有詔賜顓藥餌:追加].[193]

[是月， 大將軍金瑚·靈岩郡夫人崔氏·貞順翁主李氏等開板‘大佛頂如來密因修證了義諸菩薩萬行首楞嚴經’於安城縣瑞雲山青龍寺:追加].[194]

十一月[甲辰朔大盡,壬子]，[乙巳[2日]，大霧，終日:五行3轉載].[195]

[某日，復置鷹坊:節要轉載].

己酉[6日]，王親祭魂殿.

甲寅[11日]，幸王輪寺.

丁巳[14日]，設八關會，幸法王寺.

---

193) 이는 다음의 자료에 의거하였는데, 이 자료의 白話文[口語]으로 된 原文은 明年 7월 13일에 수록되어 있다.

- 『명태조실록』 권76, 洪武 5년 10월, “甲午[21日]，先是，上以高麗貢獻使者往來煩數，遣故元樞密使延安答里[~~延達里麻失里~~]，使高麗諭意，且以紗羅·文綺賜其王顓．至是，顓遣其門下贊成事姜仁裕上表謝恩，貢馬十七匹幷錦囊·錦囊·弓矢·金鞍及人參[~~大蔘~~]等物．是時，其國賀正旦使金湑等先至京師， 上以正旦期尙遠，恐久淹其使，因仁裕繼至，遂皆命還國．因謂中書省臣曰，‘曩因高麗貢獻煩數，故遣延安答里[~~延荅里麻失里~~]往諭此意，今一歲之間，貢獻數至，旣困弊其民，而使涉海道路艱險，如洪師範歸國蹈覆溺之患，幸有得免者，能歸言其故，不然豈不致疑．夫古者諸侯之於天子，比年一小聘，三年一大聘，若九州之外蕃邦遠國，則惟世見而已，其所貢獻，亦無過侈之物．今高麗去中國稍近，人知經史，文物禮樂，略似中國，非他邦之比，宜令遵三年一聘之禮，或比年一來，所貢方物，止以所產之布十匹足矣，毋令過多．中書其以朕意諭之，占城·安南·西洋瑣里·爪哇·渤尼·三佛齊·暹羅斛·眞臘等國，新附遠邦，凡來朝者，亦明告以朕意．中書因使者還如上旨，咨諭其王’．仍有詔賜顓藥餌”.
- 『國史紀聞』 권2, 홍무 5년 10월, “遣使諭高麗．上以高麗貢獻，往來煩數，涉海艱險，諭令三年一聘，幷諭占城·安南等國，皆如高麗”.

194) 이는 다음의 자료에 의거하였는데(南權熙 2002년 98面 ; 郭丞勳 2021년 469面), 苾蒭[필추, bichu]는 比丘의 다른 표기이다.

- 『大佛頂如來密因修證了義諸菩薩萬行首楞嚴經』 권10, 卷末刊記, “… 洪武五年壬子十月 日 … 苾蒭[比丘]卽了跋.」 功德主大將軍金瑚,」 靈岩郡夫人崔氏,」 同願貞順翁主李氏,」 安城青龍寺刊板」”.

195) 이때 일본의 교토에서 2일(乙巳)은 맑았으나 3일(丙午)은 비가 내렸다고 한다.

- 『愚管記』제16, 應安 5년 11월, “二日乙巳，晴，… 三日丙午，雨降”.

[庚申[17日], 月暈:天文3轉載].

[丁巳[辛酉18日], 冬至, 王具冕服, 率百官, 向闕拜賀, 山呼萬歲後, 百官又行本朝賀禮:禮9元正·冬至上國聖壽節望闕賀儀轉載].[196)]

[→是時, 準用明之'元正冬至上國聖壽節望闕賀儀. 其儀前期, 執事者設闕庭於王宮正殿, 南向, 香燭案於闕庭之前. 王拜位於殿庭中, 北向, 及褥位於香案前. 衆官拜位於王位之南, 每等異位, 重行北向. 司禮·司贊位於衆官拜位之北, 司禮在西, 司贊在東, 俱相向. 司香二人位於香案前, 東西相向. ○是日, 執事陳甲士·軍仗·旗幟於王宮門之外, 樂工陳樂於拜位之南. 引班引衆官, 朝服入, 齊班於王宮門外之東西. 司禮·司贊·司香, 俱入就位. 引禮啓請, 王於後殿, 具冕服. 引班引衆官, 入立於殿庭之東西. 引禮導王出, 樂作. 王由西階, 詣拜位. 樂止. 引禮立於拜位之左右. 引班引衆官入, 就拜位. 司贊唱'四拜'. 樂作, 王與衆官, 皆四拜. 樂止. ○引禮導王, 由東門入, 樂作, 至闕庭香案前拜位, 樂止. 引禮立於拜位之左右. 引禮贊跪. 司贊唱跪. 王與衆官皆跪. 引禮贊, 三上香. 司香以香跪, 進於王之左, 王三上香. 畢, 引禮贊俯伏, 興, 平身. 司贊唱, 俯伏, 興, 平身. 王與衆官, 皆俯伏, 興, 平身. 引禮導王, 由西門出, 樂作, 復位, 樂止. ○司贊唱, 四拜. 樂作, 王與衆官, 皆四拜. 樂止. ○司贊唱, 搢笏, 鞠躬, 三舞蹈, 跪左脚, 三叩頭, 山呼萬歲, 山呼萬歲, 再山呼萬萬歲. 出笏, 俯伏, 興. 樂作, 四拜, 樂止. ○司贊唱, 禮畢. 引禮啓, 禮畢, 引王出. 引班引衆官, 以次出. ○如有朝廷官,[197)] 遇正朝·冬至·聖壽節出使, 在國中者, 常服先行禮, 不在王與衆官行禮之列:禮9元正冬至上國聖壽節望闕賀儀轉載].[198)]

[某日, 敎□[曰], "象笏·紅鞓·皀鞓·綃羅朝服, 皆非本國之產, 今後, 侍臣外, 東西

---

196) 이해[是年]의 冬至는 丁巳가 아니고 辛酉이다. 곧 丁巳(14日)는 1372년 12월 9일(그레고리曆 12월 17일)에, 辛酉(18日)는 12월 13일(그레고리曆 12월 21일)에 해당한다. 冬至(혹은 日南至)는 太陽이 回歸하는 黃道에서 출발점인 春分에 0°를 起点으로 하여 360°로 진행하는 과정에서 270°에 이르는 位置[至点]에 해당하는 날짜[日辰]이다. 이날은 地球의 北半部에서는 낮[晝間]이 가장 짧고, 夜間이 가장 긴 날이다. 이 冬至는 24節氣 중 22번째의 節氣로서 現行의 그레고리曆에서 12월 21, 22日이 해당되고 간혹 23日일 수도 있다(→문종 30년 11월 18일의 脚注).

197) '如有朝廷官' 以下의 末尾 句節은 下記의 『대명회전』과 『대명집례』에는 없는 것으로 高麗朝廷이 追加한 規則인 것 같다(桑野榮治 2004年).

198) 이 儀禮는 1369년(홍무2) 9월에 제정된 蕃王朝貢禮 4種의 儀禮(『大明集禮』所收) 중의 하나, 이의 내용은 1587년(萬曆15)에 刊行된 『大明會典』(『萬曆重修會典』)의 '蕃國禮'에도 수록되어 있다. 兩者가 거의 동일하지만, 前者는 일부 내용이 脫落된 것 같다(『명태조실록』 권45, 홍무 2년 9월 壬子[21日] ; 『大明會典』 권58, 예부16, 蕃國禮 ; 『大明集禮』 권30, 賓禮1, 蕃王朝貢, 桑野榮治 2004年).

班五品以下, 用木笏·角帶·紬紵朝服":輿服1朝服轉載].

[某日, 禁圜丘及諸祭壇·山陵·鎭山·裨補田獵, 又禁養鷹:刑法2禁令轉載].

[戊辰[25日], 熒惑犯鉤鈐:天文3轉載].

辛未[28日], 遣判密直司事盧稹如京師, 謝賜藥材·藥方, 表曰, "遠頒妙藥, 明示秘方, 登受以還, 感銘奚極. 臣禀賫旣劣, 攝養多乖, 遂成步履之艱, 動違式禮, 濫處藩維之重, 恒軫虞憂. 寵錫鼎來, 兢榮交集. 皇帝陛下, 體天地生成之大, 推性情惻隱之端, 憐臣痼疾之難瘳, 賜臣良劑之有效. 敢不謹修職而圖報. 益殫誠而祝禧".[199)]

[○□□[是時], 王以冕服, 拜謝恩表, 還內, 百官亦以朝服, 侍表, 出門外拜送:禮9進大明表箋儀轉載].

壬申[29日], 遣大護軍金甲雨獻耽羅馬五十匹.[200)]

○遣判書張子溫聘于遼東.

[是月戊申[5日], 高麗國王王顓遣中郎將宋坦, 以被擄人金希聲等十一人來歸. 希聲嘉興府人, 先爲倭寇所掠, 高麗得之, 至是遣還:追加].[201)]

[是月癸酉[30日], 前政堂文學李穡撰'黃檗山斷際禪師傳心法要·宛陵錄'. 是後,:追加].[202)]

[十二月]甲戌□[朔小盡,癸丑], 親祭顯[太祖]·慶[忠烈]·毅[忠肅]·善·高[忠烈王妃]·淑·德[忠宣]諸陵.[203)]

乙亥[2日], 親祭正陵[恭愍王妃].

---

199) 盧稹(盧頙의 2子)은 明年(홍무6) 4월 22일(癸巳) 明에서 表를 올려 藥餌를 下賜하여 준 것을 謝恩하고 海錯·細布를 바치고, 中宮·東宮에 方物을 바쳤다(『명태조실록』 권81).

200) 以後에 展開된 金甲雨의 貢馬를 둘러싼 여러 樣相은 『吏文』 권2, 咨奏申呈朝劄, 金甲雨盜賣馬罪名咨에 상세히 반영되어 있다. 이 자료[罪案]에 의하면, 金甲雨는 光州人(本貫), 35歲로 奉順大夫·判典醫寺事의 職責을 띠고 있었다고 하지만 實職(大護軍)이 아니라 借職일 것이다.

201) 이는 『명태조실록』 권76, 홍무 5년 11월, 戊申을 전재하였다.

202) 이는 다음의 자료에 의거하였는데(청주고인쇄박물관 소장, 郭丞勳 2021년 471面), 여기에서 陽月은 1, 3, 5, 7, 9, 11月을 指稱하지만 그 중에서도 11월을 特定하는 경우도 있다.

· 『黃檗山斷際禪師傳心法要』, 卷末刊記, "黃檗傳心要訣·宛陵錄共三十又八紙, 唐裴休譔. 日本釋允中菴[中庵壽允]思欲廣布. 手刻之, 旣徵予言爲跋. 予於是學, 盖不暇, 不敢措辭, 獨書知允者云, … 蒼龍壬子陽月之晦, 韓山牧隱李穡跋,」 募緣沙門中庵壽允,」 助善比丘 海堂,」 奉翊大夫·知密直司事·上護軍致仕金光乙,」 忠勤贊化功臣·奉翊大夫·密直副使兼判典儀寺事·進賢館提學·同知春秋館事·上護軍廉興邦,」 推忠秉義同德燮理翊贊功臣·壁上三韓三重大匡·門下侍中·判典理司事兼監春秋館事·上護軍·領孝思觀事尹桓」". 尹桓은 이해[是年] 9월 7일 門下侍中에서 免職[罷]되었다.

203) 11월의 甲戌은 12월 1일(朔)이므로, 甲戌 앞에 十二月이 탈락되었다. 또 淑陵은 누구의 陵인지는 알 수 없는데, 肅陵(德宗)의 오자일 가능성도 있다.

[庚寅[17日], 月暈:天文3轉載].

[○赤氣見于西方:五行1轉載].

[戊戌[25日], 雷:五行1轉載].[204]

[己亥[26日], 赤白氣見于北方:五行1轉載].

[庚子[27日], 霧:五行3轉載].[205]

[冬某月, 以[僉議評理]尹之彪爲重大匡·海平君:追加].[206]

[□□[~~是年~~]:追加],[207] 無雪.

[→冬無雪. 山崩, 井泉皆渴, 布一匹, 直米一斗五升:五行1無雪轉載].

[○置理學都監:百官2理學都監轉載].

[○以鄕人延達麻實里[~~延答里麻失里~~]院使在大明, 有功於我, 陞原州牧屬縣寧越郡爲知郡事官:地理1寧越郡轉載].[208]

[○改名三散安北千戶防禦所, 爲北靑州萬戶府:轉載].[209]

[○司憲府上疏請, 大小人員及緣化僧徒等受各官陳省, 私備貢物先納, 卽受其司文憑下歸, 倍受其價, 侵虐小民. 願自今一皆禁斷, 從之:追加].[210]

[○以[知密直司事]鄭思道爲端誠翊贊功臣, 尋爲行安邊都護府事兼東北面都巡問使:

---

204) 이날 일본의 교토에서는 맑았으나 때때로 눈이 내렸다고 한다.
- 『愚管記』제16, 應安 5년 12월, "廿五日戊戌, 晴, 時々雪降".

205) 이날 교토에서는 맑았다고 한다(『愚管記』제16, 應安 5년 12월, "廿七日庚子, 晴").

206) 이는 「尹之彪墓誌銘」에 의거하였다.

207) 是年이 탈락되었을 것이다.

208) 이와 같은 자료로 다음이 있다.
- 『세종실록』 권153, 지리지, 寧越郡, "… 恭愍王二十一年壬子, 以鄕人延達麻實里[~~延答里麻失里~~]院使在京師, 有功於我, 陞爲知郡事, 本朝因之".
- 『신증동국여지승람』 권46, 寧越郡, 건치연혁, "… 恭愍王二十一年, 以鄕人宦者延達麻實里[~~延答里麻失里~~]在大明, 有功於國, 陞爲郡, 本朝因之".

209) 이는 다음의 기사를 전재하였다.
- 지12, 지리3, 北靑州府, "[恭愍]二十一年, 改今名, 爲萬戶府".

210) 이때 司憲府가 恭愍王의 裁可를 받은 判旨는 朝鮮 初에도 遵用되었던 것 같다.
- 『세종실록』 권10, 2년 11월 辛未[7日]. "禮曹啓, 元續六典內, 各年判旨, 中外官吏或不奉行. 其不奉行條件, 謹錄以聞, 請申明擧行, 違者論罪. … 一. 洪武七年, 司憲府狀申一款, 大小人員及緣化僧徒等受各官陳省, 私備貢物先納, 卽受其司文憑下歸, 倍受其價, 侵虐小民. 願自今一皆禁斷".

追加].[211)]

[○以[前判典儀寺事]尹侅爲典法判書:追加].[212)]

[○以[太常少卿·寶文閣應教兼成均直講]朴尙衷爲典理摠郞, 餘如故[寶文閣應教兼成均直講]:追加].[213)]

[○以崔有慶爲版圖佐郞:追加].[214)]

[○前檢校密直副使趙暾乞骸, 退居牛峯縣:列傳24趙暾轉載].

[仁同人 張東翼 校注, 增補].

---

211) 이는 다음의 자료에 의거하였는데, 이에서 又明年은 又의 오류일 것이다.

· 「鄭思道墓誌銘」, "辛亥[恭愍王20年], 進知司, 明年, 賜端誠翊贊功臣之號, 又明年[ㅈ], 以密直行安邊府事, 鎭東北面, 其名曰上元帥, 曰都巡問使, 軍民之任, 叢于一身, 處之有其道, 人到于今, 稱之. 歲癸丑, 改功臣端誠曰, 忠勤".

212) 이는 「尹侅墓誌銘」에 의거하였다.

213) 이는 다음의 자료에 의거하였다.

· 『定齋集』 권3, 潘南先生家傳, "[恭愍王]二十一年, 改典理摠郞, 兼如故".

214) 이는 다음의 자료에 의거하였다.

· 『태종실록』 권25, 13년 6월, "辛未[24日], 前參贊議政府事崔有慶卒. … 洪武壬子[恭愍21年], 拜版圖佐郞. 時各道義鹽鹽盆, 皆爲豪强所占, 有慶具書以聞, 皆屬鹽倉".

『高麗史』卷四十四 世家卷四十四

[輔國崇祿大夫·議政府左贊成·知集賢殿經筵春秋館成均事·世子賓客·臣金宗瑞奉敎撰]

正憲大夫·工曹判書·集賢殿大提學·知經筵春秋館事兼成均大司成·臣鄭麟趾奉敎修

恭愍十七[恭愍王七1)]

癸丑[恭愍王]二十二年, 明洪武六年, [西曆1373年]

1373년 1월 24일(Gre2월 1일)에서 1374년 2월 11일(Gre2월 19일)까지, 13개월 384일

春正月癸卯朔[大盡,甲寅], 太白晝見.

甲辰[2日], 王詣太后殿上壽.

[丙午[4日], 赤氣見于西北方:五行1轉載].

[丁未[5日], 立春. 夜, 白氣從南指北, 長三丈餘, 自西而東, 乃滅:五行2轉載].

[辛亥[9日], 月暈:天文3轉載].

[○赤氣見于西方:五行1轉載].

壬子[10日], 幸魂殿, 飯僧三百.

[○日暈:天文1轉載].

[○亦如之[月暈]:天文3轉載].

[癸丑[11日], 亦如之[月暈]:天文3轉載].

[甲寅[12日], 亦如之[日暈]:天文1轉載].

[○亦如之[月暈]:天文3轉載].

[乙卯[13日], 月犯北河東, 暈:天文3轉載].2)

[某日, 郞將安天儉家失火, 天儉適醉臥, 其妻從外, 冒火扶出不得, 遂與俱死:節要轉載].3)

---

1) 여러 版本의 『고려사』에서 恭愍十七로 되어 있으나 恭愍王七의 오자이다.

2) 이때 일본의 교토[京都]에서 8일(辛亥)과 9일(壬子)은 흐렸고, 10일(癸丑)은 맑았으며, 11일(甲寅)와 비와 눈이 내렸고, 12일(乙卯)은 비가 내렸다고 한다.

· 『愚管記』제17, 應安 6년 1월, "八日辛亥, 陰, … 九日壬子, 陰, 十日癸丑, 晴, … 十一日甲寅, 雨雪交降, … 十二日乙卯, 雨降".

癸亥[21日], 以瀕海諸郡, 不能撫字, 分遣安集別監.[4)]

[甲子[22日], 月犯心星:天文3轉載].

乙丑[23日], 置仁熙殿直四人, 卽魂殿也.

○除目下, 頭裏速古赤[~~頭裏速古兒赤~~]及子弟衛, 皆超遷. 擇卿大夫子弟, 年少美壯者, 常侍禁中, 號頭裏速古□[兒]赤, 與子弟衛, 皆有寵.[5)]

[丙寅[24日], 赤氣見于東西北方:五行1轉載].

[○以[成均進德博士]劉敬爲諄諭博士:追加].[6)]

戊辰[26日], 以楊伯淵爲西北面都巡察使, 李成林爲西海道都巡察使.

[某日, 以慶尙道按廉使朴東貴·全羅道按廉使南乙番, 仍番:慶尙道營主題名記·錦城日記].

[是月頃, 以李偉爲永州副使:追加].[7)]

二月[癸酉朔大盡,乙卯], 乙亥[3日], 北元遣波都帖木兒及於山不花來. 詔曰, "頃因兵亂, 播遷于北, 今以廓擴帖木兒[~~擴廓帖木兒~~]爲相,[8)] 幾於中興. 王亦世祖之孫也, 宜助力, 復正天下".

○初, 二人入境, 王欲遣人殺之, 群臣皆執不可. 於是, 訪以拘留, 放還, 執送京

---

3) 이 기사는 다음의 자료에도 수록되어 있다.
- 열전34, 烈女, 安天儉妻, "… 史失姓氏. 天儉, 恭愍朝爲郎將. 家夜失火, 天儉適醉臥. 妻冒火入, 扶之出, 力不勝, 以身覆天儉, 遂俱焚".

4) 撫字는 小兒를 잘 恤養하거나 人民을 按撫시킨다는 의미를 지니고 있다.
- 『후한서』 권84, 列女傳第74, 程文矩妻, "漢中程文矩妻者, 同郡李法之姊也, 字穆姜, 有二男. 文矩爲[南陽郡]安衆令, 喪於官. 四子以母非所生, 憎毁日積, 而穆姜慈愛溫仁, 撫字益隆, 衣食資供皆兼倍所生".
- 『北齊書』 권21, 열전13, 封隆之, "隆之, 素得鄕里人情, 頻爲本州, 留心撫字, 吏民追思, 立碑頌德".
- 『渭南文集』 권25, 戊申嚴州勸農文, "雖誠心未格於豊穰, 然拙政每存於撫字".

5) 頭裏速古赤은 頭裏速古兒赤에서 兒字가 탈락된 것이다. 速古兒赤은 怯薛[keshick, kesig]의 한 種類로서 宮中에서 衣服을 담당하던 宿衛이다(→충숙왕 10년 10월 16일, 白鳥庫吉 1929年 : 1970年 456面).

6) 이는 「劉敞政案」, "洪武六年正月二十四日, 判諄論博士"에 의거하였는데, 諄諭博士(순유박사)는 太學博士[大學博士]의 改稱인 것 같다. 또 上記의 기사에서 除目[批目]이 23일 發表되었다고 하는 비해, 「劉敞政案」에는 吏曹에서 발급하는 除目[判]은 24일(乙丑) 발표되었다고 하여 1日의 차이가 있다.

7) 이는 『영천선생안』에 의거하였다.

8) 『고려사절요』 권29에는 ~~添字~~와 같이 바르게 되어 있다(盧明鎬 等編 2016년 734面).

師，三策，群臣皆曰，"放還便".

[丙子4日，赤氣見于西北方:五行1轉載].

戊寅6日，王夜見元使曰，"予眼疾，見日則大劇，故以夜待之". 盖畏朝廷明知也.

[己卯7日，□月暈:天文3轉載].

[庚辰8日，白氣自西抵北，如匹練:五行2轉載].

[辛巳9日，亦如之月暈:天文3轉載].

[○赤氣見于西南方:五行1轉載].

[壬午10日，亦如之月暈:天文3轉載].

[癸未11日，亦如之月暈:天文3轉載].

[甲申12日，亦如之月暈:天文3轉載].9)

乙酉13日，元使還，以苧布附獻.

丁亥15日，以公主忌辰，幸王輪寺，飯僧三百，赦二罪以下.10)

[○月食:天文3轉載].11)

[己丑17日，月暈:天文3轉載].

庚寅18日，遣判書張子溫，移咨定遼衛曰，"前遣鄭庇赴京，獻馬，稱到定遼城，有守門官，不許入城曰，今奉聖旨，山東新附百姓生受，高麗使臣休這路上來. 以此回還. 庇承差進獻，今聽在口之言，別無官信明文，未委虛實. 如果聖旨，請錄全文，回示". 子溫至定遼，摠兵官使□人謂曰，"聖旨，高麗使臣，止敎海道朝京. 今賫來咨文，畏聖旨，不敢拆看". 由是，子溫未得文據，而還.

辛卯19日，歸義侯明昇娶摠郞尹熙宗女，王賜米四十石·布一千匹.12)

---

9) 이때 일본의 교토에서 7일(己卯)은 晴陰이 불분명하였고, 8일(庚辰)과 9일(辛巳)은 흐렸고, 10일(壬午)은 맑았다가, 11일(癸未) 비가 내렸고, 12일(甲申)은 흐렸다고 한다.
· 『愚管記』제17, 應安 6년 2월, "七日己卯, 陰晴不定, 八日庚辰, 陰, … 九日辛巳, 陰, … 十日壬午, 晴, … 十一日癸未, 雨降, 十二日甲申, 陰".

10) 恭愍王妃 魯國大長公主는 2월 16일에 逝去하였으므로 이날은 前日에 해당한다.

11) 이때 日本의 교토에서는 비가 내렸기에 월식에 대한 기록이 찾아지지 않는 것 같으나(日本史料 6-37冊 8面), 「應安六年具注曆」을 참조하지 못했던 것 같다. 이날은 율리우스력의 1373년 3월 9일이고, 월식 현상이 심했던 때의 世界時는 15시 35분, 食分은 0.29이었다(渡邊敏夫 1979年 486面).
· 『愚管記』제17, 應安 6년 2월, "十五日丁亥, 雨降, …".

12) 이후 歸義侯 明昇은 李成桂와 친분이 있었던 것 같다.
· 『警修堂全藁』 권6, 又詠明昇, "我太祖潛邸時, 昇以棊伴出入邸第, 太祖龍興, 昇家製進袞衣, 衣成昇家人泣云".

[癸巳21日, 月犯箕星:天文3轉載].

[甲午22日, □月入南斗魁中:天文3轉載].

己亥27日, 倭寇龜山縣, 慶尙道都巡問使洪師禹, 斬首數百級, 獻所獲器仗.

[→恭愍時22年, 爲慶尙道都巡問使, 鎭合浦. 淸謹自守, 吏民畏愛. 倭寇龜山縣三日浦, 師禹往擊之, 賊潰走. 乘勝奮擊, 賊登山, 師禹麾兵四面攻之, 斬獲二百餘. 溺水死者以千數, 奪被虜者十人, 兵仗不可勝紀:列傳24洪師禹轉載].

○納哈出遣文哈剌不花~~文哈剌不花~~來, 江界萬戶康永殺從者十餘人, 而掠其財, 哈剌不花~~哈剌不花~~以數騎逃去. 王聞之, 遣人招還, 繫永巡衛府, 贖杖百七.

[□□是月, 幸益妃宮, 使金興慶·洪倫·韓安等通妃, 拒之, 王拔劍, 欲擊, 妃懼從之. 自是, 矯旨數往來←恭愍王 21년 10월에서 옮겨옴].[13)]

[是月頃, 以李日善爲羅州牧判官:追加].[14)]

三月癸卯朔小盡,丙辰, 日食.[15)]

○復文廟朔望祭.

[→始命復行朔望祭, 自恭愍王十年南遷以後, 廢而不行, 今復擧之:禮4文宣王廟轉載].

[戊申6日, 雪:五行1雨雪轉載].[16)]

[己酉7日, 熒惑·鎭星相犯:天文3轉載].[17)]

---

13) 이 사건은 『고려사절요』 권29에 의하면 是月에 발생한 것이다[校正事由]. 또 이와 같은 기사로 다음이 있다.

- 열전2, 恭愍王妃, 益妃韓氏, "及王得心疾, 令洪倫·韓安等强辱妃, 妃拒之. 王怒抽劍欲擊, 妃懼從之. 自是, 倫等矯旨, 數往來, 妃亦知其詐, 然不拒, 遂有身, 語在倫等傳".
- 열전2, 恭愍王妃, 惠妃李氏·愼妃廉氏, "□□是時, 洪倫·韓安之强辱諸妃也, 妃惠妃李氏·愼妃廉氏拒不從".
- 열전2, 恭愍王妃, 定妃安氏, "洪倫·韓安之强辱諸妃也, 妃被髮徒跣, 欲縊死, 王懼而止".
- 열전37, 金興慶, "王强使金興慶·洪倫·韓安等, 通益妃".

14) 이는 『금성일기』에 의거하였다.

15) 이날 明에서도 일식이 있었으나(『명태조실록』 권80 ; 『명사』 권2, 본기2, 太祖2, 洪武 6년 3월 癸卯), 일본의 교토에서는 일식에 대한 기록이 찾아지지 않는 것 같다(日本史料6-37冊 201面, 실제는 일식이 있었다]. 이날의 일식은 尹紹宗이 實見하였다고 하는데(是年 5월 某日 尹紹宗의 上疏文에서 확인된다), 이날은 율리우스曆의 1373년 3월 25일이고, 開京에서 日食의 現象이 심했던 時間은 7시 9분, 食分은 0.37이었다(渡邊敏夫 1979年 312面).

- 『愚管記』제17 , 應安 6년 3월, "一日癸卯, 陰晴不定, 風吹雨灑".

16) 이달에 일본의 교토에서도 寒波가 심하였고 눈이 계속 내렸다고 한다(日本史料6-39冊 16面).

- 『神木御動座度々大亂類聚』, 應安 6년, "至三月, 餘寒甚深, 連々雪下".
- 『續史愚抄』27, 應安 6년 3월, "某日, … 大和記, 雨雪".

庚戌8日, 倭寇河東郡.

[○晋州人鄭任德, 嘗戍是郡, 適被疾, 子愈·遜, 擁父走避. 賊追及之, 愈, 射殺數人, 賊不敢前. 忽一賊, 奮劍突進, 刺任德頰, 遜以身蔽之, 且斬四人, 竟歿於賊. 事聞, 拜愈爲宗簿寺丞:節要轉載].[18)]

[壬子10日, 月暈:天文3轉載].

癸丑11日, 以文哈剌不花文哈剌不花△爲判典客寺事, 本我國人也.

[己未17日, 月犯心星:天文3轉載].

[庚申18日, 赤氣見于南北方:五行1轉載].[19)]

辛酉19日, 以穀貴, 禁酒.

丙寅24日, 以密直副使都興爲全羅道巡問使.

[某日, 王朝太后, 欲以牟尼奴爲嗣, 請就學, 以成均直講李崇仁授書, 太后不欲, 乃托辭曰, "兒尙幼, 稍長就學, 未爲晩". 王曰, "臣今數窮當死, 今不立嗣, 社稷誰托. 且影殿之役, 孰繼吾志". 太后曰, "影殿壯麗, 天下罕比, 勞民傷財, 莫甚焉. 水旱災害, 靡不由此, 請罷其役". 又□曰, "人臣, 出從王事, 入治家產, 而代言金興慶等諸子弟, 日夜在宮, 不得歸家, 豈不怨王. 王嘗偏信賊旽, 不聽予言, 幾至誤國, 今又若爾, 何耶. 宜令子弟, 輪番宿衛, 且萬幾至繁, 宵旰勤政, 猶懼不給. 今王, 日中而起, 軍國之務, 豈無稽滯. 王, 宜夙興夜寐, 親聽國政, 以孝老母". 王不悅, 欲辭出, 后三復言之, 乃對曰, "謹從命". 太后又問曰, "何不御妃嬪?". 王曰, "無如公主者". 因泣下. 太后笑曰, "一死理之常, 王亦終不免矣, 何慟之甚, 恐爲人笑, 愼勿復然":節要轉載].[20)] [□□此後, 后數對王, 言過失, 王不悅. 宮人·宦官相戒, 毋得言王過失於后, 后亦知其然:列傳2忠肅王明德太后洪氏轉載].

[是月頃, 以奉翊大夫·密直學士李茂芳爲雞林府尹:追加].[21)]

---

17) 이 기사의 原文에서 己酉 앞에 三月이 탈락되었다.

18) 鄭愈와 관련된 기사로 다음이 있는데, 二十一年은 二十二年으로 고쳐야 옳게 될 것이다.

· 열전34, 孝友, "鄭愈, 晋州人, 知善州事任德之子. 恭愍二十一年二十二年, 與弟遜從父戍河東郡, 倭寇乘夜猝至, 衆皆遁. 任德病不能騎馬, 愈與遜扶擁而走. 賊追及之, 愈騎馬射殺數人, 賊不敢前. 有一賊, 奮劒突進, 刺任德頰, 遜自以身蔽之, 且斬四人, 力戰却之. 任德得免, 遜竟歿於賊. 事聞, 授愈宗薄寺丞".

19) 原文의 庚申 앞에 三月이 탈락되었다.

20) 이 기사는 열전2, 忠肅王妃, 明德太后洪氏에도 수록되어 있으나 자구에 출입이 있다.

21) 이는 『동도역세제자기』; 열전25, 李茂方李茂芳; 『태조실록』 권4, 7년 8월 戊午(15일)에 의거하였다.

· 열전25, 李茂方李茂芳, "尋出爲雞林府尹, 初府大饑, 及茂方至, 適歲稔. 茂方因民之便, 販魚鹽,

夏四月壬申朔大盡,丁巳, [某日, 作壽陵於正陵之西, 以宦者·判內侍府事金師幸, 董其役, 師幸傾巧, 影殿正陵之役, 逢迎王意, 皆極奢麗:節要轉載].

[→宦官金師幸, 累遷判內府□寺事. 性傾巧, 逢迎王意, 大起正陵影殿之役, 極其侈麗. 由是, 財力耗竭, 民不聊生:列傳35金師幸轉載].

[乙亥4日, 日有黑子, 二日:天文1轉載].

[丁丑6日, 夜, 天雨白毛, 長二寸, 或三四寸, 細如馬鬣:五行2轉載].[22]

[戊寅7日, 立夏. 夜, 雨白毛:五行2轉載].

[己卯8日, 大霧. 雨白毛, 遍國中, 庶人皆曰龍毛, 拾而視之, 乃白馬鬣也:五行3轉載].[23]

庚辰9日, 禱雨于廟社·群望.

[壬午11日, 亦如之夜,雨白毛:五行2轉載].

[癸未12日, 雨梅介井, 沸湧, 赤如血. 傍有蓮池, 水亦赤:五行1轉載].

[○亦如之夜,雨白毛:五行2轉載].

乙酉14日, 隕霜殺草.

[丁亥16日, 亦如之夜,雨白毛:五行2轉載].

辛卯20日, 以旱徙市. 設仁王道場於康安殿七日, 以禳天變.

甲午23日, 全羅道都巡問使都興獻倭俘及所獲兵仗.[24]

[丙申25日, 亦如之夜,雨白毛:五行2轉載].

丁酉26日, 檢校侍中李褒卒, [謚敬元:追加].[25]

[○雨土:五行3轉載].

戊戌27日, 以倭賊在近島, 命評理柳淵, 出鎮東江.

己亥28日, 禱雨于內殿.

置義倉, 以備賑貸. 崔瑩巡察六道, 法甚峻, 守令多貶黜者. 至雞林, 境內肅然, 瑩大喜. 召判開城府事, 加賜礪節功臣號".

22) 이날 일본의 교토에서는 흐리고 밤에 계속 비가 내리고 雷鳴이 있었다고 한다.
· 『愚管記』제17, 應安 6년 4월, "五日丁丑, 陰, 終夜雨降, 雷鳴".

23) 이날 일본의 교토에서 晴陰이 불분명하였다고 한다.
· 『愚管記』제17, 應安 6년 4월, "七日己卯, 晴陰不定".

24) 都興은 4월 9일 羅州에 들어왔는데, 이때 倭賊이 會津縣(現 全羅南道 羅州市 管內)에 침입하자 이를 討伐하였던 것 같다(『금성일기』).

25) 이는 「李仁復墓誌銘」에 의거하였다. 또 이날은 율리우스曆으로 1373년 5월 18일(그레고리曆 5월 26일)에 해당한다.

○命[衛士]柳爰廷講大寶箴，手寫其眞，書名及字以賜.[26)]

[□□[是月]],[27)] 全羅·慶尙道饑，遣使賑之.[28)]

[○義成庫洞，有巫女夜夢，蝦蟆無數，聚于一處，有一靑衣女來，蝦蟆向靑衣女死，俄而黃衣女來，靑衣女承命於黃衣女，傳於巫女曰，"汝言於上，雖作大家九，吾不居之，速罷影殿役". 翼日午，有神，降于巫女曰，"今國多妖孽，亡徵見矣. 吾受國恩，有陰騭，故國尙不亡，盍告王. 吾還正陵矣":五行2轉載].

[是月乙未[24日]，知沃州事許士淸與其室安東郡夫人權氏等寫成'橡紙銀字妙法蓮華經':追加].[29)]

五月 [壬寅朔[小盡,戊午]，霧，雨毛:五行3轉載].[30)]

---

26) 「大寶箴」은 『정관정요』 권8, 第4章과 『구당서』 권190上, 열전140上, 文苑上, 張蘊古에 수록되어 있다. 이 글은 張蘊古가 唐太宗 李世民의 卽位初에 올린 帝王[大寶]이 施政할 때 참조하라는 600餘言의 勸告文이다. 그렇지만 張蘊古도 餘他의 諫官들과 마찬가지로 예측 불가능한 이세민의 作態에 의해 631년(貞觀5) 8월 長安의 東市에서 처형되고 말았다. 또 衛士는 코르치[忽赤]의 다른 표기이다(→공민왕 20년 7월 29일의 脚注).
- 『자치통감』 권192, 唐紀8, 高祖武德 9년(626) 12월 己巳, "前幽州記室·直中書省張蘊古上'大寶箴'[胡三省注，唐諸州無記室，唯王國有記室參軍，從六品上，蘊古蓋廬江王瑗督幽州時爲記室也. 唐制，資序未至，以他官入省者爲直]，其略曰，'聖人受命，拯溺亨屯，故以一人治天下，不以天下奉一人'，…. 上嘉之，賜以束帛[注，唐制，凡賜十段，其率絹三匹，布三段，綿四屯，若雜綵十段，則絲布二匹，紬二匹，綾二匹，縵四匹，若賜蕃客錦綵，率十端，則錦一張，綾二匹，縵四匹，綿四屯，凡時服稱一具者，全給之，一副者減給之. …]".

27) 是月이 탈락되었을 것이다(→지9, 五行3, 土行, 饑饉).

28) 이 기사는 지34, 食貨3, 水旱疫癘賑貸之制에도 수록되어 있다. 또 이때 賑濟別監 朴尙眞이 5월 某日 羅州牧에 派遣되어 와서 飢人들을 普通院(朝鮮時代 光山縣의 북쪽 2里에 位置)에 모아 救恤하였다고 한다. 또 이 기사의 朴尙眞은 1365년(공민왕14) 윤10월 尹紹宗과 함께 제술업에 급제한 인물로 추정된다.
- 『금성일기』, "賑濟別監朴尙眞，五月日入州，飢人聚會普通良中，救恤".

29) 이는 다음의 자료에 의거하였는데(국립중앙박물관 소장, 국보 제185호, 南權熙 2002년 380面 ; 張忠植 2007년 238面), 여기에서 念有四日은 廿有四日을 指稱하는 것으로 이해할 수 있다[讀].
- 『橡紙銀泥妙法蓮華經』, 末尾題記, "幸曾修善,方得人身,枉被惑雲,」 溺煩惱海,到頭空手,後悔難追,」 不有眞功,寧離死苦,」 雜華爲敎,万德本源,首屑精金,」 寫周譯訖,金剛勝種,已根於斯,」 次謄」 本經,以銀爲字,果在」 蓮座,白業更明,擧手低頭,已成」 佛道,矧及傾橐,作此殊因,廣洎」 見聞,幷暫隨喜,各從窮子,至得」 家珎,當受」 髻珠,咸蒙」 勝記,凡餘火宅,」 一雨勻霑,乘大牛車,同臻寶所,上報」 恩四,下資有三. 兵爍穀登,」 法輪常轉,」 洪武癸丑[恭愍22年]四月念有四日 敬誌,」 奉常大夫·知沃州事 許士淸,」 同室安東郡夫人 權氏,」 隨喜施主優婆夷 權氏,」 施主者 □□」 ".
- [後面墨書], '靈岩道岬寺留傳」, '當寺留傳'.

30) 이날 일본의 교토에서는 흐렸다고 한다(『愚管記』제17, 應安 6년 5월, "一日壬寅，陰").

[甲辰[3日], 獐入城:五行2轉載].

丁未[6日], 以誕辰, 飯僧于仁熙殿, 赦二罪以下.

戊申[7日], [芒種]. 雨.[31)]

己酉[8日], 設祈雨道場于康安殿.

[某日, 左正言尹紹宗, 以[代言]金興慶等群小[~~群少~~], 在王側亂政, 宦者金師幸, 迎合王意, 大興影殿之役, 草疏, 請去興慶, 斬師幸, 罷影殿役. ○左獻納金允升, 知之, 與諫議[~~左司議大夫~~]禹玄寶謀, 託以紹宗, 累月在告曠職, 劾去之:節要轉載].[32)]

[→[尹紹宗,] 轉爲正言. 草疏, 陳時事曰, "皇天生民, 而不能使之各得其所, 必命聖人爲之君, 以代治之. 故位曰天位, 民曰天民, 而設官分職, 則代天工也. 本朝之制, 中書則有令·侍中·平章·參政·政堂五者, 法天之五星也, 樞密則天之北斗也. 至於百官, 莫不皆然, 雖郎官之微, 亦皆上應列宿. 故名器·官爵, 非人君之自有, 乃天之所有, 而人君代設之者也. 人君, 不可以名器爲己之私有, 而妄與之, 而人臣, 亦不可不量其才德, 而敢居之也. 自昔, 帝王, 分天下之民爲四等, 曰士·農·工·商. 農·工·商, 各世其業以供上, 惟士無所事也, 而入學, 讀書·修身·正家·事君·治民之道, 皆得學焉, 而後官之. 是以, 公卿大夫, 未有不盡其職, 而人君代天之政成. 仲尼曰, 名器, 君之所司也, 不可以假人.[33)] 政亡, 則國家從之而亡, 盖名器旣輕, 則朝廷不嚴而王室卑, 王室卑, 則小人生陵慢之心. 民志不定, 上下不辨, 而社稷危矣. 我祖宗, 非能則不使在職, 非賢則不使在位, 有罪必誅, 無功不賞. 是以, 愚不肖者, 不得在官, 而百官正矣. ○慶陵[忠烈王]之入朝也, 中官李大順, 有寵於世祖, 請授其兄別將. 慶陵曰, '汝兄伍尉也, 越散員, 授別將, 非祖宗法也.' 大順言於世祖曰, 願諭我王. 帝曰, 官人有法, 制國有君, 朕何與焉, 汝其自請之. 則我祖宗之重

---

31) 이날 교토에서도 비가 내렸다고 한다(『愚管記』제17, 應安 6년 5월, "七日戊申, 雨降").

32) 이 사건과 관련된 기사로 다음이 있다.

- 열전28, 禹玄寶, "拜左司議大夫, 時□[左]正言尹紹宗草疏, 將請去金興慶·斬金師幸, 罷影殿役. 玄寶知之, 託以紹宗曠職, 劾去之".

  이 기사는 10월에 있었던 禹玄寶 등이 倭寇討伐을 위한 國防을 건의한 사실과 순서가 바뀌었다(→是年 10월 8일).

- 『태조실록』 권4, 2년 9월 己未[17日], 尹紹宗의 卒記, "累官至左正言. 時幸臣金興慶恣行威福, 驕傲無禮, 宦者金師幸巧詐逢迎, 專掌工役, 俱病國害民. 紹宗草疏極言, 欲皆斥去. 同僚知之, 托以稱疾不仕, 劾罷之, 疏不果上".

33) 이 구절은 다음의 자료와 관련이 있는 것 같다.

- 『춘추좌씨전』傳, 成公 2년 春, "新築人仲叔于奚救孫桓子. 桓子是以免. 旣衛人賞之以邑, 辭. 請曲縣繁纓以朝, 許之. 仲尼聞之曰, 惜也, 不如多與之邑. 唯器與名, 不可以假人, 君之所司也".

名器，古未有也．自辛丑[恭愍10年]·癸卯[12年]以來，國用不足，以官爵爲賞功之物．於是，小人濫冒軍功，因緣賄賂，不次超授．其源一開，至于今日，商賈·工匠，公私奴隷，皆得爲官．羊頭狗尾，布列中外，褻慢名器，汚穢天工．人人視朝廷官爵如土芥，皆欲俯拾，至有中郎將掃牛下，奉翊□□[大夫]直一匹之諺，[34] 盖言名器之甚賤也．由是，雖以五[伍]尉而至散員，散員而爲中郎將，亦不喜也．平時如此，萬有危急之難，殿下復將何物以賞之，而勸以立功耶．願自今，非有軍功才德，則雖近倖者，不妄授以官．使工匠·商賈，各安其業，毋使賤人，汚穢朝廷，則民志有定，上下有辨，朝廷有嚴，而王室尊矣．○臣聞，諸葛孔明[諸葛亮]有言曰，'親賢臣，遠小人，先漢所以興隆也．親小人，遠賢臣，後漢所以傾頹也'．[35] 自古及今，治亂興亡之分，決於人主所親信之得失耳．殿下當天下危亂，國家厄會之時，深居九重，或一月不聽政，親近頑童群小，而罕接宰相耆德．彼頑童群小，唯知逢迎上意，承順顏色，其所事者，不過鷹犬飮食男女之間而已．殿下樂其和順，而日與之親，豈不大爲盛德之累乎？宮禁嚴肅，非雜類所得而窺也，今也群小出入自恣，大內不嚴，大內旣不嚴，則主上安得而獨尊哉？代言金興慶，不學墻面，唯唯諾諾，非獻替啓沃之資也．殿下悅其敏給阿順，使出納敎命，進退士大夫，一國之事，皆先關白興慶，然後得達宸聽．夫偏聽生姦，獨任成亂，安知他日不有李斯·趙高之禍哉？○伏見，三月朔，日有食之．近年[恭愍王15年]，賊旽用事，而七月日食．七月者三陰之月也，而且有旽不測之謀．今三月，五陽之月也，陽甚盛而一陰獨存，能勝大陽，此非小變也．臣下必有蔽惑主上者，君子道消而小人道長矣．願殿下，畏天變而收興慶之權，不使與國政．黜群小之在內者，毋深居九重，毋日晏不起，毋獨任一臣．日接宰相·耆德·忠直之士，力行祖宗之仁政，則社稷之福也．臣聞，養天民者興，殘天民者亡．是以，人主受天命而立天位，則必上順天心，以養天民如父母之愛赤子，然後，民心附而天命固焉．太祖當泰封奢虐之際，奉天討罪，誅除群兇，愛養民生．衣服取其禦寒暑，宮室期於庇風雨．深仁厚澤，涵育元元，列祖相承，咸以儉德，養民爲心，景靈殿·孝思觀，顯·毅二陵，其制度儉小，不爲奢麗，此皆子孫之所當法也．殿下卽位，于今二十有三年，適當厄

---

34) 布列과 直은 延世大學本에는 布川과 眞으로 되어 있으나 오자이다(東亞大學 2006년 26冊 470·471面).

35) 이 구절은 다음의 자료를 따온 것이다[前出師表].

· 『삼국지』 권35, 蜀書5, 諸葛亮傳第5, "[章武]五年，[諸葛亮]率諸軍北駐漢中，臨發，上疏曰，先帝創業未半，而中道崩殂，… 親賢臣，遠小人，此先漢所以興隆也．親小人，遠賢臣，此後漢所以傾頹也".

會, 國步多難. 賊旽用事, 包藏異心, 蔽惑聖聰, 斵喪國脉, 遂使殿下, 興仁熙殿之役, 搥百姓之髓, 朘百姓之膏. 輸材鼓冶, 供給之費, 日以萬計, 辦事之吏, 暴於猛虎, 督責之令, 疾於風雨. 中外之民, 困於力役, 三農失時, 老弱失養, 而父母妻子不相自保. 倉廩無半月之儲, 百姓無十日之糧. 五道兩界, 積年所儲之軍須, 俱竭於供給, 而亦不足矣, 三韓嗷嗷, 歸怨賊旽. 六年之間, 大水大旱, 百萬生靈, 如在湯水之中. 而畏旽之威, 不敢出諸其口, 垂頭拱手, 號訴于天地曰, 是役也, 皆賊旽及中官廣大, 從臾而爲之也. 旽旣伏誅, 役猶未已, 民又怨之曰, 是役也, 旽雖首唱, 實廣大欲固富貴, 而力贊之. 三韓之民之怨廣大也, 甚於賊旽矣. ○國家, 自庚寅忠定2年以來, 東禦倭寇, 丙申恭愍5年以後, 北禦韃靼. 己亥8年·辛丑10年之戰, 吾民死亡者大半, 不三年, 又有癸卯12年之亂, 死亡又倍於辛丑矣. 己亥以至于今十五年間, 水旱相仍, 餓莩相望, 民之存者, 僅十之一. 羅·慶二道, 連歲大饑, 而今年尤甚. 三月大寒, 四月不雨, 麥不成穗, 而種不入土, 吾民將何以生乎? 民者王之天, 食者民之天也, 民無食則死矣, 王者無民則奚以獨守國哉. 今京中倉庾空竭, 而兩界五道又饑饉, 不幸有辛丑·癸卯之變, 則將何以備軍餉乎. 百姓困於土木, 困於賦歛, 寃怨通天, 不可遽解, 雖有急難, 誰復有爲殿下効死哉? ○嗚呼, 景靈殿, 太祖皇考之別廟, 孝思觀, 太祖之眞之所在, 顯·毅二陵, 太祖·皇考之墓也. 而其制度, 比之仁熙殿·正陵, 則百分不及一矣. 吾東方, 天下號爲禮義之邦, 而子孫后妃陵殿, 反過祖宗, 天下後世, 以爲何如也. 殿下, 奈何以一后之故, 取天下後世之笑乎? 且預凶事非禮也, 而廣大欲興事固寵, 冒妄殿下, 預作石室. 聞者憤歎, 以爲大不祥也, 而不忍言之. 今災異荐臻, 百姓饑饉, 又非人主玩花卉之時也. 而廣大乃作花園, 虧損殿下之德, 而離散民心, 其罪固可斬也. 願殿下, 正廣大之罪, 斬于都市, 罷陵殿石室之役, 壞花園, 以解天怒, 以弭民怨". ○疏未上, 獻納金允升知之, 與司議□□大夫禹玄寶, 托以紹宗, 累月在告曠職, 劾罷之:列傳33尹紹宗轉載].

丙辰15日, 立都摠都監, 點坊里軍.[36)]

[某日, 以倭寇近島, 閱城中諸戶, 以十戶, 爲一統, 出一人赴防, 五日一代:兵2鎭戍轉載].

[丙寅25日, 雨冰于平州, 大如升:五行1雨雹轉載].[37)]

36) 이와 관련된 기사로 다음이 있다.
· 지31, 百官2, 都摠都監, "恭愍王二十二年, 置, 點坊里軍".

37) 이와 같은 기사가 지7, 五行1, 水, 雨雹에도 수록되어 있다. 일본에서는 5월 11일(壬子) 奈良[南

丁卯[26日], 改孝思觀爲景命殿.

[某日, 恭愍王二十二年五月, 諫官左司議大夫禹玄寶等上疏曰, "議者以爲, 賊善舟楫, 不可以水戰, 若造戰艦, 是重困吾民, 是不然. 水賊不可以陸攻, 其勢明甚. 且攘賊禁暴, 本欲爲民, 其可念小弊於民, 而貽大患於國乎? 今東·西江, 並置防守, 賊泛海揚揚而來, 我軍臨岸拱手而已. 雖精□兵百萬, 其如水何哉? 宜作舟艦, 嚴備器仗, 順流長驅, 塞其要衝, 賊雖善水, 安能飛渡. 儻得勢便, 擒捷掃蕩, 亦可必也":兵3船軍轉載].

[→恭愍二十一年十月二十二年五月, 諫官左司議大夫禹玄寶等上疏曰, "不敎民戰, 是謂棄之. 況戰者危事, 一勝一負, 存亡關焉, 不可不愼. 國家素無預備, 民不知戰, 一旦有變, 搶攘顚倒, 方始驅聚, 以充卒伍. 兵刃未交, 望風披靡. 以此而戰, 烏乎有成. 雖孫吳爲將, 亦無能爲矣. 宜預選將帥, 蒐卒鍊兵, 敎而習之, 使人人, 耳熟金鼓, 目慣旌旗, 皆以戰爭, 不爲驚駭可爲之事. 則雖遇勍敵, 皆能敢鬪, 豈有狼狽失次者乎? 用兵之道, 專在於將, 良將之才, 自古爲難. 宜擇子弟有器識者, 並令學兵法, 習武藝, 常加敎閱, 訓養精銳, 待其成才, 而用之, 良將何難得, 而用兵其有失律之患哉. 古有兵書取人之科, 卽此意也. 食者民天, 不可不重, 孔子'言兵, 先言足食'.[38] 食如不足, 兵雖衆, 將焉用哉. 國家用兵, 已多年矣, 未有蓄積, 以備不虞. 況今雨澤愆期, 豊歉難知, 宜廣儲偫, 以贍軍食":兵1五軍轉載].[39]

[→左司議大夫禹玄寶, 與同僚金允升·徐鈞衡·崔積善·盧嵩等上疏曰, "事貴變通, 言要切時, 不通乎變, 事難有成, 不切於時, 多言何補. 臣等承乏言責, 未有一言能副聖慮, 敢不罄竭衷懷, 思有以補聖德之萬一. 國家自庚寅年忠定2年以來, 倭賊爲寇, 連兵追捕, 未能擒制. 近年以來, 狂暴尤甚, 殺害將帥, 擄掠人民, 沿海州郡, 遠近騷

朝]에서 降雹이, 中旬에 京都[北朝]에서 9월과 같은 寒氣가 있었다고 한다(中央氣象臺 1941年 2册 619面 ; 日本史料6-39册 17面). 또 이날 교토에서도 비가 조금 내렸다고 한다.

· 『愚管記』제17, 應安 6년 5월, "十一日壬子, 陰, 自昏黑之間, 雷鳴雨降, 雹交降, 大如橘子, 但有大小, 奇異也. … 廿五日丙寅, 小雨".

· 『神木御動座度々大亂類聚』, 應安 6년, "五月中旬比, 薄寒如九月天氣".

· 『續史愚抄』 권27, 應安 6년 5월, "十一日壬子, 雨雹如橘子".

38) 이 구절은 여러 典籍에 수록되어 있는 "孔子爲政, 先言足食"에 근거하여 적절히 變造한 말인 것 같다.

· 『논어』, 顔淵第12, "子貢問政. 子曰, '足食, 足兵, 民信之矣'. 子貢曰, '必不得而已去, 於斯三者何先', 曰, 去兵. …".

39) 二十一年十月은 二十二年五月의 오류로 추정된다.

然. 至於再犯京畿, 無所畏忌, 將來之患, 固難測量. 將相大臣, 恬不爲意, 制禦之方, 未有成算, 如或群賊, 乘間突至, 將何以處之? 凡事預定則有備無患, 倉卒則智者難謀. 願殿下, 謀及宰相, 謀及將帥, 謀及朝臣, 問以計策, 豈無方略可施者乎? 早定規畫, 毋失事機. 議者以謂, 賊善舟楫, 不可以水戰. 若造船艦, 是重困吾民. 是不然, 水賊不可以陸攻, 其勢明甚. 且攘賊禁暴, 本欲爲民, 其可念小弊於民, 而貽大患於國乎? 今東西江, 並置防守, 賊泛海揚揚而來, 我軍臨岸拱手而已, 雖精兵百萬, 其如水何哉? 宜作舟艦, 嚴備器仗, 順流長驅, 塞其要衝, 賊雖善水, 安能飛渡. 倘得勢便, 擒捷掃蕩, 亦可必也. 不敎民戰, 是謂棄之, 況戰者危事, 一勝一負, 存亡關焉, 不可不愼. 國家素無預備, 民不知戰, 一旦有變,[40] 搶攘顚倒, 方始驅聚, 以充卒伍, 兵刃未交, 望風披靡, 以此而戰, 烏乎有成? 雖孫吳爲將, 亦無能爲矣. 宜預先將帥, 蒐卒鍊兵, 敎而習之, 使人人, 耳熟金鼓, 目慣旌旗. 皆以戰爭, 不爲驚駭之事, 則雖遇勁敵, 皆能敢鬪, 豈有狼狽失次者乎? 用兵之道, 專在於將, 良將之才, 自古爲難. 宜擇子弟有器識者, 並令學兵法, 習武藝, 常加敎閱, 訓養精銳, 待其成才而用之, 良將何難得, 而用兵其有失律之患哉? 古有兵書取人之科, 卽此意也. 食者民天, 不可不重, 孔子言兵, '先言足食', 食如不足, 兵雖衆, 將焉用哉. 國家用兵, 已多年矣, 未有蓄積, 以備不虞. 況今雨澤愆期, 豊歉難知, 宜廣儲偫, 以贍軍食. 人事動於下, 天變應於上, 天人相與之際, 休咎之徵, 不可誣矣. 邇來, 乾文示警, 地道興怪, 非一而再, 安得不謂之異乎? 古者, 有以祥而致災, 以災而反祥者, 在人主戒謹與否耳. 願殿下, 益加修省, 以弭天變. 殿下臨御以來, 勵精圖理, 屢下德音, 頒示條令, 其於憂國愛民, 慮甚遠也, 法悉備也. 然而理效無著, 敎化未孚, 其故無他, 但有司者, 以爲文具, 循舊弊耳. 願取丙申以後, 累降條畫, 申勑有司, 擧行無遺. 便民之道, 不出乎此". ○王下都評議使司, 然竟不行:列傳28 禹玄寶轉載].

[是月, 優婆塞裴吉萬, 僧覺圭·定西等開板'金剛般若經疏論纂要顯錄':追加].[41]

---

40) 一旦은 延世大學本에는 一且로 되어 있으나 오자일 것이다(東亞大學 2006년 26冊 387面).

41) 이는 다음의 자료에 의거하였다(金山寺 舊藏, 今西 龍 1934年 442·443面 ; 郭丞勳 2021년 473面).·『金剛般若經疏論纂顯要助顯錄』, 末尾刊記, "『金剛般若經疏論纂顯要助顯錄』跋, "本經, 蓋禪那妙旨, 註釋者旣多, 未若是疏究其淵源, 俾覽之者開卷豁然也. 沙門慧寧, 初得是疏論, 未曾有以圖傳遠, 授之東院宿老希諗公, 公言於資政院使高公龍卜, 高公捨其私財, 募公鋟梓, 廣施無窮. … 敕授將仕郞·重大匡·安山君安震跋. …」.

隱峯[慧]寧禪師得論疏纂要助顯合錄一卷, 以授之東院老諗公, 募緣鋟梓於至正八年壬辰八月也. 而是板因於辛丑寇盜之際, 而失之. 故隱峯又重修, 洪武癸丑, 使人人因疏生解, 以助明性, 嘉其用六月[辛未朔小盡,己未], 丁丑[7日], 設祈雨道場于康安殿.

[辛巳[11日], 月犯心星:天文3轉載].

辛卯[21日], 遣前雞林尹金庾如京師,[42] 賀聖節, 密直副使鄭元庇[鄭庇], 賀正, 復貢馬.[43]

丙申[26日], 倭船集東·西江, 寇陽川, 遂至漢陽府, 燒廬舍, 殺掠人民, 數百里騷然, 京城大震.

是月, 作花園二層八角殿於泥峴, 周植花木, 以備宴遊.[44]

[○[政堂文學]白文寶·[代言]權仲和, 取應擧試[制科鄕試]金潛·宋文中·權近·曹信·金震陽, 近又以年少, 不赴:選擧2制科轉載].

[夏某月, 以[成均司成]成石璘爲衛尉尹·進賢直提學·知製敎兼春秋館編修官:追加].[45]

秋七月[庚子朔大盡,庚申], 甲辰[5日], 遣判繕工寺事周英贊如京師, 賀千秋節幷獻濟州牧胡肖忽禿不花所獻馬十九匹·驢二匹. 英贊女曾入元, 爲大明兵所擄, 選爲宮人, 有寵於帝.

乙巳[6日], 賜牟尼奴名禑, 封爲江寧府院大君, 百官賀. 命政堂文學白文寶·田祿生·大司成鄭樞等傅之.[46]

○江華萬戶河乙沚·漢陽尹辛廉, 不能禦倭, 王遣內府副令李傑生爲體覆使, 杖配烽卒.[47]

心, 若此以記, 其年月而識之. 是季四月佛生前二日, 無說宏演書後」. 洪武六年五月日,」 功德主 裴吉萬,」 幹事比丘 覺圭,」 同願比丘 定西,」 鍊板比丘 淳覺,」 刻手 心正, 圓暹, 禪默」".

42) 金庾는 推忠翊祚功臣·榮祿大夫·雞林府尹·兵馬鈐轄兼管內勸農·防禦使로서 1372년(공민왕21) 3월 3일 雞林府에 到任하여 이해의 2월 4일에 上京하였다(『동도역세제자기』).

43) 鄭庇는 12월 30일(丙寅) 明에서 表·箋을 올리고 明年正旦을 賀禮하며 方物을 바쳤다고 한다.
· 『명태조실록』 권86, 홍무 6년 12월 丙寅[30日], "高麗遣其奉翊大夫·密直副使鄭庇, 奉表及箋, 賀明年正旦·貢方物"..

44) 이때 건립된 演福寺 부근의 楓板橋에 위치한 花園의 八角殿은 조선 초기까지 있었던 것 같다.
· 『허백당집』 권5, 花園, "楓板橋頭一畝園, 當時八角殿空存, …".

45) 이는 『獨谷集』 行狀에 의거하였다.

46) 이와 관련된 기사로 다음이 있다.
· 열전25, 白文寶, "辛禑爲大君就學, 王命文寶及田祿生·鄭樞爲師".

47) 河乙沚와 관련된 기사로 다음이 있다.
· 열전27, 河乙沚, "恭愍時, 爲江華萬戶, 倭船集東·西江, 寇陽川, 遂至漢陽府, 燒廬舍殺掠人民. 王責乙沚及漢陽尹辛廉不能禦, 並杖配烽卒".

[庚戌11日, 月犯箕星, 暈:天文3轉載].48)

[辛亥12日, □月入南斗:天文3轉載].

壬子13日, 贊成事姜仁裕·同知密直司事金湑·成元揆·版圖判書林完及洪師範·書狀官鄭夢周等, 回自京師. 仁裕等, 於洪武五年十二月初七日, 因本國差委, 在浙江省地面, 蒙中書省差禮部主事王本道到來太倉, 傳奉聖旨, "教恁衆官人并親隨伴當, 都來朝廷面聽宣諭". 初八日, 太倉衛應付快船二隻, 差鎭撫周成禮送. 二十日早朝, 奉天門下面聽宣諭, "我前者恁衆官人每去太倉時, 教開春禮部官去擡茶飯. 緣故老院使并兩箇內侍, 我見不來, 想這船風浪裏打將那里去了. 隨後才方到來, 有姓孫的內侍廢了, 說病死了, 自弔死了. 說的差呵. 我問的明白了也, 恁那國王着帶刀的人每窗下門外看守, 行里步里關防的緊呵. 那火者說道, '我是本國的人, 怎的這般關防我?', 說呵. 姓朴的宰相不容說, 打了一頓, 更與了毒藥藥死. 門里不敢將出, 後墻上拖出去了. 特的把帽子高掛在樹上, 屍首弔在樹下, 故意怕毒藥顯出, 等的口內生蛆, 才方交百姓來報. 又駕船的軍人每根的, 也交多人關防. 說與恁那國王. 一年三四起家差人來, 進貢許多錢糧, 我可無些少好勾當. 因此, 上着老院使和兩箇內侍, 與將些少紗羅·叚匹段匹·答禮, 准當走一遭來. 你可廢那一箇小火者, 便有甚麽光彩? 休道是一箇, 便是十箇也不打緊. 這个火者, 不是你那里與將來的, 又不是躲避差發來的, 是元朝那里我尋將來的. 休遠慮, 休遠慮的深了. 我如今把恁放在船上, 不敎下岸來, 恁心裏如何? 恁每是打差使人, 不干恁每事, 說與恁那國王, 既然疑惑我呵, 修理城郭囤糧, 准備弓箭·砲石·軍馬, 便敢相敵. 你這般使人來打細, 濟甚事. 我聽的你那里放著一箇破破陋陋城子, 你且海東囤糧, 多勞民力, 不見民有益. 倭人常川侵你, 你便准備三五百船隻, 交軍人捉拿, 那的便是好勾當. 我這里比你那里隔海, 有倭人來, 我差人也捉拿他里, 爲拿不的呵, 將明州衛戴指揮·太倉衛徐指揮, 兩箇根的殺了. 又差於指揮去根赶捉拿, 將倭人年少的剌剌了口, 更閹了它也, 海上也乾靜了也. 去年正朝使臣姓韓的四箇月到來, 你爲甚麽遲來? 風汛不好, 不曾來的. 我的指揮問它, 不會說漢兒言語, 把這高麗人每搒了手脚, 撇在水裏, 恁那宰相忙唾了兩三唾, 休休. 可怎知道漢兒言語來? 都是小見識. 因此, 上旱路里來了, 他可要海路裏回去. 我不曾著去, 正意看我那山東一帶船隻·軍馬動靜. 今年正朝使臣四箇月前到來, 不知怎的, 的是正意來打細. 前者, 一隻船

48) 이날 일본의 교토에서는 흐리며 때때로 雷鳴이 있었고 비가 뿌리다가 저녁에 개였다고 한다. ·『愚管記』제17, 應安 6년 7월, "十日庚戌, 陰, 時々雷鳴, 雨灑, 及晩霽".

七日到來我這龍江. 件件事都如此. 姓李的火者幷達達·回回諸色人都來推做買賣打細, 李火者來了兩三番也, 見達達說達達話, 見一般火者說高麗話, 見漢兒說漢兒話. 這般打細呵, 怎中. 我如今强如恁來打細, 我這裏兩三處折了四五萬軍馬. 我這里是創立的天下, 省臺官都闕少, 恁那里與將廉幹識字人二三百名來. 說與恁國王, 我委付它省臺六部各衛裏做官人, 不强如恁使人來做買賣打細. 我交三年一遭來進貢說來, 恁國王不志誠, 忒疑惑忒疑惑的多. 交他休疑慮. 因此, 上恁每如今連三年依舊累來之後, 可三年一遭來進貢. 這二三百人送盤纏來往取信, 不强如恁來打細, 使小見識. 有一小節事, 姓周的女孩兒, 從元朝尋將他來. 問呵, 他說姓朱, 俺容不得他. 問他父呵, 却說姓周, 我如今留了他也, 想恁來十三歲的小孩兒會吃嬭, 恁可早送與了人, 有失子母之情. 他父一去之後並無信息, 有失父子之情. 你又把他爺來遠流去了. 恁每做的事, 忒小見識, 遠慮, 遠慮的深了. 當年恁那國王呈將文書來, 不見了他的姪女兒, 我便使使臣到處裏尋將來, 與將去了. 姓金的火者回來, 話說的不明白, 今番殺了他也. 休小見識. 志誠者. 恁這一姓王子數百年, 休敎失了便好. 我難道征不征, 有我的兩箇小廝利害, 恁似這般不志誠, 小計量, 他後來要征恁去呵, 我便是失信一般. 我如今征不征不敢說, 不得不如此. 恁來呵也由, 恁不來呵也罷. 我若征恁去呵, 明州造海船五百隻, 溫州五百隻, 泉州·太倉·廣東·四川, 三个月內, 脩造七八千隻船, 明白征去也者. 我不似恁波皮王[潑皮王·忠惠王], 交火者龍福[高龍普]鋪馬上搏出來, 那的呵, 是他的駙馬, 爲這般上頭, 搒出他來了. 我可不那般的, 休疑惑我. 我從二十四歲上紅軍內, 住子三年, 自家砌了些个軍馬, 脩了一座城子, 海內打造了一萬船隻. 後來, 各處城郭都收拾了, 又大元也赶的迤北去了. 我如今胡人也不曾遠去, 我那里雇的恁. 那明日後日, 把達達每拿的拿了, 赶的赶了, 天下寧靜之後, 桑麻滿園, 四方富貴. 那其間論外國之罪也者. 中國之亂, 諸侯之福也. 我是一个農家, 與我中原作主. 恁是箕子之國·新羅·樂浪郡相敵, 擄了平百姓, 如今恁便都做了恁的奴婢. 在先, 唐太宗征恁不得, 他每不會征. 後高宗都滅了恁國來. 在後, 關先生那波男女, 不理法度, 只要貪滛[貪淫], 以此上他也壞了. 因那上頭, 恁隄防的是也, 我可不那般的, 明白征恁去. 洪師範是恁那里惹大一介官人, 又是王的親, 水裏渰死了, 皆是一人所作. 昨是留下這些个人, 若不留下呵, 則道是我這里把截, 軍官每見他許多財物, 廢了他姓命. 恁國王想也者, 恁每使人遼東等處與吳王相擡茶飯, 幷布一百匹, 茶飯吃了, 布子不曾收回, 與將去了. 筭起來, 每匹布該米三担, 通計三百担, 兀的也是錢糧, 那里是把茶飯? 正意打細. 恁將著千餘匹馬來販賣, 又夾帶著納哈出的伴當, 來看我軍營裏事. 恁透與他消息, 搶了我牛家莊馬頭十萬糧, 更折了三千軍馬. 恁那里進來的表上說道, '俺每子子孫孫世世稱臣', 來臨了做這般勾當, 小見識. 又與徐摠兵擡茶飯, 不是眞意, 故意打聽北平府軍官事跡. 你那般小見識, 怎生使的? 以小事大, 古之禮也, 爲甚是不志誠? 濟州馬匹, 今日將來, 明日將來, 鬧了一年, 則將的四个馬來了. 不知怎的的事. 做買賣來的人每將不答緊布席來, 却不將一个馬來販賣, 阿的都是恁的小計量. 比人身上有一个小瘡, 不看覷呵, 到大難醫治有. 恁到太倉, 三月內風汛好呵, 回去對恁國王根前說者, 更休聽小人言語. 姓朴的宰相, 姓周的女孩兒父親, 親眷與將來者, 國王根前行的火者四五个, 與將來者. 恁這幾箇官人每姓甚? 去年姓洪的海面上壞了船隻, 見海上難過有, 許多艱難, 與恁船隻脚力, 教恁官人每往登州過海, 三个日頭過的. 今後不要海裏來, 我如今靜海, 有如海裏來呵, 我不答應. 恁如海裏來的廉幹好秀才吏員, 著小船上送將來, 我便答應. 不要貪的來, 今後, 其餘的海裏, 不要通連. 說與恁國王, 恁那頭裏的意思, 好生志誠來. 志誠的過了, 反疑的多了. 你這般疑慮計較, 到不好了. 我從前差去的人, 你解的我意, 我差人呵, 不肯差漢兒人, 都是你那里本國人. 恁每問我這里事體動靜, 它不敢不說與恁. 我恰三五年的國土, 則是一二年的火者. 這火者與我十二三年, 也恁可廢了他. 達麻失里~~延荅里麻失里~~院使, 它是元朝的火者, 我頭里來不要它, 教它舊城裏閑住來. 聽它精細呵, 我教它內裏來住了. 差恁那里去來. 那里肯不說我這里動靜備細? 我中國使臣使將去了, 打死了, 我再不使將人去, 恁有心來呵, 來, 無心來呵, 休來. 我前者使將一隻船去呵, 許多軍馬接待, 那里有那般體禮. 休道一隻船, 十隻船去呵, 怕甚麽. 我聽的倭賊二三百里田地入侵, 不理論, 放著破破的城子, 不脩理城池, 疑惑我則麽? 我征恁呵, 明白征恁. 胡人赶的遠去了呵, 五年征不得呵, 十年征. 恁有心來呵, 來, 無心來呵, 休來. 說與恁國王者.

○中書省咨曰, "洪武五年十月二十二日准來咨. 差陪臣密直司同知金湑等進賀洪武六年正朝表文貢獻方物. 又准咨差陪臣贊成事姜仁裕等進謝恩表文貢獻方物馬匹. 當月二十三日禮部官奏聞. 將引來使於奉天殿. 引見訖, 欽奉聖旨, 高麗國王那里, 已先爲使臣每去, 得重疊呵, 國王迎接生受, 曾被暑熱來. 以此, 上多時不曾教人去. 近日, 因延荅里麻失里送將明昇等家小去時, 曾教你中書省將這意思寫與國王知道. 他却每年數次遣人將金銀器皿等物來貢獻呵, 這等禮物, 未免勞煩百姓. 況兼使臣往來, 經涉海洋, 甚是艱險. 且如近日洪師範回到海上, 遭風損壞船隻, 將他湌死了. 幸而存得幾箇人, 知得分曉. 若都無了時, 豈不費分說? 我想, 古來中國諸侯於天子, 每年一小聘, 三年一大聘. 至如九州之外蕃邦遠國, 只每世一見, 其所貢獻不過納贄表誠而已. 今高麗去中國稍近, 文物禮樂通, 經史與中國相似, 難同其他蕃邦, 教他依著三年一聘之禮, 或欲每世一見, 亦可. 你中書省將我的言語, 行文書與高麗國王說知, 今後將來的方物, 只土產布子, 不過三五對, 表意便了, 其餘的都休將來. 其他蕃邦遠國, 如占城·安南·西洋鎖里·爪哇·勃泥·三佛齊·暹羅斛·眞臘等處新付的國土,49) 也頻頻遣人來, 亦勞那里百姓. 他來時也說與他, 只依古人的禮".

○又咨曰, "欽奉聖旨, 如今天下各衙門, 凡遇我生日及正朝·冬至, 都進將表文來, 好生禮煩. 冬至, 古無賀禮, 今後不必進表. 歷代帝王不曾做生日. 只起自唐玄宗, 今後我生日不要進表, 東宮生日亦不要進箋. 唯正朝乃一歲之首, 各處所進表文, 類進將來. ○夢周去年四月, 同師範到京師, 受中書省咨文二道. 一爲平蜀及子弟入學事, 一爲雅樂鍾磬事. 八月還至海中許山, 遭風船敗, 師範溺死, 遂失咨文. 夢周復如京師, 告中書省, 鍾磬咨文, 省官以草本遺失, 不許, 只抄寫平蜀及子弟入學回咨, 以來. 咨曰, 差密直司同知洪師範等進賀平蜀表文, 禮部隨卽進奏, 觀其臣意專切, 文理條暢, 援引典故, 甚是得宜, 上意歡忻. 又表一通, 爲請子弟入學, 欽奉聖旨, 高麗國王欲令子弟來, 入國學讀書, 我曾聞唐太宗時, 高麗國亦嘗敎子弟入學, 這的是件盛事. 又想這子弟每遠來習學呵, 在這裏或住半年, 或住一年, 或住年半洒回去. 交他回去, 雖然聽從其便, 但爲本國遠處海東, 比至京師, 水路經涉海洋, 陸路不下萬餘里, 隔離鄕土, 爲父母必懷其子, 爲人子必思其親, 此人之常情. 恁中書省回文書去, 交高麗國王與他臣下每好生熟議. 若是乃爲父母的願令子弟入學, 爲子的聽受父母之命來學者, 交高麗國王差人好生將來. 省家回的文書, 要說的明白".

[→知密直司事洪師範還自京師, 至海中, 船敗而死. 書狀官鄭夢周來, 宣帝命曰,

---

49) 이들 國家에서 占城은 紀元後 192년에서 1697까지 1,500餘年間 存續하였던 champa王國으로 占婆補羅(補羅는 城이라는 뜻의 梵語임)를 指稱하며 占婆·占波라고도 한다. 印度支那半島의 東南部 沿海地帶에 위치하며 王都는 因陀羅補羅(現 cha ban)로서 安南의 남쪽에 位置했던 獨立國이었다. 安南은 현재 베트남의 북부지역에 있던 王國이고, 西洋鎖里는 現 말레이半島 以西의 東南아시아와 印度洋沿岸 地區이고, 爪哇는 梵語로 yavadvipa로 불리던 現 인도네시아의 爪哇島 一帶에 位置해 있던 王國이다. 勃泥는 동남아시아의 보르네오섬에, 三佛齊는 唐代에는 室利佛逝로 記錄되었던 srivijaya國으로 현재의 수마트라섬에 있던 國家이다. 暹羅斛은 現 泰國이고, 眞臘은 占臘[kmer, kmir]으로도 表記하며 占城의 남쪽에 있던 국가(캄보디아)이다.

"高麗在唐太宗時, 遣子弟入學, 今王, 亦請遣之, 誠爲盛事. 但高麗, 去京師, 水陸萬餘里, 父母必懷其子, 子必思其親, 聽其父子情願者遣之. 又每年, 數次貢獻之物, 必至煩民, 行李往來, 海道艱險. 古者, 中國諸侯, 於天子, 每年一小聘, 三年一大聘, 九州之外, 世一見, 今高麗, 去中國稍近, 文物禮樂, 與中國相侔, 難同他蕃. 自今, 可依三年一聘之禮, 或欲世見亦可. 方物止用土產布子, 不過三五對表意":節要轉載].

[→洪師範, 知密直司事, 如京師賀平蜀, 還至海中許山, 遭風溺死. 恭愍悼之, 特賜諡:列傳24洪彥博轉載]

甲寅15日, 倭陷喬桐.

[丙辰17日, 大雨:五行2轉載].[50)]

[己未20日, 赤氣見于西北:五行1轉載].

[癸亥24日, 月暈:天文3轉載].[51)]

[某日, 以倭寇西江, 括城中烟戶, 並令赴防:兵2鎭戍轉載].

[某日, 以柳珣爲慶尙道按廉使, 徐圭衡爲全羅道按廉使:慶尙道營主題名記].[52)]

[是月乙卯16日, 明以高麗人·內官金麗淵爲秦王府奉承:追加].[53)]

八月庚午朔小盡,辛酉, 丙子7日, 以前判開城府事姜仲祥爲慶尙道都巡問使, 同知密直司事金鉉爲全羅道都巡問使.[54)]

○置義勇左右軍, 以門下評理柳淵·密直使邊安烈, 分摠之.[55)]

[→募人, 設義勇左右軍, 置判事·知事, 以領之:兵1五軍轉載].

---

50) 이때 일본의 교토에서 계속 비가 내리지 않았음을 보아 장마전선[梅雨]이 한반도로 北上하였던 것 같다. 곧 『愚管記』제17, 應安 6년 7월에 의하면 15일(乙卯, 高麗曆의 16일)에서 22일(壬戌)에 걸쳐 모두 淸明하였다고 한다.

51) 이날 일본의 교토에서 바람이 불고 비가 내렸다고 한다(『愚管記』제17, 應安 6년 7월, "廿三日癸亥, 風吹雨降").

52) 徐圭衡은 『금성일기』에 의거하였다.

53) 이는 다음의 자료에 의거하였다.
· 『명태조실록』 권83, 홍무 6년 7월, "乙卯, 以內官金麗淵爲秦王府奉承".

54) 金鉉은 8월 27일에 羅州牧에 들어왔다(『錦城日記』).

55) 이 시기 이전에 宰樞들이 郊外에서 宴會를 열어 즐겁게 遊戲하였던 것 같다.
· 열전39, 邊安烈, "邊安烈, 再轉知□□密直司事. 宰樞嘗會宴于郊, 安烈與林堅味·廉興邦等, 拍戲較勝負".

[乙酉[16日], 月食:天文3轉載].[56)]

[丁亥[18日], 釋奠, 以節氣, 用仲丁:禮4文宣王廟轉載].

[□□[是月], 城東·西江倉:節要轉載].

九月[己亥朔大盡,壬戌], [某日, 王使[近侍]尹可觀, 通益妃, 可觀, 以死固拒. 王大怒, 棒之, 廢爲庶人:節要轉載].[57)]

[某日, [代言]金興慶. 請以其母積善翁主柳氏, 爲交州·江陵·楊廣三道祈恩使, 奉香, 乘傳十餘匹, 按部·守令, 競行苞苴:節要轉載].[58)]

辛丑[3日], 倭寇海州, 殺牧使嚴益謙, 命誅吏之不救者, [降爲郡:節要轉載].[59)]

[某日, 命都堂, 各擧才堪守令者數人:節要·選擧3選用守令轉載].

[辛亥[13日], 歲星入輿鬼, 至于十月:天文3轉載].

丁巳[19日], 以西海道萬戶許子麟不能禦倭, 遣體覆使·三司左尹鄭丹鳳, 杖之. 丹鳳挾私, 縊殺之. 子麟弟訟其寃, 丹鳳逃.

壬午[戊午20日],[60)] 以[體覆使]李傑生輕決河乙沚等罪, 殺之. [人謂傑生, 剛直敢言, 嘗忤金興慶故及:節要轉載].[61)]

---

56) 이때 일본의 교토에서도 8월 15일(甲申, 율리우스력의 1373년 9월 2일) 월식이 예측되었으나(應安六年具注曆」), 이때의 월식(16日 포함)에 관련된 각종 정보가 없다(渡邊敏夫 1979年 486面).

57) 이와 같은 기사로 다음이 있다.

· 열전26, 尹可觀, "恭愍晩年, 令韓安·洪倫等强辱諸妃嬪. 可觀亦昵侍左右, 王令通益妃, 可觀以死固拒. 王大怒棒之, 廢爲庶人, 尋釋之".

58) 이 기사는 열전37, 金興慶에도 수록되어 있다. 여기에서 찾아지는 金興慶(金就礪의 曾孫)의 母 積善翁主 柳氏는 1374년(공민왕23) 1월 某日에는 辰韓國大夫人을 稱하고 있어 주목되는데, 이것은 興慶이 金就礪의 曾孫이라는 기록이 玄孫의 誤謬라는 중요한 단서가 될 수 있다(→공민왕 20년 윤3월 17일의 脚注). 또 이때 積善翁主 柳氏가 祈恩使로 파견될 수 있었던 것은 고려시대에 宦官[宦寺]·巫女·內侍[司鑰, 侍從官] 등에게 名山大川의 祭祀와 女樂의 演出을 담당했던 결과일 것이다(金水珍 1993년).

· 『태종실록』 권22, 11년 7월, "甲戌[15日], 命禮曹定德積·紺岳·開城大井祭禮. 先是, 國家承前朝之謬, 於德積·白岳·松岳·木覓·紺岳·開城大井·三聖·朱雀等處, 春秋祈恩, 每令宦寺及巫女·司鑰, 祀之, 又張女樂. 至是, 上曰, 神不享非禮. 令禮官博求古典, 皆罷之, 以內侍別監, 奉香以祀之".

59) 이는 다음의 자료를 전재하였다.

· 지12, 지리3, 安西大都護府海州, "恭愍王二十二年, 倭寇入侵, 殺牧使嚴益謙. 於是, 誅州吏之不救者, 降州爲郡".

60) 9월(己亥朔)의 壬午는 이달에는 없고, 이 기사가 丁巳(19일)와 癸亥(25일) 사이에 있으므로 壬午는 戊午(20일)의 오자일 것이다. 이들 기사의 순서는 『고려사절요』 권29에도 동일하다.

61) 李傑生의 被禍와 관련된 기사로 다음이 있다.

癸亥[25日], 以周英贊爲密直副使.

○幸王輪寺影殿, 還宴于花園.

戊辰[30日], 王與判事尹虎圍碁, 約不勝者書事以贈, 虎不勝, 書詩以進曰, 欺暗常不然, 欺明當自戮. 難將一人手, 掩得天下目.[62)] [王以謂諷諫, 浸疎之:節要轉載].

[是月戊申[10日], 大護軍金甲雨到達明州府定海縣, 下貢馬五十餘匹:追加].[63)]

[是月頃, 以[奉翊大夫]李寶林爲安東大都護府使, 李居仁爲羅州牧使, 南龍爲永州副使:追加].[64)]

冬十月[己巳朔小盡,癸亥], 乙亥[7日], 以贊成事崔瑩爲六道都巡察使, 黜陟將帥·守令, 籍軍戶, 造戰艦, 有罪者, 皆令直斷. [瑩, 令年七十以上者, 隨品出米有差, 以補軍需. 民多亡命, 怨咨大興:節要轉載].[65)]

· 열전37, 金興慶, "王以體覆使李傑生輕決河乙沚等罪, 殺之. 傑生臨刑, 談笑自若. 人謂, 傑生剛直敢言, 嘗忤興慶故及".

62) 이 詩는 다음의 자료를 일부 인용한 것 같다. 또 이와 관련된 기사는 尹虎의 父인 尹侅의 묘지명에도 수록되어 있다.

· 『曹祠部集』 권2, 讀李斯傳, "一車致三轂, 本圖行地速. 不知駕馭難, 擧足成顚覆. 欺暗尙不然, 欺明當自戮. 難將一人手, 掩得天下目. 不見三尺墳, 雲陽草空綠".

· 「尹侅墓誌銘」, "密直公[尹虎]端謹有志, 善書能碁, 嘗爲玄陵所知, 玄陵命書古詩以進,, 盖賞其筆跡也. 公曰, 月露風花, 非所以陳於王前, 乃書欺暗常不然, 欺明當自戮, 難將一人手, 掩得天下目. 旣進, 上謂其諷諫, 寢踈之. 君子曰, 公於是不負所學矣".

63) 이 기사는 다음의 자료에 의거하였다.

· 『명태조실록』 권85, 홍무 6년 10월 辛巳, "高麗王顓其大護軍金甲雨等等貢馬五十匹, 甲雨至言道亡二匹. 及馬至如數, 詢之, 則甲雨以私馬足之. 上以其不誠, 却其貢, 而賜顓璽書曰, 皇天無親惟德, 是輔天人一理也, 君天下者, 以天心爲心, 今朕居中國, 王居滄海之東, 限隔山海, 本與中國無相損益. 然古昔之君, 往往致討伐之師何也, 豈非常有不足於中國者乎. 今王之使者, 挾詐懷欺陰致姦謀, 而不虞受禍, 王之貢馬, 其數五十匹, 使云道亡者二, 而至京如數, 乃甲雨以己馬足之, 詢之云, 欲自進於東宮, 因道亡, 遂以備數, 命使間之, 果王言乎, 抑汝意乎, 對曰, 非王自願也. 春秋之法, 人臣無私交, 王之使者, 越風濤之險, 以奉貢獻. 而又挾私以行詐, 此果以小事大之禮乎, 然此小事, 朕非欲較短長, 恐行人失辭, 嫁禍於王, 故明言之, 若果王之指使, 則宜修德改行, 以保國家, 毋爲浮詭之計. 若使者自爲, 王宜懲治之, 今後遣使, 必必擇敦實之人, 一切浮薄者勿遣, 王庶幾永保令譽, 以全始終"(이 자료는 『續文獻通考』 권29, 土貢考에도 수록되어 있다).

· 『吏文』 권2, 咨奏申呈, 金甲雨盜賣馬罪名咨, "… 至九月初十日, 到明州府定海縣, 下御馬五十一匹, 爲見原承解馬照劄五, 十匹數外, 多餘馬一匹, 此詭詐生謀, 欲將官馬作已馬, 獻東宮貪圖回賜, 與通事吳克忠謀議, …".

64) 이는 『안동선생안』; 『금성일기』; 『영천선생안』에 의거하였다. 또 이때 李寶林은 安東府使[判安東府事]에 임명되었다고 한다(열전23, 李寶林).

○親祭正陵，遂置酒張樂，晩宿陵下．百官戎服扈從，子弟衛皆衣紅，衣褐以黑，馳馬前導．

[○日有黑子:天文1轉載]．

丙子8日，次西江城．

[○霧:五行3轉載]．[66)]

丁丑9日，觀新造戰艦，又試火箭·火筒，晩宿馬場．

戊寅10日，次鐥岾，[67)]

己卯11日，幸東江城，遂次甑山．

庚辰12日，[立冬]．如天水寺，謁忠肅王眞，還宮．

[壬午14日，雷·虹見:五行1轉載]．

乙酉17日，遣密直副使周英贊如京師，賀正，并進陳情謝恩表，判繕工寺事禹仁烈，獻馬二十四匹·騾子二匹．○[制科鄕試]擧子金潛·宋文中·曹信從行．

○陳情表曰，[68)] "聖訓[謨]誕敷，淵深莫測，天威密邇，震疊失常，玆瀝卑悰，仰干聰聽．□□[伏念]臣愚蒙不學，孤陋無知，幸民彝物則之攸同[不泯]，識天命人心之所在，依[懷]仁慕義．旣委質以爲臣，挾詐懷奸，獨何心而罔上．載惟小國，僻在荒陬，肇自古初，局於風氣，文辭則僅達其所蘊，言語則必譯而乃通．鼓篋升堂，嘗欲遣六七人之童子，明經習律，何緣得二三百之儒生．矧謂爲窺覘之資，安敢應招來之命．故并徵之宦者，與已允之生員，將誥諭之是遵[一則爲避嫌款]，亦嫌疑之當避[一則宜遵告諭]，進退維谷，不知所裁[裁之]．伏望□□[云云]，[69)] 收雷霆之威，擴天地之量，憐臣盡禮，而不知所以爲

---

65) 崔瑩은 11월 23일 羅州牧에 들어왔다(『금성일기』). 또 이때 崔瑩과 관련된 기사로 다음이 있다.

· 열전26, 崔瑩, "[恭愍]二十二年，爲六道都巡察使，籍軍戶，造戰艦．黜陟將帥，守令有罪者專斷，人謂，瑩素不識朝士賢否故，黜陟未精．又令年七十以上者，斂[斂]米有差，補軍需，民多亡命，怨讟大興".

66) 이날 일본의 교토에서는 흐리고 아침에 비가 조금 내렸다고 한다.

·『愚管記』제17, 應安 6년 10월, "八日丙子，陰，朝間小雨".

67) 鐥岾이 어디에 있는지는 알 수 없으나 開城府 管內에 있었던 것 같다.

·『태조실록』 권6, 3년 7월, "己亥1日，書雲觀員進啓可都之地曰，佛日寺爲首，鐥岾次之．… 辛丑4日，都評議使司相遷都之地于鐥岾，其地不可．右僕射南誾罵李陽達曰，汝等挾地理之術，屢以不稱之地爲可都，以冒上聽，宜痛懲戒後".

68) 이 표는 『목은문고』 권11에 수록되어 있는데, 제목은 다음과 같다. 또 添字는 이에 의거하였다.

·"臣言，七月十三日，陪臣姜仁裕等回傳宣諭聖旨一款，汝國旣有覘伺之心，其遣吏員秀才二三百名，火者五六百名來此，臣不勝顚越，輒陳懷抱者".

69) 여기에서 伏望云云은 伏望陛下를 달리 표기한 것이다(→우왕 5년 10월 某日의 脚注).

禮，察臣效忠，而不知所以爲忠．不責所難，而從其願，臣□□[~~謹當~~]益愼蕃宣之寄，仰霑[~~永惟~~]聲敎之漸，於萬斯年，祝聖人壽．

○謝恩表曰，[70] 詔諭丁寧，懷綏[~~柔~~]周洽，恩[~~惠~~]威並[~~幷~~]著，感愧交騈．竊念小邦，知尊中國，如孩童必得其怙恃，有聖人則爲之依歸．如臣者，以前朝椓喪之餘生，受昭代分封之始命，其爲自幸，實今昔之所希[~~無~~]．雖死靡他，惟神明之是質，然由[~~繇~~]運蹇，動輒謗興．兩內侍旣聯[~~連~~]床而共眠，何從鴆[~~酖~~]殺．老院使與同舟而相惡，卒致[~~僨~~]禍延．武衛乃有國之常也，視爲迎詔之不恭．賓館無持兵之理也，誣爲典客者有備．其舊朝之遺燼[~~彼亡元之遺種~~]，與納氏之遊魂[~~北隣~~]，已如矛盾之不諧[~~已絶交通~~]，猶曰輔車之相附[~~猶爲結好~~]．取親奉化，修聘北平，以至朝覲之駿奔，皆謂覘伺之狙詐，緣疑飾似，嫁禍圖危．惟聖鑑之昭明，洞群情[~~臣~~]之曲直，特煩睿訓，俾臣自新．又凡敷奏之微，皆賜允兪之厚[~~辱~~]．降之雅樂，導以正音，子弟入學，則措置精深，風波覆舟[~~殞命~~]，則錫與稠疊，仍勑賤价，還自坦途．皇帝陛下，以天地生物之心爲心，以堯·舜執中之道爲道，必欲致鳶飛魚躍之化，必欲來鳳至圖出之祥．群慝自消，衆正皆植，遂令陋質，亦被耿光．臣謹當佩服聖謨，涵濡洪造，庶無虧於臣節，[71] 恒上祝於皇齡”．

○[六道都巡察使]崔瑩，以楊廣道都巡問使李成林不能禦倭，杖配烽卒，斬其都鎭撫池深．

[○初，[代言]金興慶，愛倡妓小斤莊，日使其黨崔仁哲，伺之，適見成林，宿其家．明日，興慶戲之曰，“以宰相宿倡家可乎”，成林，變色曰，“無之”．由是，相惡，白王出之．適有敗軍之釁，瑩，希興慶意，欲殺之，成林異父弟廉興邦，亦有寵於王，力救獲免:節要轉載]．[72]

[丙戌[18日]，雉飛入時坐宮:五行1轉載]．

[是月頃，以[通直郞]鄭良道爲雞林府判官兼勸農使:追加]．[73]

---

70) 이 표는『목은문고』권11에 수록되어 있는데, 제목은 다음과 같다. 또 ~~添字~~는 이에 의거하였다.
・“臣言，七月十四日，陪臣姜仁裕等回傳宣諭聖旨，及蒙恩賜恤覆舟者”．

71) 皇帝陛下 以下에서 이 句節까지는 “玆盖云云，剛健粹精，英明果斷，內詳外略，綱擧而目張，大畏小懷，刑淸而政肅，遂令陋質，獲覩耿光，臣敢不佩服聖謨，涵濡洪造，庶無虧於臣節”로 달리 서술되었다.

72) 李成林의 被禍와 관련된 기사로 다음이 있는데, 이성림과 염흥방은 權漢功의 외손자이다.
・열전37，金興慶，“興慶愛倡妓小斤莊，恐人竊之，日使其黨崔仁哲伺之．見李成林宿其家以告，明日興慶戲之曰，‘宰相宿倡家，可乎’．成林變色曰，‘無之’．由是交惡．白王，出成林爲楊廣道都巡問使．適禦倭軍敗，都巡察使崔瑩，希興慶意，欲殺之．成林異父弟廉興邦，亦有寵於王，力救免死，杖配烽卒，斬其都鎭撫池深”．

73) 이는『동도역세제자기』에 의거하였다.

十一月[戊戌朔大盡,甲子]，壬寅[5日]，[密直副使]周英贊及金潛·曹信，船敗于靈光慈恩島，皆溺死，[判繕工寺事]禹仁烈·宋文中等生還.[74)]

[癸卯[6日]，影殿庫災:五行1火災轉載].

[○白氣見于西北方:五行2轉載].

丙午[9日]，以密直副使成大庸爲楊廣道都巡問使，密直□□[副使]金先致爲朔方道都巡問使.

[戊申[11日]，月犯熒惑:天文3轉載].

癸丑[16日]，幸王輪寺影殿.

[丙辰[19日]，木稼:五行2轉載].

戊午[21日]，以全羅道都巡問使都興[金鋐]不能禦倭，罷之.[75)]

[是時頃，泰安郡被倭寇，慘狀極甚，知郡事僅率一二吏，僑寓瑞山郡:追加].[76)]

[庚申[23日]，月暈:天文3轉載].

[辛酉[24日]，亦如之[月暈]:天文3轉載].

乙丑[28日]，遣密直副使張子溫，代周英贊如京師，[獻方物，請賜火藥:節要轉載].

[某日，以[政堂文學]李穡爲大匡·韓山君·藝文館大提學·知春秋館事，功臣號如故:追加].[77)]

---

74) 이날 교토에서는 흐리고 밤에 때때로 비가 내렸다고 한다.

· 『愚管記』제17, 應安 6년 윤10월, "五日壬寅，陰，入夜時々降雨".

75) 이에서 "以全羅道都巡問使都興不能禦倭罷之"는 "以全羅道都巡問使金鋐不能禦倭罷之"의 오류일 것이다. 곧 金鋐(김횡)은 같은 해 8월 7일 都興의 後任者로 임명되었고, 같은 달 27일 羅州牧에 들어왔다고 한다(『금성일기』). 또 그의 열전에 의하면 同知密直司事로서 全羅道에 出陣하였는데, 司憲府[憲司]의 彈劾을 받았지만 幸臣 金興慶·寵臣 金師幸에게 아부하여 慶尙道都巡問使로 轉出하였다고 한다. 그리고 다음 해 1월 庚寅(24일)에 慶尙道로 移任하였다고 점을 보아(『고려사』세가, 『금성일기』), 이때 파면된 인물은 金鋐이 분명할 것이다.

· 열전38, 金鋐, "[金鋐,] 後以辛旽黨流，復起爲同知密直□□[司事]，出鎭全羅，憲司劾不能沮. 鋐又附幸臣金興慶·寵宦金師幸，移慶尙道都巡問使，鎭合浦".

76) 이 무렵에 泰安郡이 왜구의 피해를 크게 입어 知郡事가 겨우 鄕吏 1~2人을 거느리고 瑞山郡에 寓居하였다고 한다.

· 『동문선』 권81, 泰安郡客舍新創記, "… 高麗之季，武弛倭張. 洪武歲癸丑[恭愍22年]，郡被禍甚慘，守僅率一二吏，僑寓瑞山郡. 癸亥[禑王9年]又移禮山縣. 歲庚午[恭讓2年]，賊氛稍息，還堡于瑞山，號曰尊堤，備禦海寇，兼任郡寄"(南秀文 撰, 『신증동국여지승람』 권19, 泰安郡, 宮室, 客館 ; 『敬齋遺稿』 권1에 인용됨).

77) 이는 『양촌집』 권40, 李穡行狀에 의거하였는데, 이때 李穡은 身病으로 起身이 불가능하여 閑職으로 轉職되었던 것 같다.

· 열전28, 李穡, "二十二年，辭免，封韓山君".

· 『목은시고』 권22, 兩朝文學歌并序, "… 至于癸丑[恭愍22年]，積勞成病，莫能興，家居封君，□□[此後]，

是月，移咨中書省，請賜火藥曰，“倭賊作耗，乍往乍來二十餘年矣．自來，本國沿海州郡關隘去處，止是調兵守禦，不行下海追捕．近年以來，賊勢已熾，今欲下海追捕，以絶民患，差官打造捕倭船隻．其船上合用器械·火藥·硫黃·焰焇等物，無從可辦，議合申達朝廷，頒降以濟用度”．

[○氣候如春:五行1恒澳轉載]．

[○王寫成‘金字妙法蓮華經’七帖·‘金剛明最勝王經’一帖，　以爲追念魯國大長公主:追加]．78)

[閏十一月戊辰朔小盡,甲子，己卯12日，月暈:天文3轉載]．

[○白氣見于東南方:五行2轉載]．

[辛巳14日，小寒．霧:五行3轉載]．

[癸未16日，亦如之~~月暈~~:天文3轉載]．79)

凡三進階三重□□~~大匡~~”．여기에서 ~~添字~~가 추가되어야 좋을 것이다．

78) 이는 다음의 자료에 의거하였다(國立中央博物館 所藏，朝鮮總督府 1929年 3,256面 ; 李基白 1987년 232面 ; 南權熙 2002년 380面 ; 權熹耕 2006년 ; 張忠植 2007년 241面)．이 寫經은 恭愍王이 그의 王妃인 魯國大長公主의 명복을 빌기 위해 만든 寫經인데，諡號의 末尾인 重에 한 글자[一字]가 탈락된 것 같다[重□]．또 이는 1710년(숙종36) 2월에 李宜顯(1669~1745)이 利川府의 菩薩寺에서 金剛明經”一帖과 함께 살펴보았던 것 같다．

· 『白紙金泥妙法蓮華經』 권7，卷末刊記，“洪武六年十一月□□~~十一~~日 敬書，」一念興慈，群生劃利，」佛不妄語，世所共知，我」 亡耦，仁德恭明，慈睿宣安，敬順昌禧，嚴正純」 和，神慧嘉寧，貞淑寬柔，章憲元誠，淵靜」咸弘，信敏齊莊，承義顯文，厚載簡能，克」配善孝，內襄密貞，濟難重□，」王太后徽懿魯國大長公主，以功以德，如生如」 存，故厥追修，靡有遺憾，得此妙經，以金」 書之，每於」 忌旦，披讀此部，於塵墨劫作法，供養耳」”．

· 後面墨書，‘靈岩道岬寺’．

· 『陶谷集』 권25，伊川諸勝遊覽記(1710년 撰)，“… 踰古歸樂寺基，入菩薩寺．此寺，無學於至正年間始創，洪武二年重修，今其改構者云．居僧只二十餘，大雄殿正對三印峰，… 並以斑錦文紗爲衣，‘金剛明經’一帖，‘金字蓮華經’七帖，上端有書，妙絶可玩．其中兩帖末端，書洪武六年十一月十一日敬書．且曰，‘我亡耦徽懿魯國大長公主，以功以德，如生如存’，故厥追修，靡有遺憾，得此妙經．以金書之”．必是恭愍王筆也，筆法奇妙，末書證明師普濟尊者，下着懶翁二字圖書．又有蓮華經一帖，曰賀印本，筆法亦妙，末書施主奉翊大未·前德寧府右司尹李英遠，同願善女趙氏妙清，前郎將門碩琦．又蓮華經一帖，以金字圖書，而下書經文，其書似亦金字而色頗異，心怪之．見下端，有刺血書及‘至正九年己丑九月日出血’等字，乃知和血故其色如許也”．여기의 李英遠은 1349년(충정왕1) 8월 27일 版圖判書에 임명되었던 李英遠과 同一人일 것이다．

79) 이때 일본의 교토에서 15일(辛巳)은 저녁이 되기 전에 비가 조금 내렸고，16일(壬午)은 비가 조금 내리다가 저녁에 개였고，17일(癸未)은 맑았다고 한다．

· 『愚管記』제17，應安 6년 11월，“十五日辛巳，自夜前小雨降，申剋以後天晴，… 十六日壬午，小雨，及晩霽，十七日癸未，晴”．

[某日，立都摠都監，括城中諸戶，大·中戶，幷五爲一，小戶，幷十爲一，各僉一人，中東部，赴東江，南西北部，赴西江，防倭:兵2鎭戍轉載].[80]

十二月丁酉朔大盡,乙丑，戊戌2日，平壤尹田祿生，斬稱永陵孽子釋器者，傳首于京．釋器事釁未著，徒黨未集，而遽殺之，人皆疑之．

[→西北面都巡撫使田祿生報，有稱釋器者，在平壤府，謀逆．遣門下侍中慶復興·密直副使?林堅味等，捕之．又分遣人諸道，調兵爲備．祿生與西海道都巡問使金庾，獲所謂釋器者，斬之，傳首于京，梟市．又斬銀川翁主父林信及李安·鄭寶，幷斬其黨金蕭·徐大吉等六人．然釋器，事釁未著，徒黨未集而遽殺，人頗疑之:列傳4忠惠王王子釋器轉載].[81]

癸卯7日，大赦，敎曰，“釋器，非止庶孽，又係丹陽□□~~府院~~大君珦家婢所出，往者，孫守卿等，倚以謀變，旣伏厥辜．群臣皆謂，禍本宜除，予不忍卽置于刑，命李安·鄭寶等，送至濟州水精寺安置，安等回言，登船之際，自溺而死，已嘗布告中外．今西北面都巡問使田祿生，密認釋器在其部內，誘集兇徒，潛謀不軌，與西海道都巡問使金庾，卽往捕獲，傳首至京．予初聞之，疑其不眞，逮問釋器外祖林信，審知不死明甚．非予失於保全，乃其自取顚覆．李安·鄭寶，指生爲死，欺罔不忠，林信縱其亡命，不卽首告，俱正典刑．其兇徒金光秀·金玉鏡·崔黑驢·李仁，並皆不赦，自餘詿誤，一切除之”.[82]

[乙巳9日，月與熒惑同舍:天文3轉載].

[丙午10日，月暈，野雞星，入參:天文3轉載].

[○夜，白氣如虹:五行2轉載].

癸丑17日，大護軍金甲雨還自京師，帝手詔曰，“昔君天下，居中國而治四夷，相繼至今．然有聽理，而樂無窮之福者，恃遐險，而取非常之禍者，載觀往事，可不美善

---

80) 世家篇에는 是年 5월 15일(丙辰)에 都摠都監이 설치되었다고 기록되어 있다.

81) 이 기사의 冒頭에 ‘恭愍十二年’으로 되어 있으나 ‘恭愍二十二年’에서 二가 탈락되었다. 이와 관련된 자료로 다음이 있다.

- 『태종실록』 권19, 10년 1월 己丑22日, “命議政府與功臣議佛奴之罪，命曰，‘前朝王氏子孫，戮及孩嬰，豈不痛心，… 佛奴之罪，果合於理乎? 其與功臣議之’．議政府三功臣詣紫門外，令參贊府事柳亮·參知府事尹思修·漢川君趙溫·西川君韓尙敬啓曰，‘前朝之季， 沙器翁主之子釋器之亂，至於再三，臣等身親見之’，…”.

82) 이 기사는 열전4, 忠惠王王子，釋器에도 수록되어 있으나 자구에 출입이 있다.

而惡非. 朕起自草萊, 荷天受命, 統一寰宇, 乃多不穀, 辱彼來貢, 思無厚往, 己已慚焉. 然雖無惠於海東, 務以王之心爲心, 未知然乎? 或王以朕之心爲心, 亦未知然乎? 二心俱見, 鑒古人之得失, 於斯二者, 王其擇焉".

[某日, 敎曰, "屯田之法, 有益軍需, 仰都評議使, 行移各道防禦大小員官, 相其地利, 役以軍入耕種, 以省漕輓之費":兵2屯田轉載].

甲子[28日], 以金義爲 密直副使,[83] [[典理摠郞]朴尙衷爲典校令:追加],[84] [[諄諭博士]劉敬爲成均博士:追加].[85]

[丙寅[30日], 木稼:五行2轉載].

[是月, 慶尙道按廉使柳珣, 安東大都護府使李寶林·判官愼仁道等重刊'聖元名賢播芳續集':追加].[86]

[冬某月, 以[忠勤翊贊功臣]鄭思道爲知密直司事·商議會議都監事, [衛尉尹]成石璘爲典儀令·進賢直提學·知製敎, 充春秋館編修官:追加].[87]

[是年, 置正陵·仁熙殿, 供辦都監:百官2轉載].

[○復茂珍府爲光州牧, 陞咸安監務官爲知郡事官, 置三岐縣監務:轉載].[88]

---

83) 金義의 蒙古名은 也烈哥(也列哥)로 되어 있으나(열전44, 金義) 也列不哥[ile Buqa]의 오류일 것이다.

84) 이는 다음의 자료에 의거하였다.
- 『定齋集』 권3, 潘南先生家傳, "[恭愍王]二十二年, … 十二月, 陞典校令".

85) 이는 「劉敞政案」, "同年[洪武六年]十二月二十八日, 判成均博士"에 의거하였다.

86) 이는 다음의 자료에 의거하였는데(日本 宮內廳書陵部 所藏, 郭丞勳 2021년 475面), 이때 李寶林은 安東大都護府使로, 愼仁道는 判官으로 在職하고 있었다(『경상도영주제명기』; 『안동선생안』).
- 『聖元名賢播芳續集』 권6, 卷末題記, "洪武六年癸丑十二月日,」 別色副戶長權可□[桒],」 校正成均生權仲明,」 校正成均進士權直均,」 [安東大都護府]判官·通直郞·兼勸農防禦使賜紫金魚袋愼仁道,」 使·奉翊大夫兼管內勸農防禦使李寶林.」 按廉使兼監倉安集勸農使·轉輸提點刑獄兵馬公事·中正大夫·左司議大夫·進賢館提學·知製敎充春秋館修撰官柳珣".

87) 이는 「鄭思道墓誌銘」; 『獨谷集』行狀에 의거하였다.

88) 이는 다음의 기사를 전재하였다.
- 지11, 지리2, 海陽縣, "恭愍王二十二年, 復爲光州牧".
- 『경상도지리지』, 晋州道, 咸安郡, "恭愍王時, 洪武癸丑, 升爲知郡事".
- 지11, 지리2, 咸安郡, "恭愍王二十二年, 以縣人周英贊之女入大明, 爲宮人, 遂陞爲知郡事".
- 지11, 지리2, 三岐縣, "恭愍王二十二年, 置監務".
- 『세종실록』 권150, 지리지, 경상도 咸安郡, "恭愍王二十二年癸丑, 以縣人周英贊之女入爲大明皇帝侍姬, 有寵, 拜英贊密直□[副]使, 陞爲知郡事".

[○以前忠州牧使沈德符爲正順大夫·判衛尉寺事:追加].[89]

[○以金之紘爲延安府使:追加].[90]

[○以黃石玎爲知寧海府事, 尋以鄭延壽代之:追加].[91]

[○以檢校侍中□□□~~李仁復~~, 居父憂在京山, 王遣判典校寺事林樸弔慰:列傳25李仁復轉載]

[○幻菴混修設十人法席, 祝今上萬壽:追加].[92]

[是年頃, 判典農寺事偰長壽上書曰, "臣本羇旅賤愚, 於世無補, 謬荷深仁, 嘗守晋陽. 周歲之間, 頗知民瘼, 倭寇防戍, 最爲緊急. 竊計, 賊船出沒, 無有定時, 民庶安危, 朝夕靡測, 而沿海防戍, 雖有其名, 無益於事. 盖鎭戍兵卒, 悉皆烏合之衆, 素無敎鍊之嚴, 器械甲冑, 未爲堅利. 又無營壘, 以爲保障, 不過草屋薪蘺, 僅庇風雨而已. 故一有寇至, 則望風奔潰, 雖使頗·牧爲將, 亦不能號令之也. 其防戍之處, 遠者相去五六十里, 近者不下二三十里, 賊可由此入寇. 而濱海郡縣村落之民, 或疎或密, 四散而居, 彼賊多則千百成群, 小則什伍爲隊, 妖謀詭計, 言所難窮. 淸明之晝, 則尙可覘其來蹤, 驗其多少, 以爲警備. 昏晦之夜, 則候望難遠故, 往往出我不意, 肆其陸梁. 多則虛張聲勢, 指西向東, 俟我兵勢互分, 潛爲襲擣, 或棄防戍而直趨居民, 或捨居民而先襲防戍. 少則預遣間牒, 伺其富實之家, 潛爲剽劫, 比官兵得知而追逐, 賊已飽載而遙遁. 於是, 加發男丁, 則民已殘而盜已去, 及其放遣, 則民才去而盜復來, 故民無得息之時, 兵無可用之勢. 至若淸野之策, 其弊尤深. 大抵濱海之地, 頗多膏腴, 而小民各懷其土, 本欲利之, 反以爲害之. 且深遠之處, 田亦有限, 而土着之民, 恃以爲生, 若使養客戶, 則彼亦凋廢. 由是, 被遷之民, 懷怨而流移, 深陸之民, 受殃而失業. 此臣所以痛心切齒於平昔者也. 且入保之令, 始則限以一息程途, 今賊之所至, 往往過六七十里. 以是較之, 雖百里亦無益也. 臣愚以爲, 沿海百里之間, 刷已徙及見在之民, 方三十里, 或五十里, 膏腴可耕之地, 擇形勢平易, 有薪水處, 計戶數衆寡, 築城堡. 以二三百家爲率, 設官守以居之, 俾接屋連墻,

---

89) 이는 『동문선』 권117, 沈德符行狀에 의거하였다.

90) 이는 『연안부지』에 의거하였다.

91) 이는 『영해선생안』에 의거하였다.

92) 이는 다음의 자료에 의거하였다.

· 『목은문고』 권4, 幻菴記, "… 嘗一典十員法席, 一年未竟, 而」 玄陵賓于天, 公於幻之味, 益親嘗矣".

僅容其衆. 除屋舍外, 止留穀場, 其園圃俱於城外給之. 凡城塹高深, 上置樓櫓, 門置釣橋, 其餘守具, 隨宜布置. 城塹之閒, 多掘品字小坑, 樹鹿角以遏往來, 嚴更鼓, 謹烽烟. 及耕耘之時, 則遠者不過二十餘里, 晨出暮入, 往來無難. 禾熟則隨刈隨輸, 毋使稽緩. 設有賊至, 則少壯登城, 老弱供食, 分方面以堅拒守之志, 通烽燧, 以招隣救之兵. 隣城有急, 擇精騎以赴之. 其知而不相赴救者, 罪及所統之官. 夫賊之往來, 恃潮水爲期, 非欲攻城略地以謀久長. 特以寇抄爲心而已, 旣無所得, 勢必還退. 於是, 乘釁以襲之, 多方以誤之, 使其勇無所施, 衆無所用, 掠則靡獲, 攻則不能. 進有腹背受敵之憂, 退有首尾衝決之患, 以我之逸, 待彼之勞, 則不戰而屈人兵, 盜可制而民可息矣. 若循習故弊, 徒設防戍之虛文, 則所謂揖讓救焚, 從容拯溺, 無益於事, 取侮於人也. 至若兩江, 京師之唇齒, 陽川貢賦之會同, 亦不可不慮也. 臣之所言, 於事似難, 以臣愚料之, 始難而後當易也". 下都堂議, 竟不行:列傳25偰長壽轉載].

甲寅[恭愍王]二十三年, 明洪武七年, [西曆1374年]

1374년 2월 12일(Gre2월 19일)에서 1375년 1월 31일(Gre2월 7일)까지, 354일

春正月[丁卯朔大盡,丙寅], [戊辰[2日], 東南閒, 靑天虹見:五行1虹霓轉載].

辛未[5日], 幸仁熙殿, 飯僧.

癸酉[7日], 遣安撫使于楊廣·全羅道, 並兼捕倭萬戶.

[→檢校中郎將李禧上書言, "今倭寇方熾, 乃驅不習舟楫之民, 使之水戰, 每至敗績. 臣生長海邊, 稍習水戰, 願率濱海居民, 慣於操舟者, 與之力戰, 庶可立功". 王慨然曰, "草野之臣, 如禧者, 尙獻計如此, 百官·衛士之中, 曾無一人如禧者耶". ○衛士柳爰廷, 進曰, "中郎將鄭准提, 嘗草平寇策, 第未獻耳. 准提, 適侍殿陛". 王顧問之, 准提, 卽取諸囊中以獻. 王覽之, 大悅, 以禧爲楊廣道安撫使, 准提爲全羅道安撫使, 並兼倭人追捕萬戶. 准提後改地:節要轉載].[93)]

[→檢校中郎將李禧上書曰, "今倭寇方熾, 乃驅烟戶之民, 不習舟楫者, 使之水戰, 每至敗績. 臣生長海邊, 曾習水戰. 願率海島出居民, 及自募人, 慣於操舟者,

93) 이때 全羅道按撫使兼追捕萬戶 鄭准提[鄭俊堤, 鄭地]는 1월 25일 羅州牧에 들어왔다(『금성일기』).

與之擊賊，期以五年，永淸海道". ○中郞將鄭准提亦上書獻策，王大悅，以禧爲楊廣道安撫使，准提爲全羅道安撫使，□並兼倭人追捕萬戶. 以禧伴倘六十七人，准提伴倘八十五人，皆授添設職. 又令密直司，畫給空名千戶牒二十·百戶牒二百. ○初，六道都巡察使崔瑩，造船二千，欲以六道軍，騎船捕倭，百姓畏懼，破家逃役者，十常五六，及准提等建議，事遂寢:兵3船軍轉載].[94)]

[乙亥9日，沉霧，終日:五行3轉載].

丁丑11日，幸演福寺，設談禪會.

[壬午16日，驚蟄. 月食，密雲不見:天文3轉載].[95)]

[→燃燈. 初，太祖以正月燃燈，顯宗以二月爲之，至是，有司，以公主忌日，請復用正月:禮11上元燃燈會儀轉載].[96)]

丙戌20日，封宦者·判內侍府事金師幸·尹可剌發尹可剌發妻爲宅主.[97)]

[戊子22日，雨，大雷電，有魚墮落:五行2轉載].[98)]

---

94) 李喜와 鄭地[鄭准提]의 上疏와 관련된 기사로 다음이 있다.
- 열전26, 鄭地, "恭愍二十三年，檢校中郞將李禧上書，請習水戰，王慨然曰，禧草野之臣，尙獻策如此，百官·衛士中，曾無一人如禧者耶. 衛士柳爰廷進曰，'中郞將鄭准提，嘗草平寇策，第未獻耳'. 地以速古赤，適侍殿陛，王顧問，地卽取諸囊中以獻. 王覽之大悅，以地爲全羅道安撫使，禧爲楊廣道安撫使，並兼倭人追捕萬戶. 崔臣吉·朴德茂等亦上書，如李·鄭策，以德茂爲京畿倭人追捕副使. 謂宰相曰，'今爵禧等，卿等勿以爲異. 冀其成功，激人心耳. 他日無功，亦當不赦'. 又授地麾下士八十五人，禧麾下士六十七人，添設職，令密直司，給地·禧千戶空名牒二十，百戶牒二百. ○時地與禧再三上疏，凡數十條，其略以爲，深陸之民，不閑舟楫，難以禦倭. 但籤生長海島及自請水戰者，令臣等將之，期以五年，可淸海道. 若都巡問使則徒費軍餉擾民生，乞罷之. 王召巡察使崔瑩議之. 瑩，初巡察六道，造戰艦二千艘，欲令諸道軍捕倭，民皆厭苦，破家逃散者十之五六. 至是，以地等建白，事遂寢".

95) 이날 일본의 교토에서도 월식이 관측되었는지는 분명하지 않다(日本史料6-40冊 7面). 이날은 율리우스曆의 1374년 2월 27일이고, 월식 현상이 심했던 때의 世界時는 7시 48분, 食分은 1.57이었다(渡邊敏夫 1979年 486面).
- 『洞院公定日記』, 應安 7년 1월, "十六日壬午木定，月蝕，皆既，虧初未六刻，十三分，加時申六刻，七十八分，復末酉七刻，五十九分. 天晴，今日月蝕也，他州蝕歟，仍有節會，可尋記". 여기에서 '木定'은 曆日에 기록되어 있는 이날의 運勢이고, '月蝕' 以下 월식에 대한 기록은 曆注이며(이상은 曆日의 製作者가 만든 것임), '天晴' 이하가 曆日에 記錄者가 기록한 日記이다. 이것이 具注曆에 기록한 일기의 모습이다.
- 『愚管記』제18 , 應安 7년 1월, "十六日壬午，晴，節會如例云々".

96) 恭愍王妃 魯國大長公主의 忌日[入祭日]은 2월 15일이다.

97) 宦官 尹可剌發은 尹祥의 蒙古名일 가능성이 있다(→우왕 1년 3월 某日，諫官의 上疏).

98) 이날 일본의 교토에서 아침에 비가 내리다가 맑았다고 한다.
- 『愚管記』제18, 應安 7년 1월, "廿二日戊子，晴，朝間雨降".

庚寅[24日], 以[全羅道都巡問使]金鋐爲慶尙道都巡問使, 江寧府丞王康·韓尙質·注簿鄭穆·廉致和爲大君侍學.[99)]

[○赤氣見于西北方:五行1轉載].

[癸巳[27日], 赤氣見于南方, 白氣見于北方:五行1轉載].

[某日, 代言金興慶, 以母□□[辰韓]國大夫人柳氏之祿米布麤惡, 杖廣興倉官於闕門外:節要轉載].[100)]

[某日, 以慶尙道按廉使柳珣·全羅道按廉使徐圭衡, 仍番:慶尙道營主題名記·錦城日記].[101)]

[是月頃, 以[雞林府尹]李茂芳爲判開城府事, [奉翊大夫]權思復爲雞林府尹兼管內勸農·防禦使, 金允澤爲羅州牧判官:追加].[102)]

二月丁酉朔[大盡,丁卯], [春分]. 日食.[103)]

戊戌[2日], 彗見東方, 長丈餘, [凡四十五日乃滅:天文3轉載].[104)]

---

99) 이날 全羅道都巡問使 金鋐이 慶尙道都巡問使로 移任한 것은 『금성일기』에도 반영되어 있다.

100) 이와 같은 기사로 다음이 있다.
- 열전37, 金興慶, "柳尋封辰韓國大夫人. 柳受俸廣興倉, 米布麤惡, 興慶怒, 杖倉官于闕外".

101) 이후 柳珣는 경상도 관내를 巡行하면서 合浦에 이르러 慶尙道都巡問使 金鋐의 不法을 탄핵하다가 金鋐의 반격을 받았다고 한다. 또 이해의 2월에 鄭夢周가 경상도안찰사로 파견되었다는 기록이 있어 柳珣가 교체되었을 가능성도 있다.
- 열전38, 金鋐, "[全羅道都巡問使金鋐,] 移慶尙道都巡問使, 鎭合浦, 貪殘如全羅時. 按廉□[使]柳珣劾鋐不法, 鋐亦捃摭珣過, 報于朝".
- 『竹軒遺集』권下, 年譜, [洪武]七年甲寅, "二月, 鄭圃隱[鄭夢周]出按慶尙道, 上問朝臣曰, 儒臣予所倚信, 而今鄭夢周旣在外, 誰可擢用於內者, 典理正郎金宜輅對曰, 前侍史羅啓道, 文詞精博, 爲人忠直, 有舍命不渝之節. 上曰羅啓道累年居鄕, 不求躁進, 可知其賢, 特旨宣召, 旣至, 拜通直郎·門下起居舍人. 三月遷奉善大夫·小府寺少尹". 여기에서 羅啓道는 羅繼從의 初名이라고 하는데, 『고려사』에서 찾아지지 않는다.

102) 이는 『동도역세제자기』; 『금성일기』에 의거하였다.

103) 이날 明에서도 일식이 있었으나(『명태조실록』 권87 ; 『명사』 권2, 본기2, 太祖2, 洪武 7년 2월 丁酉), 일본에서는 일식에 대한 기록이 찾아지지 않는 것 같다(高麗曆과 同一, 日本史料6-40册 182面, 실제는 일식이 행해졌다). 이날은 율리우스력의 1374년 3월 14일이고, 開京에서 일식 현상이 심했던 시간은 7시 58분, 食分은 0.26이었다(渡邊敏夫 1979年 312面).

104) 일본의 교토에서 1월 30일(丙申) 彗星이 관측되었다고 한다(고려력과 같음, 日本史料6-40册 181面).
- 『愚管記』제18, 應安 7년 2월, "七日癸卯, 晴, [安倍]親宣朝臣申云, 去月卅日戌剋, 彗星見南方, 一日·二日依陰記不現, 三日以來每夜出現云々, 可恐々々, 可愼々々. … 十七日癸丑, 晴, … 彗星事, 相尋[安倍]親宣朝臣之處, 猶未消云々, 可愼々々".

[丁未[11日], 釋奠, 以日食, 用仲丁:禮4文宣王廟轉載].

[戊申[12日], 月暈:天文3轉載].[105)]

辛亥[15日], 以公主忌日, 幸王輪寺, 素膳, 終月.

壬子[16日], 宥二罪以下. 設公主生辰祭于仁熙殿及正陵[恭愍王妃].

[某日, 臺諫言, 添設官大濫之弊:節要轉載].

壬戌[26日], 禁酒.

甲子[28日], 以李茂芳爲政堂文學. [國制, 山陵之隧, 必使臺臣, 署名封之. 世謂封墓官, 多不達, 率皆避忌. 茂芳, 以掌令封正陵[恭愍王妃], 王嘉之, 遂至大用:節要轉載].

[→王以茂方淸寒, 賜米五十碩, 茂方以爲, 大臣不可虛受賜. 不受. 拜政堂文學, 王每稱, 政堂國耳忘家, 不畏權勢, 雖古人無以過之:列傳25李茂方[李茂芳]轉載].

○遣密直副使鄭庇·判□□□[繕工寺]事禹仁烈如京師, 賀正, 請通陸路朝見, 又請方物仍舊. 上護軍周誼, 謝璽書訓戒.[106)] 請路表曰, "朝正禮重, 難後梯航. 觸事吝生,

---

· 『洞院公定日記』, 應安 7년 2월, "七日癸卯金建, 天晴, [安倍]親宣朝臣申云, 去月晦日彗星出現, 此上大變重事, 何事哉, 恐怖之由申之, 稀代事也. 天下大變不可休歟, 尤相歎者也".

· 『續史愚抄』27, 應安 7년 1월, "三十日丙申, … 自今夜, 有彗星見南, 夕見, 或作廿五日, 誤歟. 踰月見云".

105) 이날 일본의 교토에서는 흐리고 저녁에 비가 조금 내렸다고 한다(『愚管記』제18, 應安 7년 2월, "十二日戊申, 陰, 夕小雨").

106) 『금성일기』에 의하면, 이때의 使臣團은 進奉使 鄭元庇(鄭庇의 初名), 謝恩使·上將軍 朱誼(周誼의 行書), 副使 禹仁烈, 書狀官 宋文貴로 구성되어 있었고, 이들은 3월 13일 羅州牧에 들어왔다고 한다. 또 宋文貴는 이후 宋文中으로 개명하였다(『목은문고』 권5, 築隱齋記, "門生宋文貴, 改貴以中, 字日彰").

또 鄭庇와 周誼는 5월 7일(壬申) 명에서 表를 올리고 方物을 바치고, a每歲에 入貢하게 해줄 것, b陸路로 定遼衛를 통해 入貢하게 해줄 것 등을 요구하고, c金甲雨의 일로 璽書를 보내준 것을, d姜仁裕를 통해 宣諭한 것을, e鄭夢周 등의 顚覆한 人物들을 救恤한 것 등을 謝恩하였다. 이날 中書省官[中書省臣]이 高麗가 元의 制度에 따라 貢物을 太府監에 納付하고 있는데, 이는 入貢이 屢次에 걸쳐 이루어졌음에도 誠意가 不足하여 明의 制度를 파악하고 있지 못한 결과라고 보고하자, 太祖가 貢物을 返還하게 하고 璽書를 내려 叱責하게 하였다. 또 中書省에 命하여 咨文을 보내 貢物을 太府監에 보낸 잘못을 指摘하게 하였다.

· 『명태조실록』 권89, 홍무 7년 5월, "壬申, 高麗王王顓, 遣其監門衛上護軍周誼·鄭庇等奉表貢方物, 其表五, 一請仍舊每歲入貢, 一請陸路由定遼入貢, 一謝金甲雨回蒙賜璽書, 一謝姜仁裕回蒙宣諭, 一謝賙恤覆舟之人. 中書省臣奏, '往年高麗入貢白苧布三百匹具于方物中, 今乃稱禮送大府監[太府監], 按元時有大府監[太府監], 主收進貢方物, 本朝未嘗設此. 高麗入貢已久, 豈不知此而妄言之, 意涉不誠'. 上命還其貢, 因賜王顓璽書曰, '王使者至陳其貢禮, 王事大之心見矣, 表言守侯服於東隅, 祖朝鮮之苗裔, 自五季以來, 常事中國, 王之言是矣. 然朕觀古昔, 自侯甸綏服之外不治, 令其國人自治之, 盖體天道以行仁, 惟欲其民之安耳. 不爲誇詐, 不寶遠物, 不寶遠物, 不勞夷人, 聖人之心弘矣哉. 朕雖不德, 未嘗不察王之忠, 而卻來誠之美, 若漢唐之夷, 彼隋君之東征

唯憑卵翼，敷陳危懇，瀆冒聰聞．伏念，爰從受命以保釐，惟務專心而貢獻故，水陸之無阻，而歲時之罔愆．洪武六年六月二十日，差陪臣知密直司事金庾，賀聖節，判典農寺事偰長壽，進賀千秋．密直副使鄭庇進賀洪武七年正朝，因有倭賊，未卽發船間，當年七月十三日，陪臣贊成事姜仁裕等，回自京師，欽奉宣諭聖旨，從今連三年，依舊累來之，後可三年一進貢．去年姓洪者溺海，汝往登州過海，今後不要海路來，欽此”．

○又准中書省咨，“欽奉聖旨，今後，我生日，不要進表，東宮生日，亦不要進箋欽此．除欽遵外，當年七月二十五日，止差鄭庇，經由定遼衛，進賀洪武七年正朝，又差判繕工寺事周英贊，進獻濟州馬匹，去後鄭庇等回言，定遼衛官，推稱無聖旨，勒令回還．臣進退無憑，倉黃自謂，苟得微誠之必達，雖干嚴禁而何辭．於十月初二日以鄭庇患病，升除周英贊，△爲密直副使，入賀，又差判繕工寺事禹仁烈進獻濟州馬匹．不期於十一月初五日，在海遭風，船破渰死了周英贊及書狀官曹信·押馬官金天贊·通事尹方吉·姜師德·擧人金潛等三十八人，其進獻禮物，濟州馬匹，盡行渰失了當．竊念，英贊躬被宣招，兼修壤奠．雖死生之有命，不可前知，顧思慮之乖方，仰慚聖訓．向非定遼之沮遏，豈有今日之尤違．伏望，推柔遠之仁，廓包荒之度，憐臣效忠，而動遭於狼跋，察臣述職，而尙迷於駿奔．凡有奏陳，許從便道，臣謹當益竭虔於藩翰，恒祝壽於岡陵”．

○請方物仍舊表曰，“三陽交泰，是爲人正，萬國攸同畢貢方物．伏念，小邦爰從五季，服事中原，不腆所輸，雖因時而或異，多儀之享，其役志則何渝．歸附以還，益虔無怠．洪武六年 ，賀正使陪臣同知密直司事金湑等，齎回中書省咨，欽奉聖旨，恁中書省，將我的言語，行文書，與高麗國王說知．今後，將來的方物，只土產布子不過三五對表意便了，其餘的都休將來欽此．竊伏惟念，薄來所以恤小，固天地育物之洪恩．執贄所以見休，亦臣子事上之至意．玆修菲禮，敢瀆嚴威，伏望，察臣忠誠，恕臣愚戇，俯從所願，俾用前規．臣謹當歲時，無闕於充庭，夙夜，惟勤於薦筭”．

○謝璽書表曰，“綸音方降，寶訓惟明，捧讀以還，兢惶罔措．竊念小邦，自朝鮮之啓土，必中夏而歸王，歷世受封，常恪勤於侯度，畏天事大，幸遭逢於聖朝．臣學識庸虛，性資愚陋，顧被蕃宣之寄，濫承錫賚之榮．始之以印信曆書，繼之以禮服樂

在，朕今日苟非詐侮，於我安肯動師旅以勞遠人，若不守己分，妄起事端，禍必至矣．自今寧使物薄而情厚，勿使物厚而情薄，王其思之’．仍令中書咨其國，責以大府監太府監之失”．이와 같은 기사가『속문헌통고』권29，土貢考에도 수록되어 있다．

器. 紗羅錦段, 每隨使命以疊來, 經籍藥材, 皆出下情之非望. 既儀制許從於本俗, 抑俘虜聽還於其家, 至於姪女之流離, 資送尤厚, 濟州之反側, 處置以宜. 賤价覆舟, 而免其風濤, 讒夫伺隙而銷其貝錦, 矧今特垂於詔諭, 而又曲賜於懷綏. 皇帝陛下, 志在固存, 仁敦字小, 憫臣無幾微之見, 俾臣知禍福之端, 臣敢不益感上恩, 倍殫忠懇. 庶勉修於職貢, 恒奉祝於康寧".

乙丑[29日], 以[密直]林堅味爲西北面都巡問使.[107)]

三月[丁卯朔小盡,戊辰], [戊辰[2日], 穀雨. 赤氣見于東北方五行1轉載].

[庚午[4日], 四方有赤氣:五行1轉載].

癸酉[7日], 前門下舍人朴啓陽, 烝妻母洪氏, 事覺逃. 訊其妻母乃服, 杖之, 沒爲官婢.[108)]

甲戌[8日], 以楊伯淵爲西北面都巡問使.

乙亥[9日], 興安府院君李仁復卒, [年六十七:追加].[109)] [仁復, 爲人, 正大謹厚, 以禮自守, 力學善屬文, 國家辭命, 多出其手. 王方寵辛旽, 仁復密啓, 旽非端人, 他日必爲變, 請遠之, 不聽. 及旽誅, 王嘆其先見之明. 至是, 患疽垂歿, 弟仁任勸念佛, 對曰, "吾平生素不佞佛, 今豈可自欺?". 謚[諡]文忠:節要轉載].

[→明年, 疽發背, 自度不起, 具衣冠, 北面稽顙, 若辭違之狀. 臨歿, 弟仁任勸念佛, 曰"吾平生不佞佛, 今不可自欺". 進藥又却之. 謂仁任曰, "宰臣歿, 官庀葬事, 國家厚恩. 顧吾平日, 未有絲毫補, 死且有愧, 爲我辭焉". 言訖, 命加朝服於身而卒, 年六十七. 王悼甚素膳, 遣使致祭, 以禮葬之, 謚文忠. 仁復, 剛直有守, 聞人善, 雖小必喜. 一事失當, 必怒形于色, 然不發於口. 人謂口吃. 自言, "吾性褊急, 恐失言, 以忍爲守". 爲文章, 辭嚴義奧, 操筆點綴極苦. 敍事賦物, 語多譏諷. 嘗修閔漬'編年綱目', '忠烈·忠宣·忠肅三朝實錄'及'古今金鏡二錄'. 仁復密啓, "旽非端人, 他日必有變, 請遠之". 不聽. 及旽誅, 王歎其先見之明. 仁復惡弟仁任·仁敏之爲人曰, "敗國亡宗者, 必二弟也". 後果敗, 其孫存性亦連坐. 子向·容:列傳25

---

107) 林堅味는 1370년(공민왕19) 2월 7일 密直副使에 임명되었고, 1375년(우왕1) 8월 이전에 知門下府事에 임명되었음을 감안하면, 이 시기(공민왕23)에 知密直司事 혹은 密直司使일 것이다.
· 열전39, 林堅味, "~~林堅味.~~ 累遷密直副使. 辛禑時, 知門下省事[~~知門下府事~~], 轉評理". 여기서 ~~添字~~와 같이 고쳐야 옳게 될 것이다.

108) 朴啓陽의 丈母 洪氏는 全州牧使 洪萬龍의 딸인 것 같다(朴允文妻金氏墓誌銘).

109) 이는 「李仁復墓誌銘」에 의거하였는데, 이날은 율리우스曆으로 1374년 4월 21일(그레고리曆 4월 29일)에 해당한다.

李仁復轉載].[110]

○倭寇安州, 牧使朴修敬力戰, 却之.

丙子[10日], 地震.

丁丑[11日], 幸奉先寺.

[某日, [代言]金興慶與[僉議贊成事]安師琦等, 張樂私宴禁中:節要轉載].

[→[代言]金興慶當直, 使判典校□□[寺事]林樸代之. 又與安師琦等, 張樂宴禁中, 其無忌憚類此. 每出入, 騶從之盛, 與辛旽無異:列傳37金興慶轉載].

[壬午[16日], 白氣如虹, 連亘尾·女間:五行2轉載].[111]

[癸未[17日], 立夏. 太白·熒惑同舍:天文3轉載].

丙戌[20日], 倭入安州.

○倭寇慶尙道, 破兵船四十艘, 死者甚衆.

[→慶尙道觀察使[~~慶尙道都巡問使~~]報, 倭破兵船四十艘, 死者甚衆:節要轉載].[112]

[庚寅[24日], 太白犯東井, 五日:天文3轉載].

[甲午[28日], 月犯太白·熒惑:天文3轉載].

乙未[29日晦], 以崔瑩爲慶尙·全羅·楊廣道都巡問使. 憲司啓, "瑩嘗爲都巡察使, 六道騷動, 不可復遣". [瑩, 泣訴王曰, "臣赤心徇國, 而致謗如此, 請罷臣職". 王雖直瑩, 猶令都堂·臺諫, 薦可代者:節要轉載].[113]

○以[知密直司事]金庾爲西北面造船使, 遣贊成事安師琦, 賜酒勞之.

[□□[~~是月~~], 京城大疫:節要·五行3轉載].

[○教, "各道鄕試諸生, 各於本貫赴擧, 已有成規, 今諸生, 或有赴他道試者, 毋赴會試":選擧1科目轉載].

[春某月, 典法摠郞趙云仡棄官, 退居尙州露陰山下:追加].[114]

---

110) 李存性(李成林의 壻)은 郞將 李容의 아들인데(李仁復墓誌銘), 위의 기사와 같이 李仁任에 연루된 것이 아니라 1388년(우왕14) 1월 11일 廉興邦, 林堅味, 李成林 등이 숙청될 때 함께 처형되었다(東亞大學 2006년 25책 121面).

111) 이날 일본의 교토에서 비가 내렸다고 한다(『愚管記』제18, 應安 7년 3월, "十七日壬午, 雨降").

112) 慶尙道觀察使는 慶尙道都巡問使의 오류일 것이다. 아직 觀察使라는 관직은 설치되지 않았다. 또 이날은 율리우스曆으로 1374년 5월 2일(그레고리曆 5월 10일)에 해당한다.

113) 이 기사는 열전26, 崔瑩에도 수록되어 있다.

114) 이는 다음의 자료에 의거하였다.

· 열전25, 趙云仡, "[恭愍]二十三年, 以典法摠郞辭職, 居尙州露陰山下, 自號石磵棲霞翁, 佯狂自

夏四月[丙申朔大盡,己巳, 獐入城:五行2轉載].

丁酉2日, 守門下侍中李仁任罷, 以曲城伯廉悌臣爲門下侍中.

○命護軍率徒兵, 築墻于影殿, 用錐, 驗其堅否.

[□□是時, 幸臣金興慶, 多所請謁, 門下侍中廉悌臣不假貸. 興慶有怨言, 王曰, "侍中學於中原, 性高潔, 非他廷臣比. 且大臣用心, 非汝所知也". 興慶不敢復言:列傳24廉悌臣轉載].

[戊戌3日, 小滿. 日暈:天文1轉載].[115]

[己亥4日, 日珥:天文1轉載].

[庚子5日, 太白·歲星·熒惑, 聚于東井:天文3轉載].

丁未12日, 賜金子粹等及第.親試, 取金子粹等三十三人, 擧子, 或有不錄年甲者, 於試卷. 王怒其違制, 停放牓[116].

○以論崔瑩, 罷僉議評理·大司憲金續命, 貶持平崔元濡爲延安府使,[117] 以門下評理柳淵兼大司憲, □判開城府事田祿生代瑩,[118] 爲慶尙道都巡問使. 賜瑩盡忠奮義宣威佐命定亂功臣之號.

戊申13日, 帝遣禮部主事林密·孳牧大使蔡斌來, 中書省咨曰, "欽奉聖旨, 已前征進沙漠, 爲因路途窵遠, 馬匹多有損壞. 如今大軍又征進, 我想高麗國, 已先元朝, 曾有馬二三萬, 留在耽羅牧養, 孳生儘多. 中書省差人, 將文書去與高麗國王, 說得

晦. 出入必騎牛, 著騎牛圖贊·石磵歌, 以見意. 與慈恩僧宗林, 爲方外交, 超然有世外之想".

· 『태종실록』 권8, 4년 12월 壬申5日, 趙云仡의 卒記, "洪武甲寅恭愍23年春, 以典法摠郞棄官, 退居尙州露陰山下, 佯狂自晦, 出入必騎牛, 著騎牛讚·石磵歌, 以見意".

115) 이때 일본의 교토에서 2일(丁酉)은 비가 내렸고 3일(戊戌)은 흐리다가 곧 맑았다고 한다.

· 『愚管記』제18, 應安 7년 4월, "二日丁酉, 雨降, 三日戊戌, 申剋以後陰□屬霽".

116) 이 기사의 "賜金子粹等及第"는 "親試, 取金子粹等三十三人, 擧子, 或有不錄年甲者, 於試卷. 王怒其違制, 停放牓"으로 고쳐야 옳게 된다. 이보다 먼저 李茂芳과 廉興邦이 선발한 進士를 이날 恭愍王이 廷試를 실시하여 33人의 等級을 정하였으나 試卷에 年齡을 기록하지 않은 것이 있어 급제를 下賜하지 아니하였다. 그래서 급제는 12월 某日 禑王에 의해 下賜되었다(→우왕 즉위년 12월 某日). 그리고 이와 관련된 기사로 다음이 있고, 金子粹는 『태조실록』, 『태종실록』에는 金自粹로도 표기되어 있다.

· 『고려사절요』 권29, "初, 王令擧子試卷, 皆錄年甲. 至是, 有違者, 王怒, 停放榜".

· 지27, 選擧1, 科目, "擧子, 於試卷, 或有不錄年甲者, 王怒其違制, 停放牓".

· 열전33, 金子粹, "恭愍末, 擢魁科, 授德寧府主簿".

· 『定齋集』 권3, 潘南先生家傳, "恭愍王二十三年春, 當試期, 東亭廉廷秀私語人曰, 非朴某朴尙衷·鄭夢周, 造次誰能爲題. 已而, 先生與夢周, 同拜考官, 以廷秀又主文. 是年秋, 恭愍遇弑".

117) 崔元濡는 『延安府誌』, 守臣에는 崔允儒로 되어 있으나 오자일 것이다("府使崔允儒, 甲寅任").
또 이 기사는 열전26, 崔瑩에도 수록되어 있다.

118) 開城府事에 判字가 탈락되었는데, 『고려사절요』 권29에는 옳게 되어 있다.

知道，教他將好馬揀選二千匹送來". 於是，遣門下評理韓邦彥往耽羅，取馬.[119)]

壬子[17日]，倭船三百五十艘，寇慶尙道合浦，燒軍營兵船，士卒死者，五千餘人.[120)] 遣趙琳，誅都巡問使金鋐，支解以徇諸道. [鋐，初居羅州，奪占田民，資財饒富. 嘗擊倭于木浦，受職賞，由是，納賂權要，歲爲捕倭使，又爲都巡禦使，剝民掊克，全羅苦之. 大護軍宋芬死，其妻服未闋，鋐托官事鉤致，白晝强奸，因以爲妾. 又刻減所管軍卒官糧，只給其半，又稅諸州祿轉船，皆輸于家. 其貪惡類此:節要轉載]. [○其子承湞奔喪，王曰，"汝父之罪，非大逆也，喪畢就職":列傳38金鋐轉載].

○西海道萬戶李成·副使韓方道·崔思正，與倭戰于木尾島，敗死.

癸丑[18日]，太白經天.

[○日暈:天文1轉載].

[○月暈. 太白經天，三日:天文3轉載].

[甲寅[19日]，芒種. 歲星犯輿鬼:天文3轉載].

乙卯[20日]，亦如之[日暈].[121)]

己未[24日]，林密·蔡斌謁文廟.

[→朝廷使臣林密·蔡斌，謁文廟，諸生揖，林密答禮，蔡斌不答，竢更揖. 諸生皆入舍，斌怒，壽山卽詭曰，"我國之禮於尊長，不敢一時並揖". 斌悅. 壽山密令人，促諸生更揖:列傳27李壽山轉載].

甲子[29日]，太白晝見.

○倭寇紫燕島.

[某日，命宰相·臺省·重房·閤門，著笠:輿服1冠服通制轉載].

[是月，取□□□[升補試]李就等一百人:選擧2升補試轉載].[122)]

---

119) 이와 관련된 기사로 다음이 있고, 이때 韓邦彥은 御馬使로서 5월 7일 羅州牧에 들어왔고, 같은 목적의 催促別監 崔仁哲은 이보다 5일 以前인 2일에, 御馬監督使 洪師禹[洪師雨]는 7월 10일에 도착하였다(『錦城日記』).
· 열전26, 崔瑩, "太祖高皇帝遣林密等，令我取濟州馬二千匹以進. 哈赤石迭里必思·肖古禿不花·觀音保等，只送三百匹，密等怒，王遂議伐濟州".

120) 五千餘人은 『고려사절요』 권29에는 五十餘人과 같이 보이지만, 이는 誤字가 아니라 印刷할 때 잘못된 것 같다. 또 이날은 율리우스曆으로 1374년 5월 28일(그레고리曆 6월 5일)에 해당한다.

121) 이때 일본의 교토에서 15일(庚戌)부터 21일(丙辰)까지 비가 계속 내렸다고 한다(『愚管記』제18, 應安 7년 4월).

122) 이때 南誾이 成均試에, 吉再(22歲)가 生員試에 각각 합격하였다고 한다.
·『태조실록』 권14, 7년 8월 己巳[26日], 南誾의 卒記, "恭愍甲寅，中成均試".

五月丙寅朔小盡,庚午, 以前□守侍中李仁任爲東·西江都統使, 出次昇天府.

[己巳4日, 夏至. 歲星·太白·熒惑, 同舍于鬼:天文3轉載].

庚午5日, 禁擊毬·石戰戱.

[辛未6日, 亦如之歲星·太白·熒惑同舍于鬼:天文3轉載].

[○震人, 又震樹木:五行1轉載].123)

[某日, 禁人效胡剃額:節要·刑法2禁令轉載].

乙酉20日, 倭寇江陵.

己丑24日, 倭寇慶·蔚二州.

壬辰27日, 以判書崔公哲爲江陵道萬戶.

癸巳28日, 倭寇三陟.

六月乙未朔小盡,辛未, 丁酉3日, 都堂宴林密·蔡斌, 妓簪斌帽花不整, 斌大怒. 王聞之, 流侍中廉悌臣于廣州.

壬寅8日, 斌怒妓忤其意, 馳馬將還, 王令代言金興慶, 追及金郊驛, 慰諭以來. 時館待甚隆, 府庫爲之匱竭, 至令各司, 輪辦宴慰. 斌, 性橫悖, 好歐罵人, 自侍中以下諸宰相, 悉被凌辱.

○影殿因暴雨, 有漏處. 王大怒, 下董役官贊成事韓方信·評理盧稹獄, 杖之. 時影殿役久, 勞費不貲, 役夫死者, 相望於道, 宰執·言官, 莫敢論奏.124)

癸卯9日, 以慶復興爲門下侍中, 李仁任△爲 守門下侍中.

甲辰10日, 倭寇襄州, 我軍與戰, 斬首百餘級.

[某日, 憲府司憲府劾內府令羅興儒, 盜用影殿材木, 免其官:節要轉載].125)

庚戌16日, 王製'南風薰萬國, 好月滿千方'一聯, 命近臣和進.

壬子18日, 密直副使鄭庇等還自京師, 帝手詔曰, "使者至貢陳, 其禮, 敷王極情, 朕

· 『冶隱先生言行拾遺』卷上, 吉再行狀, "歲甲寅, 入國子監, 中生員試二十三名".

123) 이때 일본의 교토에서 8일(癸酉) 오후 3시 이후에 비가 내리고 雷鳴이 있었다고 한다(日本史料6-42册 27面).

· 『愚管記』제18, 應安 7년 5월, "八日癸酉, 申剋已後雨降, 雷鳴".

124) 이날 교토에서 晴陰이 불분명했고 오후 5시의 저녁 무렵에 비가 내렸다고 한다(日本史料6-42册 27面).

· 『愚管記』제18, 應安 7년 6월, "八日壬寅, 晴陰不定, 申剋夕立".

125) 이와 같은 기사가 열전27, 羅興儒에도 수록되어 있다.

旣聽之, 事大之心甚矣. 表云, 受侯服於東隅, 祖朝鮮之苗裔, 爰自五季, 已事中華. 言無不當. 然朕觀上古之君, 自甸侯綏服之外, 不治, 其令土人主之. 大槩聖人之心, 體天道, 以行仁, 惟欲民安耳, 未嘗誇詐. 所以不寶遠物, 不勞夷民, 聖人之心弘哉. 今朕雖不才, 敢不保王之臣忠, 郤來誠之美貢, 若漢唐之夷彼, 隋君之伐東. 在朕之今日, 非詐侮於我, 安敢違上帝, 而勞擾生民者乎? 若或不守己分, 妄起事因, 其天災人禍, 必有至者, 王其審之. 自今以後, 薄來而情厚則可, 若其厚來而情薄, 是爲不可. 王其審之".[126)]

○中書省咨曰, "嘗聞, 以小事大者, 畏天者也, 畏天之實在盡其誠. 比年本國遣使來貢, 欽奉聖旨, 節該古來中國, 諸侯於天子, 比年一小聘, 三年一大聘. 至如九州之外番邦遠國, 只每世一見, 其所貢獻, 不過納贄表誠而已. 今高麗去中國稍近, 敎他依著三年一聘之禮, 將來的方物, 只土產布子, 不過三五對, 表意, 其餘的物, 都休將來, 欽此. 已經行移本國, 今鄭庇齎至禮物, 過於常貢, 似有未喩旨意. 兼數內白苧三百, 送大[太]府監, 上項衙門, 係元朝舊名. 爾國數遣使來, 豈不知國家未嘗設置. 貢出無名, 實非事大以誠之禮. 況我朝四海一家, 豈資小邦之貢. 又去年, [大護軍]金甲雨獻馬五十匹, 云道亡者二. 旣至京師, 存者四十有九, 所言俱係進上之數. 以太僕寺試之, 皆非可乘之騎, 內一匹, 甲雨稱爲己物, 欲自進於東宮. 其中虛謀詭詐, 灼然可知, 不審出王之意, 抑臣下之不誠. 欽蒙上位以手詔諭王, 冀王有以自處. 我朝一視同仁, 是以不較區區之過. 今王遣使, 涉海遠來, 不無艱險. 於所貢物內, 受布六對, 餘物付來使領還. 今後, 合宜欽依聖旨事意, 三年一貢物, 不在多, 惟在至誠. 其餘金銀·器皿·彩席·苧麻布·豹獺皮及送大府監[太府監]白苧布三百匹, 並付庇送還".

○又咨曰, "洪武七年[是年]五月初四日, 准來咨爲打造捕倭船隻, 合用器械·火藥·硫黃·焰焇等物,[127)] 咨請頒降. 准此, 照得, 高麗國所造捕倭船隻, 未委是否, 堪中出海征進. 況中國所用火藥焇黃預備雖多, 需用亦廣. 豈有中國而資外邦之理. 洪武七年五月初八日, 中書省大都督府御史臺官, 於奉天殿, 欽奉聖旨, 高麗來關, 軍器火藥造船捕倭, 我看了好生歡喜. 却不似已前坐視民病, 方纔有救民之心, 似這等行移與中國一般. 王顯敢眞箇依着我的號令. 若如此時把咱每號令行將去他. 必

---

126) 이 조서는 『명태조문집』 권2, 諭高麗國王詔와 같은 것이지만, 자구에 출입이 있다.

127) 元末明初에 사용되었던 靑銅火筒[銅火銃]이 旅順口區 朱島 小黑石海域, 瓦房店市 長興島海域에서 각각 引揚되었다고 한다(劉俊勇 2003年 109面, 154面 38圖).

是依着行. 早發文書去教那裏掃得五十萬觔硝, 將得十萬觔硫黃來. 這裏著上那別色合用的藥修合與他去. 那裏新造捕倭的船, 教差能斡[幹]將官, 率駕將來我看, 欽此. 省臺官卽奏, 恐彼無此物. 又欽奉聖旨, 皆是同天共日, 安得此有彼無. 此等之物, 處處有之, 彼方但不會修合耳. 恁宰相每只將這號令行將去".

○又咨曰, "擧人宋文中不及試期, 若令守候, 實爲沈滯, 奏奉聖旨, 表文內, 說道無秀才, 今止有一箇秀才, 又恐將來可免再試, 發回本國擢用. 又奉聖旨朝貢道路, 三年一聘, 從海道來".

己未[25日], 太白晝見, 經天.

○幸王輪寺影殿, 遂宴于安和寺洞.

[○以[成均博士]劉敬爲門下注書:追加].[128)]

秋七月[甲子朔大盡,壬申], 乙亥[12日], [門下評理·御馬使]韓邦彦至濟州, 哈赤石迭里必思·肖古禿不花·觀音保等曰, "吾等何敢以世祖皇帝放畜之馬, 獻諸大明". 只送馬三百匹.[129)]

[己卯[16日], 月食:天文3轉載].[130)]

丁亥[24日], 以林密·蔡斌言, 擢館伴曹敏修·洪尙載, 爲密直□□[副使]. 又拜斌妓父爲郎將.

戊子[25日], 林密等白王曰, "濟州馬不滿二千數, 則帝必戮吾輩, 請今日受罪於王". 王無以對, 遂議伐濟州.

己丑[26日], 命門下贊成事崔瑩爲楊廣·全羅·慶尙道都統使, 密直提學廉興邦爲都兵馬使, 三司左使李希泌爲楊廣道上元帥, 判密直司事邊安烈爲副元帥, 贊成事睦仁

---

128) 이는 「劉敞政案」, "洪武七年六月二十五日, 判門下注書"에 의거하였다.

129) 哈赤[Qachi]은 牧馬者, 牧人을 가리키는 蒙古語이고, 이를 『고려사』에서 牧胡로 飜譯하기도 하였다(→恭愍王 11년 8월 是月, 16년 2월 17일). 또 이와 관련된 자료로 다음이 있다. 여기에서 '哈赤[牧子]'는 原文을 傳寫할 때 '哈赤牧子'로 改書하였을 것이지만 牧子는 哈赤의 漢譯이기에 筆者가 [ ]를 追加하였다.

· 『吏文』 권2, 咨奏申呈照會12, 濟州行兵都評議使司申, "高麗國都評議使司, 准濟州行兵都統·贊成事崔瑩等牒, '該洪武七年七月二十五日. 敬奉王旨, 見爲欽奉聖旨, 其取耽羅好馬二千匹事, 其耽羅哈赤[牧子]肖忽禿不花·石帖里必思[石迭里必思]·權萬戶觀音保等, 違背聖旨, 止與馬三百匹, 如今欽差洪武五年七月已奉詔旨節該, 耽羅牧子無狀, 不可因循被侮, 其速發兵以討事意, 行兵問罪施行, …".

130) 이때 일본의 교토[京都]에서 월식에 대한 기록이 찾아지지 않는 것 같다(日本史料6-41册 51面). 이날은 율리우스력의 1374년 8월 23일이고, 월식 현상이 심했던 때인 15일(戊寅)의 世界時는 19시 35분, 食分은 1.35이었다(渡邊敏夫 1979年 486面).

吉爲全羅道上元帥, 密直□[使?]林堅味爲副元帥, 判崇敬府事池奫爲慶尙道上元帥,[131] 同知密直司事羅世爲副元帥, 各將其道兵, 知門下□[府]事金庾爲三道助戰元帥兼西海·交州道都巡問使, 往討之.[132] 戰艦三百十四艘, 銳卒二萬五千六百有五.

○教曰, "耽羅國於海中, 世修職貢, 垂五百載. 近牧胡石迭里必思·肖古禿不花·觀音保等殺戮我使臣, 奴婢我百姓, 罪惡貫盈. 今授爾節鉞, 往督諸軍, 剋期盡殲".

[→教曰, "耽羅元屬本朝, 世修職貢, 垂五百載. 近牧胡石迭里必思·肖古禿不花·觀音保等殺我使臣, 奴我百姓, 罪惡貫盈. 今授瑩節鉞往征, 其督諸軍, 剋期殄殲. 賞罰用命不用命, 無憚大吏". ○宰樞會餞, 諸帥皆泣下, 瑩與安烈獨自若:列傳26崔瑩轉載].[133]

○又以門下評理柳淵爲楊廣道都巡問使, 知密直司事洪師禹爲全羅道都巡問使, 留鎭以備不虞.[134]

辛卯[28日], 誅[大護軍]金甲雨及譯語·[~~中郞將~~]吳克忠.[135]

[某日, 以[成均司成?]鄭夢周爲慶尙道按廉使, 鄭俊堤[鄭准提]爲全羅道按廉使:慶尙道營主題名記·錦城日記].[136]

[癸巳[30日], 三角山中峯崩:五行3轉載].

[是月頃, 以白瓚爲羅州牧使:追加].[137]

---

131) 崇敬府는 1372년(공민왕21) 1월 7일 明德太后 洪氏(忠肅王妃)의 邸宅인 文睿府가 改稱된 것임을 고려하면, 이의 開始부터 池奫이 判崇敬府事에 임명되었던 것 같다.

132) 崔瑩을 위시한 討伐軍은 7월 29일 羅州牧에 들어왔고, 8월 15일 戰船을 거느리고 濟州道로 향하였다.

- 『錦城日記』, "八月分[~~令~~], 都巡問使以公緘到付, 濟州加乙赤[~~哈赤~~]赴征. 以當道上元帥睦子安[~~睦仁吉~~]·副元帥林堅味·體覆使白喧·都統使崔瑩·都兵馬使廉具邦[~~廉興邦~~]·慶尙道上元帥池大淵[~~池奫~~]·副元帥羅世, 以上行次, 七月二十九日入州, 八月十五日, 騎船發行". ~~添字~~와 같이 고쳐야 옳게 될 것이다.

133) 이때 참전한 인물로 다음이 있다.

- 열전39, 邊安烈, "[邊安烈.] 拜判密直司事, 與崔瑩征濟州還, 改知門下府事".
- 『태조실록』 권6, 3년 6월 己丑[21日], 皇甫琳의 卒記, "… [安]祐敗, 居閑數年, 恭愍王謂琳從祐久, 識達軍務, 起爲宗簿令, 遷判宗簿寺事, 從判三司事崔瑩伐濟州".

134) 이때 洪師禹(洪彦博의 3子)는 御馬監督使로 7월 10일 羅州牧에 들어왔는데, 이날 全羅道都巡問使에 임명되었고, 8월에 임명장이 도착하였던 것 같다.

- 『금성일기』, "御馬監督使洪師雨[洪師禹], 七月十日入州".

135) ~~添字~~는 『吏文』 권2, 咨奏申呈照會11, 金甲雨盜賣馬罪名咨에 의거하였다. 또 이날은 율리우스曆으로 1374년 9월 4일(그레고리曆 9월 12일)에 해당한다.

136) 鄭俊堤는 鄭准提(鄭地의 初名)의 오자이다.

八月甲午朔小盡,癸酉，丁酉4日，倭寇淮陽.

[己亥6日，故大匡·密城君朴允文妻海陽郡大夫人金氏卒，年七十三:追加].138)

[某日，師至羅州，都統使崔瑩閱兵于榮山，與諸將條約曰，"諸道船不可相混，宜各樹幟檣上，以識之. 船置頭目官，勿亂行，船既發，各整伍，樵汲以時. 若遇倭寇，左右夾擊，能擒獲者，大加爵賞. 既至濟州，各率戰艦，同時俱進，毋或失次. 軍士各占信地，通烟相報，諸軍動靜，聽都統使角聲，毋或有違. 攻城之日，民有黨哈赤不順命者，縱兵悉誅，降者勿迓. 賊魁家產，悉輸官，且得公私契卷·金銀牌·印信·馬籍，亦皆輸官，得者有賞. 守佛宇·道殿·神祠者勿擾，貪貨寶不力戰者罰，得貨寶，先回船逃者，論以軍法". ○又曰，"王命臣伐叛，吾言卽王言. 從吾命，則事可濟". 諸將皆免冠謝:列傳26崔瑩轉載].

[丁未14日，太白·歲星犯軒轅:天文3轉載].

[某日，師,行至黔山串，諸將曰，"發船既久，風又漸高，宜速行師". 都統使崔瑩曰，"今日風不利，西海戰艦以百計，亦未至，豈可先去?". 諸將憤鬱:列傳26崔瑩轉載].

壬子19日，命宗親·宰樞·代言以上，各出馬一匹，以補進獻.

○林密等，以濟州貢馬不滿，請殺門下評理·御馬使韓邦彥，乃杖流之.

[某日，師,至普吉□島泊，139) 都統使崔瑩又以無風欲留. 諸將曰，"兵機貴速，淹留不

---

137) 이는 『금성일기』에 의거하였다.

138) 이는 「朴允文妻金氏墓誌銘」에 의거하였는데, 이날은 율리우스曆으로 1374년 9월 12일(그레고리曆 9월 20일)에 해당한다.

139) 이 시기에 羅州 榮山浦를 위시한 韓半島 南西部 地域에서 濟州島에의 海路, 航海 등이 어떻게 되어 있었는지를 알 수 없으나 조선시대의 주된 통로였던 陸地→楸子島→제주도, 梨津→所安島→제주도를 중심으로 하여 여러 사례를 통해 類推하여야 할 것이다(吳洪晳 1984년).

· 지11, 지리2, 耽羅縣, "… 又有楸子島[注, 凡往耽羅者, 發羅州, 則歷務安大堀浦·靈岩火無只瓦島·海南於蘭梁, 凡七晝夜, 至楸子島. 發海南, 則從三寸浦, 歷巨要梁·三內島. 發耽津, 則從軍營浦, 歷高子·黃伊·露瑟島·三內島, 皆三晝夜, 至楸子島. 右三處舟船, 皆經此島, 過斜鼠島·大小火脫島, 至于涯月浦·朝天舘. 盖火脫之間, 二水交流, 波濤洶湧, 凡往來者, 難之". 여기에서 三寸浦는 延世大學과 東亞大學에 소장된 『고려사』에서 三才浦와 같이 才가 刻字된 것 같지만 완전한 形體[字形]을 갖추고 있지 못하다.

· 『세종실록』 권151, 지리지, 濟州牧, 大靜縣, "舟子往來處有三, 發羅州, 則歷務安大堀浦·靈巖火無只瓦島·海珍於蘭梁, 凡七晝夜, 至舟子島. 發海珍, 則從三寸浦, 歷巨要梁·三內島. 發康津, 則從軍營浦, 歷高子·黃伊·露瑟島·三內島, 皆三晝夜, 至舟子島楸子島. 右三處舟子舟船, 皆經此島, 過斜鼠島·大小火脫島, 至于濟州涯月浦朝天館, 盖火脫之間, 二水交流, 波濤洶湧, 凡往來者, 難之". 여기에서 添字와 같이 고쳐야 옳게 될 것이다. 이상의 두 자료는 모두 同一한 자료를 바탕으로 정리된 것 같지만 字句에 차이가 있어 添字와 같이 고쳐야 옳게 될 것이다.

· 『신증동국여지승람』 권38, 濟州牧, 山川, "楸子島, 在州北海中, 周三十里, 有水站古址. 凡往

進, 後如有議, 咎將誰執". 瑩不應. [都兵馬使廉]興邦曰, "諸將之言, 不可不聽". 瑩從之. 日已午, 尙猶豫未發, [楊廣道副元帥邊]安烈麾下士先發船. 瑩大怒, 懸檣竿以徇, 俄而諸道船揚帆齊發, 瑩不得已令擧碇放船, 西海船亦至:列傳26崔瑩轉載].

[某日, [師,]中途遇大風, 諸船四散:列傳26崔瑩轉載].

[庚申[27日], 太白晝見, 貫月:天文3轉載]. [□□[是廿], [師,]日晩將抵楸子島, 忽風雨大作, 船觸崖石, 多絶纜失櫂:列傳26崔瑩轉載].

辛酉[28日], [都統使]崔瑩領諸軍, 至耽羅, 奮擊大敗之. □□[九月], 遂斬賊魁三人, 傳首于京, 耽羅平.[140)]

[→[都統使]崔瑩領諸軍, 至耽羅明月浦. 賊以三千餘騎拒之, 諸軍下岸, 逗遛不進, 瑩斬一裨將, 以徇, 大軍齊進, 左右奮擊大破之. □□□[至九月], 遂斬賊魁三人, 傳首

濟州者,　發羅州, 則歷務安大崛浦·靈巖火無只瓦島·海南於蘭梁, 至此島. 發海南, 則從三寸浦, 歷巨要梁·三內島. 發康津, 則從軍營浦, 歷高子黃伊露瑟島·三內島, 皆三晝夜, 至此島, 由此過斜鼠島及大·小火脫島, 泊于涯月浦及朝天館".

- 『신증동국여지승람』 권37, 海南縣, 산천, "三寸浦, 在縣南二十里. 珍島郡界".
- 陸路를 거쳐 羅州에서 출발한 경우, 羅州→靈巖→海南, 썰물[潮退]을 피해 21時 36分~00時 00分[二更]에 發船→甫吉島, 風波를 豫測하여 進退를 결정[占風便而進退]. 翌日 해가 뜰 무렵[朝旭] 發船→正午 이후 楸子島를 거쳐 大海에 진입→日沒直前[日未下春], 濟州 朝天館 앞에 碇泊한다고 한다(『鳴巖集』 권3, 丙戌九月, 以耽羅試才兼巡撫御史 …, 以下의 여러 詩文, 1706년 李海朝).
- 『石北集』 권7, 耽羅錄(1764년, 영조40) 1월 某日, 義禁府都事 申光洙·李濩, [往], 至海南縣候風 4일→古達島乘船, 半日, 濟州到着. [還], 明日發船, 漂水大入으로 回航, 補修, 是日黃昏, 再次發船, 夜半, 遇颶風 回航濟州, 2월 19일~3월 1일 사이, 4回 發船, 遇風 回船, 前後留館 45日, 3월 13일 夜, 發船, 宿楸子島, 14일 無風, 碇泊海洋, 15일 冒雨, 登陸.
- 『竹下集』 권2, (1769년 金熤) 2월 3일, 應教 金熤 濟州牧 安置, 黃昏에 출발, 27일 康津에서 梨津으로 출발, 萬德寺에서 留宿, 某日 만덕사에서 數里 떨어진 火巢門에서 乘船, 舟行, 海南縣 梨津 海月樓에 도착, 체재, 30일, 所安島[蘇安島, 現 莞島郡 所安面]로 출발, 도착, 候風, 風雨, 初9일 赦免이 전해질 때가 10일 간 체재, 某日, 歸舟 출발, 柚子島下船, 梨津통과, 海南縣大芚寺到着.
- 『林白湖集』 권3, "舟中之人, 嘔吐不起者過半, 余亦入臥蓬底, 如在鞦韆上"(林悌, 1549~1587).
- 『정조실록』 권41, 18년(1894년) 10월 丙寅[12日], "諭檢校直閣徐榮輔曰, 朝筵有筵教, 使之行會, 已爲消詳措辭乎? 候風發船, 意或在於所安, 或楸子島. 向於監發之教, 雖有駕海等句語, 今聞當於古達島發船云, 然則於其船所行祭後, 待其發船復路. …".
- 『竹石館遺集』冊1, 領耽羅船粟, 到所安島, 候風發送, "青旗獵獵北風豪, 防禦船開靜夜濤, 軍令分明砲沸海, 棹歌齊力上帆高"(1794년 10월 이래 湖南慰諭使 徐榮輔 作).
- 『毛詩注疏』 권3, 國風, 邶, "… 匏有苦葉, 濟有深涉傳興也, … 招招舟子, 人涉卬否[注, 毛傳, 招招, 號召之貌, 舟子, 舟人, 主濟渡者, 卬我也](四庫全書本38左1行)".

140) 添字를 추가하여야 옳게 될 것이다. 또 辛酉(28日)는 율리우스曆으로 1374년 10월 4일(그레고리曆 10월 12일)에 해당한다.

于京. 耽羅平:節要轉載].[141)]

[→翼日辛酉28日, 師,至濟州耽羅, 都統使崔瑩部署諸將, 四面分攻. 石迭里必思·肖古禿不花·觀音保等以三千餘騎, 拒於明月浦. 瑩遣前濟州牧使朴允淸, 以書諭之曰, “今興兵問罪, 勢不得已. 除賊魁外, 星主·王子·土官·軍民, 宜悉按堵如故, 雖黨賊者, 降附則亦從寬典. 如或違逆, 大兵一臨, 玉石俱焚, 悔無及矣”. 與諸將下岸, 師逡巡不進, 乃斬一裨將以徇. 於是, 大軍齊進, 左右奮擊, 大破之, 乘勝逐北, 至三十里. 暮還明月浦, 沿涯爲營:列傳26崔瑩轉載].

壬戌29日晦, 王率嬖幸, 步至奉先寺松岡, 遊戲.

[癸亥,宴使臣于宮中,密等曰,“吾輩到此,受王厚慰,今相別柰何”.因泣下,王與左右皆泣→9월로 옮겨감].

九月[癸亥□朔大盡,甲戌, 宴使臣于宮中, 密等曰, “吾輩到此, 受王厚慰, 今相別柰何?”. 因泣下, 王與左右皆泣←8월에서 옮겨옴].[142)]

甲子2日, 林密·蔡斌等, 還京師, 遣密直副使金義, 領馬三百匹, 送定遼衛.[143)] 又遣同知密直司事張子溫, 謝通朝貢道路, 又請冠服.[144)] 謝通道路表曰, “聖謀諄至, 昭示勸懲, 大度包容, 曲從敷奏, 恩非望及, 感與愧幷. 臣學問荒, 踈資材戇, 樸但知盡忠於所主, 常勤率職而靡他. 道過遼東, 致朝正之再阻, 舟浮海上, 甘犯禁而不辭. 仍將煩冗之私, 敢瀆高明之聽, 在愚衷深以爲懼, 惟睿鑑灼見其情, 故推矜恕之心, 特降丁寧之語. 喩天人之可畏, 誨切發蒙, 陋漢唐而不居, 德敦柔遠. 旣遣皇華之使, 又通朝聘之途, 拜命以旋, 撫躬無已. 皇帝陛下, 大智齊舜, 克寬邁湯. 体天

---

141) 明月浦는 현재의 濟州市 翰林邑 翰林港으로 추정되며, 조선시대의 明月鎭[明月防護所]이 있던 곳이다.

142) 이해의 8월은 小盡이고, 10월(大盡)이 癸巳朔이어서 癸亥는 9월 朔日이 되므로(明曆·日本曆도 同一함), 甲子(9월 2일) 앞에 있는 九月을 癸亥의 앞으로 移動시켜야 한다[校正事由].

143) 여기에서 密直副使와 定遼衛는 『고려사절요』 권29에는 同知密直司事와 遼東으로 되어 있다(盧明鎬 等編 2016년 739面). 金義(金也列不哥, ile Buqa)가 前年(공민왕23) 12월 28일에 密直副使에 임명되었는데, 이때 同知密直司事에 在職하였다면 특별한 陞進[超遷]이었을 것이다. 또 定遼衛는 遼陽城(現 遼寧省 遼陽市 老城)에 설치되어 있으므로 문제가 없다.

144) 이때 張子溫은 通路開通에 대한 謝禮와 冠服의 要請을 위해 單使로 파견되었고, 林密·蔡斌·金義 등과 함께 출발하였다고 한다. 그 후 使行의 中途인 11월 某日에 恭愍王의 薨去에 따른 王位繼承[承襲]을 요청하는 任務가 추가됨에 따라 破格으로 密直司使에 超遷되고 副使 閔伯萱이 補充되었던 것 같다(→우왕 11월 某日).

道以行仁，使民生而安業，遂令弊邑，獲被洪恩，敢不于蕃于宣，恪遵侯度．時萬時億，恒祝皇岭”．

[○歲星犯軒轅:天文3轉載]．

[某日，[耽羅]賊殺[濟州]安撫使李夏生:列傳26崔瑩轉載]．[145]

[某日，諸將屯漢拏山下休兵，時我師多獲賊馬，悉爲騎兵矣:列傳26崔瑩轉載]．

[某日，賊魁三人來挑戰，陽敗而走，將誘致晩星·五音之野，以騎兵蹈之．[都統使崔]瑩知其謀，命銳卒急逐，賊魁遁走，入山南虎島:列傳26崔瑩轉載]．

庚午[8日]，[霜降]．倭賊近境，都城戒嚴．

[壬申[10日]，太白犯大微[太微]左執法．歲星犯軒轅:天文3轉載]．

癸酉[11日]，倭寇安州．

[某日，[都統使崔]瑩遣前副令鄭龍，領輕艦四十艘圍之，自率精兵繼進．石迭里必思率妻子，與其黨數十人乃出．於是，肖古禿不花·觀音保知不免，投崖而死．瑩腰斬石迭里必思幷其三子，又斬肖古禿不花·觀音保首．遣知兵馬使安柱以獻:列傳26崔瑩轉載]．

[某日，東道哈赤石多·時萬·趙莊·忽古孫等，猶率數百人，據城不下:列傳26崔瑩轉載]．

[某日，[都統使崔]瑩率諸將攻之，賊潰走．追獲之，搜捕餘黨，盡殺之，死者相枕．得金牌九·銀牌十·印信三十·馬一千匹，印信付萬戶·安撫使·星主·王子，馬分養于諸州．卒有殺馬牛食者，或斬首，或斷臂以徇，士卒股慄，秋毫無敢犯者:列傳26崔瑩轉載]．[146]

丁丑[15日]，追贈故宮人韓氏考俊·祖平·曾祖通，沔陽府院大君，外祖韓良沔城府院大君．王以江寧□□[府院]大君[禑]冒稱韓氏出也．[147]

[○太白犯大微[太微]右執法:天文3轉載]．

[庚辰[18日]，太白犯左執法:天文3轉載]．

---

145) 原文에는 李下生으로 되어 있으나 오자일 것이다.

146) 이상과 같은 濟州牧 哈赤[牧子]에 대한 討伐過程은『吏文』권2, 咨奏申呈照會12, 濟州行兵都評議使司申에도 收錄되어 있으나 日程에서 약간의 差異가 있으므로 兩者를 비교, 검토하여야 할 것이다. 이 시기 이후에 濟州島에 남겨진 몽골제국의 哈赤[牧子]의 後孫들은 姓氏를 趙·李·石·肖·姜·鄭·張·宋·周·秦 등으로 稱하면서 戶籍에 鄕貫[本貫地]을 元[大元]으로 記載하였던 것 같다(『신증동국여지승람』권38, 濟州牧, 姓氏).

147) 添字는 禑王列傳의 總論에 의거하여 추가 하였다.

辛巳[19日]，宰樞薦各道按廉□[使]，嬖臣頭裏速古赤[頭裏速古兒赤]·正郎閔頤，亦預焉．王怒頤求出外，幷入抄錄事白珪，棒之，二人尋死.[148)]

[○故贊成事閔思平妻金氏卒，年七十三:追加].[149)]

○有胡僧自北元來謂[前贊成事]康舜龍曰，“元以瀋王孫[脫脫不花]，爲高麗國王”．王聞之，囚僧及舜龍，按治．僧曰，“聞諸某甲”．執其人鞫之曰，“此前贊成事禹磾家奴，行販北元時，所聞也”．欲訊其奴，奴逃，釋僧與舜龍，

壬午[20日]，囚磾于巡衛府.

[○太白犯左執法．歲星犯軒轅，二日:天文3轉載].

癸未[21日]，幸王輪寺影殿，宴于花園.

甲申[22日]，王暴薨．在位二十三年，壽四十五.[150)] 王，性本嚴重，動容中禮．至晚

---

148) 이때 宰樞가 추천한 按廉使는 이해[是年]의 秋冬番按廉使(是年 7월~明年 2월)는 아닐 것이고, 明年 春夏等按廉使일 것이다. 또 이해의 慶尙道秋冬番按廉使는 鄭夢周이고, 明年의 春夏番按廉使는 尹邦彦인데(『경상도영주제명기』), 後者의 경우 후일 右副代言, 密直提學 등을 역임하였음을 보아 이때의 추천은 모두 적임자였던 것 같다.

149) 이는 「閔思平妻金氏墓誌銘」(『목은문고』 권16)에 의거하였는데, 이날은 율리우스曆으로 1374년 10월 24일(그레고리曆 11월 1일)에 해당한다.

150) 공민왕이 逝去한 날은 『목은문고』 권14, 廣通普濟禪寺碑 ; 『도은집』 권4, 驪興郡神勒寺大藏閣記 ; 『懶翁和尙語錄』行狀 등에는 9월 23일로 되어 있는데, 23일은 乙酉이다. 공민왕이 22일(甲申)의 三更(子正前後)에 弑害되었다고 하므로(열전44, 洪倫), 忌日을 23일(乙酉)로 정하였던 것 같다. 또 『고려사』에서 1384년(우왕10) 9월 戊午(23일)를 恭愍王의 忌日이라고 하였다(→우왕10년 9월 戊午). 그렇다면 이날(乙酉, 23일)은 율리우스曆으로 1374년 10월 28일(그레고리曆 11월 5일)에 해당한다.

· 지18, 禮6, 國恤, “甲申[22日], 洪倫等弑王”.

· 열전44, 叛逆, 洪倫, “… [崔]萬生懼, 與倫·安·瑨·寬·瑄等謀, 是夜三更, 入寢殿, 乘王大醉, 萬生手劍擊之, 頭髓濺壁, 瑨·寬·瑄·安等, 遂亂擊”.

당시 공민왕 스스로가 그린 초상화인 「照鏡自寫圖」는 長湍都護府의 聖居山 華藏寺에, 「天山大獵圖」(朗善君 李俁→李書九 所藏)에서 각각 소장되어 있었다고 한다(『미수기언』元集, 下篇, 書畵, 朗善公子畵帖序 ; 『청장관전서』 권54, 盎葉記1, 恭愍王畵). 또 「青山白雲圖」(崔慶會 後孫의 所藏)는 조선후기에 소실되었다고 한다(『硏經齋全集』册3, 咏雌雄劍). 그 중에서 현재 3種의 「天山大獵圖」가 남아있는 것 같다(崔泳喜 1962년, 국립중앙박물관, 창경궁미술관, 서울대학 도서관).

또 공민왕의 御筆로 다음이 있었다고 한다.

· 『懶庵雜著』, 淸平寺帝釋幀重修記, “天下之物, 雖有萬不一, 凡爲人之所以, 爲貴者, 造物亦必惜之. 雖遇可棄之時, 若有神祕, 自無終棄, 於不拾之地, 玆畫也. 乃高麗玄陵宸瀚之妙出, 誠千古絶, 代之至寶. 山無老眼, 捲置佛座之下, 幾致朽盡. 越戊午夏, 李某一國之名畵士也, 欽承慈旨, 來監丹雘于是寺, 休筆之餘, 忽見是畵, 於不圖底地. 乃喟然驚嘆日, 眞世神筆, 不遇知者, 空擲板下, 若非頂眼, 曷識天筆. 即拂塵重粧, 敬焚牛首, 躬掛金壁上, 令人膽禮焉”.

그리고 恭愍王陵[玄陵]의 규모는 고려의 역대 제왕 중에서 가장 컸는데, 이는 王妃와 자신을

年，猜暴忌克，荒惑滋甚．

[→宦者崔萬生·幸臣洪倫等，弑王．○前一日，萬生從王如厠，密啓曰，“益妃有身，已五月矣”．王喜曰，“予嘗慮影殿，無所付囑，妃既有身，吾何憂乎?”，少選問，“與誰合”，萬生曰，“妃言洪倫也”．王曰，“予明日，謁昌陵世祖，佯使酒，殺倫輩以滅口．汝知此謀，亦當不免”．萬生懼，是日夜，與洪倫·權瑨·洪寬·韓安·盧瑄等謀，乘王大醉，手刃之，呼曰，“賊自外至矣”．衛士股栗，莫敢動，宰相·百執事聞變，無一人至者．○乙酉23日，黎明，王太后洪氏率江寧大君禑，入內，祕不發喪．○守侍中李仁任，以僧神照，常在禁中，有膂力，多詭計，疑謀作亂，下獄．既而，見屛障及萬生衣上，有渫血痕，於是，下萬生獄，鞫之，悉得其狀．遂繫倫等:節要轉載]．

[→益妃有身．宦者崔萬生嘗從王如厠，密告曰，“臣詣益妃殿，妃曰，有身已五月矣”．王喜曰，“予嘗慮影殿無所托，妃既有身，吾何憂乎?”．少選問，“與誰合”．萬生曰，“妃言洪倫也”．王曰，“明日，謁昌陵，佯使酒，殺倫輩以滅口．汝知此謀，亦當不免”．萬生懼，與倫·安·瑨·寬·瑄等謀，是夜三更，入寢殿，乘王大醉，萬生手劒擊之，頭髓濺壁，瑨·寬·瑄·安等，遂亂擊．金興慶·尹瑄·尹可觀，因呼曰，“賊自外至矣”．衛士股栗，莫敢動．宰相·百執事聞變，無一人至者．宦者李剛達，先入寢殿，見血流滿房，詭言上未寧，鎖門禁出入．○乙酉23日，黎明，太后洪氏至，祕不發喪，百官侍衛如舊．剛達以王命，召門下侍中慶復興·守侍中李仁任·安師琦等，密議討賊．仁任以僧神照，常在禁中，有膂力，多詭計，疑與瀋王子孫脫脫帖木兒，通謀作亂，下神照獄．既而見屛幛及萬生衣上有血痕，囚萬生巡衛府鞫之，悉得其狀，繫倫等訊之，皆服，唯安·瑄終不服．然倫等辭證明白，即繫安父贊成事方信，瑄父密直稹，瑨父密直副使鏞，寬父判閤門事師普于巡衛府．倫父師禹，時出鎭全羅，繫倫兄彝:列傳44洪倫轉載]．

十月[庚申28日:追加]，葬于正陵恭愍王妃之西，陵曰玄陵．[151]

辛禑二年□閏九月己酉29日，[152] 諡謚曰仁文·義武·勇智·明烈·敬孝大王．

十一年九月丙子17日，大明賜諡謚曰恭愍．

史臣贊曰，“王之未立也，聰明仁厚，民望咸歸焉．及即位，勵精圖治，中外大悅，

위해 친히 生前에 만들어 놓은 壽陵[壽冢]이었기 때문이라고 한다(『연려실기술』 권24, 經史門, 恭愍墓).

151) 玄陵은 貞陵과 함께 開城市 開豊郡 解腺里에 있다(국보유적 제123호, 洪榮義 2018년).

152) 禑王 2년(1376년) 9월에는 己酉가 없고, 윤9월 29일이 己酉이다.

想望<u>大平</u>太平. 自魯國□□~~公主~~薨逝, 過哀喪志, 委政辛旽, 逐殺勛賢. 大興土木, 以<u>斂</u>斂民怨. 狎昵頑童, 以逞<u>滛穢</u>淫穢, 使酒無時, 歐擊左右. 又患無嗣, 旣取<u>他人子</u>, □封爲大君,[153] 而慮外人不信, 密令嬖臣, 汚辱後宮, 及其有身, 欲殺其人, 以滅其口. <u>悖亂如此</u>, 欲免, 得乎?".[154]

[恭愍王 在位年間].

[恭愍時, 僉議右政丞·上洛侯~~金永煦~~之孫, 金士衡, 爲考功散郎, 與直郎劉慶元言, "按廉·守令, 職掌貢賦, 近來州縣多闕貢, 或至三四年, 請論如法", 從之:追加],[155]

[仁同人 張東翼 校注, 增補].

153) ~~添字~~는 『고려사절요』 권29에 의거하였다.

154) 이 史論도 구사된 語套를 통해 볼 때 고려시대의 史官에 의해 修撰된 것이 아니라 『고려사』의 편찬자에 의해 만들어진 것 같다. 여기에서 恭愍王이 孺子[繼承者]로 인정했던 禑王을 他人의 아들[他人子]로 記述한 것은 歪曲이 지나치고, 設使 假子[義子]라고 하더라도 嗣子임을 否定할 수 없을 것이다.

155) 이는 열전17, 金方慶, 士衡에 의거하였다.

新編高麗史全文

세가10책 공민왕

초판 1쇄 인쇄 | 2023년 05월 23일
초판 1쇄 발행 | 2023년 05월 30일

지은이 | 張東翼
발행인 | 한정희
발행처 | 경인문화사
편집부 | 김지선 유지혜 한주연 이다빈 김윤진
마케팅 | 전병관 하재일 유인순
출판번호 | 제406-1973-000003호
주소 | 경기도 파주시 회동길 445-1 경인빌딩 B동 4층
전화 | 031-955-9300 팩스 | 031-955-9310
홈페이지 | http://www.kyunginp.co.kr
이메일 | kyungin@kyunginp.co.kr

ISBN 978-89-499-6715-8 94910
978-89-499-6754-7 (세트)
값 38,000원